中华人民共和国地方志丛书

乐安县志

（1986—2016）

下 册

乐安县地方志编纂委员会　编

方志出版社
Publishing House of Local Records

总目录

第九卷　军　事

第十卷　综合政务

第十一卷　综合经济管理

第十二卷　财税金融

第十三卷　农　业

第十四卷　林　业

第十五卷　水　利

第十六卷　工业　中小企业

第十七卷　商　贸

下册目录

第十七卷　商　贸

第十八卷　交通运输　信息产业

第十九卷　城乡建设　环境保护

第十八卷　交通运输　信息产业

第十九卷　城乡建设　环境保护

第二十卷　教育　科技　体育

第二十一卷　医疗卫生

第二十二卷　文化　旅游

第二十三卷　宗教 风俗 精神文明

第二十四卷　特色专记

第二十五卷　艺　文

第二十六卷　人物　荣誉

附　录

第二十卷　教育　科技　体育

第二十一卷　医疗卫生

第二十二卷　文化　旅游

第二十三卷　宗教 风俗 精神文明

第二十四卷　特色专记

第二十五卷　艺　文

第二十六卷　人物　荣誉

附　录

第十五卷　水　利

本卷目录

第一章　水利设施

中华人民共和国成立后，乐安县十分重视水利基础设施建设，大力兴修水利，水利事业迅速发展。至2016年年底，县域有各类水利工程1565座（处）。其中，蓄水工程1003座，引水工程291处，提水灌溉工程110处，供水及防洪工程161处。基本形成蓄、引、提、灌相结合的灌溉工程体系和防洪、排涝、供水工程体系，成为推动县域经济和社会发展的重要基础设施。

第一节　蓄水工程

2016年县域有各类蓄水工程1003座。其中，中型水库3座，小（1）型水库17座，小（2）型水库134座，塘坝849座，总蓄水量13377万立方米，有效灌溉面积15030公顷。

一、中型水库

蓄水量在1000万～1亿立方米之间的蓄水工程称中型水库。县内有中型水库3座，总库容量3849万立方米。

东元水库　坐落在南村乡努坪村东元村小组，赣江支流牛田水系南村水上游。坝址以上控制流域面积22.4平方千米。大坝为浆砌块石重力坝。最大坝高40.45米，坝顶高程247.84米，坝顶长87.6米，宽5米。总库容1180万立方米，兴利库容998万立方米，水库正常蓄水位244.84米。设计灌溉面积5万亩，有效灌溉面积1.5万亩。发电装机三级5台，总容量1040千瓦。养鱼水面795亩。输水涵洞为钢筋混凝土圆管，设有电动平板钢闸门控制，最大过水能力为6立方米/秒。正常溢洪道属开敞式坝顶溢流堰，堰顶高程244.84米、净宽67米，最大泄量410立方米/秒。有总干渠1条，长1千米；左右干渠各1条，共长21千米。

该工程于1975年3月开工建设，1978年冬大坝及总干渠、左干渠相继完工。1979—1980年兴建一、二级电站。1981年冬至1982年秋建成右干渠。1985年5月至1986年1月兴建三级电站。1990年将右干渠延伸13.5千米，将水送至南村乡太平村。1991年兴建小都港引水工程，新开引水隧洞300米。库区淹没耕地700亩，迁移人口186人。

2007年，东元水库列入国家专项规划进行除险加固，建设内容主要有大坝加固、封堵坝下涵管、新建灌溉发电隧洞和增设大坝安全监测，水、雨情观测设施以及改善工程管理，通信设施，防汛公路等。工程投资1586.16万元，于2007年12月开工，2010年11月底完工，是年12月通过验收。

东元水库

龙潭水库

维修加固后，新增防洪库容179万立方米、灌溉面积7000亩，保护耕地2.6万亩，人口1.1万人。

龙潭水库　坐落在鳌溪镇王田村下岭村小组，赣江支流牛田水系鳌溪水上游，距乐安县城5千米，为鳌溪水源头工程。坝址以上控制流域面积26.2平方千米。是一座以供水为主，兼有防洪、灌溉、发电等综合效益的水利工程。2004年7月8日，省发改委对其初步设计批复，是年9月6日，由安徽水利工程公司中标承建，2007年竣工。枢纽工程由大坝、供水建筑物、灌溉建筑物和发电厂房组成。大坝为细石混凝土砌块石双曲拱坝，最大坝高41.8米，正常蓄水位214米，坝顶长194.34米，水库库容1613万立方米；坝后电站装机容量200千瓦，年发电量约50万千瓦时。从大坝埋设长4.2千米直径80厘米预应力钢筋混凝土输水管至县供水公司水厂，为乐安县城提供洁净水源，日供水能力可达到4.5万立方米。从大坝左侧开挖一条长5千米的渠道，引水灌溉鳌溪镇王田村尧坊、新屋下自然村，鳌溪村池头自然村等农田2000余亩。

山坑水库　坐落在金竹畲族乡严杭村，赣江支流牛田水系杭村水上游。坝址以上控制流域面积32平方千米，水库正常蓄水位445米，总库容1056万立方米，是一座以发电为主的中型水库。枢纽工程主要由大坝、引水系统，发电厂房及开关站等建筑物组成。20世纪80年代开始酝酿山坑电站的建设并提出了多个方案。1991年10月，完成初步设计，11月通过省计委组织的设计审查并批准立项，列入1992年水利建设项目。1992年2月，成立山坑水库建设工程指挥部，由县政府县长担任总指挥，下设办公室、施工技术组和移民办公室。1993年4月，大坝工程正式施工，开始由浙江东阳水利水电建设公司承建，因技术力量不足，后更换为江西省水利建设总公司承建，直到2003年才基本完工。引水隧洞于1993年开工，1号洞于1994年10月全线贯通，2号洞于1995年1月全线贯通，隧洞衬砌工程于1998年底完成；压力管线土建工程于1999年12月完成；厂房1993年开工，1998年年底基本安装完毕。1991年初步概算工程总投资为2341万元，1994年概算调整为3849万元，1999年概算追加为5280万元。2000年2月，受省水电厅委托，由抚州地区水电局组织对大坝下闸蓄水前的工作进行验收并通过。2002年4月20日，山坑电站产权整体出让给抚州电力实业总公司，出让价为2000万元，扣除320万元用于尚未完工的9米大坝工程建设。大坝于2007年年底全部完工。

山坑水库大坝

乐安县中型水库基本情况表

表 15-1-1　　单位：平方千米、万立方米、米

水库名称	建设地点	所在河流	流域面积	总库容	大坝坝型	大坝坝高	正常高水位	坝顶长度	开工日期	建成日期	管理归属
东元水库	南村乡努坪村	赣江牛田河南村水上游	22.4	1180	浆砌块石重力坝	40.45	244.84	87.60	1975 年	1978 年	县
龙潭水库	鳌溪镇王田村	赣江牛田河鳌溪水上游	26.2	1613	细石混凝土砌块石双曲拱坝	41.80	214.00	207.71	2004 年 09 月	2007 年	县
山坑水库	金竹畲族乡严杭村	赣江牛田河杭村水上游	32.0	1056	浆砌石拱坝	40.00	445.00	194.30	1992 年 02 月	2007 年	抚州电力公司

二、小（1）型水库

小（1）型水库指蓄水量在 100 万 ~ 1000 万立方米之间的蓄水工程。县域有小（1）型水库 17 座，总库容 4818 万立方米，有效灌溉面积 5778.67 公顷。

丁元水库　坐落在鳌溪镇咸溪村丁元村小组，赣江支流牛田水系澄溪罗山水上。1958 年春开工建设，1959 年竣工投入使用。控制流域面积 4.59 平方千米，总库容 223 万立方米，设计灌溉面积 4600 亩，实际灌溉面积 2500 亩。是一座以灌溉为主，兼顾防洪、养殖等综合利用的重点水库。枢纽工程主要由均质土坝、溢洪道、放水涵管等建筑物组成。大坝坝顶高程 63.6 米，最大坝高 18.8 米，坝顶长 86 米，宽 3.6 米，坝顶设有 0.8 米高浆砌石防浪墙。溢洪道位于大坝右岸 300 米处，为无闸控制宽浅式溢洪道。水库下游有鳌溪镇罗山村、瑶山村等村庄，人口 8600 余人，农田 4800 余亩。主管单位为鳌溪镇政府。

长垅水库　坐落在戴坊镇丰秋村，抚河支流公溪水系沙堆水上。1956 年春开工建设，1957 年 6 月竣工投入使用。坝址以上控制集雨面积 7 平方千米，正常蓄水位为 62.2 米（假设高程，下同），相应库容 352.5 万立方米。是一座以灌溉为主，兼顾防洪、养殖等综合利用的重点水库。枢纽工程主要由均质土坝、放水涵管、溢洪道等建筑物组成。大坝坝顶高程 66.30 米，最大坝高 15.9 米，坝顶长 67 米，宽 3.5 米。溢洪道位于大坝右岸 250 米处，为无闸控制宽浅式溢洪道。水库下游有戴坊镇丰秋、沙堆、村前等村庄，人口 8300 余人，农田 1 万余亩。主管单位为戴坊镇政府。

石里元水库　坐落在龚坊镇长罗村，抚河支流公溪水系龚坊水上。1957 年 11 月开工兴建，1958 年 5 月竣工投入使用。坝址以上控制流域面积 7 平方千米，正常水位 67 米，总库容 448 万立方米。水库设计灌溉面积 1.2 万亩，实际灌溉面积 7400 亩。是一座以灌溉为主，兼顾防洪、养殖等综合利用的水库。枢纽工程主要由大坝、溢洪道、灌溉涵管等建筑物组成。大坝坝顶高程 71.4 米（假设高程，下同），最大坝高 23 米，坝顶长 102 米、宽 5 米，坝顶浆砌石防浪墙高程 72.6 米。溢洪道位于大坝左端，为无闸控制宽浅式溢洪道。水库下游有龚坊镇长罗、陀上、南边、浯塘等村庄，

人口1.5万余人，农田1.2万亩。主管单位为龚坊镇政府。

大盆山水库　坐落在戴坊镇麦坑村，抚河支流公溪水系甘竹水上。1978年冬开工建设，1980年竣工投入使用。坝址以上控制流域面积2.5平方千米。水库设计灌溉面积3000亩，实际灌溉面积1500亩。水库正常高水位219.0米，相应库容136万立方米。设计洪水标准三十年一遇，水位219.79米，相应库容166万立方米。校核洪水标准三百年一遇，水位220.61米，相应库容194万立方米。是一座以灌溉为主，兼顾防洪、养殖等综合利用的水库。枢纽工程主要由均质土坝、放水涵管、溢洪道等建筑物组成。大坝坝顶高程221.2米，最大坝高32米，坝顶长95米，宽3.5米。溢洪道位于大坝右岸，为无闸控制宽浅式溢洪道。水库下游有戴坊镇麦坑、竹山等村庄，人口8400余人，农田4000亩。主管单位为戴坊镇政府。

才元水库　坐落在戴坊镇竹山村，抚河支流公溪水系甘竹水上。1969年开工建设，1976年12月竣工投入使用。坝址以上控制流域面积1.8平方千米，总库容270万立方米，工程设计灌溉面积8100亩，实际灌溉面积3100亩。水库正常蓄水位62.0米，相应库容270万立方米。设计洪水标准为三十年一遇，水位62.89米，相应库容279万立方米。校核洪水标准为三百年一遇，水位63.24米，相应库容289万立方米。是一座以灌溉为主，兼顾防洪、养殖等综合利用的水库。枢纽工程主要由均质土坝、溢洪道、放水涵管等建筑物组成。大坝坝顶高程64.2米，最大坝高15.5米，坝顶长465米、宽4.6米。溢洪道位于大坝右岸400米处，为无闸控制开敞式。水库下游有戴坊镇竹山、甘竹等村庄，人口8700余人，农田8000亩。

看坊水库　坐落在湖坪乡中村村，赣江支流万崇水系湖坪水上。1973年冬开工建设，1974年春竣工。坝址以上控制流域面积5平方千米。正常高水位64.6米，相应库容235万立方米。三十年一遇设计洪水位66.42米，相应库容240.5万立方米。校核洪水标准三百年一遇水位66.95米，相应库容255万立方米。是一座以灌溉为主，兼顾防洪、养殖等综合利用的水库。枢纽工程主要由均质土坝、溢洪道、放水涵管等建筑物组成。大坝坝顶高程68.6米，最大坝高21米，坝顶长130米，宽3.3米。水库下游有湖坪乡政府及善和、中村、湖坪等村，人口1.2万余人，农田8000亩。主管单位为湖坪乡政府。

三百墩水库坐落在罗陂乡棠溪村，赣江支流万崇水系罗陂水上。水库于1965年春开工建设，1966年竣工投入使用。坝址以上控制流域面积6.1平方千米，总库容147万立方米，工程设计灌溉面积4000亩，实际灌溉面积2100亩。正常蓄水位71米，相应库容108万立方米。死水位51.7米，相应库容1万立方米。设计洪水标准为三十年一遇，水位72.46米，相应库容137万立方米。校核洪水标准三百年一遇，水位72.96米，相应库容147万立方米。是一座以灌溉为主，兼顾防洪、养殖等综合利用的水库。枢纽工程主要由均质土坝、第一溢洪道、第二溢洪道、放水涵管等组成。大坝坝顶高程72.5米，大坝最大坝高27.5米，坝顶长124米，宽5.5米。坝顶防浪墙顶高程73.5米。溢洪道位于大坝右岸，分为第一、第二溢洪道，均为无闸控制宽浅式溢洪道。水库下游有罗陂乡棠溪、水口等村，人口8000余人，农田1.4万亩。主管单位为罗陂乡政府。

友谊水库　坐落在山砀镇龙义村，抚河支流公溪水系山砀水上。1958年10月开工建设，1960年12月竣工投入使用。坝址以上控制流域面积16.7平方千米。工程设计灌溉面积1万亩，实际灌溉面积0.7万亩。正常蓄水位66米（假设高程，下同），相应库容509万立方米。死水位55.4米，相应库容3.5万立方米。设计洪水标准为三十年一遇，水位为68.59米，相应库容614万立方米。校核洪水标准300年一遇，水位68.98米，相应库容743万立方米。是一座以灌溉为主，兼顾防洪、养殖等综合利用的重点水库。枢纽工程主要由均质土坝、溢洪道、输水涵管等组成。

坝顶高程69.5米，大坝最大坝高17米，坝顶长324米、宽4米。坝顶防浪墙顶高程70.2米。溢洪道位于大坝右岸100米处，为无闸控制宽浅式溢洪道。水库下游有山砀镇龙义、山砀等村庄，人口6700人，农田1.2万亩。主管单位为山砀镇政府。

坳背水库　坐落在牛田镇麻坑村，赣江支流牛田水系上。控制流域面积4.4平方千米。1958年冬开工建设，1966年12月投入使用。正常蓄水位109.5米，相应库容184万立方米。设计洪水标准三十年一遇，水位110.86米，相应库容235万立方米。校核洪水标准三百年一遇，水位111.46米，相应库容258万立方米。是一座以灌溉为主，兼顾防洪、养殖等综合利用的水库。枢纽工程主要由均质土坝、放水涵管、溢洪道建筑物组成。大坝坝顶高程113.3米，最大坝高16米，坝顶长100米，宽3.85米。溢洪道位于大坝右岸山冈上，为无闸控制宽浅式溢洪道。水库下游有牛田镇政府、麻坑、莲河、谢家、水南等村，人口5800余人，农田4200亩。主管单位为牛田镇政府。

东陂湾水库　坐落在山砀镇航桥村，抚河支流公溪水系上。1975年春开工建设，1976年竣工投入使用。坝址以上控制流域面积9.93平方千米，总库容349万立方米，设计灌溉面积7000亩，实际灌溉面积5500亩，是一座以灌溉为主，兼顾防洪、养殖等综合利用的水库。枢纽工程主要由均质土坝、溢洪道、放水涵管等建筑物组成。大坝坝顶高程112米，最大坝高30米，坝顶长156米、宽4.2米。溢洪道位于大坝右岸300米处，为无闸控制宽浅式溢洪道。水库下游有山砀镇航桥、草坑、口前等村庄，人口8600余人，农田7800亩。主管单位为山砀镇政府。

西排水库　坐落于龚坊镇浯塘村，抚河支流公溪水系上。1965年春开工建设，1966年6月竣工投入使用。坝址以上控制流域面积2.0平方千米。水库正常蓄水位58.5米（假设高程，下同），相应库容109万立方米，设计洪水标准三十年一遇，校核洪水标准三百年一遇。是一座以灌溉为主，兼顾防洪、养殖等综合利用的重点水库。枢纽工程主要由均质土坝、放水涵管、溢洪道等建筑物组成。大坝坝顶高程61.5米，最大坝高10.5米，坝顶长207米、宽3.5米。溢洪道位于大坝右岸250米处，为无闸控制宽浅式溢洪道。水库下游有龚坊镇土陂上、浯塘等村庄，人口3000余人，农田5000亩。主管单位为龚坊镇政府。

江下水库　坐落在鳌溪镇案山村，赣江支流牛田水系潭港水上。1974年3月开工兴建，1975年5月竣工投入使用。坝址以上控制流域面积6平方千米，正常库容165万立方米，实际灌溉面积2500亩。是一座以灌溉为主，兼顾防洪、养殖等综合利用的水库。枢纽工程主要由大坝、溢洪道、灌溉涵管等建筑物组成。大坝坝顶高程69.2米，最大坝高18米，坝顶长102米、宽5米。正常高水位65.2米，相应库容165万立方米。溢洪道位于大坝左端，为无闸控制宽浅式溢洪道，泄流净宽8米。水库下游有鳌溪镇案山、林头、潭港等村，人口5000余人，农田3000亩。主管单位为鳌溪镇政府。

大池水库　坐落在戴坊镇麦坑村，抚河支流公溪水系甘竹水上。1958年冬开工建设，1959

坳背水库

年竣工投入使用。坝址以上控制流域面积4.73平方千米，水库实际灌溉面积5000亩，水库正常高水位67米（假设高程，下同），相应库容280万立方米。是一座以灌溉为主，兼顾防洪、养殖等综合利用的重点水库。枢纽工程主要由均质土坝、放水涵管、溢洪道建筑物组成。大坝坝顶高程70.5米，最大坝高18.5米，坝顶长150米、宽3.5米。溢洪道位于大坝右岸，为无闸控制宽浅式溢洪道。水库下游有戴坊镇麦坑、上林、鹏洲村等村庄，人口5000人，农田4000亩。主管单位为戴坊镇政府。

乃江水库　坐落在万崇镇丰林村，赣江支流万崇水系上。水库于1957年开工兴建，1958年竣工投入使用。坝址以上控制流域面积4.0平方千米。总库容280万立方米，工程设计灌溉面积7000亩，实际灌溉面积3200亩。水库正常蓄水位56.35米，相应库容280万立方米。是一座以灌溉为主，兼顾防洪、养殖等综合利用的重点水库。枢纽工程主要由均质土坝、溢洪道、放水涵管等建筑物组成。大坝坝顶高程60.3米，最大坝高12.6米，坝顶长190米、宽4.6米。溢洪道位于大坝右岸400米处，为无闸控制开敞式，泄流净宽8.0米。水库下游有万崇镇丰林、池头村等村庄，人口6700余人，农田8000亩。

冷水井水库　坐落在湖坪乡张坊村，赣江支流万崇水系湖坪水上。1967年冬开工建设，1968年春竣工。坝址以上控制流域面积3.51平方米，水库正常高水位64米，相应库容150万立方米。三十年一遇设计洪水位65.42米，相应库容195万立方米。300年一遇校核洪水位65.95米，相应库容212万立方米。是一座以灌溉为主，兼顾防洪、养殖等综合利用的重点水库。枢纽工程主要由均质土坝、溢洪道、放水涵管等建筑物组成。大坝坝顶高程68.6米，最大坝高17.5米，坝顶长130米、宽5.5米。溢洪道位于大坝右岸，为无闸控制宽浅式溢洪道。水库下游有湖坪乡港背、张坊、山田等村庄，人口6300余人，农田5900亩。主管单位为湖坪乡政府。

胜利水库　坐落在湖坪乡西头村，赣江支流万崇水系湖坪水上。1958年春开工兴建，1959年竣工投入使用。坝址以上控制流域面积12.0平方千米，总库容171.5万立方米，工程设计灌溉面积5000亩，实际灌溉面积3600亩。水库正常蓄水位48.20米，相应库容171.5万立方米。是一座以灌溉为主，兼顾防洪、养殖等综合利用的重点水库。枢纽工程主要由均质土坝、主坝和副坝、放水涵管等组成。坝顶高程69.2米，主坝最大坝高17米，坝顶长124米、宽5.5米。坝顶高程69.2米，副坝最大坝高12米，大坝坝顶长60米、宽6米。溢洪道位于大坝右岸，为无闸控制宽浅式溢洪道。水库下游有湖坪乡政府及汉上、西头、东山、街头等村，人口8000余人，农田1.4万亩。主管单位为湖坪乡政府。

东岸水库　坐落在牛田镇南安村东岸村小组，赣江支流牛田水系流坑上游。2002年开工兴建，2009年5月投入使用。控制流域面积700平方千米。正常蓄水位125.0米，相应库容710万立方米。溢洪道设计为钢闸门控制，设计洪水标准三十年一遇，校核洪水标准三百年一遇。最高水位控制125米，溢洪道控制泄洪流量，相应库容710万立方米。是一座以发电为主，兼顾防洪、养殖、灌溉等综合利用的重点水库。枢纽工程主要由浆砌石重力坝、放水涵管、溢洪道建筑物组成。大坝坝顶高程130米，最大坝高24.3米，坝顶长166米、宽4.8米。灌溉放水涵管位于左右两端坝下，进口底板高程115.0米，全长83.5米，纵坡1/200。放水涵管为钢筋混凝土圆涵，放水孔为圆形，直径0.3米，手动闸阀操作启闭。水库下游有牛田镇政府及南安、流坑、麻坑、莲河、水南等村庄，人口5800余人，农田3400亩。水库建成后，乐安县长明公司管理，县水利局业务指导。

乐安县小（1）型水库基本情况表

表 15-1-2　　　　单位：平方千米、万立方米、米、亩

序号	水库名称	坐落地点	所在河流	控制流域面积	总库容	大坝坝型	正常高水位	大坝坝高	建设时间	灌溉面积	管理归属
1	东陂湾	山砀镇厚坊村	抚河公溪水	9.93	349.0	均质土坝	112.0	30.0	1975	7000	乡镇
2	友谊	山砀镇龙义村	抚河公溪水	16.70	509.0	均质土坝	66.0	17.0	1958	10000	乡镇
3	西排	龚坊镇浯塘村	抚河公溪水	2.00	109.0	均质土坝	58.5	10.5	1965	3000	乡镇
4	石里元	龚坊镇长罗村	抚河公溪水	7.00	448.0	均质土坝	67.0	23.0	1957	12000	乡镇
5	长垅	戴坊镇丰秋村	抚河公溪水	7.00	352.5	均质土坝	62.2	15.9	1956	7380	乡镇
6	才元	戴坊镇竹山村	抚河公溪水	1.80	270.0	均质土坝	62.0	15.5	1969	4000	乡镇
7	大盆山	戴坊镇麦坑村	抚河公溪水	2.50	194.0	均质土坝	219.0	32.0	1978	3000	乡镇
8	大池	戴坊镇麦坑村	抚河公溪水	4.73	280.0	均质土坝	67.0	18.5	1958	5000	乡镇
9	江下	鳌溪镇案山村	赣江牛田水	6.00	165.0	均质土坝	65.2	18.0	1974	2500	乡镇
10	丁元	鳌溪镇咸溪村	赣江牛田水	4.59	223.0	均质土坝	63.6	18.8	1958	4600	乡镇
11	坳背	牛田镇流坑村	赣江牛田水	4.40	258.0	均质土坝	109.5	16.0	1958	4200	乡镇
12	乃江	万崇镇丰林村	赣江万崇水	4.00	280.0	均质土坝	56.35	12.6	1957	7000	乡镇
13	冷水井	湖坪乡张坊村	赣江万崇水	3.51	150.0	均质土坝	64.0	17.5	1967	3000	乡镇
14	看坊	湖坪乡中村村	赣江万崇水	5.00	240.5	均质土坝	64.6	21.0	1973	4000	乡镇
15	胜利	湖坪乡西头村	赣江万崇水	12.00	171.5	均质土坝	48.2	17.0	1958	5000	乡镇
16	三百墩	罗陂乡棠溪村	赣江万崇水	6.10	108.0	均质土坝	71.0	28.0	1967	3000	乡镇
17	东岸	牛田镇南安村	赣江牛田水	700.00	710.0	浆砌石重力坝	125.0	24.30	2002	2000	长明公司
小计		—	—	795.35	4818	—	—	—	—	86680	—

三、小（2）型水库

蓄水量在10万～100万立方米之间的蓄水工程称小（2）型水库。县域在1986年以前已建成小（2）型水库109座，总库容2837.62万立方米。1986—2016年新建小（2）型水库25座，新增蓄水量500万立方米，新增灌溉面积8000亩。乐安县小（2）型水库基本情况表中124座登记注册，另有10座资料整理不全。

2016年乐安县小（2）型水库分布情况表

表15-1-3　　单位：万立方米

乡镇	座数	总库容量	乡镇	座数	总库容量
鳌溪镇	10	272.90	罗陂乡	7	164.00
公溪镇	7	107.50	增田镇	13	306.10
山砀镇	11	243.00	招携镇	7	107.75
龚坊镇	22	479.10	南村乡	8	269.30
戴坊镇	12	268.70	湖溪乡	6	180.80
牛田镇	7	112.87	大马头乡	3	59.40
万崇镇	9	306.90	合计	124	2998.92
湖坪乡	4	150.00	—	—	—

乐安县小（2）型水库基本情况

表15-1-4　　单位：平方千米、万立方米、米

序号	水库名称	坐落地点	所在河流	控制流域面积	总库容	大坝坝型	大坝坝高	建设时间	除险加固时间
1	青年	公溪镇古城村	公溪河	1.5	20.0	均质	10.8	1958	2012
2	后山	公溪镇荷陂村	公溪河	0.30	11.5	均质	6.4	1964	2015
3	大力元	公溪镇武家村	公溪河	1.00	13.0	均质	7.7	1958	2016
4	荷山	公溪镇芜头村	公溪河	0.40	13.0	均质	7.7	1956	2013
5	古城	公溪镇古城村	公溪河	2.00	18.0	均质	6.0	1967	2014
6	昌元坑	公溪镇荷陂村	公溪河	0.15	12.0	均质	6.5	1958	2014
7	保丰	公溪镇荷陂村	公溪河	0.20	20.0	均质	11.0	1993	2012
8	元头	湖溪乡甘泉村	公溪河	0.30	16.4	均质	6.0	1966	2016
9	龙口上	湖溪乡东堆村	公溪河	1.00	44.0	均质	6.6	1958	2015

续表 15-1-4

序号	水库名称	坐落地点	所在河流	控制流域面积	总库容	大坝坝型	大坝坝高	建设时间	除险加固时间
10	薯塘	湖溪乡湖溪村	公溪河	1.25	50.0	均质	11.0	1973	2016
11	虎形	湖溪乡湖溪村	公溪河	1.00	16.4	均质	5.1	1973	2016
12	安门寺	湖溪乡沙港村	公溪河	12.5	14.0	均质	10.0	1972	2014
13	上保	湖溪乡石洞村	公溪河	2.00	40.0	均质	14.0	1974	2015
14	万坑	山砀镇龙义村	公溪河	0.70	34.6	均质	5.8	1965	2014
15	直坑	山砀镇新流坊	公溪河	0.50	18.5	均质	6.5	1963	2016
16	炳塘坑	山砀镇樟坊村	公溪河	0.50	22.4	均质	4.4	1967	2014
17	石下	山砀镇杏坊村	公溪河	1.00	39.4	均质	7.0	1971	2015
18	含背垅	山砀镇田下村	公溪河	0.80	34.4	均质	4.1	1957	2015
19	石马庵	山砀镇樟坊村	公溪河	1.18	12.0	砌石重力坝	17.5	1991	—
20	白水窟	山砀镇田下村	公溪河	0.60	16.0	均质	4.7	1972	2015
21	井坑	山砀镇杏坊村	公溪河	1.00	17.5	均质	4.5	1973	—
22	小元	山砀镇龙义村	公溪河	1.00	23.0	均质	9.7	1959	2015
23	口前	山砀镇口前村	公溪河	0.40	11.0	均质	6.0	1990	2015
24	社坑	山砀镇口前村	公溪河	0.60	14.2	均质	8.0	1999	2000
25	太坑	龚坊镇浯塘村	公溪河	0.80	14.6	均质	7.0	1975	—
26	江西元	龚坊镇浯塘村	公溪河	0.20	10.0	均质	6.0	1972	2016
27	头罗坑	龚坊镇同富村	公溪河	0.80	40.2	均质	11.0	1958	2013
28	枫树坑	龚坊镇坪下村	公溪河	0.40	13.0	均质	5.0	1959	2016
29	邹树坑	龚坊镇坪上村	公溪河	1.00	31.0	均质	8.0	1960	2013
30	羊木坑	龚坊镇南边村	公溪河	0.60	10.0	均质	6.7	1965	2014
31	樟树坑	龚坊镇陀上村	公溪河	1.00	25.0	均质	8.0	1965	2015
32	油脑坑	龚坊镇陀上村	公溪河	0.60	14.1	均质	6.0	1964	2014

续表 15-1-4

序号	水库名称	坐落地点	所在河流	控制流域面积	总库容	大坝坝型	大坝坝高	建设时间	除险加固时间
33	贯口坑	龚坊镇陀上村	公溪河	0.20	12.0	均质	5.5	1964	2013
34	城王坑	龚坊镇陀上村	公溪河	0.30	13.4	均质	6.5	1965	2013
35	大水坑	龚坊镇炉下村	公溪河	1.50	77.0	均质	10.0	1958	2013
36	乌泥塘	龚坊镇炉下村	公溪河	0.20	11.5	均质	8.0	1965	2014
37	长排	龚坊镇炉下村	公溪河	0.30	13.0	均质	7.0	1971	2015
38	王芽角	龚坊镇炉下村	公溪河	0.40	10.5	均质	5.0	1971	2014
39	大坑	龚坊镇炉下村	公溪河	1.00	50.8	均质	6.7	1970	2014
40	大坑	龚坊镇浯塘村	公溪河	0.50	14.3	均质	4.0	1971	2016
41	甘马龙	龚坊镇大垅村	公溪河	1.00	34.7	均质	7.0	1964	2014
42	火石坑	龚坊镇大垅村	公溪河	0.70	30.0	均质	9.0	1970	2015
43	西林	龚坊镇浯塘村	公溪河	0.50	12.0	均质	8.0	1966	—
44	坳下	龚坊镇濂坑村	公溪河	0.30	12.0	均质	6.0	1967	2014
45	石家岭	龚坊镇濂坑村	公溪河	0.80	13.5	均质	12.0	1965	2013
46	瑶山	龚坊镇濂坑村	公溪河	1.70	16.5	均质	16.5	1992	2014
47	王泥元	戴坊镇沙堆村	公溪河	0.50	28.0	均质	10.0	1978	2016
48	横江	戴坊镇横江村	公溪河	4.50	11.0	均质	12.5	1973	2013
49	长安	戴坊镇村下村	公溪河	1.00	45.0	均质	12.0	1971	2016
50	西坑	戴坊镇树下村	公溪河	2.00	40.0	均质	11.0	1958	2016
51	高岭	戴坊镇戴坊村	公溪河	1.00	20.0	均质	12.0	1965	2015
52	角坑	戴坊镇村前村	公溪河	0.40	30.0	均质	16.5	1991	—
53	红旗	排下农场	公溪河	2.00	17.8	均质	12.0	1975	—
54	南芒	戴坊镇小曹村	公溪河	1.00	16.5	均质	10.0	1965	2016
55	小保坑	戴坊镇龙兴村	公溪河	0.50	15.0	均质	7.0	1978	2016

续表 15-1-4

序号	水库名称	坐落地点	所在河流	控制流域面积	总库容	大坝坝型	大坝坝高	建设时间	除险加固时间
56	界山	戴坊镇仲溪村	公溪河	0.50	13.7	均质	5.5	1968	2016
57	锅坑	戴坊镇鹏洲村	公溪河	0.32	14.7	均质	8.0	1957	—
58	西坑	戴坊镇上梯村	公溪河	0.50	17.0	均质	8.0	1957	2016
59	石汗	鳌溪镇潭港村	牛田河	0.44	15.0	均质	10.0	1978	—
60	劣元	鳌溪镇潭港村	牛田河	0.70	37.0	均质	8.0	1966	2015
61	油坑	鳌溪镇潭港村	牛田河	1.20	19.5	均质	11.0	1975	—
62	鸭婆坑	鳌溪镇力元村	牛田河	0.80	15.0	心墙	15.0	1956	2016
63	西元	大马头乡石塘村	牛田河	1.30	18.0	均质	15.0	1972	2016
64	新陂	大马头乡新陂村	牛田河	1.00	30.0	均质	10.0	1974	2015
65	来元	南村乡大里村	牛田河	1.00	62.0	均质	16.5	1973	2016
66	垅坑	南村乡管坊村	牛田河	1.00	62.0	均质	17.0	1971	2016
67	青山	南村乡南村村	牛田河	0.80	15.0	均质	10.0	1961	2016
68	曹坪	南村乡西坑村	牛田河	1.00	82.0	均质	13.0	1971	2016
69	谷筛眼	南村乡南村村	牛田河	1.00	10.0	均质	11.0	1972	2016
70	红旗	南村乡太平村	牛田河	0.80	11.0	均质	9.0	1963	2016
71	东坑	南村乡樟坑村	牛田河	0.80	12.0	均质	5.0	1963	2016
72	王家龙	南村乡樟坑村	牛田河	0.90	15.3	均质	9.0	1963	2016
73	花木兰	鳌溪镇赖村村	牛田河	0.40	55.0	均质	19.0	1958	2016
74	沙嵊	鳌溪镇店元村	牛田河	2.10	76.0	均质	17.0	1975	2016
75	杏家园	牛田镇傍安村	牛田河	1.00	15.0	均质	10.0	1969	2014
76	乌泥坑	牛田镇高坪村	牛田河	0.50	19.0	均质	12.0	1973	
77	新民	牛田镇峡圳村	牛田河	0.40	18.6	均质	7.7	1957	2015
78	星子岭	牛田镇水南村	牛田河	0.50	12.5	均质	12.0	1978	—

续表 15-1-4

序号	水库名称	坐落地点	所在河流	控制流域面积	总库容	大坝坝型	大坝坝高	建设时间	除险加固时间
79	狗坑	牛田镇水南村	牛田河	0.40	16.0	均质	7.0	1956	2015
80	蛇形	牛田镇麻坑村	牛田河	1.20	20.0	均质	11.0	1963	2015
81	双茅坑	牛田镇流坑村	牛田河	2.00	11.8	均质	12.0	1971	2016
82	山塘	招携镇肖坊村	牛田河	0.90	12.5	均质	10.0	1968	2016
83	群来垅	招携镇望仙村	牛田河	1.00	12.0	均质	7.5	1965	2016
84	信元坑下	招携镇望仙村	牛田河	3.80	4.9	均质	19.0	1977	2013
85	大头垅	招携镇高望村	牛田河	0.80	16.0	均质	9.0	1967	2014
86	来德坑	招携镇肖坊村	牛田河	0.80	21.1	均质	8.0	1971	2016
87	茶富	招携镇茶富村	牛田河	0.80	25.3	均质	8.0	1957	—
88	院前	万崇镇丰林村	万崇河	0.70	16.3	均质	9.0	1956	2016
89	油店背	万崇镇坪背村	万崇河	1.00	41.0	均质	8.0	1965	—
90	攀坑	万崇镇安里村	万崇河	0.50	11.2	均质	12.0	1966	2016
91	河石坑	万崇镇上罗村	万崇河	0.60	28.3	均质	16.5	1966	2014
92	益元垅	万崇镇桐山村	万崇河	1.50	94.5	均质	16.2	1975	2014
93	增坑	万崇镇池头村	万崇河	1.00	17.5	均质	12.0	1965	2015
94	坑头	万崇镇盐丰村	万崇河	2.00	13.1	均质	8.5	1978	2014
95	大脑坑	万崇镇池头村	万崇河	1.00	60.0	均质	9.30	1994	2013
96	角坑	万崇镇坪背村	万崇河	1.20	25.0	均质	12.0	1993	—
97	石咀头	湖坪乡参陂村	万崇河	0.50	14.0	均质	12.0	1978	2016
98	塘坑	湖坪乡贺立村	万崇河	4.25	29.0	均质	20.0	1979	—
99	大巴垅	湖坪乡西头村	万崇河	0.35	23.0	均质	7.5	1971	2015
100	堵陂	湖坪乡湖坪村	万崇河	3.80	84.0	均质	10.0	1972	2013
101	芒江	罗陂乡上洋村	万崇河	0.20	12.0	均质	8.0	1978	2016
102	斗门形	罗陂乡水溪村	万崇河	0.40	11.0	均质	12.0	1978	2016

续表 15-1-4

序号	水库名称	坐落地点	所在河流	控制流域面积	总库容	大坝坝型	大坝坝高	建设时间	除险加固时间
103	长元垅	罗陂乡罗陂村	万崇河	0.90	13.0	均质	10.0	1971	2016
104	姚涡岭	罗陂乡罗陂村	万崇河	0.20	10.0	均质	12.0	1978	—
105	城楼湖	罗陂乡罗陂村	万崇河	0.10	15.0	均质	6.0	1979	2016
106	小华山	罗陂乡罗田村	万崇河	1.50	45.0	均质	10.0	1956	—
107	尺江	罗陂乡右元村	万崇河	5.50	58.0	均质	15.0	1958	2016
108	矢山背	增田镇西边村	牛田河	2.50	40.0	均质	12.4	1971	2016
109	里江	增田镇东湖村	牛田河	0.80	28.0	均质	11.0	1957	2014
110	占坑	增田镇瑶前村	牛田河	0.80	19.0	均质	16.2	1968	2015
111	石仔坑	增田镇增田村	牛田河	0.50	10.0	均质	10.0	1973	2014
112	大山垅	增田镇温田村	牛田河	0.30	35.0	均质	14.0	1958	2014
113	南坑	增田镇王沙村	牛田河	0.50	50.0	均质	16.0	1977	2015
114	来坑	增田镇长江村	牛田河	0.30	8.0	均质	7.5	1969	—
115	牛皮坑	增田镇石陂村	牛田河	0.40	16.0	均质	8.0	1974	2016
116	板子垅	增田镇汤元村	牛田河	0.60	38.0	均质	8.0	1958	2014
117	洋火塅	增田镇带陂村	牛田河	0.40	8.6	均质	6.5	1968	2016
118	大坑	增田镇东湖村	牛田河	2.50	28.0	均质	10.0	1972	2016
119	八一	增田镇东湖村	牛田河	0.50	9.5	均质	8.5	1966	2016
120	含华岭	增田镇增田村	牛田河	0.80	16.0	均质	9.0	1969	—
121	代元坑	招携镇港田村	牛田河	2.00	16.0	均质	9.2	1957	2015
122	小槽元	鳌溪镇桥背村	牛田河	0.50	16.0	均质	8.0	1998	—
123	水仔坑	鳌溪镇桥背村	牛田河	0.20	10.0	均质	8.0	1996	—
124	石固头	大马头乡石塘村	牛田河	—	11.4	均质	8.0	2014	—
合计	—	—	—	135.31	2998.92	—	—	—	—

说明：另有公溪镇乐家村白云水库、鳌溪镇下罗村韶移水库等 13 座的小（2）型水库资料不全未能收录

四、塘坝工程

塘坝工程指蓄水量低于10万立方米的水塘和山塘。塘坝工程在县内量多面广，是县域农业灌溉和水产养殖的重要组成部分。据有关资料统计，2013年全县有塘坝工程782座，总蓄水量3916.26万立方米，有效灌溉面积9.65万亩。2016年，全县共有塘坝工程849座，新增加67座。新增有效灌溉面积1.50万亩。

2013年乐安县塘坝工程分布情况表

表15-1-5　　　　单位：万立方米、亩

乡镇	座数	蓄水量	有效灌溉面积	乡镇	座数	蓄水量	有效灌溉面积
鳌溪镇	68	420.50	8450	增田镇	98	517.80	13977
公溪镇	29	137.90	4696	招携镇	54	215.30	6915
山砀镇	85	425.10	10414	金竹畲族乡	3	13.70	356
龚坊镇	37	195.00	5440	南村乡	57	207.93	11880
戴坊镇	86	456.00	7764	谷岗乡	2	12.00	426
牛田镇	34	191.13	4340	湖溪乡	35	187.80	4264
万崇镇	120	584.00	7314	大马头乡	12	56.80	1697
湖坪乡	24	105.50	3020	合计	782	3916.26	96484
罗陂乡	38	189.80	5531				

说明：表中塘坝工程是指通过近期维修加固的塘坝工程

第二节　引水提水工程

一、引水工程

乐安是传统农业县，自古就有拦河筑坝，截港建陂，阻溪作堰，引用天然径流灌溉农田的做法。如湖坪乡坊塘村王祖陂、西头村汪陂不仅谱牒有记载，更有名人为水陂作记。中华人民共和国成立后，党和政府十分重视农田基本建设，在兴建众多蓄水工程同时，先后兴建一批引水工程，供农田灌溉和人们生产生活用水。

至2016年，全县建成引水工程291处，大部分陂坝为水泥浆砌石或混凝土结构的永久性引水工程，有效灌溉面积9万多亩，其中千亩以上引水工程有8座。

胜利水陂　坐落在公溪镇荷陂村公溪河上游。坝址以上集雨面积40平方千米，为混凝土重力坝。开挖1条干渠长8千米，也称胜利渠。1988年和2005年分别由县水利局投资和国土局投资维修加固，采用浆砌石、渠系配套，贯穿荷陂村各村小组，灌溉农田2000亩。该水陂由荷陂村委会管理。

夿田水陂　坐落在招携镇夿田村招携河曲港水上游。坝址以上集雨面积125平方千米，坝高2.95米，为混凝土重力坝，1979—1980年，招携公社夿田大队组织民工修建该工程，开挖1条干渠600米，2条支渠共2千米，有效灌溉夿田村农田1100亩。该水陂由夿田村委会管理。

石陂脑水陂　坐落在罗陂乡云下村环山村小组，地处万崇河罗陂支流上游。坝址以上集雨面积39平方千米。坝高4.8米，为浆砌块石重力坝。1966年罗陂公社组织民工修建该工程开挖左右两条干渠共长2.3千米，灌溉云下村农田800亩、罗陂村农田700亩。2016年，县扶贫移民局拨5万元资金进行维修加固。该水陂由云下和罗陂两村委会共同管理。

石笋水陂　坐落在增田镇寒南村寨头村小组

与牛田镇牛田村的分界处，牛田河增田水上。上游受淹面积属增田镇寒南村寨头村小组，下游灌区为牛田镇牛田村、麻坑村和谢家村，原有石笋地貌特征，故称石笋水陂。坝址以上集雨面积230平方千米。1971年10月至1972年1月，由牛田公社组织全社民工修建石笋拦河坝，坝型为浆砌块石重力坝。在原水面以上坝高2.50米，清坝基础深度约3米。坝两端开挖左右两条干渠，右干渠（牛田干渠）长8千米至牛田村木子岭村小组。左干渠长4千米至麻坑村，左右干渠总长12千米，灌溉农田3800亩。2005年，石笋水陂改造重建坝后水电站，渠道和灌溉不变。该水陂由牛田、麻坑、谢家3个村委会共同管理。

万崇镇引水工程池头水陂

池头水陂　坐落万崇镇池头村万崇河上。坝址以上集雨面积180平方千米。坝高1.2米为混凝土溢流坝。1972年，湖坪公社池头大队组织民工修建。开挖1条长3千米干渠。1999年。对水陂进行维修加固，灌溉万崇镇池头村农田1000多亩。该水陂由池头村委会管理。

上罗水陂　坐落万崇镇上罗村万崇河罗陂支流上。坝址以上集雨面积67平方千米。1978年，万崇公社上罗大队组织民工修建高2.1米的混凝土溢流坝，1992年进行维修加固，开挖1条长2千米的干渠，灌溉万崇镇上罗村农田1000多亩。该水陂由上罗村委会管理。

书堂水陂　坐落湖溪乡甘泉村，公溪河湖溪支流书堂水上。坝址以上集雨面积20平方千米。1965年，湖溪公社甘泉大队组织民工修建1.2米高的混凝土溢流坝，1986年和2005年进行维修加固，开挖1条2千米的干渠，灌溉甘泉村1100亩农田。该水陂由甘泉村委会管理。

金牛水陂　坐落增田镇带陂村牛田河增田支流上。坝址以上集雨面积90平方千米，1952年，带陂村组织民工修建坝高3米的混凝土溢流坝，开挖主干渠1000米，支渠500米，灌溉带陂村委会1500亩农田。该工程是乐安县最早的混凝土溢流坝。1984年、1992年经过维修加固。该水陂由带陂村委会管理。

二、提水工程

20世纪60年代之前，县域农田提水灌溉大都为人工提水，或采用脚踏水车、手摇水车提水，或手工戽水，体力消耗大，提水效率低，灌溉面积小。20世纪60年代始，县域逐步应用机械提水灌溉农田，至21世纪初，全县有固定机械动力提水工程61处，装机61台，装机容量900千瓦。其中，电动机25台、装机容量500千瓦，内燃机36台、装机容量400千瓦，灌溉农田5.3万亩。另有移动内燃机49台、装机容量750千瓦，灌溉农田2300亩。农村农户个体移动和临时的小型、微型潜水泵、抽水机不计其数。

第三节　防洪工程

乐安县地处山区丘陵地带，山多田少，河道陡峭，无上万亩圩堤。千亩以上圩堤长度166.5千米，保护耕地4990公顷、受益人口10万余人。

一、县城防洪工程

乐安县城坐落赣江支流牛田水系鳌河边，鳌河由东向西穿越县城，全长35千米，流域面积124.7平方千米。县城上游流域面积为56.9平方千米（尧坊水为37平方千米，桥陂水为19.9平方千米）；县城南环桥以上流域面积67.8平方千米。县城人口7.2万人。21世纪之以前，县城防洪标准较低，未形成安全有效的防洪体系，多次遭受洪水灾害侵袭。自从兴建龙潭水库和清理鳌溪河道后，县城防洪抗灾能力大大提高。

龙潭水库　为解决县城防洪及供水问题，2003年7月经省发改委批准投资4497万元，兴建一座集防洪、供水、灌溉、发电为一身的水利工程——龙潭水库。（详见本章第一节蓄水工程“龙潭水库”）

鳌河河道治理　2008年10月，县委、县政府决定对鳌河进行清淤治理，将鳌河两岸整治工程列入城市重点项目之一。该工程北起北环桥，南至污水处理厂，全长3300米，规划建设宽度60—80米。2008年编制完成初步总体规划，开始实施幸福家园至金坪花园段防洪墙，及怡家丽景花园至东英角桥石材栏杆安装，2009年初完工，工程投资约106万元。2009年12月28日，在东英角桥下游约100米处兴建一座水力自控翻板闸坝，主要枢纽建筑物有：坝体、水力自控翻板闸门、下游消力池、左右岸排污箱涵及挡土墙、人行景观桥及相关工程等。拦水坝设置5扇2.2×7.0（高×宽）的水力自控翻板闸门，总过流净宽度35米。坝前水位抬高2米，回水长度约700米，可蓄水2.8万立方米。2010年4月30日完成主体工程建设，水力自控翻板闸坝工程投资142万元，5月中旬进行蓄水试运行。并投资29万元进行东英角桥下游商贸城段防洪墙建设。

二、乡镇防洪工程

增田镇防洪工程　2009年，国家启动中小河流治理工程，抚州市水利局对流域面积200～3000平方千米的中小河流制订规划。增田镇防洪工程于2011年经省水利厅批复，投资2310.78万元。工程建设主要内容为：河道疏浚7510米，加固堤防1750米，新建堤防4520米，拆除重建排水涵，新建排水涵、自排闸等。经过两年的施工，2014年经省、市有关部门验收完工。治理效果保护人口2万余人，保护农田万余亩，排涝受益面积2000余亩。

龚坊镇防洪工程　1996年，县政府组织全县民工修建龚坊浯塘圩堤。在国家没有经费投入的情况下，修建一条长4000米，平均高3米的圩堤，有效地保护龚坊陀上、南边、浯塘三村庄农田1000余亩，人口1200余人。

2013年9月，按照《江西省重点地区中小河流近期治理规划》要求，龚坊镇防洪工程纳入本次中小河流治理工程范围，为乐安县公溪水系一级支流龚坊水两岸（起自龚坊水抚八线交通桥，终至公溪水马迹潭交通桥处）。该防洪工程主要建设内容为：加固土堤全长9557米；C15混凝土预制块护坡5852米；抛砌石护岸1993米；C20混凝土挡墙固脚1065米，重建拦河陂坝1座；重建灌溉涵管2座；河道疏浚130米。工程建设规模为土方开挖6.2万立方米、土方回填13.9万

治理前的鳌河（2009年）

治理后的鳌河（2016年）

立方米、干砌块石 3245 立方米，抛石 8086 立方米，混凝土及钢筋混凝土 1.54 万立方米，钢筋制安 117.25 吨，草皮护坡 12.7 万平方米。工程总投资 2224.39 万元。保护农田 4400 余亩、人口 2.4 万余人。

牛田镇防洪工程牛田河堤

牛田镇防洪工程　1968 年，牛田公社组织牛田民工修建牛田峡圳圩堤，从峡圳村三脚街自然村上游傍的牛田河岸到官庄自然村修建一条长 2000 米，平均高 2.5 米的圩堤。之后经过多次维修加固，块石护坡，有效地保护牛田峡圳村农田 2000 余亩、人口 1500 余人。

2016 年，牛田镇防洪工程纳入江西省五河治理防洪工程，治理范围起于流坑村，经麻坑、莲河、谢家、水南等村庄及牛田镇政府止于牛田水文站，治理河道长度 12.4 千米。防洪工程分左右两岸两个防护圈，左岸长 10.35 千米，其中治理岸线长 5563 米；右岸长 9980 米，治理岸线长 6023 米；两岸治理堤线总长 11.6 千米。主要工程量土方开挖 5.27 万立方米，土方填筑 16.16 万立方米，草皮护坡 4.15 万平方米，混凝土 1.37 万立方米，干砌石 1.1 万立方米。工程总投资 3237.54 万元，保护总人口 2.2 万人，保护农田 5500 余亩。

万崇镇防洪工程　1971 年，万崇公社组织上罗村民工修建上罗圩堤。该圩堤分两段，上段是沿万崇河罗陂支流靠上罗村一侧修建长 1000 米、高 1.5 米到万崇河入口的圩堤，下段是接上转向万崇河靠上罗村一侧修建长 2000 米、平均高 2 米的圩堤。后经历年多次修补加固，有效地保护上罗村农田 1000 余亩、人口 1000 余人。

2014 年，万崇镇防洪工程整治河道全长 8.8 千米，其中万崇河防护范围为乃江新村山头至武䓣村山头（河道长 6.95 千米），支流罗陂水防护范围为上罗村上游山头至万崇河汇合口（河道长 1.85 千米），另外对万崇河武䓣村段进行防护处理。主要工程量有土方开挖 1158 立方米，土方回填 10.67 万立方米，干砌石 3.5 万立方米，混凝土 9265 立方米，草皮护坡 18.2 万平方米。工程总投资 2544.18 万元，保护人口 1.06 万人，保护农田近万亩。

公溪镇防洪工程　2013 年，公溪镇防洪工程纳入《江西省重点中小河流治理项目》，工程总体布置对公溪水、宝塘支流大同水、前坪水 3 条河流同时进行治理，河道总长 11 千米。治理工程范围为公溪水两岸（起始陈家村，终至浦前水出口上道）；大同水左岸（起始鲤鱼山，终至大同水出口）；前坪水左右岸（起始胶板厂，终至水坝），新建土堤全长 5232 米，主要工程量清表 3.22 万平方米，土方开挖 4.03 万立方米，土方填筑 18.77 万立方米，混凝土 13.9 万平方米，干砌石 2.27 万立方米，浆砌石 2770 立方米，草皮护坡 4.75 万平方米。工程总投资 2443.68 万元，保护总人口 2.9 万人，保护农田 9000 亩。

三、病险水库除险加固专项工程

县域蓄水工程大部分建于二十世纪六七十年代，历经几十年的风雨侵蚀，虽经多次维修加固，仍有不同程度的病情险象。进入 21 世纪，县政府利用国家有关政策，争取专项资金，对县域蓄水工程进行较全面的维修加固，至 2016 年已对 138 座水库进行除险加固。

续表 15-1-6

乡镇	水库名称	水库等级	所在村庄	加固时间	水库名称	水库等级	所在村庄	加固时间
湖坪乡	大巴垅	小（2）	西头村	2015 年	看坊	小（1）	中村村	2011 年
	石咀	小（2）	参陂村	2016 年	胜利	小（1）	西头村	2010 年
	塘坑	小（2）	贺立村	2015 年	冷水井	小（1）	张坊村	2011 年
	堵陂	小（2）	湖坪乡	2013 年	—	—	—	—
万崇镇	大脑坑	小（2）	池头村	2013 年	益元垅	小（2）	桐山村	2014 年
	坑头	小（2）	盐丰村	2014 年	河石坑	小（2）	上罗村	2014 年
	院前	小（2）	丰林村	2016 年	乃江	小（1）	丰林村	2011 年
	攀坑	小（2）	安里村	2016 年	角坑	小（2）	坪背村	2009 年
	油店背	小（2）	坪背村	2015 年	增坑	小（2）	池头村	2015 年
罗陂乡	城楼湖	小（2）	罗陂村	2014 年	尺江	小（2）	右元村	2016 年
	斗门形	小（2）	水溪村	5015 年	小华山	小（2）	罗田村	2014 年
	芒江	小（2）	上洋村	2014 年	三百塅	小（1）	棠溪村	2012 年
	长元垅	小（2）	罗陂村	2015—年	姚涡岭	小（2）	罗陂村	2015 年
牛田镇	新民	小（2）	峡圳村	2015 年	蛇形	小（2）	麻坑村	2015 年
	乌泥坑	小（2）	高坪村	2014 年	坳背	小（1）	流坑村	2010 年
	杏家园	小（2）	傍安村	2014 年	双茅坑	小（2）	流坑村	2015 年
	东岸	小（1）	南安村	2011 年	狗坑	小（2）	水南村	2015 年
	星子岭	小（2）	水南村	2015 年	—	—	—	—
南村乡	谷筛眼	小（2）	南村村	2016 年	曹坪	小（2）	大里村	2016 年
	红旗	小（2）	太平村	2016 年	王家龙	小（2）	樟坑村	2015 年
	垅坑	小（2）	管坊村	2016 年	东元	中型	努坪村	2010 年
	青山	小（2）	南村村	2016 年	东坑	小（2）	樟坑村	2016 年
	来元	小（2）	大里村	2016 年	—	—	—	—
大马头乡	新陂	小（2）	召尾村	2012 年	西 元	小（2）	白竹村	2016 年
	石固头	小（2）	石塘村	2014 年	—	—	—	—

第四节　供水工程

乐安县供水公司在县城建有第一、第二自来水厂，日供水4.5万立方米。各乡镇政府驻地逐步建有供水工程，大部分农村居民初步享用自来水，至2016年基本解决全县人民安全用水问题。

一、县城供水工程

20世纪60年代以前，乐安县没有供水工程，人们生活饮用靠水井提水。从20世纪70年代开始，各单位陆续挖水井建水塔，为本单位及干部职工提供自来水。1980年10月，成立乐安县自来水公司筹建小组，次年10月，在县城东面鳌河上游修建陂坝，兴建占地1.1万平方米的自来水厂，日供水约3000立方米。1986年4月扩建日供水6000立方米工程。随着县城人口增长，县自来水厂几度扩量增容。1997年5月，县政府批复自来水公司扩建日供2.5万立方米自来水工程。2003年县域遇大旱，鳌河几近干枯，县城自来水供应严重不足。为解决县城水源短缺，供水困难问题，2004年县政府投资4497万元，在鳌河上游兴建龙潭水库，从水库埋设长4.2千米、直径80厘米预制钢筋混凝土输水管至县城自来水厂，为县城自来水厂提供优质水源。

为适应乐安县城经济社会日益发展的需要，2011年县政府在北环路南侧兴建占地面积3.2万平方米的第二自来水厂，工程总投资3800万元。设计日产水4万立方米。分两期建设，一期工程日产水2万立方米，总投资2241.8万元。建设主要内容：取水工程、浑水输水管线、净水厂及相应附属设施、配水管网等，2013年4月29日一期工程竣工投产。

至2016年，乐安县供水公司第一、第二水厂凭借龙潭水库1700万立方米蓄水量条件，发挥其天然“沉淀池”作用，将优质的水源不断输入县城，县城供水日产达到4.5万立方米。

二、乡村供水工程

乐安县乡村供水工程建设，总体上比县城要晚二三十年，但也有特例。其中，公溪镇白云水库供水工程于1981年6月竣工，是乐安县域第一个供水工程。

县域乡村大规模供水工程建设始于21世纪初，经过十多年的建设，至2016年全县乡村已建成大小几百座（处）供水工程。其中千立方米万人以上的有公溪、山砀、戴坊、牛田、万崇、湖坪、南村7个乡镇和厚发工业区的8座水厂；百立方米千人的饮水工程有谷岗乡、招携镇、罗陂乡、湖坪乡善和中村4座水厂。其他供水工程大部分是一村建一座，也有部分为两村或几个自然村联合兴建一座供水工程。为此，国家先后投入大量建设资金。

乡村供水工程建设形式主要有两种，一种是山泉引水式，主要是山区乡村兴建形式。其工艺流程是：建一座拦水坝→过滤池→蓄水池→输水管道→进入用户。另一种为泵站提水式，主要为平原乡村兴建形式，其工艺流程是：打一大口水

20世纪70年代自来水储水水塔

井→无塔水泵（抽水）过滤池→蓄水池→输水管道→进入用户。乡村安全供水工程的建设，解决广大农村居民饮水安全，预防疾病，改善农村环境与面貌，助推社会主义新农村建设。

公溪镇供水工程　1979年，为解决核工业部721矿矿区生产生活用水需要，721矿矿部在距公溪镇12千米的乐家村白云河上兴建白云水库，并建设引水管道、净水池等设施，形成日供水1.5万立方米的供水工程。该工程1979年1月开工，1981年6月竣工，是县域最早的自来水工程，解决721矿矿区及公溪镇政府驻地居民生产生活用水。

山砀镇供水工程　2012年，山砀镇政府征地1.94亩，在镇政府旁兴建供水厂。该水厂采用密封集水井从山砀河取水。主要建设工艺流程：山砀河取水→混合→穿孔旋流反应斜管沉淀池→无阀滤池→清水池→送水泵房→配水管网→用户。设计日供水2400立方米。解决山砀镇政府驻地及周边13个行政村居民生活用水，受益人口2.1万余人。

戴坊镇供水工程　2011年，戴坊镇政府在徐坊村兴建供水厂，从公溪水系戴坊支流上取水。主要建设工艺流程：戴坊支流水→浑水输送管线→管式混合器（加矾）→折板反应斜管沉淀池（二氧化氯消毒）→无阀滤池→清水池→送水泵房→配水管网→用户。设计水厂日供水1500立方米。解决戴坊镇政府驻地及周边4个行政村、22个自然村居民生活用水，受益人口1.2万余人。

南村乡供水工程　2011年，南村乡政府在驻地旁兴建供水工程。主要建设工艺流程：南村水→大口径水井→沉淀池（二氧化氯消毒）→清水池→送水泵房→配水管网→用户。设计日供水1500立方米。解决乡政府驻地及周边6个村居民生活用水，受益人口1万多人。

湖坪乡供水工程　2008年，湖坪乡政府在离乡政府500米的山地上兴建供水厂，主要建设内容为：以胜利水库为水源→浑水输水管→净水厂→配水管网→用户。工程设计日供水1500立方米，解决湖坪乡政府驻地及周边4个行政村、13个自然村居民生活用水。受益人口近万人。

牛田镇供水工程　2012年，牛田镇政府在驻地旁山上建供水厂。以增田水为水源，主要建设工艺流程为，将增田水引到水厂→絮凝沉淀池→清水池→送水泵房→配水管网→用户。该水厂工程设计日供水2300立方米。解决牛田镇政府驻地及牛田、水南、圆陂、峡圳4个行政村居民生活用水问题，受益人口1.1万余。

万崇镇供水工程　2013年，万崇镇政府投资251万在万崇中学后山上兴建供水工程。主要建设工艺流程为，取万崇河作为水源→抽水引到水厂→絮凝沉淀池→清水池→送水泵房→配水管网→用户。该工程设计日供水6000立方米，解决万崇镇政府驻地及周边居民生活用水，受益人口1.6万余人。

厚发工业区供水工程　2014年10月，县政府投资2000万在厚发工业区马迹潭桥旁兴建供水工程。主要建设工艺流程为，取马迹潭河水作为水源→建净水楼工艺取水至配水管网→用户。该工程设计日供水3万立方米，解决厚发工业区生产生活用水及山砀、龚坊和湖溪乡镇的周边村民生活用水，受益人口达约3万余人。

万崇镇供水工程

第五节 小农水工程

修建中的小农水工程

2000—2016年，乐安县小型农田水利建设工程（简称“小农水工程”）项目总投资为2263.4万元（上级项目资金），实施项目64座（处），改善灌溉面积2.2万亩，新增渠道防渗长度183.52千米。

一、才元灌区小农水建设工程

该项目涉及戴坊镇竹山、甘竹两个行政村，总人口2880人，其中农业人口2160人；耕地面积4042亩，其中水田4000亩、旱地42亩。设计灌溉面积3704亩，2006年前实际有效灌溉面积2274亩，主要种植水稻、油菜、豆类和果林等作物。灌区渠道15千米。小农水项目建设前，该灌区大部分渠道年久失修，自然老化，造成渠道淤塞、渗漏、水资源浪费问题十分严重，无法达到原设计灌溉效益，灌区水利用系数远低于设计要求。

2012年，进行小农水项目建设，主要有水源及排涝工程、渠道和渠系建筑物工程等。水源工程是对灌区内竹山水陂和竹山屋背水陂拆除重建，原为柴草陂，本次改造采用M7.5将砌石堰体外包C20混凝土的方法做成梯形实用堰。庙背水陂维修加固为砌石堰体。农田区域布置3级固定渠道，干、支渠采用续灌方式，斗渠、农渠采用轮灌方式。田间道路采用泥结石路面，宽度3米。该工程中标合同价款156.71万元，实际完成工程价款166.9万元。主管单位为戴坊镇政府。

二、谷岗片区小农水工程建设

该项目涉及谷岗乡的谷岗村、板岭村、登仙桥村、水口村4个行政村的10个村小组，共计2000多人。项目区设计面积4500亩，设计修建渠道9280米，其中浆砌渠道4270米，U形槽3650米，新建陂坝5座。计划土方3750方，浆砌石40方，项目总投资103.22万元。2014年3月底完工并验收。

第二章 资源开发与保护

乐安县水利资源丰富，据1977年普查资料，全县水能理论蕴藏量装机容量7.37万千瓦，年发电量6.46万千瓦时。其中可开发水能资源装机容量3.95万千瓦，年发电量1.58万千瓦。至2016年年底，县域共投资30210万元，建成水电站54座，总装机容量44860千瓦，年发电量13715万千瓦时。为地方经济建设和群众生产生活提供水电资源。进入21世纪，县域注重水资源保护和水利景观建设，先后建成一批以水资源为依托的旅游景区。

第一节 水资源开发

乐安县水资源丰富，水资源利用历史悠久，自古就有筑陂引水灌溉农田，利用水动力（水碓、水磨）碾米、榨油等。中华人民共和国成立后，利用水力资源兴建水力发电站，为地方经济建设和群众生产生活提供用电保障。从20世纪70年代初开始，县域先后购进一批水轮泵和水轮发电机组，建成100余座水轮泵抽水站、加工米厂、小型水电站（微型水电站，小至发电100瓦）。1972年，谷岗公社在上观村率先建成一座12千瓦水电站，供公社驻地机关单位和部分居民照明。1976年，在县城鳌河上游建成装机200千瓦的尧坊水电站，为县城供电，有效地改善县城供电紧张状况。其后陆续建成东元水库一、二、三级电站，洞口、东岸、南坪、山坑等水电站。截至2016年，全县建成水电站54座，装机台数116台，总装机容量44860千瓦。年发电总量13175万千瓦时，总装机3000千瓦以上分别是：山坑电站3×1600=4800千瓦，东岸电站3×2000=6000千瓦，上庄电站4×1000=4000千瓦。

全县水电站大部为民营企业，自我管理，自负盈亏，自收自支，防汛抗旱接受县水利局指导，汛期接受县防汛抗旱指挥部统一指挥，发电接受县供电公司调度。

20世纪90年代始，乐安县大力发展水电事业，建成众多水电站，形成以水电站发电为主的供电网络，被水利电力部列入全国第三批电气化县，1996年经省水利电力局验收通过达到电气化标准。至2016年，县域供电充足，为县域经济建设和社会发展提供重要保障。

洞口水电站 坐落招携镇银口（林场），赣江流域牛田水系上游，是乐安县建设最早最大的水电站。1969年，由省水电勘测设计院设计，设计坝高56米，水库库容3.8亿立方米，控制流域面积588平方千米。属大型水库，装机12800千瓦，总造价2361万元。1970年经省批准动工，建坝高12米，完成土石方16890立方米，占坝体总量15%，完成投资470万元。1971年因经费短缺停工。1979年复工后不久又因经费短缺再度停工。1982年经省批准，改变原设计方案，暂时建一座小型水电站，装机2台，总装机容量640千瓦，年发电量488万千瓦时，1983年投产发电。后续经过多次维修改造，装机容量扩大到900千瓦，年发电量600万千瓦时。

东岸水电站 坐落牛田镇南安村东岸村小组。2002年开工兴建，2009年5月投产发电，为私有股份制企业。主要建筑物由浆砌石重力坝、放水涵管、溢洪道、发电厂房、发电机组，送电变电站等组成。电站为坝后式，厂房设在左端坝内，坝右端为钢闸门控制的溢洪道。设计水头为14米，装机3台，每台2000千瓦，总装机容量6000千瓦，年发电量1500万千瓦时。（见本卷第一章水利设施第一节蓄水工程“东岸水库”）

南坪水电站 坐落招携镇尧坊村南坪村小组，赣江支流牛田水系上。控制流域面积420平方千米。该电站是河床式，拦水坝和电站厂房在同一断面上。面向下游的左端是自控翻板坝，由8孔4米×8米的钢筋混凝土翻板板和冲砂闸组成；右端是电站厂房安装4台水轮发电机组，每台250千瓦，总装机容量1000千瓦，多年平均发电量420万千瓦时。2005年建成

东元水库一级电站

发电，为私有股份制企业。

山坑水电站　发电站厂房在招携镇坝上村猪仔捷村小组。1993年4月开工，2000年5月投产运行。系全国第三批农村水电初级电气化县建设项目，属混合式开发电站。设计水头228米，最大水头251.05米，最小水头218.32米，引用流量2.7立方米/秒。引水渠长2380.65米，其中穿山隧洞长2346.85米。装机3台，每台1600千瓦，总装机容量4800千瓦，年均发电量1458万千瓦时。2002年4月20日，该电站产权整体出让给抚州电力实业总公司。（见本卷第一章水利设施第一节蓄水工程“山坑水库”）

招携镇南坪水电站发电房

枫树下水电站　发电站厂房在金竹乡坪溪村和招携镇青里村的交界处，地处赣江支流牛田水系青里水上。属混合式开发水电站，拦水坝建在金竹乡坪溪村下游的枫树下村小组。坝高8米，控制流域面积80平方千米。引水系统采用穿山隧洞长2200米，至招携镇青里村茶亭村小组建立电站厂房，装机3台，每台630千瓦，总装机容量1890千瓦。年发电量720万千瓦时。2002年开工建设，2006年投产运行，为私有股份制企业。

上庄水电站　坐落金竹畲族乡和招携镇的交界处，赣江支流牛田水系上游大通水上，坝址在金竹畲族乡，电站厂房在招携镇。属混合式开发电站，拦水坝建在金竹畲族乡大通村，控制流域面积85平方千米，引水系统采用穿山隧洞长2300米，至招携镇青里村上庄村小组建立电站厂房。装机4台，总装机容量4000千瓦，年发电量1200万千瓦时。2003年开工建设，2008年投产发电，为私有股份制企业。

坝上水电站　坐落招携镇南槽村，赣江支流牛田水系上游曲港水上，拦水坝建在招携镇曲港村石羊坑。属混合式开发电站，控制流域面积90平方千米，坝高6米，为陂坝工程。引水系统采用沿山坡开挖渠道长2200米，引至南槽村坝上村小组建发电站厂房。装机2台，每台200千瓦，总装机容量400千瓦，年发电量200万千瓦时。1986年，招携镇为解决用电紧缺开工建设该电站。1988年，投产发电并入县电网。1996年，招携镇拍卖给私有制股份企业。

丰亭水电站　坐落增田镇小池村老丰亭村小组，赣江支流牛田水系的增田水上。控制流域面积230平方千米。最大坝高12米，库容在10万立方米以上。属河床式，拦水坝和厂房在同一断面上，左端为混凝土翻板坝，高5米，右端为电站厂房，装机4台总容量1200千瓦，年发电量497万千瓦时。2009年建成投产发电，并入县电网，为私有股份制企业。

方木坑水电站　坐落谷岗乡四青村，地处抚河流域谷岗水系的支流上。属混合式开发水电站，拦水坝建在四青村方木坑自然村，控制流域面积140平方千米，坝高4米，为陂坝工程。引水系统由明渠和隧洞组成长共2200米，其中隧洞长1600米，厂房建在四青村沙坪上村小组，电站装机2台，每台630千瓦，总装机容量1260千瓦，年发电量400万千瓦时。2008年建成投产发电，并入县电网，为私有股份制企业。

湖溪水电站　坐落湖溪乡湖溪村，抚河支流公溪水系书堂水上，拦水坝建在湖溪村书堂村小组。属混合式开发水电站，控制流域面积10平方千米，坝高6米，为陂坝工程。引水系统由明渠和隧洞组成，沿山开挖明渠长2200米，穿山隧洞

2000米，引水至湖溪村中，建电站厂房，装机2台，每台320千瓦，总装机容量640千瓦，年发电量160万千瓦时，2005年建成投产发电，并入县电网。为私有股份制企业。

邹家山三级电站　坐落公溪镇邹家山村（721矿矿区），抚河支流公溪水系支流上。属混合式开发水电站。第一级电站装机2台，总装机容量640千瓦，第二级电站装机2台，容量500千瓦，第三级电站装机3台，总装机容量650千瓦，拦水坝建在邹家山村下游。年发电量187万千瓦时。2007年建成投产发电，并入721矿电网，为私有股份制企业。

2016年乐安县水电站情况表

表15-2-1　　　　单位：千瓦、万千瓦时、万元

名称	所在河流	电站厂址	装机台数	发电设备容量	年发电量	投资总额	建成时间
山坑水电站	招携河	招携镇坝上村	3	4800	1200	5280	2000
上庄水电站	招携河	招携镇上庄村	3	4000	1500	6000	2008
东岸电站	牛田河	牛田镇南安村	3	6000	1500	6200	2010
邹家山一级水电站	公溪河	公溪镇邹家山	2	640	149	200	2005
邹家山二级水电站	公溪河	公溪镇邹家山	2	500	163	180	2006
邹家山三级水电	公溪河	公溪镇邹家山	3	650	187	220	2007
严杭水电站	招携河	金竹乡严杭村	2	640	130	220	2006
新安水电站	南村河	南村乡车头村	2	720	318	280	2005
深坑水电站	招携河	招携镇深坑村	2	800	312	520	2006
坪溪水电站	招携河	金竹乡坪溪村	2	1000	250	500	2004
南坪水电站	招携河	招携镇南坪村	4	1000	248	420	2006
炉桐水电站	南村河	南村乡炉桐村	2	640	140	280	2009
龙湾水电站	金竹河	金竹乡联村村	4	1040	240	320	2004
龙安水电站	金竹河	金竹乡半坪村	4	1120	338	410	2009
乐家水电站	公溪河	公溪镇乐家村	2	500	148	200	2010
湖溪水电站	公溪河	湖溪乡湖溪村	2	640	157	300	2006
高桥水电站	招携河	招携镇青里村	2	640	150	200	2008
枫树下水电站	招携河	金竹乡坪溪村	3	1890	480	700	2006
丰亭水电站	增田河	增田镇小池村	4	1200	497	890	2009

续表 15-2-1

名称	所在河流	电站厂址	装机台数	发电设备容量	年发电量	投资总额	建成时间
方木坑水电站	谷岗河	谷岗乡四青村	2	1260	315	420	2008
洞口水电站	招携河	招携镇洞口村	2	640	140	120	1982
东元水电站	南村河	南村乡东元村	4	1040	240	800	1998
大通水电站	大通河	金竹乡大通村	2	1600	687	800	2006
安顺水电站	公溪河	公溪镇邹家	2	400	120	120	2005
邹家山水电站	公溪河	公溪镇邹家山村	2	400	120	150	2009
坝上水电站	招携河	招携镇坝上村	2	400	180	180	1994
白水洞水电站	招携河	招携镇尧坊村	2	320	110	150	2002
牛坪水电站	招携河	招携镇尧坊村	2	400	120	120	2002
石羊坑水电站	招携河	招携镇曲港村	1	250	100	80	2002
元头水电站	招携河	招携镇坝上村	1	100	40	50	2001
新街水电站	招携河	招携镇坪上村	2	600	180	120	2001
大盆山水电站	公溪河	戴坊镇麦坑村	1	100	36	50	1980
金竹水电站	金竹河	金竹乡金竹村	2	250	60	60	1980
汉高坳水电站	金竹河	金竹乡半坪村	2	400	120	160	2005
芦元水电站	坪溪河	金竹乡坪溪村	2	500	200	200	2005
徐庄水电站	坪溪河	金竹乡徐庄村	2	400	120	120	2005
山吊石水电站	金竹河	金竹乡半坪村	2	500	200	200	2007
湖竹坪水电站	招携河	金竹乡严杭村	2	200	80	100	2009
徐庄二级水电站	坪溪河	金竹乡徐庄村	2	400	120	300	2014
谷岗水电站	谷岗河	谷岗乡谷岗村	2	200	80	80	1980
谷坑水电站	谷岗河	谷岗乡板岭村	2	520	200	200	2004
胡竹坪水电站	谷岗河	谷岗乡火嵊村	2	750	250	270	2006
火嵊水电站	谷岗河	谷岗乡火嵊村	2	650	240	250	2009

续表 15-2-1

名称	所在河流	电站厂址	装机台数	发电设备容量	年发电量	投资总额	建成时间
安源水电站	谷岗河	谷岗乡火嵊村	2	750	250	280	2000
路南水电站	谷岗河	谷岗乡路南村	2	520	200	250	2009
源旺水电站	谷岗河	谷岗乡水口村	2	480	200	200	2009
兴旺源水电站	谷岗河	谷岗乡水口村	2	720	300	300	2008
桃坪水电站	谷岗河	谷岗乡路南村	2	820	300	400	2008
饶坊水电站	鳌溪河	鳌溪镇王田村	2	200	60	80	1979
芙蓉水电站	望仙河	南村乡前团村	2	320	100	100	2008
长垅水电站	戴坊河	戴坊镇丰秋村	1	50	30	50	1979
牛田水电站	牛田河	牛田镇圆陂村	1	75	30	30	2002
贺立水电站	万崇河	湖坪乡贺立村	1	100	30	50	2002
罗陂水电站	万崇河	罗陂乡棠溪村	1	125	50	50	2007
合计	—	—	116	44860	13715	30210	—

第二节 水利景区建设

随着经济社会的不断发展，人们对精神文化生活的需求日益增长。进入21世纪，县委、县政府对水利景区建设非常重视，县域先后建设湿地公园、水上乐园、鳌河两岸景观工程等一批以水利资源为依托的休闲、娱乐、旅游景区景点。

大码头原生态漂流景区 2010年，县政府引进江西益荣现代农业开发有限公司建设该项目。位于大马头乡潭港河段。（详见第二十二卷文化旅游第十一章旅游第一节旅游资源“大码头生态度假区”）

九瀑峡漂流景区 位于乐安县招携镇青里村王泥汗村小组，包括上下游水库、溪道以及水体周边的森林，项目规划总面积127.47公顷。项目开发以“山林”“野溪”“峡谷”等自然资源为特色，以“山野林源”的主题概念，植入养生、休闲、度假、体验、运动等旅游业态，形成集山水自然养生、林溪栖居度假、休闲运动、自然林溪漂流等多种功能于一体。

该项目由江西九瀑峡旅游开发有限公司建设，总投资1.2亿元，总项目分两期建设。一期建设项目漂流，于2016年9月开工，兴建洋溪坑景观坝和大湾景观坝，洋溪坑河道整治和坪溪大湾至王泥汗河道修整，漂流。二期建设项目，包括旅馆、度假居室、停车场、交通公路、景区绿化等配套工程，景区计划两年内建成运营。

湿地公园、水上乐园、鳌河两岸景观工程介绍见第十九卷城乡建设环境保护第一章城乡建设第三节城区建设“广场与公园”“重点工程”。金竹飞瀑景区介绍见第二十二卷文化旅游第十一章旅游第一节旅游资源“金竹飞瀑景区”。

第三节　水土保持

一、水土流失

从20世纪70年代始，域内森林资源受不合理砍伐、开发影响，地表植被遭受较为严重的破坏，水土流失现象日益严重，被列为全省水土流失重点治理县。据《抚州市志》(2013年版)记载：1957年，县境水土流失面积为90平方千米，占县国土面积的3.73%。此后呈逐年扩大趋势，至1987年，水土流失面积1102平方千米，占县国土面积的45.68%。20世纪90年代，水土流失面积得到控制；1997年，水土流失面积928平方千米，占县国土面积的38.46%。其后水土流失现象逐渐好转，面积逐步缩小，程度逐渐减轻。2004年，水土流失面积867平方千米，占县国土面积的35.94%；2016年，水土流失面积241平方千米，占县国土面积的10%。

20世纪80年代，县域水土流失现象分布较广，主要是公溪镇、湖溪乡、山砀镇、龚坊镇、戴坊镇、牛田镇、万崇镇、罗陂乡、湖坪乡、鳌溪镇、增田镇、南村乡等。尤其以南村乡、增田镇、鳌溪镇、万崇镇和牛田乡等乡镇较为严重。中度、轻度水土流失现象各乡镇均有。

二、水土流失原因

造成水土流失的主要原因是林木过度砍伐。据有关资料记载，二十世纪六七十年代，乐安县林木砍伐量远大于生长量，20世纪50年代，年均采伐木材17736立方米；20世纪60年代，年均采伐木材38074立方米；20世纪70年代，年均采伐木材63543立方米，每10年翻一番。1979年，采伐木材10.2万立方米。而全县到20世纪70年代，植树造林只有万余亩，林木的生长量远远跟不上采伐量。1974年森林资源调查时，全县有林木蓄积580万立方米，1978年第二次调查时530万立方米，4年间下降50万立方米，平均每年下降12.5万立方米。因森林蓄积减少，植被覆盖率降低，造成水土流失。另外，开矿、采石、修路、办厂、建房等基本建设无水土保持措施，任意扩大开挖面，随意堆积弃土、弃砂和矿渣，破坏植被和地貌，加剧水土流失。

三、水土流失的危害

严重的水土流失给县域经济社会和环境造成诸多危害。一是淤塞河道。据林业资料记载，20世纪70年代以前，县境竹木资源60%由河道水运至外地。20世纪80年代后，河道淤塞，河床抬高，河流失去航运功能。二是损坏水利设施。水土流失使水库、陂坝、渠道均受到不同程度的淤积阻塞，蓄水量减少，防洪抗旱能力逐年降低。三是加剧洪涝灾害。地表失去植被保护，一旦暴雨袭击，水土流失严重的地方容易引发山洪暴发，山体滑坡，淤埋房屋、农田，冲毁道路桥梁。四是破坏生态环境。水土流失冲走地表优质土壤，土地裸露沙化，使生态环境进一步恶化。

四、水土流失治理

20世纪80年代初成立乐安县水土保持委员会，由农业、林业、水利、计委、财政、交通、经委等有关单位负责人组成，下设乐安县水土保持办公室(简称水保办)。水保办设在县水利电力局，为副科级事业单位，由水电局副局长兼主任。负责全县水土流失治理的科学实验、技术推广、编制县水土保持规划和小流域治理试点工作。同时每个乡镇配置水利员，协助各乡镇做好水土保持工作。

水土保持的具体措施：一是坚持封山育林，严禁乱砍滥伐，大力提倡植树造林。1990年8月，县政府颁发《关于封山育林的规定》，规定全县公路沿线、河溪两旁、水库库区、村庄四周、飞播造林山场等50万亩山林实行“全封山”。1995年在东元水库新建水土保持试验站，种植果木林、绿化东元水库库区。2001—2005年，封山育林与长江中上游防护林项目同步进行，封山育林2.2万亩。2015年12月10日，中共乐安县委、乐安县人民政府出台《关于乐安县封山育林实施意见》《乐安县人民政府关于印发乐安县封山育林管理办法(试行)的通知》，县人民政府与各乡镇签订《乐安县保护发展森林资源目标管理责任书》。

2016年1月开始，全县实施为期10年的全面封山育林工程，封山育林242万亩。二是加强森林防火，严禁烧山、炼山。1988年，先后在大华山、石陂林场上堡工地、湖溪邹家工地建有森林防火瞭望台，瞭望监测覆盖率50%；2014年，建设智慧森林防火平台，安装森林防火监控探头20个，对全县重点山头、林区实行全天候监测；营造生物防火林带501千米。2011年，实现全县林区森林防火监测全覆盖，监测率100%，有效监测和防止林区用火。2015年，被评为全省森林防火平安县。三是加强对矿山资源开发管理，严禁乱挖乱采矿山资源。加强水土保持执法和监督能力建设，加强基本建设管理，每个建设项目都要有水土保持方案。四是推广以电代柴，以气代柴。在全县大力推广使用节柴灶，有条件的地方尽可能使用电饭煲、电炒锅、电热器、煤气灶、天然气等，禁止使用木柴烧砖、烧瓦、烧炭。通过这些措施，大大节省木柴使用量，减少大量的木竹砍伐，保护森林植被，使青山常在，有效防治水土流失。这些措施的落实，取得良好的效果，植被覆盖率和森林资源得到较大增长，水土流失得到有效治理。

第三章　防汛抗旱

县域降雨充沛，年际变化较大，一年内季节分配也不均匀，每年4—6月径流量占年径流总量的60%左右。不仅给水资源的开发利用带来很大困难，而且极易造成水旱灾害。中华人民共和国成立后，党和政府十分重视防汛抗旱工作。加强防汛抗旱工程建设，组织防汛抗旱队伍，筹备防汛抗旱物资及经费，领导全民同水旱灾害进行顽强的斗争，把洪旱灾害损失降到最低程度。

第一节　机构队伍

1986—2016年，历届政府都成立乐安县防汛抗旱总指挥部（简称“县防总”），由县政府县长任总指挥长，分管副县长、县人武部部长和县水利局局长任副总指挥长，县直有关单位负责人为成员。下设乐安县防汛抗旱指挥部办公室（简称“县防办”），设在县水利局，由县水利局副局长分管具体工作，负责协调全县实施防汛抗旱工作。各乡镇分别成立由乡镇长任指挥长的乡镇防汛抗旱指挥机构，负责各乡镇的防汛抗旱工作。

1986—2000年，防汛队伍以县人武部领导的民兵为主体，建立防汛常备队、巡逻队、抢险队。2000年12月，成立县水利电力局武装部，组建基干民兵一个排40人，抗洪抢险应急分队一个排30人。应急分队多次参加抗洪抢险，2007年8月，组织参加公溪、牛田、大马头等乡镇洪水抢险救灾。2008年1月，参加全县抗冰冻救灾。2010年6月，参加抚州唱凯决堤大营救和灾后恢复生产自救。2013年7月，招携镇发生洪水灾害，应急分队参加抗洪抢险，转移学生200人。至2016年，防汛抢险队伍应急抢险以30人为主体，配备挖掘机，运输车，冲锋舟、机动船等设备。

第二节　经费与物资

一、经费

县委、县政府高度重视防汛抗旱工作，每年财政安排专项防汛抗旱资金，遇特大洪水年另拨特大防汛经费。若遇重大水旱灾，政府及时安排专项经费抗灾救灾。1995年，省政府出台《江西省征集防洪保安资金暂行规定》，1996年3月25日，抚州行署批转地区财政局、水电局《关于全区防洪保安资金征集、分配、使用和管理意见》，明确规定机关、团体、事业单位在职职工缴纳的防洪保安资金由地、县(市)财政局代征。企业包括单位和职工应缴纳的防洪保安资金按税务征收关系由地税局代征。所收资金扣除代征部门业务费(按征集总额的2%提取)后，50%解入省财政“防洪保安资金专户”，余额按60%、40%比例分别存入地、县财政“防洪保安资金专户”。主要用于防洪物资和设备器材购置。

防汛设备

二、物资

物资储备分群众和国家两类。群众自筹防汛物资预备土、砂卵石、草袋等，长期存放在水利设施工地。县水利局有物资仓库储备防汛抗旱物资。至2016年，储备的防汛物资有：编织袋5万条，编织布2000平方米，无纺布1000平方米，照明设备30台套，铝丝1吨，橡皮舟16只，冲锋舟3艘，机动船1艘，救生衣600件，救生圈3只，排涝设备5台套，其他设备15件，物资价值180万元。储备的抗旱物资有：挖掘机1台，打井机2台，各类抽水泵50台套，发电机组11台，拉水车2辆，输水轮管2000米，物资价值200万元。

第三节　防汛抗旱工作

一、防汛工作

每年主汛期（4月1日至6月30日）到来之前，县防汛抗旱指挥部召开防汛工作会议，安排布置全年防汛抗旱工作。县水利局派出大批技术员与各乡镇分管领导、水利员一起对各类水利设施、工程进行汛前检查，查明工程隐患，检查物资储备、通讯报警工作，发现问题及时处理。县防汛抗旱办公室负责制定中小型水库防汛度汛方案，规定各中、小型水库汛期限制水位和警戒水位。落实防汛工作行政、管理、技术三大责任人，建立岗位责任制。3座中型，17座小（1）型水库均安排县级领导挂点防洪，134座小（2）型水库安排科级干部挂点防洪，各乡镇建立相应防汛机构，组织防洪抢险队伍、储备防洪抢险物料，配备专职人员，加强工程管理。县政府与各乡镇签订防汛工作责任状，明确职责和任务。

县防汛抗旱指挥部办公室每年4月1日至9月30日，实行每日24小时专人值班领导带班制度，及时收集县域水情、雨情、汛情和旱情，遇到灾情及时报告。1986—2016年，县域未出现一起水库垮坝等重大事件，确保全县人民生命财产安全。

1988年6月12日，乐安县自北向南普降暴雨，降水量达150毫米。其中湖坪、万崇、罗陂三个乡镇降水量296.5毫米，造成河堤决口92处，淹没农田5435公顷，冲毁西瓜、烟叶等经济作物753公顷，倒塌房屋144间，桥梁183座，毁坏陂坝544处，死伤各1人，直接经济损失1365万元。县委、县政府率领干部群众奋力抗洪救灾，积极开展灾后重建工作。6月19日，副省长黄璜到乐安慰问受灾群众，指导救灾工作。

1992年6月16日晚9时至17日凌晨5时，县境内连降8小时暴雨，县城西南的坪溪等7个乡镇降水量达270毫米。招携、牛田河水暴涨。受灾农田面积28621亩，经济作物7056亩，洪水冲走、溺死牲畜800头，房屋倒塌22间，毁坏大

抗旱（2007 年）

小桥梁38座，公路65处，直接经济损失470万元。受伤41人，死亡1人。县委、县政府全力组织抗洪抢险，及时开展救灾救助工作。

1998年6月13—24日，县域连续5次普降暴雨，降雨量538.4毫米，全县大小水库均库满泄洪，加上乌江上游永丰县返步桥水库库满泄洪，洪水流入乐安县境内，造成县境乌江流域招携、牛田等乡镇多处被水淹没，洪水围困村庄。招携镇港田村、招携小学被洪水围困。镇党委、政府派出防洪抢险队伍及时解救被困村民和学生，安全转移880人，没有发生人员伤亡。

2002年6月13—16日，乐安县南部出现连续强降雨，日降雨量超过100毫米，造成地质灾害，南村乡炉桐村2名村民避雨时被山体塌方压死。招携镇2名村民次日在路边避雨时被山体塌方压死，两起灾害造成死亡4人的重大灾难，当地政府及时进行善后处理。

二、抗旱工作

1986—2016年，县内干旱发生较多，伏旱加秋旱连续40天以上年份有1986年、1998年、2000年、2003年、2007年、2011年。县乡两级政府每年做好抗旱组织和物资准备，强化对水资源的管理和调度，坚持以保障人民群众生活和生产用水优先原则。抗旱期间，坚持发电服从灌溉，保证农业用水。在水资源缺乏地区组织群众打机井，增挖临时水井，开源节流，补充灌溉用水。政府及时调拨抗旱物资，动员机关干部积极投入抗旱斗争。在严重干旱的1991年8月6日首次实施人工降雨并获成功。1998年实施人工增雨作业缓解旱情。2003年县境久旱未雨，造成鳌河干枯，县城供水严重短缺。2007年10月10日至11月17日，乐安县连续39天无雨，县城供水困难，缺水人口4.5万人，县政府调剂2辆消防车为居民送水，同时安装3台抗旱专用水泵，将鳌河水和刘家湾支流水源抽到县城自来水厂缓解旱情，确保居民基本生活用水。

第四章　水利管理

中华人民共和国成立以来，县域水利管理机构逐步健全，管理工作逐步完善，加强水文监测，强化水务管理，全面实施水利工程管理、河道河床管理和取水用水管理。

第一节　机构人员

一、县水利局

1955年4月，县人民政府设立水利科，管理全县水利事业。1956年6月改为水利局，1958年

县水利局办公大楼

2月农、林、水三家合并为农林水利局。1960年3月恢复水利局。1961年2月农业局与水利局合并为农水局。“文化大革命”初期，农水局等单位合并为抓革命促生产指挥部农业组。1970年3月重新成立农水局。1973年1月农水局分设，单独成立水利电力局革命委员会。“文化大革命”结束后撤销革命委员会，改为水利电力局。1996年6月成立水利电力局党委，2000年12月成立水利电力局人武部。2004年下属单位电力公司划归抚州市供电局管理。2006年改称县水利局。

县水利局是县政府水利主管职能部门，主要负责防汛抗旱，水利水电设施建设规划、勘测、设计、施工督导及河道采砂管理、水资源管理、用水管理、水土保持及水利执法等工作。

2016年，县水利局内设人秘股、党委办、水政股、财审股、建管股（电力股）、农水股（工管股）等股室及设计室、水保办、防汛办3个事业单位，另有水利监察执法大队和武装部。2016年，县水利局（包括下辖单位）有干部职工344人。其中局机关有干部职工96人（局机关人员中有行政人员17人，事业人员13人，退休人员36人），下辖单位人员210人，各乡镇水利管理站（水务站）人员38人。

1986—2016年，历任局长：袁招祥、黄绍玉、陈芳针、陈继发、王贵香、吴平安、刘晓东；1996—2016年，历任党委书记：汤儒萍、曾为生、刘晓东、袁务香。

二、水文站

1956年，江西省水利厅在全省各地设立112个水文站，其中在乐安县域赣江流域一级支流牛田水系南村水设立寨头水文站。在抚河流域公溪水系公溪河设立芜头水文站，为区域水系代表站。通过水位观测、巡回测验、水文调查、降雨量测量等测定各项水文要素、资料整编、水情雨情分析、通报和预报，为区域水利水电事业建设和管理、防汛抗旱工作等提供参考信息。寨头、芜头水文站从建站到1992年隶属县水利电力局。1993年机构改革，寨头、芜头水文站上收到江西省水文总站直接管理。

牛田水文站　其前身为寨头水文站，始建于1956年，原址坐落位于增田镇小池村寨头自然村。测验断面为赣江流域一级支流牛田水系南村水。站址以上流域面积230平方千米。2008年1月，因兴建丰亭水电站，寨头水文站站址受淹。经江西省水文总站同意，寨头水文站迁移到其下游10千米处的牛田镇牛田村木子岭，并改名为牛田水文站。新站址以上控制流域面积为1033平方千米。

公溪水文站　其前身为芜头水文站，始建于

江西省水文局牛田水文站

1956年，原址坐落在公溪镇芜头村上游约200米处，测验断控制抚河流域公溪水系公溪河，站址以上流域面积630平方千米。2011年，经江西省水文总站同意，芜头水文站迁移到其下游公溪镇渡头自然村，改称公溪水文站。新站址以上流域面积704平方千米。

牛田、公溪水文站均为国家基本站，属区域代表站，二类精度站。测验项目为水位、流量、沙量、降水量、蒸发量及水质监测。分别收集赣江流域牛田水系和抚河流域公溪水系水文资料，担负向省、市、县防汛旱总指挥部等相关单位及时报送雨情、水情任务，向两河流域提供水文资料和情报服务。

三、局属单位

县供水公司　1980年10月，县政府成立自来水公司筹备小组，1981年10月，在县城东门外建成自来水厂。1982年9月，成立乐安县自来水公司，归口县经委管理；是年11月，划归县城市基本建设局管理；2001年6月，更名县供水公司。2004年5月，划归县水利局管理。是一家集自来水生产、供应、安装与维修为一体的服务型国有企业，负责乐安县城行政机关、企事业单位、工厂学校及县城居民的生产生活用水，并承担新的自来水设计安装任务。

公司有两个自来水厂。2016年有在职员工171人，其中国营员工136人，大集体员工35人，各类专业技术人员12人。公司下设办公室、财务室、业务股、技改股、安装股、维修股、化验股、供水车间、供水一所、供水二所、安装队等11个职能股室。2016年，公司产值1252万元，利润40.6万元。公司先后被省建设厅授予“花园水厂”、省水利厅授予全省抗旱保水先进单位、省防汛抗旱总指挥部授予全省防汛抗旱先进单位。（另见第十六卷工业中小企业第二章工业门类第十四节水的生产和供应业“乐安县供水公司”）

乐安县水利建材预制厂　1973年3月，为解决水利系统职工家属及子女就业问题而创办的县水利局下属国有企业。主要产品有水泥涵管、水泥电线杆、水泥预制空心砖、空心楼板、铁丝、圆钉等。2000年，工业总产值290万元。2013年，企业改制，职工置换身份，解除劳动合同。（见第十六卷工业中小企业第二章工业门类第十一节非金属矿物制品业“乐安县水利建材预制厂”）

尧坊水电站　县水电局下辖国营企业，独立核算，自负盈亏。主要招聘下放知青、商品粮居民、分配来的退伍军人和大中专毕业生。有职工80余人。

东元水库管理局　1980年东元水库及一、二级电站建成，并成立东元水库管理委员会，为水利电力局的下属单位。干部职工来自抽调相关单位人员、安置兴建水库的留守民工、分配大中专学校毕业生、安置退伍军人。人数最多时有员工80余人。2012年水库及电站改制租赁承包，人员减至10人，改称东元水库管理局，为财政全额拨款事业单位，定编12个。2016年有在职干部10人，其中技术人员6人。主要管理水库、渠道、农田灌溉等。

县供水公司办公大楼

洞口水电站　1983年，建成投产发电，为县水电局下辖企业单位，有干部职工58人。2004年，划归县供电局管理。

山坑电站管理局　1995年1月成立山坑电站管理局，为县水利局下辖国营企业。人员抽调县有关单位干部职工、安置退伍军人。同时，向社会招收部分待业青年，每人交纳 2 万元资助费。电站管理局最多时有员工 80 余人。2002 年 4 月 20 日，县政府将山坑电站产权整体出让给抚州电力实业总公司（为股份制私有企业）。山坑电站管理局同时撤销。

龙潭水库管理局　2007 年，龙潭水库建成投入运行，成立龙潭水库管理局，为水利局下辖副科级机构，2009 年 12 月转为差额拨款事业单位，2016 年有干部职工 6 人。负责管理龙潭水库大坝安全运行，蓄水、防洪、养鱼、调节用水等工作。

第二节　工程管理

一、水利设施管理

县域水利工程遵照国家“谁建、谁有、谁受益、谁管理”的规定，根据规模大小，按照统一领导、分级负责管理的原则，实行县、乡、村三级管理体制。县内 3 座中型蓄水工程，均设立水库管理局，专职管理，隶属县水利局。2004 年 4 月，山坑电站整体转让给抚州电力实业总公司，山坑电站管理局撤销。151 座小型水库防洪工程、供水工程由所在乡镇管理，县水利局业务指导。塘坝工程、陂堰工程基本上由当地村委会或村小组指定承包户负责管理。引水工程和提水工程都由当地村委会或村小组负责管理。

二、小水电工程管理

小型水电工程建设和管理由水利电力部门负责。县水利局坚持建设和管理并重的原则，贯彻“自建、自管、自用”的政策，加强小型水电工程管理。20 世纪 90 年代后，随着改革开放的不断深入，小水电工程逐步走向企业化经营管理，水利部门只负责业务指导和监督。1998 年，发电与供电分营，水电站业务归投资单位或个人负责经营管理，受县水利局业务监督指导。所发电力输送国家电网，上网电价由物价部门按投资评估装机规模大小审批定价：电价在 0.18 ~ 0.35 元 / 千瓦时不等。各水电站发电时间和送电量由县电力公司统一指挥调度。

第三节　用水管理

1994 年 12 月，县水利局按照省政府《关于在全省进行取水登记和发证工作意见的通知》精神，对全县所有取水户进行审核登记，实行许可证制度。1996 年开始，对全县拥有取水许可证的取水户实行年审和五年一换证。2016 年，全县登记取水户，已发放取水许可证 20 件。

1998 年 12 月，县政府下发《关于认真落实〈江西省水资源费征收管理办法〉的通知》，规定县域范围内所有地表水和地下水必须由水行政主管部门实行统一管理，并向所有取水户征收水资源费。1999 年始，县水利局负责征收水资源费的工作。

水资源费征收标准：工业取水按地表水 0.015 元 / 立方米，地下水 0.025 元 / 立方米征收；生活用水按地表水 0.01 元 / 立方米，地下水 0.015 元 / 立方米征收；水力火力发电厂取水 0.0015 元 / 千瓦时；火电厂循环冷却取水 0.0015 元 / 千瓦时；其他取水按地表水 0.01 元 / 立方米，地下水 0.02 元 / 立方米征收。水资源费全额纳入财政预算，由财政部门统筹管理。

山坑水电站

第四节　采砂管理

1996年成立乐安县水政监察大队，负责全县河道的采砂管理工作。水政监察大队根据《中华人民共和国水法》《江西省河道管理条例》《江西省河道采砂管理条例》对县域河道砂场进行管理，为采砂行业办理河道采砂许可证，收缴采砂管理费上缴县财政。

2016年成立乐安县河道采砂管理办公室，配备专职副主任1名。负责全县河道采砂专项治理工作的协调、检查、督办工作，协调解决河道采砂中遇到的各种矛盾。是年6月11日，县政府下发《乐安县河道采砂专项治理实施方案》。10月11日，县政府办公室印发《乐安县河道砂石开采权拍卖实施方案》，对砂石开采权拍卖作出详细规定。11月11日，在县公共资源交易中心首次公开拍卖公溪长安、公溪武家、山砀安山、龚坊同富、牛田高坪、增田寒南、招携尧坊、万崇咸口、万崇盐丰9个河道采砂权，签订采砂拍卖合同，保障买受人合法权益。同时，建立河道采砂管理新机制，确保河道砂石资源开采稳定、有序进行。

2016年，分别从县水利局、公安局各抽调3人，从县交通局、公路局、城市管理局：县供电局、环保局、国土资源局各抽调2人，物价局抽调1人，组成河道采砂管理综合执法大队，遇有重大砂场事件，由属地乡镇政府、派出所和县综合执法大队联合进行处置。是年对湖坪乡坊塘村非法采砂场采砂船只，依法进行强制拆除。拆除采砂管道30余米，对18名非法采砂者进行行政处罚，使非法采砂行为得到遏制。

第十六卷　工业　中小企业

本卷目录

第一章 工业总情

20世纪80年代中期至90年代中后期，国有和集体工业企业以提高管理质量和经济效益为中心，以加强企业管理和技术改造为根本，工业生产保持稳定增长；乡镇企业实行乡办、村办、联办、户办“四轮”驱动，异军突起，成为乡镇经济的重要组成部分。1997年，全县实现工业总产值15630万元，比1985年的2833万元增加12797万元。其中乡镇工业总产值6441万元，比1985年的657万元增加5784万元。20世纪90年代中后期至21世纪初，国有和集体企业逐渐萎缩，大部分企业停产转制。随着产权制度改革进一步深化，企业资产置换，职工置换身份，解除劳动合同。个体、私营、外资等非公有制经济逐步壮大，形成多种经济成分并存格局。2002年，全县实现工业总产值10707万元，比1997年减少4923万元。进入21世纪，县委、县政府实施“工业强县”战略，优化发展环境，制定优惠政策，实施招商引资，内引外联，扶持重大工业和重点产业聚集，全县工业生产持续增长，非公有制工业在国民经济中地位凸显。2016年，全县有规模以上工业企业17家，完成工业总产值170554万元，完成工业增加值47442万元。其中非公有制工业16家，完成工业总产值163756万元，完成工业增加值45405万元。

第一节 机构人员

一、县工业和信息化委员会

20世纪50年代至70年代均设有工业交通管理局或工业局（办公室）。1981年2月，工业办公室、工业局、交通局、二轻局合并组建县经济委员会。1982年12月，恢复工业局。1984年8月再次撤销工业局。1992年县经济委员会设立党委。1996年10月，撤销县经济委员会，组建县经济贸易委员会，管理全县工业经济运行和预算内工业企业；县食品工业办公室并入县经济贸易委员会。2010年7月，更名为县工业和信息化委员会，2016年，内设办公室、经济运行股、技术进步股、企业协调股、信息化推进股，有行政编制10个，事业编制4个，实际在岗14人。办公地点坐落在鳌溪镇长征路67号。

1986—2016年，历任主任（局长）：唐幼端、徐力平、杨绍荣、周洪员、饶国卿、陈绍良、乐龙进、程宝光、辛丽琴（女）；1992—2016年历任党委书记：徐力平、陈全保、饶国卿、陈绍良、乐龙进、张世福。

二、县第二轻工业局

20世纪50年代设立县手工业管理局，人民公社时撤销，1961年又恢复。1969年9月与县物资局合并，1973年10月恢复。1978年9月更名为县第二轻工业局。1981年2月并入县经济委员会，更名为县二轻供销公司，成为县经济委员会的下属机构。1982年5月又恢复县第二轻工业局，管理县属集体工业企业。

1991年，局机关设人秘股、生产技术股、财会股，1992年增设企业管理股。1997年“三定”方案确定为事业单位，核定编制10个，内设人秘股、计划生产股、企业管理股、技术信息股、室内装饰管理办公室5个职能股室。主要管理县属大集体所有制工业企业。2002年，局机关设党政

县二轻局轻工大厦

办公室、企业转制办公室、财务股。主要职能是：做好所属企业的改制工作，处理改制企业的遗留问题。2008年，局机关正式人员编制挂靠县中小企业局，为参照公务员法管理的事业单位。2016年，局机关在职在岗5人，办公地点坐落在鳌溪镇长征路3号。

1986—2016年，历任局长：杨厚文、龚金林、董南昌、杨勤生、陈绍良、周仉生、王乐富、詹云、黄光荣。

第二节　工业体制

一、国有工业

1986—2004年，县域内有全民所有制工业企业22家。其中，驻县中央企业1家（721矿）；驻县省属企业1家（乐安制药厂）；县经贸委下属企业10家，即县家具总厂、县农机厂、县印刷厂、县矿产品公司、县水泥厂、县胶合板厂、县针织内衣厂、县升泉化工厂（一化）、县欣荣丝厂、县第二化工厂；县粮食局下属企业2家，即县粮油工业公司、县饲料工业公司；县林业局下属企业3家，即县林业工业公司、县人造板厂、赣东制药厂；县农业局下属企业1家，即县兽药厂；县商务局下属企业2家，即县食品罐头厂、县第二食品罐头厂；县水利局下属企业2家，即县供水公司、县水泥建材预制厂。

二、县属集体工业

集体工业包括县属集体工业、乡镇办集体工业和村办集体工业。

20世纪70年代末80年代初，创办县木竹制品厂、县车厢厂、县工艺美术厂、县纺织器材厂、县针织厂、县陶瓷厂、县五金厂、江西省自动仪表阀门厂、县石油液化气供应站、县二轻基建队等。

20世纪80年代末至90年代，个体经济迅速发展，市场竞争激烈，集体企业因产品单调，运转举步维艰。为此，有些企业大力引进设备，进行技术改造，增加产品种类，提高产品质量，增强市场竞争力。县陶瓷厂通过技改，产品从原有沼气纱罩、沼气灯头、沼气炉器、可二碗、蓝边碗，发展到生产青花瓷茶杯、青花瓷碗、勺、酒杯、酒壶、汤碗、花钵、盘、石球磨子等；县鞋楦厂在原有产品基础上增加生产塑料鞋楦和男女高、中、平跟鞋等；工艺美术厂生产的老鹰、鸭、鹅、鸳鸯等雕刻品和木摇马等产品，远销香港、澳门、美国等地；县五金厂研制生产的“铁牛—3型”耕整机，获得江西省轻工业厅新产品开发二等奖；县针织厂增加生产男女高中档羊毛衫、羊毛裤、尼龙袜；纺织器材厂生产宝塔管、平行管；木竹制品厂生产竹质麻将床席等系列产品。

至20世纪90年代，县二轻系统企业形成规模较大、体系较为完善的生产格局。各企业大多分布在县城繁华地段，鳌溪镇长征路段（县中医院至街心花园）约三分之一的店面属县二轻系统企业。1993年年末，县二轻局所属工业企业有：县五金厂、县陶瓷厂、县服装厂、县汽车修配厂、县钣金厂、县木竹制品厂、县棉絮厂、县纺织器材厂、县针织厂、县木具厂、县装潢公司、县工艺美术厂、县鞋楦厂、县石油液化气供应站、县二轻供销公司等15家企业，700多名工人。1996年，县二轻系统企业固定资产727.3万元（不含土地价值），厂房占地面积3.11万平方米。至2000年，二轻系统所属企业基本停产。

三、乡镇集体工业

1986年，全县乡镇集体工业企业1545家，从业人员5706人，工业总产值1324.5万元，缴纳税金157.4万元；2004年有1329家，从业人员7672人，工业总产值2.762亿元，缴纳税金1265万元（详见本卷第四章中小企业第二节分类企业）。

四、非公有制工业

非公有制经济主要包括个体经济、私营经济、外资经济等。随着国家相关鼓励政策的出台，私营企业得到长足发展。1993年，县内有个体工商户3652户，私营企业2家。1995年年底，个体工商户6830户，从业人员16534人。其中，私营企业30户，从业人员826人；企业产值10万元以上23户，50万元以上6户，100万元以上1户。

20世纪90年代末，县政府把发展个体私营经济作为振兴县域经济的战略措施来抓。2000年6月，县委、县政府下发《关于进一步加快个体私营经济发展的意见》，要求落实优惠政策，营造宽松环境，为个体私营经济发展提供优质报务。2001年9月，县委、县政府下发《关于加快发展民营经济的决定》，指出民营经济是社会主义市场经济的重要组成部分，是非公有制经济的主要成分；对民营经济发展实行“五不限”：不限经营范围，不限组织形式，不限从业人员，不限注册资金，不限企业冠名。鼓励党政机关、事业单位干部、职工、科技人员从事一、二、三产业，创办民营经济。

2002年11月，县委、县政府下发《关于进一步深化国有企业产权制度改革的通知》后，县属国有企业和资产全部有序退出。集体企业和乡镇企业先期退出。有的企业产权转让给私营企业主。2004年，全县非公有制企业发展到4421户，从业人员13514人，实现工业总产值1.07亿元，占全县工业总产值的41%；工业增加值3400万元，占全县工业增加值的41%。2006年6月，县委、县政府下发《关于进一步加快发展工业园区的决定》，随后鼓励客商投资项目优惠办法出台，众多非公有制工业企业纷纷落户工业园区。2006年8月，县委、县政府根据国务院《关于鼓励支持和引导个体私营等非公有制经济发展的若干意见》的精神，成立促进非公有制经济发展领导小组，办公室设在中小企业局；是年，印发发展非公有制经济考核办法。至2016年，非公有制企业有8873户，从业人员33816人；规模以上非公有制工业企业16家，占全县规模以上工业企业总数的94.1%，实现工业总产值16.38亿元，占全县工业总产值的96%；工业增加值4.54亿元，占全县工业增加值的96%。

第三节　工业发展

1986—2000年，乐安县工业以国有和集体企业为主。1986年，全县有工业企业137家，其中乡镇办工业104家。全县工业总产值3993万元。其中，全民工业2923万元，集体工业1070万元；二轻工业272万元，乡镇工业814万元。1994年，全县工业发展达到鼎盛，有企业177家。其中，县属国有企业31家，县属集体企业12家，乡镇属企业134家。工业总产值18493万元。其中，县属国有企业7322万元，县属集体企业525万元，乡镇属企业10646万元。90年代后期，随着国退民进政策进一步落实，县属国有和集体企业基本退出市场。2002年，全县工业企业仅有20家，只占1994年12%。

进入21世纪，政府大力发展民营经济，对民营经济发展实行“五不限”，并出台众多优惠政策，使非公有制经济得以迅速发展。2007年，全县非公有制企业3216家，其中工业企业1237家；从业人员13830人，其中工业企业从业人员8099人；固定资产原值24500万元，其中工业企业19800万元；完成增加值12100万元，其中工业企业9880万元；主营业务收入41950万元，其中工业企业24906万元；实现利润总额2078万元，其中工业企业1149万元；缴纳税金1444万元，

续表 16-1-3

单位	1986	1987	1988	1989	1990	1991	1992	1993	1994	1995	1996	1997	1998	1999	2000
家具总厂	82	100	105	105	108	125	126	159	180	290	502	505	550	320	600
电力公司	23	26	47	56	71	71	75	159	105	78	83	202	283	600	300
自来水公司	9	11	13	—	18	31	40	43	32	55	31	—	—	—	—
水泥预制厂	7	8	8	—	9	14	15	17	7	8	9	—	—	—	—
缫丝厂	—	—	—	—	—	—	—	25	552	715	813	680	730	720	530
升泉化工厂	—	—	—	—	—	—	—	—	—	—	—	180	200	240	230
合计	618	688	828	906	993	937	1694	2094	2573	2517	2844	3347	3643	3452	3500

说明：1990 年起改 1980 年不变价为 1990 年不变价。1986—1988 年一化与二化合并为化工总厂

1986—1995 年乐安县二轻系统主要企业生产情况

表 16-1-4　　单位：万元

单位项目		1986	1987	1988	1989	1990	1991	1992	1993	1994	1995
耕整机厂	职工人数	75	71	67	56	68	79	79	79	86	86
	实现利润	—	—	—	0.1	—	—	—	—	—	—
	上缴税金	0.8	0.5	0.4	2.3	0.78	0.38	0.4	1.2	0.2	0.1
纺织器材鞋楦厂	职工人数	70	71	72	80	87	87	88	90	100	111
	实现利润	0.3	—	—	0.1	0.06	0.41	0.3	0.3	0.2	0.1
	上缴税金	0.5	0.6	06	0.6	0.53	0.7	0.75	1	0.8	0.7
陶瓷厂	职工人数	44	44	42	44	56	63	63	110	105	105
	实现利润	—	—	0.2	0.1	0.2	0.1	0.09	4.7	—	—
	上缴税金	0.2	0.3	0.3	0.3	0.5	0.07	0.3	0.5	—	—
服装厂	职工人数	64	72	63	57	56	51	61	66	69	69
	实现利润	—	—	0.1	—	1.8	0.12	0.03	0.07	—	—
	上缴税金	0.6	0.4	0.4	0.3	0.7	0.1	1.3	0.2	—	—
汽车修配厂	职工人数	29	35	36	36	34	38	38	40	41	41
	实现利润	0.5	0.5	—	0.1	0.08	0.9	0.8	0.7	—	—
	上缴税金	0.5	0.6	0.8	0.6	0.84	0.79	0.9	0.1	—	—
针织厂	职工人数	48	58	78	75	77	85	86	83	83	83
	实现利润	0.5	0.1	—	—	0.5	0.9	—	0.3	0.2	0.1
	上缴税金	2.1	1.8	1.9	1.8	0.8	0.9	0.8	1.8	0.5	0.4

续表 16-1-4

单位项目		1986	1987	1988	1989	1990	1991	1992	1993	1994	1995
钣金厂	职工人数	25	25	25	25	25	28	31	31	31	31
	实现利润	1	1.2	1.1	0.7	0.8	0.7	0.6	0.1	0.1	0.1
	上缴税金	0.7	0.9	0.7	0.3	0.4	0.3	0.2	0.1	0.1	0.1
木竹制品厂	职工人数	27	27	29	29	30	31	31	31	31	31
	实现利润	0.1	0.3	0.4	0.3	0.2	—	—	—	—	—
	上缴税金	0.1	0.2	0.3	0	0.1	0.05	0.06	0.05	0.05	0.04
液化气站	职工人数	—	—	—	—	—	—	—	16	16	16
	实现利润	—	—	—	—	—	—	—	0.9	0.9	1
	上缴税金	—	—	—	—	—	—	—	0.7	0.8	0.9
豪华建筑装潢公司	职工人数	25	25	25	25	25	26	26	28	28	28
	实现利润	0.3	0.3	0.1	—	—	—	—	—	—	—
	上缴税金	0.25	0.25	0.1	0.05	0.05	0.05	0.1	0.07	0.1	0.05

1986—2013 年乐安县乡镇企业发展情况

表 16-1-5　　单位：万元

年份	企业个数	从业人数	总收入	工业总产值	缴纳税金	利润
1986	2856	8587	2567	1324.5	157.4	131
1987	3223	9671	3573	1829	164	323
1988	3861	11664	6104	2894	276	515
1989	4779	13789	6821	3984	337	608
1990	4626	14098	7887	4610	374	718
1991	5064	15445	9060	6801	329	798
1992	4941	13276	12360	9987	471	1043
1993	4885	11725	22585	16342	590	1560
1994	5460	15338	42240	34140	1220	3072
1995	16218	17578	63600	43560	1568	3920
1996	5127	12731	12480	8100	291	729
1997	4248	11236	19100	12909	464	1161
1998	3296	10965	17405	17405	626	1566
1999	2857	10648	5150	19493	701	1754

续表 16-1-5

年份	企业个数	从业人数	总收入	工业总产值	缴纳税金	利润
2000	2746	10193	4363	20100	723	1809
2001	2730	10039	21207	23005	690	1465
2002	2830	11639	21413	24254	1128	1443
2003	2980	11859	22510	24524	1130	1520
2004	3050	11983	34500	27620	1265	1976
2005	3180	1472	4520	3276	1570	2130
2006	3298	15680	46524	33884	1650	2338
2007	3396	16660	50014	39329	1732	2574
2008	3420	16860	51263	6578	1775	2576
2009	3477	17560	55107	7068	1900	2766
2010	2746	10193	48672	20100	2020	2727
2011	2822	12460	62122	43701	2020	3727
2012	2937	12670	61320	42607	2130	3874
2013	3020	13332	66271	46760	2158	3988

第四节　工业企业改制

1988 年 1 月，根据省政府《全民所有制工业企业承包经营责任制暂行条例》精神，县政府下发《乐安县地方国营工业企业承包经营责任制实施办法》。实行承包责任制，按照所有权与经营权适当分离原则，通过承包合同，确定国家与企业责权关系。承包形式主要有：上缴利润递增包干；上缴利润基数包干，超收分成；亏损企业实行减亏包干、超亏不补，减亏、扭亏部分全归企业。承包期限一般不得少于 3 年。根据上述要求，1988 年，县属国营企业进行第一轮承包。承包的工业企业有县印刷厂、县农机厂、县家具总厂、县胶合板厂、县自来水公司、县小水电公司、县化工总厂、县矿产品公司、县水泥厂、县林业工业公司、县针织内衣厂、县食品厂等 12 家企业。

1990 年 11 月，县政府制定《乐安县企业第二轮承包实施细则》《乐安县企业承包经营责任制合同书》（规范文本）。承包种类有委任承包、招标承包、民主选举经营者 3 种。承包形式有 4 种：对符合国家、地区产业政策需要重点发展企业，可实行“两保一挂”，即保上缴利润、保技术改造，实行工资总额与经济效益挂钩，采取上缴利润递增包干；对市场变化大，效益不够稳定企业，可实行上缴利润基数包干，超收分成；对微利企业实行上缴利润定额包干；对亏损企业，可实行减亏定额包干。承包方式实行全员承包、集体承包，不搞个人承包。承包期限一般为 3 年。1991 年 1 月起，进行第二轮承包的工业企业有县印刷厂、县农机厂、县家具厂、县胶合板厂、县自来水公司、县小水电公司、县化工一厂、县矿产品公司、县水泥厂、县化工二厂、县林业工业公司、县针织内衣厂、县食品厂等 13 家企业。

1992 年 9 月，根据国务院《全民所有制工业企业转换经营机制条例》精神，县政府批转《县针织内衣厂转换企业经营机制试点实施方案》。转换企业经营机制，打破“三铁”（铁饭碗、铁工资、铁交椅）；深化企业内部改革，厂内一律实行“三制三岗”，即劳动合同制、干部聘任制、内部待业制，上岗、试岗、待岗；强化企业内部管理。1994年3月，县委、县政府印发《关于全县企业干部全面实行聘、选任制的实施细则》。企业行政领导干部实行聘任制，党群领导干部实行选举制，工作人员实行聘用制。聘、选任期限一般为3年。

1996年7月，县委、县政府下发《关于全面深化国有集体企业改革的决定》，提出以产权制度改革为突破口，因企制宜，抓大放小，多管齐下，全面转换企业经营机制的指导思想。积极推进配套改革，全面完成县属工业企业产权重组和结构调整任务，从整体上抓好国有经济，构建现代企业制度框架。

2002年11月，县委、县政府下发《关于进一步深化国有企业产权制度改革的通知》，明确指出以产权制度改革为重点，以产权转让、股份制改造、外资嫁接、依法破产为主要形式，辅之以股份合作制、兼并等形式，使县属国有企业和国有资产全部有序退出；坚持产权制度改革与发展非公有制经济紧密结合原则，鼓励和大力吸引个体私营企业主、企业职工、外地客商，采取购买、控股、参股、兼并形式，参与国有企业产权制度改革。文件另附《乐安县关于进一步深化国有企业产权制度改革若干问题的暂行办法》。集体企业可参照执行。暂行办法对职工安置费用来源及标准作出规定。职工安置费主要来源：一是本企业产权转让收入（含土地有偿收入）；二是破产企业按规定用于职工安置的破产财产收益。职工安置采取一次性安置和非一次性安置两种办法，职工可自主选择，但原则上参照国务院关于兼并破产企业职工一次性安置的有关规定进行安置。安置对象是企业中具有劳动关系的在册正式职工（不含挂编人员）。实行劳动合同制以前参加工作的全民所有制职工（以下简称固定工），可以采取以下两种安置办法中任选一种，并与企业解除劳动关系：对未到法定退休年龄的固定工（含土地带劳职工），一种是为其一次性交足10年基本养老保险费；另一种是视资产变现情况，按职工工龄一次性发放每年不超过500元的安置补偿费，但每名职工补偿总额不得超过1.5万元，企业已交纳失业保险费，县就业局按规定发放失业金，自谋职业。实行劳动合同制以后参加工作的合同制职工（以下简称合同制工，含带资进厂职工），按其工龄一次性发给每年不超过480元的经济补偿金，并与企业解除劳动关系，并不再享受失业保险。如企业资产变现少的，视安置情况相应降低补偿标准。以上选择一次性安置补偿费已解除劳动关系的职工，安置补偿费应优先用于缴纳养老保险或由新聘用单位按规定缴纳社会养老保险金。对因工致残完全丧失劳动能力或患有职业病并按规定已经办理工伤、病退手续的职工，除一次性交纳10年基本养老保险费外，其到达法定退休年龄前的工伤退休费一次性拨给社保局（1995年6月以后参加工伤保险，享受定期伤残补助金的职工除外），由社保局代发。到达法定退休年龄后，其基本养老保险金由社保局支付。之后改制的国有企业，都按此文件办理。

县经贸委下属工业企业改制进程　1996年，实行股份合作制改革，全员企业职工参股，县水泥厂、县欣荣丝厂实行私人租赁经营；12月，县第二化工厂破产。2002年12月，县升泉化工厂公开拍卖。2003年3月，县矿产品公司破产；6月，县欣荣丝厂破产重组，引进信达茧丝有限公司；10月，县针织内衣厂公开拍卖。2004年6月，县印刷厂公开拍卖，资产重组，引进可尔针织有限公司；12月，县胶合板厂、县水泥厂破产。2006年，县家具厂、县农机厂公开拍卖，引进华辉实业有限公司。

县二轻局下属企业改制进程　1995年，县二轻系统有企业14家，在册职工人数691人。1996年，县棉絮厂自行解散，县车辆修理厂经法院拍卖还债，这两家企业未参与改制。2000—2009年，先后对县陶瓷厂、县服装厂、县鞋楦厂、县耕整机厂、县钣金厂、县木竹制品厂、县钟表修理厂、县针织厂、县装潢公司、县二轻供销公司、县石油液化气供应公司11家企业进行改制。至2016年12月，县汽车修配厂尚未改制，资产仍在，职工自谋职业。

1996—2013年乐安县属部分工业企业改制情况表

表16-1-6

企业名称	建厂时间	厂房面积（平方米）	经济类型	改制情况						
				完成时间	改制形式	资产变现（万元）	安置人数	安置标准（元）	补交养老保险	补交医疗保险
县家具总厂	1982	16500	国有	2006	产权转让	500	171	—	√	√
县水泥厂	1958	4800	国有	2008	破产	—	182	—	√	√
县农机厂	1958	10650	国有	2006	产权转让	—	232	—	√	√
县胶合板厂	1981	15600	国有	2008	破产	—	150	—	√	√
县矿产品公司	1958	1500	国有	2004	破产	—	70	—	√	√
县印刷厂	1950	5260	国有	2004	产权转让	158	137	—	√	√
县针织内衣厂	1982	3610	国有	2004	产权转让	—	140	—	√	√
乐安升泉化工厂	1958	15810	国有	2003	产权转让	—	119	—	√	√
县第二化工厂	1969	—	国有	1996	破产	—	67	—	√	√
乐安欣荣丝厂	1992	3450	国有	2013	破产	—	500	—	√	√
县医药公司	—	—	国有	2011	产权转让	90	60	—	√	√
县陶瓷厂	1978	10000	集体	2003	产权转让	60	109	500	—	—
县服装厂	1954	575	集体	2009	产权转让	263	69	266	√	√
县鞋楦厂	1974	3000	集体	2007	产权转让	168	111	500		
县耕整机厂	1970	4000	集体	2007	产权转让	310	93	400	√	√
县钣金厂	1980	550	集体	2003	产权转让	10.8	42	220	—	—
县木竹制品厂	1953	980	集体	2004	产权转让	40	39	266	—	—
县豪华装潢公司	1983	200	集体	2004	产权转让	31	28	306	—	—
县二轻供销公司	1976	200	集体	2000	产权转让	14	18	170	—	—
县钟表修理厂	1955	100	集体	2002	产权转让	15.88	15	275	—	—
县针织厂	1970	3000	集体	2009	产权转让	50	84	200	—	—
县石油液化气供应公司	1991	3100	集体	2002	产权转让	70	32	450	—	—

说明：国有企业职工安置补偿费：固定工，按职工工龄每年不超过500元；合同工不超过480元

第五节 改制后工作

养老保险 二轻系统企业职工安置状况与企业改制时间及资产质量有关，如县服装厂和县耕整机厂，改制较晚，资产质量较好，改制时为职工交纳基本养老保险。其他企业改制时资产变现少，均无力为职工缴纳基本养老保险，后经反复动员，陆续有200名职工（含未改制的县汽车修配厂）自己交纳基本养老保险。至2016年12月，县二轻系统有332名职工参加基本养老保险。

医疗保险 二轻系统企业改制时，多数职工未参加城镇职工基本医疗保险。2011年和2012年，根据县有关文件规定，已离退休的时间不足5年的职工一次性缴费1800元、离退休时间超过5年的职工一次性缴费2400元，即可参加城镇职工基本医疗保险。大部分职工在其个人出资的情况下，县二轻局统一为其办理参保手续。2015年7月，县医疗事业保险局出台文件，对未参加城镇职工基本医疗保险的，一次性由其个人缴纳3600元，即可享受城镇职工基本医疗保险。至2016年12月，县二轻系统共有近500名职工补办城镇职工基本医疗保险。年审工作由县二轻局统一办理。

困难职工救助 对困难职工的救助主要有3条途径：争取享受低保待遇，二轻系统困难职工基本享受到这一政策；部分职工纳入县总工会的困难职工建档范围实行动态管理，每年约50人得到救助；县民政局安排有关资金进行临时救助。

信访维稳 二轻系统企业改制时的一些遗留问题，如城镇职工基本养老保险、城镇职工基本医疗保险、参战（伤残）军人优抚等问题未得到妥善解决，造成职工上访不断。2010年，为县陶瓷厂职工每人按每个工龄补发280元的安置费；为8名参战（伤残）军人落实相关政策，解决城镇职工基本养老保险、基本医疗保险问题。2011年，为7名参战（伤残）军人安排公益性岗位，稳定职工思想情绪。

第二章 工业门类

乐安县工业门类有采矿业、农副产品加工业、食品制造业、酒和矿泉水制造业、纺织服装业、木材加工和制品业、家具制造业、印刷包装业、化学原料和制品业、医药制造业、非金属矿物制品业、金属制品业、设备制造业、水的生产与供应业、电子设备制造业等。

第一节 采矿业

21世纪初，县有内采矿企业3家。721矿转制更名，乐安县矿产品公司破产，民营企业戴坊零线煤矿因透水事故于2008年关闭。

中核抚州金安铀业有限公司 1958年创办721矿，2002年破产，组建中核抚州金安铀业有限公司，2016年全面停产（详见第二十四卷特色专记第四章中国铀都第二节七二一矿）。

乐安县矿产品公司 县属国有企业。1958年组建乐安县国营钨矿，1989年5月更名为乐安县矿产品公司，坐落在县城长征路133号。1983年，戴坊乡麦坑村发现萤石矿，先后由戴坊乡及永丰县、罗陂乡个体户联合开采经营。1989年，县矿产品公司投资100万元接管，转为国有开采经营，厂名为乐安县矿产品公司戴坊萤石矿厂。1989年5月，投资40万元在县城西坑建1500平方米的选矿车间和矿产品化验室。后陆续添置淘汰机、大小破碎机、滚筒机、浮选机、左右摇床、万分之一电光天平、721粉光密度计、蒸馏水等设备。主要产品有钨精矿、萤石矿。至1990年，由于地表160米标高以上矿体业已采空，向上采掘困难，该公司决定对戴坊萤石矿进行技术改造。改造设计采选能力为35吨/日，年采选1.05万吨，实际投资143.48万元。经过两年改造，生产能力达到每日50～70吨。1993年，固定资产245万元，各种机械设备68台（套），职工70人，生产钨精矿1.2吨，萤石矿8220吨，总产值277.2万元，实现利润18.02万元。产品远销美国、俄罗斯、日本等国。1994年后，由于技术力量薄弱，专业人才缺乏，资源储量减少，生产成本增加，钨矿、萤石矿产品国际市场价格走低，使企业亏本经营。1996年12月1日至1998年11月30日，将戴坊萤石矿厂租赁给罗陂乡水口村彭某、永丰县荧光粉厂李某、卢某经营。至2000年，共产萤石8.26万吨。2002年5月，企业资不抵债，申请破产。2003年5月，依法宣告企业破产。2004年6月，70名职工置换身份，解除劳动合同。

第二节　农副食品加工业

21世纪初，县粮油工业公司和县饲料公司2家国有农副食品加工企业相继改制。之后成立民营企业3家，即县永昌饲料有限公司、县鑫顺源米业有限公司、县丰信生物科技有限公司。2016年，有员工39人，实现销售收入1795.2万元，缴纳税金52.3万元。

乐安县粮油工业公司　县粮食局下属国有企业。1953年成立，总公司设于县城，在江边、莲塘、万坊、望仙、湖坪5处设分厂。1984年，有江边、县城、西坑、万崇4个粮油加工厂。1986年向银行贷款180万元，自筹80万元，对江边粮油加工厂日产80吨大米车间、榨油车间进行技术改造。1987年对西坑粮油加工厂日产80吨大米车间、榨油车油进行技术改造。1990年对县城粮油加工厂日产80吨大米车间、榨油车间、面条加工车间进行技术改造。1991年对万崇粮油加工厂日产60吨大米车间、榨油车间进行技术改造。经过技术改造，各粮油加工厂面貌焕然一新，机械设备升级换代，生产规模不断扩大，粉尘污染治理有效。

1986年，县粮食局下属各粮油加工厂有职工90人，固定资产净值209.6万元，全年加工大米3.13万吨，完成工业总产值1157.58万元，实现利税31.79万元，全员劳动生产率12.86万元，人平均贡献3500元。1991年年末，固定资产净值261.2万元，大米生产能力8万吨/年，毛糠油生产能力400吨/年；是年，生产大米3.4万吨，毛糠油217吨，完成工业总产值1845.87万元，实现利税91.3万元，全员劳动生产率12.55万元，吨米利润26.76元，人平均贡献6210元。2001年，4个加工米厂均采用抛光机、色选机、自动包装机，大米精度提高，形成大米品牌。西坑粮油加工厂标一早米、特二晚米获江西省优质产品称号。随着粮食市场逐步放开，大米出口业务逐年减少，私有大米加工企业发展迅速，国有粮油加工企业效益大幅下降。全县国有粮油加工企业按照上级要求，结合本单位实际，实行一厂一策，自寻出路谋生存，开展委托加工、代农加工、生产面条、加工米粉、粮食议购议销等多种经营方式，实行职工富余人员分流下岗，重新组合经营等多种形式。1995—2001年，粮油工业总产值、实现利税均逐年下降。2002—2003年，全县国有粮油工业企业均出现亏损。2004年，国有粮油加工企业全部改制，职工置换身份，解除劳动合同，企业建制撤销。

1986—2003年乐安县国有粮油加工企业生产经营情况

表16-2-1　　　　单位：吨、万元、人

年份	经营量	工业产值	实现利税	职工人数	年份	经营量	工业产值	实现利税	职工人数
1986	31280	1157.58	31.79	90	1995	28250	1560	20.21	222
1987	29300	1047.61	48.64	92	1996	29110	1315.1	21.6	270
1988	23150	827.63	38.2	99	1997	29330	1252.4	23.2	273
1989	26220	984.21	65.6	126	1998	28470	1260.2	22.1	252
1990	18530	683.4	22.6	135	1999	29120	1718.1	11.5	251
1991	34010	1845.87	91.3	147	2000	21140	1304.3	16.7	251
1992	28360	1270.5	34.31	208	2001	20660	1345.6	15.3	248
1993	28740	1286.6	41.5	204	2002	19830	872.4	-12.1	251
1994	29080	2147.8	23.21	211	2003	16010	803.3	-10.2	246

乐安县饲料公司　县粮食局下属国有企业。成立于1984年，坐落在鳌溪镇代陂岭。1986年，县饲料公司生产配合饲料4620吨，完成工业产值228.6万元，实现利税8.52万元。1987年5月，县粮食局为整合粮油副产品与生产配合饲料资源，将县饲料公司并入县粮油工业公司，重新组建粮油饲料工业公司，由县粮油饲料工业公司负责管理县饲料公司。当年生产配合饲料3462吨，完成工业产值238.3万元，实现利税9.18万元。1988年，县饲料公司筹集资金25万元，进行技术改造，年产量提高到5000吨，配料精度达到99%，产值提高30%，利润提高20%。是年，生产配合饲料4721吨，完成工业产值284.4万元，实现利税13.6万元。1994年，县粮食局与鳌溪镇政府联合创办乐安县饲料厂，计划年生产配合饲料5000吨，养殖生猪1万头，利润或亏损按出资比例分成，即粮食局60%，鳌溪镇政府40%，鳌溪镇政府委派厂长负责经营管理。是年，生产配合饲料4216吨，养殖生猪1300头，完成工业产值340.6万元，实现利税2.4万元。利润不升反降，主要因素是：购进原料成本过高，养殖生猪技术不规范，内部管理不善。1995年，鳌溪镇政府退出联合办厂，清算债务债权，县粮食局全权接管经营。随着饲料工业蓬勃发展，饲料市场竞争日趋激烈，县饲料公司在设备、技术、管理、资金等方面不能适应市场竞争，特别是生产经营管理不善，产品质量下降，1995年起，产品滞销，市场萎缩，饲料生产滑坡，企业由盈变亏。1996年起，饲料公司由生产配合饲料为主转变成以发展粮食加工和养殖生猪为主。2004年，全县国有粮食企业实行改制，县粮食局饲料企业资产转让，职工置换身份，解除劳动合同，企业建制撤销。

1986—2003 年乐安县国有饲料企业生产经营情况表

表 16-2-2　　单位：万元、吨

年份	工业产值	饲料经营	实现利税	年份	工业产值	饲料经营	实现利税
1986	228.6	4620	8.52	1995	162.3	2210	-3.6
1987	238.3	3462	9.18	1996	120.2	1843	4.1
1988	284.4	4721	13.6	1997	141.5	1926	5.6
1989	213.1	4521	12.2	1998	110.8	1742	3.2
1990	186.2	3044	13.1	1999	107.3	1651	2.6
1991	168.4	3861	12.5	2000	114.1	1523	2.8
1992	214.3	4152	14.2	2001	91.7	916	2.1
1993	312.1	4907	13.4	2002	86.6	640	-3.7
1994	340.6	4216	2.4	2003	73.5	478	-3.2

乐安县永昌饲料有限公司　民营企业。2006 年 12 月创办，坐落在前坪工业区。总投资 2000 万元，项目用地 2 公顷。是一家生产动物全价饲料的示范企业。产品主要是利用玉米、豆粕、机糠、鱼粉、小麦和饲料添加剂等配料精合生化而成，具有较高的科技含量。2016 年，有员工 12 人，实现销售收入 590 万元，缴纳税金 13 万元。

乐安县鑫顺源米业有限公司　民营企业。2009 年 6 月创办，坐落在前坪工业区。总投资 1510 万元，项目用地 1.04 公顷。建有原料仓库、产品仓库和生产车间及食品加工设备。主要从事精米、淀粉、保健米粉、葛粉等产品加工。2016 年有员工 14 人，实现销售收入 1524 万元，缴纳税金 20.3 万元。

乐安县丰信生物科技有限公司　民营企业。2014 年创办，坐落在前坪工业区。广东信达茧丝绸股份有限公司投资兴建，总投资 1.2 亿元，占地面积 8 公顷。主要生产新一代高蛋白生长促进添加料。公司引进先进生产设备，以蚕蛹与豆粕为原料，采用科学配方，经生物技术处理，生产高品质蛹肽蛋白产品。适用于畜牧、水产养殖业蛋白源添加。2016 年有员工 25 人，实现销售收入 271.2 万元，缴纳税金 32 万元。

第三节　食品制造业

21 世纪初，县罐头食品厂和县第二罐头食品厂 2 家国有食品制造企业相继改制。民营食品制造 5 家企业迅速成长，即江西广雅食品有限公司、乐安县鹏鑫食品有限公司、江西山峰食品有限公司、乐安县恒源食品有限公司、乐安县美美食品有限公司、江西加乐食品有限公司。2016 年，有员工 574 人，实现销售收入 3.56 亿元，缴纳税金 964.5 万元。

乐安县罐头食品厂　县商务局下属国有企业。其前身是县供销系统在 1957 年前开办的糕点加工部，1958 年划归县商业局。主要生产和销售糕点、糖果、罐头食品、酱油、饮料、白酒、黄酒等产品。1987 年进行扩建改造，兴建“三笋”罐头生产线，年产各类罐头 1000 多吨，年产值 500 万元，成为县内食品生产行业的龙头企业。1988 年生产的出口创汇产品——水煮笋和蕌子罐头，受到日本商人欢迎。1989 年兼并江边饭店，设立乐安县罐头食品厂江边分厂。1992 年经县委

前坪工业区食品加工企业车间

批准为副科级单位。1998年和外商合作成立吉乐公司。2000年县罐头食品厂宣布破产，2004年资产转让，174名职工（国有102名，大集体72名）置换身份，解除劳动合同。

乐安县第二罐头食品厂　1995年经县政府批准，以乐安县罐头食品厂江边分厂为基础，成立乐安县第二罐头食品厂。主要生产冬笋罐头、春笋罐头、小竹笋罐头、酱油等产品，年产值200万元。2004年7月，企业改制，资产转让，41名职工（国有26名，大集体15名）置换身份，解除劳动合同。

江西广雅食品有限公司　民营企业。2002年11月创办，坐落在前坪工业区。总投资3286万元，注册资金500万元，占地面积2.4公顷。是一家专业生产春冬笋、小竹笋、蘑菇、橘子、藠头等果蔬罐头系列产品的企业。年产量5000吨，年产值达2500万元。2007年公司通过QS认证。2008年通过出口食品卫生注册、HACCP体系认证，获得自营出口权。2010年公司获得美国FDA低酸罐头企业注册（FCE）和产品备案（SID）。该公司建有毛竹林基地1066.7公顷，蘑菇基地100公顷，各种蔬菜种植基地333.3公顷；拥有广鹏、骏达、十里香樟农产品种植专业合作社3个，直接带动农户6324户。2016年，被认定为国家级农业产业化龙头企业。2016年有员工276人，完成销售收入2543万元，缴纳税金400万元（含出口创汇311万元）。

乐安县鹏鑫食品有限公司　民营企业。2003年11月创办，坐落在前坪工业区。注册资金1010万元，占地面积1.64公顷。是一家绿色食品加工的省级农业产业化龙头企业，专业从事竹笋、蘑菇、山露菜等罐头食品生产。厂房建筑面积1.2万余平方米（含加工车间、锅炉房、仓库、办公楼、职工宿舍及职工食堂）。公司拥有乐安县绿色产业经济专业合作社及乐安县食品生产促进中心。公司采取“公司+基地+专业合作社+农户”的经营模式，在县域建立原材料生产基地，充分利用和开发边远山区和交通不便地区资源优势，在谷岗乡水口村建立竹笋示范基地1000公顷，在南村乡炉桐村建立竹笋基地1000公顷，在南村乡车头村建立山露菜示范基地133.3公顷。公司质量管理体系通过ISO 22000、HACCP认证，取得美国FDA专业出口资格。2016年有员工145人，实现销售收入1560万元，缴纳税金70万元。

江西山蜂食品有限公司　民营企业。2009年6月创办，坐落在前坪工业区。总投资额4367万元，注册资金500万元，占地面积0.89公顷，固定资产2766万元。是一家生产“鹿角蜂”牌蜂蜜系列加工型的省级农业产业化龙头企业。该公司下设山蜂养蜂专业合作社，建立订单农业基地40余个，带动农户3412家养蜂，与江西农业大学、江西养蜂研究所开展多年的技术合作，长年聘请江西农业大学蜂蜜研究所教授曾志将为公司技术顾问。主营蜂系列产品通过国家质量安全中心的QS认证、有机食品论证及绿色食品论证。2016年有员工86人，生产864吨各类蜂产品，销售收入1892.6万元，实现利税32.2万元。

乐安县恒源食品有限公司　民营企业。2010年1月创办，坐落在前坪工业区。项目总投资3000万元，占地0.87公顷，建有3个米粉生产车间，10条流水生产线，2套自动烘干设备。主要生产江西米粉、土扎粉、玉米粉、荞麦粉、高粱粉、小米粉等各类粗粮粉系列产品。注册商标“乐穗丝”。2010年成立乐安县恒源水稻种植专业合作社，建有133.33公顷无公害稻谷生产基地。2014年通过无公害认证，2015年被评为江西省农业产业化龙头企业。2016年通过有机产品的认证，入驻阿里巴巴电商，实现线上、线下销售。

乐安县美美食品有限公司　民营企业。2011年1月创办，坐落在前坪工业区。总投资6500万元，项目占地0.88公顷。主要从事竹笋等食品加工和销售。2011年建成投产。2016年有员工32人，实现销售收入1516万元，缴纳税金24万元。

江西加乐食品有限公司　民营企业。2013年1月创办，坐落在前坪工业区。总投资3000万元，注册资金1000万元，占地面积2公顷。是一家专业从事调味品研发、生产、销售及服务的科技型农业龙头企业。主要产品有鸡精、香辛料、复合调味料、骨类调味料等四大系列30多个品种。2015年，被抚州市评为农业产业化龙头企业。公司拥有“加乐宝”“帝一纯”“乐然纯”“众飨”等多个品牌。2016年有员工35人，实现销售收入1907万元，缴纳税金29.6万元。

第四节　酒和矿泉水制造业

20世纪90年代，江西赣东酒厂和戴坊矿泉水厂都是乡镇办企业，曾经红火，后都倒闭。

江西赣东酒厂　万崇乡乡办企业，坐落在万崇街。1961年创办，取名万坊酒厂，1976年更名为万崇酒厂。主要生产薯渣散装白酒，1986年起生产稻谷酒。1987年，38度“赣东特曲”和54度“鳌河大曲”参加全区乡镇企业酒类评比，分获产品质量第一名和第二名。1988年更名为江西赣东酒厂，注册商标“赣东”。1989年生产达到高峰，年产38度绞股蓝酒200吨；46度及38度赣东枝曲50吨；38度牛壮酒50吨等，散装白酒20吨。1991年，“绞股蓝补酒”“绞股蓝液”获省经济委员会新产品开发证书。1993年，因市场竞争激烈，资金筹措困难，管理水平落后，销售渠道不畅，产品库存积压，酒厂停产倒闭。

乐安县戴坊矿泉水厂　戴坊镇镇办企业，坐落在戴坊镇红光村。1989年，经地质矿产部、轻工业部、卫生部有关单位组成的国家饮用天然矿泉水技术评审组评审鉴定，认定该矿泉水含锶1.7～2.03毫克/升、锂0.33～0.55毫克/升、偏硅酸26.6～31.2毫克/升，达到天然矿泉水国家标准（EB8537-87），并含有多种有益人体健康的微量元素，在全国54家矿泉水产品介绍会上，位列第5。1992年3月，戴坊镇政府贷款投资350万元开发办厂，占地面积3960平方米，建筑面积1500平方米。产品销往北京、广州、深圳、上海、江苏、长沙、南昌等地，1995年有从业人员36人，产值425万元，纳税15万元。1998年，该水厂因经营管理不善倒闭。

第五节　纺织服装业

乐安县服装厂、乐安县针织厂、乐安县针织内衣厂和乐安欣荣丝厂4家县属企业，21世纪初全部改制。江西信达茧丝绸有限公司、乐安县奇意龙鞋服有限公司、骏福服饰织造（江西）有限公司、乐安县赛尔针织袜业有限公司、乐安三连制衣有限公司、乐安县聚财鞋业有限公司、江西龙发包装有限公司、乐安县亿童鞋业有限公司、江西泉发实业有限公司、乐安乐康明恒制造有限公司等10家民营企业都坐落在乐安工业园区，成为聚集型产业。2016年，有员工1251人，实现销售收入1.63亿元，缴纳税金（含出口创汇）1238.5万元。

乐安县服装厂　县属大集体企业。坐落在鳌溪镇长征路新华书店对面，占地面积575平方米。1954年，县商业局所属百货公司缝衣组4位职工组成鳌溪镇缝衣合作社。1956年属县手工业管理局。1968年更名为裁缝社，主要业务是修补衣服、染布、棉絮加工。1972年更名为服装厂，主要业务是来料加工。先后设有染布车间、棉絮车间、缝衣车间、衬衣车间、皮鞋车间。1982 年棉絮车间从服装厂析出，单独成立棉絮厂。1986 年服装厂引进设备，聘请上海技术人员进行产品开发，增加衬衣生产线。1982—1986 年，是服装厂的黄金时期，经济效益高。1988 年因衬衣产品滞销，衬衣生产线停产。1989 年更名为宏达鞋帽服装有限公司，主要业务是来料加工，生产男女中高档皮鞋和儿童皮鞋，并开办“天府酒家”，为旅客提供食宿。1996 年 8 月，宏达鞋帽服装有限公司复更名为服装厂。之后，由于产品滞销，处于停产状态，靠出租房屋维持企业运转。1998 年，联合抚州客商拆除厂房，对厂区土地进行房地产开发，新建 6 层商住楼，服装厂保留 1 楼其中的 4 间店面，其他归客商所有。2009 年 10 月，企业改制，产权出让，69 名正式职工置换身份，解除劳动合同。

乐安县针织厂　县属集体企业。坐落在鳌溪镇詹家巷。由夏布社（麻织社）演变而来。1970 年 10 月，县二轻局拨款 34992 元、银行贷款 13000 元，成立针织厂，主要生产蚊帐布、白圆带、纱手套、棉线、夏布、罗布巾。由于原料供应不足，产品单调，技术落后，产品质量不高，造成连年亏损。1974 年雨伞社并入，更名为县针织车木厂，主要生产白圆带、纱手套、螺丝刀把、纺织木器材。1978 年更名为县针织鞋楦厂，主要生产白圆带、纱手套、螺丝刀把、纺织木器材和木鞋楦。1980 年，县针织鞋楦厂一分为二，成立鞋楦厂和针织厂两个独立企业，鞋楦厂厂址仍在鳌溪镇前坪路。针织厂搬迁到县城詹家巷，占地面积约 600 平方米，并将综合厂的麻织车间并入针织厂，主要产品有白圆带、纱手套、尼龙手套、尼龙袜。1984 年扩大生产规模，引进技术和新品种，生产羊毛衫、尼龙袜、手套、白圆带、丝光袜等，产品远销全国各地。1984—1986 年，针织厂达到鼎盛，固定资产由创办初的 2 万多元，发展到 22.28 万元，年产值 60 多万元，利税 3 万多元。由于市场竞争激烈，2000 年该厂停产。2009 年 10 月企业改制，产权出让，84 名正式职工置换身份，解除劳动合同。

乐安县针织内衣厂　县属国有企业。坐落在县城，1982 年创建。1988 年投资 13 万元，改建两条生产线并更新部分设备。主要产品有 5 大类 20 多个品种。其中，羊毛衫、内衣、尼龙运动衫（裤）、腈纶汗衫、背心、腈纶棉毛衫（裤）等美观大方，穿着舒适，颇受用户欢迎，远销上海、北京、江苏等地。1989 年为省外贸部门生产出口产品。1993 年有厂房建筑面积 3610 平方米，干部职工 102 人，固定资产净值 49.1 万元，各种针织设备 118 台（套），生产各类针织品 10.56 万件，总产值 120 万元，亏损 9.8 万元。1996 年处于停产状态。2003 年 10 月，企业改制，产权转让。2004 年 6 月，140 名职工置换身份，解除劳动合同。

乐安欣荣丝厂　县属国有企业。坐落在县城。1992 年 11 月筹建，1993 年 10 月试产，总投资 500 万元，厂房建筑面积 3450 平方米，各种设备 106 台（套），设计能力 2400 绪，年产白厂丝 60 吨。1993 年首批试产的白厂丝，经省纺织工业厅检验鉴定，产品质量和技术数据达到国内同行业先进水平，产品销往浙江、上海、江苏、深圳等地。1997 年，受亚洲金融危机影响，白厂丝价格下跌，企业亏损，资不抵债，全面停产。2003 年 5 月，依法宣告破产。2013 年，500 名职工置换身份，解除劳动合同。

江西信达茧丝绸有限公司　民营企业。2003 年由欣荣丝厂破产改制而来。2012 年迁入前坪工业区。广东信达茧丝绸股份有限公司投资 6 亿元，占地 10.9 公顷。主要从事茧丝绸精深加工和蚕桑资源综合开发，下属制丝厂、蛹肽蛋白厂、高档蚕丝系列床上用品厂、蚕桑资源绿色食品厂等项目。是国家扶贫龙头企业、商务部 2007 年东桑西移优质蚕茧基地，江西省农业产业化龙头企业。公司建有 2 条选茧设备、10 套自动缫丝机、6 套复摇机组，在全县建有 2 个供应基地、3 个蚕茧收购站，带动 1000 余户农民从事桑蚕种养，桑蚕种植面积 600 公顷。2016 年有员工 218 人，实现

前坪工业区纺织企业车间

销售收入1486万元，缴纳税金84万元。

乐安县奇意龙鞋服有限公司　民营企业。2006年11月创办，坐落在前坪工业区。系福建泉州嘉兴鞋服有限公司投资兴办，总投资5000万元，项目用地0.8公顷。是一家生产和销售运动鞋、拖鞋、凉鞋、服装的企业，以出口为主。建有标准厂房3000平方米，3条成品鞋生产线。2016年有员工109人，实现销售收入763万元，缴纳税金21万元。

骏福服饰织造（江西）有限公司　港资企业。2007年12月创办，坐落在前坪工业区。由香港客商投资兴建，总投资5000万元人民币，注册资本500万港币。主要从事针织服装的设计、生产和销售。拥有自营进出口权，获得ISO9002质量体系认证，产品全部出口欧美、香港等海外市场，属"两头在外"型加工企业。2007年12月，租用中小企业创业园标准厂房。2013年投资5000万元人民币，自建厂房，项目占地1.67公顷，建设织造车间、缝盘车间、烫衣车间、洗衣车间、材料仓库、成品仓库和综合办公楼等设施。年产规模100万件针织服装。2016年有员工109人，完成销售收入4039万元，出口创汇462万元。

乐安县赛尔针织袜业有限公司　民营企业。2007年创办，坐落在前坪工业区。由浙江客商投资兴建，项目占地1.67公顷，总投资6600万元。是一家集科研、生产、销售为一体的大型袜业企业，产品远销美国、英国、德国、意大利、韩国、马来西亚等国家。2016年有员工98人，实现销售收入1010万元，缴纳税金42万元。

乐安三连制衣有限公司　民营企业。2010年1月创办，坐落在前坪工业区。隶属于安踏集团，总投资3000万元。主要生产运动套装、风衣、棉衣、羽绒服等安踏系列体育休闲服装。2010年，租用县创业园A幢7200平方米厂房，引进12条单件生产线，拥有员工近500人。2016年，有员工403人，完成销售收入4105万元，缴纳税金348万元。

乐安县聚财鞋业有限公司　民营企业。2011年2月创办，坐落在公溪工业区。是广东客商投资兴办的大型制鞋企业。总投资8000万元，用地面积3.33公顷。主要产品为高档童鞋、皮箱包等。建有厂房、制鞋生产线、办公大楼等配套设施。

江西龙发包袋有限公司　外资企业。2012年2月创办，坐落在前坪工业区。由龙发（香港）国际投资有限公司投资兴办。总投资6000万元人民币，注册资本100万美元，项目用地3.27公顷，

前坪工业区衣服生产车间

箱包生产线 13 条。主要从事手袋、腰包、背包、旅游包、购物袋、书包、拉杆包、拉杆箱等产品的设计、生产和销售。销售网络遍布全国大中小城市，产品远销欧美、东南亚等地。2016 年有员工 254 人，完成销售收入 4424 万元，缴纳税金 215 万元。

乐安县亿童鞋业有限公司　民营企业。2013 年 1 月创办，坐落在前坪工业区。由浙江客商投资 5000 万元兴建，项目用地 0.87 公顷。主要生产各式童鞋。2016 年，有员工 30 人，实现销售收入 1528 万元，缴纳税金 25.5 万元。

江西泉发实业有限公司　民营企业。2014 年 12 月创办，坐落在前坪工业区。系福建客商投资 5000 万元兴建，项目占地 3.67 公顷。是一家生产服装辅料的轻纺鞋服产业配套企业。建有 10 条自动化生产线，年产 6000 万米各式拉链。2016 年有员工 30 人，实现销售收入 1956 万元，缴纳税金 71 万元。

乐安乐康明恒制造有限公司　民营企业。2016 年创办，坐落在前坪工业区。由江西明恒纺织集团投资 2 亿元兴建，注册资本 1000 万元，占地 13.33 公顷。是集纺纱、织布于一体的生产经营型企业。主要设备有进口高端气流纺 2000 头、日本丰田喷气织机 150 台。主要生产中、高档新型纤维纱线，纯棉纱线，涤棉混纺纱线，中、高档新型纤维面料，纯棉面料，涤棉面料。2016 年年底竣工投产。

第六节　木材加工和制品业

21 世纪初，乐安县纺织器材鞋楦厂、县木具厂、县胶合板厂和县人造板厂 4 家县属木材加工和制品企业全部完成改制。之后创办民营企业 4 家，即乐安县安雅工艺品厂、乐安嘉德园艺制品有限公司、江西盛川实业有限公司和江西珠峰实业有限公司，均落户前坪工业区。2016 年有员工 100 人，实现销售收入 4282.9 万元，缴纳税金 160.7 万元。

乐安县纺织器材鞋楦厂　县属大集体企业，坐落在鳌溪镇前坪路 31 号，占地面积约 4000 平方米。1974 年，综合厂的雨伞车间与针织厂合并组建针织车木厂，设有鞋楦车间、车木车间、油漆车间、砂光车间、注塑车间。主要生产油纸伞把、雨伞头部顶、床脚、独脚圆桌、针织劳保手套等产品。1976 年通过技术改造，引进设备，聘请浙江技术人员开发新产品，生产铁锹把、起子把、卷布筒、木芯条等产品。1979 年，选派 3 名年轻职工到南昌鞋楦厂培训，省手工业联合社划拨 10 万元，购进设备，生产木头鞋楦（男、女、童，高、中、平跟鞋楦款式），产品销往省内外。是年，单独设立鞋楦厂。1980 年针织车木厂分家，单独成立针织厂和车木厂。是年，鞋楦厂和车木厂合并，更名为鞋楦车木厂，增加椅子、拖板等产品，销往武汉等地。1986 年 9 月，县民政局福利厂的工艺车间转为县二轻局下属企业，与鞋楦车木厂合并，更名为乐安县工艺美术厂，下设雕刻、绘画、鞋楦、车木、油漆、砂光车间，从浙江仙居和江西九江庐山木工机械厂引进技术人员，生产木摇马，雕刻鹰、鸭、鹅等工艺品和积木系列产品，远销美国、中国香港等地。1987 年生产达到高峰，有工人 150 多人。7 月，江西省政府省长吴官正到该厂视察。1988 年下半年起，因经营管理不善，企业亏损。1989 年 4 月，雕刻、绘画、油漆车间停产，职工分流到鞋楦和车木车间。是年 10 月，复称鞋楦车木厂，不再生产工艺美术品，主要生产鞋楦。11 月，更名为鞋楦厂。1990 年，以鞋楦厂车木车间为基础，成立纺织器材厂，主要产品是宝塔管、平行管，销往江苏、浙江等地。1996 年 5 月，鞋楦厂和纺织器材厂合并，成立乐安县纺织器材鞋楦厂，设纺织器材、鞋楦、油漆、砂光车间。11 月，购进注塑设备，生产塑料鞋楦。1999 年，原材料价格上涨，成本增加，导致企业亏损，被迫停产。2006 年 7 月，企业改制，产权出让，111 名正式职工置换身份，解除劳动合同。

乐安县木具厂　县属大集体企业，坐落在鳌溪镇前坪路。1980 年 2 月由县木竹制品厂析出木

浙江等近20家知名企业建立联盟合作关系，经营30余个品牌。是一个集生活家居、红实木家具、办公家具、陶瓷卫浴、木雕灯饰、地板瓷砖、家居饰品等一站式家居生活广场。

乐安县德宝家具有限公司　民营企业。2016年创办，坐落在前坪工业区。浙江客商投资兴建。项目总投资6000万元，用地面积1公顷。主要生产高档精品红木雕花家具。2016年有员工10人，实现销售收入131.8万元，缴纳税金3000元。

第八节　印刷包装业

21世纪初，县属国有企业乐安县印刷厂改制。之后乐安县三和包装有限公司、江西龙发包袋有限公司和乐安县吉祥彩印有限公司3家民营印刷包装企业成立，均坐落在前坪工业区。2016年有员工139人，实现销售收入7316万元，缴纳税金123.7万元。

乐安县印刷厂　县属国有企业，坐落在县城长征路东侧，公溪镇设有分厂。1950年创办。1992年投资85万元，新建4100平方米厂房。引进海得宝印刷机、自动圆盘平压机、压痕烫金机等设备，可承印标牌、各种书刊报纸、广告图表、六色彩印商标等，彩印能力和产品质量得到提高，其中彩印商标、药品装潢纸盒、塑料袋被用户誉为“信得过”产品；有干部职工90人，印刷机械设备180台（套）。1993年厂房建筑总面积5260平方米，16开综合印刷4391万令，总产值159.4万元，实现利润14.8万元。1994年后，随着科学技术发展，印刷行业电脑排版、胶印印刷取代铅字排版印刷，该厂提升改造乏资，生产成本居高。1996年实行股份制改造，职工全员参股融资10多万元，投入运营，成效不大。1998年自筹资金15万元，购置一套电脑排版和一台四开小型胶印机，提高产量和质量，降低成本。由于没有新闻出版局的定点印刷业务，行业竞争激烈，企业小打小闹疲于维持。2004年，引进浙江客商以158万元转让厂房设备，后客商在工业园区兴办可尔针织有限公司；6月企业改制，137名职工置换身份，解除劳动合同。

乐安县三和包装有限公司　民营企业。2006年11月创办，坐落在前坪工业区。总投资5000万元，项目用地2.1公顷。主要以瓦楞纸板为原料，生产香烟过滤嘴纸板、包装纸制品等产品。建有1.8万平方米标准厂房、综合大楼和6条自动化生产线。2016年有员工116人，实现销售收入7210万元，缴纳税金118万元。

乐安县吉祥彩印有限公司　民营企业。2012年8月创办，坐落在前坪工业区。总投资2200万元，项目用地1.13公顷，新建标准厂房8500平方米。主要承接企业包装材料制品。2016年有员工23人，实现销售收入106万元，缴纳税金5.7万元。

第九节　化学原料和制品业

20世纪90年代和21世纪初，县属国有企业乐安县第二化工厂和乐安升泉化工厂完成改制。之后相继创办民营化工企业5家，即乐安苏乐乳胶制品有限公司、乐安黑金炭素有限公司、江西仁瑾实业有限公司、乐安县恒新塑制工艺品有限公司、江西德春塑料纤维科技有限公司。2016年有员工226人，实现销售收入1.26亿元，缴纳税金446.3万元。

乐安升泉化工厂　县属国有企业。坐落在县城。主要产品有松香、松节油、119号改性酚醛树脂、氯化苄、苯甲醛。1958年创办乐安县松香厂，主要生产松香、松节油。1987年，该厂与乐安县溶剂厂合并组建乐安县化工总厂。1989年总厂一分为二，成立乐安县第一化工厂。1991年，投资400余万元建成年产400吨氯化苄、400吨苯甲醛生产线，该项目填补江西省化工产品空白。1993年，有厂房建筑面积15810平方米，干部职工93人，固定资产净值46.63万元，化工设备212台（套），生产氯化苄25吨、苯甲醛5吨、松香405吨、松节油45吨，年总产值123.65万元，实现利润2.33

前坪工业区化工材料企业车间

万元。1994年后，新上项目氯化苄、苯甲醛生产线，由于产量、质量、价格没有优势，造成连年亏损，负债191万元。1996年10月，剥离生产松香、松节油生产线，组建乐安县升泉化工厂；氯化苄、苯甲醛生产线承担债务，依法破产。2003年，升泉化工厂产权转让，119名职工置换身份，解除劳动合同。引进吉安个体客商，成立乐安县博林化工厂，继续从事松香和松节油生产。

乐安县第二化工厂　县属国有企业。坐落在公溪镇后山村。1969年，在公溪镇创办乐安县酒精厂，未投产。1978年由省轻化厅接管，更名为乐安县溶剂厂，但因资金、技术和市场变化等原因，也未投产。1985年5月，与乐安县松香厂合并，组建乐安县化工总厂。1989年，总厂一分为二，成立乐安县第二化工厂。1992年银行贷款330万元，建成三甲氧基苯甲醛生产线，因产品销路不畅于1993年7月停产，负债370万元。1996年10月依法宣告破产，67名职工置换身份，解除劳动合同。

乐安苏乐乳胶制品有限公司　民营企业。2005年创办，坐落在前坪工业区。由江苏客商投资5000万元兴建，项目用地1.23公顷。2011年建有4条自动化乳胶制品生产线，主要生产和销售乳胶制品——气球。2016年有员工38人，实现销售收入1083万元，缴纳税金163万元。

乐安县黑金炭素有限公司　民营企业。2007年8月创办，坐落在增田大桥南端。总投资3315万元，项目用地0.8公顷。2008年6月正式投产。拥有一套先进的环保型生产流水线，利用当地的三废资源结合国内磷酸法加工工艺技术，生产化学活性炭。产品符合国家标准，远销全国各大中城市，出口俄罗斯、日本等国家。2016年有员工120人，实现销售收入8522万元，缴纳税金202万元。

江西仁瑾实业有限公司　民营企业。2012年2月创办，坐落在公溪工业区。总投资5050万元，项目用地3.33公顷。建有厂房2幢，综合楼1幢，锅炉房1幢，储油罐6个。主要从事工业润滑油和水性涂料的研发、生产和销售。主要产品有机械油、齿轮油、液压油、切削油、传热油、空压机油、涡轮机油、冷冻机油、传动油、自动排挡油、化工溶剂及清洁油品等，产品销往全国各地。2016年有员工30人，实现销售收入1205.4万元，缴纳税金54.8万元。

乐安县恒新塑制工艺品有限公司　民营企业。2014年3月创办，坐落在厚发工业区。总投资1亿元，其中固定资产投资6000万元。占地面积1.67公顷。主要生产喜庆宫灯、舞会面具、塑料玩具等塑制工艺品，产品畅销全国各地。2015年建成投产。2016年有员工38人，实现销售收入1835万元，缴纳税金26.8万元。

江西德春塑料纤维科技有限公司　台资企业。2015年7月创办，坐落在厚发工业区。由台湾德春有限公司投资1亿元人民币兴建。注册资金500万美元，占地面积2.25公顷。公司应用德国、中国台湾及江苏昆山先进塑料染色与制造工艺，致力于研究、生产、销售纺丝、注塑用色母粒、有色粒子、功能性色母粒等。公司为符合国际环保法规专业制造商，使用原料符合SGS认证标准，采用全自动化生产工艺，无色印染，无尘生产。产品销往上海、江苏、浙江、广东及台湾地区。

第十节　医药制造业

21世纪初，国有制药企业江西乐安制药厂、乐安县兽药厂、江西赣东制药厂完成改制。之后民营制药企业江西山高制药有限公司和抚州润药业有限公司成立，2016年有员工185人，实现销售收入7648万元，缴纳税金562.7万元。

江西乐安制药厂　省属国有企业。坐落在鳌溪镇城墙路217号，占地面积约4300平方米，建筑面积约9000平方米。1969年，乐安县医药卫生工作站筹建乐安县制药厂，1970年下半年投产。1971年划归县商业局管理；1976年起，先后隶属于县工业局、县经济委员会。1983年1月，上划江西省医药总公司，由抚州地区医药公司直接管理，党组织、工青妇组织由县经济委员会代管。1984年更名为江西乐安制药厂。1989年由省医药总公司定为正科级单位。1983年以前，有大输液、针剂、中成药3个车间，生产有500毫升大输液、20毫升50%葡萄糖针剂、注射用水、羚翘解毒丸、明目地黄丸、虎骨追风酒等10多个品种。1984年，放弃大输液和中成药制剂的生产。1986年，兴建1幢3层1000多平方米的针剂生产车间，成为针剂生产的专业厂家，以20毫升50%葡萄糖针为主要产品，同时生产维生素系列针剂、止血系列针剂、林可霉素针剂、注射用水等20多个品种和壮骨追风酒、史国公药酒、藿香正气水，产品销往全国各地。

1994—2000年江西乐安制药厂产值情况表

表16-2-3　　单位：万元

年份	总产值	年份	总产值	年份	总产值	年份	总产值
1994	343.4	1996	327.6	1998	681.4	2000	211.6
1995	472.9	1997	506.0	1999	164.2	—	—

1998年，国家药品监督管理局修订发布《药品生产质量管理规范》（GMP），规定2002年年底前验收不合格企业一律停止生产。由于该厂产品都是常用药品，利润微薄，加上“三角债”困扰，呆账死账频发，无力按照GMP要求，扩大厂区至1.7万平方米以上并更新设备。2002年年底，企业停产。2004年1月，因资不抵债，经省医药集团批准，向乐安县人民法院申请破产，于2010年3月结案。拍卖土地获款220万元，无形资产出让90万元（含药品生产许可证、药品批准证书），省医药集团下拨100万元，共计410万元用于安置职工，59名正式职工解除劳动合同。安置费按每个工龄一个月的工资计算（2004年的工资标准），上不封顶，月工资少于584元的，按584元计算。社保补至2004年，参战人员（伤残军人）补至退休年龄；医保续保15年。

乐安县兽药厂　县农业局下属国有企业。坐落在鳌溪镇鳌溪路260号，占地8000平方米，建筑面积4000平方米。1971年，县农业局创办家属工厂，坐落在鳌溪镇詹家巷14号，占地约200平方米。配制土兽药，年产值1800余元。1979年成功研制“禽疾灵”，对防治禽类霍乱有显著效果，是年该产品获江西省科技成果奖，1982年经省农业厅检查验收，批准建厂生产，厂名为乐安县兽药厂。1983年12月，县政府批准县兽药厂为大集体企业性质。1986年，拆除原厂房及周边空闲危房，兴建1幢3层楼厂房，建筑面积约500平方米，有职工41人。随着改革开放不断深入，该厂从改革收入分配制度入手，实行多劳多得，激发员工生产积极性。同时调整产品结构，开发新产品。至1990年，厂区面积扩大到1200平方米；产品拓展至16个品种，从水针剂、散剂，新增粉针剂；从中草药散剂、化学药品，增加抗生素制剂，主要产品有禽疾灵、肥猪菜、氨基比林、安乃近、磺胺嘧啶等，工业产值首破100万元，产品行销10余个省市。1992年11月，县兽药厂转为国营企业。1995年，为了满足生产规模扩大的需要，县委、县政府同意在鳌溪路260号新建厂房，厂区占地8000平方米，建筑面积4000平方米。该厂扩大生产的同时，着力引进技术和人才，先后与江西农业大学畜牧兽医系、省兽药饲料监察所、省畜牧防疫站等科研单位发展横向联系，兽药生产体系不断完善，散剂、水针剂、粉针剂、片剂一应俱全，有品种65个，产品畅销全国18个省、自治区、直辖市。1996年，有职工199人，工业总产值1080余万元。1997年，该厂实行国有股份制改革，全厂员工集体入股，参股率96%。21世纪初，随着国有企业改革进一步深入，该厂实行国有民营改革。由于对政策理解不透彻，人心涣散，企业陷入低谷。2006年企业全面停产，2007年破产改制，资产出让。至2010年，职工身份置换，解除劳动合同，改制完成。

江西赣东制药厂　县林业局下属国有企业。1991年9月，县林业工业公司利用石陂采育林场食堂空间，创办绞股蓝袋泡茶加工厂，取名乐安县林业工业公司绞股蓝加工厂，主要产品是绞股蓝袋泡茶，产量不到10吨，年产值50万元，年利润5万元，年纳税收5万元，企业职工40人。产品销往江西省内及广东省。1991年获江西省新产品交易会金奖，并在香港国际食品博览会上荣膺首届专利技术、专利产品交易金牌奖。随着绞股蓝袋泡茶产量的提高，1993年5月，县委、县政府批准将绞股蓝加工厂更名为县绞股蓝开发利用总公司，生产厂房迁至鳌溪镇尧家山路县森林苗圃内，同时号召全县农户种植绞股蓝。仅两年时间，全县绞股蓝种植面积达333.33公顷，涉及农户上万户，年创产值5000多万元。1993年2月至1994年12月，生产绞股蓝高级保健茶，先后在北京人民大会堂1楼、2楼迎宾厅常设柜台展销。县绞股蓝开发利用总公司将绞股蓝袋泡茶逐步向着医药保健方向发展，1994年9月，县绞股蓝开发利用总公司（县绞股蓝医药保健制剂厂）更名为江西赣东制药厂，产品由绞股蓝袋泡茶一项，增加至绞股蓝总甙胶囊、氟哌酸胶囊、复议新诺片、贝他胡萝卜咀嚼片、参芪十一味颗粒等系列产品，正式列入准字号药品，进入国家药典名录。1998年，冲剂生产线租赁给江西老药工实业有限公司经营，租赁期3年。2000年，有职工98人，其中技术人员15人，固定资产756万元，工业总产值865万元，利税13万元。2001年5月至2002年10月，药厂租赁给江苏徐州亨瑞士医疗卫生用品销售中心汤某生产经营。2002年12月，根据县委、县政府《关于进一步深化国有企业产权制度改革的通知》精神，药厂采取产权整体出让方式进行改制（含药品生产许可证、药品批准证书），94名职工置换身份，解除劳动合同。改制后更名为江西山高制药有限公司，属民营企业。

江西山高制药有限公司　民营企业。2002年2月创办，2013年迁入前坪工业区。由广东履安实业有限公司投资，总投资4亿元，用地面积13.33公顷。是一家集科研、生产、营销为一体的制药企业。主要从事国药准字号药品生产和保健品及食品生产，以中成药为主，西药为辅，共有13个生产批文，其中2012版基本药物目录中有3个品种。中成药有胶囊剂、片剂、颗粒剂3种剂

前坪工业区药品生产企业车间

型，产品主要为参芪十一味颗粒、绞股蓝总甙胶囊及贝他胡萝卜素咀嚼片。公司投入大量科研经费，引进高新技术人才和先进设备，先后研发出红药胶囊、宫瘤清颗粒、景天祛斑片、肾康宁片、肾康宁胶囊等5个新品种，其中红药胶囊、宫瘤清颗粒、肾康宁片、肾康宁胶囊4个品种纳入国家医保目录，宫瘤清颗粒为全国独家剂型。公司产品销往广东、上海、北京、浙江、江苏、山东、辽宁、吉林、四川、海南等20多个省市。2016年，有员工129人，完成销售收入4384万元，缴纳税金452万元。

抚州润泰药业有限公司　民营企业。2014年2月创办，坐落在公溪工业区。系江苏省客商胥兴宏投资兴建，主要生产沙坦联苯等药品中间体。总投资1亿元，项目用地面积5.47公顷。分为两期建设，一期主要建设年生产1000吨沙坦联苯等药品的生产车间、试验楼、办公楼等设施；二期建设研发中心等设施。2016年有员工56人，实现销售收入3263.7万元，缴纳税金110.7万元。

第十一节　非金属矿物制品业

县属国有非金属矿物制品企业乐安县水泥厂、县水利建材预制厂、县陶瓷厂先后改制。之后成立2家民营企业，其中1家倒闭。

乐安县水泥厂　县属国有企业，坐落在公溪镇江边村。1958年创办嘟咀坳煤矿石灰厂，1971年更名为县水泥厂，1981年迁至公溪镇江边村，江边磷肥厂并入，更名为江西省乐安江边水泥厂，有职工244名。属年产2.2万吨的小型水泥生产企业。1985年生产水泥8075吨。1988年投资30万元，将土高窑改造为机立窑，添置设备和检验仪器，提高产品质量和产量。1993年，厂房建筑面积4800平方米，有职工140人，固定资产净值91.35万元，各种机械设备101套，生产425号硅酸盐水泥9050吨，过磷酸钙660吨，总产值由1986年的41.4万元提高到181.03万元。1994年后，因无资金注入升级改造，主要原材料从九江、万年购进，运输费用上涨，设备落后，产量低，成本高，周边县市水泥大量销入乐安，价格竞争激烈，企业亏损严重。为了生存，1996年实行股份制改造，职工全员参股融资20多万元，但效果不佳。根据国务院《全民所有制工业企业转换经营机制条例》的精神，1997年招商引资，先后有3任个体租赁厂房设备生产经营水泥，效益都不好，为时不长。企业处于停产状态，资不抵债。2002年6月申请破产，2004年10月依法宣告破产。2008年4月，182名职工置换身份，解除劳动合同。

乐安县水利建材预制厂　县水利局下属国有企业。坐落在县城前坪路92号。1973年3月，为解决水利系统职工家属及子女就业问题而创办。主要产品有水泥涵管、水泥电线杆、水泥预制空心砖、空心楼板、铁丝、圆钉等。1986年，工业总产值7万元。1995年，有固定资产35万元，国有职工10人，大集体职工3人，长期临时工9人。2000年，工业总产值290万元。2013年，企业改制，职工置换身份，解除劳动合同。

乐安县陶瓷厂　县属大集体企业。坐落在县城万联城，占地面积约1万平方米。1978年5月，以综合厂的沼气纱罩陶瓷车间为基础，成立乐安县沼气纱罩陶瓷厂，设有原料车间、成型车间、烧炼车间、匣钵车间。主要生产以沼气灯头、沼气纱罩、沼气炉器为主，以陶瓷为辅的产品。1980年更名为县知青陶瓷厂。1983年复更名为县陶瓷厂。根据乐安县瓷土资源储藏情况，具备发展陶瓷产业的潜力，于是购进陶瓷机械设备，建造龙窑扩大生产，一方面聘请景德镇陶瓷厂技术人员指导，另一方面派出两名职工到景德镇陶瓷学院进修，学习技术工艺。此间生产的可二碗、蓝边碗、酒杯、酒壶等产品供不应求。1991年2月，进行技术改造，添置设备，新建倒焰窑；四五月间，安排70名职工到黎川瓷厂进行培训；在景德镇陶瓷厂技术人员的指导下，开发出青花瓷茶杯、青花瓷（汤）碗、青花瓷盘、勺子等系列产品。1993年，研制开发石球磨子新产品，获抚州地区新产品奖，远销广东佛山、中山、深圳和江西高安等地。1997年，由于市场竞争激烈，加上有些原材料从外购进，产品外销，成本增加，导致企业亏损，企业停产，职工下岗。2003年5月，企业产权整体转让，109名正式职工置换身份，解除劳动合同。

江西建安建材工业有限公司　民营企业。坐落在招携镇肖坊村。2000年，投资1800万元，利用招携镇尧坊村牛坪村小组丰富的石灰岩资源，在肖坊村建厂，兴办年产10万吨水泥及相关建材的工业项目。由于生产工艺和设备落后，属于国家禁止生产的高耗能污染企业，企业经营一开始就举步维艰，同时主要原材料石灰石要从永丰县调入，至2007年企业倒闭。

乐安县力拓混凝土有限公司　民营企业。2010年7月创办，坐落在前坪工业区。总投资5200万元，注册资本1000万元，项目用地1.93公顷。主要从事商品混凝土生产及销售。2016年有员工61人，实现销售收入5406万元，缴纳税金129万元。

第十二节　金属制品业

21世纪初，县属集体企业乐安县钣金厂完成改制。之后成立民营企业3家，即江西民康实业有限公司、乐安县平发金属有限公司、江西唯康电线电缆有限公司。2016年，有员工275人，实现销售收入2.51亿元，缴纳税收842.1万元。

乐安县钣金厂　县属大集体企业。坐落于乐安大道北侧，占地面积约550平方米。1980年4月，以县五金厂的白铁车间为基础，成立乐安县钣金厂，主要生产白铁油壶、白铁酒壶、白铁桶，及有关焊接业务。至20世纪90年代初，经济效益尚好。2000年12月，企业改制，产权出让，42名正式职工置换身份，解除劳动合同。

江西民康实业有限公司　民营企业。2009年创办，坐落在前坪工业区。总投资2.2亿元，项目用地9.8公顷，建有厂房7幢，总建筑面积23146平方米。主要生产各类铜丝、铜铝合金丝和电力线缆。2010年10月竣工投产。2012—2014年公司缴纳税收1992万元。2015年，县政府对该公司厂区地块及地面附着物进行资产回收，用于城市建设。为此，该公司将生产设备及人员搬迁至厚发工业区厚德电子科技园。2016年有员工197人，实现销售收入22686万元，缴纳税金776万元。

乐安县平发金属有限公司　民营企业。2010年5月创办，坐落在前坪工业区。总投资5000万元，占地0.8公顷。主要从事元钉、拉丝、扎丝、铁丝、轧钢等金属产品的生产与销售。2016年，有员工12人，实现销售收入732.8万元，缴纳税金15.5万元。

江西唯康电线电缆有限公司　民营企业。2015年5月创办，坐落在厚发工业区。总投资2.18亿元，占地20公顷。主要从事智能楼宇综合布线系列产品研发、生产和销售。主要产品有“唯康”牌0.6～1千伏塑料电力电缆、阻燃电缆、耐火电缆、无卤低烟电缆、6～35千伏交联电力电缆、绝缘架空导线、铜芯绞线、铝绞线、钢芯铝绞线；450～750伏电线、控制电缆及通信光缆等产品。2016年有员工66人，实现销售收入1715.5万元，缴纳税金50.6万元。

第十三节　设备制造业

21世纪初，县属国有和集体及乡办设备制造企业乐安县农机厂、县耕整机厂、江西省自动化阀门厂、湖坪农机厂或改制或倒闭。之后成立民营企业3家，即江西力东机电设备有限公司、江西旺农农机制造有限公司、江西政毅汽摩配件有限公司。

乐安县农机厂　县属国有企业。坐落在县城站前路东侧，创建于1958年。主要产品有打谷机、柴油机、曲轴、圆盘印刷机、拖车、3号米斗、刷薯机、多功能工具机、农用拖车等五大类318个品种。此外，还承担各种型号汽车修理。1988年被县车辆管理部门定为车辆二级保养定点

王乐富、范正庚、王浪平。

第二节　园区建设

一、园区概况

乐安工业园区坐落在县城南面，由始建于1996年的县乡镇工业小区逐步发展形成。2006年4月，为贯彻落实全市“主攻工业、决战园区、赶超发展”战略，县委、县政府作出《关于进一步加快乐安工业园区发展的决定》，正式定名为乐安工业园区。2006年始，在乡镇工业小区基础上，投资开发兴建前坪工业区、中小企业创业园。2008年，为盘活原261地质大队搬迁后闲置下来的工业用地和厂房，规划建设公溪工业区。2012年，为进一步拓展工业承载平台，县委、县政府决定开发利用龚坊镇和山砀镇之间的平缓坡地建设厚发工业区，2013年获省园区办批准为“机械电子产业集群”建设单位。2014年，经省政府批复，乐安工业园区正式纳入省级工业园区序列管理。至2016年，工业园区总体规划面积9.66平方千米，实际开发面积3.5平方千米，形成由前坪工业区、厚发工业区、公溪工业区构成的工业园区格局。次年，经省政府批复确定为省级产业园。

前坪工业区　位于县城西南面，规划用地面积3.3平方千米，2006年开始建设，2016年完成开发面积153.33公顷，落户企业67家。先后引进江西民康实业、江西品升电子、江西信达、山高制药、三连制衣、龙发包袋等一大批重点企业，形成以轻纺鞋服、农产品加工、机械电子、生物医药为主导，工艺品加工、家具制造等产业聚集发展的工业格局。

公溪工业区　位于公溪镇，依托261地质大队工业用地和厂房，紧靠省道（S215）六上线，距乐安县城约40千米，距江边村火车站约3千米，规划面积1.29平方千米，实际开发面积约66.67公顷。落户企业有润泰药业、聚才科技等5家。该区重点发展医药化工、新能源和新材料等产业。

厚发工业区　位于龚坊镇和山砀镇之间的平缓坡地，距县城15千米，距南昌—乐安—宁都高速公路山砀互通进出口5千米，规划用地面积4.27平方千米，实际开发面积133.33公顷。引进厚德电子信息科技园和台商产业园，落户企业有威仕特汽车导航、酷电新能源、金晖锂电、恒新塑制工艺品和德春塑料纤维等11家企业。该区重点发展电气和机械及器材制造、新能源和大数据等战略新兴产业。

二、建设进程

1996年，乐安县乡镇工业开发区在迎宾南大道东侧规划面积3.8平方千米，即南北长约2.1千米，东西宽约1.8千米。1997年，完成“四通一平”工程，区内交通便利，水电充足，环境良好。1998年始，开发区分3期建设，第一期开发土地面积13.33公顷，完成“七通一平”工程。第二期开发土地面积20公顷。第三期开发土地面积33.33公顷。至2002年年底，实际开发土地9.67公顷，建有标准厂房15幢，非标准厂房13幢。区内企业24家，其中投产企业22家，在建2家。2003年，区内累计完成基础设施建设投入1950万元。至2005年年底，区内开发面积22公顷，建设标准厂房26幢，落户企业32家，区内基础设施建设累计投

乐安工业园区管理委员会办公大楼

入6800万元，是2002年的3.9倍。为合理布局园区产业，2006年决定对乡镇工业开发区进行“退二进三”（退出第二产业，进驻第三产业）集中整治；至2016年，整治工作基本结束，退出企的土地建有鼎盛华府商住小区。

2002年，县委、县政府下发《关于在抚州工业开发区建立乐安工业园的实施意见》，执行市政府“异地办厂、属地纳税”政策，在抚州工业开发区征地66.67公顷，后因招商引资项目难落实，2007年所征土地由金巢开发区收购。

开发中的前坪工业区

2006年2月，在县城西南面规划建设前坪工业区。4月，乐安县乡镇工业开发区更名为乐安工业园区。是年，投入7600万元用于基础设施建设，规划用地面积2.38平方千米，园区开发面积0.55平方千米，全部实现“五通一平”。2007年，园区开发面积1平方千米，基础设施建设投入1亿多元，全部实现“五通一平”。园区按照“工业园区化、园区城市化”发展理念，积极拓展南环路，建好前坪工业新区，规划建成以劳动密集型产业为主，配套设施齐全工业园区。是年，园区工业产业主要有五金、机电、金属制品、食品、服装纺织加工、电子机械、竹木加工、医药工业等。

2008年，园区充分利用原261地质大队资源和公溪镇区位优势，规划新建占地200公顷的公溪工业区。是年，基础设施建设投入1.6亿元，比2007年增长58.8%。2009年，县政府坚持“企业园林化、设施公共化、环境城市化”标准，加大园区建设投入，同步推进“五通一平”和绿化、亮化、美化、净化，精心打造工业承接平台，切实改善和提升园区形象。先后投入资金2.74亿元，用于土方平整、标准厂房及公共服务中心建设、道路修建、管网布置、绿化亮化美化净化等基础设施配套建设。2010年，完成创业园公共服务中心建设，并投入使用；前坪工业区延伸段（往增田方向拓展）完成初步规划方案。公溪工业区入园主干道机动车道建成通车，入园主干道至供水公司区间路基土石方工程实施完毕，供水公司项目抓紧进行预埋管道、建设滤池等前期基础设施工作，110千伏变电站内部设备安装完毕，完成基础设施建设投入2.87亿元。园区开发面积2.3平方千米，共计完成基础设施投入3亿元。2011年，园区全力推进土方平整、标准厂房及公共服务中心、道路修建、管网布置等基础设施建设，相关配套得到大力改善。创业园区公共服务中心交付使用，创业园区二期竣工验收，平整土地13.33公顷，新建挡土墙550米，道路硬化780平方米，铺设水管500米。园区新建110千伏变电站1座，架设高压线路29.9千米，铺设自来水管29.5千米，新建3.4万平方米中小企业创园。

2012年，利用龚坊镇和山砀镇之间的平缓坡地开发建设厚发工业区，完成征山征地160公顷，新增“三通一平”土地96.67公顷，完成土石方开挖量590万立方米，新建道路4.45千米，电路改造3000米，完成园区新办公楼的整修工程。是年，园区投产企业47家，规模以上企业17家，新增规模以上企业2家；完成工业总产值16.65亿元，同比增长14.6%；实现主营业务收入16.32亿元，同比增长14.3%。

2013 年，基础设施建设投入 1 亿元，在厚发工业区完成征地 406.67 公顷，新增“三通一平”工业用地 66.67 公顷。完成全长 1.3 千米，总投资 1200 万元的横三路道路建设，启动横一路、南北向主干道工程建设；完成日供水 4 万立方米的水厂一期建设；完成 35 千伏变电站建设；开工建设 132 套公租房和园区综合服务体。完成前坪工业区横二路建设工程。完成南部组团供水、供电工程建设；完成公溪工业区至公溪镇连接线道路硬化工程。由前坪工业区、厚发工业区、公溪工业区构成的工业园区格局初显。

2014 年，基础设施建设投入 2359 万元，重点建设厚发工业区，完成全长 1.3 千米，宽 24 米，双向 4 车道的横三路和南北向主干道（国道 G238 厚发工业区段）建设，初步构筑成厚发工业区“一横一纵”交通主干线；实现对基础设施建设和项目建设正常供水、供电。完成首期 132 套公租房屋主体工程和占地 1800 平方米综合服务体建设。同时提升前坪工业区、公溪工业区服务功能。完成前坪工业区南部组团横一路、横二路道路绿化、亮化工程，完成抚吉高速连接线西侧辅道建设。在园区范围内新建 8 个公交车站台。完成公溪工业区水、电改造工程，进一步提升保障能力。

2015 年，基础设施建设投入 3080 万元，重点推进前坪工业区拓展工程。推进南部组团二期工程建设，该项目包含场地平整及区间横三路、横四路、横五路、横六路道路和管网建设，完成场地平整约 33.33 公顷。同时，完成厚发工业区新建道路 1400 米，修建横一道路 A 标段、横三道路西延伸段。完成职工公租房二期工程，新增房屋 96 套。完成污水处理厂选址、征地和项目可研报告编制。

2016 年，基础设施建设投入 2352 万元，前坪工业区南部组团二期平台工程竣工投入使用，完成包括场地平整、道路、供水等工程，新增工业用地约 41.33 公顷。落户企业 83 家，全年完成主营业务收入 17.38 亿元，工业增加值 4.56 亿元。

第三节　园区企业

一、企业分布

乐安工业园区由前坪工业区、厚发工业区、公溪工业区组成。至 2016 年年底共落户企业 83 家。其中，前坪工业区 67 家，厚发工业区 11 家，公溪工业区 5 家。落户园区企业中，租赁企业 22 家，自建厂房企业 61 家（在建企业 14 家），已投产企业 50 家。

乡镇组织务工人员到园区就业

乐安工业园区入园企业情况表

表 16-3-1　　　　单位：万元、公顷、人

序号	企业名称	入园时间	总投资	企业用地	主要产品	从业人员
前坪工业区						
1	江西广雅食品有限公司	2002.11	800	2.36	水煮笋罐头	276
2	江西山高制药有限公司	2002.2	40000	13.33	参芪十一味等中成药	129
3	江西品升电子有限公司	2003.6	50000	8.53	FR — 4 覆铜板及半固化片	106
4	抚州乐安苏乐乳胶制品有限公司	2005.5	5000	1.23	彩色气球、乳胶制品	120
5	乐安县鹏鑫食品有限公司	2006.11	1010	1.64	水煮笋罐头	145
6	乐安县三和包装有限公司	2006.11	5000	2.09	各式包装纸箱	116
7	乐安县奇亿龙鞋服有限公司	2006.11	5000	0.75	运动鞋、皮鞋类	109
8	乐安县永昌饲料有限公司	2006.12	2000	2	饲料	12
9	骏福服饰织造（江西）有限公司	2007.12	5000	1.71	各式针织衫、毛衣等	109
10	乐安县黑金炭素有限公司	2007.8	3315	0.8	活性炭	120
11	乐安县万事兴打火机制造有限公司	2008.3	5000	1.54	各式打火机	86
12	乐安县康达食品有限公司	2008.7	800	0.67	饮用水	4
13	江西珠峰实业有限公司	2008.9	3000	3	小家电	8
14	乐安县德顺医药有限公司	2009.1	5000	0.4	医药、医疗器械销售	35
15	乐安县鑫顺源米业有限公司	2009.6	1510	1.04	大米加工	14
16	乐安县加根淋浴保健用品厂	2009.6	1000	0.63	淋浴保健用品	26
17	江西力东机电设备有限公司	2009.6	800	1.04	电动机	8
18	江西山蜂食品有限公司	2009.6	800	0.89	蜂蜜	30
19	乐安县恒源食品有限公司	2010.1	500	0.87	米粉	39
20	乐安县三连制衣有限公司	2010.1	3000	0.72	各式运动服装	403
21	江西旺农农机制造有限公司	2010.1	1200	0.1	打谷机等农机具	15
22	江西益源食品有限公司	2010.2	1200	0.93	板鸭	4
23	乐安县平发金属有限公司	2010.5	5000	0.8	钢材加工	12
24	乐安县力拓混凝土有限公司	2010.7	5200	1.93	商品混凝土	61

续表 16-3-1

序号	企业名称	入园时间	总投资	企业用地	主要产品	从业人员
25	江西美美食品有限公司	2011.1	5000	0.87	竹笋罐头	32
26	江西伟辰工贸有限公司	2011.6	3000	1.73	墙面漆等	11
27	江西龙发包袋有限公司	2012.2	6000	3.27	各类包袋	254
28	江西信达茧丝绸有限公司	2012.2	60000	10.9	白蚕丝	218
29	乐安县吉祥彩印包装有限公司	2012.8	2200	1.13	各式包装纸箱	23
30	乐安县安雅工艺品厂	2012.8	3000	0.27	木质工艺品	32
31	江西俊华电子科技有限公司	2012.8	8000	0.77	LED 节能日光灯管	30
32	乐安县崴创电子有限公司	2012.8	5000	0.12	贴片电感、SMPS 变压器、磁环线圈	57
33	乐安县亿童鞋业有限公司	2013.1	5000	0.87	童鞋	30
34	江西加乐食品有限公司	2013.1	3000	2.02	味精、鸡精等调味品	35
35	乐安县宏兴服饰实业有限公司	2013.12	5200	0.12	各式服装	38
36	乐安县玛雅进出口贸易有限公司	2013.7	5000	0.77	各类小饰品	68
37	江西兆曼电子科技有限公司	2014.11	6000	1.2	电感、线圈	70
38	江西泉发实业有限公司	2014.12	5000	3.65	各式拉链	30
39	乐安县丰信生物科技有限公司	2014.4	12000	8	蛹肽蛋白	25
40	乐安县华盖山茶叶专业合作社	2014.5	5000	1.33	茶叶	18
41	乐安嘉德园艺制品有限公司	2014.6	10000	2	家具、铁艺、塑胶、藤制品	8
42	江西盛川实业有限公司	2014.8	200	0.13	竹丝条	32
43	江西亿隆鞋业有限公司	2015.11	5800	.017	各类童鞋	107
44	乐安县新时代家居有限公司	2015.2	19600	2.8	整套家居	45
45	乐安县聚缘工艺品有限公司	2015.9	5000	0.18	面具、灯笼	16
46	乐安乐康明恒制造有限公司	2016.12	20000	13.33	布类纺织	24
47	乐安县赛农农机制造有限公司	2016.12	5000	0.9	打谷机等农机具	10
48	抚州市金椅好用品有限公司	2016.12	6000	1.53	婴儿用品及残疾人康复器材	未投产
49	乐安县安怡鞋材有限公司	2016.12	1100	1.47	各种鞋类	3

续表 16-3-1

序号	企业名称	入园时间	总投资	企业用地	主要产品	从业人员
50	乐安县长鑫服饰有限公司	2016.12	5100	0.12	服装	26
51	乐安县捷丰纺织有限公司	2016.12	2000	0.13	棉布、棉纱	16
52	乐安县德宝家具有限公司	2016.12	5000	0.99	各类红木家具	10
53	乐安县秀龙石业有限公司	2016.12	40000	10	石材	未投产
54	江西佰弘森科技有限公司	2016.12	1000	13.33	医药耗材	未投产
55	江西老表互联网科技有限公司	2016.12	1000	20	电商	42
56	乐美电商股份有限公司	2016.12	6000	0.5	电商	43
57	江西政毅汽摩配件有限公司	2016.2	10000	2	汽摩配件	20
58	乐安县广恒实业有限公司	2016.3	6500	1.67	针纺织品	30
59	乐安县澳玛实业有限公司	2016.3	5000	1.03	家具、铁艺、塑胶、藤制品	未投产
60	乐安县赛邦实业有限公司	2016.3	5000	1.13	高档棉袜	70
61	乐安县鑫创亿塑业有限公司	2016.5	3000	1.27	塑料制品	未投产
62	江西灿乾实业发展有限公司	2016.5	6000	1.2	鞋材及各种鞋	未投产
63	乐安县兴德光学有限公司	2016.6	5000	0.8	眼镜	未投产
64	乐安县良达眼镜光学有限公司	2016.6	3000	0.8	眼镜	未投产
65	乐安县恒达上新木竹制品有限公司	2016.7	8000	2.67	进出口高档装饰板材	未投产
66	江西万上实业有限公司	2016.8	9000	1.87	高品质电脑线	未投产
67	乐安县乐盛家具有限公司	2016.9	9000	1.2	高档家具	20
			厚发工业区			
1	乐安县恒新塑制工艺品有限公司	2014.3	10000	1.67	塑制工艺品	38
2	乐安县华林木业有限公司	2014.5	5000	2.13	模板	66
3	江西中焱能源科技有限公司	2015.1	6000	3.33	生物质颗粒	25
4	乐安县联鸿实业有限公司	2015.12	3000	6.73	PVC 塑料粒	停产
5	江西唯康电子有限公司	2015.5	15000	20	电线电缆	66
6	江西德春塑料纤维科技有限公司	2015.7	10000	2.25	无水染色	35
7	江西金晖锂电材料有限公司	2016.12	60000	3.67	锂电池电解液	24

续表 16-3-1

序号	企业名称	入园时间	总投资	企业用地	主要产品	从业人员
8	江西酷电新能源有限公司	2016.12	100000	16.67	4GWh 锂离子电池	90
9	乐安县云智易联科技有限公司	2016.12	30000	0.07	智能化主板	27
10	石贝网络	2016.12	10000	0.04	车联网大数据	10
11	江西威仕特汽车导航有限公司	2016.12	30000	0.7	汽车导航整机	45
公溪工业区						
1	乐安县聚财鞋业有限公司	2011.2	8000	3.33	各式鞋子	停产
2	江西仁瑾实业有限公司	2012.2	5050	3.33	润滑油	未建
3	抚州润泰药业有限公司	2014.2	10000	5.47	沙坦联苯	86
4	江西宏宇石业有限公司	2015.9	8000	3.33	花岗岩相关产品	25
5	江西稻稻香粮食贸易有限公司	2016.1	6000	1.37	烘干及加工大米	25

说明：三个工业区企业均以入园时间为序列表

二、产业特色

工业园区形成以绿色食品、轻纺鞋服、机械电子、生物医药为主导，电商、新能源（锂电池）、车联网、大数据等新兴产业聚集发展的产业格局。落户企业 83 家，培育出“广雅”食品、“清水山露菜”“宫瘤清颗粒”等一批有影响力的产品。

绿色食品产业凸显　绿色农产品精深加工产业是乐安工业园区传统优势产业之一，从 2000 年只有几家小作坊发展到广雅食品、鹏鑫食品、山蜂食品等农业产业化企业。绿色食品产业从 2008 年的 7 户，发展到 2016 年的 12 户，主营业务收入由 2008 年的 9626 万元，增加到 2016 年的 41747 万元，税收由 2008 年的 159 万元，增加到 2016 年的 1075 万元。

轻纺鞋服产业聚集　园区有乐安三连、龙发包袋、骏福织造、泉发实业、乐康明恒、捷丰纺织等企业，以生产服装包袋辅料的上下游较为完整的产业链条。通过整合上下游企业资源，不断完成企业内部设备改造，实现由单一来料加工向品牌服装生产转变。轻纺鞋服产业从 2008 年的 9 户，发展到 2016 年的 12 户，主营业务收入由 2008 年的 26687 万元，增加到 2016 年的 45803 万元，税收由 2008 年的 787 万元，增加到 2016 年的 1365 万元。

机械电子产业发展　机械电子产业是园区重

竹笋制品

点培育的新兴产业，通过大力扶持以生产半固化片和覆铜板为主的江西品升电子和以生产计算机周边线及各种合金丝为主的江西唯康电子等龙头企业，带动生产电子元器件的兆曼电子、乐源电子、崴创电子及生产LED节能灯的俊华电子等上下游企业不断做大做强。机械电子产业从2008年的6户，发展到2016年的12户，主营业务收入由2008年的3111万元，增加到2016年的35420万元，税收由2008年的35万元，增加到2016年的1151万元。

生物医药产业壮大　园区充分发挥山高制药品牌优势和影响，推进中药组方规模化、标准化生产，引进生产医药中间体的抚州润泰药业、广明药业，带动医药产业快速发展。生物医药产业从2008年的3户，发展到2016年的12户，主营业务收入由2008年的8012万元，增加到2016年的20349万元，税收由2008年的272万元，增加到2016年的624.9万元。

新兴产业突起　2016年，园区管委会调整产业发展规划，在新兴产业招商引资和培育方面取得突破。引进总投资6亿元，主要生产锂离子电池电解液及相关材料的江西金晖锂业股份有限公司，以及总投资10亿元，主要生产锂离子电池的江西酷电新能源有限公司2家新能源企业；引进总投资3亿元，以生产研发GPS全球定位系统为主的江西威仕特生产汽车导航有限公司和2家数据运营项目。在厚发工业区培育以新能源、新材料和大数据为主体的新兴产业集群。

2006—2016年乐安工业园区经济指标完成情况表

表16-3-2　　　　单位：平方千米、万元

年份	园区开发面积	工业增加值	同比增长（%）	主营业务收入	同比增长（%）	利润	同比增长（%）	实现税收	同比增长（%）	规模以上企业数	用工人数（人）	基础设施建设投入
2006	0.83	9732	—	30366	—	808	—	1092	—	7	2412	7604
2007	1.00	22354	126.10	72111	137.50	1791	121.80	3412	212.40	9	3990	10096
2008	1.20	31104	39.10	100917	34.30	2535	41.50	3812	11.70	19	4527	16032
2009	1.80	46158	48.40	149656	48.30	3245	28.10	4360	14.40	22	5127	23762
2010	2.32	39863	−13.60	126437	−15.00	2690	−17.10	4357	0	20	5525	30003
2011	2.40	38692	9.90	148747	37.35	3610	55.02	5158	32.53	17	5359	38095
2012	3.34	43130	15.39	164887	22.57	3532	5.50	5659	18.75	19	5127	42569
2013	3.50	50082	15.03	197624	34.87	3643	11.50	6749	25.58	23	4360	43150
2014	3.50	43136	−6.43	159116	−6.23	3013	9.26	5469	−6.28	24	3976	46035
2015	3.50	44994	11.81	167109	7.05	4089	38.92	6076	13.49	18	4680	46100
2016	3.50	45596	0.50	173831	−1.50	4865	20.13	5888	3.00	19	4417	46620

依托，以深化改革为动力，以综合开发利用农副产品和地下资源为重点的发展思路。1996年5月，县委、县政府作出《关于加速发展乡镇企业的若干规定》，同时下发《乐安县发展乡镇企业奖励办法》；10月，制定《关于乡镇企业“五个一”工程实施方案》；12月，县委、县政府决定在县城南门路（迎宾南大道）东侧兴建乐安县乡镇工业开发区，制定《乐安县乡镇工业开发区章程》，采取统一规划，分步实施；优惠吸引，基础先行；定点建厂，连厂成片；骨干引路，扩区成带；滚动发展，辐射全县的发展战略。1997年3月，县委、县政府下发《关于进一步加大工作力度，促进我县乡镇企业快速发展的意见》，把主攻乡镇企业作为县域经济发展的突破口来抓，对各乡镇在县乡镇工业开发区兴办企业提出了具体任务与要求。进入21世纪，由于市场竞争激烈，大部分乡镇企业倒闭，有的通过拍卖、转让等形式成为私营企业。

第一节　机构人员

一、县级机构

1978年4月，设立乐安县社队企业局。1984年10月，更名为乐安县乡镇企业管理局，是县政府主管全县乡镇企业工作部门。内设人秘股、生产技术股、财务统计股、供销公司。1985年，有行政编11个，事业编5个，在岗干部职工25人。1998年7月，县乡镇工业开发区管理委员会办公室由挂靠县对外经济合作办公室，调整到挂靠县乡镇企业局。2003年3月，更名为县中小企业局，单位性质由行政改为事业，核定事业编9个，领导职数1正2副，股级职数3个，内设人秘股、生产技术股、企业管理股，在职干部5人、职工15人。2006年8月，成立县促进非公有制经济发展领导小组，办公室设在县中小企业局。2007年12月，抚州市人事局印发《关于乐安县粮食局等9个单位列入参照公务员法管理的通知》，批准县中小企业局列入参照公务员法管理。主要职责是：依照《中华人民共和国中小企业促进法》，规范企业经营行为，保护企业合法权益；引导中小企业向工业园区集中；指导企业技术改造和产业结构、产品结构和企业布局调整，搞好市场营销，提高市场竞争能力等。

2006年2月，成立工业园区管理委员会，下设办公室，办公室与县中小企业局合署办公，两块牌子，一套人马；4月，工业园区管理委员会办公室与中小企业局脱钩，单独办公；10月，县政府兴建中小企业创业园，委托中小企业局管理。2007年，县中小企业局将县乡镇工业开发区、中小企业创业园管理权移交给工业园区管理委员会。2013年8月，县中小企业创业园又划回县中小企业局管理；9月，成立县中小企业创业园管理办公室，抽调7名干部职工办公；10月，更名为县小微企业创业园。主要负责创业园项目的引进、管理和服务，协调落实扶持孵化企业优惠政策，组织实施创业园管理措施，管理创业园国有资产。

2011年12月，经省政府金融工作办公室批准，设立乐安县中小企业信用担保中心，在县中小企业局增挂县中小企业信用担保中心牌子，两块牌子，一套人马。同时撤销生产技术股和企业管理股。按照规定，县中小企业信用担保中心主要从事经济信用保证和担保业务服务，实行独立核算、自主经营、自负盈亏、独立承担民事责任。属事业法人。

至2016年，县中小企业局内设机构有人秘股、小微企业创业园管理办公室。县中小企业信用担保中心有综合部、业务部。在职干部4人、职工11人。2008年，县中小企业局办公地址由鳌溪镇象山路2号迁至鳌溪镇人和路1号县政府大楼五楼。

1986—2016年，历任局长：苏泉生、陈智良、曾为生、周福生、王建明、詹鸿飞、陈光日。

二、乡镇机构

1986年，全县20个乡镇均设乡镇企业管理办公室，为临时工作机构。2000年，按照省机构编制委员会《关于乡镇一级企业管理机构设置和人员编制的通知》精神，确定全县20个乡镇企业管理办公室为正股级事业单位，每个乡镇定编2～4个，全县共60个编。主要职责是管理乡镇办、村办、户办、联户办企业和各类合作、联营企业。乡镇企业管理办公室实行双重领导体制，乡镇政府负责行政管理，县乡镇企业管理局负责业务和人事管理。2001年11月，实施撤乡并镇，航桥、鹏洲、潭港、望仙、坪溪5个乡企业管理办公室被撤销，其他15个乡镇企业办公室保留，从业人员85人。2013年，乡镇机构改革，全县乡镇企业管理办公室被撤销，其职能和队伍并入乡镇农业综合服务站。

第二节　分类企业

一、乡镇办企业

乡镇办企业指乡镇一级兴办的小型集体所有制企业，即原人民公社所有的农场、林场、果园、水库养殖场、小煤矿、手工业联合社（铁器、木器、篾器、缝纫、理发）及农机厂、铸造厂、酿酒厂、基建队等。1984年撤社设乡时，转为乡镇办企业。后发展到商品批发、经销、竹木加工、机械制造等行业。1986年，全县乡镇办企业176家，从业人员2646人，企业总产值1075万元，占全县乡镇企业的6.1%、30.8%和49.2%，其中乡镇办规模比较大、经济效益比较好的企业有鳌溪车木厂、鳌溪工艺品厂、鳌溪炼锡厂、鳌溪泥木基建队、南村乡电线厂、增田手联社、望仙纺织器材厂、招携铸造厂、招携手联社、招携木竹加工厂、牛田建筑工程队、湖坪农机厂、鹏洲纺织器材厂、公溪镇建材厂、江边机械厂、公溪木竹制品厂、公溪建筑公司、公溪炼硝厂、谷岗农商联合公司等。随着加块乡镇企业发展的系列政策文件出台，县委、县政府把发展乡镇企业作为年终工作目标考核重要内容,使乡镇企业有长足发展。1994年，全县乡镇办企业产值达100万元以上的有40家，总产值8790万元，成为全县乡镇企业重要组成部分。90年代后期，市场竞争激烈，多数企业缺资金、缺技术，设备得不到升级改造，产品得不到更新换代，加之管理水平不高，生产成本增加，企业负担过重，大部分企业停产歇业，有的倒闭，有的通过拍卖、转让等形式变为私营企业。

1994年乐安县产值100万元以上的乡镇办企业情况表

表16-4-1　　单位：万元

企业名称	企业地址	营业收入	现价总产值	现价增加值	利税总额	年平均职工人数
公溪铸造厂	江边村	302	504	181	18	50
江边机械厂	江边村	291	501	180	11	40
古城纸制品厂	古城	97	170	61	4	40
江边玻纤厂	江边村	114	190	18	6	26
公溪综合经销部	江边村	130	240	86	8	10
江边木竹制品厂	江边村	90	150	55	3	40
公溪建材厂	新居	140	220	79	4	60
公溪建筑公司	古城	191	243	87	7	62
荷陂基建队	江边村	120	172	60	5	40

续表 16-4-1

企业名称	企业地址	营业收入	现价总产值	现价增加值	利税总额	年平均职工人数
公溪服务大楼	古城	110	110	39	4	7
古城印刷厂	古城	68	110	39	3	8
乐安县饲料厂	鳌溪镇	341	341	112	20	30
鳌溪镇家具开发公司	鳌溪镇	138	141	41	7	30
招携竹筷厂	招携街	80	103	31	6	18
招携松焦油厂	招携街	40	117	31	5	12
招携手联社	招携街	68	121	33	6	40
招携电站	招携街	50	131	36	5	23
招携铸造厂	招携街	55	106	32	8	20
招携竹制品厂	招携街	72	117	32	7	20
招携空心竹香厂	招携街	70	138	34	11	20
招携家具厂	招携街	56	108	33	7	40
招携胶合板厂	招携街	49	109	27	6	40
增田家具厂	增田街	90	122	37	4	20
增田沙场	温田村	85	119	32	2	4
牛田荣华压锅厂	木子岭	142	142	19	4	22
湖溪塑料编织厂	湖溪街	115	120	36	2	11
鳌溪机械厂	鳌溪镇	1116	1163	34	4	90
鳌溪建筑公司	鳌溪镇	128	1121	48	7	56
谷岗木地板厂	上观村	124	126	37	12	32
谷岗木竹工艺厂	上观村	213	216	64	23	40
谷岗松焦油厂	上观村	123	124	36	13	26
金竹地板厂	金竹街	147	147	44	6	8
坪溪木竹加工厂	坪溪街	96	130	39	8	10
坪溪雪条棒厂	坪溪街	98	135	48	9	25
望仙木制品厂	银口村	65	100	24	7	20
湖坪农机厂	湖坪街	82	210	32	10	14
南村板鸭厂	南村街	150	150	45	8	65

续表 16-4-1

企业名称	企业地址	营业收入	现价总产值	现价增加值	利税总额	年平均职工人数
南村冶炼厂	南村街	135	135	40	8	15
罗陂基建队	罗陂街	236	213	—	30	15
潭港煤矿	石塘村	153	175	50	20	119
合计		5970	8790	1992	338	1268

1986—2004 年全县乡镇办企业主要经济指标表

表 16-4-2　　单位：万元

年份	企业数	总收入	企业产值	工业产值	税金	利润
1986	176	1253	1075	705	87	84
1987	180	1401	1243	853	80	109
1988	199	1988	1720	1200	121	180
1989	200	2131	2167	1595	120	201
1990	186	2442	2459	1820	115	225
1991	190	2460	3346	2620	127	219
1992	182	2899	4054	3285	127	207
1993	177	5041	6001	5105	184	507
1994	196	12362	12233	10422	729	625
1995	189	18654	19315	17500	1324	1135
1996	165	3764	3762	3180	226	198
1997	296	5877	7663	6358	445	381
1998	255	5685	8507	6289	440	377
1999	261	5150	7889	5660	584	465
2000	247	4363	7316	4920	198	176
2001	173	5000	7488	5632	584	1465
2002	160	4177	6925	6925	221	279
2003	175	4278	6975	6915	221	289
2004	186	6553	8370	8370	247	375

二、村办企业

村办企业指村一级兴办的集体企业。主要有砖瓦窑、陶瓷、木竹制品、粮食加工、林场、果园、水库养殖、畜禽饲养、小水电、榨油、米粉、烧石灰、采矿等行业。规模较小，设备简陋，企业职工多在20人以下。1986年，全县有村办企业129家，从业人员803人，总收入197万元，工业产值107万元，缴纳税金13.4万元，实现利润13万元。1995年，有企业190家，总收入6076万元，总产值6388万元，其中工业产值5823万元，缴纳税金81万元，实现利润202万元。1997年以后，因市场竞争激烈，加之村级经济基础薄，投入少，负担重，大部分企业停产歇业，有的倒闭，有的通过拍卖、转让等形式变为私营企业。

三、户办联户办企业

户办企业即个体户。联户办企业指几家个体户联合创办的企业。1986年，全县有个体和联户办企业2369家，占全县乡镇企业总数82.9%；从业人数4644人，占全县乡镇企业从业人数54%；实现企业产值4883万元，占全县乡镇企业总产值40.4%；缴纳税金44万元，占全县乡镇企业税金27.9%；实现利润57万元，占全县乡镇企业利润43.5%。

至2004年，全县有户办联户企业2590家，从业人员7702人，企业总产值31086万元，税金1216万元。

1986—2004年乐安县户办联户办企业主要经济指标表

表16-4-3　　单位：万元、个

年份	企业个数	从业人数	总收入	企业产值	缴纳税金	利润
1986	2369	4644	1049	4883	44	57
1987	2799	4924	1765	1329	72	168
1988	3452	6641	3567	2674	130	281
1989	4331	8414	3942	3597	197	358
1990	4219	8509	4549	4122	230	411
1991	4656	9484	5738	6240	276	486
1992	4561	8279	8382	9480	311	723
1993	4537	7461	15429	15919	338	1076
1994	5063	10520	31560	33420	1327	1240
1995	5839	12733	32470	37324	1387	1201
1996	4801	9082	7347	8340	1485	1340
1997	3952	7651	9763	11437	1394	1230
1998	3041	7615	16340	16503	590	1501
1999	2596	7662	19023	20122	617	1601
2000	2499	7400	21063	22284	646	1723
2001	2557	7543	23671	25712	615	1431
2002	2434	7558	23453	25623	812	718
2003	2742	7618	20762	26110	765	1097
2004	2590	7702	25052	31086	1215	987

四、行业类型

工业　工业企业是乡镇企业的主体，乡镇办工业又是乡镇工业骨干。全县围绕农业办工业，开发利用当地资源，发展粮油加工、食品加工、木竹加工、烟花鞭炮、建筑材料、矿产采掘、小水电、造纸、机械制造等小型企业。

农业　乡镇农业企业主要是人民公社时期，平调生产队土地、劳力、资金，兴办林场、兴修水库等集体企业。

建筑业　建筑业分基础建设、建筑材料生产两大类。主要是乡镇基建队、砖瓦窑、石灰窑等。1995年全县规模比较大的建筑企业有：公溪建筑公司，从业人数62人，年创产值243万元；荷陂村基建队，从业人数40人，年创产值172万元；鳌溪建筑公司，从业人数56人，年创产值1120万元；戴坊基建队，从业人数121人，年创产值270万元。还有牛田、罗陂、湖坪、增田、招携、南村、龚坊、山砀基建队，年创产值都在100万元以上。全县砖瓦窑厂31个，从业人数506人，年创产值1540万元。

交通运输业　主要是货物运输，以中型拖拉机、手扶拖拉机为主。1990年后，交通运输业务逐步走向市场，联户购买大小货车、农用车数量激增，有的还购买大、中、小型客车，从事旅客运输，有的从事跨省长途旅客运输。

商业及餐饮服务业　主要指从事商品批发、零售，餐馆、旅馆、理发、家电维修等服务业。

1986—2004年全县乡镇企业分行业主要经济指标表（一）

表16-4-4　　单位：万元

年份	工业企业					农业企业					建筑业				
	企业个数	从业人员	总产值	利润总额	缴纳税金	企业个数	从业人员	总产值	利润总额	缴纳税金	企业个数	从业人员	总产值	利润总额	缴纳税金
1986	1545	5706	1324	87	84	19	157	20	0.8	0.6	86	836	306	7	6
1987	1539	6500	1829	137	74	25	197	30	1.2	0.9	61	634	345	11	7
1988	1757	8034	2894	211	117	30	218	56	10	2	35	632	528	11	7
1989	2086	8303	3983	233	127	30	228	70	13	4	60	600	515	10	4
1990	2044	9758	4610	261	122	30	304	137	20	3	53	612	526	12	8
1991	2273	10599	6801	259	129	31	344	161	22	4	52	656	663	15	9
1992	2177	8639	9987	267	130	27	192	56	12	2	75	823	1035	23	16
1993	2157	7357	16342	643	421	30	224	237	21	18	69	674	1401	53	28
1994	2537	9753	34140	1343	879	29	187	185	17	4	87	961	2956	109	40
1995	2884	10871	43560	1742	1300	29	219	273	22	5	185	1038	3805	140	56
1996	2228	7739	8100	453	291	29	180	161	14	3	68	695	1033	38	15
1997	1877	6790	1290	516	464	30	168	391	31	8	55	561	1113	41	16
1998	1298	6734	17405	696	620	45	271	727	36	16	58	808	1786	66	25
1999	1173	6717	19493	780	710	56	235	802	41	17	59	805	1767	65	24
2000	1045	6116	20100	804	723	84	219	700	38	16	55	984	2843	105	41

续表 16-4-4

年份	工业企业					农业企业					建筑业				
	企业个数	从业人员	总产值	利润总额	缴纳税金	企业个数	从业人员	总产值	利润总额	缴纳税金	企业个数	从业人员	总产值	利润总额	缴纳税金
2001	1159	5962	23005	920	828	41	198	695	37	14	50	673	1736	64	25
2002	1239	7512	24254	980	769	61	248	781	32	25	52	673	1864	75	59
2003	1279	7612	24524	1010	546	72	268	831	37	25	60	693	1904	80	59
2004	1329	7672	27620	1266	813	82	288	1036	48	31	60	693	2495	114	73

1986—2004年乐安县乡镇企业分行业主要经济指标表（二）

表 16-4-5　　单位：万元

年份	交通运输业					其他商业、饮食服务业					合计				
	企业个数	从业人数	总产值	利润总额	缴纳税金	企业个数	从业人数	总产值	利润总额	缴纳税金	企业个数	从业人数	总产值	利润总额	缴纳税金
1986	512	802	266	9	2	694	1086	266	9	2	2856	8587	2182	112.8	94.6
1987	592	916	341	5	1	1006	1424	345	12	7	3223	9671	3969	166.2	89.9
1988	684	938	548	8	4	1355	1842	883	19	16	3861	11664	4909	259	146
1989	754	1024	747	13	3	1349	1757	1100	14	9	4279	11912	4595	283	147
1990	706	938	774	9	3	1793	2486	1350	17	8	4626	14098	7397	319	144
1991	710	975	968	11	3	1998	2871	2060	16	8	5064	15445	10653	1110	153
1992	641	811	1437	7	3	2021	2811	2536	17	9	4941	13276	15051	326	160
1993	609	810	2610	6	5	2020	2660	3708	27	18	4885	11725	24298	750	490
1994	690	1170	5435	15	13	2117	3267	2997	21	17	5460	15338	45713	1505	953
1995	845	1221	7340	21	18	2273	4229	7265	56	32	6216	17578	62243	1981	1411
1996	666	901	9110	36	32	2136	3216	1995	15	8	5127	12731	20399	556	349
1997	593	886	1724	68	63	1693	2831	2972	23	18	4248	11236	7490	679	569
1998	508	798	1814	72	68	1387	2354	3278	25	21	3296	10965	24086	895	750
1999	395	633	1792	69	63	1174	2252	4157	32	26	2857	10642	28011	987	840
2000	368	622	1981	74	69	1194	2252	3977	31	25	2746	10193	29601	1052	874
2001	379	704	2628	97	75	1101	2502	5136	40	36	2730	10039	33200	1158	978
2002	379	704	2796	113	89	1101	2505	5805	243	186	2832	11642	35500	1443	1128
2003	399	714	2846	123	89	1170	2572	6354	270	186	2980	11859	36459	1520	905
2004	400	736	3650	121	78	1394	3124	9451	497	315	3265	12513	44252	2048	1310

第三节　产品荣誉

1986年，公溪镇建材厂生产的黏土砖获全区乡镇企业产品质量第一名；万崇酒厂生产的38度赣东特曲、54度鳌河大曲在全区乡镇企业酒类评比中，分别荣获产品质量第一名和第二名。1989年10月，南村华山工艺品厂开发的新产品木珠汽车坐垫，鳌溪工艺厂生产的檀香扇，公溪木竹制品厂生产的藤折椅等产品，在北京由农业部、对外贸易部联合举办的中国乡镇企业第二届出口商品展览中获参展荣誉证书。1991年，江边机械厂试制的赣江牌80型皮轮轧花机，经省、地有关专家鉴定为合格产品，填补抚州地区空白。1991年8月，在全区乡镇企业烧结砖质量行检中，公溪建材厂黏土砖荣获二等奖；10月，万崇乡赣东酒厂开发的绞股蓝补酒、绞股蓝液新产品，获省经济委员会新产品开发证书。

第四节　小微企业创业园

小微企业创业园，是政府投资兴建若干标准厂房，供小微企业租赁，成为小微企业的孵化基地。县小微企业创业园坐落在鳌溪镇迎宾南大道东侧，距抚吉高速公路乐安出口约1千米，占地面积2.87公顷。2006年10月，县政府投资4292万元，建设第一期工程，A、B、C、D共4幢标准厂房，均为3层框架结构，总建筑面积29804平方米。2009年，兴建第二期工程，综合服务大楼1幢5层，建筑面积约7500平方米。一二楼为县行政服务中心办公，三楼至五楼为工业园区企业员工宿舍，共120间。2016年8月，县政府投资320万元，兴建创业园职工食堂，1幢3层，建筑面积2110平方米。至2016年，入驻企业有江西（安踏）三连制衣、长鑫服饰、兆曼电子、崴创电子、广利科技、佰特神州光电、乐盛家具等13家。2016年，入驻企业完成主营业务收入1.23亿元，缴纳税金597万元，从业人数982人。

2008年12月，经省中小企业局批准，该创业园列入省级46个中小企业创业基地之一。2015年11月，被省工业和信息化厅认定为省级小微企业创业园创建单位。

第五节　信用担保中心

2011年12月，成立乐安县中小企业信用担保中心，注册资本3000万元。服务宗旨是帮助企业解决担保难、贷款难、融资难问题，支持企业健康发展。主要担保对象为在县内注册登记并生产经营符合国家产业政策，有信誉、有市场、有订单、有效益的税源型、成长型、就业型等工业生产、商贸流通、小微（含个体工商户）和农业产业化龙头企业等。

2012年，信用担保中心为全县中小企业办理融资担保业务11家次，担保贷款金额1975万元。2013年，办理融资担保业务16家次，担保贷款2730万元。2014年，办理融资担保业务17家次，担保贷款3075万元。2015年，办理融资担保业务28家次，担保贷款4760万元。2016年，办理融资担保业务26家次，担保贷款5140万元。5年累计为中小企业办理融资担保业务98家次，担保贷款1.76亿元。为缓解企业融资难题，促进企业快速成长，健康发展起到很好的作用。

降低融资利率是担保中心的重要工作，与合作银行多次协调，3次降低贷款利率。2016年，企业融资利率由2012年6.5‰降至5.2‰，在全市同行业中利率最低。

第十七卷　商　贸

发展规划，并组织实施；统计和发布主要商务信息，推进流通领域结构调整，指导流通企业改革和社区商业发展；负责商贸服务行业管理，推进国内贸易流通标准化和连锁经营、商业特许经营、物流配送、电子商务等现代流通方式的发展；参与打击商务领域侵犯知识产权、商业欺诈等行为，促进城乡市场健康发展；组织实施大宗商品批发市场规划和城市商业网点规划建设，推动城乡市场体系建设，组织实施农村现代流通网络工程等。

1986—2016年，历任局长（主任）：谢福全、陈桂香、王华福、曾发贵、钟剑文、曾美英（女）；1991—2016年，历任党委书记：郝水保、周荣、陈全保、邓许金（女）、邓国荣、曾美英（女）。

第二节　商业体制改革

一、改革进程

20世纪80年代初，县商业局共有单位总数93个。其中，国营商业72个，大集体商业21个。全局核算单位36个。其中，国营25个，集体11个。商业系统总人数826人。其中，国营613人，大集体213人。

80年代中期开始，推行商业体制改革，大致经历4个阶段：

经理（厂长）任期责任制阶段　改革开放后，个体私有企业在流通领域迅速发展，国营商业企业面临严峻挑战，深化国营商业企业改革摆上议事日程。1988年4月，县商业局对百货公司、五交化公司、副食品公司、饮食服务公司四大骨干企业推行经理承包经营责任制，改革企业用人制度，强化企业经营管理，各门店、批发部都实行内部承包经营责任制，调动企业干部职工积极性，服务态度和服务质量明显提高，在激烈的市场竞争中，取得较好经济效益和社会效益。是年实现商品销售额1173万元，较1987年增长16.7%，实现利润12.1万元，较1987年增长20.16%。其中，百货公司实现销售额389万元，利润3.8万元；五交化公司实现销售额396万元，利润4.2万元；副食品公司实现销售额306万元，利润3.5万元；饮食服务公司实现销售额82万元，利润1.1万元。扭转了企业经济效益逐年下滑局面。

实行“四放开”经营阶段　1991年1月，江西省在国营零售企业实行经营范围、价格权限、用人制度和分配制度“四放开”试点。经营范围放开是指企业以主业为主，放开经营；价格放开是指除少数商品价格由政府掌管外，允许企业按商品价格规律，根据市场灵活作价，但要明码标价，不许乱涨价；用工放开是指企业实行全员合同制、领导聘用制、内部待业制；分配放开是指实行百元销售额含量工资制为主多种分配方式，自负盈亏，自担风险，多销多得。“四放开”经营模式于1991年下半年开始在五交化公司试点，随后在百货公司、副食品公司、饮食服务公司等企业相继推开。五交化公司职工当月工资最高领到原工资156%，最低为原工资71%。打破了企业分配上的平均主义，调动了广大职工积极性，努力扩大销售，增加企业经济效益。试点1年，公司销售额增长32.96%，利润增长26.1%。

实行“国有民营”承包经营阶段　“国有民营”就是在国有商业企业推行“国家所有、个体经营”的管理模式。县商业局从1994年6月至2004年5月，在百货公司、五交化公司、副食品公司、饮食服务公司等企业逐步实行“国有民营”承包经营改革，将各门点柜组全部承包给职工经营，并按照定职工人数、定经营品种、定上缴租金“三定”办法组织实施。定人员是指将企业职工全部分配到各柜组，不准推向社会，实行自由组合，双向选择；定经营品种是指承包人必须按照公司规定本柜台商品品种进行经营，不准跨范围经营；定租金是指公司确定各柜组租金标的后，采取公开、公平、公正的竞争原则确定租金，一年一交，三年一轮。各公司“国有民营”方案，须经职工大会讨论通过并报商业局审批后组织实施。1994年6月后，各公司批发业务停止，只留少许人员管理，负责企业正常运转。“国有民营”10年，商业系统广大职工真正融入市场经济，参与市场竞争，企业职工经历优胜劣汰，经受严峻考验。其间，造就许多个体户、企业家，也造成许多职工失业，下岗待业。

改制拍卖阶段　2003年下半年，按照县委、县政府《关于进一步深化国有企业产权制度改革的通知》要求，对下属10家商业企业的国有资产进行全面评估，所有资产本着公开、公平、公正原则委托相关部门，在纪检、审计、财政监督下向社会公开拍卖，所拍得的资产全部专项用于职工安置，与此同时，对企业债权债务进行全面清理，基本摸清各企业资产和人员结构及存在的问题。2004年6月开始，县商业系统10家企业正式进入“企业资产置换、职工身份置换”的改制阶段。县百货公司、五交化公司对积压10年以上库存商品进行清理、分类、作价，并公开销售。向社会公开拍卖县副食品公司商场900平方米土地、县罐头食品厂1.3万平方米土地，分别以384万元、1780万元成交。县域10家商业企业通过资产公开竞拍，获得改制资金3583万元。其中，一次性支付社保金（含失业保险费）1635万元，一次性打包付给金融企业580万元，支付其他旧欠305万元，其余资金全部用于为1106人（国有企业职工529人，大集体职工281人，离退休职工296人）发放职工安置费。职工最高得到安置费1.5万元，最低得到安置费2000元。从此，职工买断工龄，置换身份，分别进入社会保险或自谋职业。至2005年底县域商业企业改制工作全面完成。

二、商业局所属企业

乐安县百货公司　主营大小百货、棉布、针纺织品、鞋帽、劳保用品、文化用品、五金交电等国营专业公司。1986—1994年，设人秘、业务、财统3个股室。1988年县委、县政府批准为副科级单位。有江边、县城2个批发部，仓库6幢，4个零售门市部、1个百货商场，在岗职工113人。1994年至2004年6月，百货商场及4个门市部实行“国有民营”承包经营，2个批发部先后停止批发业务。公司仅保留7人，负责管理公司资产和处理库存商品及日常工作，公司每年向县财政缴纳利税2万余元。2004年，实施企业改制，国有职工120人，大集体职工32人，全部置换身份。

乐安县食品公司　主营生猪国营专业公司。1986年，公司设人秘、财统、业务3个股室。1988年县委、县政府批准为副科级单位。下设2个零售门点和19个乡镇食品站。1986年，生猪经营全面放开后，个体经营户迅速发展，国营食品站连年亏损，公司不再组织购销业务。1990年，为使全县人民吃上“放心肉”，县域实行定点屠宰。企业投资120万元，兴建半机械化屠宰加工厂，规定全县肉类经营户的牲畜必须在屠宰厂统一屠宰、统一检疫、统一纳税。2005年，公司又投资360万元兴建规模更大、设备更先进的县级定点屠宰加工厂，购置一套屠宰机械设备，结束传统手工宰杀和半机械化屠宰历史。是年，公司职工150人参与企业改制，均得到妥善安置。2006年开始，公司屠宰厂由部分下岗职工承包经营，严格执行生猪定点屠宰各项有关规定和要求，确保人民群众吃上“放心肉”。

乐安县饮食服务公司　1986—1994年，公司设人秘、财统2个股室。下设乐安饭店一、二部，人民餐厅、站前饭店、照相馆、理发社、芙蓉商场等单位。1988年，县委、县政府批准为副科级单位。1986年，兴建1幢6层住宿大楼，并购置一辆旅游客车，线路为乐安—抚州，全公司年收入30万余元。1994年实行“国有民营”承包经营，公司留守6人负责管理资产及其他日常工作，下岗人员每人每月发放生活费60元，公司每年向县财政缴纳利税1.5万元。2004年7月，实施企业改制，国有职工96人，大集体职工55人，全部置换身份。

乐安县五交化公司　主营五金、工具、机械及零配件、家电、灯具、化工、油漆、涂料等国营专业公司。1986—1994年，设人秘、业务、财统3个股室。1988年，县委、县政府批准为副科级单位。有江边、县城各1个批发部，仓库6幢，4个零售门市部，在职员工118人。为扩大经营网点，1987年，公司购买饮食服务公司华欣饭店进行装修，更名为三发商场，成为当时全县一流商场。1994年至2004年6月，公司实行"国有民营"承包经营，2个批发部停止批发业务，公司留守8人负责管理资产及处理库存商品和日常工作，每年向县财政上缴利税2万余元。2004年7月，实施企业改制，国营职工110人，大集体职工27人，全部置换身份。

乐安县副食品公司　主营糖、酒、副食品等国营公司。1986—1994年，公司设人秘、业务、财统3个股室，下辖5个零售门市部，县城、江边各设1个批发部。1988年，县委、县政府批准为副科级单位。1991年，副食品公司第一门市部进行改造装修，划拨部分资金安排部分职工成立乐安商厦公司，与县副食品公司脱钩。后来商厦公司因经营管理不善宣布破产，1994年整体重新划归副食品公司管理。1994年至2004年6月，下辖5个零售门市部实行"国有民营"承包经营，2个批发部先后停止批发业务，完成由计划经济到市场经济过渡。公司留守5人负责管理资产及处理库存商品和日常工作，每年向县财政上缴利税1.5万元。2004年7月，实施企业改制，国营职工80人和大集体职工50人全部置换身份。

乐安县燃料公司　1984年创办，2004年企业资产置换，职工身份置换（详见本卷第六章能源供应第三节煤炭燃气）。

乐安县贸易公司　前身为乐安县对外协作公司，是乐安县对外经济技术协作办公室下属机构。1990年，国家清理整顿官办企业，随后与县对外经济技术协作办公室脱钩，挂靠县商业局，更名为乐安县贸易公司，属国有预算内企业。2004年，有国有职工6人、大集体职工3人，全部置换身份。

乐安县贸易经理部　前身为乐安县蔬菜公司，由副食品公司一个蔬菜门市部组建而成。1991年更名为贸易经理部，主营蔬菜、水产、干鲜果品及冷饮等。2004年实施企业改制，国有职工9人，全部置换身份。

乐安县罐头食品厂　1957年创办，2004年企业资产置换，职工身份置换（详见第十六卷工业中小企业第二章工业门类第三节食品制造业）。

乐安县第二罐头食品厂　1995年创办，2004年企业资产置换，职工身份置换（详见第十六卷工业中小企业第二章工业门类第三节食品制造业）。

第三节　市场管理

一、市场秩序管理

定点屠宰管理　依照国务院《生猪屠宰管理条例》要求，1991年上半年，县商业局在全区率先启动生猪定点屠宰工作，建立生猪定点屠宰厂，设立生猪进厂验收、屠宰操作规程、肉品品质检验和购销台账等制度，完善无害化处理监督程序，保证人民群众吃上"放心肉"。2007年，县牲畜定点屠宰厂屠宰牲畜1.56万头。2007—2016年，累计屠宰量21.8万头。

2007—2016年县牲畜定点屠宰厂屠宰情况表

表17-1-1　　单位：头

年份	生猪	菜牛	合计	年份	生猪	菜牛	合计
2007	13176	1959	15135	2013	23156	1761	24917
2008	14926	1107	16033	2014	24511	1321	25832
2009	17648	1501	19149	2015	23203	1581	24784
2010	18451	1861	20312	2016	26604	1522	28126
2011	19527	2241	21768	总计	201811	16209	218020
2012	20609	1355	21964				

酒类流通管理 根据商务部《酒类流通管理办法》，县商务局履行监管职责，开展城乡酒类经营户备案登记，规范酒类市场秩序，推行酒类流通随附单。截至2016年12月，县域备案登记酒类经营户768家，全部推行酒类流通随附单制度，防止假冒伪劣酒进入市场。

成品油市场监管 根据商务部《成品油市场管理办法》，2010年起，县商务局履行监管职能，加强行业调研，规范办事和服务程序，做好成品油经营许可证年检换证工作，开展成品油市场治理整顿，将全县国有8家加油站（中石化7家，中石油1家）和15家民营加油站纳入成品油监管体系，编制《乐安县成品油分销体系“十二五”发展规划》和“油荒”应急预案，与国土、安监、工商、住建、发改委、消防等部门工作联系，形成监管合力，建立长效机制。

应急保障 2008年，乐安县遭受罕见冰冻灾害，县商务系统紧急启动应急预案，先后免费发放蜡烛1.6万支，应急灯600多盏等救灾物资到灾民手中。与此同时，加强对市场监管，保障市场供应，确保上市的食品、肉品安全，保障灾民的生活物资供应。

二、商贸服务管理

实施万村千乡市场工程 2005年2月，商务部启动万村千乡市场工程。主要内容是通过安排财政资金，以补助或贴息方式，引导城市连锁店和超市等流通企业向农村延伸发展“农家店”，构建以城区店为龙头，乡镇店为骨，村级店为基础的农村现代流通网络，使标准化农家店覆盖全国50%行政村和70%乡镇，满足农民消费需求，改善农村消费环境，促进农业产业化发展。2006年，县域实施“万村千乡市场工程”，至2013年，全县农村市场累计建成农家店163家，配送中心1家，覆盖全县16个乡镇，乡镇覆盖率100%，行政村覆盖率90%以上。初步形成以县级商品配送中心为龙头，乡镇连锁化农家店为骨干，村级连锁农家店为基础的新型农村市场流通网络。

开展家电下乡和家电以旧换新工作 2008年底，为应对全球金融危机，扩大国内需求，改善民生，拉动消费带动生产，保持经济平稳较快增长，国务院决定在全国推广“家电下乡”。是年11月，财政部、商务部、工业和信息化部印发《关于全国推广家电下乡工作的通知》。家电下乡是指非城镇户口居民购买彩电、冰箱（冷柜）、洗衣机、手机、摩托车、电脑、热水器、空调、微波炉和电磁炉等10大类家电，可按产品售价13%给予补贴。中标企业向农民销售家用电器，农民购买补贴产品后，销售商把购买人的信息输入信息网络系统，购买者只要凭发票、标识卡和户口本、身份证以及购买人专用存折，就可以到当地乡镇财政所申请家电补贴。补贴款来自国家财政资金。乐安县家电下乡工作于2009年6月启动，截至2011年12月底，全县共备案登记家电下乡网点66个，累计销售家电下乡产品10.62万台，销售额2.31亿元。家电下乡工作至2013年1月31日结束。

2010年6月，商务部、财政部、国家发展改革委、工业和信息化部、环境保护部、国家工商总局、国家质检总局印发《家电以旧换新实施办法（修订稿）》。“家电以旧换新”是指消费者交售旧家电并购买新家电的行为。凡在实施家

县城象山农贸市场

电以旧换新省份登记注册的法人或者具有本省户口的个人，将废弃旧家电交售到中标回收企业，并到中标销售企业购买新家电的，可以享受家电补贴。交售旧家电与购买新家电的购买人必须一致。以旧换新补贴家电产品范围：电视机、电冰箱（含冰柜）、洗衣机、空调、电脑。推广实施期暂定为2010年6月1日至2011年12月31日。乐安县于是年10月开展家电以旧换新工作，全县家电以旧换新备案登记网点16个，回收网点2个，截至2011年12月，全县共回收旧家电2613台，购新家电1952台，销售额826.1万元。

乐安县农旅电商体验店

编制商业网点规划　2009年商务局组织人员编制2010—2020年乐安县城市商业网点规划，组织实施标准化菜市场改造示范工程。2009—2016年投入106万元，先后对县城商贸城农贸市场、潭港农贸市场和湖溪农贸市场进行升级改造，增加市场服务功能，为农产品搭建物流平台，让城乡居民便利消费、放心消费。

建立市场监测网络　经省、市商务主管部门核准，全县建有应急商品监测、重点流通企业监测、生活必需品监测、农资产品监测和生产资料监测样本企业8家，有效完善乐安县市场商品供求情况监测体系，为上级决策提供依据。

积极推介乐安产品　为展示乐安农业优势、生态优势、绿色食品优势，树立乐安绿色品牌形象，县商务局积极推介乐安名优特产品，组织县内企业参加抚州、南昌、广州、北京、上海等地的展销会、博览会。“登仙桥”水竹笋、华盖山茶叶、山蜂蜂蜜、恒源米粉、加乐调味品、信达蚕丝被等产品通过展销，深受各地消费者喜爱，扩大乐安知名度。2016年12月，江西广雅食品有限公司“登仙桥”品牌获省商务厅核准认定的“江西老字号”称号。

启动电子商务工作　2016年9月，县商务局与县扶贫移民局、县邮政集团公司开展电商扶贫工作，至年底完成谷岗、金竹、湖坪等乡镇20个贫困电商脱贫服务站点的建设任务，销售黑笋干、冬笋、高山黄豆、毛栗等农副产品，销售额76万元，为群众脱贫致富提供一条新途径。

第二章　供销合作

乐安县供销合作社联合社是中华人民共和国成立初期，在全县农民自发组织的生产合作社、消费合作社、个体工商户基础上，由县人民政府牵头组成的经济联合体，其性质为股份合作的集体所有制经济组织。供销社的建立和发展对促进全县经济社会，服务工农业生产和城乡居民生活发挥积极作用。

第一节　机构人员

一、管理机构

中华人民共和国成立初期，县政府成立县供销社，后经两撤两并，改为生产资料购销站。1978 年 9 月，恢复县供销社，称江西省乐安县供销合作社。1983 年 7 月更名为江西省乐安县供销合作社联合社（简称“县供销社”）至今。1986 年，县供销社内设人事、秘书、统计物价、财会审计、基层业务、生产加工、纪检保卫 7 个股室，机关工作人员 43 人。所属公司 6 个，基层供销社 18 个。1996 年 2 月，成立中共乐安县供销社联合社委员会，2000 年 2 月，撤销党委，成立党组。2003 年之前，县供销社机关不列入县级财政预算，经费支出靠收取下属企业管理费。随着市场逐步放开，基层企业业务萎缩，出现大面积亏损，县供销社经费收支难以为继。2001 年县，供销社连续 3 个月发不出工资，2002 年，县政府将 17 名离退休人员基本养老金纳入县社保局发放。2003 年，又将 7 名机关在职干部列入财政预算。2005 年，县政府按照 1997 年“三定”方案确定的 13 个机关人员编制经费及办公经费列入财政预算。2007 年 12 月，抚州市人事局印发《关于乐安县粮食局等 9 个单位列入公务员法管理和通知》，批准县供销社列入参照公务员法管理。

2016 年，县供销社内设人事秘书股、财会审计股、业务统计股及工会办公室。人员编制和领导职数为：参公事业编 13 名，主任 1 名，副主任 3 名，股级职数 4 名。实有工作人员 11 人，其中主任 1 人、副主任 1 人。下属乐安县供销发展有限公司及城区、南区、北区、西区 4 个中心基层社。

1986—2016 年，历任主任：黄鹄鸣、龚成龙、张志坚、冯书明、戴华兴、邹俊、谢献平；1996—2000 年，历任党委书记：龚成龙、戴华兴。

县供销社办公楼

二、经营机构

乐安县农业生产资料公司　1958 年，县商业局设立生资经理部，1972 年更名为县农业生产资料公司。1978 年 9 月起隶属县供销社。1986 年，公司内设办公室、财会股、化肥股、农药股、统计物价股、储运保卫股、工会、江边生资仓库、县城生资仓库以及乡镇生资门市部（经理部），共有员工 41 人。1986 年，销售金额 380 万元。1990 年，销售金额 645 万元。1997 年，实行农资销售“一条鞭”的经营模式，将基层供销社的农资经营业务划归公司统一经营管理，公司在 18 个基层供销社及大马头垦殖场共设 19 个农资供应站，另设 9 个销售点，共有员工 128 人，销售金额 2023 万元。1998 年，国家取消农资商品由供销社专营政策，农资市场逐步放开，加之公司冗员过多，管理混乱，至 2000 年，公司经营亏损严重，资不抵贷而破产。2002 年，经县政府批准公司资产置换，职工身份置换，解除劳动合同。

乐安县棉麻公司　1997年7月设立，注册资本60万元，共有员工24人，主营棉花收购、加工和销售。在戴坊镇、山砀乡、牛田镇设立棉花收购站。1997年，在省、地棉麻公司支持下，争取到开办轧花厂项目，县农业发展银行贷款200万元，购买山砀乡政府老办公大院13100平方米土地，建设棉花加工厂。其中，轧花车间600平方米，仓库800平方米；安装皮棉加工设备1套，年加工能力3万吨。1998年，收购加工棉花1800吨，销售金额360万元，实现利税43万元。1999年，收购加工棉花700吨，销售金额126万元，实现利税10万元。其后，国家棉花专营政策放开，县域农民不再种植商品棉花，轧花厂无法正常生产，设备闲置。县棉麻公司根据县供销社"一社一策"管理原则，采取员工"自由组合、自筹资金、自主经营"做法，将员工分流下岗，自谋职业，公司停摆。2007年，实行企业改制，公司资产置换，职工身份置换，解除劳动合同。

2007年企业及基层供销社改制基本完成，县供销社按照上级有关文件精神，实行开放办社，积极领办、创办、协办各类企业和农民专业合作社。

乐安县供销发展有限公司　成立于2008年4月，注册资本100万元，是供销社的全资企业。经营范围为农业生产资料、农副产品经营、非生产性废旧物资收购、社有资产经营管理等。设执行董事、监事、会计、出纳。2016年，公司经营范围变更为社有资产经营管理，农副产品经营、农业社会化服务等。

乐安县田丰农业生产资料有限公司　成立于2005年9月，是一家批零兼营、独立核算、自负盈亏的县供销社控股企业。主营化肥、农药、农膜等农业生产资料。内设办公室、财务部、营销部、农资配送中心，从业人员37人。2006年有农资连锁门店20个，2009年增至153个。其中，县城6个，乡镇22个，行政村125个。2016年有农资连锁店172个。其中，县城6个，乡镇22个，行政村144个。另有农资加盟店10个。其中，乡镇6个，村组4个。2006年销售总额1900万元，2009年销售总额2470万元，2016年销售总额2800万元。

乐安县朝阳再生资源有限公司　成立于2005年6月。主要业务为废旧钢铁、有色金属、书报杂志和其他再生资源回收及报废汽车拆解回收。内设办公室、业务股、财务股，有员工12人。2006年有回收网点40个，销售总额215万元。2009年有回收网点44个，销售总额467万元。2016年连锁门店135个。其中，县城27个，乡镇17个，行政村91个，销售总额1315万元。

乐安县烟花爆竹有限责任公司　成立于2003年4月，属于个人合资注册的股份有限公司。主营鞭炮、烟花批发。公司设在县城南门花园，内设业务股、财会股、市场管理办公室，有员工14人，在全县城乡设立80个销售代销点。年销售额600万～800万元。由于烟花爆竹属于危险品，按照国务院《危险化学品安全管理条例》精神，其市场主管权属于县供销社。

乐安县华盖山茶叶专业合作社　成立于2007年5月，注册资本500万元。是江西省供销合作社系统省级农民专业合作社。主营业务：茶叶苗木培植与销售、生产技术指导与培训、生产资料购销，茶叶信息咨询、种植技术服务，茶叶生产、加工、销售。产品有铁观音、龙井茶等。注册"华盖山"商标。2011年12月，"华盖山"商标，被中华全国供销合作总社认定为标准化农产品品牌。2012年4月，被中华全国供销合作总社评为全国供销合作系统文明服务示范单位；是年7月，由中华全国供销合作总社公布为全国农民专业合作社示范社。2013年，被中华全国供销合作总社评为农业产业化重点龙头企业。"华盖山"商标茶叶被国家茶博会组委会评为华东十大名茶。

乐安县十里香樟蘑菇专业合作社　成立于2007年11月，是江西省供销系统农民专业合作社示范社。合作社以菇农家庭经营为基础，以提高社员组织化程度和增加社员收入为目的，为社员提供产前、产中、产后一条龙服务。有标准化生产基地4个，共25万平方米，种植区域涉及6

个乡镇78个村。主要生产鲜蘑菇、盐渍蘑菇和蘑菇干片，在广州、深圳等大中城市设立销售窗口，与县内的广雅、鹏鑫两家省级龙头企业建立供货关系，产品销售渠道通畅。注册“十里香樟”商标，产品通过农业部无公害论证和省农业厅产地认定。2014年11月22日，由农业部、国家发展和改革委员会、财政部、水利部、国家税务总局、国家工商行政管理总局、国家林业局、中国银行业监督管理委员会、中华全国供销合作总社组成的全国农民合作社发展部际联席会议认定为国家农民合作社示范社。

乐安县爱杰鑫绿色产业经济专业合作社　成立于2008年8月，是供销系统省级农民专业合作社示范社。有成员115户，其中农户113户。该社依托省级龙头企业江西鹏鑫食品有限公司，采取“企业+合作社+基地+农户”的运营模式。有两个标准化种植基地共733.33公顷，一是炉桐村666.66公顷的毛竹笋竹两用基地；二是车头村66.66公顷的山露菜种植示范基地。合作社生产山露菜、毛竹、蘑菇等果蔬产品。注册“爱杰鑫”商标，获抚州市知名商标、江西著名商标证书；在2011年中国衢州农博会和上海名优特农产品展销会上被评为金奖；2012年获全国供销合作社“百佳标准化农产品品牌”认定。合作社的竹笋、山露菜获省农业厅“无公害农产品产地认定证书”，通过农业部“无公害农产品”论证；加工生产的竹笋、山露菜、蘑菇等果蔬罐头获得中国绿色食品、江西省名牌农产品等荣誉。2014年11月22日，由农业部、国家发展改革委、财政部、水利部、国家税务总局、国家工商行政管理总局、国家林业局、中国银行业监督管理委员会、中华全国供销合作总社组成的全国农民合作社发展部际联席会议认定为国家农民合作社示范社。

乐安县骏达蔬菜专业合作社　成立于2008年7月，是一家集毛竹、蘑菇、桔子、蔬菜等产品的生产加工、销售服务于一体的专业合作组织。注册资本500万元，有社员520户，其中产业带头人56户。该社依托省级龙头企业江西广雅食品有限公司开展相关服务。有毛竹生产基地1667公顷，蘑菇生产大棚40万平方米，蔬菜种植基地333公顷。2015年，生产加工各类果蔬罐头2600吨，销售收入3284万元，带动农户3500余户。2016年12月26日，由农业部、国家发展和改革委员会、财政部、水利部、国家税务总局、国家工商行政管理总局、国家林业局、中国银行业监督管理委员会、中华全国供销合作总社组成的全国农民合作社发展部际联席会议认定为国家农民合作社示范社。

乐安县白石正汉养殖专业合作社　初建于2009年10月，2013年1月正式注册。成员出资总额110万元，入社成员106户，其中农户103户。合作社设在戴坊镇白石村。主要组织家禽、家畜、水产等养殖，有养殖基地6～7公顷。其中，水塘14口约1.3公顷，以养殖甲鱼等水产品为主；其余为山地，养殖鸡、鸭等禽类和饲养生猪。年销售总额约200万元。2015年由江西省供销合作社公布为全省农民合作社示范社。

乐安县山蜂养蜂专业合作社　成立于2009年，由5个养蜂蜂农组建而成。2016年，合作社社员增至106个。其中，农民社员103个，其他成员3个。合作社设在乐安工业园区。在湖坪、坪溪、招携、谷岗4个乡镇设有养蜂基地，养蜂6000余箱。蜂蜜产品销往全国各地。2013年，该社生产的“鹿角蜂”牌蜂蜜被中华全国供销合作总社评为百佳标准化农产品品牌。2015年由农业部、国家发展和改革委员会、财政部、水利部、国家税务总局、国家工商行政管理总局、国家林业局、中国银行业监督管理委员会、中华全国供销合作总社组成的全国农民合作社发展部际联席会议认定为国家农民合作社示范社。

乐安县仁祥蚕桑专业合作社　成立于2010年12月，是一家集种桑养蚕，蚕种、蚕药、蚕茧销售，为社员提供产前、产中、产后服务的专业合作社。该社注册资本438万，固定资产187万元，社员104人。采取“合作社+基地+农户”

的发展模式，统一技术指导，统一蚕种供应，统一收购销售。带动牛田、万崇、罗陂、湖坪4个乡镇576户农民发展蚕桑生产。2016年，种桑面积467公顷，养蚕2万张，产鲜茧900吨，产值3600万元；2016年被江西省供销合作社公布为全省农民合作社示范社。

第二节　基层供销组织

1986年年底，全县共设立鳌溪、潭港、增田、南村、谷岗、招携、坪溪、金竹、牛田、万崇、罗陂、湖坪、望仙、戴坊、龚坊、公溪、湖溪、鹏洲等18个乡镇供销合作社；设立店元、桥陂、罗山、太平、水口、登仙桥、小金竹、山坑、流坑、水南、善和、前进、仲溪、竹山、沙堆、濂坑、山砀、流坊、航桥、东堆、沙港、银口、杭村、带陂、王沙、王陂、芜背、杏坊、新居、小陂30个分社。随着供销体制改革不断深化，基层供销社普遍实行承包经营责任制，各分社普遍变成基层供销社承包店点，实行个体经营。2002年11月起，18个基层供销社及其分社全部进行企业产权置换，职工身份置换的企业改制。2007年企业改制完成。

2006年6月，县供销社根据上级精神，并报县政府批准同意，成立城区、南区、北区和西区4个基层中心供销社，城区中心供销社辖鳌溪、谷岗、南村、潭港4个乡镇，注册资金50万元，在岗人员6人；南区中心供销社辖增田、望仙、招携、坪溪、金竹5个乡镇，注册资金30万元，在岗人员4人；西区中心供销社辖牛田、万崇、湖坪、罗陂4个乡镇，注册资金50万元，在岗人员4人；北区中心供销社辖：湖溪、山砀、龚坊、戴坊、鹏洲5个乡镇，注册资金60万元，在岗人员5人。至2016年，先后成立了乐安县烟花爆竹有限责任公司、乐安县朝阳再生资源有限公司、乐安县田丰农业生产资料有限责任公司、乐安县供销发展有限公司，领办协办7个农民专业合作社。

第三节　行业协会

乐安县烟花爆竹经营流通行业协会　成立于2002年，会员由全县烟花爆竹各个零售网点、生产厂家、县公安局、安监局、供销社、烟花爆竹公司组成，有会员111个。业务范围：加强行业自律，维护合法生产经营，协助监管部门查禁假冒伪劣产品，提供行业信息咨询和协调服务。2016年，有会员122个。

乐安县农业生产资料经营行业协会　成立于2007年8月。会员由全县农业生产资料经营公司、网点及县供销社基层（中心）供销社有关人员组成，有会员51个。业务范围：加强行业自律，维护合法经营，协助监管部门查禁假冒伪劣产品，维护消费者和经营者权益，提供行业信息咨询和协调服务。2016年，因多年未年检被注销。

第四节　供销体制改革

一、推行经营责任制

1986年，县供销社分别在戴坊供销社和谷岗供销社试点，对企业推行“定额管理，两联计酬，六个统一”经营责任制。定额管理：定购销任务，定利润，定费用，定人员，定资金周转；两联计酬：工资联销售，奖金联利润；“六个统一”：统一领导，统一计划、资金统一安排，人员统一调配，费用统一审批和统一核算。

1987年2月，县供销社制定《关于推行主任（经理）负责制奖励办法暂行规定》，对完成购销任务、利润、费用水平、资金周转五大指标者，企业法人代表可上浮一级工资，五大指标均未完成者，下浮一级工资。12月，县供销社先在谷岗供销社试点，尔后在全县供销系统全面推行“任期目标责任制”，所有企业法人代表都向县供销社签订责任书。企业法人代表上缴县供销社押金1000元，总分在85分以上押金退还本人，85分以下按欠额比例扣抵押金。超额完成利润任务，企业法人代表奖金可高于其他人员2倍，任期目标3年，后改为1年签订一次责任书。

1988年2月，县供销社在杂品公司推行招标承包责任制试点，公开招聘承包经理，按3年利润指标为标底。经县公证处公证，签订责任书和公证书，承包经理交抵押金6800元。3年后，由于市场变化和本人管理不善等原因，以未能完成责任任务而解聘，并收缴押金25%。此办法也在牛田、戴坊等供销社推行。

1989年，县供销社制定《关于引进竞争机制，推行全员风险抵押承包责任制的规定》，社属企业全面实行“任期目标责任制”，企业内部实行“经营承包责任制”，两种责任制均实行风险抵押制度，风险金额：企业法人代表1000元，行政管理人员500元，承包组长800元，其他人员600元，个别特殊困难职工不少于300元。

1990年11月，县供销社制定《关于第二轮任期目标经营承包责任制实施方案》，对企业承包一律采取法人负责、领导班子集体承包的方式进行。承包期以1年为限，风险金改为900元、600元、300元3个档次。

1992年7月，县供销社在谷岗供销社推行工业品“社有自营”“五上缴”的经营承包责任制。工业品除财产资金归供销社所有外，全部交给职工个人经营。参与工业品经营的职工，每人1份商品1个门店，进行自主经营。职工按月向企业上缴占用商品资金利息、房屋财产租金、税金、职工个人社会保险金和公积金，每年交回铺底商品资金30%，一包三年不变。职工个人工资、医疗福利等全部自理，与企业脱钩。根据谷岗试点，县供销社于是年9月印发《关于企业转换经营机制，完善经营承包责任制办法的规定》，企业采取目标责任制，工业品推行“社有自营”职工个人承包责任制，生产资料实行“集团经营责任制”，饮食服务业、加工业实行租赁或利润大包干，在全县供销系统全面实行。至1993年年底，全县供销系统有21个单位，172个门店，112个承包组，346人全部参加承包。承包期为1～3年，铺底商品资金2807万元，上缴风险金9.02万元。

二、实行“四放开”，转换企业经营机制

1991年7月，县供销社印发《关于在供销社系统内全面推行“四放开”有关问题的意见》，全面推行经营、价格、分配、用工“四放开”。经营放开：除国家规定专营、专卖商品外，其他商品都可经营，不受经营品种、经营范围限制，灵活进货结算方式，除通过银行结算外，企业可采取“三三制”现金进货方式，三人同行，三人在场付款，三人证明进货价款。价格放开：凡国家定价的专营专管商品使用红色物价标签，其他商品一律下放给企业自行定价使用绿色物价标签。分配放开：实行企业效益和岗位职责双挂钩，50%工资、奖金同完成县供销社下达经济任务挂钩，50%与本职工作任务挂钩。用工放开：按照“国家计划指导，企业自主用工，全员合同管理”原则，职工原有身份作档案保留，实行全员合同制、内部待岗制、下岗和辞退制。

为全面推行“四放开”，县供销社在公溪供销社进行试点，1991年8月县体改委批转县供销社《公溪供销社“四放开”试点工作方案》，由点到面在全县供销系统全面推行“四放开”。为进一步完善“四放开”，县供销社于1992年3月印发《关于打破“三铁”完善“四放开”的意见》。实行撤掉铁交椅，干部能上能下；砸烂铁饭碗，职工能进能出；打破铁工资，工资能升能降。

三、推行集团经营和联购分销

1991年12月，县供销社印发《关于农业生产资料实行集团经营的意见》，1992年1月1日起实行集团经营、联购分销。主要方法是：一是由县农业生产资料公司和各基层供销社统一组成乐安县农业生产资料经营集团，由县供销社主任任董事长，县生资公司经理任副董事长，由县供销社财会、业务股及4个基层供销社主任组成董事会。二是全县农业生产资料由集团统一领导、统一调配、统一购销、统一作价、统一核算、统一分配，年终盈余除上缴县供销社以外，按销售额的34%比例分配。三是全县农业生产资料货源统一由集团组织购进，基层供销社只负责销售，

不准自行采购。四是基层供销社的生资销售款，专卖专用，按月送交集团，不准挪作他用。五是由集团组织农资专营股，设立3个检查站，负责全县农资专营检查，各基层供销社协助。专营人员做好本地区的专营工作。

为进一步完善集团经营，改进集团经营中的货款回笼不及时、销售款挪用借支等弊端，从1995年起，农资商品实行批零合一的一体化经营方式。全县农业生产资料购进、批发、零售统一由县农业生产资料公司经营，基层供销社只负责协调、协助。县农资公司在18个基层供销社设立农资供应站，生资经营人员按业务大小统一由县农资公司选配。县农资公司对各站实行统一领导、统一核算、分站设账、利润返还的方法进行管理。为进一步维护农资市场秩序，加强资金管理，充分发挥县、基层两级优势，强化农资供应经营管理，县供销社印发《农资商品连锁经营实施细则》，1997年1月起实行农资连锁经营方式。

四、实行“两个置换”企业全面转制

2002年11月，县政府批转县供销社《关于对社属企业及基层供销社全面转制的实施方案》对全县供销社所属6个公司、18个基层供销社进行全面转制。转制目标：实现“两个置换”，即企业产权置换，职工身份置换。转制范围：全县18个基层供销社和6个县供销社直属公司。转制人员：企业干部、全民固定工、全民合同制工，1971年以前经人劳局认定的长期临时工（不含大集体人员，特殊情况除外）。转制形式：采取出让产权、股份制改造、外资嫁接、依法破产等主要形式。各企业采取何种形式，可根据企业实际情况，由职代会和职工大会确定。全县供销系统改制涉及人员有1182人。其中，全民固定工824人，大集体人员137人（含贸易中心混岗人员15人），离退休人员135人，遗属补助人员86人。转制涉及处理的资产：供销系统24个转制单位账面有效资产676万元（指房屋、土地和可变现的流动资产即货币资金，能收回的往来款项）。安置职工原则：采取“一社一策、因企制宜”，一次性发放安置费的办法进行，其标准不超出资产变现范围，最高安置费不超过1万元。离退休人员医药费，遗属生活补助，也实行一次性发放的办法处理，标准视企业资产变现情况而定。资产变现及使用情况：资产变现2100万元，职工安置费600万元，交职工社保金、医保费800万元，处理债权债务300万元，离退休人员医药费24.8万元，遗属生活补助费18万元，其他费用57.2万元，剩余资金300万元。转制进展从2002年11月起至2007年2月结束，分两个阶段进行。

第一阶段　2002年11月至2005年8月，对全县18个基层供销社和县日用杂品公司、供销社贸易中心进行转制，县农资公司进行破产。企业自行处理资产获得货币资金1000万元。这部分资金用于支付职工安置费和社保金及解决拖欠行政人员工资和企业有关费用。

第二阶段　2005年9月至2007年2月，对县土产公司、棉麻公司、再生资源公司转制。3个公司5300平方米房屋及土地由国土局进行公开挂牌拍卖，获得990万元货币资金。用于支付职工安置费和社保金及解决拖欠行政人员工资和支付企业费用，另外还解决第一阶段转制单位法人代表留守期间的报酬。截至2008年年底，剩余资金500余万元。其用途：成立乐安县供销发展有限公司，注册资金100万元，购置店面140余万元；用于解决全系统24个单位职工（包括大集体人员）15年的医疗保险和全系统伤残军人、参战军人、工伤职工的社保金、伤残津贴等等。改制下岗职工实行“自我发展，自我约束，自谋出路”运行机制，县供销社只对其医疗保险进行统筹管理。

2002 年乐安县供销社下属企业在职员工数表

表 17-2-3　　单位：人

单位	人数	单位	人数	单位	人数
农业生产资料公司	156	金竹供销社	3	罗陂合作商店	11
日用杂品茶果公司	54	坪溪供销社	13	湖坪合作商店	22
土产公司	32	招携供销社	36	坪溪合作商店	8
棉麻公司	23	望仙供销社	21	招携合作商店	27
供销贸易中心	29	南村供销社	32	望仙合作商店	16
再生资源公司	29	增田供销社	30	南村合作商店	23
湖溪供销社	16	谷岗供销社	20	增田合作商店	8
公溪供销社	43	鳌溪供销社	42	谷岗合作商店	15
龚坊供销社	33	湖溪合作商店	14	鳌溪第一合作商店	20
戴坊供销社	39	公溪合作商店	21	鳌溪第二合作商店	34
鹏洲供销社	21	龚坊合作商店	18	中心合作商店	15
潭港供销社	17	戴坊合作商店	23	土产双春合作商店	19
牛田供销社	36	鹏洲合作商店	11	农资沿河合作商店	34
万崇供销社	38	潭港合作商店	14	—	—
罗陂供销社	23	牛田合作商店	52	—	—
湖坪供销社	31	万崇合作商店	17	合计	1249

第三章　物资流通

乐安县物资局是县政府职能部门，主要职责是根据国家的方针、政策和生产建设及人民生活需要，协助生产企业按需组织生产、协作、调剂生产生活所需物资供应；负责整顿物资流动秩序，调控流动市场，保供促销，为人民群众生产生活服务。对全县发展工业、农业、乡镇企业、重点建设以及支援经济落后地区脱贫致富等，从物资供应、产品销售、信息咨询以及资金、技术等方面提供支持，为县域经济建设和发展提供后勤保障。

第一节　机构人员

乐安县物资局成立于 1962 年，既是省、地物资局直属单位，也是县政府职能部门，受上级主管部门和县政府双重领导，资金、物资由省、地物资局统一调度。1980 年，随着工农业生产发展，业务范围日益扩大，增设龚坊、戴坊、万坊、招携、谷岗、南村、增田等 7 个物资代销点。1983 年，组建化工建材、机电设备 2 个组。1985 年，物资部门逐步由计划经济转型为市场经济，金属材料公司、机电设备化工建材公司、物资服务公司相继成立。1987 年 3 月，成立乐安县金属回收公司；12 月，机电设备化工建材公司拆分为机电设备公司和化工建材公司。1988 年 1 月，物资服务公司撤并，保留化工建材、机电设备、金属回收和金属材料 4 个直属经营公司，有职工 51 人。1994 年，受市场经济影响，除化工建材公司外，其他 3 个直属经营公司均名存实亡，公司职工开始自谋职业或待业，机关日常支出和人员工资靠化工建材公司上缴的管理费维持。

1996 年，县党政机构改革，县物资局转为县物资集团公司，对外仍称县物资局，保留印章、牌子。县物资集团公司为县政府直属经济组织，履行原有行政和行业管理职能，内设人事秘书股、财务审计股，机关事业编制 7 个，设局长（总经理）1 名，副局长（副总经理）2 名。1999 年有职工 92 人。其中，在职 77 人，离退休 15 人。2006 年地方财政体制改革，县物资局改为全额拨款事业单位，办公费用、在职人员和离退休人员工资由县财政全额解决，办公地址由象山路 80 号迁至县行政中心政府大楼四楼。2013 年 12 月，化工建材、机电设备、金属回收和金属材料 4 个直属经营公司进行改制，48 名公司职工解除劳动合同。2015 年，局机关事业编制缩减为 5 个。

2016 年年末，有职工 22 人。其中，机关在职 5 人，退休 7 人，改制留守人员 3 人，乐安县崇宜乐民爆器材有限公司返聘原单位职工 7 人。

1986—2016 年，历任局长：周百顺、杨霭兴、裘三龙、肖正祥、陈绍良、曾乐平、郭良兴、万国华。

第二节　经营体制

20 世纪 90 年代前，国家一直实行钢材、水泥、玻璃、沥青、汽车、炸药等物资的计划调拨，分配体制以行政区划为界，以行政指令为手段，通过层层申请、层层分配，在此基础上有组织、有计划地订货，价格全部由国家有关部门控制。1981 年始，国家允许在完成计划的前提下，企业自销部分产品，价格由市场决定。1984 年，国家批准工业生产资料的超产部分，可在加价 20% 以内出售。1985 年，改为超产部分允许按市场价格出售。1988 年，对主要工业生产资料规定最高限价。1989 年，有的物资并入国家定价，有的物资并入市场调节价。随着改革不断深入，市场经济体制建立和不断完善，价格双轨制逐渐缩小，直至消失。

1985 年后，随着各经营公司成立，各公司财务实行单独核算、目标管理、承包到人、自负盈亏，公司每年与县物资局签订承包责任合同书，上缴管理费。

1993 年年底，国家全面取消指令性计划物资，物资实行全面放开，国家、私人均可经营（民爆器材除外），市场竞争十分激烈，县物资部门从此失去计划经济优势，加之人员增加，国家银根紧缩，下属公司难以维持正常经营，除化建公司外，其他 3 个公司都处于停业状态。1996 年，金属材料公司、机电设备公司、金属回收公司部分职工自愿组合，自筹资金，自负盈亏，利用公司执照重新启动经营，由于各方原因，金属材料公司维持几个月再次停业；机电设备公司维持到 1999 年停业；金属回收公司经营到 2002 年停业。

2008 年，县机电设备公司和金属材料公司执照因长期未年检被注销。

根据县委、县政府《关于进一步深化国有企业产权制度改革的通知》精神，2013 年，县政府办公室印发《关于转发乐安县物资系统建立产权制度改革暨职工安置方案的通知》，县物资局对化工建材、机电设备、金属回收和金属材料 4 个直属经营公司进行改制，全体职工身份转换，解除劳动合同。

第三节　经营品种

1985 年，成立县金属材料公司，主要经营建筑钢材、管材、板材、工字钢、角钢、生铁、焦炭等品种。

1987年，成立县机电设备公司，主要经营汽车、电机、轴承、电焊条、电线电缆、变压器、仪器仪表等机电产品；成立县金属回收公司，主要经营废旧钢铁、废铜、废铝等废旧物资；成立县化工建材公司，主要经营水泥、玻璃、橡胶制品、沥青、民爆器材等。

1993年后，国家全面取消指令性计划物资，化工建材公司主要经营民爆器材（炸药、雷管、导火索）。2007年，组建乐安县崇宜乐民爆器材有限公司，是具有独立法人资格的抚州崇宜乐民爆器材有限公司的分公司。公司管理实行一套人马，两块牌子，对外业务由乐安县崇宜乐民爆器材有限公司承接。2013年12月，化工建材公司改制，公司营业执照注销，乐安县崇宜乐民爆器材有限公司将其职工返聘。

乐安县崇宜乐民爆器材有限公司（原化工建材公司），主要经营民爆器材（炸药、雷管、导火索）。公司凭江西省国防工办核发的民用爆炸物品销售许可证和公安部门核发的民用爆炸物品购买许可证、民用爆炸物品运输证，到生产企业购买民用爆炸物品。民用爆炸物品使用单位凭民用爆炸物品购买证和民用爆炸物品运输证，到民爆公司购买。县物资局负责对乐安县民爆物品的储存、销售安全进行监管。

第四节 储运管理

县物资局建立初期，仓储面积仅有200平方米，1980年增至2000多平方米，1990年为3100平方米。2013年改制拍卖，剩存500多平方米。

炸药仓库始建于县城土家岭，后迁建于县城杨柳坑。2000年6月，搬迁到鳌溪镇赖村村下坑村小组。2015年12月，迁至鳌溪镇林头湾村白石岭村小组。按照国家规定的技术防范设施，指定专人管理、看护，建立出入库检查、登记制度，民爆物品储存不得超过储存设计容量，对性质相抵触民爆物品必须分库储存。民用爆炸物品运输凭公安部门核发的民用爆炸物品运输许可证运输，并严格按照民用爆炸物品运输许可证载明的民用爆炸物品的品种、数量、起始地点、运输路线运输。驾驶员、押运员经过专门培训持证上岗，运输车辆符合国家有关标准和规范的专用车辆。运输民用爆炸物品的车辆保持安全车速，途中停车须专人看守，并远离建筑设施和人口稠密地方。同时严格按照安全操作规程装卸民用爆炸物品，禁止无关人员进入。民爆物品运输到达目的地后，办理严格的交接手续，经双方点验无误后方准离开，民爆物品安全入库后，及时上报回执，严防各种事故发生。

1986—2016年县物资局物资销售情况表

表17-3-1　　单位：万元

年份	销售额	年份	销售额	年份	销售额	年份	销售额
1986	152.00	1994	22.00	2002	46.00	2010	209.00
1987	213.50	1995	25.00	2003	88.00	2011	411.00
1988	512.00	1996	45.00	2004	253.00	2012	593.00
1989	693.00	1997	43.00	2005	293.00	2013	264.00
1990	521.00	1998	50.00	2006	255.00	2014	823.00
1991	503.00	1999	51.00	2007	238.00	2015	182.00
1992	559.50	2000	41.00	2008	38.00	2016	163.00
1993	738.80	2001	26.00	2009	216.00	—	—

说明：1994—2016年为民爆物资销售额

第四章　粮油贸易

20世纪90年代粮食体制改革，国务院和省政府相继出台新的粮食政策。1986—1992年，全县粮食贸易仍然执行统购统销政策，县粮食部门除按订购价收购粮食外，还进行议价收购。1993年，停止统销政策，城镇居民取消人口定量粮食供应，改从粮食市场购买粮食。原来流通的粮票和粮食支拨证也停止流通。国有粮食部门随着市场经济发展，内部管理机构逐步实行改革。“两线运行”“四分开一完善”“三项政策、一项改革”等措施相继实施。原来由国有粮食企业一统天下的粮油贸易格局被多种经营主体参与市场竞争而打破。为使国有粮食企业尽快建立起现代企业制度，2004年，全县国有粮食企业进行全员置换身份，内部管理机构也进行改革调整。2005年，国家原来补贴给粮食企业的粮食风险基金随着粮食市场全面放开，改为直接补给农民，国有粮食企业与个体粮食经营企业平等竞争。国家为保护种粮农民利益所出台的最低收购价政策仍由国有粮食部门执行，国有粮食企业仍然发挥经营粮食主渠道作用。

县粮食局办公大楼

第一节　机构人员

一、县粮食局

乐安县粮食局是负责全县粮食流通的行政管理部门。1986年，县粮食局内设人秘股、纪保股、统计股、财会股、储运基础股、购销业务股、粮油质检站。局下属湖溪、公溪、鳌溪、龚坊、戴坊、鹏洲、潭港、牛田、万崇、罗陂、湖坪、金竹、坪溪、招携、望仙、增田、南村、谷岗等18个粮油管理所，江边和县城2个粮食转运站，西坑、县城、江边、万崇4个粮油加工厂，1个饲料厂，县粮油工业公司、县饲料公司、县粮油贸易公司3个公司，1个粮食车队，全局共29个企业单位。

1987年，县粮食局内设机构增加审计股、科技工业股。是年5月，经县政府批准，县饲料公司与县粮油工业公司合并，组建新的县粮油工业公司。1992年，设立中共乐安县粮食局委员会。1993年，按照省、地粮食局设立粮油总公司的模式，成立乐安县粮油总公司，与县粮食局合署办公，实行两块牌子，一套人马，局长兼总公司经理、副局长兼总公司副经理。1995年，成立乐安县粮油批发市场和乐安县新兴粮油实业公司，为两块牌子，一套人马，合署经营管理。

1998年，县政府根据国务院《关于进一步深化粮食流通体制改革的决定》，制定《乐安县粮食流通体制改革实施方案》，按照“一局二司一场”

的模式实行政企分开。“一局”指县粮食局；“二司”指县粮油收储公司、县粮油经营公司；“一场”指县粮油批发交易市场。县粮食局内设办公室、收储业务股、经营业务股、财务审计股、监察室5个股室，下辖28个企业单位，共计1420名职工，实际在岗725名。其中，县粮油收储公司下辖湖溪、公溪、航桥、山砀、龚坊、戴坊、鹏洲、潭港、牛田、万崇、罗陂、湖坪、招携、望仙、南村、增田、谷岗、鳌溪等18个粮管所和江边、县城2个粮食转运站，计1072人，实际在岗617人，均为非独立核算单位，业务上由粮油收储公司统一管理，财务上实行报账制；县粮油经营公司下辖西坑粮油加工厂、县城粮油加工厂、江边粮油加工厂、万崇粮油加工厂、饲料公司、粮油贸易公司、粮食车队、新兴粮油实业公司等8个经营性企业，计348人，实际在岗183人，均为独立核算单位，具有法人资格，业务上由县粮油经营公司指导；县粮油批发市场为粮食交易管理企业，全县粮食政策性企业和经营性企业所需买卖的粮食均由批发市场统一挂牌、公开拍卖交易，批发市场按成交金额收取2%交易费，用于人员工资和管理费用开支，批发市场计7人。

2002年，县粮油收储公司、县粮油经营公司、县粮油批发交易市场（简称“二司一场”）在经营运作上存在业务纠纷，企业之间职工工资福利与县粮食局机关办公经费等引发争议，矛盾不断。经县粮食局研究，报县政府批准，撤销“二司一场”，其业务、财务管理权收归县粮食局。对“二司一场”人员分流原则：原属局机关到“二司一场”工作行政事业编制人员，仍回县粮食局机关工作；属企业编制人员实行竞聘，考核后全部到粮食局属各企业工作。县粮食局由于职能转变，内设机构调整为：办公室、储运基建股、经营业务股、调控股、财务审计股、监察室6个股室；人员编制和领导职数调整为：行政编制21个，事业编制8个，设局长1名，党委书记1名，副局长4名，纪委书记1名，工会主席1名，股级职数6名。是年10月，根据《乐安县县乡党政机构改革实施方案》，县粮食局改为县政府直属事业单位。

2004年5月，县政府批转县粮食局《关于国有粮食企业改制实施方案的通知》，县粮食局稳妥推进粮食企业全员改制，撤销粮油工业、粮油饲料、粮油贸易、粮食车队等经营性企业机构。下属企业仅保留：湖溪、公溪、航桥、山砀、龚坊、戴坊、鹏洲、潭港、牛田、万崇、罗陂、湖坪、增田、望仙、招携、南村、谷岗等17个粮油购销公司和江边粮食储备库。

2007年12月，抚州市人事局印发《关于乐安县粮食局等9个单位列入参照公务员法管理的通知》，批准县粮食局列入参照公务员法管理。

2015年，县粮食局内设机构调整为：办公室、财审股、储运股、基建股、调控股、监察室、质检站。下属企业撤销招携粮油购销公司，保留其他16个粮油购销公司和江边粮食储备库。实行政企分开，局长不再兼任县粮油购销公司经理，县粮油购销公司为独立法人。基层17个粮食企业人、财、物划归县粮油购销公司管理。

1986—2016年，历任局长：龚培基、陈年生、易登明、沈亚武、宋乐丰、杨卫、王贵香、张学军、杨贡南。1992—2016年，历任党委书记：杨宗贤、邱捍东、王来龙、郝万里、邱家顺、丁南昌、杨贡南。

二、中储粮抚州直属库乐安分库

中央储备粮抚州直属库乐安分库坐落在龚坊镇南边村，距县城40千米，S313省道巴山至文峰公路在库区门前经过，距南昌—韶关高速公路乐安北互通出入口、G238国道约7千米，往东25千米是江边火车站，交通便利。

2000年，根据《国务院办公厅关于搞好中央直属储备粮库建设的通知》，县粮食局、县计划委员会联合向省粮食局、省计划委员会申报立项扩建乐安龚坊国家粮食储备库。6月，经中国国际工程咨询公司组织专家现场考察，上报国家发展计划委员会立项。7月，扩建工程由国家批准立项，国债投资1360万元，建4幢高大平房仓。2002年9月，工程竣工交付使用。2006年8月，正式与地方签订上划协议，更名为江西中储粮乐安直属库。2007年，续建2幢高大平房仓。2008年10月，正式由中储粮总公司接管，更名为中央储备粮乐安直属库。2009年，再建4幢高大平房仓。2013年，又建7幢高大平房仓，总投资3300万元。至2016年，库区总占地面积为13.33公顷，建筑面积为1.66万平方米。2003年开始直接从农户收购粮食，收购总量1.8万吨；2010年收购总量1.81万吨；2015年收购总量1.97万吨。

中央储备粮抚州直属库乐安分库

2014年，实行一体化改革，与抚州、东乡直属库合并，更名为中央储备粮抚州直属库乐安分库，为全民所有制分支机构（非法人）。经营范围为中央储备粮等政策性粮油的收购、储存、销售及相关业务；粮食仓储、购销、贸易（依法须经批准的项目，经相关部门批准后方可开展经营活动）。2008—2016年，乐安分库的经济效益稳步上升并获得多项荣誉：2010年，荣获江西分公司轮换购销先进单位、江西分公司业绩考核A级单位；2011年，荣获江西分公司业绩考核先进单位、江西分公司统计先进单位、抚州市工商行政管理局守合同重信用AA单位。

2016年，有在岗员工14人，其中大专以上学历占70%，中级以上技术职称占60%。

2000—2016年，历任主任（负责人）：宋乐丰、毛志辉、鄢朝阳、郑红（女）。

三、协会组织

1998年，县粮食局成立粮食经济学会、粮油学会、粮食老年人协会3个组织。3个协会成立以后，每年都能开展活动，交流粮食经营管理工作经验、推动粮食仓储保管；探讨粮食收购管理、粮食代购代储、粮食深加工转换、发展多种经营增加企业经济收益工作；交流老年人工作经验等。会员的学术论文、学习心得、经验总结在会上流。协会组织换届选举，基本上3～4年举行1次。2005年粮食企业改制后，职工置换身份、企业机构精简、企业返聘员工仅有212名，且多是忙于粮食收购、销售、储存保管业务，县粮食经济学会和县粮油学会不再开展活动，而粮食老年人协会仍坚持开展活动。

四、职工队伍

1997年，县粮食局按照省、地粮食局《关于进一步深化粮食企业内部改革意见》，决定在全县粮管所和粮食转运站开展减员增效、下岗分流。有3项硬性指标：凡距法定退休5年内男满55周岁、女满45周岁的职工全部实行内部退养，保留编制，发给生活费，社会保险金由单位负责；夫妻或父子同在一单位的，实行一人下岗，保留编制，社会保险金由单位负责；以企业为单位，按在册职工总人数，下岗分流人员50%。当年地区粮食局下达乐安县粮食系统下岗分流指标600人，县粮食局系统实际下岗分流630人。2003年年底，县粮食局机关在编26人。其中，行政编制18人，事业编制8人。下属企业在册1348人，全局离退休208人。2004年，随着国有粮食企业改革不断深入，县国有粮食企业实行全面改制，企业职工全部置换身份。是年年底，一次性裁员1136人。与此同时，根据政策性粮食收购、销售、储存正常业务开展需要和收储库点分布及企业机构重新设置等因素，采用竞争上岗、优化组合、择优聘用，重新返聘212人上岗。2005年，粮食系统退休人员与粮食局脱离关系，全部转入社区管理。至2016年年底，全局职工队伍保留168人。

2003—2016 年乐安县粮食系统职工人数统计表

表 17-4-1　　　　单位：人

类别	2003	2004	2005	2006	2007	2008	2009	2010	2011	2012	2013	2014	2015	2016
行政事业	26	26	26	26	26	26	26	26	26	25	24	21	19	17
企业在职	1348	212	212	212	209	198	196	191	178	169	165	161	153	151
离退休	208	208	0	0	0	0	0	0	0	0	0	0	0	0
合计	1582	446	238	238	235	224	222	217	204	194	189	182	172	168

五、职工培训

1986—2004 年，县粮食职工技能教育培训有序开展，职业技能鉴定工作稳步推进。每年开展粮油保管、粮油检验、粮油经营等各类技能培训数次，职工技能培训率 100%。其间，组织职工技能等级鉴定 5 次，430 余人次，其中粮油保管职业资格鉴定人数 310 余人次。260 人次取得相应职业资格证书。40% 职工取得高级保管员职业技能资格证书；15% 职工取得粮油保管、粮油检验和粮油经营技师职业技能资格证书；30% 职工取得粮油保管、粮油检验中级职业技能资格证书；15% 职工取得粮油保管初级职业技能资格证书。2005 年企业改制后，职工置换身份，返聘上岗人员年龄结构偏大，企业支付职工工资采用岗位定任务定报酬包干方式，接受职业教育培训机会很少，学习专业技能和申报专业职业技能鉴定资格的员工几乎没有。

第二节　粮食体制改革

1997—2016 年，主要经历 4 次重大改革：1997 年，粮食企业减员增效、分流下岗的内部改革；2004 年，粮食企业以置换职工身份为核心的改革；2007—2008 年，扩展经营渠道创收的改革；2013—2016 年，企业经营管理规范化改革。改革后机构不断精简、职能清晰明确、管理科学高效。

1997 年粮食企业减员增效分流下岗　1993 年，县粮食系统按照县政府解决就业难要求，一次性招工 200 人，县内倒闭企业大批职工进入粮食系统，后随着国家粮食政策性财政补贴资金逐年压缩，造成原本收支平衡略有盈利的粮食系统产生大量冗员，出现收不抵支、连年亏损的局面，最终致职工基本工资都难以维持。1997 年，全县粮食政策性企业实行减员增效、下岗分流改革，粮食经营性企业实行全面放开搞活、自主经营、自谋出路。具体措施：一是将粮食经营性企业年满 55 周岁男性职工、年满 45 周岁女性职工统一调整到粮食政策性企业，实行内部退养，发给基本生活费；二是对同在粮食系统的夫妻或父子必须分流下岗 1 人；三是对粮食政策性企业按在册职工总数分流下岗 50%；四是对内部退养职工发基本生活费，社会养老保险缴费由单位承担；五是对分流下岗职工社会养老保险缴费由单位承担，企业保存编制，自谋职业。是年，全县粮食系统分流下岗 695 人。其中，内部退养 65 人，下岗 630 人。真正实行粮食系统内第一次人员转移分流，有效缓解企业暂时经济困难。但部分分流下岗职工有时情绪不稳，影响系统内部稳定。

2004 年粮食企业全员集中改制　随着国家粮食政策不断调整，中央储备粮收储事权全部从地方国有粮食企业划归中央粮食企业经营管理，地方国有粮食企业原来从事收储中央储备粮收购费、保管费补贴彻底结束。县地方国有粮食企业虽经过 1997 年减员增效、分流下岗的内部改革，但始终未能解决企业自身发展和企业职工正当利益问题，受影响最大的是粮食系统所有政策性的粮油购销公司。为进一步深化国有粮食企业改革，调

及以上时，不再增量。实际水分含量高于标准规定的粮食，以标准中规定指标为基础，每高于 0.5 个百分点扣量 1.0%；低或高不足 0.5 个百分点的，不计增扣量。

杂质　实际含量低于标准规定的粮食，以标准中规定指标为基础，每低 0.5 个百分点增量 0.75%，实际杂质含量高于标准规定的粮食，以标准中规定指标为基础，每高 0.5 个百分点扣量 1.5%；低于或高不足 0.5 个百分点的不计增扣量。

整精米率　整精米率低于标准规定的粮食，以标准规定指标为基础，每低 1 个百分点扣量 0.75%，低不足 1 个百分点的不扣量；高于标准规定的，不增量。整精米率低于 38% 的，早籼稻不列入政策性粮食收购范围。

谷外糙米　谷外糙米含量大于 2%，不列入政策性粮食收购范围。

黄粒米　黄粒米含量高于标准规定的粮食，以标准中规定指标为基础，每高 1 个百分点，扣量 1.0%，高不足 1 个百分点的不扣量；低于标准规定的不增量。黄粒米含量大于 2%，不列入政策性粮食收购范围。

互混率　早籼稻中混入其他类别稻谷，以标准中规定的指标为基础，每提高 5 个百分点，扣量 1.0%，高不足 5 个百分点的不扣量。互混大于 20%，不列入政策性粮食收购范围。

第四节　粮油储运

一、仓储容量

1986 年，乐安县国家粮食仓库总计 116 座，容量 7.78 万吨。其中，基建仓 87 座，容量 5.9 万吨；简易仓 23 座，容量 1.73 万吨；块石圆仓 6 座，容量 1500 吨。1992—1993 年，上级投资 90 万元，兴建仓库 8 座，容量 8500 吨。至 1993 年年底，全县共有仓库 124 座，容量 8.63 万吨。1997 年，为缓解粮食收购与储藏矛盾，解决农民卖粮难问题，县粮食局自筹资金 240 万元（挂账），在龚坊兴建 4 座仓库，容量 6000 吨；戴坊兴建 2 座仓库，容量 3000 吨；航桥兴建 1 座仓库，容量 1500 吨；罗陂兴建 1 座仓，库容量 1500 吨。由于建仓资金筹备不到位，该批仓库延至 1998 年 6 月才完工验收，并投入早稻收购，但建仓工程款到 2001 年才结算付清。2004 年粮食企业改制，县粮食局将鳌溪粮管所全部仓库和县粮转站县城老库区仓库整体出让。2015 年，县粮食局从全县地方国有粮食企业仓储设施现状和地方储备粮存储安全考虑，上报兴建乐安县粮食储备库，容量为 2.5 万吨，经省、市建仓专家组现场考察，国家批准立项。建库地点在大马头乡境内，建设用地 6.67 公顷，征地补偿资金 200 万元，建仓资金总概算 2873 万元，国家投资包干补贴 525 万元，企业自筹资金 2348 万元，建仓 4 座，容量 1.88 万吨，2016 年年底工程竣工交付使用。

2016 年乐安县国有粮食企业仓库分布情况表

表 17-4-6　　单位：座、吨

单位	库点数	仓库座数	总容量	单位	库点数	仓库座数	总容量
湖溪粮油购销公司	1	2	1000	牛田粮油购销公司	1	3	1700
公溪粮油购销公司	2	4	2300	万崇粮油购销公司	1	7	5650
江边粮食储备库	1	4	4500	罗陂粮油购销公司	1	3	3500
航桥粮油购销公司	1	5	2500	湖坪粮油购销公司	1	4	3000
山砀粮油购销公司	1	5	3500	望仙粮油购销公司	1	3	1900
龚坊粮油购销公司	1	18	20000	增田粮油购销公司	1	7	5050
戴坊粮油购销公司	1	10	11000	南村粮油购销公司	3	9	5250

续表 17-4-6

单位	库点数	仓库座数	总容量	单位	库点数	仓库座数	总容量
鹏洲粮油购销公司	1	4	3000	乐安县粮油购销公司	1	4	18750
潭港粮油购销公司	1	2	1200	合计	20	94	93800

二、粮油调运

1986—1992 年，乐安县粮油调运工作坚持“统一调拨，合理运输，先中央、后地方，保证重点，照顾一般”原则，根据上级下达的调拨计划按时按量完成国家调拨任务。1989 年 6 月 7 日上午 11：30 时，接地区粮食局紧急通知：“急限八九两日内，完成 600 吨大米，支援北京。”县粮食局立即落实粮源，安排加工，组织发运。至 6 月 8 日 23：00 时 600 吨标一大米全部装上火车，按时保质保量完成上级下达的调运任务。乐安县是江西省粮食主产区，主要生产稻谷，粮食收购量、调出量相对比较大，调出的粮食主要是大米和稻谷。1986—2016 年，共调出贸易粮 66.72 万吨；调进 2.16 万吨贸易粮（面粉类）。每年调拨的粮食都要经品质检验，质量符合国家标准方可出库。

1986—2016 年乐安县粮油（贸易粮）调入调出情况表

表 17-4-7 单位：吨

年份	调入	调出	年份	调入	调出
1986	2620	26130	2002	0	31580
1987	2960	16860	2003	0	42270
1988	2030	26160	2004	0	13950
1989	2220	36530	2005	0	0
1990	2140	26170	2006	0	0
1991	2750	44870	2007	0	39050
1992	1970	32590	2008	0	12710
1993	4890	18400	2009	0	0
1994	0	26680	2010	0	17840
1995	0	18520	2011	0	15980
1996	0	25350	2012	0	3860
1997	0	33900	2013	0	4550
1998	0	25700	2014	0	16980
1999	0	32420	2015	0	7990
2000	0	35280	2016	0	2280
2001	0	32590	合计	21580	667190

乐安县粮油调拨流向有往南和向北两个方向，往南调入赣州地区的赣州市、赣县、于都县、兴国县、会昌县等市县，多以稻谷为主，汽车运输；向北调出通过县内江边火车站发运北京、上海、云南、贵州等省市，调出粮食品种多以大米为主，火车运输。面粉、面条大部分从上海市、南昌市、进贤县、鹰潭市调入。县内粮食调运以粮食集并为主。由于乐安县各乡镇农业产业结构

不同、粮食产量差异较大，粮食仓库摆布不尽合理，造成全县粮源不平衡，2个粮油加工厂和1个饲料厂集中在县城，1个粮油加工厂在万崇镇，1个粮油加工厂在公溪镇江边火车站旁。所以加工厂、饲料厂的加工粮源大部分安排乡镇之间跨界集并，从而有效地调剂仓容余缺，保证粮食收购顺利进行。

全县粮油调运以汽车为主，铁路运输经江边粮食转运站中转。1986年，县粮食局汽车队有职工32人，有汽车8辆，总载重量50吨，年运输量3.8万吨；实现利税7.8万元，人均创利税0.24万元。1991年，有汽车11辆，总载重量88吨。是年，粮食车队由生产型转变为经营型，注重管理增效益，执行单车核算和经济承包责任相结合，全面实现"三定"（定任务、定油料、定材料）和"四奖"（超产奖、节油奖、节材奖、安全奖），企业经济效益稳中有升，当年运输量4.7万吨，实现利税16.51万元。1992年，粮食车队进一步深化内部改革，将全部车辆承包给车队职工，按照车辆新旧、吨位大小、使用年限长短定上缴利润包干。由于经营承包者对新的经营方式认识不足，加上企业管理没有及时跟进，虽然当年运输量达到48000吨，实际上缴利润6.44万元。1993年，粮食车队不仅没有利润，反而出现亏损10.6万元。对此，县粮食局作出决定：全部车辆作价拍卖，车队司机可优先购买；车队除管理人员外，其他富余人员进行分流，开办汽车修理和汽车配件销售门市部，实行自由组合，自负盈亏，承包经营。2004年，乐安粮食企业全面改制和职工身份置换，粮食车队也不例外。改制后粮食车队自行解体。

1986—1993年乐安县粮食车队经营情况表

表17-4-8　　单位：吨、万元

年份	运输量	利税	职工人数	年份	运输量	利税	职工人数
1986	38000	7.80	32	1990	46000	14.34	39
1987	39000	9.11	38	1991	47000	16.51	41
1988	42000	10.13	38	1992	48000	6.44	42
1989	44000	14.26	39	1993	43000	−10.6	40

三、粮油储备

粮油储备是综合运用经济、法律和必要的行政手段，为保证非农业人口的粮食消费需求，调节国内粮食供求平衡，稳定粮食市场价格，应对重大自然灾害或其他突发事件而建立的一项物质储备制度。

地方粮油储备制度始于2001年，为落实推进"三长"（省长、市长、县长）负责制，省、市、县三级粮食储备体系和粮食市场化体系建设被纳入重要议事日程。乐安县级储备制度始于2009年，当年县级储备粮1400吨，2010年2940吨，2011—2012年3710吨，2013—2015年1050吨，2016年4500吨；县级储备油始于2011年，2011—2016年均保持在75吨。县粮食局每年会同财政、农发行、物价等部门对粮食市场进行调控。2006年起，按照《江西省地方储备粮管理办法》《抚州市地方储备粮管理办法》规定，做到"一符、三专、四落实"（"一符"指国有粮油仓库代地方政府储存的粮油账实相符；"三专"指专仓储存、专人保管、专账记载；"四落实"指数量落实、质量落实、品种落实、地点落实），依此落实地方储备粮油管理目标和具体任务，形成乐安县规范化的粮油储备管理制度。

粮油储备管理方式　实行政府委托、粮食局监管、企业运作的方式。县粮食局受县政府委托，对地方储备粮油的数量、品种、质量和存储安全负责，实行承储企业合同制管理。要求承储企业必须具有严格的储存技术条件，并按规定程序进行储备粮油管理，不得擅自动用、虚报、变更储备粮油，或以次充好、以陈代新。

粮油储备计划与收购　由县政府和上级粮食行政管理部门统筹作出规划，其储备粮油的存储规模、品种，由县粮食局会同财政部门根据粮源及调控粮食市场需要提出收购意见，报县政府批准确定。县级粮油储备实行国有粮食企业代收代储制，要求必须是国家标准中等以上，当年生产的新粮油，确保储备粮油处于随时可动用状态。

20 世纪 80 年代建设的望仙粮库

粮油储备轮换制和动用　在服从国家调控政策，遵循安全、稳定、节约、高效的原则下，坚持轮换制，每年轮换的地方储备粮油数量为实物数量的 1/3 左右，但 3 年必须全部轮换 1 次。同时在轮换和动用县级储备粮油时，严格报请县政府批准，并报市粮食局备案。

1986 年起，为确保国家粮食收储任务完成及粮食储存安全，解决农民卖粮难，加大标准仓、简易粮棚建设和旧仓老库维修，以缓解仓容不足，乐安国有粮食企业投入大量资金，取得较好社会效益，也因此产生巨额亏损。

2001—2016 年乐安县国有粮食购销企业粮油库存情况表

表 17-4-9　　单位：吨

年份	粮食总库存						
	合计	中代储粮	省储粮	县储粮	最低价粮	自营粮	县储油
2001	71660	12310	18800	0	0	40550	0
2002	79100	12310	18800	0	0	47990	0
2003	30790	5860	18800	0	0	6130	0
2004	27300	5860	18800	0	0	2640	0
2005	68380	5860	18800	0	43720	0	0
2006	68380	5860	18800	0	43720	0	0
2007	23980	5860	5500	0	12620	0	0
2008	24370	5860	5500	0	13010	0	0
2009	55400	5860	5500	1400	42640	0	0
2010	35750	5860	5500	2940	21450	0	0
2011	23540	5860	5500	3710	8470	0	75
2012	26640	0	5500	3710	17430	0	75
2013	72690	0	5500	1050	66140	0	75
2014	80200	0	5500	1050	73650	0	75
2015	74650	0	0	1050	73600	0	75
2016	78350	0	0	4500	73850	0	75

第五节　仓储管理

一、仓政管理

1986—2007 年，乐安县粮食仓储管理始终坚持“以防为主、综合防治”的保粮方针，建立“三七”测检制（在粮食正常保管状态下，粮仓保管员每 3 天进仓测 1 次粮食温度，每 7 天进仓检查 1 次虫害情况），危粮天天查（即：高水分粮、高温粮每天必须进仓检查，查出问题及时采取机械通风和人工翻扒处理），大风大雨大雪天及时查（即：仓库保管员遇有大风大雨大雪天气要及时进仓检查，发现仓库有险情或有漏水，要及时采取措施防护并报告单位领导），清洁卫生制、仓储安全制、领导进仓制、仓储器材管理制和仓储检查评比制。按照“三符四无”（三符：账实相符、账账相符、账卡相符，即账与实物相符，统计账、会计账与保管账相符，保管账与仓内卡相符。四无：无害虫、无变质、无鼠雀、无事故）标准，通过众多粮食仓储工作者的努力和实践，不断完善仓储基础性工作，总结提出乐安特点仓储管理“四定”包干工作法。即定仓、定人、定仓储责任、定仓储费用包干 4 项工作措施，保障粮食仓储管理工作安全、无事故。到 2007 年年底，全县“四无”粮仓、“四无”库点达 90%，“三低”储粮（采用机械通风、粮面薄膜覆盖，粮食密封等措施，使储粮达到低温、低氧、低药量）占库存粮 30%，机械通风储粮 100% 覆盖。2008—2015 年，全县 16 个储粮单位，先后购置安装 16 台汽车电子地磅，提高粮食出入库作业效率。

2009 年 12 月 29 日，国家发展和改革委员会、国家粮食局印发《粮油仓储管理办法》。2011 年 9 月 1 日，省粮食局、省发展和改革委印发《江西省粮油仓储单位备案管理办法》，办法规定：凡属本省行政区域内，仓容规模 400 吨或者罐容规模 100 吨以上的粮油仓储单位，从事粮油收购、销售、运输、加工、进出口等经营过程中存在粮油仓储活动的法人和其他组织（包括中央直属企业、地方国有或国有控股企业、外资企业、其他经济组织和个体工商户）均应向所在地粮食行政管理部门申请登记备案。同时规定粮油仓储单位应具备拥有固定经营场所，并符合《粮油仓储管理办法》有关污染源、危险源安全距离规定；拥有与从事粮油仓储活动相适应设备，并符合粮油储藏技术规范要求。是年 12 月，全县有 16 家地方国有粮食企业、1 家中央储备库、11 家民营粮食加工厂向乐安县粮食局申请登记粮油仓储单位备案。

2013—2016 年，为进一步加强粮食仓储管理，实现粮食储藏技术规范化，提高仓储管理水平，确保库存粮食安全，在之前“四定”基础上，县粮食局又制定新的《乐安县粮油仓储管理办法》，即“三项定额、二项包干”法。一定目标：“三符四无”仓库储粮、库点达 98% 以上，机械通风仓容达 100%，“三低”储粮达 80% 以上，防护剂储粮达 80% 以上；二定制度：保防人员岗位责任制、领导进仓制、粮情测检制、粮情分析制、危粮处理制、清洁卫生制、熏蒸药剂及残渣管理制、安全生产检查制、消防安全检查制、库区值班制；三定费用：储粮保管费和仓库检漏费（2013 至 2016 年 8 月，储粮保管费按每吨 1.4 元 / 月，仓库检漏费按每吨 0.1 元 / 月；2016 年 9 月起，储粮保管费调整为每吨 1.6 元 / 月，仓库检漏费标准维持不变）；一包储粮数量不短少；二包储粮不霉变不变质。其间，全县仓政管理工作大大加强，完成市粮食局下达的仓储管理各项指标。《乐安县粮食仓储管理办法》对粮食入库、出库作业管理流程细则规定：凡入库的粮食必须严格按照国家标准，检斤、验质、定等作价，建立入库质量原始档案（包括品种、规格、水分、杂质、年份、等级等信息），并制作粮食入库台账于明显位置予以登记和展示。粮食出库前，必须按照规定对出库粮食进行品质检验，符合国家标准方可准予出库；准确计量，并制作计量凭证，做好出库记录。出库粮食包装物和运输工具不得对粮食造成污染，未经处理的严重虫粮、危险虫粮不得出库，高温发热粮食不得长途运输。粮食仓储单位负责人必须对全部库存粮食的数量真实、质量良好、储存安全负责。粮食保管员、粮食质量检验员应当掌握必要专业知识和职业技能，具备相应职业资格。

粮食仓储设施必须编排登记建档，建立使用、保养、维修、报废等制度。严格执行国家质量监督检验检疫总局和国家标准化委员会发布的《粮油储藏技术规范》，按照仓房设计容量和要求储存粮食，不超容量储存；必须具有相应技术条件，符合防水、防潮、防火、防风、防虫鼠雀害要求，同时要有测温、通风等必要仓储措施。仓储粮食设立保管账、统计账和会计账，真实完整地反映库存粮食和资金占用情况，并按规定妥善保管。当库存发生变化时，在10个工作日之内更新账目，确保账账相符，账实相符。粮食仓储单位要建立安全生产和安全储粮检查制度，定期或不定期对储粮安全和生产安全状况进行检查评估，及时消除安全隐患。储粮化学药剂要存放在专用药品库内，实行双门双锁双人管理，使用或出入库实行登记制度。开展熏蒸作业前，必须制定熏蒸工作方案，报县粮食局备案。熏蒸作业时，应该设置警示牌，禁止无关人员进入熏蒸作业区，并且严格按照操作规程进行作业。粮食仓储单位必须严格执行国家粮食局颁布的《粮油储存安全责任暂行规定》《粮库安全生产守则》《粮油安全储存守则》各项规定，建立健全各项管理制度和各种应急预案，防止储粮事故和生产事故发生。

按照国家发展和改革委员会、国家粮食局及省发展和改革委员会、省粮食局规定：凡全县境内从事粮油仓储活动的国有粮食仓储、购销企业和非国有企业，必须报县粮食局备案，并且严格执行国家和地方粮食流通政策和粮食应急预案，贯彻国家和地方仓储管理制度及质量标准，接受县粮食局业务指导与监督检查。重大粮油储存事故，必须及时向县粮食局报告，特大事故则由县粮食局在24小时之内，向上级粮食行政管理部门直至国家粮食行政管理部门报告。

2016年乐安县粮食企业粮食仓库分布情况表

表17-4-10　　单位：座、吨

名称	库点数	储粮仓		报废仓		名称	库点数	储粮仓		报废仓	
		仓库数	仓容量	仓库数	仓容量			仓库数	仓容量	仓库数	仓容量
湖溪	1	2	1000	4	1500	牛田	1	3	1700	0	0
公溪	2	4	2300	0	0	万崇	1	7	5650	3	1500
江边	1	4	4500	8	5500	罗陂	1	3	3500	0	0
航桥	1	5	2500	2	1000	湖坪	1	4	3000	0	0
山砀	1	5	3500	0	0	望仙	1	3	1900	1	1000
龚坊	1	18	20000	9	5000	增田	1	7	5050	1	650
戴坊	1	10	11000	4	3000	南村	3	9	5250	0	0
鹏洲	1	4	3000	2	1000	大马头	1	4	18750	0	0
潭港	1	2	1200	1	600	合计	20	94	93800	35	20750

二、储粮管理

1986—1991年，乐安县粮食丰收，粮食收购量、存储量逐年增大，国有粮食仓库存粮爆满，仓容严重不足。为稳定粮食生产发展，解决农民卖粮难问题，保护种粮农民利益，乐安县粮食系统积极应对：一是国有仓储进行腾仓并库扩大储存能力；二是利用仓间棚进行储粮；三是租借社会闲置仓库储粮；四是租借乡村大会堂进行储粮。加之从1984年开始的收储服务站储粮，到1988年年底全县库外储粮1.3万吨，凉棚、大会堂、社会闲置仓库共49座。1992年，又是粮食丰收年，仓容再次紧张，为确保种粮农民增产增收，乐安粮食部门继续扩大仓容收购农民手中余粮，到年底仍有1.12万吨粮食存放在全县47座仓间棚、乡村大会堂内。鉴于仓储条件及配套设施差，1986年，乐安县粮食局制定《乐安县储粮管理办法》及考核细则，在储粮管理方面形成一套规范化、科学化、制度化管理办法。1993—2016年，根据新变化新要求，县粮食局对《乐安县粮食仓储管理办法》进行修改，对储粮管理工作提出更高要求。

储粮管理办法　粮食仓储单位必须对库存粮食妥善管理，防止出现储粮安全事故。认真贯彻“以防为主，综合防治”保粮方针，积极开展“四无”粮仓活动，努力实现仓储管理规范化，研究探索、推广应用储粮新技术，不断提高储粮管理水平。建立仓储管理责任制，仓储单位负责人对全部库存粮食数量真实、质量良好和储存安全负责；粮食保管员对本人管理的粮食数量真实、质量良好和储存安全负责；粮食检验员对本人检验粮食入库的质量负责。仓储单位负责人、粮食保管员、粮食质检员应熟悉设施、仪器基本情况，掌握必要业务知识和技能。严格执行国家《粮油储藏技术规范》，采取适宜的粮食储藏技术，保持品质良好，按要求对粮情进行检测，并作相应处理，熏蒸作业必须符合技术规程。建立粮食仓储管理档案，包括粮情检测记录、熏蒸记录、机械通风记录、粮食品质检验记录等，各项记录真实规范。仓储单位负责人每月至少对库存粮食进行一次检查，每月组织召开不少于一次粮情分析例会，准确掌握粮情变化，并制定下一步工作和安全保粮措施。在新粮入库后和季节交替期，适时开展库存粮食普查工作。县粮食局每季组织相关人员对各仓储单位安全储粮、安全生产进行普查。普查工作要做到有仓必到，有粮必查、查必彻底，对存在储粮隐患、生产安全隐患的仓储单位限期整改到位，使库存粮食达到安全储藏标准。县粮食局与仓储单位、仓储单位负责人与仓储保管员防化员层层签订安全储粮和安全生产责任状，全面落实责任，确保储粮安全无事故。

储粮管理考核细则　加强对储粮管理的监督检查与考核，形成科学保粮长效工作机制。粮食入库前必须认真做好各项准备工作：修漏防潮、清洁消毒、安装风道、配备器材、检验仪器、入库人员分工，落实验质、司磅、结算、付款人员和仓库保管员责任。粮食入库期间，坚持优质服务，做到随到随收、不留过夜粮。入库粮食严格上级下达的标准收购，不得随意压级压价和抬级抬价，严禁内外勾结收购掺杂使假粮食，一经发现，立即查处，开假入库凭证盗取收购资金者一律开除公职并追究其法律责任。粮食入满仓或收购结束后，要及时将粮堆扒平，打扫好仓内、仓外及库区卫生，布好测温计，建立账、牌、卡及测检记录簿，转入正常保管。库存粮食必须妥善保管，安全储存，认真贯彻“以防为主，综合防治”的保粮方针，积极开展“三符四无”评比活动。

各项仓储管理制度　各储粮单位每月“三自查”，且有粮情汇报，县粮食局每月一例会一季一普查，部署下期仓储工作。县粮食局每年均与储粮单位签订保粮责任状和安全生产责任状，各储粮单位与保防人员签订保粮和安全生产责任

21世纪初建设的龚坊粮库

状。建立“三七”测检制度和入库粮质档案，大风大雨大雪天及时进仓检查，危粮天天检测，有检有测有记，全面准确（虫情一星期记一次）不能出现假记漏记现象，否则给予责任保管员50元罚款。做到仓外有牌、仓内有卡、储粮有账、账实相符、坚持清洁卫生制、危粮处理制、熏蒸申报制等制度。

虫害防治　认真做好预防害虫感染工作，经常布防虫封锁线，对于虫粮，实行熏蒸申报制。一般虫粮，且粮温在15℃以下，可不做除治；粮温达15℃以上，当月除治；严重虫粮，一星期内必须除治。熏蒸杀虫要严格按照国家《粮油储藏技术规范》操作，密布点、匀分布，重点部位重点除治，熏蒸时防化员必须在场，不出现保管员自由熏蒸、雇佣民工熏蒸等违规现象，发生事故由用人责任人负责一切费用，并对储粮单位负责人、防化员作出相应的经济处罚及行政处罚，并纳入年终考核。

粮食质量管理　保管员对存储粮食要经常深翻勤扒粮面、四周四角、柱子边的粮食要经常轮换，加强防漏防潮工作，不能出现高温粮、结露气顶及霉粮，否则给予责任保管员200元罚款，绝对损失由责任人全额赔偿，并纳入年终考核。

鼠雀害防治　加强防范工作，仓内严禁出现活、死鼠雀，鼠雀迹、粪便等，否则给予责任保管员20元罚款，并纳入年终考核。

清洁卫生管理　各储粮仓库必须做到仓内面面光，仓外“三不留”（3米以内无杂草、垃圾、污水），粮面平整疏松，器材摆放整齐，天桥、平梁、门窗口吹无尘、手摸无灰，仓内窗台上无鼠雀粪、无灰尘、顶棚下和柱子边无蜘蛛网、无鼠洞。省、市、县普查发现卫生不好，对责任保管员给予50元罚款，并纳入年终考核。

科学保粮　对于正常保管的粮食，采取分阶段通风降温，通风期间安排人员值班，勤翻扒粮面，防止气顶结露。冬、春季粮温在20℃以下（“三低”在15℃以下）夏秋季在30℃以下（新粮入库1个月内除外）可不进行机械通风，若粮温超出此标准就要进行机械通风，消除粮食高温造成品质劣变。

“三符四无”评比　各储粮单位“三符四无”储粮、仓房、库点必须常年达98%以上（省、市仓储检查达100%），未达到“四无”的粮仓，视情况对责任保管员、储粮单位负责人、防化员按国家发展和改革委员会《粮油仓储管理办法》有关条款处罚。认真执行国家粮食局颁布的《粮油储存安全责任暂行规定》《粮库安全生产守则》《粮油安全储存守则》各项规定，加强安全意识，坚持值班制度，做到库区不离人，日夜有人值班，确保全县粮食安全无事故。抓好消防安全工作，库区、仓库四周严禁堆放易燃易爆物品，每座仓库原则上配备灭火器2只，单独库点配备2只以上灭火器，且灭火器必须在有效期内，保证性能完好使用，否则将对责任单位及责任人进行处罚。

储粮化学药剂管理　各储粮单位严格按照《江西省储粮化学药剂管理办法》执行。由公司统一采购，专仓存放，双门双锁，专人管理，建立专账，所需药剂实行申报制，由防化人员专人领取，用多少领多少，防止化学药剂外流。熏蒸杀虫严格按照国家《储藏技术规范》操作，药渣、空瓶一定要远离水源深埋，如乱丢者则对责任人进行处罚，造成事故则由责任人全权负责。

第六节　监督检查

一、粮食检查

1986—2012年，县粮食局行政管理监督检查范围，主要是对局属粮食企业粮油购销政策、粮食库存、安全储粮与安全生产、财务管理、粮油统计等制度的执行进行监督检查。2013—2016年，随着粮食流通管理职权归口粮食行政管理部门，乐安县粮食流通管理职能范围包含国有粮食企业、民营粮食企业粮食收购、粮食仓储活动及其安全生产的行业监督管理。

粮食库存检查　从2000年第一次全国粮食清仓查库后，至2016年年底，县粮食局每年4月都要开展全县粮食库存检查，按照“有仓必到、有粮必查、有账必核、查必彻底”原则，对辖区内所有纳入检查范围的库存粮食进行全面普查。粮食库存检查分为5级，即企业自查、县级普查、市级核查、省级抽查、国家重点抽查。库存检查内容分为：数量检查，即逐仓均匀抽取样品过秤，用特制容器测定每立方粮食容重，测量粮堆体积，根据立方粮食容重和粮堆体积测算出该仓粮食数量（测算与账面数允许误差在3%内）；质量检查，即逐仓扦样进行品质检验，判定是否宜存粮、不宜存粮、陈化粮；统计数据检查，即实物测算数量与统计上报数量是否相符；粮食储藏安全检查，即按照国家粮油储藏技术规范要求，检查粮食水分、虫害、温度、仓库设施等。从历年粮食库存检查看，乐安粮食库存数量真实、质量良好、储存安全。

粮食收购监督检查　为切实维护国家粮食收购政策的落实，保护粮农利益和种粮积极性，规范粮食收购市场秩序，1986—2016年，乐安县粮食局在每年早、晚稻收购季节，入库前广泛宣传国家粮食收购政策、质量标准和收购价格，制定粮食收购工作纪律和便民服务措施，并印发给全体收购工作人员严格遵守；入库中成立专项检查组深入收购库点，对粮质检验定等、粮食结算价款、衡器准确度、便民服务措施等进行监督检查，防止粮食收购企业压级压价、克扣数量、打白条等损害售粮农民利益。

粮食出库监督检查　为切实守住管好“乐安粮仓”，堵塞漏洞，杜绝在政策性粮食收储和销售过程中以陈顶新违反国家粮食购销政策的行为发生，成立监管领导小组，建立监管责任追究机制，并与竞买经销商或加工企业签订监管质量承诺书。对承担经营加工企业的超期储存粮食入库、运输、销售等环节实行全程监管，对承储企业设立出库监管员，对擅自挪用粮食库存、改变品种质量等级、储存地点的进行查处，确保粮食市场食品安全。

安全储粮安全生产监督检查　依据国家安全生产法、消防法和国家发展和改革委员会《粮油仓储管理办法》、国家质量监督检验检疫总局和国家标准化委员会发布的《粮油储藏技术规范》、国家粮食局《粮油储存安全责任暂行规定》《粮油安全储存守则》《粮库安全生产守则》，政府统一领导、主管部门依法监管、企业全面负责。县粮食局每年与粮食企业签订安全储粮、安全生产责任状和安全生产责任承诺书，全面落实粮食企业主体责任、粮食行政管理部门行业监管责任，消除风险隐患，守住管好“乐安粮仓”；制定安全储粮、安全生产实施方案和应急预案、仓储管理办法，组织开展安全储粮、安全生产企业自查、县粮食局普查，发现安全隐患，责令限期整改，对隐患排查不彻底，整改不到位的企业，依法依规进行处理；每年分春、夏、秋、冬4次组织开展全县安全储粮、安全生产检查，范围包含国有粮食企业和取得粮食收购资格、粮油仓储单位备案的民营粮食企业。

粮食经营活动守法诚信评价　为推动粮食企业诚信体系健康发展，提升企业诚信水平和形象，县粮食局按要求对18家国有粮食企业和12家民营粮食企业建立电子信息档案、诚信评价台账，如实记录各企业基本情况和每次监督检查情况，结合监督检查工作日志制度，记载监督开展情况及发现问题和处理结果，按照《粮食经营者诚信守法评价办法》要求，对30家粮食企业进行评价计分，并根据评分结果公示后分为A、B、C、D类实行动态监管，促进乐安粮食流通市场健康有序发展。

二、财务监督

1986年，根据抚州地区粮食局粮油购、销、调、存补贴包干办法，县粮食局制定全县粮食财务管理办法，确定粮食企业粮油购、销、调、存补贴标准，业务费用支付范围、人员工资福利，粮油商品销售、调拨、库存保管损益标准，盈亏自负包干办法，调动县粮食企业经营积极性。当年，全行业盈利 9.8 万元。1991 年后，因财务包干指标不合理，亏损拨补不到位，贷款利率不断提高，造成经营量越多，亏损越大，挂账越多，当年全行业亏损 2413 万元。1994 年，按照省、地粮食局要求，实行政企分开两线运行，政策性业务钱随粮走，商业性经营包死基数、确保上缴、超利分成、歉收自补，当年全行业系统亏损有所减少，亏损 1.98 万元。1997 年，因全国粮食调销不畅，粮食供大于求，价格持续下跌，粮食压库严重，费用急剧增加，加上经营管理不善，销售粮款未能及时回笼，全行业亏损 2382.99 万元。1998 年，粮食企业进行减员增效内部改革，强化资金管理，建立和完善资金管理制度，严格遵守国家有关粮食收购资金封闭运行规定，粮油销售实行“钱货两清”的结算方式，及时归还售出粮食所占用的贷款本金和利息，企业效益有所改善。2015 年，县粮食系统盈利 61.9 万元。组织开展内部财务审计，加强财务管理核算，严格控制不合理、不正常的费用开支，对违反财务制度的行为进行经济处罚和行政责任追究。

第五章　经济合作与招商引资

20 世纪 80 年代对外开放，主要通过与沿海发达地区横向经济合作，参与区域经济联合。其中物资协作是横向经济联合的主要内容。1986—1995 年，先后与广东、福建、浙江、香港及日本等地客商交流洽谈，引进资金和技术；与上海市松江县、浙江省金华市婺城区、福建省安溪县结成友好合作县区，达成相关协作协议。完成协作项目 212 个，物资协进协出资金 16960 万元，引进外资 158.62 万美元，引进人才 187 人；组织多批人员到先进地区参观考察、学习培训，参加各地的商品交流会，洽谈外销业务，获得较好效果。1996 年 6 月，设立县乡镇工业开发区后，全县开始大规模招商引资活动。招商引资形式主要有：小分队、专业队、招商团、专业团等。20 年的招商引资工作，为推动县域经济发展作出贡献。20 世纪 70 年代设立县对外贸易公司，以经营土特产品为主；20 世纪 90 年代后，商品出口主要由生产型出口企业和外贸流通企业施行，自主经营，自负盈亏。

第一节　机构人员

一、县招商局

1981 年 3 月，成立乐安县对外经济技术协作办公室，内设对外联络股、物资协作股、综合股。1984 年 12 月，更名为县对外经济技术合作办公室。1987 年核定行政编制 8 个，实际在岗 10 人。1988 年，将下属贸易开发公司更名为县对外经济技术协作公司。1990 年 5 月，根据上级有关党政机关不准经商办企业精神，更名为乐安县贸易公司，挂靠县商业局，其性质、级格、经营方式不变。1990 年，组建县利用外资项目办公室。1993 年 2 月，增设县招商局，属正科级行政单位。1996 年 12 月，成立县乡镇工业开发区管理委员会办公室，与县招商局、对外经济技术合作办公室合署办公，3 块牌子，1 套人马。1996 年 10 月，根据乐安县党政机构改革方案，撤销县招商局，成立乐安县招商引资中心，与对外经济技术合作办公室、利用外资项目办公室合署办公，4 块牌子，1 套人马，为正科级事业单位，县招商引资中心、县外经办、县外资办、县乡镇工业开发办共事业编制 10 个，其中乡镇工业开发办编制 3 个（该办于 1998 年连人带编挂靠县乡镇企业局）。2005 年 8 月，县招商引资中心更名为县招商局，内设人秘股、综合业务股、经济信息协作股。2007 年 12 月，抚州市人事局根据省人事厅赣人字〔2007〕316 号文件精神，印发抚人字〔2007〕190 号文件，批准县招商局列入参照公务员法管理。

2016 年在职人员 8 人。主要职责是：负责指导、协调、管理全县招商引资工作；编制全县横向经济联合协作发展规划和招商引资工作计划，为县政府拟定全县横向经济联合协作和招商引资政策、办法；负责全县招商引资咨询、协调、考评等工作。

1986—2016 年，历任局长（主任）：龚友宗、董瑞春、董南昌、龚幼光、董东明、陈少林、杨金乐、黄志刚。

二、县对外经济贸易局

1977 年 3 月，成立乐安县对外贸易公司。1988 年，县外贸公司设粮油食品药材股、五金矿产品股、外经股。1993 年，成立乐安县对外经济贸易局，与县对外贸易公司合署办公，两块牌子，一套人马，内设人秘股、财务股、业务股。1997 年 7 月，乐安县对外经济贸易局定性为事业单位，内设人秘股、计划财务股、业务股，编制 6 个，设局长 1 名、副局长 2 名、股级职数 3 名。主要负责全县对外贸易的计划和规划，对外贸出口企业备案和管理，组织企业参加国内外各种展会，对外资企业设立和变更进行管理。2004 年 6 月，县外贸公司按照县委、县政府《关于进一步深化国有企业产权制度改革的通知》要求，进行企业改制，19 名职工全部身份置换，解除劳动合同。2008 年 6 月，县对外经济贸易局列入参照公务员法管理单位。

1986—2016 年，历任局长（经理）：曾火生、周百顺、王七星、周呈军、董凤翔、郭良兴、陈少林、邱建辉。

第二节　对外经济技术合作

一、优惠政策

1987 年 3 月，县人民政府制定《关于发展横向经济联合的优惠办法》，规定凡是到乐安合资、合作、独资、补偿贸易、来样来料加工建设项目，在计划审定、选址定点、土地征用、工程配套、水电安装、设计施工、劳务调配、生活设施、工商登记等方面给予优先、优惠并积极提供方便。生产所需要的原材料、能源和流动资金贷款，纳入计划予以安排；出口创汇的产品、原材料、能源和流动资金贷款优先保证。在税收上，对客方优惠 7 条：一是在待开发的荒地、水面，从事农、林、渔生产性独资行业，自收益年度起前 6 年免征农业税，第 7 年至第 12 年减半征收农业税。凡联合从事农业、林业、渔业生产性行业，自收益年度起前 6 年免征农业税。独资或联合从事牧业生产性行业，不论经营期长短，均免征农业税。独资的，利润全部归独资者所有。二是独资从事矿业开发、交通运输等生产性行业，经营期在 10 年以上者，从开始获利年度起前 3 年免征所得税，第 4 年减半征收所得税，税后利润全部归独资者所有。凡联合从事矿业开发、交通运输等生产性企业，客方投资额达到 35% 以上的项目，减半征收建筑税，经营期在 10 年以上的，从开始获利的年度起，第 1 年和第 2 年免征所得税，第 3 年至第 5 年减 60% 征收所得税，利润分成适当照顾客方利益。三是凡与乐安联合的其他项目（除 1、2 条外），执行“先分后税”和让利原则。允许客方回原地缴纳所得税。四是凡与乐安联合的企业，生产的产品如系省以上优质名牌和市场紧俏民用产品，除中央统一规定的产品不能减免产品税、增值税外，按税利体制报经批准后，可免交产品税或增值税 3 年。五是帮助乐安企业提高技术、管理水平和扩散适销对路新产品和名牌产品的单位（企业），可在受援方税后年新增利润（或减亏）中，头 2 年得 60% ～ 80%，后 4 年内企业年税后留利保持 20 万元以上的，对半分成。六是以产品偿还投资的，产品补偿按优惠价格计算，补偿期满后如需继续提供产品，可以优先供应，也可采取综合补偿办法。七是凡向乐安各企业投资分得的利润，减半征收所得税5年。从经济联合组织所得的利润再投资于上述行业和地区，免交所得税。

1996年5月，县人民政府制定《关于鼓励外商投资的暂行规定》。在场地使用方面，规定外商投资企业所需土地，可通过出让、转让等方式，取得土地使用权，从事开发经营；经营者在使用期内，可依法转让、出租；“四通一平”按成本计算。在税费优惠方面，企业所得税，实行“免二减三”，即经营期10年以上生产性企业，从开始获利年度起，第1年至第2年免征企业所得税，第3年至第5年减半征收；在“免二减三”期满后，对当年出口产品产值达当年企业产值70%以上的，仍继续减半征收，对高新企业，继续延长3年减半征收。在投资方向上，鼓励外商独资或合资兴建能源、交通、公共建筑和文化娱乐等基础设施及农林牧渔等项目。在奖励方面，凡港、澳、台同胞和侨胞在乐安一次投资10万美元的，给其亲属解决农转非和招工指标各1名，每增加投资10万美元，可增加农转非和招工指标各1名；按实际进资额计算，100万美元以下，101万～200万美元、201万美元以上，分别按4%、5%、6%比例，由乐安项目合作单位折合成人民币一次性奖励中介人，外商独资企业由县政府给予奖励；对成功引进先进技术、引进人才的给予一定奖励。同时，县人民政府下发《关于鼓励外商投资的服务措施》。

二、引进外资

1986年7月，县对外经济技术合作办公室成立后，积极开展内引外联工作，先后与香港嘉城士有限公司驻广州联络处及港商邦林公司、香港享典有限公司、日商海南技术有限公司、香港彩盈（国际）有限公司、香港达华公司、太仓外商企业投资公司达成协议，引进资金生产木质工艺品、竹制品、萤石矿、矿泉水、针织品、拼花地板等产品。1987—1988年，引进资金192万元。1990—1995年，共引进资金1876万元。其中，三资企业7家，实际投产5家，合同外资158.62万美元。

三、横向合作

1986年，牛田镇木业社与进贤县李渡毛刷厂合作生产木刷柄；谷岗采育林场与宜黄县二轻公司合作生产冷饮料棒。1987年，招携镇企业办与九江第二纺织器材厂合营生产木质纺织器材；县农机厂与崇仁重型机械厂合作生产“洗削动力头”50台；望仙乡企业办与南昌纺织器材厂合作生产木质与塑料纺织器材。1988年，招携镇企业办与福建省浦城县化工厂联营兴办活性炭厂，与福建省周宁县联营兴办榔头柄厂；招携镇坪头村公所与福建周宁县化工厂联营兴办活性炭厂；港田村公所与南丰县洽湾镇企业办联营兴办檀香扇厂。1990年，招携采育林场与福建省石狮市永宁镇再次联营开发红色花岗岩荒料。1993年，牛田镇企业办与浙江省浦江县客商应先生合作生产高压铸铁锅，与福建省福安县联营生产松焦油（产品全部出口）；县中医院与江西省医学院建立医疗技术协作关系。

四、引进技术设备

1986年1月，福建华侨大学秘书长杨连泰到乐安考察，洽谈“三笋”脱水外销事宜；招携镇从丰城引进生产竹笋壳地毯技术。1987年3月，招携采育林场与福建晋江县永宁镇企业办合办永林联兴花岗岩石料厂，成为乐安县第一家合资企业。1988年，县木材公司与香港爵邦有限公司（山邦实业有限公司）合资成立中外合资邦林实业有限公司，生产香枝和竹芯，香港方提供技术、机械设备和配件及丰田汽车2部，折合港币80.3万元；招携镇工业办从永丰县引进竹筒席生产技术。1989年，日本客商一行3人，到戴坊考察萤石矿储量、品位、开采、交通情况，签订外销合同。1990年，招携活性炭厂引进上海无机化工研究所技术，对生产工艺进行升级改造。1991年，公溪镇企业办从安徽芜湖市引进玻璃纤维生产技术，投资16万元，当年就办起玻璃纤维厂；县林业公司引进江西省中医学院和上海食品研究所技术，对绞股蓝深加工，生产绞股蓝袋泡茶。1992 年，县第一、第二化工厂分别从武汉油脂厂和上海科学技术研究所引进氯化苄、三甲氧基苯甲醛生产技术等。1993 年，县陶瓷厂引进景德镇陶瓷研究所陶瓷球生产技术，产品远销广东佛山等地。

五、人才合作

1986—1988 年，引进县外专业技术人才 187 人，涉及工业、建筑、科技等领域。1988 年 6 月 23 日至 8 月 22 日，乐安县组织全县 20 个乡镇主要领导及县直有关人员共 23 人，赴上海市松江县车墩、仓桥、华阳桥、佘山、九亭、泗泾、洞泾等 10 个乡镇挂职学习 2 个月；是年 6 月 28 日，乐安县组织部分乡镇长助理和县属部分企业厂长共 15 人，赴浙江省金华市婺城区乡镇企业挂职学习 40 天。

六、合作成果

1987 年，开展协作项目 27 个，实际投产 18 个，实现产值 133.8 万元，纳税 17 万元；1988 年，完成合同项目 42 个，纳税 18 万元；1989 年，完成协作项目 22 个；1990—1995 年，完成合同项目 117 个，出口创汇 109.52 万美元。

1986—1988 年全县物资协进协出完成情况表

表 17-5-1

年份	物资协进																物资协出	
	汽油	柴油	镀锌管	自行车	电视机	缝纫机	洗衣机	冰箱	收录机	电风扇	化肥	钢材	玻璃	水泥	汽车	食用油	木材	大米
	吨	吨	吨	辆	台	台	台	台	台	台	吨	吨	立方米	吨	部	吨	立方米	吨
1986	41	10	50	633	163	226	700	9	60	130	—	—	—	—	—	—	3900	—
1987	9.5	—	—	2280	—	240	—	—	—	—	2575	125	7449	3339	35	100	53225	10700
1988	—	—	—	—	—	—	—	—	—	—	5215	125	—	3339	—	100	74730	11450

说明：全县物资协进协出完成数：1991 年 4368 万元，1993 年 5392 万元，1995 年 7200 万元

第三节　招商引资

一、招商形式

1996 年 6 月，设立乐安县乡镇工业开发区，全县大规模招商引资工作就此开始。县政府每年下达招商引资计划，计划项目分合同外资、实际进资、出口创汇、县外资金等；招商引资计划以乡镇（场）和县直有关单位为主，完成情况年终进行考评。2002 年，县委、县政府研究决定，组建 10 个招商引资小分队，11 个专业组。小分队队长由县委常委和县人大常委会主任、县政协主席担任，副队长由其他副县级领导担任，县直 40 个单位分成 10 个小分队，分别由队长、副队长带领，小分队成员从单位抽调。专业组组长由副科级以上干部担任，人员由县委组织部从后备干部中抽调。小分队、专业组人员与单位工作脱钩，全身心地驻在所在地开展招商引资工作。县委、县政府制定招商引资小分队和乡镇招商引资工作考评方案，全县 15 个乡镇分为 3 个类别考评。2005 年，县委、县政府总结以往经验，决定将 10 个专业招商小分队调整为 9 个，每个小分队成员 4 ~ 5 人，人员相对固定，选准招商地域和主攻目标，主动灵活地外出开展驻点招商。2006 年，在 2005 年度专业招商小分队人员结构基础上，重新调整组建为 7 个专业招商小分队，县级领导分为 7 个组，分别挂点 7 个专业招商小分队，县教育局、县发展和改革委员会、县林业局、县经济贸易委员会、

县交通局、县财政局、县林业局分别为7个专业招商小分队接应单位，接应单位局长（主任）任专业招商小分队队长。其他县直65个单位分为5类，15个乡镇分为3类，考评招商引资工作。2007年，县委、县政府为认真贯彻全省开放型经济工作会议精神，加快经济结构战略性调整步伐，决定创新招商方式，增强招商引资实效性，由县级领导干部带团，强势部门领队，县直单位参与的办法，组建11个招商团队，每个团队7～9个单位组成，团队内的招商方式、任务分解、成果分享由团队自行决定，提高招商实效。2009年，为扩大招商队伍，招商团队由11个增加至15个，形成领导带动，推动招商；园区主动，主体招商；部门齐动，全民招商；乡镇联动，互动招商的浓厚氛围。2012年，组建15个招商小分队，每个小分队由1名县级领导带队，每队由3个县直单位组建。2个产业招商小分队，分别由县人大和县政协主要领导带队。其他县直48个单位分为2类考评。15个乡镇分别由15名县级领导带队招商引资。

2014年，为改变以往全民招商模式，着力探索更精简、更高效、更有针对性的招商新方式，将县直单位分成4类，组建4个重点产业招商小分队。分别由县委、县人大、县政府、县政协领导带队。1支是以商招商小分队，由平常与园区企业联系紧、服务多的工业园区、财政局、中小企业局等单位组成，以工作上的热情赢得客商朋友信任，全力推动以商招商；3支是委托招商小分队，主攻广东、浙江、福建3地，开展委托招商。另外，组建1支专业招商小分队，由全县科级后备干部中选出的一批懂经济、有闯劲、善沟通、会谈判的优秀干部组成，实行驻外定点招商。2016年，为进一步优化招商队伍，组建4个招商团队，分别由县委、县人大、县政府、县政协领导带队，每个招商团队由7个成员单位和4个服务单位组成。另外，组建3个专业招商团队，每个专业招商团队由6～7个成员单位和4个服务单位组成，实行精准招商。

二、优惠奖励政策

为引进外资，吸引客商，县委、县政府分别于2003年、2004年、2010年、2012年、2014年制定有关鼓励客商投资优惠办法，不断完善招商政策。

（一）2010年优惠办法

2010年，乐安县委、县政府制定《乐安县鼓励客商投资项目优惠办法》，在土地、财税、规费、投资奖励、投资服务与保障等方面给予优惠。

土地优惠　客商投资工业加工业企业固定资产投资额在500万元以上，可提供“五通一平”工业用地；对投资规模大、纳税能力强、产业带动效果好的工业项目，将视情况再给予一定的财政奖励政策，支持企业在基础设施建设上投入。

财税优惠　企业所得税优惠办法。企业自投产纳税之日起，所缴纳企业所得税地方留成实得部分，前2年由受益财政按100%奖励给企业，后3年由受益财政按50%奖励给企业；新办高新技术企业（须经省级或国家级认定并颁发证书），除享受上述优惠外，第6年至第10年企业所得税地方留成实得部分按25%奖励给企业。

增值税优惠　凡在工业园区新办工业企业缴增值税地方留成实得部分，前2年由受益财政按100%奖励给企业，后3年由受益财政按50%奖励给企业；对亩均年纳税超过3万元以上部分增值税地方留成实得部分，第3年至第5年由受益财政按70%奖励给企业；第6年至第10年，企业所纳增值税比缴纳增值税最高年份的新增部分，每年年底由受益财政按新增部分增值税地方留成实得部分30%奖励给企业扩大生产。

土地使用税优惠　凡亩均年纳税5万元以上或年纳税总额在500万元以上（指生产经营性纳税）工业企业，其缴纳土地使用税达到本项纳税标准，当年缴纳土地使用税地方留成实得部分由受益财政全额奖励返还给纳税企业，奖励期限为3年。

建筑安装营业税等优惠　对入园工业企业缴纳的建筑安装营业税、城建税、房产税、印花税，企业自纳税年度起3年内县财政按所缴税款中地方留成实得部分50%奖励给企业。

设立重点工业企业发展担保基金　对园区重点工业企业或对招收持有《就业失业登记证》失业人数占企业职工总人数达到30%的劳动密集型企业，对其在金融机构贷款200万元以内实行2年贴息50%政策。

规费优惠　自购土地自建厂房的入园企业，县本级实行零收费，企业报建过程中各类手续一律免费办理，行政事业性收费除中央、省、市必须收取的以外，其他全部予以免收；办理各类证照牌只收取工本费；建筑工程质监费按标准50%收取；土地测量费按每宗地3000元标准收取；办理规划许可证按3元/平方米收取（其中房管1.5元/平方米）；土地交易费按1%收取；允许企业自主选择水电安装队伍和交纳相关成本费用。

投资奖励　对注册资本在50万美元以上（含50万美元）外资企业，每进资20万美元（指现汇、进口设备或经外汇管理机构确认和会计师事务所出具验资报告）由财政一次性奖励0.2万元人民币（以此类推），但1个外资项目奖励最高不超过2万元人民币；对当年技改投入固定资产达到200万元以上并竣工投产项目，给予一次性奖励2万元，并按每增加投入100万元，奖励0.2万元（以此类推）；对实行环保、节能、节水等方面技改投入企业，经相关部门认定，每投入100万元技改资金，一次性奖励企业0.5万元（以此类推）；对投产纳税企业获得国家专利技术和产品，每项专利一次性奖励企业2万元；获得江西省以上新产品证书，每个新产品一次性奖励企业2万元；对投产纳税企业通过ISO 9001质量管理体系认证和ISO 14001环境管理体系以及OHSAS 18001职业安全健康管理体系“三合一认证”的，每个项目一次性奖励2万元；对年纳税额300万元以上工业企业，由受益财政分别给予生产用水0.2元/吨、生产用电0.1元/千瓦时补贴，两项补贴总额不超过100万元（有水源设施的企业不予补贴）；凡工业企业引进的高级工程师、高级经济师、高级农艺师和高级技师职称以上的高级管理技术人才（有省级以上颁发的证书），所征收的个人所得税地方财政留成部分，5年内由县财政全额奖励给企业；引进的工程师、经济师、农艺师、技师职称中级人才，所征收的个人所得税地方财政留成部分，5年内由县财政奖励50%给企业；鼓励企业参加由政府认可的境内（外）各种商品交易会，凭有关证明或合同由县财政按每一摊位一次性（下同）境外补助4000元人民币、境内补助2000元人民币。

工业企业纳税贡献奖　在按国税、地税入库数，剔除当年退、奖励和稽查补税金额计算前提下：对年纳税额在1000万元以上（含本数，下同）工业企业，由县委、县政府授予“工业发展特别贡献奖”，并一次性奖励50万元（以后年度纳税超过1000万元则不再重复奖励）；对完成年度税收目标，纳税总额在500万元以上且较最高年份增长15%或纳税总额在100万元以上500万元以下且较最高年份增长25%企业，参加县委、县政府组织的“工业发展贡献奖”评选，并按其增值税较最高年份净增额6%进行奖励；对年纳税增量在50万元以上企业，参加县委、县政府组织的“工业企业进步奖”评选，并按其增值税较上年净增额5%进行奖励；对新上规模以上工业企业，经省统计部门认定后，由县委、县政府授予“新上规模奖”，并一次性奖励0.5万元；工业企业纳税贡献奖各奖项不重复计奖，同时获多个奖项工业企业以最高奖项奖励。

（二）2012年奖励办法

2012年6月，县委、县政府制定《关于支持重大工业和重点产业聚集奖励暂行办法》。

重大工业项目奖励办法　按照工业园区规划和项目建设基本需求，优先安排项目建设用地。同时，待项目固定资产投资完成2000万元以上时，县财政按土地出让金等额标准全额奖励给项目实施企业用于基础设施建设投入。项目固定资产投资达到1亿元，县财政安排1000万元资金扶持；超过1亿元部分按固定资产投资10%给予资金扶持，扶持资金在项目固定资产投资额达到上述标准并经相关部门核实后1个月内兑现。项目亩均年纳税10万元以上（剔除当年退、抵、免、减、稽查查补税款、土地使用税和房产税），县财政按实际缴纳税金最高年份总额的10%一次性奖励企业。经核定，对亩均固定资产投资强度达到100万元以上用地少、投资规模大的项目，待项目竣工投产后，按亩平70万元标准折算，其盈余土地面积由县财政按4万元/亩一次性奖励给企业，但此项奖励最高不超过200万元。企业投产达标后，县政府积极为企业申报国家产业扶持政策，所争取到的扶持政策和项目资金全部用于企业。企业高管人员缴纳个人所得税地方留成部分全额奖励给企业，再由企业奖励给管理者个人。

重点产业聚集奖励办法　项目固定资产投资完成1500万元以上时，县财政按土地出让金等额标准全额奖励给项目实施企业用于项目基础设施建设投入。如项目竣工投产后固定资产总投资额未达到3000万元以上，则将本项已兑现奖励从该项目其他可获得奖励中全额扣回。项目固定资产投资总额在3000万元以上（含3000万元）1亿元以下，县财政一次性奖励300万元；固定资产投资总额达到1亿元以上（含1亿元）按固定资产投资10%给予资金扶持，扶持资金在项目固定资产投资额达到上述标准并经相关部门核实后1个月内兑现。企业投产加工产品所用原材料属于在本县机械电子和医药企业购买，县财政按实际购买额1.5%予以补贴。项目亩均年纳税10万元以上（剔除当年退、抵、免、减、稽查查补税款、土地使用税和房产税），县财政按实际缴纳税金最高年份总额10%一次性奖励企业。经核定，对亩均固定资产投资强度达到100万元以上用地少、投资规模大的项目，待项目竣工投产后，按亩均70万元标准折算，其盈余土地面积由县财政按4万元/亩一次性奖励给企业，但此项奖励最高不超过200万元。企业投产达标后，县政府积极为企业申报国家产业扶持政策，所争取到的扶持政策和项目资金全部用于企业。企业高管人员缴纳所得税地方留成部分全额奖励给企业，再由企业奖励给管理者个人。

（三）2014年奖励办法

2014年，乐安县委、县政府制定《乐安县鼓励客商投资优惠奖励办法》，在土地政策、财税扶持等方面给予优惠。

土地优惠　工业园区内所提供工业用地均按“五通”（通水、通电、通路、通讯、通有线电视）及现状地供给。

财税扶持　客商在工业园区兴办工业企业，按其实际建设进度和年亩均纳税额度给予奖励扶持：项目用地成交并正式开工建设后，按其交纳土地出让金50%奖励；项目建设达到合同约定的固投强度、建筑密度和容积率要求后，按其交纳土地出让金20%再进行奖励；项目投产实现年亩均纳税3万元（含3万元）以上时，按其交纳土地出让金10%再进行奖励；项目实现年亩均纳税5万元（含5万元）以上时，按其交纳土地出让金10%再进行奖励；项目实现年亩均纳税7万元（含7万元）以上时，按其交纳土地出让金10%再进行奖励。以上奖励扶持资金用于企业基础设施建设、市场开拓和技术产品研发等。

鼓励入园企业兴建多层厂房。对在县工业园区兴办的工业企业，超过规定建筑密度、建设容积率且主体厂房建设在两层（含两层）以上，按其超出面积，给予100元/平方米奖励，用于扶持企业发展生产（必须为本厂生产用厂房，出租或闲置不在奖励之列）。

入园企业自投产纳税之日起，年亩均纳税达到3万元（含3万元）以上，且1周年内企业缴纳工业税金总额在50万元（含50万元）以上，其缴纳增值税、企业所得税地方留成部分前2年由受益财政按100%比例奖励给企业，后3年由受益财政按50%比例奖励给企业。新办高新技术企业（须经省级或国家级认定并颁发证书），除享受上述优惠外，第6年至第10年企业所得税地方留成实得部分按25%奖励给企业。入园工业企业土地挂牌成交后3年内缴纳的土地使用税、房

1996—2016 年乐安县招商引资完成情况表

表 17-5-2　　　　单位：万美元、个

年份	合同外资	引进境外资金	出口创汇	引进市外资金（人民币万元）	项目数
1996	—	64.10	59.10	3541	21
1997	183.90	99.40	126.10	10600	35
1998	69.90	242.00	163.90	6632	15
1999	84.40	36.20	86.90	5775	27
2000	143.20	48.20	97.20	9241	21
2001	306.00	171.60	115.00	9965	19
2002	138.00	91.80	48.00	13198	81
2003	39.20	—	—	41764	177
2004	—	200.00	60.00	59990	147
2005	710.00	409.00	115.00	66565	150
2006	1017.00	616.50	807.00	50110	95
2007	850.00	807.00	1364.00	84900	67
2008	—	1078.00	1885.00	126800	65
2009	—	1190.00	1986.00	160400	58
2010	—	1420.00	2680.00	204900	64
2011	—	1480.00	3400.00	226000	61
2012	—	1653.00	6532.00	294100	56
2013	1410.00	1813.00	5893.90	257387	44
2014	—	2070.00	7390.30	211117	13
2015	—	2496.00	8856.60	278400	14
2016	—	—	9060.50	280320	19

说明：2015 年 10 月起纳入抚州市利用省外资金系统认定，只认定新引进项目个数

第四节　对外贸易

一、外贸经营和管理

1986—1993 年，乐安县主要出口商品有三笋罐头（冬笋、春笋、小竹笋）、山茶籽油、勾藤、活血、钨矿、萤石矿、松香、文化衫，主要销往日本等国。1990 年，全县外贸出口总额 250.76 万元；1991 年，外贸收购总额 118 万元，比 1990 年下降 52.94%，外贸出口供货总额下降 40.1%；1992 年，完成出口供货总额 131 万元，收购总额下降幅度更大。1993 年，外贸出口总额仅 66.7 万美元。

1997 年后，随着市场经济逐步建立，商品出口主要由生产型出口企业和外贸流通企业出口，企业自主经营，自负盈亏。县出口创汇从无到有，从小到大，出口品种有轻工、服装、电子、食品加工等 4 大类 20 多个。主要有针织服装、包袋、儿童头饰品；竹笋、山露菜、蘑菇、橘子等果蔬罐头食品；气球等乳胶制品；连接线、耳机、电源线、网络线、转接头、电感、贴片电感等电子配件。产品主要出口美国、德国、西班牙、意大利、日本、韩国、加拿大、东南亚等。1998 年，全县外贸出口总额 163.9 万美元，比 1993 年

增长146%。2008年，外贸出口总额1885万美元，是1993年的28.3倍。此后，外贸出口总额逐年屡创新高。2010年，出口总额2680万美元，比2008年增长42.2%，是1998年的16.4倍。2012年，出口总额6532万美元，比2010年增长143.73%，是1998年的40倍。2014年，出口总额7390.3万美元。2016年，出口总额9061万美元，比2014年增长22.6%，是1998年的55倍、2008年的4.8倍。

2014年11月，投资总额5000万美元以下（不含5000万美元）的外商投资企业的设立和变更事项审批权下放县外贸局，2015年，办理外商投资企业变更事项2项、对外贸易经营者备案登记6家。2016年，办理外商投资企业变更事项2项、对外贸易经营者备案登记11家。

1993—2016年乐安县外贸出口情况表

表17-5-3 单位：万美元

年份	出口额	年份	出口额	年份	出口额	年份	出口额
1993	66.7	1999	86.9	2005	201	2011	3400
1994	20.01	2000	94.2	2006	807	2012	6532
1995	33.58	2001	115	2007	1364	2013	5893.9
1996	59.1	2002	48	2008	1885	2014	7390.3
1997	126.1	2003	55	2009	1986	2015	8856.6
1998	163.9	2004	66	2010	2680	2016	9061

二、自营进出口

2016年，乐安县有外贸出口企业25家。其中，生产型出口企业15家，常年有出口业绩的4家：骏福服饰织造（江西）有限公司，是全县最大生产型出口企业，2016年实现出口创汇600多万美元；江西广雅食品有限公司，是全县最大食品出口企业，出口的“乐安竹笋”被农业部指定为“中欧互认”产品；乐安县鹏鑫食品有限公司，获美国FDA专业出口资格；江西依晗进出口有限公司，是集设计、生产、进出口贸易为一体的专业儿童饰品生产型出口企业。全县流通型外贸出口企业10家，常年有出口业绩的5家。

三、利用外资

1993—2004年，乐安县利用外资金额每年几十万元至几百万美元不等。2005年突破400万美元。2008年1078万美元。2014年2070万美元。2016年2540万美元，比2014年增长22.7%，比2008年增长135.6%，是1993—2004年总和的2倍。

2016年，乐安县共有外资企业8家。其中，来自香港地区5家，来自台湾地区2家，澳门地区1家。外资企业注册资金小，平均投资规模小。

主要外资企业有：抚州乐安苏乐乳胶制品有限公司，2006年5月由香港客商投资兴建的彩色气球类产品专业生产企业，填补江西省乳胶制品生产空白，注册资本21万美元；江西台大农业科技园有限公司，2006年11月由台湾客商投资兴建，集生态农业、产品加工、休闲旅游为一体的台资综合项目，是江西省首批赣台农业合作示范基地，注册资本450万美元；骏福服饰织造（江西）有限公司，2008年4月由香港客商投资兴建，集生产、销售、服务为一体的针织服装企业，注册资本500万元港币；江西省高氏油茶产业发展有限公司，2009年7月由澳门客商投资兴办，集油茶种植、畜牧业、养殖业等科研开发、加工生产、销售服务为一体的高科技、综合性林牧业科技大型企业，注册资本4000万元港币；江西龙发包袋有限公司，2010年9月由龙发（香港）国际投资有限公司投资创办的箱包生产企业，注册资本100万美元；江西德春塑料纤维科技有限公司，2015年7月由台湾客商投资的纺丝及色母粒、有色粒子生产企业，总投资260万美元，注册资金182万美元。

1993—2016年乐安县利用外资情况表

表17-5-4　　单位：万美元

年份	额度	年份	额度	年份	额度	年份	额度
1993	112	1999	36.20	2005	409	2011	1480
1994	23.56	2000	48.2	2006	616.5	2012	1653
1995	42.62	2001	171.6	2007	807	2013	1813
1996	64.1	2002	91.8	2008	1078	2014	2070
1997	99.4	2003	136.62	2009	1190	2015	2496
1998	242	2004	200	2010	1420	2016	2540

第六章　能源供应

随着经济社会发展，能源消耗逐渐增大，增长最为明显的是电力和石油。1986年，全县总供电量为181.77万千瓦时，2016年达19206.5万千瓦时，增长105.66倍；1986年全县石油消耗量为2978吨，2016年达21.04万吨，增长70.66倍。煤炭由于生活消耗减少，其销量逐年减少。21世纪10年代再生能源光伏和风电进入乐安，使能源结构发生变化。石油液化气和管道天然气进入乐安，烧柴做饭现象明显减少，为封山育林保护环境作出贡献。

第一节　电　力

一、机构人员

1950年10月1日，县政府建设的利民发电厂正式发电，仅有1台20.58千瓦煤气机配1台9.4千瓦发电机，白天加工稻米，晚上发电照明，年发电量1.8万千瓦时，隶属县粮食局。1953年改隶县工业交通局。1981年更名为乐安县供电所。1984年下半年，与洞口电站和东元电站合并，组建县电力公司，业务上划归县水利电力局管理。1986年，更名为乐安县小水电公司，隶属县水利电力局。1995年4月，更名为县电力公司。1999年5月，成立乐安县供电局，与电力公司合署办公，两块牌子，一套人马，行使县政府委托的有关职能。是年8月，改制并更名为乐安县供电有限责任公司，隶属江西省电力公司。2009年3月，成立中共乐安县供电有限责任公司委员会。2013年8月，更名为国家电网江西乐安县供电有限公司。2016年7月，更名为国家电网江西省电力公司乐安县供电分公司，有内设机构9个：办公室、党群工作部、人力资源部、财务资产部、发展建设部、安全监察质量保卫部、运维检修部、客户服务中心、电力调度控制中心。管辖鳌溪、公溪、龚坊、万崇、招携、牛田、增田、厚发8个基层供电所。有正式职工189人，农电工133人，劳务派遣用工5人，外聘13人，总共340人。

2010年6月，县供电公司办公地址由县城

国家电网江西省电力公司乐安县供电分公司办公大楼

下街巷28号迁至乐安大道5号（县人民武装部原办公地址）。2012年9月，在县城南环路开工建设电力网控调度大楼，占地面积14118平方米，建筑面积6602平方米，工程于2013年9月竣工。2014年7月，公司迁入电力网控调度大楼办公。

1986—2016年，历任经理：黄长生、沈树群、饶启华、陈国联、彭志才、杨辉、黄华荣、夏涛、揭小龙、曹刚、周琦；2003—2016年历任书记：詹进标、何宽华、李林华、李法道、杨世根。

二、输变电设施

1987年，乐安变电站经721矿62号变电站接入华东电网，乐安县生产生活用电才得到基本保证。全县21个乡镇中有19个乡镇由721矿转供电源，2个乡镇（金竹乡、谷岗乡）自办水电站供电。

1993年，县电网由3座35千伏变电站连结而成。其中，县城变电站有2台2000千伏安主变，10千伏线路8条（乐安至潭港线、乐安至增田线、乐安至供水公司线、乐安至纤维厂线、县Ⅰ线、县Ⅱ线、乐安至谷岗线、乐安至东元线），35千伏线路2条（乐安至古城线、乐安至洞口线）；公溪变电站有10千伏线路1条（古城至戴坊线），1台主变2000千伏安；洞口变电站有10千伏线路5条（洞口至招携线、洞口至牛田线、洞口至湖坪线、洞口至望仙线、洞口至银口线），1台主变1000千伏安。县电网35千伏线路2条总长55千米，10千伏线路总长450千米，有配电变压器750台。县电网最大用电负荷3800千瓦，实际负荷3500千瓦，限电负荷800千瓦，用电很紧张，晚上高峰期禁止生产用电，还对乡镇用电进行轮限。2003年，乐安110千伏变电站投入运行，721矿电源作备用。2010年，新居110千伏变电站投入运行，721矿电路退出供电。

2016年，全县有110千伏变电站2座（新居变和县城变），主变3台，总容量91.5兆伏安；35千伏变电站7座（上观变、金竹变、望仙变、万崇变、洞口变、龚坊变、山砀变），主变13台，总容量67.55兆伏安。110千伏线路4条，总长112.07千米；35千伏线路13条，总长208千米；10千伏线路55条，总长1597千米；低压线路2015千米。

1986—2016年部分年份乐安县各变电站情况表

表17-6-1　　　　单位：台、个、千伏安

年份	名称	35千伏小计	洞口35千伏	龚坊35千伏	望仙35千伏	上观35千伏	万崇35千伏	金竹35千伏	山砀35千伏	110千伏小计	乐安110千伏	新居110千伏
1986	变压器数量	2	2	—	—	—	—	—	—	—	—	—
	变电站个数	1	1	—	—	—	—	—	—	—	—	—
	总容量	8150	8150	—	—	—	—	—	—	—	—	—

续表 17-6-1

年份	名称	35 千伏小计	洞口 35 千伏	龚坊 35 千伏	望仙 35 千伏	上观 35 千伏	万崇 35 千伏	金竹 35 千伏	山砀 35 千伏	110 千伏小计	乐安 110 千伏	新居 110 千伏
2003	变压器数量	4	2	2	—	—	—	—	—	2	2	—
	变电站个数	2	1	1	—	—	—	—	—	1	1	—
	总容量	18450	8150	10300	—	—	—	—	—	51500	51500	—
2009	变压器数量	6	2	2	2	—	—	—	—	3	2	1
	变电站个数	3	1	1	1	—	—	—	—	2	1	1
	总容量	24750	8150	10300	6300	—	—	—	—	91500	51500	40000
2011	变压器数量	7	2	2	2	1	—	—	—	3	2	1
	变电站个数	4	1	1	1	1	—	—	—	2	1	1
	总容量	29750	8150	10300	6300	5000	—	—	—	91500	51500	40000
2013	变压器数量	10	2	2	2	1	2	1	—	3	2	1
	变电站个数	6	1	1	1	1	1	1	—	2	1	1
	总容量	48650	8150	10300	6300	5000	12600	6300	—	91500	51500	40000
2016	变压器数量	11	2	2	2	1	2	1	1	3	2	1
	变电站个数	7	1	1	1	1	1	1	1	2	1	1
	总容量	54950	8150	10300	6300	5000	12600	6300	6300	91500	51500	40000

1987—2016 年部分年份乐安县输电线路情况表

表 17-6-2　　单位：条、千米

年份	名称	合计	乐洞线	乐古线	洞万线	乐龚线	乐望线	乐上线	上金线	新山线	山坊线	新古线
	起点	—	乐安110千伏变电站	乐安110千伏变电站	洞口35千伏变电站	乐安110千伏变电站	乐安110千伏变电站	乐安110千伏变电站	上观35千伏变电站	新居110千伏变电站	山砀35千伏变电站	新居110千伏变电站
	终点	—	洞口35千伏变电站	古城10千伏开关站	万崇35千伏变电站	龚坊35千伏变电站	望仙35千伏变电站	上观35千伏变电站	金竹35千伏变电站	山砀35千伏变电站	龚坊35千伏变电站	古城10千伏开关站
1987	条数	2	1	1	0	0	0	0	0	0	0	0
	杆路长度	54.89	22.65	32.24	0	0	0	0	0	0	0	0
	回路长度	77.8	31.51	46.29	0	0	0	0	0	0	0	0
2003	条数	4	1	1	1	1	0	0	0	0	0	0
	杆路长度	86.39	22.65	32.24	14.55	16.95	0	0	0	0	0	0
	回路长度	123.19	31.51	46.29	20.10	25.29	0	0	0	0	0	0
2009	条数	5	1	1	1	1	1	0	0	0	0	0
	杆路长度	99.65	22.65	32.24	14.55	16.95	13.26	0	0	0	0	0
	回路长度	142.81	31.51	46.29	20.10	25.29	19.62	0	0	0	0	0
2011	条数	6	1	1	1	1	1	1	0	0	0	0
	杆路长度	118.1	22.65	32.24	14.55	16.95	13.26	18.45	0	0	0	0
	回路长度	169.62	31.51	46.29	20.10	25.29	19.62	26.80	0	0	0	0
2013	条数	7	1	1	1	1	1	1	1	0	0	0
	杆路长度	122.45	22.65	32.24	14.55	16.95	13.26	18.45	4.35	0	0	0
	回路长度	175.02	31.51	46.29	20.10	25.29	19.62	26.80	5.41	0	0	0

续表 17-6-3

项目批次	投资金额（万元）	新建/改造	新建/改造	新建/改造	新建/改造	新建/改造	新建/改造	改造
		35 千伏变电站（座）	35 千伏线路（千米）	10 千伏开关站（座）	10 千伏线路（千米）	配变台区（台）	低压线路（千米）	用电户（户）
2015 年农网改造升级工程	6800	0	0	0	135.92	128	281.5	0
2016 年农网改造升级工程（3 个批次）	6026	1	11.3	0	163.56	88	355.54	0
合计	34493.08	10	140.57	2	1624.62	1125	1917.75	71674

说明：1. 表中数据为省电力公司结算批复数；
2. 2009 年新建安全生产管理系统 1 套，光缆工程 102 千米

四、电力供应

工业用电　1986 年，全县工业用电为 45.3 万千瓦时。随着工业生产的发展，用电量随之增长，2010 年为 3482.4 万千瓦时；2016 年为 5919.2 万千瓦时，是 1986 年的 130 倍。

农业用电　1986 年，全县农业用电 21 万千瓦时，平均每个村委会 0.17 万千瓦时；2010 年 150 万千瓦时，平均每个村委会 0.40 万千瓦时；2016 年 283.9 万千瓦时，是 1986 年的 13.5 倍。

居民用电　1986 年全县居民用电 115.47 万千瓦时。随着居民生活水平逐步提高和国家家电下乡政策落地，彩电、冰箱、空调、电饭煲，洗衣机、微波炉、电热水器等家用电器，不但在县城居民中得到普及，在农村居民中也广泛使用，居民用电增长较快，2010 年为 4159.2 万千瓦时；2016 年为 10043.1 万千瓦时，是 1986 年的 87 倍。

1986—2016 年部分年份乐安县用电情况表

表 17-6-4　　单位：万千瓦时

年份	总用电量	其中					
		工业	农业	居民	非居民	商业	其他
1986	181.77	45.30	21.00	115.47	—	—	—
1990	292.10	76.20	13.40	142.70	59.80	—	—
1994	425.70	92.50	6.30	179.80	110.70	36.40	—
1998	577.90	140.80	—	226.30	153.60	57.20	—
1999	614.40	143.60	—	249.50	160.30	61.00	—
2000	629.10	143.10	—	286.80	122.40	67.70	9.10
2001	652.40	138.80	10.20	308.70	106.30	88.40	—
2002	719.20	157.80	6.80	315.90	127.00	108.50	3.20
2003	937.90	172.40	0.90	407.00	159.40	192.60	5.60
2004	2315.80	543.20	106.40	825.30	184.90	287.50	368.50
2005	4484.50	1093.90	221.20	1650.10	239.50	450.50	829.30
2006	5852.00	2062.80	148.20	2024.50	227.70	574.20	814.60

续表 17-6-4

年份	总用电量	其中					
		工业	农业	居民	非居民	商业	其他
2007	6572.00	2886.40	98.20	2482.80	249.80	695.80	159.00
2008	6926.70	2899.90	93.70	2847.30	311.80	712.90	61.10
2009	6007.00	2349.60	51.70	2173.00	351.20	911.50	170.00
2010	10954.10	3485.40	150.00	4159.20	415.80	982.40	1761.30
2011	8332.60	3432.30	229.60	2907.70	485.40	1091.10	186.50
2012	13580.00	5430.70	181.50	5835.80	586.80	1184.70	360.50
2013	13984.80	4900.30	210.30	6549.50	646.30	1254.30	424.10
2014	15696.50	5894.80	243.00	7282.60	826.80	1449.20	—
2015	17047.10	5985.70	240.30	8352.80	868.70	1599.60	—
2016	19206.50	5919.20	283.90	10043.10	982.70	1599.60	378.00

五、用电管理

计划调度　1987 年，乐安变电站接入 721 矿 62 号变电站联通华东大网，用电矛盾得以缓解，但电量仍供不应求。在电力计划调度上坚持“两个确保”：确保重点企业生产和单位用电，确保居民 18：00 ~ 21：00 照明用电。严格要求多班次生产企业尽量安排深夜班次用电。2000 年后，民营资本大力进入小水电站建设，使小水电站装机容量迅速增长；国家电网改造资金的投入，变电站陆续建成，电力供求基本平衡，计划调度以用户需求为原则，并采取峰谷电价方式，鼓励企业在谷值时段用电，以最大利用效益电能。

线路维护　1986—1999 年，供电网络中 35 千伏和 10 千伏主干供电线路的检修与维护由县电力公司负责，各村组筹资自建的 10 千伏供电延伸支线和低压部分由县电力公司和所在村组共同负责，电力公司负责技术指导及技术人员派遣，村组负责部分维护材料费。在执行中往往因维护费的负担问题扯皮，造成支线维护不到位，维护检修质量差，加上部分乡镇小水电自供区的 10 千伏线路由乡村维修，而一些乡村维护检修不及时，质量不高，致使任何一条供电线路中出现故障都会影响联网的县电网正常运行。2000 年农网改造中，按照先改制、后改造原则，全县划为一个供电区域，由县供电公司负责全县供电区域的线路维护与检修，各村组筹资兴建的线路和乡镇小水电自供区供电线路全部无偿划给供电局管理。农网改造后由县供电公司对全县供电线路实行统一规划、统一安排、统一管理、统一维护，从而避免因线路维护费用不足、职责不明而相互扯皮推诿现象。

电价管理及电费收缴　1999 年前，依照省物价局核定的标准，确定照明用电、生产用电、非生产用电价格，按各用电户用电量计算电费，按月收缴。1999 年后，县供电公司按照省发展和改革委员会的批复电价，确定用电收费标准收缴电费，并在全县设立收费网点 20 个，其中县城 3 个。2001 年前，由公司职工上户抄表收费，后通过收费网点收缴电费。2006 年开始实行营销自动化系统收费。2015—2016 年，全县的计量表全部更换为新一代载波通讯智能表，全面提升低压侧计量准确性，大幅降低台区低压线损率。

1999 年，县城居民电价为每千瓦时 0.45 元，农村居民用电，仅到村变压器的电价即为每千瓦时 0.45 元。2003 年 7 月 1 日起，实现全县居民同网同价，统一调整为每千瓦时 0.56 元，后调至 0.6

元。2011 年起，居民生活用电电价实行阶梯电价，分一、二、三档。为落实国家扶贫政策，2012 年 7 月 1 日起，对全县五保户、城乡居民最低生活保障户实行每月 10 千瓦时电量的减免。

2008—2016 年乐安县各类用电到户电价情况表

表 17-6-5　　　　　　　　单位：元 / 千瓦时

用电分类			2008.07	2009.11	2011.06	2011.12	2014.09	2015.04	2016.01
居民生活		年用电 0 ～ 2160 千瓦时部分	0.60	0.60	0.60	0.60	0.60	0.60	0.60
		年用电 2161 ～ 4200 千瓦时部分				0.65	0.65	0.65	0.65
		年用电超过 4200 千瓦时部分				0.90	0.90	0.90	0.90
		合表用户				0.62	0.62	0.62	0.62
农业生产		不满 1 千伏	0.66	0.70	0.725	0.7634	0.7634	0.7634	0.7634
		1 ～ 0 千伏	—	0.685	0.71	0.7484	0.7484	0.7484	0.7484
其中	贫困县农业排灌	不满 1 千伏	0.35	0.39	0.415	0.4534	0.4534	0.4534	0.4534
		1 ～ 10 千伏	—	0.375	0.40	0.4384	0.4384	0.4384	0.4384
非居民及商业		不满 1 千伏	0.99	0.995	1.02	1.0584	0.9331	0.8164	0.7802
		1 ～ 10 千伏	0.96	0.98	1.005	1.0434	0.9181	0.8014	0.7652
普通工业		不满 1 千伏	0.807	0.753	0.778	0.8164	0.8164	0.8164	0.7802
		1 ～ 10 千伏	0.777	0.738	0.763	0.8014	0.8014	0.8014	0.7652
大工业		1 ～ 10 千伏	0.689	0.612	0.637	0.6754	0.6637	0.6587	0.6587
		35 ～ 110 千伏	—	0.597	0.622	0.6604	0.6487	0.6437	0.6437

六、水电光伏风电

水电　1976 年，牛田水电站建成发电，成为乐安首座水电站，供牛田公社用电。县城还是柴油机发电。1977—1985 年，石陂（尧坊）水电站、东源一级水电站、东源二级水电站、洞口水电站、东源三级水电站陆续建成投产。1988 年，县电力公司接管谷岗水电站（装机 200 千瓦）。1989 年，招携镇坝上水电站正式并网发电。至此，县电力公司所属 5 座水电站（东源一级、二级、三级，洞口，谷岗），总装机容量 1715 千瓦，加上招携坝上电站 400 千瓦，全县小水电网装机共有 2115 千瓦。是年，全县发电量 864 万千瓦时。至 1992 年，县属发电站 5 座，装机 1715 千瓦；乡村办电站 121 座，装机 2533.7 千瓦。这些或国有或集体的水电站，在企业产权制度改革过程中，除企业倒闭外，其余都被民营资本购买。21 世纪起，大批民营资本进入乐安水力资源开发。至 2012 年，民营资本建成 39 座水电站并网发电，总装机容量 32700 千瓦。截至 2016 年，乐安县共有 45 座水电站上网供电。其中，5 座为 35 千伏上网，其余为 10 千伏上网。总装机 132 台，总容量 40525 千瓦，年发电量 15090.4 万千瓦时。

乐安县并网输电水电站基本情况表

表 17-6-6　　单位：千伏、千瓦、万立方米、万千瓦时、元/千瓦时

电站名称	所在乡镇	企业性质	上网电压等级（千伏）	装机容量（千瓦）	机组（台）	库容量（万立方米）	年发电量（千瓦时）	并网时间	并网电价（元/千瓦时）
洞口水电站	招携镇	民营	10	1260	3	14	419.39	1981.6	0.34
东元上水电站	南村乡	民营	10	1040	6	1180	244.46	1982.12	0.33
大盘山电站	戴坊镇	民营	10	100	1	194	33.90	1982.7	0.32
坝上水电站	招携镇	民营	10	500	3	0.5	144.42	1986.5	0.32
安源电站	谷岗乡	民营	10	125	1	0.15	68.91	1988.1	0.335
山坑水电站	招携镇	民营	35	4800	3	1056	1637.94	1993.4	0.35
招携枧下电站	招携镇	民营	10	180	3	1	37.39	2000.8	0.32
丰水源水电站	招携镇	民营	35	1890	3	14	881.03	2002.1	0.335
龙湾电站	金竹乡	民营	10	1030	3	0.02	341.11	2002.1	0.33
坪溪水电站	金竹乡	民营	10	1000	3	20	326.80	2003.11	0.33
安顺水电站	公溪镇	民营	10	360	3	0.1	105.43	2004.2	0.33
大通（上庄）电站	招携镇	民营	35	4000	5	20	1729.59	2004.2	0.33
新安1号水电站	南村乡	民营	10	720	3	0.03	184.75	2004.3	0.31
谷岗谷源水电站	谷岗乡	民营	10	520	1	0.03	127.89	2004.3	0.32
深坑水电站	招携镇	民营	35	800	3	50	221.03	2004.4	0.33
严杭水电站	金竹乡	民营	10	800	3	6.34	275.44	2004.4	0.33
绿海（高桥）水电站	招携镇	民营	10	640	3	0.1	140.66	2004.4	0.32

续表 17-6-6

电站名称	所在乡镇	企业性质	上网电压等级（千伏）	装机容量（千瓦）	机组（台）	库容量（万立方米）	年发电量（千瓦时）	并网时间	并网电价（元/千瓦时）
青里（新街）水电站	招携镇	民营	10	640	3	0.05	2142.69	2004.4	0.33
源旺水电站	谷岗乡	民营	10	480	3	0.1	136.08	2004.6	0.33
徐庄水电站	金竹乡	民营	10	800	3	0.2	264.90	2004.7	0.33
三金水电站	招携镇	民营	10	400	3	0.02	80.62	2004.9	0.33
东岸水电站	牛田镇	国有	35	4000	3	867	1320	2004.9	0.33
坪溪胡竹坪电站	金竹乡	民营	10	250	1	7	63.85	2004.11	0.35
芦源水电站	金竹乡	民营	10	500	3	0.03	163.69	2005.1	0.32
胡竹水电站	招携镇	民营	10	560	3	0.04	90.86	2005.1	0.32
石羊坑水电站	招携镇	民营	10	200	1	0.2	71.57	2005.1	0.32
元头水电站	招携镇	民营	10	100	1	0.3	—	2005.2	0.335
芙蓉山水电站	湖溪乡	民营	10	640	3	0.05	146.36	2005.9	0.33
方木坑水电站	谷岗乡	民营	10	1260	3	0.4	354.67	2005.9	0.33
新安2号水电站	南村乡	民营	10	200	1	0.1	43.89	2006.1	0.33
龙湾一级电站	金竹乡	民营	10	570	3	0.01	292.16	2006.1	0.33
南坪水电站	招携镇	民营	10	1000	4	5	474.03	2006.3	0.33
增田龙安电站	牛田镇	民营	10	1120	7	70	187.27	2006.4	0.33

续表 17-6-6

电站名称	所在乡镇	企业性质	上网电压等级（千伏）	装机容量（千瓦）	机组（台）	库容量（万立方米）	年发电量（千瓦时）	并网时间	并网电价（元/千瓦时）
汉高凹电站	金竹乡	民营	10	700	3	0.04	251.27	2006.4	0.31
谷岗胡竹坪电站	谷岗乡	民营	10	570	3	0.2	130.94	2006.7	0.32
炉桐水电站	南村乡	民营	10	650	3	0.75	76.00	2008.4	0.33
谷岗路南春电站	谷岗乡	民营	10	520	3	0.02	164.97	2008.4	0.32
兴旺源水电站	谷岗乡	民营	10	720	3	0.2	180.94	2008.11	0.33
桃坪电站	谷岗乡	民营	10	650	3	0.02	273.41	2008.11	0.33
龙潭电站	金竹乡	民营	10	640	3	20	234.00	2009.2	0.335
火嵊水电站	谷岗乡	民营	10	600	3	0.05	272.75	2009.6	0.35
小带（白水洞）水电站	招携镇	民营	10	640	3	0.2	137.32	2009.8	0.34
安源水电站	谷岗乡	民营	10	720	3	0.03	197.49	2012.3	0.33
仙港水电站	招携镇	民营	10	1530	6	9	412.41	2012.8	0.335
东陂湾水电站	山砀镇	民营	10	100	1	382	6.12	2013.5	0.32
合计				40525	132	3919.28	15090.4		

光伏　2016年5月，江西省发展和改革委员会、江西省扶贫和移民办公室印发《关于实施光伏扶贫工作的通知》，指出："十三五"期间，重点在赣南等原中央苏区和特困片区，把已建档立卡的贫困户特别是失能弱能贫困人口及贫困残疾人作为重点扶持对象，按户均不超过5千瓦的标准，以户用电站和村级电站为主要形式实施光伏扶贫工程。各级政府要整合现有产业扶贫资金、"扶贫和移民产业信贷通"支持政策和其他相关涉农、扶贫资金，以政府投资为主统筹解决光伏扶贫工程建设资金问题。光伏扶贫项目优先列入全省光伏建设计划、优先享受财政度电补贴政策、优先享受电网并网服务、优先享受金融优惠支持。

乐安县根据扶贫工作实施方案，将贫困户统一由村成立专业合作社的形式进行光伏申报和建设。全县统计在册贫困户9850户，涉及16个乡镇、140个贫困村，共成立合作社251个。2016年，南村乡炉桐村稠溪移民新村率先实施。稠溪移民

鳌溪镇桥陂光伏发电基地

新村200户，每户40平方米、5千瓦，共1000千瓦。是年起，实施光伏扶贫3年计划，每个村的电站规模为100千瓦，每年为每村增加4万～5万元集体经济收入。

风电　2010年9月，龙源乐安风力发电有限公司，拟静态总投资52131万元，在鸭公嶂（金竹、招携、南村、谷岗境内）建设高山风电场。项目拟安装30台单机容量2000千瓦风力发电机组，总容量60兆瓦，同时建设110千伏场内升压站1座，设置63兆伏安升压变电器1台，以一回110千伏线路送入110千伏乐安变电站，送出距离为36千米。2011年10月，委托江西省气象科学研究所编制完成《乐安鸭公嶂风电场风能资源评估报告》。2014年12月，项目部完成全部支持性文件的办理，取得国网江西省电力公司《关于龙源鸭公嶂风电场接入电网的意见函》和江西省能源局的核准批复。2016年10月，正式进场修建公路。

七、721矿电力设施

1958年，国营721矿投产，因地处山区，工区过于分散，故采取多点供电办法，共装设6台各200千瓦柴油发电机组供电。1961年下半年，721矿在公溪镇王陂村自建王陂发电厂，1963年4月21日第1台机组发电，1964年5月第2台机组发电，两机组均为苏联产1500千瓦汽轮发电机。1966年1月15日，南昌电网以110千伏高压输电线路向该矿供电，是年3月，721矿关闭王陂电厂，电厂员工全部调往新疆，电厂资产移交江西省电业管理局。

1963年，为确保国防工业721矿生产用电安全，国家投资500余万元，建设“罗抚公线”，即从罗家圩变—抚州—公溪62号变的110千伏送电线路和变电站工程，线路全长163.7千米。1964年7月开工，1965年9月全线竣工，1966年1月15日在抚州变站外线路短接后，由罗家圩变直接向721矿62号变电站送电，初装1台7500千伏安主变压器，向矿内3座35千伏降压站供电，10月25日拆除线路短接，恢复抚州变电站开关控制。1972年，该矿自61号变电站新装2台7500千伏安主变压器，向矿区内6座35千伏变电站供电。为确保721矿用电绝对可靠，1979年国家投资建设从丰城县洛市变电站至721矿61号变电站的第二路110千伏送电线路，1981年2月1日竣工送电，全长73千米，导线为LG–150型，额定输电容量257兆伏安，额定输送电流391安培。至1997年年底，

鸭公嶂风力发电

该矿自管110千伏7.4千米，35千伏变压器8台，容量17600千伏安；10千伏变压器130台，容量26500千伏安，成为抚州电网内用户容量最大的网络。

2003年起，乐安县供电有限责任公司陆续接管721矿电力设施资产，2016年接管35千伏变电站2座，即邹家山和山南变电站，容量均为6300千伏安。至2018年9月，接收721矿电力设施资产工作全部完成，按新标准重新布置台区14个。

县城西环路加油站

第二节 石 油

一、机构人员

1963年，县商业局成立石油五交化商店。1968年石油经营业务并入县生产生活资料购销站。1972年成立县石油五交化公司。1981年成立县石油公司，隶属于县商业局。1985年1月，县石油公司劳动、人事、工资由省石油公司管理，财经、物资及党组织和工青妇组织由县商业局代管。1990年8月，更名为江西省石油公司乐安支公司。1993年3月，更名为江西省石油总公司乐安支公司。1998年6月，中国石油行业整体重组，更名为中国石油化工集团公司江西抚州乐安石油支公司。2000年1月，因中国石油化工集团公司重组上市，更名为中国石化股份有限公司江西抚州乐安石油支公司。2002年3月，更名为中国石化股份有限公司江西抚州乐安石油经营部。2014年6月，更名为中国石油化工销售有限公司江西抚州乐安分公司。

2000年1月，中国石油化工集团公司统一部署重组改制，至2001年6月30日止，乐安石油支公司人员构成情况：上市人员27人，非上市人员8人，内部退休1人，因改制申请解除劳动合同18人。2016年公司在职人员44人，离休人员1人，退休人员16人。

1986—2016年，历任经理：邹克友、孙仁俊、康明生、邹克友、黄春林、章国华、聂少军、张小春、毛国安、曾奇勇、吴俊、黎俊辉。

二、油料销售

县石油产品供应和销售大致经历过控制供应、统配定量、高平结合、敞开销售4个阶段。

控制供应　1953—1977年为控制供应阶段。城乡居民煤油供应，按每人每季定量200克计算，压缩一般非生产用油。1970年，县内开始使用江西省通用汽油加油券，汽车凭证供应汽油。计划不能满足市场需求，公司经常组织人员到外地采购，也有部分计划内高价油，这些油料也按计划分配到有车单位。价格由省石油总公司与物价部门定出批零差率，县公司根据差率定价，报县物价局审批。

统配定量　1978年1月，《江西省石油产品的统购、统配、定量供应实施办法》及《江西省石油产品定量基本措施》颁布后，县内石油商品经营从控制供应阶段进入统配定量阶段，县石油公司为供应单位办理供应手续，实行“一年一定，分季安排，节约留用，跨年作废”的办法，建立用户档案，加强与用户联系。1981年9月，对全县照明用煤油实行凭票按户定量供应。1983年1月，县内开始使用全国通用油票。江西省发行的全国通用油票，只准在外省使用，不得在省内使用。

高平结合　1983年后，随着工农业生产发展和抗洪救灾的需要，成品油供需矛盾突出。根据国务院文件精神，县石油公司开始高价油经营，实行平价包干、高价调剂相结合的供应方式，以缓和供需矛盾。1986—1993年共购进议价汽油3746吨，议价柴油2368吨。1987年，中央专项安排化肥、柴油与粮食合同定购挂钩，每100千克贸易粮拨柴油3千克。1988年，变通兑现办法，要油给油，要钱补差价（每千克柴油补差0.35元，由供销社兑现）。1987—1992年供应粮挂柴油4119吨。1993年粮油挂钩政策取消。

敞开销售　1993年，国家物价局印发《1993年成品油平转高及统一计划高价成品油试行方案》，从1993年4月1日起，国家将成品油计划内高价、限价和定向附加价等多种价格并轨，一律执行统一高价油价格，取消计划油料供应，全面放开经营。乐安县石油公司对独立核算的社会经营加油站调拨油品一律按当地批发价结算。1994年，国务院印发《关于改革原油、成品油流通体制意见的通知》，石油经营完全纳入社会主义市场经济体系，合理竞争，自主经营。

县石油分公司石油产品经营以零售为主，工作重点是做好加油站的规范管理，提高零售量。2016年，全县共有加油站22座。其中，公司在营加油站8座，系统外加油站14座。

公司经营的8座加油站是：1982年投营县城加油站；1997年4月，投营山砀加油站；2001年8月，新建南门加油站；2003年4月，新建石塘加油站；2005年1月，新建商贸加油站；2005年3月，增泉站租赁开业；2005年9月，志远站租赁开业；2005年10月，乐南站租赁开业。

系统外14座加油站是：中石油乐安平安加油站、东家岭加油站、湖坪加油站、罗陂加油站、乐南加油站、谷岗加油站、招携加油站、金竹加油站、戴坊竹山加油站、湖溪加油站、山砀中海油加油站、戴坊沙堆加油站、临乐加油站、万崇加油站。

1986—2016年乐安县石油公司成品油销售情况表

表17-6-7　　单位：吨

年份	总量	其中		
		汽油总量	柴油总量	润滑油总量
1986	2978	1235	1654	89
1987	3656	1434	2106	116
1988	3608	1616	1915	77
1989	2811	898	1841	72
1990	2603	884	1646	73
1991	2048	593	1403	52
1992	484	173	306	5
1993	484	173	306	5
1994	244.5	898	1541	4.5
1995	2607	834	1768	5
1996	2205	665	1535	5
1997	2277	599	1673	5
1998	1988	755	1228	5

续表 17-6-7

年份	总量	其中		
		汽油总量	柴油总量	润滑油总量
1999	2006	644	1357	5
2000	2024.9	588	1432	4.9
2001	2135	788	1343	4
2002	2824.8	1107.2	1713.6	5
2003	4580.4	1735	2842	3.4
2004	6270.45	2096.6	4170.85	3
2005	7804.79	2463.54	5336.25	5
2006	9404.3	2823.26	6574.04	7
2007	10291.62	28459.48	7433.94	8.2
2008	10875.3	3661	7205	9.3
2009	11057.5	3934	7115	8.5
2010	9551	3902	5641	8
2011	14526	5102	9415	9
2012	17223	5970	11243	10
2013	17172	6674	10488	10
2014	18491	7705	10774	12
2015	17906.12	8561	9334	11.12
2016	16086.6	9556	6518	12.6
合计	210423.28	80917.08	128857.68	648.52

据测算，2013—2016 年，乐安县石油分公司成品油年销售量占全县成品油销售量 75% 左右，系统外加油站销售量占 25% 左右。

第三节 煤炭 燃气

一、煤炭

1984 年，成立江西省煤炭公司乐安县公司，隶属县商业局，是政策性亏损补贴企业，为国营专业性公司。内设人秘股、业务股、财统股，下辖 1 个成型煤加工厂和 1 个门市部。主要经营煤炭购销业务及全县居民生活用煤，负责全县煤炭经营管理工作。1987 年，投资 10 万元兴建办公大楼 1 幢。1988 年定为副科级单位。1992 年更名为乐安县燃料公司。1994 年，进入市场经济体制后，取消财政政策性补贴，主要经营全县生产、生活用煤，协助县整顿煤炭市场领导小组做好煤炭市场监管工作。1993 年有全民职工 28 人，固定资产 31.8 万元，成型煤加工厂每年加工成型煤 300 万吨（煤球、煤饼等），供应县城居民生活用煤。2004 年 7 月，企业实施改制，29 名职工身份置换。县城部分餐饮店用煤由 4 家个体户供应，年耗原煤 2000 吨左右。

二、石油液化气

1991 年 1 月 18 日，县政府第 16 次常务会研究，同意县二轻工业局成立乐安县石油液化气供应公司，2 月正式兴建乐安首家液化气站。该站坐落在鳌溪镇南门路枫树排 1 号，占地面积约 3100 平方米。1993 年 4 月，石油液化气供应公司与豪华建筑装潢公司合并，组建宏达总公司。1996年4月，宏达总公司拆分为豪华建筑装潢公司和县石油液化气供应站。2002 年 11 月县石油液化气供应站产权整体转让，31 名职工置换身份，解除劳动合同。此后，全县石油液化气市场由民营企业占据。

至 2016 年，全县有民营液化气站 12 座，即乐安县苏乐液化气有限公司、海峡液化气有限公司、宏达液化石油气储备站、牛田兄弟液化气站、万崇液化气站、招携液化气站、南村太平液化气站、公溪液化气站、腾飞液化气站、山砀液化气站、龚坊液化气站、增田液化气站，年销量 7200 立方米，总用户 2.6 万户。

三、管道天然气

2014 年 3 月 20 日，江西宸诺环保科技有限公司在乐安设立全资子公司：乐安县宸诺天然气有限公司，坐落在鳌溪镇文渊路，注册资金 2000 万元。7 月，取得乐安县住房和城乡建设局颁发的乐安县管道天然气特许经营许可证。项目总投资 1.2 亿元，在抚吉高速乐安互通进出口西侧建设占地 2.33 公顷每小时 3000 立方气源储备站一座，从门站引一条中压天然气管道到县城。2016 年 9 月 18 日，以 LNG 槽车拉运方式正式向县城名门首府小区供应气源，乐安居民首次用上清洁天然气。

至 2016 年年底，县城铺设中压管网约 25 千米，低压管网约 30 千米，小区居民燃气配套安装工程 6000 多户，公福业 8 户，商业用户 5 户，正式点火通气用户 2000 多户。配套小区有紫金花园、家和沁园、香山豪庭、南方国际商贸城、翰林世家、麒麟凤凰城、名门首府等，天然气平均日消费量为 1500 立方米，燃气到户单价为每立方米 3.9 元。

第七章　专项贸易

本章所记专项贸易包括乐安县 1986—2016 年烟草专卖、食盐专营、医药经营、农机销售等情况。

第一节　烟草专卖

一、机构人员

1985 年 1 月，成立乐安县烟草公司；7 月，更名为江西省乐安县烟草专卖局、中国烟草总公司江西省乐安县公司，两块牌子，一套人马，受县政府和地区烟草专卖局（公司）双重领导。其职责是统一经营、管理全县卷烟、烟叶专卖业务。2003 年 7 月，撤销乐安县烟草公司，设立独立法人抚州市分公司乐安县营销中心。2006 年 3 月，抚州分公司乐安营销中心更名为抚州市烟草公司乐安分公司。

1985 年，县烟草专卖局（公司）内设人秘科、业务科、财会统计科、市场管理股。1989 年，为配合县域发展烤烟生产，县烟草专卖局设置烟叶科，同时增设保卫科。1996 年 2 月，成立乐安县烟草专卖局警务室，至 1997 年年底撤销。

2016 年 12 月，县烟草专卖局内设综合股（办公室）、专卖办、内管派驻组、烟叶管理部、实验站、客户服务部；下设 12 个烟站和城区服务部、农村服务部，有正式员工 26 人，聘用员工 105 人，退休 15 人；有初级及以上职称 4 人；研究生学历 4 人，本科学历 13 人，专科学历 24 人。

1985—2016 年，历任经理（局长）：王树升、王南香、黎茶根、邓全生、周栋梁、章建其、李纪宁。

二、卷烟经营

域内卷烟一直由国家垄断经营，20 世纪 80

乐安县烟草专卖局办公大楼

年代初卷烟销售业务由县商业局副食品公司经营。1985 年设立县烟草公司，卷烟销售业务由县烟草公司独家经营，批发性质，经营方式为坐店等客，销售方式为单一大进大出。1995 年，将县域划分为 8 个片区，先后建立 8 个中心管理所和 8 个卷烟批发部，采取先访后送的销售方式，形成网络销售模式雏形。2001 年始，抚州市烟草行业开展营销网络建设工作，县烟草公司成立访销部、配送部。新增客户经理、送货员岗位，明确和细化岗位职能，逐步形成客户经理订单采集，公司统一配送，网络经营模式。2004 年，经营模式由传统的现金批发，转变为依托电子商务平台的网上配货模式，按照客户订单进行货源分配，采取网上结算为主，POS 机结算为辅的电子商务结算方式。订货模式由客户前来批发向电话订货转变，再由电话订货向网上订货模式转变。2010 年，网上订货率达 90%，电话订货率维持在 10% 左右。2015 年，销售总额、缴纳税金、完成利润均创新高。

1991—2016 年乐安县卷烟销售情况表

表 17-7-1　　单位：万元

年份	销售收入	税收	利润	年份	销售收入	税收	利润
1991	264.16	9.45	16.95	2003	6249.45	424.96	886.73
1992	280.46	11.76	18.73	2004	6889.77	489.12	977.10
1993	314.67	16.48	17.93	2005	8042.16	651.42	1254.04
1994	346.39	18.04	24.03	2006	9114.88	771.18	1577.89
1995	1345.92	45.78	86.08	2007	10344.79	893.79	2010.09
1996	1679.41	67.34	146.82	2008	11878.11	1026.26	2481.72
1997	1838.63	88.40	187.47	2009	14140.75	1160.89	3016.71
1998	2283.16	117.43	251.14	2010	15142.48	1243.20	3363.24
1999	2749.72	134.62	302.46	2013	17526.18	5161.52	6376.93
2000	3465.49	177.40	454.67	2014	20298.81	5497.60	4524.38
2001	4978.76	260.38	675.11	2015	23466.40	7099.93	5902.16
2002	5679.65	347.59	801.30	2016	20508.40	6463.58	5417.67

说明：缺 2011 年、2012 年数据

三、专卖管理

2000 年，乐安县烟草专卖局实行户籍化市场监管模式，将全县经营户分为 8 个片区，由 2 个中队实施分片管理。2006 年，县烟草专卖局在自律小组建设基础上，构建“社区引导、行业自律、诚信管理、文明经商、综合监管”的社区化管理运作模式。全县建立烟草社区 2 个，社区面为 40%；成立自律小组 16 个，小组成员 320 户。乡镇以上参加自律

小组的零售户290户。2010年，建立自律小组19个，小组成员1077户，纳入社区管理2个，形成经营户自律、专卖管理服务的专卖管理格局。至2016年，县烟草专卖局有专卖执法人员15人，设1个稽查大队和3个网点中队。专卖执法人员中，大专以上学历占87%，中级专卖技能鉴定管理人员6人。

1986—2016年乐安县烟草专卖管理情况表

表17-7-2　　单位：户、起、元、条

年份	经营户数	查获案件	上缴罚没款	查获卷烟	年份	经营户数	查获案件	上缴罚没款	查获卷烟
1986	148	0	0	0	2002	1310	8	362	93
1987	211	0	0	0	2003	1121	12	45518	374
1988	292	4	98	31	2004	1043	11	827	85
1989	42	2	136	44	2005	1153	16	2708	108
1990	306	2	109	38	2006	1224	12	368	38
1991	324	1	125	42	2007	1275	18	4375	84
1992	345	2	156	36	2008	1304	69	5107	174
1993	316	1	365	72	2009	1044	99	5820	180
1994	462	4	264	112	2010	1077	112	12161	152
1995	572	3	212	78	2011	1161	175	12087	897
1996	580	2	196	42	2012	1217	139	7433	4137
1997	559	1	156	37	2013	1322	141	4136	2091
1998	736	3	286	147	2014	1282	32	21487	1159
1999	952	5	212	91.3	2015	1258	33	74088	1725
2000	1635	22	452	165	2016	1192	51	42051	4826
2001	1826	10	215	75	—	—	—	—	—

四、扶助烤烟生产

20世纪80年代末，乐安县试种烤烟成功，经过20多年发展，2016年全县种植烤烟3000公顷，收购烟叶11.7万担。县烟草公司从2005年起，投入资金用于县域烤烟生产区基础设施建设、现代烟草农业示范点建设和烟用农机的推广使用，对改善烤烟生产条件，促进烟叶生产持续稳定发展起到重要作用。

基层烟站建设　2005年，烟草部门投入180万元，兴建戴坊行业标准烟叶收购站。2007年，投入约1200万元兴建南村、山砀、湖溪3座行业标准烟叶收购站。至2016年，乐安已有4座功能较齐全的基层烟站。

烟水烟路工程建设　2005年，烟草部门开始投入资金兴建烟水烟路工程。至2016年，共投入资金9958.92万元，建设项目67个，完成单体项目1185个，受益烟田15547.6亩。其中，兴修农田沟渠316.5千米，机耕道133.93千米，塘坝、水池126座。

烤房建设　2006—2016年，烟草部门共投入

资金10708万元，新建各类密集型烤房3301座。

农机补贴　2009—2016年，烟草部门为提高烟叶生产机械化水平，为烟农购置烟用机械提供补贴支持。各类农机购置1974台，补贴金额1433万元。

现代烟草农业示范点建设　2007年烟草部门投入110余万元建设山砀镇山砀村现代烟草农业示范点。2009年投入87万元建设南村乡前团村现代烟草农业示范点。2010年投入1100万元建设戴坊镇红光村现代烟草农业示范点。

其他扶助项目　2010—2016年，建设育苗工场8个，育苗中棚833个，投入资金654万元。2014—2016年，援建新农村33个，投入资金2672万元。2016年，实施基本烟田土地整理项目5个，投入资金206万元。

1991—2016年乐安县烤烟收购量表

表17-7-3　　单位：公顷、担

年份	面积	收购量	年份	面积	收购量
1991	559.33	8500	2004	562.88	26574
1992	783.93	19444	2005	654.84	29389
1993	800	15046	2006	701.48	31948
1994	17.33	403	2007	834.97	40033
1995	78.53	1590	2008	1099.38	67413
1996	20	367	2009	1167.06	60606
1997	386.67	7389	2010	1226.93	50864
1998	400	12000	2011	2067.7	100000
1999	666.67	20000	2012	2107.2	86783
2000	362	10012	2013	2062.7	85138
2001	460	10705	2014	2263.4	96000
2002	386.67	12568	2015	2049	83000
2003	573.33	17504	2016	3000	117000

第二节　食盐专营

一、机构人员

1981年成立乐安县盐业公司，从县副食品公司划出，隶属县商业局管理。1984年从商业局分出，上划省盐业总公司管理。公司内设人秘、财会、业务、盐政4个股。1989年，成立江西省盐业公司乐安县公司和乐安县盐务局，两块牌子，一套班子，合署办公，人财物归江西省盐业总公司、省盐务局管理。1993年有员工17人，其中正副经理各1人。2005年更名为江西省盐业集团公司乐安县分公司，人、财、物、购、运、销由江西省盐业集团公司和江西省盐务局管理。2015年，实行政企分开，更名为江西省抚州江盐华康盐业有限公司乐安分公司，隶属江西省盐业集团公司管理，内设综合办公室、食盐专营部，共有8人。

1986—2016年，历任经理（局长）：刘伍生、庄琴清、孙俊华、彭小明、陈茂生、游冬云。

二、食盐经营

1986年，在县城和江边村设有2座盐仓库，主要经营食盐批发；另有6座盐库，负责全县食盐的加碘和供应。是年，购进食盐2587吨，销售加碘食盐1793吨，库存1322吨。1993年，购进食盐2027吨，销售加碘食盐1698吨，库存1828

吨。2000年，购进食盐1425吨，销售食盐加碘1225吨，库存365吨。2016年，购进食盐1260吨，销售食盐加碘860吨，库存200吨。

食盐零售价格：1986年，每500克0.20元；1988年8月，每500克0.22元；1989年11月，每500克0.27元；1994年7月，每500克0.50元；2005年10月，每500克1.30元；2016年，每500克2.00元。1986—2016年，县盐业公司年均销售食盐1150吨，年均购进食盐1250吨，年均库存400吨，年均纳税利14.3万元。

三、盐政稽查

县盐务局贯彻执行国务院《食盐专营办法》等政策法规，加强食盐管理宣传。坚持在日常市场检查中边检查边宣传，进村入户与群众谈心说法，使群众知晓盐业法规，认识私盐危害，自觉抑制私盐。每年在“3·15”“5·15”碘食宣传日期间，分别与工商、消协、卫生、防疫等部门共同协作，在全县开展2次集中宣传活动，取得良好社会效果。

县盐业公司和盐务局担负着食盐加碘消除碘缺乏危害重任，严格执行国务院《盐业管理条例》《食盐专营办法》和《江西省盐业管理实施办法》，从严查处各类违法案件。1986年，查缴劣质食盐37吨，处罚违法盐贩104人；1993年，查缴劣质食盐67吨，处罚违法盐贩413人；2000年，查缴劣质食盐3.5吨，处罚违法盐贩2人；2016年，查缴劣质食盐2.3吨。净化了全县食盐市场，食盐安全得到保证。

第三节　医药经营

1956年1月，成立江西省医药公司乐安县公司。该公司人事、财务和经营业务由江西省医药总公司统一管理，归口县经济委员会。1996年有职工59人，其中大集体职工12人。公司内设人秘保卫股、财务股、质量管理股、中药生产业务股、药品器械股、江边医药批发站。另有县城医药大楼、象山药店、江边药店、古城药店等4个零售药店。公司经营全县医疗部门所需的中药材、中药饮片、中成药、西药制剂、生物制品、血液制品、麻醉药品、精神药品，并组织当地农户种植采收中药药材，予以收购加工批销。

1986—1989年，县医药公司业务经营状况良好，商品销售总额年均增长9.26%，实现利税年均增长8.5%。1986—1993年，药品购入总额1665.1万元，药品销售总额3380万元，药品零售总额为3088万元。

进入21世纪，医药经营权逐渐放开，药品销售收入逐渐滑坡，经济效益逐渐下降，至2000年彻底停业。根据国家抓大放小和药品批发零售分开经营的政策，公司将县城门市零售部20名职工分流到江西南华医药公司乐安分公司，继续零售经营。2002年，将药品批发经营许可证以90万元价格转让给樟树个体经营户。2005年，省医药公司将县医药公司改制工作委托乐安县经济贸易委员会管理。2011年1月，为职工交清社会保险费、失业救济金，发放安置费、失业金，签订解除劳动关系合同书，60名职工置换身份，其中退休职工17人。

1983—2011年，历任经理：唐介涛、江英杰、邓燕根、游小青、游水生。

第四节　农机销售

1973年2月成立江西省乐安县农业机械化服务公司，办公地址在宝塔路1号，与县农业机械管理站合署办公，两块牌子，一套人马，隶属县工业局。1981年上划省机械工业厅管理。1991年更名为江西省乐安县农业机械公司。公司设经理室、人秘股、业务股。主要经营拖拉机、汽车、农用车、农业排灌机械、农副产品机械、半机械、拖拉机配件等。公司有固定资产20万元，职工21人。其经营方式是经销联销，以销促进，以需促进，以进促供等。下属单位有公溪、万崇2个门市部。1986—1993年，累计销售收入110万元，利润9.6万元。其中，主机（拖拉机、汽车、农用车）销售收入42万元，农业排灌机械销售收入14万元，农副产品机械销售收入17万元，半机械销售收入7万元，拖拉机配件及其他销售收入30万元。

1986—1993年乐安县各类农机销售情况表

表17-7-4

部门	汽车（辆）	农用车及手扶拖拉机（辆）	农用排灌机械（台/套）	农副加工机械（台/套）	其他机械（台）	总动力（千瓦）
县农机公司	2	35	35	35	20	1323
公溪门市部	0	21	21	21	8	882
万崇门市部	0	14	18	28	10	735
合计	2	70	74	84	38	2940

1986—1993年乐安县主要农机销售情况

表17-7-5　　单位：台

年份	打谷机	碾米机	粉碎机	水泵	年份	打谷机	碾米机	粉碎机	水泵
1986	16	—	—	2	1990	42	8	3	26
1987	14	—	—	2	1991	56	6	5	4
1988	28	6	2	10	1992	60	10	5	8
1989	38	10	—	5	1993	80	10	5	12

1994年起，每年销售收入在400万元以上，至2003年企业改制，公司经营都是盈利。1996年，销售农用车240多辆，手扶拖拉机100多辆，汽车（江淮、康明斯等）38辆，轿车（桑塔纳等）16辆，及其他机械配件，销售收入1000万元，被国内贸易部评为全国先进单位。2003年，根据江西省人民政府《深化省属国有企业改革的若干意见》，企业进行改制，公司资产置换，在职24人置换身份。

1986—2003年，经理：吴平。

第十八卷
交通运输　信息产业

本卷目录

第一章　交通运输

1986—2016 年，乐安县交通事业得到长足发展。公路形成以省道、国道为主骨架的交通网络，通车里程不断延长、公路等级不断提高。国道、高速公路从无到有，县乡公路、乡村公路四通八达。新型交通运输工具不断增加与更新，摩托车、公交车、小轿车方便出行；农用运输车、重型卡车加快了物流运输。全面落实渡改桥，群众出行更安全。道路管理转向高标准、高要求，行政执法规范化、法制化。交通的快速发展有力促进县域经济社会全面发展。

第一节　设施建设

一、铁路建设

1965 年 6 月 1 日向乐线（向塘—乐安江边村）全线竣工，1966 年 3 月，客货运营，这是乐安域内唯一的铁路。2005 年，南昌铁路局投资 100 万元，对江边村火车站货场和军事运输站场进行改造，提高了运载能力。随着公路运输的兴起，铁路运输业务逐步萎缩，以致亏本运营，2012 年货运停运，2014 年客运停运。

二、公路建设与养护

（一）高速公路建设与养护

国家高速公路 G6011（南昌—韶关）和省道主干线 S46（抚州—吉安）在乐安县西部和中部区域自北向南和自东向西穿越全境，分别设置乐安北、流坑南和乐安、流坑 4 个互通进出口。

昌韶高速（编号 G6011）　南昌至宁都高速公路冈上至宁都段项目是规划建设中“南昌至宁都至兴国至韶关”国家高速公路网的一部分，是江西省“四纵六横八射线”高速公路网主骨架的重要路段。该项目于 2013 年 7 月开工建设，2015 年年底建成，2016 年 1 月 13 日通车。采用双向四车道标准建设，设计时速 100 千米，路基宽 26 米，在乐安县境内经过山砀、龚坊、戴坊、牛田、万崇、湖坪、罗陂等 7 个乡镇，分别在山砀镇和万崇镇境内设乐安北和流坑南两个互通进出口，境内全长 64.61 千米，投资约 45 亿元。

抚吉高速（编号 S46）　抚吉高速公路为省道主干线，是省政府规划的地方高速公路，于 2011 年 6 月开工建设，2012 年 12 月 28 日建成通车。采用双向四车道标准建设，设计时速 100 千米，路基宽 26 米，在乐安县境内经过鳌溪、增田、大马头、牛田 4 个乡镇，分别在县城南部和大马头乡设乐安和流坑两个互通进出口，境内全长 28.85 千米，投资约 12.5 亿元。

抚吉高速公路乐安增田互通出入口

两条高速公路均由江西省高速公路投资集团公司负责建设，分别由其下属的抚州管理中心和泰和管理中心负责养护。

对应两条高速公路设置4个互通出入口，修建4条连接线公路。

乐安互通连接线：按双向六车道一级公路标准建设，路基宽60米，沥青混凝土路面宽21.5米，长1.8千米，对接县城与抚吉高速乐安互通出入口，由乐安县人民政府出资修建，乐安县城市管理局管养。

流坑互通连接线：按二级公路标准修建，路基宽12米，沥青混凝土路面宽10.5米，长0.75千米，对接国道G238与抚吉高速流坑互通出入口，由江西省高速公路投资集团公司出资修建，乐安县交通运输局管养。

乐安北互通连接线：按双向四车道一级公路标准修建，路基宽36米，沥青混凝土路面宽16米，长5.11千米，对接国道G238、省道S313与昌韶高速乐安北互通出入口，由乐安县人民政府出资修建，乐安县交通运输局管养。

流坑南互通连接线：按二级公路标准修建，路基宽12米，沥青混凝土路面宽10.5米，长2.08千米，对接国道G238与昌韶高速流坑南互通出入口，由江西省高速公路投资集团公司出资修建，乐安县交通运输局管养。

昌韶高速流坑南互通出入口

（二）国省道建设与养护

国、省道建设

2015年前，乐安县无国道过境，在2015年全国公路网调整中，G238国道和G322国道分别从北到南和从东到西贯穿乐安全境，形成在县城十字交叉的结构形态，结束乐安县无国道过境状况。

国道G238　G238国道乐安段是由原宋水线焦坑至乐安县城段、原石黄线石塘至乐安县城段和原六上线石塘至都咀坳段组合成的新线路。起于江西省南昌市，纵跨丰城市，过丰城焦坑，进入乐安境内，自北向南穿山砀镇，过湖溪乡、龚坊镇，在县城由北转西，经鳌溪镇，过大马头乡、牛田镇、万崇镇、罗陂乡，由乐安、永丰两县交界点都咀坳村出境，境内全长85.94千米。2015年，全国公路网调整为G238国道。

G238国道丰城焦坑至乐安县城段，原为丰洛线段，后更名省道宋水线段（S222）。该线丰城焦坑至乐安县城段始建于1986年，利用世界银行贷款资金修建，初建标准为三级公路，于1988年10月30日竣工，全长38.94千米，路基宽8.5米，砂石路面7米，由乐安县政府管养。1987—1989年间，在原航桥乡驻地设立收费站，收取运行费，用于偿还贷款和公路养护，收费站于1989年撤销。焦坑至山砀段于1997年调整由抚州市公路分局乐安公路段管养，并于1998年对该路进行改建，建设标准为二级公路，路基宽12米，修建宽9米的沥青表面处治路面。2011年，对该路再次进行改建，修建8.5米宽水泥混凝土路面。山砀至县城自初建后至2004年一直为砂石路面；2004年，利用国债资金修建7米宽水泥混凝土路面。2014年，为构建县城与昌韶高速乐安北互通出入口之间快速通道，利用车购税资金和县财政资金进行改建，按一级公路标准建设，路基宽20米，沥青混凝土路面18.5米，新建马迹潭大桥、高峰高架桥和觉峰双线隧道一座，2016 年 12 月竣工通车。区间上坊至县城迎宾大道段改线，遗留的老路线单独构成一条农村公路，由乐安县交通运输局负责管养。县城区路段迎宾北大道、乐安大道西段于 2001 年和 2010 年按市政工程道路改建。

G238 国道石塘至乐安县城段。1933 年，国民党军第 27 师 79 旅黄樵松部为对苏区进行经济封锁，奉命修筑此段简易公路，于 1934 年春正式通车。1942 年，因日军入侵抚州、崇仁，为阻止日军入侵乐安，主动破坏该公路。1951 年 8 月，乐安县政府组织全县民工抢修过境的石乐线，是年 10 月 1 日全线修复通车，接通抚八线。经由石塘、潭港、林头弯、大元、小戴坊、塔元、河塘、前坪、坑口等村至县城，全程 15.1 千米。1957 年，县政府对此路进行改造，由石塘过潭港、林头湾、白石岭、琴元、东家岭、西坑至县城，全程 12 千米。1985 年，省公路局拨款 17 万元，县财政拨款 10 万元，以及群众集资 6 万元，计 33 万元，将该线县加油站至南门花园岔口全长 1.7 千米铺设水泥混凝土路面，平均路面宽度为 8 米。1991 年，对石塘至县城进行全面路基升级改造，公路等级三级，水泥混凝土路面，路基宽 9 米，路面宽 7 米。1993 年铺设沥青路面。2005 年，进行升级改造，按二级公路标准建设，路基宽 12 米，水泥混凝土路面宽 9 米。

G238 国道原六上线乐安石塘至都咀坳段，1986 年称 X923 石都线，2009 年更改为 S215 六家桥至上固。起于大马头的石塘，经牛田、万崇、罗陂至都咀坳，入永丰县止于上固乡，乐安境内全长 38.44 千米。是乐安县西南方向贯通牛田、万崇、湖坪、罗陂 4 个乡镇的主要线路。石塘至都咀坳段始建于 1933 年，因抗日期间挖毁，1954 年春，县政府以民办公助形式对此路进行修筑，1958 年 8 月全线竣工通车，1959 年 10 月乐安县养路段接管。1993 年，以民工建勤方式按三级公路标准改建，1997—2000 年，铺设沥青路面，宽 6.5 米。2012—2014 年，分期对该路进行升级改造，建设标准为二级公路，路基宽 10.5 米，水泥混凝土路面宽 8.5 米。在 2015 年全国公路网调整中，石都线列入 G238 国道。该线路的牛田大桥于 2015 年作为危桥进行拆除重建，结构型式为箱梁桥；万崇桥始建于 1981 年，为排架式板梁桥，2014 年进行加固维修。

国道 G322　起于浙江省瑞安市，终点为广西壮族自治区友谊关，途经浙江、福建、江西、湖南、广西等 5 个省区，其中 G322 国道乐安段于 1988 年江西省公路管理局规划确定称 S330 石黄线，全线经石塘、潭港，穿越乐安县城，再经谷岗，入宜黄县，过西源，止于黄陂，与临宁线相交，全长 54.64 千米，其中西源至谷岗段为断头路，长 6.99 千米。由石乐、乐谷、谷西、西黄 4 路段联结构成。2009 年，省公路局将 S330 石黄线更改为 S318 厚村至莲花线。在 2015 年全国公路网调整中，更名为 G322 国道。

G322 国道石塘至乐安县城段与国道 G238 共线，里程长 10.73 千米。

G322 国道乐安县城至谷岗段，全长 26 千米，1960 年开始修建，1964 年竣工通车；1990—1992 年，县政府以民工建勤方式新建外环路 4.5 千米，砂石路，公路等级为二级，从刘家湾起途经老虎坑、棺材坪、龙泉寺、南门花园、商贸城、土管局；1997 年 8 月，再次进行路面改造，沥青表处，路面宽 9 米，路基宽 12 米。2003 年以前，乐安县城至谷岗为 5 米宽砂石路；2003 年，县政府对该路段进行升级改造，铺设水泥混凝土路面，路基宽 7 米，路面宽 5 米，全长为 19.07 千米。2016 年，采用 PPP 建设模式开工建设宜黄西源至县城刘家湾段，按二级公路标准设计，路基宽 10.5 米，沥青混凝土路面宽 8.5 米，区间新建宜乐隧道和横家岭隧道 2 座单线隧道。

省道 S222 宋水线　此线于 1988 年 1 月江西省公路管理局规划确定称丰洛线，丰城市为起点，途经山砀镇的航桥村、山砀村，穿越抚八线，过龚坊、马迹潭、湖溪、高峰，穿过县城，再经增田、望仙、招携、坪溪至宁都县洛口镇为终点。2009 年，

昌韶高速与313省道鹏洲交会处

省公路管理局将此线路更名为S222宋水线（武宁县宋溪至广昌县水南），是乐安县贯通南北、沟通老革命根据地的主要线路，域内线路分为3段，总长103.77千米。

S222宋水线丰城焦坑至乐安县城，2015年调整为G238国道。

S222宋水线乐安县城至招携：2015年，调整为S227。县城至望仙始于1934年国民党军第27师为"围剿"苏区而修筑。抗日战争时期遭到彻底破坏，变为农田。1958年发动群众重修此路，1959年由望仙修至招携，是年12月竣工通车。乐招线全长37千米，砂石路面，1978年1月，此路段由县养路队移交到乐安公路段接养。1996年，按三级公路标准进行改建，除县城至增田大桥段于1997年铺设6.5米宽的沥青表处路面，其他路段均为砂石公路。2000年5月至2003年11月，望仙至招携由原坪上、银口、洞口方向进行改线，新建高望至招携路段，从望仙街途经高望村、冷湾垅村、马家塅村、南坪村至招携镇，公路等级为三级，路基宽10.5米，砂石路面宽7.5米；2005年4月，增田大桥至招携段利用国债资金建设水泥混凝土路面，路基宽7米，路面宽6米；2007年，建设6.5米宽水泥混凝土路面，全长24.58千米。2013年8月至2015年10月，公路部门再次对县城至招携段进行升级改造，按二级公路标准建设，路基宽10米，水泥混凝土路面宽8.5米，期间增田大桥于2014年进行危桥重建，将原有双曲拱桥拆除，建设钢筋混凝土梁板桥。

S222宋水线招携至大树岭线：2015年，调整为S227。招携至山坑于1969年由林业部门投资修建，山坑至坪溪于1968年县政府为加速老区建设，组织群众修筑，于1970年竣工通车。1987年，县政府采取以工代赈形式修筑坪溪至徐庄公路，全长8.3千米。1990年，国家计划委员会下达的以工代赈项目，于1991年年初经省计划委员会批准，实施招携过青里，经坪溪、徐庄至大树岭公路，组织16个乡镇的5000多民兵完成路基土石方137万立方米，完成26千米路基工程，1993年建成通车，按四级公路标准建设，路基宽6.5米，砂石路面宽4.5米。2005年，招携至坪溪进行路面改造，建设宽为5米水泥混凝土路面。坪溪至大树岭于2009年建设6米宽水泥混凝土路面。

省道S227鳌溪至盱江公路　2015年，由原省道S222宋水线经全国公路网规划调整而来，起点位于乐安县城南门花园，经增田、望仙、招携、坪溪，过乐安、宁都两县交界的大树岭，再经过宁都东韶、广昌尖峰等地，终点位于广昌县城盱江镇，乐安县境内全长57.56千米。

省道S313巴山至文峰公路　1986年称S329抚州至八都公路，抚八线由抚州起始，穿过临川区上顿渡镇，崇仁县的六家桥、巴山镇，经乐安县的公溪、山砀、龚坊、戴坊、石塘等地，过永丰县城，到达吉水县八都镇。全长119.61千米。2009年，经省公路局调整，更改为S215六家桥至上固公路，起点是崇仁县六家桥，途经公溪、山砀、龚坊、戴坊、石塘、牛田、罗陂，终点是永丰县上固乡。2015年，国家公路网调整中命名为S313崇仁巴山至吉水文峰公路。起点是崇仁县巴山镇，途经公溪、山砀、龚坊、戴坊、石塘，改道永丰县城至吉水县文峰镇。1932年，国民党实行"交通剿共"政策，修筑抚州至吉水八都公路，乐安县境内47千米，经过公溪、山砀、龚坊、戴坊、石塘等地。日军入侵南昌后，为防日军南侵，将路基全部毁坏，大部分变为农田。1951年8月，乐安县政府组织全县民工抢修过境的石乐线，是年10月1日全线修复通车。1991—1992年，乐安县政府以民工建勤方式，组织20个乡镇（场）、县直机关和721矿、261大队民兵2.5万多人扩建改造抚八线乐安段，公路等级三级，砂石路面，路基宽9米，路面宽7米，全长46.54千米，1993年10月，首次铺设沥青路面17.86千米。2003年12月29日至2005年12月12日，再一次进行升级改造，改造后公路等级为二级混凝土路面，路基宽12米，路面宽9米，全长44.71千米。戴坊至石塘段于2016年年底进行路面大修，铺设沥青混凝土路面。S313巴文线乐安段是乐安最早建设的干线公路，连接京福、赣粤、梨温3条高速公路，以及105、206、316等3条国道，昌厦、东临2条一级公路。

省道S536招携至万崇公路　自东向西横穿乐安县南部区域，东起招携镇，经银口、参陂、湖坪，西至万崇镇，分别与省道S227和国道G238相连，同时与昌韶高速流坑南互通连接线相交，是上述3条高速、国、省道的联络线路，共同构建乐安县南部区域公路骨架网。省道S536是2015年国家公路网规划调整后新增省道，组成路线包括原省道丰洛线改造后遗留线路招携至银口和县道X929银口至万崇公路共同组成，全长27.04千米。其中，招携至银口建于20世纪50年代，为开发南部山区林业资源而建，2005年进行改造，建设标准为四级公路，路基宽6.5米，水泥混凝土路面宽5米，2015年再次进行升级改造，建设标准为三级公路，路基宽7.5米，水泥混凝土路面宽6.5米。银口至万崇公路建于20世纪50年代初期，系由乡村道路和机耕道演变而成，于2001年、2003年和2004年陆续进行路面改造，建设标准为四级公路，5～6米宽水泥混凝土路面，2014年对全路段进行升级改造，按三级公路标准建设，路基宽7.5米，水泥混凝土路面宽6.5米。

省道S312黎墟至欧里公路　S312乐安段2015年国家公路网调整时改为省道，包括原721矿矿区专业公路莲塘至张坊，原县道X925莲塘至湖溪和原省道G221戴坊至潭丘，同时新增规划路段湖溪至戴坊，全长43.01千米。路线自西向东在乐安县北部区域穿越，起于乐安、崇仁两县交界的沙洲，经莲塘、杨家、丁垄、甘泉、湖溪、戴坊、沙堆、峰岫，止于乐安、新干两县交界点潭丘。沙洲至莲塘原为721矿矿区专用公路，1982年，建设为四级公路，水泥混凝土路面宽5米；莲塘至湖溪公路原为县道X925一部分，2004—2006年，建成四级公路，水泥混凝土路面宽5～6米；湖溪至戴坊段为断头路；戴坊至潭丘公路建于1993年，建设标准为三级公路，路基宽7.5米，砂石路面，2007年，按三级公路标准进行路面改造，路基宽10.5米，沥青混凝土路面宽8.5米。2016年，进行公路改造，公路等级二级，路基宽10米，路面宽8.5米，沥青混凝土路面。

省道S433巴山至鳌溪公路　2015年，国家公路网规划调整，原县道X913崇仁至店元公路调整为省道，S433线路名称为巴山至鳌溪公路，乐安县境内长4.7千米。2007年，改建成水泥公路，公路等级为四级，路基宽4.5米，路面宽3.5米，线路起点为崇仁、乐安两县交界点浯樟，经过咸溪、丁元水库，终点与国道G322相交接。

国、省道养护

乐安县公路管养体制由于历史原因，一直未能得到理顺，分级负责机制未能有效落实。乐安公路网建设起步晚，规划的断头路段基本由县政府出资修建，建成后由于养护资金和人员落实困难，同时，因公路网规划调整，部分农村公路路段调整为国省道，公路局未能及时接养。因此，除国道G238界溪至山砀、国道G238县城至都咀坳、国道G322刘家湾至石塘、省道S313成富至石塘、省道S312沙洲至湖溪、省道S227县城至金竹、省道S536招携至万崇由抚州公路局乐安分局管养外，其他国、省道均由县政府委托乐安县交通运输局负责管养。

（三）县乡道建设与养护

县道建设

1998年全县第一条农村公路（流坑—水南）水泥混凝土路面建成通车，2005年全县所有通乡镇政府所在地公路建成水泥混凝土路，2010年全县所有行政村驻地公路全部硬化。2016年年底，所有集中居住25户以上自然村进村公路硬化。

县道X063湖坪至罗田公路　原为乡村道路，2015年全国公路网规划调整时，编为县道，路线起点为湖坪乡政府（省道S536），途经湖坪乡圳上村，罗陂乡上洋村、罗陂村、杏园村等地，终点是罗陂乡罗田村（国道G238），全长13.49千米。其中，湖坪至圳上于2006年修建3.5米宽水泥混凝土路面；圳上至上洋2013年修建6米宽水泥混凝土路面；上洋至罗陂村2004年修建3.5米宽水泥混凝土路面，罗陂村至罗田村2001年修建5米宽水泥混凝土路面。

县道X064莲塘至新居公路　起点位于公溪镇莲塘村，与省道S312相交，经铁路下、田西、渡头、公溪、公溪工业园区，终点公溪镇新居村，与省道S313相接，全长9.15千米。该路线系2015年全国公路网规划调整时，将原县道X925公溪至莲塘与部分乡道及原矿区公路公溪至新居路段结合调整为现新县道X064。其中，公溪至莲塘建于1967年，原为721矿矿区公路，1982年建设5米宽水泥混凝土路面，1993年纳入县道X925公溪至湖溪公路管养，2004年按三级公路标准改建成6米宽水泥混凝土路面。公溪至新居公路建于1967年，原为721矿矿区和261大队专用公路，2010年改建为12米宽水泥混凝土路面。

县道X065谷岗至招携公路　2015年全国公路网规划调整时，将原县道X926谷岗至火嵊公路，县道X928招携至山坑公路结合其他农村公路组合成新县道X065谷岗至招携公路，全长56.24千米。该路线起点位于谷岗乡谷岗村，与国道G322相接自北向南经登仙桥、坳下、路南、水口、火嵊、小金竹、茶园、天子地、坝上、杭村，止于招携镇政府驻地，与省道S227相连。其中，谷岗至火嵊于1957年年初建，原为林区公路。20世纪80年代初，全国第一次公路普查时规划为县道，2005—2007年，进行路面改造，铺设4.5米宽水泥混凝土路面；火嵊至小金竹原为民间道路，2006年利用通村公路建设资金修建4.5米宽水泥混凝土路面；小金竹至茶园为断头路，尚未修建；茶园至天子地建于2003年，2010年修建3.5米宽水泥混凝土路面；天子地至招携建于1969年，为林业部门投资建设的林业公路，第二次全国公路普查时调整为县道，2008—2010年间修建3.5米宽水泥混凝土路面。

县道X067县城至望仙公路　是南村乡与县城相连接的一条重要县道，起于县城东环路（G322城区路段）惠民小区路口，经鳌溪镇赖村、青山、四都排，增田镇瑶田，南村乡望下、太平、管坊、南村、前团、山湾，终点与省道S227相接，全长31.9千米。该路由原县道东南公路和前望公路于1995年全国第二次公路普查中调整为县道，之后线路编号多次变更，但县道行政等级一直未变。其中，乐安至南村公路于1958年年初开始施工，1959年竣工通车；1999—2001年分期进行改建，建设标准为四级公路，路基宽6.5米，水泥混凝土路面宽5米；2014—2015年进行升级改造，建设标准为三级公路，路基宽7.5米，水泥混凝土路面宽6.5米。前团至望仙公路建于1959年，全长10.35千米，1985年进行改线，缩短4千米，建设标准为四级公路，路基宽6.5米，砂石路面宽4.5米。2005年南村至下山建设3.5米宽水泥混凝土路，2011年拓宽改造路面至6.5米。2009年下山至望仙进行路面硬化，建成5米宽水泥混凝土路面。

县道X918戴坊至上袍公路　起于戴坊镇，与省道S313相接，经新街、甘竹、竹山、麦坑、大池等村，终点位于乐安、永丰两县的交界处，全长14.40千米。该路建于1959年，2005年进行四级公路改造，建成5米宽水泥混凝土路面，6.5

米宽路基。

县道 X917 望仙至枫树下公路　在原县道 X930 流坑至枫树下的基础上东延至招携镇望仙村，2015 年全国公路网规划调整时，结合部分乡村道路形成。起点位于望仙村，与省道 S227 相衔接，经高望、水西、坪上、东炉、徐田、东岸、南安、流坑、麻坑、水南、山脚街、西务、高坪等地，终点位于乐安、永丰两县交界点牛坪，全长 31.55 千米。其中，望仙至水西为原省道丰洛线的一部分，于 1934 年国民党军队为对中央苏区进行军事“围剿”而建，抗日战争期间被破坏，直到 1958 年重建，2003 年因省道改线调整规划为乡道，2009 年修建 4.5 米宽水泥混凝土路面，2016 年，进行三级公路升级改造，建成 7.5 米宽路基、路面 6.5 米宽水泥混凝土路；水西至徐田原为民间小路，2003—2007 年分期进行改建，修筑 3.5 ~ 4.5 米宽水泥混凝土路面；徐田至东岸为断头路；东岸至流坑于 2004 年修建 3.5 米宽水泥混凝土路面；流坑至水南原为民间道路，于第二次全国公路普查期间调整为县道 X930，1998 年修建 4.5 米宽水泥混凝土路面，为乐安县第一条农村水泥公路；水南至高坪由民间道路调整为县道 X930 的组成路段，1974 年修建砂石路面，2002 年修建 3.5 米宽水泥混凝土路面；流坑至高坪于 2014 年进行三级公路升级改造，建设路基宽 7.5 米，路面 6.5 米宽水泥混凝土路，2015 年年底完工。

县道 X916 万崇至遇元公路　原为民间道路，第二次全国公路普查时编为乡道，2015 年全国公路网规划调整时规划为县道。起于万崇镇，与国道 G238 相接，经池头、武数、盐丰、汪家边等村，终点位于乐安、永丰两县交界点罗公墟，全长 13.33 千米。万崇至盐丰段于 2004—2006 年间修建 4.5 米宽水泥混凝土路面；盐丰至罗公墟建于 1995 年，2007 年修建 3.5 米宽水泥混凝土路面。

县道 X915 金竹至南坑公路　2005 年全国公路网规划调整时，编为县道，起于金竹乡徐庄村，与省道 S227 相接，经上严坑、菜家园、吓通、流舍、军田塅、山吊石、半坪、乌石等地，止于乐安、永丰两县交界的老港村，全长 25.16 千米。其中，徐庄（下严坑）至菜家园始建于 2008 年，2015 年修建 3.5 米宽水泥混凝土路面；菜家园至吓通为断头路；吓通至军田塅建于 1998 年，2009 年修建 5 米宽水泥混凝土路面；军田塅至山吊石原为县道坪溪至金竹公路的组成路段，建于 1968 年，1982 年按四级公路标准改建成砂石公路，2007 年建成 4.5 米宽水泥混凝土路面；山吊石至老港原为民间道路，2006 年建成 3.5 米宽水泥混凝土路面。

乡村道路建设

乡道 Y631 坪溪至金竹公路　2015 年全国公路网规划调整时，将原县道 X927 山坑至金竹公路中的坪溪至金竹调整为乡道，路线起点是坪溪街上，与省道 S227 相接，经金竹畲族乡政府、住场湾、大通、新路港、军田塅、山吊石，止于原金竹乡政府，全长 16.95 千米。全路建于 1968 年，1982 年重修为路基 4.5 米宽的四级砂石路面。2005—2007 年进行改建。其中，坪溪至军田塅于 2005 年进行路面硬化，建成 4.5 米宽水泥混凝土路面，军田塅至山吊石与县道 X915 金竹至南坑公路共线，于 2007 年建成 4.5 米宽水泥混凝土路面，山吊石至金竹于 2007 年进行路面硬化，铺设 4.5 米宽水泥混凝土路面。

乡道 Y652 山砀至鹏洲公路　为进一步完善全县公路网络化建设，构建北部区域主干公路循环线路，2015 年全国公路网规划调整时，将原有多条分散间断的乡、村公路调整规划为乡道 Y652 山砀至鹏洲公路。该路线起于山砀镇山砀村，与国道 G238 相接，经山砀镇叶山、荷塘、樟坊，龚坊镇大垅、濂坑、官堆上、长罗、陈家脑、上新屋，戴坊镇柴塘、朱元、楼下、沙堆、横江、仓下、蔡岭、石陂、庙背、竹山、龙兴、桐田、仲溪等村，止于戴坊镇小曹村，与省道 S313 相接，全长 48.27 千米。全线除仓下至蔡岭为砂石简易公路外，已陆续建有宽度不一的水泥混凝土路面，其中，山砀至七孔桥于 2005 年建成 3.5 米宽水泥混凝土路面；七孔桥至叶山于2016年建成6米宽水泥混凝土路面；叶山至樟坊于2004年建成3.5米宽水泥混凝土路面；樟坊至大垅于2016年建成3.5米宽水泥混凝土路面；大垅至濂坑于2009年建成3.5米宽水泥混凝土路面；濂坑至陈家脑于2008年建成5米宽水泥混凝土路面；陈家脑至上新屋于2008年建成5米宽水泥混凝土路面；上新屋至柴塘于2011年建成3.5米宽水泥混凝土路面；柴塘至楼下于2005年建成4.5米宽水泥混凝土路面；楼下至沙堆与省道S312共线，2016年年底按二级公路标准进行改建；沙堆至横江于2006年建成4.5米宽水泥混凝土路面；横江至仓下于2007年建成3.5米宽水泥混凝土路面；蔡岭至石陂于2014年建成3.5米宽水泥混凝土路；石陂至庙背于2013年建成3.5米宽水泥混凝土路；庙背至竹山与县道X918戴坊至上袍公路共线，于2005年建成5米宽水泥混凝土路；竹山至龙兴于2009年建成3.5米宽水泥混凝土路面；龙兴至仲溪于2012年建成5米宽水泥混凝土路面；仲溪至小曹村于2004年建成3.5米宽水泥混凝土路，因修建昌韶高速公路于2015年损毁，于2016年重新铺设3.5米宽水泥混凝土路面。

乡道Y401口前至白石公路　该路始修于1975年，是为建设东陂湾水库运输砂石材料建设的一条简易公路，随着区域公路网络不断扩展和优化，该路日渐发展成为省道S313、国道G238的联络线。该路线起于省道S313山砀镇口前村众和村小组路段，经元家、口前、草坑、铜江、航桥，与国道G238相交，下穿昌韶高速公路后，经塔城，止于厚坊村，全长13.99千米，全线于2004—2005年分期建成3.5米宽水泥混凝土路面。

乡道Y407罗家墟至古城公路　原为721矿区专用公路，始修于1963年，连接原721矿办公区公溪与原省道抚八线，中途与江边火车站进站公路相接，二十世纪七八十年代是乐安县对外运输的主通道。该路起于省道S313罗家墟路段，经荷陂、王陂，止于公溪老街三岔路口，与县道X064莲塘至新居公路相交接，全长3.55千米，于2001年修建6米宽水泥混凝土路面。2006年进行升级改造，按二级公路标准建设9米宽水泥混凝土路面。

乡道Y414龚坊至罗陂脑公路　原为简易公路，经多次改造建设，发展成为龚坊镇境内一条主要的运输线路。起于龚坊镇老街农贸市场，与省道S313相交后，经练陂、哈陂下、陈家脑、长罗、官堆上、麻田、濂坑、洋江上、殷坊、下司、元头等地，止于罗陂脑村，全长18.55千米，先后于2008年和2012年建成5米宽水泥混凝土路面。

乡道Y438增田至牛田公路　为县城中部区域一条重要的横向骨干公路，是国、省、县道路网的补充线路和区域循环路。东起增田镇，与省道S227相接，经增田街、温田、王沙、邓家边、寒南、枣树下、脑风亭、牛田等地，止于国道G238牛田老街，全长19.88千米，全路除枣树下至村头段为砂石路外，其余路段分别建有3.5～6米不等水泥混凝土路面。

乡道Y450芳草至竹园公路　金竹畲族乡芳草村是全县最后一个修通水泥公路的行政村，通往该村的公路原为村道，沿线均为崇山峻岭或陡峭的山崖河谷。根据省委、省政府要求，为实现“十一五”期间解决全部行政村通硬化公路目标，该路列入2010年国家农村公路改造工程计划，于是年年底建成3.5米宽水泥混凝土路面，标志着乐安县所有的行政村公路全部硬化。为加强该路的管养，在2015年全国公路网规划调整时，将该路结合金竹至竹园的村道一并调整为乡道Y450芳草至竹园公路，起点位于芳草村，经竹家坡、王泥坑、深口、石嵊上、金竹、泥无新村、笼口等地，止于竹园村，全长13.13千米。

农村公路养护

乐安县地域广阔，农村公路分布广散。由于历史原因，大多数农村公路由民间道路演变而来，建设标准低，抗灾能力弱，同时由于交通系统管理体制尚未理顺，在燃油税改革前，交通部门经费包括养路经费，属部门内上下调拨，养路多被认为是部门行为和职责。随着交通管理体制逐步理顺，1998年1月1日，《中华人民共和国公路法》颁布实施，明确公路养护实行分级负责管理格局；2010年6月1日，省交通运输厅颁布实施《江西省农村公路养护管理暂行规定》，进一步确定农村公路的管养责任主体为县人民政府；实行县道县养、乡道乡养、村道村养的体系。其中，县道委托县交通运输主管部门具体承担。

为加强公路管理和养护工作，1986年之前，县养路队负责县内的乐安至招携公路、乐安至南村公路、石塘至都咀坳公路日常养护。随着公路网不断调整，乐招线、石都线调整为省道，先后移交至抚州地区公路分局乐安县公路段养护管理。县养路队管养里程减少，部分养路工人连同管养的公路一并移交县公路段。1986年，乐安县公路段实行层层承包责任制，每年由公路段对7个养路道班签订公路养护目标管理合同，实行养路承包。1989年，推行“养路承包经济责任制”，按各道班管养路线等级、里程，对各队实行定编制、定经费、定任务指标、定砂石材料、定运距的办法进行管理。1994年，乐安公路分局根据抚州地区公路局制发《各养路队公路养护承包经济制度实施办法》，实行“经费包干、任务到位、定额生产、按劳分配”办法，按每个工人出勤多少、工效高低挂钩，实行多劳多得、少劳少得、不劳不得的原则进行分配，调动广大职工积极性。

1984年，撤销县养路队，成立乐安县公路管理站。农村公路（县、乡、村道）养护管理划归县公路站具体领导和管理，下设东南公路养路队，分4个道班，有养路工人17人，负责乐安至南村公路的养护。1989年，焦乐公路利用世界银行贷款建成后，地区公路分局未对该路接管，暂由县管养，成立焦乐公路养护队，设小岭、湖溪、淡川和航桥4个道班，有工人24人（其中临时人员20人）负责焦乐公路养护。两个养路队对公路的养护工作一直坚持至1996年，由于农村公路养护经费没有来源，加之养护工工作条件恶劣，待遇低，无人愿干。上述两个养护队正式人员回归县公路管理站另行安排岗位，临时人员遣散，农村公路日常养护基本上未开展。一般公路损毁修复，由乐安县交通局负责安排资金委托社会力量临时开展。20世纪90年代后期到“十二五”期间，农村公路以路面硬化改造为主，养护工作需求不甚强烈，相关设施修复也以工程建设的形式代替。随着进村入户农村公路全面硬化，维护管理好相关基础设施，逐步成为农村公路发展内在要求。2014年始，在省、市、县各级交通主管部门的重视和大力推动下，农村公路养护形成新格局，各级农村公路日常养护费用按不少于县道3000元/年·千米，乡道1500元/年·千米，村道500元/年·千米的标准列入县级财政年度预算，由县交通运输局负责管理和核报，在日常经费按规定到位的情况下，省交通运输厅安排养护大中修工程补助资金，标准为：县道7000元/年·千米、乡道3500元/年·千米、村道1000元/年·千米。在经费来源稳定情况下，乐安县农村公路养护工程稳步推进，县公路管理站具体负责全县农村公路养护日常考核和管理、养护工程年度计划的编制和落实。

2010年4月，惠通公路养护有限公司成立，负责县道的日常养护作业；各乡镇成立农村公路养护站，负责辖区内乡道、村道的日常养护作业，农村公路养护管理体系和机制逐步形成，并按要求向社会化方向发展，农村公路路况日益退化的形势得到控制，农村公路养护正朝正规化、制度化方向推进。

2016年乐安县县、乡公路基本情况表

表18-1-1　　　　单位：千米

路线编码	路线名称	路段里程	路面类型里程			公路等级	建成年份
			水泥混凝土	简易铺装	未铺装		
X063361025	湖坪—罗田	13.48	13.22	0.26	0	三级	在修建
X064361025	莲塘—新居	9.15	9.15	0	0	二级	2007
X065361025	谷岗—招携	56.24	44.09	0	12.15	三级	2008
X067361025	县城—望仙	31.9	31.9	0	0	三级	2016
X915361025	金竹—南坑	25.16	25.16	0	0	三级	2016
X916361025	万崇—遇元	13.33	7.02	6.31	0	三级	在修建
X917361025	望仙—枫树下	31.55	27.75	0	3.8	三级	2015
X918361025	戴坊—上袍	14.4	13.33	1.07	0	三级	2005
Y401361025	口前—白石	13.99	13.99	0	0	四级	2004
Y402361025	口前—社坑	2.62	2.62	0	0	四级	2005
Y403361025	草坑—山砀	3.12	3.12	0	0	四级	2005
Y404361025	黄家—山砀	5.88	5.88	0	0	四级	2007
Y405361025	山砀—田下	2.94	2.94	0	0	四级	2009
Y406361025	山砀—界溪	13.99	13.99	0	0	四级	2004
Y409361025	公溪—厚发工业园	10.82	7.52	0	3.3	四级	2010
Y410361025	火车站—土山	9.36	9.36	0	0	四级	2006
Y652361025	山砀—鹏洲	6.09	6.09	0	0	四级	2013
Y407361025	罗家墟—古城	3.54	3.55	0	0	二级	2006
Y408361025	公溪—甘泉	8.85	8.85	0	0	四级	2011
Y411361025	杨家—梅溪	16.0	3.91	0	12.09	等外	2010
Y416361025	梅溪—戴坊	3.58		3.58	0	等外	2013
Y420361025	甘泉—阳光	5.8	5.8	0	0	四级	2010
Y421361025	熊家—白石	3.64	2.45	1.19	0	四级 2.45 等外 1.19	2007
Y422361025	洪斜—沙港	5.7	3.1	0	2.6	四级 3.10 等外 2.60	2007
Y413361025	龚坊—古竹	0.15	—	0	0.15	等外	2009
Y415361025	仲溪—高坑（永丰）	5.1	5.1	0	0	四级	2013

续表 18-1-1

路线编码	路线名称	路段里程	路面类型里程			公路等级	建成年份
			水泥混凝土	简易铺装	未铺装		
Y416361025	梅溪—戴坊	5.48	5.48	0	0	四级	2008
Y417361025	小曹—丰元	15.95	15.95	0	0	四级 7.657 等外 3.617	2006
Y41861025	排下—古竹	4.67	4.67	0	0	四级	2009
Y652361025	山砀—鹏洲	21.96	21.96	0	0	四级	2005
Y424361025	林头—下陂	6.97	5.7	0	1.27	四级 5.7 等外 1.274	2007
Y425361025	鳌溪—下岭	10.12	5.6	0	4.52	四级 5.6 等外 4.52	2003
Y426361025	鳌溪—大元	7.32	3.53	0	3.79	四级 3.53 等外 3.79	2015
Y427361025	林头—温田	7.86	2.13	0	5.73	四级 2.13 等外 5.73	2015
Y428361025	朱溪（崇仁）— 太平（乐安）	14.77	11.15	0	3.62	四级	2010
Y42961025	王坊—西坑	8.14	3.85	0	4.29	四级	2010
Y430361025	水口—小港	13.29	9.96	0	3.33	四级	2010
Y431361025	登仙桥—太平	12.89	0.21	0	12.68	等外	2004
Y427361025	林头—温田	11.54	2.13	0	9.41	四级 2.13 等外 9.41	2015
Y432361025	望下—南村	7.86	2.13	0	5.73	四级 2.13 等外 5.73	2006
Y433361025	带陂—南村	5.66	5.66	0	0	四级	在修建
Y434361025	南村—樟坑	6.57	6.57	0	0	四级	2007
Y435361025	南村—努坪	7.96	7.96	0	0	四级	2006
Y436361025	前团—稠溪	9.56	9.56	0	0	四级	2003
Y437361025	瑶田—增田	18.92	15.69	0	3.23	四级 15.69 等外 3.23	2014
Y438361025	增田—牛田	14.27	14.27	0	0	四级	2007
Y439361025	西边—温田	4.48	1.35	0	3.13	四级 1.35 等外 3.13	2013
Y440361025	石陂—汤元	23.26	6.34	12.95	3.97	四级 6.34 等外 3.97	2007

2008—2011 年乐安县撤渡情况表

表 18-1-3

渡口名称	所在乡镇	所在行政村	所在河流（水库）	撤渡时间
陈家渡口	公溪镇	陈家村	公溪河	2008 年 9 月
对门渡口	山砀镇	田下村	公溪河	2011 年 6 月
官庄渡口	牛田镇	官庄村	牛田河	2008 年 9 月
谢家渡口	牛田镇	麻坑村	牛田河	2011 年 6 月
南安渡口	牛田镇	南安村	牛田河	2011 年 6 月
东元渡口	南村乡	努坪村	东元水库	2011 年 4 月

四、桥梁建设

进入 21 世纪，乐安县桥梁建设快速发展。通过新建、改建公路以及改渡建桥，桥梁大量增加，同时对部分存在严重安全隐患的病危桥以及难以适应交通运输需要的桥梁进行重置，全县公路桥梁的承载能力得到大幅提高。至 2016 年年底，全县有公路桥梁 341 座，其中大桥 43 座，中桥 68 座，小桥 230 座。流坑大桥最长（806.5 米），马迹潭大桥时为全区唯一不等跨式大桥。这些桥梁的建设进一步优化和改善了全县交通网络。

（一）古桥

乐安县自建县至 1949 年间，多在深沟峡谷与河面上建造一些桥面宽不及 4 米，跨径不足 10 米，具有一定民族风格的乡间小型石拱桥。

登仙桥　位于谷岗乡登仙桥村，距乡政府驻地约 5 千米，横跨谷岗河上游，始建于北宋天圣年间，距今千年，因原桥址位于洪门村口，原名“洪门桥”。传说南宋嘉定年间（1208—1224 年），闽汀诗人葛长庚，怀才不遇，化名“白玉蟾”，云游大华山，在“洪门桥”留有“仰卧洪桥似登仙”的诗句，故“洪门桥”改名为“登仙桥”。该桥于 1912 年谷岗河山洪暴发被冲毁。1922 年，在距原址半里的现址重建，桥体结构为单孔拱桥，宽 6.5 米，孔径 20 米，高 6 米，全桥用青麻石砌筑，拱台嵌入岩石中，结构坚固，桥两侧引道分别有 11 级和 13 级台阶引坡上桥，桥面上建有一瓦房，桥房一体，造型别致。1933 年第四次反“围剿”期间，周恩来、朱德等指挥红一方面军主力在该桥附近与国民党军第 52 师、59 师发生激战，将其歼灭并活捉敌两师师长。在这场战役中，登仙桥见证“登仙桥战斗”和史称“黄陂大捷”的历史。该桥被列为爱国主义教育基地。

青山桥　位于谷岗乡登仙桥村，屹立于两山之间，为青麻石砌成单孔石桥，宽 3.33 米，拱高 6.67 米。1933 年，周恩来、朱德指挥红军在桥附近与国民党 52 师李明部激战，取得胜利。

火港石拱桥　位于谷岗乡水口村委会坪坑村 4 千米的安全河上，明隆庆六年（1572）兴建，桥长 26 米，宽 5 米，拱高 9 米。该桥是坪坑村通往乐安、崇仁、宜黄的唯一交通枢纽。现存完好。

金元桥　位于县城站前路鳌河上，宋元时

金元桥

期为木质构造，称通四桥、南津桥、安浦桥。明万历四年（1576），修成石拱桥，取名鳌溪桥。清康熙八年（1669）冲毁，仅存石墩。清乾隆三十八年（1773），复建石拱桥，取名金鳌桥，易名广平桥，后更名金元桥，中建文昌阁、关帝庙，两旁建房24间。清咸丰年间（1851—1861年），再次被洪水冲毁。修复后于1969年6月29日又被洪水冲毁。1970年5月，县拨专款建成长51.45米，跨径2×18米，宽10米，附2×1米的人行道，载重10吨，钢筋混凝土桥，1972年取名红卫桥，1985年复名金元桥。

大元桥　位于鳌溪镇大元村东南鳌河上，桥梁主体系青麻石砌3孔拱桥，桥长约30米，高4.5米，明代创建，有多处损坏。2016年在其下游10米处，重建一钢筋混凝土板梁桥。

世昌桥　位于鳌溪镇罗山村南罗山村口，为青麻石砌成单孔拱桥，拱宽5.33米，桥身高3.33米，长6.67米。创建年代无考，明天启三年（1623）春季重修，清乾隆四十五年（1780）秋再次重修。桥身今仍保存完好。

道山桥　位于鳌溪镇东坑村，是一座3孔麻石拱桥，长3米，宽3.33米，高5米，拱高8.33米，系明代县人陈澄捐资创建，清代维修一次，1962年被洪水冲坏，再次维修，今仍然保存完好。

姨婆桥　位于大马头乡石塘村巴塘村小组，为单孔石拱桥，桥长6米、宽2米。明代崇祯年间（1628—1644年），该桥以木桥搭建而成，是龚坊、戴坊通往宁都的必经之路，每年春汛，易被洪水冲断，行人涉水而过，妇孺往来不便，百姓虽欲修复此桥，但因条件所限，无力遂愿。巴塘村中黄姓富家有一婢女张氏，目睹行人过河艰难，暗下誓言修复此桥。张氏烧火煮饭时，把当柴烧的稻草遗谷一粒一粒积存下来，成年累月，储藏的稻谷竟有数百担。明崇祯十七年（1644），张氏全数捐出以修断桥，四方乡邻大为感动，均以力相助，改成石桥，乡邻为留纪念，欲将张氏名为桥名，张氏婉言谢绝，众人始称“姨婆桥”。

跃龙桥　位于戴坊镇戴坊村，建于清咸丰九年（1859）。为3孔石拱桥。两头坡度极陡，原有台阶。桥保存较完整。

石陂口桥　位于湖坪乡善和村石陂口，建于元皇庆元年（1312），桥长38米，宽3.6米，桥高6.2米，为三拱廊亭式石拱桥。拱以截面呈长方形条石抹白灰勾缝砌成，桥墩呈锥形，用条石堆砌。桥面盖有5米多高的长廊式“房屋”，供过往行人歇息，当地人习惯称之为“桥屋”。现存桥体系清代所建。石陂口桥一直是善和村、中村等村村民进出的必经之路。中华人民共和国成立后，县政府在桥的西岸沿河另修一条公路，减轻通行压力。由于年长日久，风雨侵蚀，特别是2001年受洪水冲击，桥体损坏，桥基坍塌，古桥变危桥。2005年7月，善和、中村两个村委会干部为保护古桥建筑，与村民协商决定，组成一个70人的古桥维修理事会，负责筹措资金和修桥监督工作。3个月内，收到当地3000多村民捐款共4万多元。在当地政府支持下，请来古建筑专家指导，通过施工人员精心维修，终于使石陂口古桥获得新生。

参陂桥　位于湖坪乡参陂村，明初湖坪王谦铭凿石兴建，清代中期（1728—1820年）杨家文重建。桥梁主体系青麻石砌3孔拱桥，每拱跨度4.4米，桥长28米，宽3.15米，高4.2米。古时是湖坪通往望仙、大华山、招携、宁都等地的要道。今存完好。

高桥　位于招携镇青里村高桥水电站旁，清代晚期（1821—1911年），杨梅坑刘氏村民捐资兴建，此桥是招携通往坪溪、宁都的必经之路。桥全长23米，桥面宽6.2米，拱跨度13米，拱厚0.48米，单拱单伏石拱桥。桥两端矮，中间高，形如半圆形月亮，现存完好。

定远桥　位于招携镇坪上村，建于清代晚期，为单拱廊亭式石拱桥，桥面全长16.4米，宽3.8米，拱跨5.6米，拱高3.4米。南北入口均为拱形门，南岸门楣上凹墨书“定远桥”，门框两侧书“定堪驰骋通车马，远望依稀渡女牛”。廊亭为悬山顶，穿斗式构架，桥面两侧设木护栏。桥的南岸建一方形门楼，名“信城门”，门楣两侧书“信宿桥笃高憩是，城阴绿树下垂桥”。二层高，内墙横向贯五棵楼栌，南向山墙开一圆形瞭望孔。桥保存较完好。

永平桥　位于招携镇银口林场枧下村，1806年由湖坪王家爵凿石兴建。桥长26米，宽3.5米，高9米，为4墩3孔石孔桥。邑令刘永泰有记：枧下浦，北通临川、南丰、广昌以达闽中，西南通宁都、吉安、赣州以达粤东。现存完好。

王家暮（黄家幕）石拱桥　位于增田镇王沙村王家暮村小组，建于清代，原为双孔石拱桥，现仅存1孔，存桥部分长22米，宽4.7米，高9.7米。清同治县志对此桥记载：黄家幕桥在八都，僧人慧光募资凿石叠木为之，并覆屋其上，旁建庵以守。顺治间，大水冲突，所在倾圮，桥亦几殆。僧泣拜桥上，欲与俱没，幸获保全，故邑令寇印桢有诚能退水之旌。甲子邑令方湛倡修。

王家暮村有一个传说：当年师徒两个身为僧人的石匠分别承建该双孔石桥的各一孔，师傅建南孔，徒弟建北孔。两个桥孔双双合龙后，徒弟担心夜里会发大水，建议拆除两个桥孔的木支架。师傅见天气晴朗，认为当夜不可能发水，坚持第二天再拆。而徒弟为稳妥起见，还是将自己承建的北孔桥架拆除。谁知，当夜果真下起了暴雨，滚滚洪水裹挟着大量漂浮物，将师傅承建的未拆架的南孔石桥，连架带桥全部冲倒，而徒弟所建的北孔则安然无恙。师傅愧疚难当，悔恨不已，自焚而亡。众僧按其遗嘱将其安葬在南岸西南方向、离桥址约300米处的一个名为中鼓排上的山包上，其意为在九泉之下也能看到是否有后人完成他的遗愿。20世纪70年代，当地人均见过其墓，虽倒塌，但仍有残存。

后人在保存的北孔南端，搭建高而窄的木桥供人通行，但一涨大水，木桥必遭冲毁，因此当地人年年要重搭木桥数次。如此折腾，不仅耗费不少人力物力，也给南岸6个村小组近千人出行造成极大不便，甚至因木桥高而窄，有多人从桥上掉落水中而丧生。2000年，县、乡政府投资58万多元，在古石桥上游约10米处，修建一座长95米、宽3.8米、高7.6米的6墩钢筋水泥桥。此桥建成后，极大地方便当地村民出行。

（二）新建公路桥梁

牛田大桥　位于丰宁线81.08千米至82.16千米地段，即G238国道的牛田河上。中华人民共和国成立前牛田河上原有一座由60多节（每节6根杉木）串成的木便桥，1957年，在该桥附近建造木桥一座，后因桥身腐烂，不能通车，于1977年3月由抚州地区桥梁工程队承建一座284.5米大桥，净跨25米，桥面净宽8.5米（其中人行道两边各0.7米），荷载汽–15吨，挂–80吨，净–7。片石钢筋混凝土墩台，两个制动桥墩，属等截面悬链线六肋五波钢筋混凝土双曲孔桥，1979年8月底竣工。2014年再次重建，改为连续箱梁，全长257米，10孔，净跨25米，桥面净宽8.5米，其中人行道两边各0.7米，荷载为汽–18吨，拖–80吨，2016年9月建成通车。

牛田大桥

增田大桥　位于增田镇长江村，坐落于乐招线南村河中游。1957年修筑公路时，在此处架设一座大木桥，至1973年，木桥腐烂不能通车。此桥由乐安交通局施工兴建，全长125.8米，净跨25米，桥面净宽9米，荷载汽-15吨，挂-80吨，净-7，片石钢筋混凝土墩台，属等截面悬链线双曲拱桥，1976年6月建成通车。2014年，由抚州市公路局乐安分局重建成钢筋混凝土梁板桥。

马迹潭大桥　位于龚坊镇马迹潭村，坐落于焦乐线76+397.8千米处的公溪河中游。这里原设一渡口，1986年焦乐线公路动工后，在此修建大桥。该桥为两孔20+60米不等式双曲拱桥，全长188米，桥面净宽7米，附2×0.75米人行道，荷载汽-20，挂-100，由抚州地区公路分局设计，抚州地区林业基建公司负责施工，1988年12月竣工通车。2014年9月，为打通县城至昌韶高速乐安北互通出入口，在原马迹潭大桥下游1千米处兴建马迹潭新桥，2015年12月30日完工，该桥采用6×30米预应力混凝土连续T梁，桥面净宽19米，桥梁全长188.08米。

官庄大桥　位于牛田镇官庄村，坐落于牛田水下游，桥长145米，宽为净5+2×0.25米，上部构造为简支预应力空心板，跨长20米，全桥共7跨；下部构造为混凝土灌注桩基，桩径1.2米，桥墩为柱式墩，直径为1.0米。2005年12月开工建设，2008年8月竣工通车。

陈家大桥　位于公溪镇陈家村，坐落在公溪河下游，桥长165米，宽为净5+2×0.25米，上部构造为8跨简支预应力空心板梁，跨长20米；下部构造为混凝土灌注桩基，桩径1.2米，桥墩为柱式墩，直径为1.0米。该桥2005年11月开工建设，2007年9月主体工程完工。

东元一桥、二桥　2010年改渡建桥项目，坐落于南村乡东元渡口上游。两桥桥长均为25米，为2跨简支板梁，下部构造为重力式U形桥台和轻型桥墩。两桥于2010年3月开工，2010年9月完工。

南安桥　位于牛田镇南安村，坐落于牛田水上游，桥长85.08米，宽为净6+2×0.25米，上部构造为简支预应力空心板，跨长20米，全桥共4跨；下部构造为混凝土灌注桩基，桩径1.2米，桥墩为柱式墩，直径为1.0米。该桥于2008年10月开工建设，2009年7月主体工程完工。

罗家墟中桥　位于公溪镇罗家墟村，设计荷载为汽车-20吨，挂车-100吨，设计洪水频率为1/50，总投资142万元。该桥长66.56米，宽12.5米，下部结构为双桩基柱式，其中桥台桩径1.2米，桥墩桩径1.4米，上部结构为预应力空心板。2004年1月1日开工建设。为确保抚八公路在施工期间的安全畅通，项目部加大投入，在上游修建一座4跨蹲式钢轨便桥，并及时爆破拆除旧桥。2004年12月8日完工，经检测工程质量符合设计要求，使该桥成为抚八线第一座通车的中桥。

金竹飞瀑景区三桥　位于金竹畲族乡吓通村南面，有一处奇观瀑布群，由于交通不便，一直没有开发利用。2001年，该乡发动群众修建流舍至吓通公路，于2002年6月中旬动工兴建丰坪、彭家圳、吓通3座总计34延米的水泥平板桥，其中丰坪桥16延米，彭家圳桥13延米，吓通桥5延米。吓通、彭家圳二桥于9月中旬竣工，丰坪桥于12月底建成通车。该3桥既为开发利用吓通瀑布旅游资源、发展旅游事业提供畅通的交通条件，又结束沿路400余畲族村民进出物资靠肩挑背扛的历史，为畲族聚集的偏僻山村架起脱贫致富的“良心桥”。

乐安县国、省、县桥梁基本情况表

表 18-1-4　　　　单位：米

桥梁名称	路线名称	技术等级	桥梁全长	跨径总长	桥梁类型	上部结构	修建年度
航桥桥	南昌—惠来	二级	26.40	26.00	小桥	T 梁	2005
白石岭一桥	南昌—惠来	二级	7.00	6.00	小桥	整体现浇板	2005
白石岭三桥	南昌—惠来	二级	32.00	13.00	小桥	空心板梁	2005
林头湾桥	南昌—惠来	二级	17.00	16.00	小桥	整体现浇板	2005
潭港二桥	南昌—惠来	二级	28.40	16.00	小桥	板拱	2005
潭港三桥	南昌—惠来	二级	26.00	13.00	小桥	空心板梁	2005
召尾二桥	南昌—惠来	二级	20.40	12.00	小桥	板拱	2005
员陂桥	南昌—惠来	二级	40.00	39.00	中桥	空心板梁	1979
牛田大桥	南昌—惠来	二级	257.00	250.00	大桥	连续箱梁	1934
横木一桥	南昌—惠来	二级	8.30	5.00	小桥	板拱	1978
横木二桥	南昌—惠来	二级	5.60	5.00	小桥	整体现浇板	1978
罗家墟桥	巴山—文峰	二级	66.50	60.00	中桥	空心板梁	2005
巷下桥	巴山—文峰	二级	15.50	6.80	小桥	空心板梁	2005
何家山桥	巴山—文峰	二级	11.90	6.00	小桥	板拱	2005
杨家排桥	巴山—文峰	二级	20.20	12.20	小桥	空心板梁	2005
土山桥	巴山—文峰	二级	12.40	12.40	小桥	板拱	2005
塘边桥	巴山—文峰	二级	29.70	26.00	小桥	空心板梁	2005
流坊一桥	巴山—文峰	二级	13.50	8.00	小桥	空心板梁	2005
流坊二桥	巴山—文峰	二级	20.50	13.00	小桥	空心板梁	2005
龚坊中桥	巴山—文峰	二级	86.50	80.00	中桥	空心板梁	2005
龚坊一桥	巴山—文峰	二级	15.50	15.00	小桥	空心板梁	2005
中坪桥	巴山—文峰	二级	17.50	17.50	小桥	空心板梁	2005
戴坊中桥	巴山—文峰	二级	52.40	52.40	中桥	空心板梁	2005
排下桥	巴山—文峰	二级	11.60	10.00	小桥	空心板梁	2005
银坑桥	巴山—文峰	二级	42.50	33.00	中桥	T 梁	2005
大富桥	巴山—文峰	二级	11.00	11.00	小桥	空心板梁	2005
丰湾桥	巴山—文峰	二级	27.50	20.00	小桥	空心板梁	2005
万崇大桥	南昌—惠来	二级	107.30	104.00	大桥	T 梁	1970
麻石岭桥	鳌溪—盱江	二级	22.50	13.00	小桥	空心板梁	2005
增田大桥	鳌溪—盱江	二级	131.00	125.00	大桥	连续箱梁	2005

续表 18-1-4

桥梁名称	路线名称	技术等级	桥梁全长	跨径总长	桥梁类型	上部结构	修建年度
毛家咀桥	鳌溪—盱江	二级	12.70	5.70	小桥	板拱	2005
马家汉桥	鳌溪—盱江	二级	36.00	13.00	小桥	空心板梁	1967
南平桥	鳌溪—盱江	二级	31.02	26.00	小桥	空心板梁	1967
坪背桥	南昌—惠来	二级	9.04	8.00	小桥	实心板梁	1970
招携桥	招携—万崇	四级	81.20	64.40	中桥	双曲拱	1983
白石岭二桥	南昌—惠来	二级	32.00	13.00	小桥	空心板梁	—
潭港一桥	南昌—惠来	二级	23.00	10.00	小桥	空心板梁	—
召尾一桥	南昌—惠来	二级	13.30	5.00	小桥	板拱	—
横木三桥	南昌—惠来	二级	7.00	7.00	小桥	板拱	—
东英角桥	瑞安—友谊关	一级	48.50	39.00	中桥	空心板梁	—
石陂桥	鳌溪—盱江	二级	11.00	5.00	小桥	板拱	—
高望桥	鳌溪—盱江	二级	38.22	26.00	小桥	空心板梁	—
税背桥	巴山—文峰	二级	14.20	12.20	小桥	板拱	—
小曹桥	巴山—文峰	二级	23.50	13.00	小桥	空心板梁	—
小岭桥	南昌—惠来	三级	16.50	16.50	小桥	板拱	1984
老陂弯桥	南昌—惠来	二级	37.50	37.50	中桥	空心板梁	2005
新陂弯桥	南昌—惠来	二级	16.00	16.00	小桥	空心板梁	2005
淡川桥	南昌—惠来	三级	12.00	12.00	小桥	空心板梁	1988
马迹潭大桥	南昌—惠来	三级	188.08	150.00	大桥	板拱	1988
马迹潭小桥	南昌—惠来	三级	16.00	16.00	小桥	空心板梁	1988
凿树桥	南昌—惠来	三级	20.40	10.00	小桥	板拱	1988
沙港桥	南昌—惠来	三级	25.10	16.00	小桥	板拱	1984
板岭桥	瑞安—友谊关	四级	10.00	8.00	小桥	板拱	1975
高桥	瑞安—友谊关	四级	26.00	20.00	中桥	板拱	1975
南田 5 桥	瑞安—友谊关	四级	10.00	10.00	小桥	空心板梁	1963
南田 4 桥	瑞安—友谊关	四级	20.00	16.00	小桥	板拱	1963
南田 3 桥	瑞安—友谊关	四级	17.00	13.00	小桥	板拱	1963
南田 2 桥	瑞安—友谊关	四级	15.00	13.00	小桥	空心板梁	1963
南田 1 桥	瑞安—友谊关	四级	10.00	10.00	小桥	空心板梁	1963
店元二桥	瑞安—友谊关	四级	24.10	13.00	小桥	板拱	1993
鹅形桥	鳌溪—盱江	四级	8.50	6.00	小桥	空心板梁	1990
茶亭桥	鳌溪—盱江	四级	50.00	30.00	中桥	板拱	1993

续表 18-1-4

桥梁名称	路线名称	技术等级	桥梁全长	跨径总长	桥梁类型	上部结构	修建年度
枫树下桥	鳌溪—旴江	四级	30.00	26.00	中桥	板拱	1993
坪溪桥	鳌溪—旴江	三级	8.30	6.00	小桥	板拱	1978
引水桥	鳌溪—旴江	四级	46.00	30.00	中桥	板拱	1992
姨婆桥	鳌溪—旴江	四级	59.00	40.00	大桥	双曲拱	1993
下严坑桥	鳌溪—旴江	四级	48.00	40.00	中桥	板拱	1971
徐庄一桥	鳌溪—旴江	四级	18.00	16.00	小桥	空心板梁	1993
龙潭桥	鳌溪—旴江	四级	48.00	37.00	中桥	双曲拱	1993
莲塘桥	黎墟—欧里	四级	10.00	8.00	小桥	空心板梁	1971
莲塘一桥	黎墟—欧里	四级	8.00	5.00	小桥	空心板梁	1986
丁垄桥	黎墟—欧里	四级	50.00	40.00	中桥	空心板梁	1962
乐家庙桥	黎墟—欧里	四级	30.00	26.00	小桥	空心板梁	1962
峰岫桥	黎墟—欧里	三级	10.00	10.00	小桥	空心板梁	1967
梅岭桥	招携—万崇	四级	20.00	10.00	小桥	空心板梁	2005
参陂桥	招携—万崇	三级	20.00	14.00	小桥	板拱	1962
参陂二桥	招携—万崇	三级	8.00	8.00	小桥	板拱	1962
长岭桥	招携—万崇	四级	7.00	6.00	小桥	空心板梁	1962
坊塘桥	招携—万崇	四级	40.00	32.00	中桥	板拱	1976
贯前桥	招携—万崇	四级	8.00	8.00	小桥	空心板梁	1976
罗陂桥	湖坪—罗田	四级	16.00	13.00	小桥	板拱	1986
杏园2桥	湖坪—罗田	四级	6.00	6.00	小桥	板拱	2000
公溪大桥	莲塘—新居	三级	135.00	120.00	大桥	空心板梁	1962
峡山桥	谷岗—招携	四级	17.00	16.00	小桥	空心板梁	1963
登仙桥	谷岗—招携	四级	17.00	16.00	小桥	空心板梁	1963
水口桥	谷岗—招携	四级	20.00	12.00	小桥	空心板梁	1976
胡竹坪桥	谷岗—招携	四级	30.00	20.00	中桥	板拱	1978
火嵊桥	谷岗—招携	四级	30.00	13.00	小桥	板拱	1977
沙龙桥	谷岗—招携	四级	10.00	8.00	小桥	空心板梁	1996
天子地桥	谷岗—招携	四级	20.00	12.00	小桥	板拱	1988
林场桥	谷岗—招携	四级	8.00	6.00	小桥	板拱	1984
枫树下一桥	乐安—望仙	三级	16.04	16.00	小桥	空心板梁	1963
下排桥	乐安—望仙	三级	14.06	13.00	小桥	空心板梁	1963
太平桥	乐安—望仙	三级	18.08	13.00	小桥	空心板梁	1965

续表 18−1−4

桥梁名称	路线名称	技术等级	桥梁全长	跨径总长	桥梁类型	上部结构	修建年度
未元桥	乐安—望仙	三级	21.00	16.00	小桥	空心板梁	1963
南村桥	乐安—望仙	三级	40.00	35.00	中桥	双曲拱	1963
前团桥	乐安—望仙	三级	40.00	35.00	中桥	板拱	1986
葛陂桥	乐安—望仙	四级	20.00	18.00	小桥	空心板梁	1986
铁路排桥	乐安—望仙	四级	20.00	13.00	小桥	板拱	1975
吊鱼龙桥	金竹—南坑	四级	18.00	13.00	小桥	空心板梁	2002
丰坪桥	金竹—南坑	四级	20.00	16.00	小桥	空心板梁	2001
流舍二桥	金竹—南坑	四级	5.00	5.00	小桥	空心板梁	2000
山吊石桥	金竹—南坑	四级	20.00	14.00	小桥	板拱	1983
小石下桥	金竹—南坑	四级	7.00	6.00	小桥	板拱	1983
武菽桥	万崇—遇元	四级	6.00	6.00	小桥	空心板梁	2004
汪家边桥	万崇—遇元	等外	8.00	6.00	小桥	板拱	2006
徐田桥	望仙—枫树下	四级	10.00	8.00	小桥	板拱	1985
南安大桥	望仙—枫树下	等外	85.38	80.00	中桥	T 梁	2009
高坪桥	望仙—枫树下	三级	6.00	5.00	小桥	空心板梁	2003
新街桥	戴坊—上袍	四级	20.00	16.00	小桥	空心板梁	1960
港背桥	戴坊—上袍	四级	20.00	13.00	小桥	板拱	1978
下土陂	戴坊—上袍	四级	26.00	19.00	小桥	板拱	1962
咸口 2 号高架桥	抚吉高速	高速	289.00	280.00	大桥	T 梁	2012
坪上分离立交桥	抚吉高速	高速	158.00	150.00	大桥	T 梁	2012
丁元水库 1 号高架桥	抚吉高速	高速	158.00	150.00	大桥	T 梁	2012
丁元水库 2 号高架桥	抚吉高速	高速	338.00	330.00	大桥	T 梁	2012
乃江水库大桥	昌韶高速	高速	231.00	225.00	大桥	箱形梁	2015
白鹭大桥	昌韶高速	高速	281.00	275.00	大桥	箱形梁	2015
城楼湖 2 号中桥	昌韶高速	高速	65.08	60.00	中桥	箱形梁	2015
罗陂大桥	昌韶高速	高速	205.00	200.00	大桥	箱形梁	2015
小曹大桥	昌韶高速	高速	157.00	150.00	大桥	T 梁	2015
朱家脑大桥	昌韶高速	高速	277.00	270.00	大桥	T 梁	2015
朱家脑分离立交	昌韶高速	高速	217.00	210.00	大桥	T 梁	2015
流坑大桥	昌韶高速	高速	806.50	800.00	大桥	组合式梁	2015

续表 18-1-4

桥梁名称	路线名称	技术等级	桥梁全长	跨径总长	桥梁类型	上部结构	修建年度
上横木 S215 分离立交	昌韶高速	高速	397.00	390.00	大桥	T 梁	2015
贯坑分离立交	昌韶高速	高速	28.00	20.00	中桥	T 梁	2015
贯坑大桥	昌韶高速	高速	225.00	220.00	大桥	T 梁	2015
院前水库大桥	昌韶高速	高速	207.10	200.00	大桥	箱形梁	2015
乃江大桥	昌韶高速	高速	181.00	175.00	大桥	箱形梁	2015
亭子边大桥	昌韶高速	高速	125.08	120.00	大桥	箱形梁	2015
S215 分离立交	昌韶高速	高速	127.04	120.00	大桥	空心板梁	2015
耿元大桥	昌韶高速	高速	105.08	100.00	大桥	箱形梁	2015
麻陂大桥	昌韶高速	高速	381.08	375.00	大桥	箱形梁	2015
高坑水库中桥	昌韶高速	高速	65.00	60.00	中桥	T 梁	2015
亭子边分离立交	昌韶高速	高速	44.00	39.00	中桥	空心板梁	2015
航桥大桥	昌韶高速	高速	281.08	275.00	大桥	箱形梁	2015
万坑大桥	昌韶高速	高速	131.08	125.00	大桥	箱形梁	2015
万坑分离立交	昌韶高速	高速	44.00	39.00	中桥	空心板梁	2015
龙义大桥	昌韶高速	高速	456.08	450.00	大桥	箱形梁	2015
庙前分离立交	昌韶高速	高速	44.00	39.00	中桥	空心板梁	2015
浯溪分离立交	昌韶高速	高速	44.00	39.00	中桥	空心板梁	2015
社边中桥	昌韶高速	高速	65.08	60.00	中桥	箱形梁	2015
樟坑支线上跨桥	抚吉高速	高速	79.00	72.00	中桥	T 梁	2012
赖村分离立交	抚吉高速	高速	69.00	64.00	中桥	T 梁	2012
西边村 1# 分离立交	抚吉高速	高速	107.00	100.00	大桥	T 梁	2012
西边村 2# 分离立交	抚吉高速	高速	107.00	100.00	大桥	T 梁	2012
岭元高架桥	抚吉高速	高速	608.00	600.00	大桥	T 梁	2012
龙虎岭分离立交	抚吉高速	高速	157.00	150.00	大桥	T 梁	2012
流坑互通跨线桥	抚吉高速	高速	72.00	65.00	中桥	T 梁	2012
水口二桥	抚吉高速	高速	182.00	175.00	大桥	T 梁	2012
水口三桥	抚吉高速	高速	107.00	100.00	大桥	T 梁	2012

乐安县乡村公路桥梁基本情况表

表 18-1-5　　　　单位：米

桥梁名称	路线名称	桥梁全长	跨径总长	桥梁类型	上部结构	修建年度
腰里桥	龙义—庙前	40.00	32.00	中桥	板拱	1983
元家桥	口白线—元家	8.00	6.00	小桥	空心板梁	1983
草步桥	抚八线—草步桥	15.00	12.00	小桥	板拱	1983
杏坊桥	杏坊—南塘	30.00	28.00	小桥	空心板梁	1983
枧上桥	抚八线—枧上	7.00	6.00	小桥	板拱	1983
仙山下桥	杨家至罕坑	10.00	8.00	小桥	空心板梁	1977
铺田桥	铁路—县道	8.00	8.00	小桥	空心板梁	1983
黄乐桥	龚罗线—新居老	45.02	39.00	中桥	空心板梁	1983
大排桥	抚八线—枫树老	6.00	6.00	小桥	板拱	1983
耿元桥	武杨线—耿元	24.48	18.00	小桥	空心板梁	1983
牙里桥	峰岫—任元	8.00	8.00	小桥	空心板梁	1958
员坊桥	口上—员坊	20.00	16.00	小桥	板拱	1983
寨头桥	至寨—枣树下入口	68.00	60.00	中桥	板拱	1989
邹坑桥	朱家脑—抚八线	46.48	39.00	中桥	空心板梁	1982
东堆桥	东堆—富元	20.00	16.00	小桥	空心板梁	1983
湖溪桥	梅溪—老湖溪	22.00	16.00	小桥	板拱	1983
下新陂桥	大马头—南塘	16.00	15.00	小桥	空心板梁	1983
上岭桥	下岭—上岭	15.00	12.00	小桥	板拱	1970
锯元桥	傍安—建元	35.00	30.00	中桥	板拱	1982
罗田小桥	桥头—罗田入点	15.00	12.00	小桥	板拱	1975
木桥	丁元至参陂	8.00	6.00	小桥	板拱	1976
港背二桥	丁元至参陂	8.00	6.00	小桥	板拱	1976
中村桥	善和—谢坊	12.00	12.00	小桥	空心板梁	2004
安下	中村—安下	8.00	8.00	小桥	空心板梁	1983
路南桥	路南—坪坑	30.00	28.00	中桥	板拱	1983
路南二桥	路南—坪坑	8.00	6.00	小桥	板拱	1983
凤凰桥	大前—折元桥	6.00	6.00	小桥	空心板梁	1987
山心桥	山心—太平	6.00	6.00	小桥	板拱	1986

续表 18-1-5

桥梁名称	路线名称	桥梁全长	跨径总长	桥梁类型	上部结构	修建年度
炉桐桥	稠溪—炉桐	10.00	8.00	小桥	板拱	1975
林上桥	乐望线—林上	20.00	16.00	小桥	空心板梁	1983
朝晖桥	朱江嘴—朝晖	8.00	8.00	小桥	板拱	1983
沾庄桥	东湖—沾庄	6.00	6.00	小桥	板拱	1983
沾庄二桥	东湖—沾庄	6.00	6.00	小桥	空心板梁	1983
小山下桥	半坪—汉高坳	7.00	6.00	小桥	板拱	2003
林头桥	黄石线—林头	15.00	12.00	小桥	空心板梁	1970
庙下桥	裴家入口—裴家村	8.00	8.00	小桥	空心板梁	1981
新街桥	高田—增田	8.00	6.00	小桥	空心板梁	1978
村背漫水桥	村背—社坑	100.00	96.00	中桥	空心板梁	1988
陂上桥	山砀—浯溪坑	30.00	28.00	小桥	空心板梁	2002
新厚坊桥	新厚村—村道	6.00	6.00	小桥	板拱	2003
山南桥	公湖线—石马	20.00	16.00	小桥	空心板梁	1971
邹家桥	公湖线—石马	25.00	22.00	小桥	空心板梁	1971
万坊村桥	万坊—乃江	100.00	91.00	中桥	空心板梁	1983
扑蚁石桥	公湖线—上泥浆	9.00	8.00	小桥	空心板梁	1979
乐家桥	公湖线—上泥浆	15.00	12.00	小桥	板拱	1975
半坑桥	公湖线—上保	15.00	12.00	小桥	板拱	1960
山下桥	公湖线—山下	14.00	12.00	小桥	空心板梁	1960
水西桥	丰洛线—水西	12.00	10.00	小桥	板拱	1960
罗家桥	丰洛线—罗家	12.00	12.00	小桥	空心板梁	1997
社背桥	丰洛线—姜家	10.00	10.00	小桥	板拱	1975
保桥	官路边—管坊	30.00	26.00	小桥	空心板梁	1986
流坑大桥	流坑—元内	220.00	216.00	大桥	板拱	1981
邹家桥	沙堆—曾家	15.00	12.00	小桥	板拱	1983
中村桥	中村—杉树排	18.00	16.00	小桥	空心板梁	1989
杨排桥	锯元—河南蓬	5.00	5.00	小桥	空心板梁	1986
建元小桥	傍安—清陂	6.00	6.00	小桥	空心板梁	1984
建元二桥	傍安—清陂	6.00	6.00	小桥	板拱	1984

续表 18-1-5

桥梁名称	路线名称	桥梁全长	跨径总长	桥梁类型	上部结构	修建年度
油麻田桥	磨仔岭—油麻田	40.00	28.00	中桥	板拱	1988
甘陂	戴潭线—新塘	20.00	18.00	小桥	空心板梁	1995
罗坊桥	抚八线—罗坊	9.00	8.00	小桥	空心板梁	1982
龙兴桥	龙兴—聂家	12.00	12.00	小桥	空心板梁	1983
龙车桥	参鹤线—龙车	8.00	6.00	小桥	板拱	1975
院前桥	参鹤线—故岭下	10.00	8.00	小桥	板拱	1996
村前桥	村前—参鹤线	12.00	10.00	小桥	板拱	1970
竹园桥	竹园—乃江	25.00	24.00	小桥	空心板梁	1986
龙湾桥	竹园—张坊	20.00	16.00	小桥	板拱	1965
蛇形桥	竹园—张坊	10.00	8.00	小桥	板拱	2005
车田	黄石线—沙坪上	35.00	30.00	中桥	双曲拱	1986
邹家桥	俄形—邹家	8.00	6.00	小桥	板拱	1981
罗坊二桥	罗坊—郭上	16.00	16.00	小桥	空心板梁	2004
上官桥	上官—阳坊	30.00	24.00	中桥	双曲拱	1981
下赖桥	赖村—秋田	13.00	12.00	小桥	空心板梁	1985
望背桥	咸溪—井脑上	12.00	12.00	小桥	空心板梁	1980
厚元桥	乐谷线—郭坑	20.00	17.00	小桥	板拱	1905
贯背桥	力元—上力元	6.00	6.00	小桥	板拱	1990
新村桥	招山线—新村	30.00	26.00	小桥	空心板梁	1980
下浪桥	招山线—塔坪上	25.00	20.00	小桥	板拱	1979
上庄桥	王泥干—上庄	20.00	16.00	小桥	空心板梁	2004
罗家桥	交叉口—罗家排	30.00	26.00	小桥	板拱	1997
江口桥	饶坊—江口	15.00	13.00	小桥	板拱	1983
高望二桥	丰洛线—高望	25.00	21.00	中桥	板拱	1969
中团大桥	望仙—中团	40.00	40.00	中桥	空心板梁	2004
茅岗桥	茅岗至管坊	56.80	50.00	中桥	空心板梁	1980
安山至对门	安山至对门	125.00	120.00	大桥	空心板梁	2012
观背至田背	观背至田背	25.00	16.00	小桥	空心板梁	2012
山坑桥	天子地—山坑	30.00	22.00	中桥	板拱	1966

续表 18-1-5

桥梁名称	路线名称	桥梁全长	跨径总长	桥梁类型	上部结构	修建年度
芦元桥	坪溪—芦元	14.00	10.00	小桥	板拱	1980
合溪桥	坪溪—芦元	13.00	10.00	小桥	板拱	1980
望仙桥	望仙—白荷	50.00	40.00	大桥	双曲拱	1981
罗坊桥	谷岗—圭峰	16.00	15.00	小桥	板拱	1981
俄形一桥	谷岗—圭峰	7.00	6.00	小桥	板拱	1981
俄形二桥	谷岗—圭峰	7.00	6.00	小桥	空心板梁	1981
方木坑桥	四青—汤山	70.00	60.00	中桥	双曲拱	1982
咸口桥	下罗—咸口	8.00	6.00	小桥	板拱	1981
下村桥	下罗—咸口	18.00	16.00	小桥	空心板梁	1985
龙兴桥	龙兴—保塘	10.00	8.00	小桥	板拱	1986
杨家排桥	口前—山砀	7.00	7.00	小桥	空心板梁	1986
南陂桥	口前—白石	10.00	8.00	小桥	空心板梁	2000
白石桥	口前—白石	10.00	8.00	小桥	空心板梁	2005
公溪中桥	罗家墟—古城	45.00	40.00	中桥	空心板梁	1962
坎上桥	火车站—土山	5.00	5.00	小桥	空心板梁	1975
王陂桥	火车站—土山	46.00	44.00	中桥	空心板梁	1983
土桥村桥	火车站—土山	12.00	12.00	小桥	空心板梁	1971
大里元一桥	火车站—土山	10.00	8.00	小桥	空心板梁	1975
西山桥	杨家—梅溪	25.00	20.00	中桥	空心板梁	1956
武家桥	龚坊—厚发工业园	10.00	8.00	小桥	空心板梁	1975
林下桥	龚坊—厚发工业园	6.00	6.00	小桥	空心板梁	1975
关帝桥	龚坊—厚发工业园	50.00	48.00	中桥	空心板梁	1975
同富桥	龚坊—古竹	45.00	39.00	中桥	双曲拱	1972
上边桥	龚坊—古竹	8.00	6.00	小桥	板拱	1983
青陂桥	龚坊—古竹	8.00	6.00	小桥	板拱	1983
濂坑桥	龚坊—罗陂脑	6.00	6.00	小桥	板拱	1982
沙河坪桥	梅溪—戴坊	50.00	40.00	中桥	空心板梁	1998
排下桥	排下—古竹	20.00	16.00	小桥	空心板梁	1986
邹家山桥	甘泉—阳光	20.00	20.00	小桥	空心板梁	1979

续表 18-1-5

桥梁名称	路线名称	桥梁全长	跨径总长	桥梁类型	上部结构	修建年度
东坑桥	林头—下陂	20.00	16.00	小桥	空心板梁	1998
理石桥	鳌溪—下岭	15.00	10.00	小桥	空心板梁	1975
下岭二桥	鳌溪—下岭	15.00	12.00	小桥	板拱	1983
大元桥	林头—温田	40.40	32.00	中桥	空心板梁	1982
石脑一桥	朱溪（崇仁）—太平（乐安）	12.00	12.00	小桥	空心板梁	1972
力水桥	朱溪（崇仁）—太平（乐安）	20.00	16.00	小桥	空心板梁	1981
良珠小桥	朱溪（崇仁）—太平（乐安）	6.00	6.00	小桥	空心板梁	1992
西坑桥	王坊—西坑	6.00	6.00	小桥	板拱	1986
洪门桥	登仙桥—太平	35.00	32.00	中桥	双曲拱	1976
梅田桥	望下—南村	50.00	48.00	中桥	空心板梁	1984
东元桥	南村—努坪	35.00	30.00	中桥	板拱	1969
下古山桥	南村—努坪	8.00	8.00	小桥	板拱	1986
坪上桥	前团—稠溪	20.00	16.00	小桥	空心板梁	1969
坪上二桥	前团—稠溪	12.00	12.00	小桥	板拱	1969
带坡桥	瑶田—增田	30.00	24.00	小桥	空心板梁	1983
温田小桥	增田—牛田	20.00	16.00	小桥	空心板梁	1985
增元桥	石陂—汤元	13.00	12.00	小桥	空心板梁	1984
杨家院桥	马安山—河南蓬	34.06	32.00	中桥	空心板梁	1900
官庄大桥	员陂—峡圳	145.00	140.00	大桥	空心板梁	2007
谢家大桥	水南—麻坑	145.00	140.00	大桥	空心板梁	2012
麻坑大桥	水南—麻坑	130.00	120.00	大桥	板拱	1981
王沙大桥	东炉—王沙	97.00	91.00	中桥	空心板梁	2002
银口桥	高望—银口	88.45	60.00	中桥	双曲拱	1994
老街桥	招携—北坑	16.00	16.00	小桥	空心板梁	1977
雷公庙桥	招携—北坑	14.00	10.00	小桥	板拱	1979
乌石桥	招携—北坑	20.00	16.00	小桥	板拱	1983
下湾桥	坪溪—严杭	6.00	6.00	小桥	板拱	1999
下湾二桥	坪溪—严杭	16.00	16.00	小桥	空心板梁	1999
严杭桥	坪溪—严杭	13.00	12.00	小桥	板拱	1970

续表 18-1-5

桥梁名称	路线名称	桥梁全长	跨径总长	桥梁类型	上部结构	修建年度
竹家陂桥	芳草—竹园	8.00	8.00	小桥	空心板梁	2003
深口桥	芳草—竹园	6.00	6.00	小桥	板拱	1970
港背园桥	芳草—竹园	6.00	6.00	小桥	板拱	1999
新旧路港二桥	大通—锅坑	25.00	20.00	中桥	板拱	1988
善平桥	参陂—圳上	8.00	8.00	小桥	空心板梁	2003
上排脑桥	罗陂—力下	6.00	6.00	小桥	板拱	1986
右源小桥	罗陂—右源	6.00	6.00	小桥	板拱	1984
坪溪一桥	坪溪—金竹	20.00	16.00	小桥	板拱	1993
坪溪二桥	坪溪—金竹	27.00	26.00	小桥	板拱	1978
新路港桥	坪溪—金竹	30.00	20.00	中桥	板拱	1986
金竹桥	坪溪—金竹	6.00	6.00	小桥	空心板梁	1986
七孔桥	山砀—鹏洲	60.00	56.00	中桥	板拱	1983
羊肥桥	山砀—鹏洲	20.00	16.00	小桥	空心板梁	1983
港里桥	山砀—鹏洲	25.00	18.00	小桥	板拱	1982
水东桥	山砀—鹏洲	10.00	10.00	小桥	板拱	1986
莲塘二桥	莲塘—山南	14.00	13.00	小桥	空心板梁	1975

第二节　客货运输

一、客运

乐安县的运输业有铁路运输、公路客运和水路运输（渡运）。2016 年，全县共有道路旅客运输企业 5 家，其中城市客运 2 家（城市公交企业 1 家、出租车企业 1 家），班线客运 3 家。公路旅客客运班线 77 条，其中跨省 10 条、跨市 10 条、跨县 5 条、县内 52 条。营运客车 116 辆 /2738 座，其中跨省客车 11 辆 /494 座、跨市客车 22 辆 /656 座、跨县客车 10 辆 /222 座、县内客车 76 辆 /1409 座。年客运量达 214 万人次。公交车 26 辆，出租车 60 辆。

（一）铁路运输

1966 年 1 月向乐线通车后，江边村火车站成为全县客运和货运枢纽。每天有出发、到达客运慢车 2 对，车次号为 8305 次南昌—乐安江边村，8306 次乐安江边村—南昌。旅客发送量 1990 年为 4.8 万人次，1997 年为 4.68 万人次，2000 年为 6.9 万人次，2003 年为 2.7 万人次，2004 年为 0.68 万人次，2005 年为 2.5 万人次，2006 年为 1.1 万人次，2007 年为 1.83 万人次，2008 年为 2 万人次，2009 年为 2.4 万人次，2011 年为 2.56 万人次，2014 年停运。

（二）公路运输

长途客运　20 世纪 90 年代以前在省内运输，主要是南昌、抚州和周边县城，随着改革开放逐步深入，外出务工人员不断增多，跨省班线应运而生。从 1993 年第一条乐安至深圳龙岗班线开通后，跨省班线开始迅速发展，先后开通乐安至广州、东莞、中山、温州、乐清、上海、宁波、汕头、晋江、厦门、慈溪、玉环、湘乡等跨省班线，每天1班。跨市班次有所增多，乐安至南昌从1990年每天5个班次发展到2010年高峰时每天15个班次，同时开通公溪至南昌、罗陂至南昌、招携至南昌等乡镇到南昌的班线，到2016年年底，保留9个班次。跨县班次不断增加，乐安至抚州从1990年每天6个班次发展到2010年13个班次，还有返班8个班次，到2016年年底，保留8个班次、返班10班次。增加通往邻市、县班次，有乐安至吉安、乐安至永丰、乐安至丰城、乐安至鹰潭、乐安至东乡，极大地方便人民群众出行。

长途客运汽车

农村客运 1986年，农村客运只有几条班线，车辆、班次都比较少。1990年，客运开始向社会开放，出现一些个体农村客车，还有一些驾驶员将厢式农用车改装成农用客车从事旅客运输，以增田、望仙、南村一带比较普遍。1996年，厢式农用车全部退出农村客运市场，更新20多辆新型农用客车，且全部并入乐安县联营车队统一管理。随着经济发展和社会进步，旅客对客运质量要求不断提高，到2000年，农用客车彻底退出客运市场。

农村客运班线随着客运车辆增多，班次也不断增加，1997—2004年，农村班次达到高峰，仅县城至江边就有30辆客车、60个班次，而县城至增田镇也有6辆客车，因该线路距离短，只能采取循环发班的方式运行。根据国家有关政策，为解决群众出行难问题，2010年，农村客运班线开始快速向行政村发展，到2016年，已有农村客运班线52条，客车76辆，其中到行政村的班线就占48条，全县176个行政村，通客车的行政村有166个，通客车率达94.3%。

2016年乐安县内班车运行情况表

表18-1-6 单位：千米、个

班线名称	里程	班次	途经地
乐安—江边	63	20	戴坊、龚坊、山砀
乐安—江边	45	4	湖溪、莲塘
乐安—芜头	70	2	戴坊、龚坊、山砀、古城
乐安—航桥	57	2	戴坊、龚坊、山砀
乐安—厚坊	40	3	湖溪、山砀
乐安—般坊	58	4	戴坊、龚坊
乐安—航桥	38	6	湖溪、山砀
乐安—仲溪	26	6	潭港、鹏洲

续表 18-1-6

班线名称	里程	班次	途经地
乐安—东坑	16	4	潭港
乐安—湖坪	49	6	牛田、万崇
乐安—善和	66	4	牛田、万崇、湖坪
乐安—参陂	41	2	增田、望仙、银口
乐安—贺立	60	2	牛田、万崇、湖坪
乐安—流坑	41	6	牛田
乐安—安里	62	2	牛田、万崇
乐安—谢家	45	2	牛田
乐安—罗陂	51	4	牛田、万崇
乐安—右源	64	2	牛田、万崇、罗陂
乐安—力下	55	2	牛田、万崇、罗陂
乐安—高坪	40	3	牛田
乐安—棠溪	58	2	牛田、万崇、罗陂
乐安—盐丰	55	2	牛田、万崇
乐安—桐山	51	2	牛田、万崇
乐安—南安	45	2	牛田、流坑
牛田—招携	42	2	万崇、湖坪、银口
乐安—谷岗	27	4	店元
乐安—小金竹	55	2	谷岗
乐安—板岭	41	3	谷岗
乐安—王坊	27	2	店元
乐安—火嵊	50	2	谷岗
乐安—王沙	17	2	增田
乐安—汤元	17	2	增田
乐安—带陂	16	10	增田
乐安—小池	20	2	增田
乐安—望仙	21	12	增田
乐安—尧坊	28	4	增田
乐安—东炉	27	4	增田

续表 18-1-6

班线名称	里程	班次	途经地
乐安—引水	58	2	增田、望仙、招携
乐安—南槽	47	2	增田、望仙、招携
乐安—竹园	72	2	增田、望仙、招携、坪溪
乐安—徐庄	60	2	增田、望仙、招携
乐安—茶园	59	2	增田、望仙、招携、坪溪
乐安—金竹	70	2	增田、望仙、招携
乐安—流舍	68	2	增田、望仙、招携
乐安—水口	42	2	谷岗
乐安—羊家岭	31	4	增田、望仙
乐安—炉桐	38	3	太平、南村
乐安—大里	21	4	太平
乐安—前团	29	4	太平、南村
乐安—稠溪	39	3	太平、南村
乐安—茅岗	28	4	太平、南村
乐安—樟坑	28	4	太平、南村

客运企业　1986年之前，全县只有一家客运企业，即抚州汽车运输总公司乐安公司。随着运输市场对社会开放，1987年，县汽车运输公司由货运企业改为客运企业，从事班线客运经营。1995年，成立乐安县银河汽车运输有限公司，后该公司跟外县5个公司合并为抚州银河汽车运输总公司就变更为抚州银河汽车运输有限公司乐安分公司。抚州汽车运输总公司乐安公司曾经拥有4条跨省班线、10条跨市班线、4条跨县班线和4条县内班线。乐安县汽运公司主要班线是乐安至抚州及县内班线。乐安县银河公司主要班线是7条跨省班线、2条跨市班线和1条跨县班线。银河公司后因经营资质等原因被江西抚州长运有限公司乐安分公司收购。而乐安县汽运公司分为乐安县长运汽车有限公司和乐安县飞翔汽车运输公司两个公司。1991—2001年，客运形式多样化，既有公司经营，也有个体经营，还有联合经营形式。2004年开始，清理挂靠经营，客运企业实行公车公营模式。

乐安汽车站

客运站　乐安有两个客运站，即抚州汽车运输总公司乐安分公司的长途客运站，乐安县汽车运输公司的短途客运站。

乐安县长途汽车站于1951年8月1日成立，站址设在县城南门桥背村，1952年12月，抚州汽车运输公司改称总站，乐安划为三等站，并在罗家墟、戴坊设招呼站。1987年，在站前路开始兴建乐安长途汽车站大楼，于1989年8月1日竣工投入使用。建筑面积2220平方米，候车厅面积为640平方米，停车场4000平方米，主要始发深圳、东莞、温州、上海、汕头、玉环、晋江、慈溪、湘乡、厦门、南昌、抚州、吉安、丰城、樟树长途客运和南村、谷岗方向的短途班次。

县汽车运输公司原来主要是货运企业，受社会货运车辆冲击，由货运企业改为客运企业，短途车站也是由原来的货运车辆停车场改建而成，面积不大比较简易，主要始发抚州、县内公溪和牛田方向的短途班次。为了繁荣经济，1999年，在商贸城旁兴建鳌溪客货运输停车场，占地面积4000平方米，主要用于县内短途班车发班，核定为四级客运站。

随着城区面积不断扩大，为适应社会需求，抚州汽车运输总公司乐安分公司于2011年在东家岭西环路左侧和石黄线交界处兴建一座集客运、商贸、维修、检测等配套设施为一体的二级汽车站，2013年竣工，2014年11月18日正式启用，总投资约2600万元，建筑面积5146.9平方米，其中主站房建筑面积2010.9平方米，办公用房面积2136平方米，候车厅建筑面积2010.9平方米，停车场面积13200平方米。

20世纪60年代，随着抚八线县城至牛田、招携、湖坪、罗陂公路修通，县汽车站相继在罗家墟、龚坊、牛田、招携、湖坪、罗陂等地成立“代办车站”。20世纪70年代起将代办站扩充为公溪、龚坊、戴坊、潭港、牛田、罗陂、万崇、湖坪8个乡车站。其中，公溪、龚坊、戴坊、牛田、万崇、招携车站为三等站。1989年，由于随车售票的普及，全县8个乡级车站逐渐被撤销，站房租给私人作其他经营，只保留龚坊车站。

为了方便农村居民出行，改变农村候车环境，从2007年开始，逐步在公路旁建立候车亭方便农民候车，资金由省交通厅下拨，每个候车亭1万元，后期增加到3万元，第一批兴建40个，第二批兴建70个。2008年开始，建设农村客运站，由省交通厅下拨项目资金，每座30万元，第一个客运站建在万崇镇，后在戴坊、谷岗、湖坪、罗陂、流坑等乡镇（村）建立客运站。到2016年年底，全县有招呼站13个，候车亭110个，农村客运站6个。

客运车辆　1986年以后，汽车客运业务由单一经营发展为多边经营，县汽车运输公司购进武汉产新型客车3辆，经营县城至公溪、江边村及抚州等地的客运业务。1990年，全县客运车辆共17辆，车辆比较破旧，县内班车大多是抚州富奇汽车制造厂生产的农村客运车辆。随着跨省线路开通，比较高档的卧铺车进入乐安县客运市场，跨省班车均更新为空调卧铺车辆，跨市车辆也均更新为带有空调的车辆。2010年以后，所有跨省和到南昌的班车都陆续更新为带空调的大型航空座高级客车。2013年11月，江西抚州长运有限公司乐安分公司投资1000万元收购乐安至南昌班线个体挂靠车辆15部；2014年1月，投资700万元购入10辆大型高级39座商务客车。其他市际、县际班车也都更新为中级或高级客车。客运车辆高峰期达到128辆。

2005年，根据公安部、交通部有关文件精神，所有跨县以上客运车辆全部安装GPS安全监控系统并建立GPS监控平台，对运行中的客运车辆实行动态安全监管，保障车辆安全行驶。到2013年年底，全县农村客运车辆也全部安装北斗安全监控系统，建立监控平台。

客运量　随着改革开放不断深入，经济不断发展，经商人群逐步增多，人员流动不断加大，客运班车和班次逐年增加，乐安县旅客运输量由1986年的15.3万人次，增加到最高峰2012年的

256 万人次，增长率平均每年为 10% 左右。随着私家车进入普通家庭，客运量又逐年下降，2016 年年运输量 204 万人次，且有逐步下降的趋势。

（三）城市公共交通

乐安县城市公交经历一个从无到有、从单一到多元的发展过程。

蹬士、三轮摩托　1994 年，县交通局开始引进第一部蹬士（人力三轮车），因其方便、快捷，受到群众欢迎，后来出现三轮摩托车，俗称“拐的”。县交通局特意成立专门管理蹬士、“拐的”的办公室。据统计，最多时蹬士 180 多辆，“拐的”800 多辆。随着电动三轮车的上市，蹬士、“拐的”完全退出市场，由于电动三轮车安全隐患较大，县政府对其经营行为进行取缔，随即呈下降趋势，到 2016 年底彻底退出经营市场。

出租车　2004 年，通过招商引资成立方达小汽车出租车有限公司，县政府批准该公司可拥有 60 辆出租车，第一期购买 20 辆，统一为红色“千里马”小车，2008 年，增至 60 辆，车型变更为绿色起亚小车，起步价为 5 元。由于县城框架比较小，出租车在县城运行较少，主要业务是以包车为主。随着电动三轮车取缔，出租车经营开始好转。

公交客车　通过招商引资，2006 年，成立乐安县安平公交公司，购买 16 辆中型公交车，开通 3 条公交线路，在县城主要街道运行，运行时间从 6 点 30 分到 18 点。公交公司自成立起，经济效益不理想，之后，断断续续运行。为提高城市公交质量，2014 年，乐安县人民政府出资在县城规划搭建 50 个公交站台，以利公交车停靠和方便市民候车。因安平公交公司无法正常运营，2016 年，由县政府出资收购该公司，成立乐安县欣达公共交通有限公司，委托抚州长运公司乐安分公司经营。新公司成立后，重新购置公

县城 2 路公交车

交车，公交车数量增至 26 辆，票价 1 元，70 岁以上老人免费乘坐。公交线路也重新规划，共有 4 条线路。

1 路：新车站—九龙宏盛—县第二中学路口—农商银行—财政局—街心花园—金茂商城—中医院—林业局—党校。原路返回。

2 路：新车站—九龙宏盛—县第二中学路口—运管所—南门花园—人民医院—名都广场—图书馆—保险公司—审计局—惠民小区。原路返回。

3 路：新车站—五小—鳌溪派出所—前坪路口—商贸城—土管局—国税局—四九广场—御景城—名门首府—湘汁情酒楼—金泰龙宾馆—疾控中心—加油站—移民村。原路返回。

4 路：新车站—国家电网—园区管委会—行政服务中心—南门花园—人民医院—名都广场—街心花园—交警大队—国税局—行政中心—御景城—四小—县第二中学—新车站。两车对开。

二、货运

乐安县受铁路、公路、货源等因素制约，一直都是货运小县，货运渠道、车辆也不多。

铁路运输　主要在江边搬运站。向乐线通车后，721 矿开采的矿石和县境内的货物均依靠火车运往外地。2012 年铁路货运停运。

1990—2011 年部分年份乐安县铁路运输情况表

表 18-1-7　　单位：万吨

年份	货物发送量	货物到达量	年份	货物发送量	货物到达量
1990	9.23	11.85	2006	7.61	6.98
1997	29.61	28.00	2007	5.23	8.33
2000	7.36	7.00	2008	6.93	7.80
2003	7.6	7.90	2009	7.51	10.00
2004	7.61	5.42	2011	9.12	14.50
2005	0.83	7.55	—	—	—

公路运输　计划经济时期，乐安县货运企业有县汽运公司、县粮食车队、县林业车队等专业运输车队。改革开放以后，运输市场向社会开放，允许个体户购买车辆从事运输。1990 年后，个体运输得到快速发展，农民购买拖拉机加入农村短途运输行列。为方便联系业务和运费结算，应大多数个体户要求，1992 年，由交通局牵头成立乐安县交通运输联合车队，全县大中型货车基本都挂靠在联营车队内。全县有大型货车 341 辆、客货两用车 12 辆、轮式拖拉机 145 部、手扶拖拉机 389 部、简易机动车 48 部。在个体运输蓬勃发展的同时，国营专业运输车队却在快速衰退，到 2000 年彻底消亡。20 世纪 90 年代中后期，国家出台汽车租赁贷款业务，由此而产生一些汽车租赁公司，或为个人贷款提供担保的公司，个人只需首付一部分资金就能购买车辆从事运输，给缺少资金而又想从事运输的业户提供条件，货运业一度得到快速发展，乐安县比较突出的是农机公司成立的赣中汽车贸易有限公司。全县最高峰时在册货车达到 360 多辆。90 年代中期，农用运输车开始进入农村运输市场，取代拖拉机，成为农村货物运输主力军。2011—2013 年达 800 多辆。因乐安县货源少，公路网络不发达，货运行业一直未得到好的发展，2014 年开始呈下降趋势。面对此局面，县委、县政府采取一系列措施，通过招商引资，引进一批物流企业，壮大乐安县货运市场。因无大型货源，大型货车都在外地营运，本地后八轮车辆一般在工地运土或运输砂石等建筑材料，不从事别的货物运输，全县的货物运输都是小型货车和农用运输车。到 2016 年年底，全县在册大小货车 587 辆。

第三节　行业管理

一、机构人员

（一）县交通运输局

乐安县交通运输局主要负责全县农村公路规划、建设、养护、路政管理、交通工程质量监督和公路运输管理、水路交通、城市公交、出租车管理以及交通运输安全监管、交通战备工作等。1986 年称乐安县交通管理局，设有人秘、财务、公路管理、运输管理、路政管理、民工建勤等股（室）及交通法庭。1995 年 5 月，设立中共乐安县交通局委员会，下辖交通局机关党支部、公路局党支部、交通稽查征费所党支部、江边搬运站党支部。2009 年 1 月 1 日，根据全国统一部署取消公路养路费、公路运输管理费、公路客货运附加费、水路运输管理费、水运客货运附加费等交通规费征管职责。2010 年 6 月，更名为乐安县交通运输局，县城市管理局行使的城市公交营运管理职责划入县交通运输局，职能因之有所调整。内设机构为办公室（党委办公室、行政审批股与之合署办公）、财务审计股、综合股等 3 个职能股室，增挂交通战备办公室牌子；下辖公路运输

县交通运输局办公大楼

管理所、公路管理站、渡口管理站3个事业单位。至2016年年底，全局有干部职工110人（其中在职72人，退休38人）。有下属企业3家，其中鳌溪搬运站、县汽运公司已经改制，江边运输公司正在进行改制。

1986—2016年，历任局长：陈桂香、黄福义、陈道源、易鸣辉、许良贵、杨辉；历任党委书记：邱兴福、王来龙、刘军、陈兆芳、郑和元、邱云峰。

公路运输管理所　1965年成立乐安县民间运输管理所，1984年10月改名为交通运输管理站，1989年更名为公路运输管理所，2016年有干部职工25人。承担全县道路运输市场监管责任，负责交通运输行政执法行为的监督管理，指导城乡客运及有关设施规划与管理工作，指导出租汽车行业管理工作。其业务受上级主管部门指导，行政上隶属县交通运输局领导。

公路管理站　1959年成立乐安县筑路大队，1960年改名为乐安县养路队，1984年更名为公路管理站。2016年有干部职工24人（含大集体职工），其中高级工程师2人，中级工程师2人。承担全县公路建设市场监管责任，贯彻执行公路工程建设相关政策、制度和技术标准，组织全县公路重点工程建设和工程质量、安全生产监管工作，指导县、乡、村公路建设和交通运输基础设施建设、维护和管理、养护工作。其业务受上级主管部门指导，行政上隶属县交通运输局领导。

渡口管理站　1986年6月成立渡口管理站，2016年有干部、职工8人，其中工程师1人。承担水上交通安全监管责任，负责水上交通管制及相关水上设施检验、登记和防止污染、应急救助、渡口设施安保等工作，协助全县水上交通安全事故及相关水上设施污染事故的应急处理。其人事、财务等事项均由县交通运输局管理。

乐安县汽运公司　1958年7月成立县汽车队，原为县属国有预算内企业，主要经营货运业务，1985年更名为乐安县汽运公司，随着汽车客运业务由单一经营向多边经营发展，开始经营客运，其人事由县交通局管理。从20世纪90年代初期开始，因社会主义市场经济体制建立和交通运输开放经营，该公司经营管理体制和经营机制均无法适应市场要求，企业经济效益逐年下降。到90年代中期，运输企业要求实行资质经营，由于无法达到上级规定的经营条件，企业处于停产状态。根据《关于批转乐安县汽车运输公司改制方案的通知》精神，县汽运公司于2007年开始实行改制，至2008年年底改制基本完成。参与改制的在职职工87人（固定工58人，合同工21人，大集体8人），退休工人16人，遗属2人，共计105人。

鳌溪搬运站　1956年成立，其前身是一个由社会闲散劳动力20余人组织的肩挑搬运小组，以肩挑和木制独轮车作为搬运装卸工具，1964年开始使用胶轮板车，1965年发展为大集体企业。截至2004年11月，共有职工86人，其中在职42人，退休44人，是年12月企业实行改制。

江边运输公司　1965年10月成立江边搬运站，坐落在公溪镇江边村，属县办大集体性质搬运装卸企业。1969年改称为江边搬运公司，1996年更名江边运输公司，建有党支部，配有书记、经理，下设办公室、生产组、财务组、后勤组，主要从事江边范围内火车、汽车物资的搬运装卸、短途运输业务。2000年，营运总收入140万元，年装卸量 70 万吨，是全县交通运输部门一支重要力量。截至 2012 年 12 月 31 日，公司有在职职工 103 人，退休职工 122 人，遗属 49 人。2016 年进行企业改制。

（二）抚州市公路局乐安分局

其前身是乐安县养路段，1959 年 9 月成立。1971 年，改为抚州公路总段乐安养路段。1976 年 2 月，改为抚州公路局乐安养路段，下设罗家墟、长岗上、望仙、召尾、马安山、徐坊、桥头等 7 个养路队。2003 年，公路管理体制改革全面实施，乐安县公路段更名为抚州市公路局乐安分局（简称“县公路局”）。主要职责是对国省道公路建、养、管，依法维护公路路产路权，保护公路设施，保障公路安全畅通。负责管养乐安县境内省道 S215 六上线、省道 S222 宋水线、省道 S318 厚莲线、县道 Y528 招高线，总里程为 160.17 千米。其人事、经费等事项均由其上级主管部门管理。2016 年，乐安公路分局内设机构有，办公室、工会、财务室、养护公司、工程公司、路政巡查大队。下设 7 个养护道班和 1 个机修站（潭港道班、山砀道班、龚坊道班、万崇道班、马安山道班、增田道班、望仙道班、城关机修站）。全局在编人员 80 人，其中工程师 2 人、技术员 4 人。

1986—2016 年，历任段（局）长为：杨辉峰、吴刚、贝卫根、梁雪亮、黄金良、韩明祥、陈宇、饶国华。

抚州市公路局乐安分局办公楼

（三）乐安县稽查征费所

1969 年 6 月成立乐安县车辆监理站，隶属省交通厅监理处抚州交通监理所。从 1987 年 6 月 1 日起，全省公路交通监理工作移交给公安部门，交通部门的稽查征费机构同时分开办公。交通部门按省、地、县三级成立交通稽查征费处、所、站，隶属省交通厅垂直领导。乐安交通稽查征费站内设机构有稽查科、业务科、微机室、财务室、稽查执行室及工会，配备工作人员 8 名，负责征收汽车养路费、重点建设基金、购置附加费。1990 年 4 月，更名为乐安交通稽查征费所，负责全县范围内机动车辆（除四轮农用运输车和拖拉机外）公路规费即公路养路费、交通重点建设费、机动车辆附加费和客货运附加费、车辆购置附加费的稽查征收工作。2009 年 1 月 1 日，根据全国统一部署取消公路养路费、公路运输管理费、公路客货运附加费、水路运输管理费、水运客货运附加费等交通规费征管职责，交通稽查征费所撤销，人员并入抚州高速公路路政支队。

1986—2009 年，历任站长：康求祥、吴来基、王爱珍、王玉清、余亚盟、殷新华。

（四）江西抚州长途有限公司乐安分公司

1986 年，抚州汽车运输总公司乐安公司主要经营跨省、跨市和部分县内班线。2008 年 1 月，抚州市汽车运输总公司下属的各县汽车运输公司全部整体改制，由江西长运股份有限公司承债式收购，隶属于江西长途运输股份有限公司所属子公司江西抚州长运有限公司，更名为江西抚州长运有限公司乐安分公司，员工身份全属合同制聘用工，经营体制属国有控股有限性质。是年，收购抚州银河汽车运输有限公司乐安分公司。2016 年 1 月 4 日，成立乐安县欣达公共交通有限公司，负责城市公交。公司转制后扭亏为盈，2008 年，实现利润 37.41 万元，上缴税费 28.16 万元；2009—2016 年，实现利润 395.24 万元，上缴税费 78.80 万元。

1986—2016年，历任经理：徐长俦、揭波、黄文贤、康爱华、游和德、章荣荪、李忠兴、李建平。

二、路政管理

路政管理主要由乐安公路分局和乐安县交通运输局按照各自职责范围分别负责，承担全县国省道、县乡道的管理工作。

1984年8月，中共中央和国务院要求加快公路交通基础设施建设，公路路政管理工作引起各方面的重视，各省、市、县开始组建路政管理机构，充实路政管理人员。

1987年，乐安县根据国家和省人民政府通知精神，将城镇道路交通管理移交公安部门接管，路政管理由公路和公安两部门各司其职，凡属于公路本身的里程桩、公路界牌、平交岔路指示牌、公路用地、公路绿化、公路两侧埋设管线、养路材料和履带车、铁轮车行驶公路路面以及超重车辆通过公路桥梁等由公路路政管理部门管理。到2016年，先后投入200万元资金，统一制作全县农村公路交通标志牌2100多块，警示桩3200余个，减速带15千米，广角镜90块，全面改善乡村公路行车安全条件，保障人民群众生命财产安全。

1996年，县公路分局在原路政股基础上成立路政巡查大队，配备专职路政员7人。路政管理人员经常上路巡查，发现违反路政管理案件及时查处，重点对以路为市、打场晒粮、乱堆乱放、挖掘公路、毁坏行道树、沿路乱搭乱建、随意接路、超限超载等违法行为严格依法治理，维护路产路权，确保建成公路安全畅通，从而有效维护公路环境秩序、改善公路行车安全条件。

1998年3月，交通系统开展公路法宣传月活动，集中力量狠抓违章处理，为公路法实施创建良好社会环境，同时抓好县城出口路的文明路建设，对黄石线彻底全面整治，使公路脏、乱、差现象明显改善。1999年，推广“有困难，找路政”的文明服务和承诺，路政工作得到广大群众的理解和支持。

2003年，乐安县交通局、乐安公路段、乐安县公安局、乐安县工商行政管理局等单位联合执法，出动宣传车对省道抚八线、黄石线、罗火线、乐招线、县道石都线等主要公路进行重点整治。2004年，乐安县交通运输局和乐安公路分局、乐安县公安交警大队联合开展车辆超限超载治理工作，通过宣传教育、上路执法等手段，治超工作取得较好成绩。

2005年以后，乐安出现一些面包车载客和驾校异地培训等冲击道路运输市场的违法行为。为此，县运管所加强执法队伍建设，加大打击力度。从2005—2016年共查处“面的”非法载客200余起，取缔异地培训驾校5家，其他违规经营行为700多起，有效维护全县道路运输市场。

2016年，为落实《江西省公路局关于在全省公路系统开展集中整治和查处路政（治超）执法不公侵害群众利益专项治理工作的通知》，县公路分局路政大队，坚持“真查促纠、惩教结合、标本兼治、综合治理、注重实效”原则，通过自查自纠、群众监督形式，纠正行政执法中存在的滥用职权、野蛮执法、选择性执法、吃拿卡要等突出问题，提高行政处罚、行政审批、行政强制、行政检查等行政执法活动和行政服务效能水平。

三、运政管理

道路运政管理由乐安县公路运输管理所负责，主要是对城乡旅客运输、货物运输、汽车维修、机动车驾驶员培训、运输服务等行业的管理，同时依法对运输行业各类违法违章行为进行查处，打击非法营运，维护良好的运输市场秩序。行业管理和行政执法的主要依据是《中华人民共和国交通安全法》《中华人民共和国道路运输条例》《江西省道路运输条例》等。

（一）客运市场管理

交通运输部门紧紧抓住安全和有序两条主线，在确保旅客走得了的同时尽量使旅客走得好。客运班线的审批根据市场供求状况，大力发展农村客运班线。对客运安全管理重点抓住车站这个源头，派出运管人员驻站工作，监督落实车辆“三不进站、六不出站”。“三不进站”：无关车辆不进站；无关人员不进站（发车区）；易燃易爆和易腐蚀等危险品不进站。“六不出站”：超员客车不出站；安全例检不合格客车不出站；驾驶员资质不符合要求不出站；客车证件不齐不出站；出站登记表未签字不出站；乘客未系安全带客车不出站。认真开展日常检查，监督安全例检落实情况，审核办理加班包车业务，并做好登记。乐安汽车站在进站口安装检测仪，对旅客行李进行扫描检查，杜绝“三品”（易燃品、易爆品、有毒品）进站上车。全县所有客车都安装 GPS 安全监控仪，每个客运企业都建立监控平台，运管部门安装监控平台对所有客运企业是否开启卫星监控平台及客运车辆的运行情况进行监控，有力地保障客运车辆行驶安全。在春运期间对所有参加客运的车辆都要求做一次安全检测，层层签订并落实安全责任状，制定突发事件应急预案，确保不滞留一名旅客在车站。

（二）货运市场管理

县内无危险货物运输公司。在普通货物运输市场，对普通货物运输公司和货运车辆的日常管理和行业指导，落实各项行业强制性措施的同时加强对货物运输企业服务，拟定鼓励货物运输发展措施，促进货运市场健康发展。货运市场管理主要内容有：运输企业的经营许可、车辆道路营运证的办理、货运驾驶员的从业资格，机动车综合性能检测、车辆二级维护的日常管理、对企业的质量信誉考核和安全监管等。把安全作为运输行业重中之重，2014 年开始，对 12 吨以上大型货车安装 GPS 监控仪，企业建立监控平台，企业平台进入县运管所 GPS 监控平台系统，接受交通部门监控。2015 年所有 12 吨以上货车全部安装完毕。

（三）车辆维修市场管理

运输业的快速发展，促进汽车维修行业迅速发展。县内车辆维修企业 1986 年仅有 2 家国营、1 家集体，3 个维修厂只有 27 人。1993 年，维修业增至 18 家。其中，国营 4 家、集体 1 家、个体 13 家，共有人员 91 人。至 2016 年年底，全县共有二类维修企业 4 家，各种专项维修业户有 28 家。为强化维修市场经营行为监管，规范和促进机动车维修企业依法经营、诚实守信、公平竞争，使维修行业健康、和谐、有序发展，运管所每年都要对取得机动车维修经营许可证的机动车维修企业进行质量信誉考核，考核项目有从业人员素质、安全生产、维修质量、服务质量、遵章守纪、环境保护、企业管理等内容，对考核不达标的维修企业下达停业整改通知书，限期整改。整改仍不达标的降低或取缔其经营资质。

（四）驾驶员培训市场管理

驾驶员培训机构于 2004 年《中华人民共和国道路运输条例》颁布以后正式纳入交通部门行业管理，到 2016 年全县有 2 所驾驶员培训机构。

第一所驾驶员培训机构为成立于 2004 年 7 月的乐安县机动车驾驶员培训学校，属二级普通机动车驾驶员培训学校，设在公溪镇新居村（原 261 大队）。拥有教练场总面积 25550 平方米，场内训练项目设施总面积 19980 平方米，多媒体理论教室 1 间，模具教室 1 间，模拟驾驶训练教室 1 间，教练车 54 辆，教练员 57 人，每年可培训学员 6000 余人。

第二所驾驶员培训机构为成立于 2011 年的乐鑫机动车驾驶员培训中心，属二级普通机动车驾驶员培训学校，设在增田镇西边村附近，拥有教练场总面积 22657 平方米，场内训练项目设施总面积 15997 平方米，多媒体理论教室 1 间，模具教室 1 间，模拟驾驶训练教室 1 间，教练车 48 辆，教练员 36 人，每年可培训学员 4000 余人。

为切实加强驾驶员培训行业管理，建立一个培训秩序井然，竞争公平，收费合理，教学规范、培训质量高的市场体系，全面推行培训市场的科学管理制度，交通部门规定驾驶员培训机构的资质条件，统一招生条件，统一使用交通部审定的教学计划、教学大纲、培训教材和结业证书，统一教练车技术标准和标志牌。全面贯彻资格管理，严把市场准入关，同时严格抓好驾驶员培训过程的管理，做好 IC 卡使用管理，确保学员培训质量。监督学校做好车辆和学员档案管理，制定安全管理措施，确保教学安全。

第二章　信息产业

1986年，乐安邮电业务由县邮电局统一经营管理。1998年，邮政与电信分营后，邮政部门努力拓宽自身业务，邮政储蓄飞速发展，全县邮政储蓄实现全国通存通兑。邮政物流和特快专递应运而生，为群众提供极大方便。邮政走出以往专事投递信函、订发报刊的狭窄之路。

乐安电信通讯紧跟时代步伐，发生了翻天覆地的变化。电话通信由人工总机、共电模拟发展至数字通信，无线通信由初期的无线寻呼发展到全数字移动通信。光纤通信、互联网通信进入千家万户。信息时代的到来，有力地推动各项事业的兴旺发达，给百姓的生产生活带来诸多便利。

第一节　邮　政

一、机构人员

1986—1998年，乐安的邮政只是乐安邮电业务的一部分，其机构名称统称乐安县邮电局，经营邮政和电信两项主要业务。1987年，乐安县邮电局设两股两室，即邮政股、电信股和综合办公室、财务室。全县有邮电分支机构19处，即公溪邮电支局和莲塘、王岘、新居、湖溪、龚坊、戴坊、山砀、潭港、谷岗、南村、增田、望仙、坪溪、金竹、招携、牛田、湖坪、万崇邮电所。全局有各类员工298人。1991年，随着业务量增长，为便于精细管理，将招携、万崇、戴坊3个邮电所改设为片区邮电支局，连同原公溪邮电支局，全县共设4个片区邮电支局，每个片区支局分别管理4～5个邮电所。这种农村邮电分支机构模式一直维持到1998年9月邮电分营前。

1998年是邮电机构重大变革年。根据国务院有关国家机构改革精神，8月，先行将无线寻呼业务从邮电局剥离，成立乐安县无线寻呼公司（后并入联通）。9月30日，县邮电局分设邮政局和电信局，17个乡镇邮电所也相应分设邮政所和电信所。县邮政局内设综合办公室、经营服务部、车队、邮政班、发送投递班、储汇班。乡镇设邮政支局。全局有各类员工161人。2004年，县邮政局内设综合办公室（含计划财务、人事教育、纪检监察、安全保卫）、经营服务部（含储汇股、报刊发行公司、集邮公司、速递公司、邮政广告公司）。县城设营业网点2处。

2007年12月30日，邮政局划出一部分人员、网点成立乐安县邮政储蓄银行。2015年4月16日，乐安县邮政局更名为中国邮政集团公司江西省乐

乐安县邮政大楼

安县分公司，内设机构：综合办公室、经营服务部；另设财务室、储汇中心、发投中心、邮购公司、集邮公司、礼仪速递中心、商函广告中心、业务检查室8个业务中心和分拣组、投递组、机要组3个生产班组。下设鳌溪、公溪2个邮政支局和商贸城、桥背、莲塘、山砀、湖溪、龚坊、戴坊、牛田、万崇、湖坪、罗陂、招携、望仙、增田、南村、谷岗16个邮政所及坪溪、潭港、鹏洲3个代办点。2016年12月，增设大马头乡邮政代办所。分公司有职工150人，大专以上学历105人。

1986—2016年，历任局长：周云清、郑木生、朱信祥、周卫、陈德、陈林、杨乐、陈建辉、程明、许思源。

二、邮政网络

县内邮路　1986—1997年，为方便用户及时收到报刊、邮件，将县城区域分划成5条邮路段。一段：城墙路（双126号以后、单215号以后）、象山路（双28号以后、单13号以后）、爱民路、新居路、东门巷、关皇庙巷、长征路（双号132～224、单号43～71）、胡家巷。二段：城墙路（双号2～124、单号1～213）、象山路（双号4～28）、长征路（双号2～130、单号5～41）、楼下巷、芜塘巷、烈士路、鹤栖路、宝塔路、下街巷、衙门巷、庙口巷、广场路（北路）、站前路（单号1～13）。三段：鳌溪路、毕力路、南门路、南门巷、三贯路、尧家山路、老虎坑、土家巷（27号以后）、长征路（双226号以后、单73号以后）、沿河路（双130号以后、单203号以后）、象山路（双2号、单号1～11）。四段：余家巷、土家路、土家巷（1～26）、站前路（双号12～280、单号15～215）、沿河路（双号2～128、单号1～201）。五段：占家巷、谢家巷、田仔巷、乐民巷、利民路、长征路（1、3号）、站前路（双号2～12）、大元巷、城墙巷、红卫巷。

1998—2016年，随着县城框架拉大，县城邮路在5条邮路段基础上延伸部分路段，并增设2条新邮路，共7段。一段：城墙路（双126号以后、单215号以后）、象山路（双28号以后、单13号以后）、爱民路、新居路、东门巷、关皇庙巷、长征路（双号132～224、单号43～71）、胡家巷。二段：城墙路（双号2～124、单号1～213）、象山路（双号4～28）、长征路（双号2～130、单号5～41）、楼下巷、芜塘巷、烈士路、鹤栖路、宝塔路、下街巷、衙门巷、庙口巷、广场路（北路）、站前路（单号1～13）。三段：鳌溪路、毕力路、南门路、南门巷、三贯路、尧家山路、老虎坑、土家巷（27号以后）、长征路（双226号以后、单73号以后）、沿河路（双130号以后、单203号以后）、象山路（双2号、单号1～11）。四段：龙腾花园、排上路、余家巷、土家路、土家巷（1～26）、站前路（双号12～280、单号15～215）、沿河路（双号2～128、单号1～201）、前坪路（1～96号）。五段：占家巷、谢家巷、田仔巷、乐民巷、利民路、东英角路、财苑路、商贸大道（单号）、长征路（1、3号）、乐安大道（双号2～194、单号1～123）、公园路（1～20号）、站前路（双号2～12）、大元巷、城墙巷、红卫巷、蓝天巷。六段：迎宾北大道、杨柳路、代陂岭路、田西巷、迎宾中大道（双号）、乐安大道（双196号以后、单125号以后）、公园路（21号以后）。七段：南门花园、工业开发区、惟益路、前坪路（97号以后）、金桥路。

1986—1998年，县城至乡镇邮电传递路线有：县城至公溪60千米自办汽车邮路1条，县城至南村乡26千米单程邮路，县城至金竹乡70千米单程邮路，县城至湖坪乡45千米的委托汽车邮路。1998—2016年，有乡镇邮路3条。其中，自办邮路1条：乐安—增田—南村—望仙—招携—湖坪—罗陂—万崇—牛田—潭港—乐安；委代办邮路2条：乐安—谷岗，乐安—戴坊—龚坊—山砀—公溪—莲塘—湖溪—乐安。各邮政所的投递点延伸至村委会所在地。

县外邮路　1952年，委办汽车邮路开通，由客运班车运输，邮路为县城—戴坊—龚坊—崇仁—上顿渡—抚州。1975年，自办汽车运输邮路为县城—潭港—鹏洲—戴坊—龚坊—山砀—公溪—崇仁—临川—抚州，这一路线延续至今。

邮政运输　远距离有自办邮车、委办汽车，近距离由自行车发展到摩托车、电动车等多种形式的运输。寄省内外的邮件，经分拣封发后，交邮车发运直封局和转口局；省内各市、县寄达乐安县的邮件，经分拣后，城镇邮件由县邮局投递人员送到收件人；寄交各单位的公私邮件，投交单位的传达室、收发室或指定接收人员，设有信报箱的则投到信报箱内。乡镇邮件由邮车、委办汽车或自行车、摩托车、电动车运送到邮政支局（所），分拣后交投递员，直接送到各单位、各村委会和村民小组。不通邮路的村庄，在村委会建立信报接转点，负责捎转平常邮件和报刊。1987年，各支局（所）逐步实行委代办汽车邮运。留交邮件由用户出具留交证明，到邮政局所领取。2015年，为方便用户及时快速收取邮件，每天有2趟邮车跑抚州。

邮政编码　1980年7月1日，开始在全国宣传推行邮政编码。后来因种种原因，推行工作全面停止。直到1986年，全国邮政工作会议决定重新在全国推行邮政编码。

乐安县邮政编码情况表

表18-2-1

行政区域	邮政编码	行政区域	邮政编码
县城（含鳌溪镇所属各村）	344300	牛田乡及所属各村	344311
公溪镇及所属各村	344301	万崇乡及所属各村	344312
莲塘	344302	罗陂乡及所属各村	344313
航桥乡及所属各村	344325	湖坪乡及所属各村	344314
山砀乡及所属各村	344324	招携镇及所属各村	344319
湖溪乡及所属各村	344306	金竹乡及所属各村	344322
龚坊乡及所属各村	344328	坪溪乡及所属各村	344321
戴坊镇及所属各村	344308	望仙乡及所属各村	344318
鹏洲乡及所属各村	344323	增田乡及所属各村	344316
潭港乡及所属各村	344309	南村乡及所属各村	344326
大马头垦殖场及所属各村	344309	谷岗乡及所属各村	344315

2001年实施撤乡并镇，航桥乡并入山砀镇，鹏洲乡并入戴坊镇，潭港乡并入鳌溪镇，望仙乡并入招携镇，坪溪乡并入金竹乡，撤销乡镇的邮政编码改为并入乡镇的邮政编码。

三、邮政设施

1986年，邮政设施比较简陋。到1993年，邮政设备有邮运汽车1辆，三轮摩托车1辆，两轮摩托车3辆，自行车31部，包裹收寄机1台，计息器18台，验钞机15台，信箱28只，人力三轮车1辆，保险柜、铁皮箱50余只。

1998年邮电分营时，邮政局在长征路29号邮电大楼办公。2004年12月，搬迁至乐安大道11—2号新邮政大楼办公，同时开办职工食堂，解决单身职工及生产作业人员用膳问题。

邮电分营时，邮政设备简陋，各营业网点手工操作，主要设备有微机5台，打印机6台，复印机1台，点钞机8台，江铃的士头小汽车1辆，吉普车1辆，五十铃货车1辆，普通型桑塔纳1辆，电子秤4台，保险柜4个，铁皮柜7个，自行车20辆。随着邮政业务不断发展，邮政设备逐年增加，至2016年年底，乐安县邮政分公司有：电脑136台，打印机92台，点钞机46台，活动金库15个，五十铃货车1辆，昌河面包车3辆，长安面包车1辆，大众帕萨特1辆，江铃全顺押款车

2 辆，电子秤 18 台，保险柜 36 个，投递摩托车 16 辆，投递三轮电动车 12 辆，投递二轮电动车 12 辆。在全县农村支局（所）全面推行标准化建设，各邮政储蓄所全部电脑操作，全国联网。

四、邮政业务

乐安县邮政局传统业务有：函件包裹、机要通信、报刊发行、集邮、汇兑等。1986 年 8 月，开办邮政储蓄业务，1993 年 11 月，开办特快专递业务，1999 年，开办物流业务等。

邮政储蓄　1986 年 4 月 1 日，遵照国务院“充分发挥邮电部门优势，在全国各地邮电机构分期分批开办邮政储蓄业务”指示，乐安县邮政局于 1986 年 8 月 17 日开办邮政储蓄业务，在公溪邮电支局开办储蓄业务。1988 年，县邮电局在农村分支机构推广储蓄业务，是年全县储蓄存款达 900 多万元。邮政储蓄存款每日全部缴存到中国人民银行乐安县支行，储户利息由该行定期拨付。邮政储蓄业务所需备用金由该行核定后预拨，缴存的储蓄存款由该行按月累计日平均余额付给 2% 手续费。1990 年 1 月，邮政储蓄由代办改为自办，储蓄存款由缴存改为转存中国人民银行乐安县支行，该行向邮政局支付转存利息和保值储蓄利息，停止拨付备用金和支付手续费。1998 年，邮电分营时储蓄余额 4500 万元。1999 年，邮政储蓄业务全国联网，通存通取，开办银联卡业务，便于储户存兑。从 2003 年起，利用邮政储蓄联网优势向社会各界提供代发工资、养老金，代理保险，缴纳移动、电信、联通资费及其他公用事业费等延伸服务。2003 年，各储蓄网点开通 2 小时电子汇兑业务。2008 年 9 月，邮政储蓄业务从邮政局分出，成立乐安邮政储蓄银行。2015 年，对各邮储网点进行全面升级，为用户提供周到、便捷服务。2016 年，邮政储蓄存储余额 14.6 亿元。

函件包裹　函件业务有信函、明信片、印刷品和盲人读物 4 种。其中信函业务量最大，1986 年，函件资费为每封平信外埠 0.08 元，本埠 0.04 元；1993 年 3 月，信函资费改为平信外埠 0.8 元，本埠 0.6 元。随着改革开放的不断发展，国际函件、港澳函件迅速增加。1987 年，出口函件 109.18 万件，1994 年，达到 281.32 万件，到 2008 年增至 425.62 万件，2009—2012 年，年均维持 420 万件以上。此后随着手机和互联网的普及，出口函件逐年下降，至 2016 年，仅 216.23 万件。

包裹业务　分为民用包裹、纸质品包裹、商品包裹和特快小包。1986 年，包裹资费为民包每件收取 0.15 元，商包每件收取 0.3 元。1987 年，出口包件 4.92 万件，1992 年，实行包裹资费适当下浮的优惠政策后，包裹业务大幅度上升，1993 年 8.04 万件，此后连年递增，至 2016 年，达到 52.9 万件。

速递业务　为满足用户需求，县邮电局自 1993 年 11 月 27 日开办特快专递业务，通过专门组织的收寄、处理、运转和投递，以最快的速度将函件送达，深受用户的欢迎，至年底共收寄特快专递 958 件。2003 年，开办特快寄递身份证、法律文书、工商税务执照等业务。2016 年，收寄特快专递 5.96 万件。

物流业务　1999 年，县邮政局利用网站遍布城乡优势，开办物流业务，方便农户购买种子农资产品。2005 年邮购种子 1.8 万千克。同城物流配送业也开展起来。邮政速递部门派专人专车上门收寄，并选择最迅速有效的交通运输方式传递，最终由专人专车将邮件投送到收件人手中，实现“门到门、桌到桌”的服务。

汇兑业务　1986 年 10 月，县邮电局邮政汇兑从邮政营业分出，并入邮政储蓄合台营业，汇兑资费每笔最低为 0.3 元，电报汇款每笔加收 0.8 元，撤回、改退每笔为 0.5 元。1986 年汇票出口 6.66 万件，1993 年汇票出口 5.4 万件。2003 年开办 2 小时电子汇兑业务，加特急汇兑业务。随着邮储网点升级改造，通存通取更加方便，汇兑业务逐渐变少，至 2016 年，仅 2.26 万件。

机要通信　县邮电局设专职机要员 1 人，严格执行“严密制度、手续清楚、责任分明、收发相符、有据可查”的机要业务处理原则，做到迅速准确、安全保密、重件不离人，轻件不离身，直投到户不捎转带。1987 年投递机要文件 968 件，1990 年达到

1461件，此后一直维持每年千件左右，2016年投递机要文件1265件。实现30年收投机要文件无积压延误、无丢失损毁、无失密泄密事故。2016年，局机要员获全省邮政系统先进生产者称号。

报刊发行 1987年，扩大发行渠道，形成报刊社自办发行与邮局发行并存竞争形势，是年发行报纸杂志种类3000多种，累计发行报刊761.3万份，杂志56.25万份。县邮电局贯彻执行“计划发行，区别对待，扩大零售，发展代办”的业务方针和“热情宣传、协调供需、讲求时限、保证质量”的发行原则，每年报刊收订期间，与有关方面负责人组成报刊发行领导小组，深入到各乡镇宣传收订。发行费率由20%提高到22%。2016年，全县订销报纸累计736.95万份，订销杂志累计92.73万份，其中个人自费订阅31.12万元。县城有零售报刊亭6个。2011—2016年，连续被评为全市党报党刊发行先进单位。

集邮 1985年，成立乐安县集邮协会，集邮业务其他邮政所不办理，只有县邮电局和公溪支局办理，会员不到50人。1986年，举办第一次集邮展览，是年邮票收入14503元。1993年，按照“传播社会主义精神文明，尽力满足集邮爱好者的需要，在此前提下努力为社会主义建设积累资金”的业务指导方针，在发展巩固县城集邮事业的同时，结合乐安县的特点，致力发展农民集邮事业，组建农村集邮组织，壮大集邮队伍，扩大集邮领域。会员遍布城乡，集邮人员1000多人，邮票收入达到24.01万元。随着市场行情的变化，集邮业务也随之变化。1987—2016年，集邮公司多次被省、地（市）管局评为集邮业务发展先进单位。

1987—2016年乐安县邮政主要业务情况表

表18-2-2

年份	函件（件）	机要文件（件）	包件（件）	汇票（份）	报纸累计数（份）	杂志累计数（份）	报刊流转额（元）
1987	1091833	968	49220	53825	7613000	562542	318281
1988	908993	933	33608	54098	4332139	621474	298014
1989	1176144	909	34924	54609	2638884	302115	363496
1990	804752	1461	34142	52713	2723191	512259	404631
1991	1089471	832	32820	46688	2834761	492251	461401
1992	1306394	702	54669	50194	2818930	512419	552462
1993	2596454	639	80367	53982	2902056	515960	648045
1994	2813212	763	69587	17896	4588752	547123	647128
1995	2798892	786	68518	18238	4689721	491181	651474
1996	2805586	898	65879	19125	4855931	484895	661435
1997	2812563	889	66853	19807	4783452	471256	691453
1998	2800245	977	66273	17868	4800125	481062	651463
1999	2812258	786	65890	18849	4789224	412822	881210
2000	2821540	788	65231	19556	4818567	482195	1018952
2001	2815680	876	66248	20515	4928837	491742	1301589
2002	2806987	884	67980	21545	4988565	495175	1715578
2003	3051686	882	71558	23454	5185875	508542	1821589

续表 18-2-2

年份	函件（件）	机要文件（件）	包件（件）	汇票（份）	报纸累计数（份）	杂志累计数（份）	报刊流转额（元）
2004	3085462	875	71854	24156	5195562	510548	1865455
2005	3157841	914	74851	24851	5278415	512552	1874885
2006	3314580	925	79552	25147	5321155	524502	1900254
2007	3569210	1206	96302	36203	5623006	532103	2063210
2008	4256213	1298	97562	37620	5630015	532962	2126000
2009	4282685	1325	102560	43216	5726110	552610	2352100
2010	4328710	1362	126300	42602	5862300	562016	2451096
2011	4526310	1390	123560	41560	5863200	576210	2659102
2012	4263012	1262	135260	38952	6156200	683520	3006987
2013	3756200	1189	156980	36562	6298520	735623	3259602
2014	3267502	1062	215630	31620	6982031	892630	3526033
2015	2685200	1125	365263	26862	7136802	900692	3762000
2016	2162300	1265	529620	22630	7369520	927260	3965600

说明：函件、机要文件、包件、汇票包含出口数

第二节　电　信

一、机构与队伍

（一）机构

1986—1998 年，乐安电信业只是乐安邮电业的一部分，其机构统称乐安县邮电局，经营邮政和电信两项主要业务。1998 年 10 月实行邮电分营。乐安县邮电局分拆为乐安邮政局和乐安县电信局，两家同在一栋楼内（长征路 33 号）办公。新成立的乐安县电信局设人秘股、电信业务股、移动业务股和财务股 4 股室，农村分支机构的称谓，除公溪称电信支局外，其余都称代办点。

1999 年 11 月，电信机构再次变革，即移动通信业务从电信局剥离，分立为中国电信集团公司乐安分公司和中国移动集团公司乐安分公司两家通信企业。

2000 年，中国电信集团公司乐安分公司设两部一室及 4 个农村片区支局，县公司机关设市场经营部、运行维护部、综合办公室，农村设公溪片区支局、戴坊片区支局、万崇片区支局、增田片区支局。其余农村乡镇大多委托社会人员开办代办点经营基本业务。2003 年，中国电信集团公司在香港上市，乐安电信公司更名为中国电信股份有限公司乐安县分公司（以下简称“乐安电信分公司”）。

乐安电信分公司虽机构全称改变，但企业内部机构框架仍基本维持中国电信集团乐安电信分公司的状态。2005—2010 年，由于受到小灵通业务关停，以及移动业务开通等因素影响，农村分支机构称谓和设置有些小变动，如将农村支局改为营业部，撤销戴坊支局设龚坊营业部，撤销万崇支局设牛田营业部，撤销招携支局设增田营业部等，这些变动都对企业机构框架和管理模式未产生太大影响。

2014 年，围绕省电信公司提出的“创新管理年”目标，为提升企业管理效率，乐安电信分公司对企业机构模式再次进行改革。改革后设一室两部，即办公室、网络部和客户销售服务部。办公室下设文秘、劳资财会、工团等岗位；网络部下设设备维护中心；客户销售服务部下设渠道中心、政

乐安电信大楼

企客户分部、商客营业部、核心商圈营业部、城东营业部、城西营业部、公溪营业部、龚坊营业部、戴坊营业部、牛田营业部、招携营业部、增田营业部。此机构框架到2016年未变。

（二）队伍

1986年年底，乐安县邮电局有各类员工共计298人，其中在职固定职工174人，临时工21人，退休职工103人。45岁以上员工占半数以上，青年员工偏少。员工文化水平不高，全局仅有1名大学学历员工，高中及中专学历员工15人，初中文化53人，其余100多名固定员工全部只有小学及以下文化，其中20名乡邮投递员几乎是文盲。

1998年，新成立的乐安县电信局各类员工154人，其中在职固定员工62人，劳务工28人，退休职工64人。邮电分营时，大多学历高的员工留在电信，新进员工必须具备大专以上文化才有资格参加竞争考入。

2016年年底，乐安电信分公司员工157人，其中，在职固定工68人，派遣制工3人，华兴员工26人，退休员工60人。固定员工中，35岁以下者28人，36～45岁者15人，46岁以上者25人。各类在职员工有大专以上文化的68人，高中或中专文化的29人。

1986—2016年，历任总经理（局长）：周云清、郑木生、朱信祥、陈富平、周国富、陈斌、陈晓根、饶国华、徐小勇。

二、电信业务

（一）电报通信

业务种类　1985年4月1日起，乐安县邮电局执行的国内电报业务种类有：天气、水情、公益、政务、新闻、普通、汇费、台电8种，特别业务有加急、特急、邮递3种，上述业务种类沿用到1998年未有大的变动。同时，根据实际情况，开办一些电报新业务，如公众真迹电报、用户电报、礼仪电报、礼品电报、送妥电知等。

1995年以后，随着电信通信技术进步，通信手段不断更新，移动电话、用户传真，直至宽带、互联网等通信手段的广泛应用，电报技术已落后时代，进而被新技术新手段所取代。

业务量　1990年前后，是乐安县邮电局电报业务量最大的时期。尤其是1986—1992年，随着南昌自动转报系统开通，全省公众电报自动交换网形成，乐安县邮电局的电报业务量出现快速增长。1986年出口电报业务量40043份，到1992年达到59172份。

（二）电话通信

固定电话是通话两端都需要有固定的设施和固定的场所为支撑的一种电话沟通方式，分为长途电话、市内电话和农村电话3种。

长途电话　1986年以后，随着国民经济快速发展，长途业务开始呈现快速增长趋势。全县出口长途电话，1986年为42938张，1989年43362张，1992年88981张，1995年上升到193587张。1996年，随着电话的家庭普及率急剧上升，以及移动电话在全国普遍开通，长途电话业务已不适宜作为单独业务进行统计。

市内电话　即同一城市内的电话通信。1986

年，县城市内电话用户仅86户，1988年，改共电式拨号电话为纵横制自动电话，是年市内电话用户增至363户，市内电话营业区域东向扩展至县林业车队（现党校附近），南向扩展至县第二中学（现为县第三小学），西向扩展至水电局前坪预制件厂（现派出所附近），北向扩展到县盐业公司（现鳌溪村委会附近）。20世纪90年代开始，人民群众对电话通信的需求越来越迫切。1991年下半年起，仅3个月时间就新增市话用户100多户，80%为住宅电话，接近此前10年发展住宅用户的总和。此后，电话需求持续高涨，1992年年末用户701户。1993年上半年，1000门自动交换机，实占达到900多门。为满足需求，乐安县邮电局在规划建设5400门程控电话的同时，采取紧急扩容措施，于1993年7月在纵横制1000门交换机上加扩240门数字程控小交换机，暂时缓解市话供不应求状况，是年市内电话用户达到1087户，其中住宅电话724部，市话营业区域扩大到东至刘家湾，南至交通局稽征站（现南门花园），西至前坪县纤维板厂（现五小附近），北至乐安县盐业公司（现鳌溪村委会附近）。伴随业务量大增，市内电话业务种类也不断翻新，有普通电话、公用电话、电话副机及副件、同线合同电话、用户交换机、分机、中继线出租、专线出租、音乐电话、装拆移机等十多种，以后连续几年，家庭安装电话成为时尚，1996年，市话用户总量突破5000户，1998年达到近9000户，家庭普及率90%以上。2000年前后，随着市话的普及率居高和移动电话取代固定电话，装机开始出现明显下降，2002年市内电话装机跌破500户，2003年起，市内出现拆机潮，以后连续十多年市话装机呈现负增长趋势，到2016年，乐安电信分公司固话市话用户保存量不到5000户。

农村电话　农村电话的类型随着时代变迁不断变化。1987年5月1日，邮电部、电信总局颁发的农村电话业务规程规定：区内电话用户种类分甲、乙两种。甲种用户为村民委员会、村民小组及所属单位安装的电话。乙种用户为甲种用户以外的用户安装的电话。乐安县邮电局1990年以前的农村电话用户绝大部分为乙种用户，1991年以后才出现少量甲种用户。

20世纪80年代中后期，农村电话业务发展缓慢。1986年，全县有农村电话交换点24处，农村电话用户296户。到1993年，交换点仍为24处，用户仅325户。1996年，随着农村电话传输光缆化和数字化的实现，乐安县邮电局大力开展电话进村攻关活动，是年新增放号842户，年末农村电话总数达到1287户。1997—1999年连续3年放号出现飞跃式发展，每年新增放号超千户，到2002年，全县农村电话用户达到6785户。2003年开始，随着市场竞争加剧，同时移动电话取代固定电话，乐安电信分公司的农村电话发展逐步出现下降趋势，2006年前后出现拆机潮，到2016年，乐安电信分公司农村电话用户保存量不到3000户。

（三）移动通信

乐安县邮电局和乐安电信分公司的移动通信业务经历三个发展阶段。

第一阶段为无线寻呼。公用无线寻呼系统，是20世纪末国内兴起的一种电信新技术。它通过与公用电话网相连接，组成一个有机的通信系统，具有快捷灵敏，可随身携带进行移动通信等特点。乐安县公众无线寻呼业务开通于1992年年底，有无线寻呼中继线路3条，配兼职寻呼员3名，经营的无线寻呼业务有数字寻呼和汉字寻呼两种。1993年年底，有无线寻呼用户27户，此后逐年快速增多，1996年年底，有无线寻呼用户1650户，1997年年底，用户数突破3000户。1998年，国家对无线寻呼业务管理实行改制，将无线寻呼业务剥离出邮电企业，成立专门的国家无线寻呼公司（后并入联通公司）。

第二阶段为小灵通和无线电话（ETS）。小灵通又称无线市话，是一种双方局限在县城区范围内的移动通信手段。1999年年底，成立刚刚一年的中国电信集团公司再次迎来企业改制，移动电话业务剥离。中国电信由于失去移动通信业务经营权，企业经营状况不佳。为改变状况，适应竞争，中国电信自行开发小灵通业务。乐安电信公司的小灵通业务于2003年下半年开通，是年发展用户987户。由于小灵通与正规的移动手机（当时人们称之为“大哥大”）相比，存在很多局限性，因此发展速度缓慢，每年新增用户不超过1000户。到2008年上半年小灵通用户总量为9400户。是年下半年，国家批准中国电信经营移动（大哥大）业务，小灵通即停用。

无线电话又称无线农话，是对一些农村偏远山区，由于难于架设杆线，而通电话困难的一种弥补。乐安县电信局2004年年底在大部分山区乡镇开通此类电话，2005年有用户2000余户。

第三阶段为移动业务。2008年10月，中国电信被允许经营移动通信业务，是年乐安用户达到近2000户，2010年，通过对网络和机器设备改造升级，同时加大放号宣传促销力度，移动电话用户逐年上升，2013年年底用户总数17985户，2016年年底达25785户。

（四）数据通信

1994年，乐安县邮电局开通163专线和165专线，标志公众数据业务开始进入百姓生活。2000年前后，随着互联网业务在全国普及，数据通信服务开始走进千家万户。2008年10月，乐安电信分公司在取得许可经营移动通信服务业务资质的同时，开始为广大用户提供数据通信服务业务，先期提供服务项目有分组交换、数据数字（DDN）、宽带网、拨号上网等，2015年前后开通1TV（宽带电视）业务、LDC（长途通话）业务和租线业务等。到2016年，乐安电信公司的宽带用户、1TV（宽带电视）用户分别达到16571户和10351户。

（五）电信资费

长话资费　1987年11月，邮电部调整300千米以内长途电话资费标准。由0～300千米分6级、1分钟基本价目0.1～0.6元，改为长话分级为12级、收费标准0.1～1.2元。

1992年，调整邮电地方附加费，省内挂发全国各地的长途电话，计费按分钟计算，单价由0.1元调整为0.2元。1994年以后，长话资费再次调整，省内基本价每分钟0.6元，另加收20%长话附加费；省际800千米以外基本价每分钟1元，另加长话费附加每分钟0.2元；800千米以内基本价0.8元，加长话费附加0.16元；法定节假日、休息日0点至24点，非假日23点至次日8点减半计收。以上收费标准执行到1995年，1996年长途电话资费标准自行废止。

国际、港、澳电话资费　1993年3月以前，国际、港、澳电话资费，普通电话最初3分钟价目为：日本14.4元、美国28.8元、澳大利亚28.8元、中国香港12元、中国澳门12元，3分钟以后的每分钟价目为：日本4.8元，美国9.6元，澳大利亚9.6元、中国香港4元、中国澳门4元。

1993年3月，调整后的国际、港、澳电话资费标准，通话费每分钟非洲、欧洲、大洋洲、拉丁美洲15元，亚洲除越南6元、朝鲜5.4元、蒙古5.3元以外，其他国家每分钟12元；国内各地（除广东省以外）至中国的香港、澳门、台湾每分钟5元。

市话资费　1986年以前，乐安县邮电局按三级局标准收取月租费：普通电话甲种8元，乙种13元，中继线39元，普通专线19.5元，并按规定收取市话附带费。1990年12月，根据省邮电局规定，对实现程控交换后市话资费作出调整，规定市话初装费：甲种用户包括改制费在内每部收费2000元，乙种用户每部收费4000元；旧机改制费，凡由磁石共电电话或机电制自动电话改数字程控电话的，甲种用户每部收改制费800元，乙种收1600元；基本月租费，普通电话甲种12元，乙种20元；通话费每次（3分钟）0.08元；中继线，甲种每月收费60元，乙种每月收费45元；公用电话通话费每次（3分钟）0.1元。1994年7月，普通电话装移费全省统一

增减变化比较频繁，长途电话设备：1986年有40门交换机1台，ZR305型12路增音机1台，ZM200-1B3路电话载波机1端，JZ-12A型12路电话载波机1端，ZT302B载波联络副机1台，半自动长途电话对端设备1台。1993年新增磁石交换机3台，JDD01C型长途半自动对端机16路，JZB355型12路载波增音机1端，JZ12-A路长途电话载波机1台，JZ-12B型12路载波机1端，ZGD-2型高12路电话载波机1端，长途电话直拨设备1套，长市农话合用的微机自动计时计费系统设备1套。以上设备维持到2000年前后，直至长途电话业务不作单独考核为止。

市内电话设备　1986年，有共电交换机1组，总容量600门，有单机378部。随着时代的进步，市话人工交换越来越不能适应需要，1988年，投资近百万元，开通纵横制自动电话，交换机总容量为1000门，是年，还有县公安局和县医院分别安装用户交换机共30门，市内电话机有361部。1991年下半年起，乐安兴起电话装机热，1000门自动电话到1992年上半年已饱和。为缓解供求矛盾，1993年增扩一台深圳生产的STD0200型数字程控交换机，是年交换机总容量增至1240门，市话单机1109部。1995年前后，电话广泛进入百姓家庭，乐安市话交换机容量扩至1000门。2000年后，随着移动电话的问世，加之多家电信企业参与市场竞争，乐安电信分公司的市话用户大幅减少，很多市话设备停用甚至废弃。

农村电话设备　1993年7月和12月先后开通公溪和招携两个模拟程控交换电话端局后，乐安县邮电局由磁石交换机一统农话设备天下的局面宣告结束，以后又接连开通龚坊、湖坪等端的程控交换。到1994年年底，全县共有农村电话交换机22台，总容量1812门。其中，公溪程控交换机1台，容量512门；招携程控交换机1台，容量200门，农村电话用户交换机2台，总容量550门；721矿自动交换机1台，容量1000门。有电话单机815部，其中自动534部。有JZ-3FB型12路载波机4端，环9路载波机1端，分机9端，特高频收发信机2端，电话会议终端机16台。2000年前后，农话概念逐渐淡化，到2010年以后，农话业务不再作为企业考核和统计指标。

移动通信设备　乐安最早出现的移动通信业务是1993年邮电局开通的无线寻呼业务。该业务的开通备有无线寻呼设备1套，包括发射机1台，工作站主机及备用机各1台，带配无线寻呼终端机100台。2000年前后，开通正规移动手机业务，无线寻呼业务缺乏市场，设备也随之淘汰。接着开通小灵通和农村无线电话。主要有小灵通发射设备1套，基站设备30套，农村无线电话发射设备3套，终端接收设备35套。2008年10月，中国电信正式经营移动业务，乐安电信分公司作为移动通信系统末端，承担的只是数据收集功能，只有相关的传输设备，其他主要设备全部集中在省、市分公司。

（三）电信设施

电信设施包括供电设施、移动通信基站设施、房屋设施和车辆设施4类。

供电设施　县内邮电一家期间，为保障电信通畅，一直配有柴油发电机组作应急供电。20世纪80年代随着电信设备增多，供电设施进一步加强。1993年有100千瓦、50千瓦和12千瓦柴油发电机组各1套，60伏电池4组，60伏和24伏整流器各4台，交流配电屏和直流配电屏各2面。2000年以后，随着移动电话等新业务开通，供电设施随之更新换代。2016年年底，县电信分公司配应急供电柴油发电机组2组，配套蓄电池2组。农村分支机构及代办点均配有小型汽油发电机。

移动通信设施　1995年，县邮电局开通移动电话，主要设施是一座建在局办公大楼七楼顶上的铁塔，基站设在综合电信机房内。1996年，在县城西坑和南门五福亭加建2座铁塔和基站。1999年，移动通信设施全部划分给乐安移动分公司。2008年，乐安电信分公司取得移动通信业务经营权，拥有基站和塔架56座。2015年7月1日，成立中国铁塔抚州市分公司乐安办事处，全面承接乐安县通信基站和室内分布系统的建设、维护和运营。是年11月1日，乐安铁塔公司全面接收乐安移动公司、乐安电信公司、乐安联通公司所有存量基站，共计445座，新建基站29座。截至2016年年底，全县基站总数501座。

第三节　移动通信

一、机构人员

1993年4月，抚州地区邮电局着手在乐安建设第一个移动基站，1994年3月18日开通移动电话。1999年5月22日，乐安县电信局向抚州地区电信局呈送《关于呈报乐安县移动通信公司组建方案的报告》，6月10日，地区电信局批准乐安县移动通信公司（简称“县移动公司”）组建方案。乐安县移动公司承担移动通信业务日常经营服务工作，内部不设职能机构。6月18日，乐安县移动公司挂牌独立运营，与电信公司分离。乐安县移动公司从电信企业中分出正式员工8人、退休员工4人。8月19日，移动综合业务管理系统在乐安县移动公司开通。2001年1月1日，更名为江西省移动通信公司乐安县营业部。2002年7月22日，更名为江西移动通信有限责任公司乐安县分公司。2006年8月，更名为中国移动通信集团江西有限公司乐安县分公司，隶属中国移动通信集团江西有限公司抚州分公司。乐安县移动公司下辖：综合财务部、市场经营部、集团客户部、网络部。市场经营部下辖大道营业厅、渠道运营中心、城区网格、山砀区域中心、增田区域中心、戴坊区域中心、万崇区域中心；网络部下辖数据中心。

2016年，乐安县移动公司有员工51人，其中，合同工45人、劳务派遣6人。县移动公司多次荣获江西省文明单位、省级青年文明号等称号。

1999—2016年，历任经理：李贵平、傅永良、徐兴福、石志坚、徐莉敏（女）、冯理高、黄敏、陈志辉、李宁、邹标明。

二、经营管理

乐安县移动公司以客户为中心的服务宗旨，开展微笑服务、上门服务、满意服务等活动，做到内强管理、外联客户，经常走访客户，建立客户档案、定期召开座谈会，广泛征求客户意见，以客户10分满意为最高服务标准。至2016年，乐安县移动公司在县城设立1家自有营业厅、34个社会渠道以及73个乡镇社会渠道，方便客户在家门口办理业务。一方面对自办营业厅进行全面改造，设立各类用户查询设备、意见箱、意见簿、便民箱及客户休息区、设备展示区、咨询台、引导员等。在营业厅的墙壁上悬挂服务流程图、业务宣传画册。另一方面从提升员工的综合素质入手，每周一次业务培训、每月一次业务考试，对员工不定期开展各类业务技能大赛，提高员工的综合素质和服务水平。

乐安县移动公司充分整合社会资源，根据县城及乡镇的环境、周边人口数量等，科学、合理地进行网络覆盖，已成为一个网络覆盖广、通信质量高、业务品种丰富、服务水平一流的移动通信专业化运营公司，经营业务有移动通信（包括

移动通信大楼

话音、数据、多媒体通信）、IP电话和互联网接入以及IP电话和互联网有关的系统集成服务等。至2016年年底，移动用户数143268户，其中3G用户数56164户，4G用户数87104户；互联网宽带接入用户数20692户；全县2G基站273个、4G基站421个；移动2G/4G信号行政村覆盖率达到100%，宽带信息点建设7.9万个，宽带行政村覆盖率达到100%；传输线路达1400杆程千米、管道45.2管孔千米。

乐安县移动公司推出全家共享免费送宽带等措施，开展4G手机免费换机，推动全民4G，助力国家信息化战略。2016年在贫困村公溪荷陂村开展“信息惠民，全民4G”活动，荷陂村成为乐安县第一个“全民4G”村。

第四节　联合通信

一、机构人员

中国联合通信有限公司成立于1994年7月19日。中国联通抚州分公司于2000年正式挂牌成立，是年10月1日开通试运营。2001年4月，中国联合网络通信有限公司乐安县分公司（简称“乐安县联通公司”）成立，隶属于中国联合网络通信有限公司抚州市分公司，乐安县联通公司初创时有员工3人，设立乐安营业部，负责对乐安境内联通公司各项业务的经营。2016年有员工20余人，其中合同制正式员工9人，合同聘用员工11人，公司设城区和乡镇两个区域营销中心。

通信塔

2001—2016年，历任总经理（负责人）：何国林、邹晓春、黄志华、双振、蔡国英（女）、蔡婷（女）。

二、基础建设

移动网络：从2001年开始，乐安联通陆续建设GSM（全球通）、CDMA（码分多址）移动电话及IP电话（17910、17911）的2G基站10个。从2009年起，在全县范围内部署世界上最先进的WCDMA（码分多址复用）-3G网络，并统一采用WO（沃）品牌，建设3G基站（86个）。2013年年底，全网升级为可支持42Mb/s下载的更高速率的3G网络，使乐安正式进入3G时代，2014年建设FDD（频分双工）—LTE（长期演进）—4G网络。至2016年，已形成2G、3G和4G为一体的通信网络架构，可以满足不同网络用户需求。其中，有2G和3G基站各100余座，已覆盖县城、乡镇、行政村（含自然村）及主要交通干线，行政村（含自然村）2/3G网络覆盖率为85%。有4G基站30余座，覆盖县城核心区域及所有乡镇，4G网络覆盖率约为30%。

宽带网络为让广大网民真切感受到光网速的巨大变化，乐安联通摒弃原铜缆组网方案，直接使用光纤进行组网，移动宽带网速可以达到42Mbps（兆比特每秒）。至2016年，有宽带端口1万余个，县城主要区域实现光纤宽带覆盖，公溪、山砀、龚坊、戴坊、牛田、万崇、湖坪、增田等乡镇实现光纤到户宽带覆盖。其中，县城宽带覆盖率约为85%，乡镇覆盖率约为70%，行政村覆盖率约为10%。

三、经营管理

乐安县联通公司2001年以GSM（全球通）、CDMA（码分多址）—2G移动电话及IP电话（17910、17911）为依托，开展移动业务经营，2002年实现主营业务收入200万元左右。2013年，公司加强WCDMA（宽带码分多址）-3G技术的推广应用，在交通、金融、安防、安全生产等领域开展信息化项目合作，推广运用一信通、随E行、视频监控、专线接入、ICT等应用服务产品，实现业务收入连续3年保持两位数增长。2014年，中国联通进入4G时代FDD（频分双工）—LTE（长期演进）网络模式。宽带网方面，县联通公司建设能够满足语音、数据、图像、视频等业务需求。2016年，乐安联通与县农业局签订戴坊镇排下农场智慧农业项目，依托布设在农业生产现场的各种传感节点（环境温湿度、土壤水分、二氧化碳、图像等）和无线通信网络，实现农业生产环境智能感知、智能预警、智能决策、智能分析、专家在线指导，为农业生产提供精准化种植、可视化管理、智能化决策。至2016年，县联通公司移动电话数16965户，其中3G用户数5663户，4G用户数11302户；互联网宽带接入用户数2810户。

县联通公司开展全方位服务质量检查、监督，严肃处理服务质量事件，推动服务短板问题的深入整改。实行宽带装机、移机、修障服务承诺，宽带安装和故障修理满意率上升至97%。在客户维系方面，加强VIP客户到期维系工作，要求VIP客户经理对到期客户的回访率达到100%。邀请用户参加3G玩家俱乐部“沃”体验、“兵临城下”挑战赛等活动，为用户创造服务新方式。参与县委、县政府组织开展的各类公益以及扶贫助困、奉献爱心等活动，与湖坪乡西头村结成扶贫帮扶对象；开展“沃爱高考服务行动”，安排考点服务和爱心送考；高考期间，各大营业厅成立“高考服务站”，为考生和家长提供服务。

第十九卷

城乡建设　环境保护

本卷目录

第一章　城乡建设

1986—2016年，乐安的城乡建设得到较大发展，县城总体规划正式编制完成后，城市建设逐步从无序建设走向有序开发，旧城改造、新区开发、配套设施全面推进。城区的框架不断拉大，城市的承载功能不断完善，美化亮化工程积极推进，一座新兴城市逐渐形成。乡村建设全面铺开，加快了城乡一体化进程，为改善和提高人民群众生活水平创建更加优越的人文环境。

第一节　机构人员

乐安县住房和城乡建设局属县人民政府的职能部门，是全县城镇规划建设的管理机构，负责全县城镇规划建设的管理工作。

1977年6月8日，成立乐安县建筑工程局，1979年5月改为乐安县城市基本建设局，1984年6月更名为乐安县城乡建设环境保护局。1990年，成立中共乐安县城乡建设环境保护局委员会。1997年7月22日，更名为乐安县建设局。1999年4月27日，增挂乐安县环境保护局牌子，与县建设局实行两块牌子一套人马。

1999年5月24日，县建设环保局设立人民武装部。中共乐安县城乡建设环境保护局委员会和纪律检查委员会同时分别更名为中共乐安县建设环保局委员会和中共乐安县建设环保局纪律检查委员会。

2002年6月，将乐安县建设局、环保局合并为乐安县城乡建设环境保护局，内设（党政）办公室、规划股（测绘股）、建筑业股、环境保护股、财务审计股、房地产业股。下辖单位有：房地产管理局、县建筑公司、县环卫所、县城市管理监察大队、建筑设计室。2004年7月，局下辖的“自来水公司”划归乐安县水利局管理。

2006年5月，县环保局单独设立，县城乡建设环保局更名为建设局；2010年，更名为乐安县住房和城乡建设局。2010年6月，针对全县“两违”（违法用地、违法建设）建设严重的情况，县政府成立乐安县综合整治办公室，将住房和城乡建设局下辖的县城市管理监察大队人员建制移交县综合整治办，主要负责县城区“两违”整治和批后监管工作。是年12月，县城市管理监察大队正式从县住房和城乡建设局划出，成立乐安县城市管理局，同时将环境卫生所、市政、园林、路灯管理和违规处罚职能移交到城市管理局，实行建管分家。

县住房和城乡建设局办公楼

依据“三定”方案，住房和城乡建设局机关设行政编制6个，工勤编制1个。2016年底，全局有在编行政人员22名，事业人员7名，借用人员2名。班子成员：局长1名，书记1名，副局长3名，县纪委派驻局纪委书记1名，专职党委委员1名。内设党政办公室、规划股、建筑管理股、财务股、监察室。下设质量监督管理站、安全监督管理站、建筑设计室、房改办、房屋拆迁办、村镇规划管理站、建筑综合管理站。

1986—2016年，历任局长：杨启发、王义翔、许祖联、龚清国、邱云辉、谢小云、徐友洪、曾贵才、黄志勇；历任党委书记：许祖联、邱云辉、谢小云、游金牛、曾贵才、张学军、詹敏、曾贵才、黄志勇。

第二节　城区规划

1986—2016年，乐安县完成4轮城市总体规划的编制，分别是《乐安县城市总体规划1985—2000》（简称85版）《乐安县城市总体规划1997—2015》（简称97版）《乐安县城市总体规划2005—2020》（简称05版）《乐安县城市总体规划（2010—2030）》（简称10版），其中“85版”规划于1986年1月24日经江西省人民政府批准。“97版”规划在1999年经省政府同意，由省建设厅批复。“05版”规划虽然编制完成，但由于种种原因，未获得审批，规划的执行缺乏必要的法律支撑，不利于指导城市建设，但乐安县各项城市建设仍然参照“05版”规划执行。“10版”规划于2016年经抚州市人民政府批准。

一、《乐安县城市总体规划1985—2000》

该总体规划简称“85版”，由县建设局制定。总体规划按照“集中建设南区，重点改造北区，逐步建设西区”的思路，以鳌溪河为界，鳌溪河以北为北区，属老城区，是商业、服务业的中心兼居住区；鳌溪河以南划为南区，属开发区，安排行政办公和体育设施建设以及商品房住宅开发建设；鳌溪河以西（站前路向西发展）划为西区，属对外交通仓储和工业建设区。

二、《乐安县城市总体规划1997—2015》

该总体规划简称“97版”，从4个方面作出规划。

城市性质　乐安县城是全县的政治、经济、文化中心，全县农林产品的集散地与加工中心，赣中历史文化旅游线上的重点城市。

规划期限　近期1997—2000年，远期2001—2015年。

城市发展规模　人口规模：近期为5万人，远期为8～10万人。城区用地规模：近期445公顷，人均89平方米/人，在规划区内保有241公顷发展用地，以适应城市发展变化。

发展战略及总体目标　以县城为中心，以抚八、丰洛、乐崇3条公路为射线，北接抚临经济带，西接京九线，南接赣南改革实验区，以靠近京九线的公溪、戴坊、牛田、招携4个镇域经济点为重点，优化农业，强攻工业，繁荣第三产业，加速工业化、城镇化进程。积极改造和完善现状建成区，有步骤地建设城南工业小区，把乐安县城建设为有中国特色的现代化小城市。

规划期内用地发展规模表

表19-1-1

年份	规划建设用地（公顷）	人口规模（万人）	用地指标（平方米/人）
1997	142.00	2.7	52.30
2000	445.00	5.0	89.00
2015	698.57	8.0	87.32

主要功能区定位表

表 19–1–2

名称	功能区方位	性质
城市中心区	鳌溪河北岸建设区	县城行政、商业、金融和文化中心
城南工业开发区	南外环路以南	以食品、建材、机械工业、家具制作为主体，建成工业、商业、生活居住综合区
西南工业区	西外环路以西	以粮食加工、丝绸、纺织、农机为主体的相对独立的工业区
东北、东南、西北三个组团生活区	东、南、西外环区域	生活居住新区

三、《乐安县城市总体规划 2005—2020》

该规划简称“05 版”，从 5 个方面作出规划。

城市性质　乐安县城是全县的政治、经济、文化中心，以加工业为基础、旅游服务业为支撑的生态山城。

规划期限　近期 2005—2010 年，远期 2011—2020 年。

城市发展规模　人口规模：近期为 8 万人，远期为 15 万人。城区用地规模：近期控制在 800 公顷以内，远期控制在 1500 公顷以内。人均建设用地控制在 100 平方米以内。

城市发展方向　近期以向西发展为主，适度向南；远期主要向南发展，适度往北拓展。

城市空间结构　“一河两岸四区一组团”的空间格局。

一河两岸。依托贯穿城区的鳌溪河构架城市绿化景观带，同时以鳌溪河和城区生态绿地为纽带，将各片区联系形成有机整体。

四区。老城区：主要集中在鳌溪河北岸，处于城区中心，为行政、文教、商贸、生活居住综合区，规划主要理顺道路网络，配套完善各项设施，提高居住环境质量。城南工业区：以南门工业小区为基础，发展形成工业园区，主要安排Ⅰ、Ⅱ类工业用地，并安排工业及生活物资储备仓库。城西行政、商贸综合区：森林公园以西部分，以迎宾大道及商贸北大道为轴，建设城市新的行政、商贸、生活居住区。城北综合居住区：老城区以北，森林公园以东部分，依托北环路建设行政、文教、商业、居住区。

一组团。麻石岭组团，以工业大道为轴，建设一个工业、生活组团。

“05 版”城市总体规划实施以后，对乐安的社会经济发展和城市建设起到较好的引导和促进作用，城市的空间格局基本上按照该规划要求展开，为今后城市的发展奠定了良好的基础，但在实施过程中也存在一些不适应的地方。

四、《乐安县城市总体规划（2010—2030）》

该规划简称“10 版”，由江西省城乡规划设计研究院从 7 个方面作出规划。

（一）规划重点

根据生态优先、区域协调、城乡统筹、突出特色原则，确定规划期限、范围与层次。

规划期限　近期：2010—2015 年，人口 9 万人左右。中期：2016—2020 年，人口 12 万人左右。远期：2021—2030 年，人口 18 万人左右。

规划区范围　为鳌溪镇区及鳌溪村、案山村、桥陂村、王家排村、桥背村、赖村村；增田镇西边村、增田村、温田村、长江村所管辖的行政范围界限，面积为 11400 公顷。人均建设用地控制在 100 平方米以内。

规划层次　包括县域城镇体系规划、城市规划区统筹规划和中心城区总体规划 3 个方面，分别对应县域、城市规划区、中心城区 3 个层次。县域包含乐安县行政区划全部管辖区域，面积为 2410.44 平方千米；城市规划区面积为 11400 公顷；中心城区指鳌溪河两岸城区部分，东至衡茶吉铁路东延（规划），南至抚吉高速公路，西至西环路，北至城北二路，面积约 3200 公顷。

（二）发展指标

城市总体规划指标体系包括经济、社会人文、资源、环境等 4 大类，分为控制型和引导型两种类型。城市经济指标反映城市经济发展水平、效率和发展阶段等情况。

乐安县城市发展指标体系表

表 19-1-3

指标分类		指标名称说明	单位	现状	规划			指标类型
				2009 年	2015 年	2020 年	2030 年	
经济指标	GDP 指标	GDP 总量	亿元	24.79	60	106	275	引导型
		人均 GDP	万元 / 人	0.69	1.58	2.72	6.55	引导型
		服务业增加值占 GDP 比重	%	37	37	40	45	引导型
		单位工业用地增加值	亿元 / 平方千米	3	5~10	10~15	15~25	控制型
社会人文指标	人口指标	人口规模	万人	35.86	38	39	42	引导型
		城镇化率	%	32.29	41	48	61	引导型
	医疗指标	每万人拥有医疗床位数	个	20	25	30	40	控制型
		每万人拥有医生数	人	11	15	25	30	控制型
	教育指标	九年义务教育学校服务半径	米	500	500	500	500	控制型
		高中阶段教育毛入学率	%	0	85	90	95	控制型
		高等教育毛入学率	%	0	40	50	60	控制型
	居住指标	低收入家庭保障性住房（人均居住用地面积）	平方米 / 人	0	10	15	20	控制型
	就业指标	预期平均就业年限	年	0	30	35	35	引导型
	公共交通指标	公交出行率	%	5	15	25	30	控制型
	公共服务	文化设施人均用地面积	平方米 / 人	0.6	0.7	0.8	0.9	控制型

（三）总体规划

中心城区道路交通系统规划

国道省道：对接抚吉高速公路以及国道、省道的建设，调整通过城区的国道省道路线。

汽车站：规划设置 2 个长途汽车站。城西长途汽车站：位于西环线与乐安大道交叉口西北角，规划面积 2.11 公顷，承担县城长途对外交通及货运中转集散职能。城中汽车站：即现状长途汽车站，面积 1.31 公顷。规划城中汽车站逐步改造为中短途汽车客运站。

火车站：受地形、抚吉高速公路及现状城市格局的影响，乐安县中心城区适合作为铁路站场选址的地点不多，通过对铁路线型走向的研究及有利于与城区对接的原则，规划在城区东面新建乐安火车站，占地 6.20 公顷；铁路线与抚吉高速公路共廊道建设。

停车场：在外环路设置外来机动车公共停车场；在城区设置城内机动车公共停车场 6 处，每处占地 0.6 ~ 2 .0 公顷。

城市主干路：规划形成“一环五横五纵”的主干路系统，道路红线宽度按照 40 ~ 45 米控制，主要采取三块板的断面形式。“一环”即城市环路，“五横”即府前路、乐安大道、商贸南大道、横二路、横五路；“六纵”即迎宾大道、发展大道、城北大道至工业大道、城东大道、东环路、站西大道。

城市次干路：道路红线宽度按照 24 ~ 32 米控制，主要采取一块板的断面形式。

支路：道路红线宽度按照 12 ~ 24 米控制，主要采取一块板的断面形式。

城区景观风貌规划

乐安县中心城区景观风貌总体形成“一环”“两廊”“四心”“六点”“八区”的景观结构。

“一环”：利用乐安中心城区外围自然山林构建的生态绿环，将城市包围起来。

“两廊”：鳌溪河滨水景观长廊；抚吉高速景观长廊。

“四心”：北山公园、城北森林公园绿心；王排山公园绿心；城南森林公园绿心；城东森林公园绿心。

“六点”：城西入口景观节点；城北广场景观节点；鳌溪广场景观节点；乐安大道和城北大道交会处景观节点；工业大道与南环路交汇处景观节点；乐安火车站站前广场节点。

“八区”：城北山水特色居住景观风貌区；城北文化商务景观风貌区；人民广场周边现代城市景观风貌区；鳌溪河畔滨水商贸景观风貌区；前坪滨水特色居住景观风貌区；增田现代工业园风貌区；王家排旅游特色接待风貌区；站前综合景观风貌区。

中心城区居住用地规划

乐安县中心城区居住区有城北居住区、老城居住区、行政居住区、王家排居住区、前坪居住区、城南居住区、车站居住区，居住规划用地面积 595.52 公顷。

乐安县中心城区居住区规划情况表

表 19-1-4

居住区名称	居住用地规模		人均居住地（平方米）	居住人口（万人）
	面积（公顷）	其中：保障房用地		
城北居住区	81.98	10.06	32	2.5
老城居住区	88.36	—	35	2.5
行政居住区	141.36	14.32	33	4.0
王家排居住区	67.37	—	34	2.0
前坪居住区	119.43	—	34	3.5
城南居住区	34.48	13.56	33	1.0
车站居住区	83.18	9.21	33	2.5
合计	595.52	47.15	33	18

商业工业用地规划

商业服务用地规划：分别在老城区和王排山公园建设县级商业服务业中心。每个居住区一般设置1个农贸市场，每处农贸市场占地规模为0.2公顷；在中心城区规划布置3处专业市场区，老城综合市场规划面积4.80公顷，城西综合市场规划面积6.50公顷，站前专业市场规划面积10.06公顷。

工业用地规划：前坪工业区现有的工业用地，规划改变其土地用途，提高土地利用价值。工业布局集中到增田工业区。物流仓储用地规划59.34公顷，规划人均仓储用地3.30平方米。

中心城区公共服务设施规划

行政办公用地规划：规划行政办公用地为45.58公顷，占总城市建设用地的2.54%，人均2.53平方米。行政办公用地主要位于迎宾大道及北环路沿线。

文化设施用地规划：规划文化娱乐用地6.36公顷，占中心城区建设用地比例的0.35%。

教育科研用地规划：规划教育科研设施用地53.59公顷，占中心城区规划用地比例的2.98%，人均规划用地2.98平方米。

体育用地规划15.36公顷；医疗卫生用地规划8.47公顷；社会福利用地规划1.21公顷。

（四）市政工程规划

给水工程规划

龙潭水库，控制集雨面积26.2平方千米，多年平均径流量2302万立方米。总库容为1613万立方米，库容系数0.552，为多年调节水库。

近期维持第一水厂现有供水规模1.5万立方米/日，完成第二水厂一期建设，使其供水规模为4万立方米/日。远期撤销第一水厂，扩建第二水厂，规划第二水厂远期供水规模为9万立方米/日。

排水工程规划

规划新区一律采用雨污分流制；污水量按平均日给水量的80%估算（日变化系数取1.2），则近期城区污水量为3万立方米/日，远期污水量为6万立方米/日。扩建现状污水处理厂规模达到3万立方米/日，采用二级污水处理工艺，用地面积由4公顷增加至8公顷。

电力工程规划

变电站建设：规划近期新建220千伏工业园变电站，双回路至崇仁220千伏洪家变，主变容量为2×120MVA。另在高速公路南侧新建一座增田110千伏变电站，主变容量为2×40MVA，与220千伏工业园变电站相连接。

通信工程规划

规划2030年中心城区总人口为18万人，固定电话普及率按50部/百人计算，城区内电话达9万门，设备容量占用率按80%计，则交换机容量为11.25万门。

无线移动电话发展目标：规划至2030年，移动电话普及率70部/百人，移动电话用户达12.6万部。

广播电视规划

广播规划：乐安自办调频广播电台，近期增加广播节目的播出时间和丰富广播节目内容，远期实现广播节目信号处理和传输数字化。

有线电视网规划：完成城区内有线广播电视网的光缆化宽带网改造和建设，完成模拟信号电视向数字化电视过渡，实现节目录制、编辑、播出和传输、接受的数字化，实现高清晰度电视的播出。

燃气工程规划

近期规划在前坪大道新建调压储配气站，面积约1.5公顷，中、远期作为西气东输天然气储配、调峰、调压站使用。2030年规划区范围东至衡茶吉铁路东延线，南至前坪工业区，西至交管中心，北至北山公园。总规划面积为1769公顷，规划人口18万人。

（五）综合防灾规划

防洪排涝规划：对乐安县城采用50年一遇的防洪标准，鳌溪河河床断面按不小于38米控制，县城沿鳌溪河两岸修筑防洪堤。

消防规划：规划在增田工业区工业大道西侧新建一座标准消防站，用地约1.5公顷。

（六）环境卫生规划

生活垃圾的无害化处理，以卫生填埋为主（占70%），焚烧处理为辅（占30%）。

垃圾清运实现机械化，要求日收日清，清运过程中设置转运站，规划垃圾中转站以小型为主，平均200～400公顷设置1个，规划期末需8～10个，占地面积300平方米左右。

（七）规划实施措施

加强规划的执行力度；建立规划实施评价监控机制；加强行业指导，实行分级审批，强化规划对接；统一规划，市场运作；整合管理单元，加强人员培养，提高管理效率；健全规划法律责任，树立城市总体规划的权威性；设立监督机制，将公众参与引入规划编制，实施管理的各个层次和阶段。

第三节　城区建设

一、建设总情

1986年以后，乐安县坚持把建设“森林城市、文明城市、卫生城市”作为城区建设的导向，把宜业宜居作为建设追求，不断完善城市功能，提升城市品位。特别是进入21世纪以后，乐安的城区建设进入发展的快车道，城区面貌日新月异，城市化水平不断提高，有力地促进县域经济的快速发展。

城市框架不断拉大。1986年，县城面积207公顷，城区人口1.41万人。乐安县历届县委、县政府始终围绕“一河、两岸、四区、一组团”的城区规划总体布局，以外环路为依托，按“向西发展，往北拓展”的思路，改造老城区，开辟新城区。20世纪90年代中期，县城区总面积450公顷，城区人口6.57万人，城镇化率为38.26%。随着城市人口的不断增加和房地产业的迅猛兴起，居民住宅新区不断涌现，东有保障性住房（又称惠民家园小区）新区，南有现代工业园区和抚吉高速旁边的“森林美墅”新区，西有“杨柳山庄”和“小蓬莱”娱乐园，北有“香山豪庭”和“豪德”新区等，这几大新区都临东、南、西、北外环大道往外拓展延伸，既拉大城区框架，又提升城市品位。至2016年年底，县城区总面积1026公顷，城区人口11.8万人，城镇化率为55.2%。

城区交通网络化。2008年以后，随着城市建设的快速发展，按城区规划总体要求，城区内交通主次干道建设已形成“四环、四纵、四横”的交通网络新格局。“四环”：即“东、西、南、北”外环路；“四纵”：即迎宾南大道、迎宾北大道、前坪路、象山路；“四横”：即北环路、乐安大道、长征路、迎宾中大道。至2014年，城内的交通仍以私人“拐的”为主要交通工具。城区框架的拉大，人口流动的增加，城内的“拐的”随之增加，最多时上街“拐的”800余辆，加上个人摩托、电动车等上班族，城内交通拥堵，秩序混乱，交通事故频发。为了彻底扭转这一局面，县政府从2015年3月开始，对城内交通秩序进行全面整治，所有“拐的”全面禁止运营，由县政府统一折价收购，统一实行公交车划线运营，城区的交通拥挤得到缓解。同时合理规划长途客运站，保留现有鳌溪客运站，在乐安大道西段新建长途汽车站，占地3.65公顷，原站前路客运站用地置换为商业用地。

房地产业繁荣。进入21世纪，城区居民的住房建设发展迅速，2006年后新建成的居民住宅小区有：祥瑞国际、凤凰城、九龙宏盛、御景城等20多个住宅小区。这些小区的建成，极大地改善城区居民的住宿条件，同时也为进城创业和外地到乐安的务工人员解决住房问题。

城市商业网点建设。乐安城内的主要商业点分布在广场路、长征路、乐安大道、迎宾大道两旁的店铺及万家福、时代家园、喜来购超市3个大型购物中心，对外接待场所主要有：芙蓉山庄酒店、半山酒店、财苑宾馆、宏达宾馆等。

城区公园、广场文化建设。森林公园的扩建改造，充分体现乐安山城融绿色生态、人文景观与居民休闲娱乐、体育健身为一体的山城文化特色。湿地公园、水上乐园都以秀美的山林水面、诱人的人文景观呈现在人们眼前，具有强烈的时代特色。四九广场的建成，丰富城区人民的文化生活，为乐安增添一道亮丽的风景。

城区生态建设。2010 年，污水处理厂的建成及排污管道网点的建设，有效地改善乐安居民的生产生活环境。城内的道路及公园、广场建设，一律按生态城市的要求进行亮化、绿化，既美化城内的自然环境，又改善市民的居住条件，真正实现乐安山区天更蓝、水更清、山更绿、路更亮的优美环境。

二、主要街道

1986 年，县城主要街道只有老城区的长征路、广场路、烈士路等几条街道，长不足 2000 米，其余则为小街小巷。进入 21 世纪，特别是“十五”规划实施后，随着房地产业的兴起和新型市场的不断涌现，城区道路建设取得突破性的进展。以乐安大道、迎宾（北、中、南）大道为主轴，与东、南、西、北环城路相连接，形成东、南、西、北贯通的新城区。

在开辟新城区的同时，进一步加大对老城区的改造步伐，先后对广场路、长征路、象山路、站前路、鳌溪路、沿河路等部分路段出现的“瓶颈”进行拓宽、拉直、改造，拆除原低矮破旧、落后于时代要求的各类建筑物，重新规划新建南门花园、金茂商城、万联现代城、时代家园、万家福超市、建丰大楼、名都商业广场等。对老城区的部分行政机关办公楼进行整体搬迁，统一规划兴建。县委、县政府的原办公楼整体拆除拍卖，把行政中心统一兴建在迎宾北大道与人和路交汇点。老城区的人武部、检察院、法院、公安局、计生委、环保局、烟草局、国税局等机关的办公楼，统一规划兴建到迎宾北大道和北环路两旁，错落有致，整体大方。

（一）主干路

乐安大道：以县名“乐安”而命名。西起西环路的长途客运站，东至长征路的街心花园，途经妇幼保健院、农商银行、财政局、水利局、民政局、气象局等，全长 2642 米，宽 55 米，为双向六车道。两侧非机动车道各 4.2 米，两条绿化带各 1.5 米，两边人行道各 7 米，并铺设彩砖，安装 42 杆路灯。从 1994 年初开始规划测量，年底开建，1997 年 12 月竣工通车。乐安大道的建成突破了县城发展的瓶颈，拉大县城的框架，特别是民政、水利、气象、交警、财政、国土等单位的兴建，为向西发展打开通道，奠定了基础。2012 年 10 月 26 日，对乐安大道延伸段道路进行拓宽改造，新增道路 6.58 万平方米，绿化面积 7755 平方米，路灯 102 杆，项目总投资 1200 万元，2013 年 4 月 26 日竣工。乐安大道是县城第一条直线最长、最宽，设施最完善的现代化街道，成为县城的西大门。

乐安大道

迎宾（北、中、南）大道：北起湖溪进城公路，南至抚吉高速收费站，全长 7026 米，宽 42.4 米，主车道 15.6 米，为双向六车道。两侧非机动车道各 4.2 米，两条绿化带各 1.5 米，两边人行道各 7 米，是贯穿县城南北直线最长的，绿化、亮化等景观设施最齐全的现代化街道，取名为开放的乐安迎接四方宾朋之意。

迎宾北大道（原名北大道）北起湖溪进城公路，南至鳌溪客货运输停车场交叉口（原商贸南大道），途经消防大队、烟草大楼、检察院、行政中心、国税局、国土局、发改委，全长 1224 米。

迎宾南大道

绿化带各16.5米。路面类型为沥青双向6车道。

长征路：西起乐安大道路口，途经建设银行、文化馆、新华书店、中医院、林业局、东门桥、原林业车队，至东接东环路，全长3209米，宽20米。是一条贯穿县城老城区东西直线最长的路。1973年开建，1975年竣工。为县城第一条硬化路面。

（二）次干路

前坪路：北起站前路，途经怡家丽景、幸福家园、前坪新区、鳌溪派出所、金域龙城、春天里小区，南接南环路。该路为通往鳌溪镇前坪村的路而取名。全长3600米，宽32米，主车道宽24.4米。此路1988年建成。

象山路：北起北环路，途经原工商局宿舍区、县第一中学东侧门、中医院、象山桥，东至审计局门口。该路经过象山而得名，全长2600米，宽10米，主车道8米，是一条店面密布的商业街道。1990年建成。

象山路南段：北起审计局门口，南至东环路经济适用房小区，是象山路的延伸段。道路全长753米，宽15米，路灯50杆。沥青混凝土路面，两边各1.6米人行道。此路使保障性经济适用房小区和主城区直线互通，缩短路程近6千米，方便惠民家园小区以及县城东南面居住人群的出

从2000年3月开始规划测量，2002年12月竣工。

迎宾中大道（原名商贸南大道）西起鳌溪客货运输停车场交叉路口，东至南门花园，途经万联现代城、商贸城、东英角桥、县人民医院南端、南门花园，全长1132米。从1997年6月开始规划测量，2000年8月竣工；2006年对该路段进行改造，建设为混凝土道路，安装路灯40杆，2007年年底完工。项目总投资1100万元。

迎宾南大道（原名工业大道）北起南门花园，南至抚吉高速公路收费站，途经工业园区、县办事大厅、山林美墅，全长4670米。从1994年6月规划测量，1996年9月竣工通车。2006年5月16日对该道路进行改造，路面宽42.4米，其中：机动车道15.16米，非机动车道两边各4.5米，绿化带两边各1.5米，人行道两边各7.2米，总投资1980.56万元。工程主要项目包括：混凝土道路、非机动车道、人行道、圆涵管道排水工程、绿化带、路灯。混凝土道路面积2.87万平方米，绿化面积8064平方米，路灯122杆（盏），人行道面积2.36万平方米，圆涵下水道3448米。2006年9月13日竣工。2012年，抚吉高速乐安互通接线绿化、亮化工程对该路段进行改造。路宽61米，其中机动车道21米，两侧绿化带各2米，人行道各1.5米，

前坪路

行，为保障房发展和东环路土地升值提供了空间。从 2011 年 9 月开始规划测量，2013 年 8 月竣工通车。

站前路：北起街心花园，途经中国银行、金元桥、名都商业广场、老汽车站、县人民医院，南至南门花园。全长 1200 米，宽 30 米，主车道 22 米。1976 年建成。

惟益路（原“金行得路”）：西起南门花园，途经龙泉寺、大都汇小区，东至东环路。全长 1000 米，宽 42 米，主车道 24.4 米。该路以明代刑部尚书董裕字命名。

（三）环城路

东环路：北起北环路刘家湾桥，途经广信丝厂、老虎坑、南山公园东面、惠民家园小区，南至惟益路。全长 2380 米，宽 32 米，中间 5 米绿化带，两边主车道各 8 米，两边人行道各 5.5 米。工程总投资 5360 万元。绿化工程有桂花树 1107 棵、香樟 991 株、红叶石楠球 329 株等树种，层次清楚，色彩纷呈，四季都有红花绿叶。亮化工程有高架荧光灯 86 盏。东环路的建成极大地改善惠民家园的人居环境，对改善东南面乡镇交通条件、连接抚吉高速都具有十分重要的作用。2012 年 5 月开始规划测量，2014 年 6 月竣工通车。

南环路：西起乐安大道的新长运客站，途经严江桥、前坪路交叉口、前坪工业区，东至迎宾南大道。全长 1748 米，宽 50 米，中央为 10 米绿化带，车行道路宽度为 16 米，车行道与人行道之间设计 2 条各宽 5 米的绿化带，人行道宽为 2×7 米，采用雨水和污水分流形式排水，设计行车速度为 60 千米 / 小时，按照城市景观性主干道路设计建设。道路总面积为 8.74 万平方米，工程总投资 1641.31 万元。2006 年 10 月 8 日开工， 12 月 27 日竣工。南环路建成增加了县城西南片区 200 公顷的开发建设用地，完善了城市功能，扩大了城市框架。

西环路：北起迎宾大道的烟草公司新大楼，向南至乐安大道的新长运客站，全长 1283 米，宽 42.4 米，主车道 16 米，两边各 2.5 米绿化带、4.5 米的非机动车道和 6.2 米的人行道，绿化面积 6415 平方米，安装路灯 84 杆。合同总价 833.55 万元。2012 年 5 月开始规划测量，2014 年 6 月部分路段竣工通车。

北环路：西起迎宾大道的烟草公司新大楼，东至东环路的刘家湾桥，途经家和沁园小区、县人民法院、县环保局、县公安局、县司法局万龙桥、湿地公园、第二自来水厂，全长 3290 米，路基宽 45 米。其中主车道宽 16 米，非机动车道两边各 4.5 米，绿化带两边各 3 米，人行道两边各 5.5 米，路灯 240 杆（盏），合同总价 1845.68 万元。2009 年 7 月 1 日开工，12 月 30 日竣工。北环路的建成增加县城北片新区 250 公顷的开发建设用地。2010 年 5 月 18 日，对北环路进行改造升级，2010 年 11 月 18 日竣工。

（四）支路（含街道）

兴乐路：西起名门首府，途经行政中心北侧，东至迎宾北大道，路名取乐安兴旺发达之意。

人和路：西起御景城正门文渊路，途经行政中心大门，东至迎宾北大道，出自范仲淹《岳阳楼记》“越明年，政通人和，百废俱兴”，取名意指当下“政事通达、人心和顺、国家安定、人民安乐”。

武英路：北起蚕元村，向南至县第二中学北门，途经名门首府正门、县武装部后面，接西环路。与“文渊路”相对应而命名，意示乐安文有状元，武有将军。

文渊路：北起行政中心西侧，途经御景城正门、县第四小学、县第二中学，南至梦授路，取名意为乐安文化源远流长。

仲昭路：西起县第二中学东门，途经县第四小学南侧，东至康福医院接迎宾北大道。此路以南朝梁陈时的军事将领黄法氍字号命名。

幼清路：西起县第二中学北门，途经四九广场南侧、国税局北侧，东至公园路。此路以杰出的理学家、经学家、教育家吴澄字号命名。

梦授路：西起西环路，途经县第二中学正门、乐安大道交叉路口，东至鳌溪客货运输停车场。

此路以宋代工部侍郎、翰林学士兼侍讲董敦逸字号命名。

公园路：北起森林公园，南至国土局北侧。此路为原“乐(安)湖(溪)”公路，沿森林公园山势而行，以此命名。

池头路（现属城墙路延伸段）：北起北环路，向南经池头村、县职业中学东门，接城墙路。此路大部分路段在池头村范围内而得名。

龙源路：位于县城北环路中段龙源老年公寓而命名。自北向南走向接北环路。

沿河路

严江路：西起南环路严江桥头，东偏北走向，经严江村，沿水上乐园向上接代陂岭路，以途经严江村命名。

怡乐路：与严江路隔水上乐园相望，西起南环路接口，东偏北走向，经坑口村接前坪路。此路全程在鳌溪下游水上乐园，取名意为市民在此游玩心情开朗快乐。

伟卿路（规划建设中）：北起惟益路，与东环路相交处，向南至新建的县幼儿园，一直向南延伸。此路以革命烈士、早期共产党张英字号命名。

明甫路：位于代陂岭和杨柳路之间，同走向，北起梦授路，南偏西缓坡走向。此路以明万历年间北直隶提学御史詹事讲字号命名。

烈士路：北起烈士纪念碑，南至广场路。

广场路：从长征路新华书店开始，途经金茂商城、鳌溪镇政府（原公安局）正门、县第一中学正门、文化广场，至博物馆接象山路。

广场北路：从广场路鳌溪镇政府（原公安局）大门对面进入，向北至鹤栖路。

宝塔路：北起长征路（原总工会办公楼），南至鳌溪河石桥，途经县实验小学正门。

爱民路：从上大街社区居委会右侧进入县第二小学侧门到看守所。

鹤栖路：从广场路进入，经县幼儿园进一直向西。

城墙路：从宝塔路与鳌溪河石桥相交处开始沿鳌溪河逆流向东偏北至县职业中学东侧门止，途经象山桥头、东门桥头。

尧家山路：西起县委党校南大门路口，经生态林场向东偏北方向延伸。

沿河路：从金元桥头开始向东，至县图书馆沿鳌溪河逆流而上，穿过象山桥头，再经农贸市场、教育局宿舍、老虎坑生资公司宿舍，接长征路。

老虎坑路：从沿河路生资公司宿舍开始，东偏南走向，经老虎坑，横过东环路向南延伸。

鳌溪路：从县图书馆开始，经商务局（原卫生局）、审计局旁、穿过象山路、商品房小区接沿河路。

南门路：从象山社区办公楼正门到县财保公司右后，接三贯路，途经县农业银行后。

三贯路：从县财保公司右侧开始向南至三贯山。

毕力路：从县图书馆鳌溪路起，经象山社区居委会、向南穿过毕力坑，接龙腾小区。

鳌溪南路：从商务局（原卫生局）鳌溪路起，从北到南穿过龙腾小区，接惟益路。

土家路：从沿河路（鳌溪财政所对面）上坡进入，向南，接龙腾小区 A 区。

排上路：从站前路原交通局办公楼东侧进入，经排上小区，接龙腾小区 C 区。

利民路：南起乐安大道民政局与水利局之间，向北延伸接公园路。

东英角路：从东英角桥西端进入，沿鳌溪河逆上至原桥背村委会办公楼止。

财苑路：从乐安大道财政局西边进入，向南接迎宾中大道。

金桥路：南门花园原县稽查征费所门前至工业园区（原县城通往增田的砂石公路）。

前坪南路：北起前坪路与迎宾中大道交叉路口，在前坪路东侧，与前坪路同走向。

代陂岭路：北起梦授路（鳌溪客货运输停车场西侧），向南上坡延伸至严江路。

杨柳路：北起乐安大道育才广场对面向南延伸，折西至杨梅坑。

芙蓉路：西起迎宾北大道（移动公司北侧），途经芙蓉山庄、森林公园北侧、东接象山路。

（五）城区内小巷

水仔巷：西起迎宾南大道加油站对面进入，向东至水仔坑水库居民居住点。此路以通往水仔坑水库命名。

东门巷：西起象山路农商银行营业部北侧，向东接城墙路。

关皇庙巷：西起县看守所东门井边，向东接城墙路。

胡家巷：从象山路县第一中学宿舍左后角进入，向东接东门巷。

楼下巷：西起广场路鳌溪镇政府（原公安局）西南角，向东偏北走向接象山路。

塔脚巷：北起长征路工商银行对面，向南偏左接城墙路。

港下巷：北起长征路东门大酒店对面进入，向南接城墙路。

下街巷：北起长征路工商银行对面进入，偏右走向南延伸到实验小学后的鳌溪河石桥头止。

衙门巷：西起站前路的金元桥头，沿河向上向东接宝塔路石桥边。

庙口巷：北起县实验小学后面向南接衙门巷。

芫塘巷：从大自然超市与万家福超市之间接长征路起，向北走向，接詹家巷。

詹家巷：从大自然超市与原县二轻局之间接长征路起，向北走向接芫塘巷。

谢家巷：从原县人武部乐安大道 C–5 号对面小巷向北延伸。

田仔巷：接谢家巷向北进入田仔坑。

南门巷：从南门路进入，东南直向，进入居民小区，至南山公园。

土家巷：西起沿河路（图书馆）左边向南延伸。

余家巷：北起沿河路（金元桥南左坡下）沿水沟向南延伸。

田西巷：从乐安大道（县妇保院对面）进入田西村居民小区，向北接仲昭路。

民乐巷：南起乐安大道（新邮电大楼对面进入）向北延伸，接森林公园，以地名命名。

蓝天巷：从乐安大道进红卫巷约 10 米向左

衙门巷

上坡延伸，接城墙港。

城墙巷：西起东英角路（原桥背村委会）向东沿城墙在金元桥头接站前路。

大元巷：在城墙巷左侧同走向。

红卫巷：北起乐安大道（民政局左对面进入）向南至河边接东英角路。

小港巷：前坪路与迎宾中大道相交路口，沿小溪向东接金桥路。

三、城市桥梁

象山桥

县城桥梁建设随着社会经济发展和科技进步，其类型结构和功能在不断发生变化。1985年以前，县城只有金元桥、东门桥、鳌溪石桥、东门二桥、煤炭公司小桥、胜利桥等6座跨河桥。1986年以后，县城先后改建、新建了多种类型的桥梁，而且桥梁的结构、体量、荷载力、造型等方面都有重大改观，并出现“有桥不见桥”的暗桥，极大地方便市民的生产生活，确保县城防洪排涝和安全度汛。

1986—2016年新建和翻新改造的桥梁有：

象山桥　位于县城象山脚下，跨越鳌溪河，是钢筋混凝土桁架拱桥，1986年动工兴建，1987年12月竣工。全长70米，单孔跨径50米，桥面净宽9米，人行道宽2×1.75米，矢跨比1/10，载重量为汽车20吨、挂车100吨，时为抚州区域唯一一座桁架拱桥。

东英角桥　位于迎宾中大道中段的跨鳌河桥，始建于1992年10月，2013年扩建，全长48.5米，总宽33米，总投资480万元。老桥部分用原设计荷载，拓宽部分为城市-B级（公路-11级），人行荷载3.5千牛/平方米，桥梁中心线与河道夹角为75°，桥梁布置3×13米钢筋混凝土简支空心板，空心板宽为99厘米，高度为5厘米。桥墩采用浆砌料石实体墩配扩大基础，桥台采用浆砌石料U型台扩大基础。2013年11月对该桥进行扩建改造，全长48.5米，原桥宽11.5米，加宽至21.5米，桥总宽为33米，合同总价435.6万元，2014年10月竣工。该桥拓宽后，缓解迎宾大道交通拥挤，带动迎宾大道两侧经济发展，完善县城交通网络。

严江桥　在南环路与鳌溪河相交处，是“水上乐园”的跨河桥。此桥地处严江村属地，以属地命名。全长67米，宽24米，总投资为426.7万元，2008年8月测量规划，2010年5月竣工。

万龙桥　坐落在北环路与鳌溪河交汇处，以附近的万龙山和万龙寺而命名，属三跨桥梁，全长60米，宽37米，2009年10月开建，2010年年底竣工。

刘家湾桥　坐落在北环路与鳌溪河上支流相交处（县第二水厂旁）。此地为鳌溪刘家湾村属地，以属地命名。属单跨桥，全长20米，宽45米，与万龙山桥同时开工、竣工。

乐安县城主要桥梁情况表

表 19-1-5　　单位：米、平方米

桥梁名称	竣工年月	类别	桥梁长度	其中：主桥	桥梁宽度	桥梁面积	坐落地址
金元桥	1970.7	跨河桥	50	40	8.8	440	站前路与鳌溪河相交处
东门桥	1962.12	跨河桥	35.4	30.5	9	318.6	长征路与鳌溪河交汇处
东门二桥	1970.12	跨河桥	13.5	10	7.2	97.2	长征路与鳌溪河交汇处
鳌溪石桥	1980.6	跨河桥	32.0	23.8	4.2	134.4	宝塔路与鳌溪河相交处
象山桥	1987.12	跨河桥	70	63.2	15.7	1099	象山路与鳌溪河交汇处
煤炭公司小桥	1983.8	跨河桥	25.1	22.0	2.1	52.7	东门桥旁支流上
胜利桥	1967.10	跨河桥	10	6	2.8	78.0	原林业车队
东英角桥	2014.10	跨河桥	48.5	33	11.5	1600	迎宾中大道与鳌溪河相交处
前坪路小桥	1992.11	跨河桥	9.6	3.8	6.4	61.4	前坪路
站前南路新桥	1994.11	跨河桥	9.0	6.0	36	324	前坪南路与鳌溪河水上乐园相交处
乐安大道板桥	1996.7	跨河暗桥	46.0	46.0	5.0	230	地下暗桥
商贸北大道板桥	2000.1	排洪板桥	46.0	46.0	5.4	248.4	地下暗桥
迎宾大道板桥	2000.3	排涝板桥	46.0	46.0	5.4	248.4	地下暗桥
严江桥	2010.11	跨河桥	67.0	24.0	21.5	1608	南环路与鳌溪河相交处
万龙桥	2010.12	公路桥	20.0	45.0	—	900	北环路与鳌溪河相交处
刘家湾桥	2009.10	公路桥	60.0	37.0	—	2220	北环路刘家湾

四、广场与公园

20 世纪末，受落后经济的制约，乐安县城的广场与公园建设较为滞后，只有烈士公园和文化广场、街心花园等几个面积范围较小、设施简陋的市民休闲娱乐场所。进入 21 世纪，随着城市化进程的加快，市民的文化生活、体育健身、休闲娱乐等要求不断提高，广场和公园建设进入发展的快车道，先后兴建四九广场、森林公园、湿地公园、水上乐园等几个大型娱乐、健身活动场所，极大地丰富了市民的文化娱乐生活，使乐安的市容市貌、自然环境和人文景观有明显改观。

（一）广场

文化广场　该广场四周有电影院、博物馆、影剧院、县第一中学等，也是乐安县 20 世纪八九十年代的政治文化活动中心，县委、县政府办公地点就在旁边。广场总面积 7300 平方米。1984 年，在博物馆门前建一个标准篮球场，安装有 20 余盏大型日光灯，供市民日夜练球健身活动，也称“灯光球场”。2002 年，政府对灯光球场进行整体扩建，投入 105 万元扩建一个占地约 1.2 公顷的文化广场，除保留原有的“灯光球场”之外，广场中央增设一个占地 78.5 平方米、内深 1.3 米的水池，池中心矗立着一个手持腰圈的女运动员与展翅欲飞的白天鹅塑像，在喷泉下栩栩如生。

整个广场有 245 米的铁花栅栏，小径 4 条，由彩色流线型水泥砖铺成。水泥铸成的花圃 10 个，莲花灯 56 盏。广场分为 4 大块，种有长寿桃、大、小叶黄洋、月季、广月兰、棕树、剑麻、樟树、麦冬草等花草树木，相互辉映。

四九广场　位于县城西片新区，行政中心前面。得名于千年古邑乐安南宋绍兴十九年（1149）设立县治，1949年解放，800年间四九叠合，四九而立，故名四九广场。

广场东临迎宾北大道，南临乐安四小，西邻御景城，北靠行政中心，占地约4.8公顷。广场规划设计融入乐安“红色、绿色、古色”的文化元素，成为乐安历史人文发展的展示窗口。广场占地面积4.8万平方米。其中，园林绿化面积1.9万平方米，主要种植桂花、香樟等乔木35个品种，共1149株，灌木6583株，以及草坪7720平方米，地面铺装面积2.78万平方米，中心地面“乐安地图”铜雕181平方米。北边竖立8.9米高的汉白玉景观龙柱9根，东北角高9.6米变形隶书“乐安”二字用不锈钢雕塑，展示乐安历史的6堵景观干挂浮雕12幅，共418平方米；中心水池音乐喷泉2710平方米，循环跌水池长19米，景桥2座，国旗台1座以及管理房、公厕等。亮化工程包括圆形LED电子显示屏1座。中心广场铜雕周边LED全彩地理灯49个，18米高杆灯2杆。还有庭院灯、草坪灯、泛光灯、挂树灯等。整个广场总投资5500万元。2012年9月开工建设，2013年竣工对外开放。此项目的建成，为市民的休闲、娱乐、健身提供综合性活动场所，有力提升了城市品位，成为城西新区一个崭新的亮点。

育才广场　位于乐安大道延伸段东侧育才路西侧，毗邻乐安县第二中学。建于2008年，总面积3600平方米，其中绿化面积约2400平方米。该地段因靠近学校，本着学校以教书育人，培养人才为理念，故名育才广场。建设元素有景观灯、射灯、花架、雕塑等，绿化树种有樟树、雪松、白玉兰、红叶李、红叶石楠球、海桐球、红花继木球及各种色块小苗等。

（二）公园

体育健身公园　位于象山农贸市场对面的大塘岸上，建成于2003年。占地面积3000平方米，设置有健身区、游乐区、太极拳区。上海虹口区体育局捐赠体育健身设备36件套。园林绿化栽种各种树木60棵，灌木林1000余株。此项目的建成，填补乐安县城无体育健身场所的空白，成为广大市民休闲健身的绿色乐园。

森林公园　位于县城西北区，东临县第一中学，南靠鹤栖坑，西邻迎宾北大道，北依芙蓉山庄至象山路。公园西边入口处临迎宾北大道。入口处竖有宽20.2米、高12.7米的乐安森林公园牌楼，牌楼左、右上台阶连接休闲广场，广场长87米、宽39米。场内雕塑有5个球，主球为五龙风水球，其余4球意为四季。休闲广场上99级台阶连接八角亭，阶长5米、宽3米，两旁绿化约7000平方米，并安装40盏景观灯。全园主路长760米、宽4米；次路长6460米、宽1.5～2.5米，占地约15960平方米。整个公园4座八角亭，内设有8个小型健身娱乐广场，并配有娱乐、健身器材数套。公园东门入口处7个平台，拾126级台阶进入乐安县革命烈士纪念碑所在地。为纪念为中国革命作出英勇牺牲的乐安英烈，1964年，乐安县人民政府在此立碑以示纪念。改革开放，物阜民康，抚今追昔，缅怀先烈，2016年对烈士纪念碑进行提升改造，碑四周有：碑文、登仙桥战役、乐安县城解放、五女跳崖4幅雕塑，并在下方广场建立“烈士英烈墙”，乐安2226名为革命英勇献身的英烈姓名篆刻于墙上。

整座公园以绿色为背景隐座于茂密的森林之中，总面积59公顷，绿化面积43公顷，园中有省级公益林3.67公顷，森林覆盖率达72.88%。公园既体现乐安山城文化的特点，又为市民体育健身、文化娱乐提供优良的环境与场所。（见第二十二卷文化旅游第十章文物第三节革命文物“革命烈士纪念碑”）

水上乐园　坐落于县城鳌溪河中下游，东至鳌溪河翻板坝人行桥，南临桥背村坑口及前坪村小组，西起南环路，北靠桥背村严江组。该工程合同总价4910.65万元。项目占地28.2公顷，其中绿化面积14.3公顷，水体面积约11.7公顷，园路面积0.9公顷。铺装面积1.3万平方米，建筑面积950平方米。主要景点7个：湖心云影、水上广场、临风观河、忆红涤缨、文山邀月、听花舞傩、绿屿钓闲。2013年11月1日开工建设，2014年11月1日竣工对外开放。

湿地公园　坐落在县城鳌溪河上游，项目占地20公顷。其中，绿化面积10公顷，水体面积8公顷，设施面积2公顷。项目总投资5000万元。主要内容有河道疏浚、人行栈道、游乐一道、景观雕塑、亲水平台、湿地绿化、河上亮化。该公园是一个集文化、观景、休闲、娱乐、健身等多功能为一体的综合性生态湿地风景游览区，是市民观光休闲、娱乐健身的好场所。主要设置有7个景点：铭泽广场、观漾屋、生态科普馆、鱼米乡迹、揽亭眺远、品茗轩、飞花栈影。公园于2014年开工建设，2015年竣工。

五、重点工程

乐安县行政中心　位于迎宾北大道与人和路交叉处。县行政中心是根据省政府批准的《乐安县第二轮城市总体规划》和县十四届人大第一次会议提出并报请省发改委批准立项建设的。建设规模：规划设计为5幢主体建筑，3幢办公楼、1幢会展中心、1幢后勤服务中心和档案馆分期建设，总建筑面积为2.85万平方米，总占地面积3.38万平方米。

县委办公大楼、县政府办公大楼和县人大、县政协办公大楼合计总面积1.71万平方米。其中：县委、县政府办公楼各6476.85平方米，人大、政协办公楼4123.06平方米。总造价2015.4万元，加附属工程总投资为3282.67万元。该工程于2004年5月16日开工建设，2006年12月16日竣工。3幢办公楼获江西省优良工程奖。

县行政中心后勤服务中心和档案馆，主体4层，建筑面积3946.57平方米，总造价303.43万元。2008年9月10日开工建设，2010年1月26日竣工。

县行政中心综合楼，框架2层，总高度23.5米，建筑总面积6954.86平方米，合同总价1183.33万元。2012年6月20日开工建设，2013年6月15日竣工。该工程总体布局为：一层及其夹层建筑面积2823.13平方米，设计可容纳400人的多功能活动室、规划模型展厅等；二层及其夹层建筑面积为4131.73平方米，设计可容纳750人的大型会议中心，可容纳100人的小型会议厅3个及休息厅、贵宾休息室等，成为县城面积最大、配套设施最齐全的会议和展览中心。

中共乐安县委党校教学楼　位于鳌溪镇尧家山路1号党校院内，建筑面积2469.3平方米，工程造价190.8万元。2006年11月24日开工建设，2007年5月24日竣工。

乐安县第二中学新校区　位于县城西片新区，育才路东面，为国家开发银行贷款项目，总投资3200万元，占地13.3公顷，建筑面积4.51万平方米。建有教学楼、办公楼、科技楼、图书馆、实验大楼、学生公寓、风雨球场、篮球场和400米标准环形跑道等。各分区明确，布局合理，通过主干道和支路连接，设置绿化隔离带，隔而不断，空间互相渗透，视野开阔。可容纳4500名学生就读，每年可提供1500个高中生就学机会。2005年10月28日开工建设，2006年7月28日竣工。

芙蓉山庄　坐落在风景优美的县城森林公园北侧，距迎宾北大道300米，占地面积4公顷，总建筑面积5054.26平方米，项目总投资3000万元。该工程项目主要包括：主体工程、水坝、园林景观、进山庄的道路、水、电等基础设施建设。该山庄集培训、会议、接待为一体，设停车场，并建一座1.33万平方米水库。山庄依山傍水，环境优美，空气清新。2007年12月竣工。

县城污水处理厂　位于鳌溪镇鳌溪河下游下它村，建设规模为2万吨/日，首期建设一组1万吨/日，占地面积1.8万平方米，合同价格1677.85万元，2008年12月6日开工，2009年9月1日竣工。

南环路严江桥　该桥位于县城南环路，是跨越鳌溪河的一座中桥，为市重点工程，全长67米，宽24米，两跨预应力混凝土简支箱梁构造，工程总投资约580万元。2008年10月25日开工，

2010年11月26日竣工。

乐安县人民法院审判综合楼　位于县城新区片北环路北侧，占地面积1.33公顷，建筑总面积7520平方米，合同总价965.23万元。2010年3月7日开工，2011年3月6日竣工。该楼集审判、办公为一体，主楼7层（不含3层的圆形穹顶），附楼3层。主楼为办公区，东边的附楼为立案、信访大厅，西边的附楼及主楼一楼为审判法庭，功能齐全。楼后方为后勤服务楼，共3层，建筑面积1000平方米，一楼、二楼为干警餐厅，三楼为干警活动室。综合楼设计意境深邃高远，总体设计为古典欧式风格，体现了司法的庄重威严；楼前方设计了正义桥，呈环抱状，寓意审判工作“平之如水”。设计中引入绿色建筑理念，安装的地源中央空调利用地下水常年恒温特点，调节室内温度，节能环保。建筑外墙采用特殊材料，玻璃为双层玻璃，保温隔热。室外全部采用太阳能路灯照明。设计数字化科技法庭、多功能会议室、电子图书室、安检门禁等系统，实现审判、办公网络化、智能化、数字化。

乐安县第四小学　位于县城西片新区，占地2.71公顷，总投资1875.63万元，建筑面积1.97万平方米，新建教学综合楼3幢、图书馆1栋及运动场、围墙、校门、值班室等配套设施，办学规模70个班，有效地解决西片新区居民子女就学难问题。2010年3月1日开工，2012年6月30日竣工。

乐安县长途汽车站　该项目为乐安县长途汽车站及交通运输局业务用房，位于乐安大道与西环路西侧，占地1.67公顷，综合楼5964平方米，候车楼2011.2平方米，建筑总面积7975.2平方米，合同总价1056.01万元。2011年10月20日开工，2013年12月20日竣工。

乐安县人民医院门诊综合楼　位于县人民医院院内北面，总占地面积5000平方米，总建筑面积8384平方米，工程总造价646.86万元。2011年1月12日开工，2012年8月12日竣工。工程主要功能为门诊、急诊、医技科、健康体检及办公室、医护培训。

乐安县第二自来水厂　位于县城北环路旁南侧，工程建设规模为日供水4万立方米，占地面积3.2万平方米，总投资3800万元，分两期建设。一期建设规模为日供水2万立方米，投资2241.8万元。2011年2月9日开工，2012年6月8日竣工。

乐安县总工会“三大场所”　位于新城区迎宾大道东侧，占地面积7134平方米，投资约1000万元。工程主体（办事办公大楼）坐南朝北、欧式风格，为全框架结构，共5层，其中第一楼为办事大厅，第二、三楼为办公场所，第四、五楼是室内活动场所和多功能会议厅。主体工程后面是篮球场、室外健身场。

抚吉高速乐安互通连接线绿化、亮化工程　起于抚吉高速乐安互通收费站，止于迎宾南大道与南环路交叉路口，是在省道S227的基础上新建，道路全长1815米，宽61米，其中机动车道21米，两侧绿化带各2米，人行道各1.5米，绿化带各16.5米。路面类型为沥青双向6车道，工程总合同价6823.2万元，包括：连接线兴建工程4000万元，门楼增改装饰工程180万元，亮化工程269.8万元，绿化工程1855.4万元，迎宾南大道10千牛电缆入地工程482万元，管理用房36万元。

收费站门楼建筑类型为明清仿古建筑，共3层，长45.1米，宽15.6米，高16.34米，建筑面积793.6平方米。高速出口管理用房，位于收费站出口东侧，建筑面积116.2平方米，建筑类型为明清仿古建筑，与收费站门楼景观相辉映，显现“红色、绿色、古色”乐安。

迎宾南大道与南环路交叉路口至南门花园绿化（含人行道铺设），全长2855米。人行道采用花岗岩铺设，机动车道两边各1.5米，共铺设面积6780平方米。两侧绿化带上并排安装双臂路灯共102杆，高12.3米，增田辅道一侧单臂灯35杆，灯杆高12米。

迎宾南大道10千牛电缆入地工程，电缆入地长度930米，共铺设630千瓦箱式变电站1台，

315 千瓦箱式变电站 2 台，环网柜 1 台，高压电缆分支箱 14 个，低压电缆分支箱 5 台。

芙蓉宾馆　位于芙蓉山庄旁，为招商引资项目，由江西恒派实业有限公司投资，按照三星级宾馆标准新建，集商务、会议、住宿、餐饮等功能于一体。占地面积 2199.25 平方米，建筑面积 9996.86 平方米。主体 6 层（不含地下室），总高 26.9 米，合同价 1631.01 万元，2014 年 8 月 6 日开工，2015 年 1 月 6 日竣工。

鳌溪河两岸景观工程　鳌溪河是乐安县城唯一一条河流，穿县城中心而过，设计治理区块为鳌溪河流经城区的中游流域，与城区居民的日常生活息息相关，是乐安的“市井”河流。下起翻板坝人行桥，上接湿地公园水坝，全长 2800 米。设计范围面积约 21.4 公顷，工程总投资 3300 万元。根据鳌溪河沿线周边环境和人文风貌以及将来所需展观的景观特点，在鳌溪河沿线设置 15 个景点：水帘瓦肆、落红新角、扬芦栈花、垣迹枫晚、荫堤红卫、城关喧巷、波光寻音、杉柳人家、象山卧虹、粼波濯足、孱水石趣、纷落汇流、湖漾漫步、水滨新居、飞瀑逐霞。工程于 2014 年 6 月开工，2015 年 11 月竣工。

国有林场危旧房改造工程　该项目坐落在乐安县城北区，在乐湖路上龙潭移民区旁。小区总规划用地 9.65 公顷，为政府无偿划拨，项目规划安置国有林场困难职工 1100 户。项目分 4 期建设，区内规划设计总面积 11 万平方米，绿化面积 3.15 万平方米，建筑密度 19.9%，容积率 1.14，绿化率 32.6%，楼层设计为“5+1”和“6+1”两种。每户建筑面积 85 平方米左右，项目总投资 1.1 亿元。该工程是惠及全县林场职工的重大民生工程，有效缓解全县国有林场困难职工住房难问题。

鳌溪中心小学（乐安县第五小学）　位于县城内前坪路西北侧，合同总价 1590.52 万元。2015 年开工建设。新建教学与教学辅助用房、办公用房、生活用房、门卫房、围墙等，拟开设一至六年级教学班 50 个，解决县城南、西区学生就学难的问题。

综合性社会福利中心　地处县城北环路往龙潭水库方向 500 米处湿地公园东北侧。社会福利中心由县政府投资建设，民政局直接管理运营。计划用地面积 1.33 公顷，总建筑面积 8000 平方米，总投资 2000 万元。建设内容包括“三无”老人养护院、儿童福利部和救助站，建设“三无”老人养护院收养床位 50 张，未成年人收养床位和流浪乞讨人员救助床位各 50 张；老年公寓项目引进民间资金进行建设和运营。计划用地面积 6.67 公顷，总建筑面积 4.8 万平方米。建设收养床位 1200 张，其中，普通床位 600 张，中档床位 300 张，高档床位 300 张，配套建设有饮食、学习、娱乐和健身医疗等设施。项目总投资 1.6 亿元，2015 年一期工程投资 8000 万元，建设收养床位 500 张。老年公寓将打造成县内生态化、园林化、医养结合、服务一体化的养老中心。

国有林场危旧房屋改造工程（惠林苑小区）

聚源财富广场　位于迎宾北大道西侧，四九广场南对面，占地面积 2 公顷，总价 5000 万元，新建一个集衣、食、住、行、娱乐为一体的综合体商城和旅游集散中心，2016 年 9 月 1 日开工。

乐安县象山农贸市场　位于鳌溪路原县教育局和象山华庭剩余地，在原象山农贸市场 100 米处，用地面积 6566 平方米，总建筑面积 1.21 万平方米，合同总价1839.24万元，2016年9月30日开工。该工程为全框架混凝土结构3层，全封闭市场，即地下一层（3275平方米），地上二层（8241平方米）。地下一层为停车场，地上二层为农产品交易市场，周边道路排水设施，垃圾中转站及公厕。该市场建设是为了缓解象山路中段交通拥堵，改善象山桥段鳌溪河生态环境。

商品房开发工程　有名都商业小区、御景城小区、名门首府小区、金域龙城小区、九龙宏盛小区、祥瑞小区等标志性建筑。（见本卷第三章房地产业第三节房地产开发）。

六、旧城改造

县城老城区主要集中在县政府原办公区、农机厂、食品厂、针织内衣厂等周围，占地面积约10万平方米。随着城市化建设步伐的加快和人民生活水平的不断提高，老城区于清代、民国时期建的砖土坯房结构简单，占用土地多，居住环境差，不适应时代发展的要求和人民生活的需要，加快旧城改造迫在眉睫。进入21世纪，县委、县政府加大旧城改造力度，制定“调整、控制、改造、完善”的八字方针，对旧城区进行分片改造，做到改造一片，见效一片，着力打造生态花园城市，重点地段及沿街、沿河部分先行改造。2002年，县十四届人大第一次会议通过旧城改造分步实施方案，拉开旧城改造帷幕。

兴建金茂商城　将原县政府大院、农业局、水利局大院以及周边的居民住宅进行整体拍卖，通过招商引资，由客商投资兴建集商住、购物、娱乐为一体的步行街，起名“金茂商城”。建有商住楼6栋，占地1.5万平方米，可容纳住户260余户，商铺50间，既改善居民的住宿条件，又繁荣区域经济。

农机厂及周边旧宅拆迁　将已停产多年的农机厂及周边的居民旧宅进行整体拆迁拍卖，由客商投资兴建商住楼5栋，占地2万平方米，商品房200余套，大部分用于置换安置拆迁户的住房。还兴建占地约1000平方米、建筑面积约2000平方米的“喜来购”购物中心，该小区称为名都商业广场，时为县城最大的购物中心之一。

开发针织内衣厂　县针织内衣厂是20世纪70年代创办的一家集体企业。1992年，政府将已停产多年的旧厂房及周边居民的低矮住房，以招商引资形式进行整体拆迁拍卖，兴建建丰花园居民住宅楼5幢，占地1万多平方米，大部分用于安置内衣厂职工和拆迁居民的住房。

棚户区改造　棚户区改造是党中央、国务院出台的一项惠民政策，2013年7月4日，国务院正式下发《关于加快棚户区改造工作的意见》。2015年12月12日，江西省人民政府下发《关于进一步做好城镇棚户区和城乡危房改造及配套基础设施建设有关工作的实施意见》。2016年2月16日，乐安县委办公室、县政府办公室印发《关于推进县城区（棚户区）改造工作方案》，同时成立乐安县棚户区改造领导小组，并从各机关单位抽调人员建立专门办事机构，棚户区改造工程全面启动。至2016年年底，共有2215户申报，共申报登记房产面积25.98万平方米，土地面积约18.3万平方米。

旧城区道路改造　2013年总投资约486万元，包括两部分：一部分为象山北路约238万元，从审计局至县第一中学老校区，全长约696米，道路平均宽9米，主要建设内容为路面改造、排水改造、人行道改造。另一部分为21条小街小巷，包含：卫生局旁道路改造、金桥路（老稽查所）、前坪路支路、水仔坑道路、兽药厂至老变电站、芜塘巷（县幼儿园）、一小进口、三贯路（南门路旁和象山南路旁）、小港巷（前坪超市对面）、烈士路、象山路支路、职业中学进口道路、利民路、工业大道支路、广场路、党校后道路、关皇庙29号路、文化局旁清沟、发展银行旁道路、毕力路田仔巷清沟，主要为道路新建、改建排水沟清理等，造价约248万元，总建设面积约1.91万平方米，道路总长约4200米。

七、新城区开发

随着改革开放的深入推进，相当一部分农民

向城市转移，加上近年招商引资项目的不断涌进，县城人口大幅增加，人口密度增大，老城区远不能适应形势发展的要求。从2000年开始，县委、县政府将南北方向进城口的砂石路面进行全面扩建改造，并相继兴建东、南、西、北环路，为拉大县城框架，开辟新城区打下坚实基础。

迎宾南大道及周边建设　1994年对工业大道（后改称迎宾南大道）进行改造，将增田进县城瓶颈路段由原砂石路面改为二车道沥青路面。县城第一个花园式居民住宅小区——南门花园建设也随之启动，路两旁建有商品房4栋，占地约1万平方米，建筑面积3万平方米，解决县城居民住宅200余户。乐安工业园区随之落户此路段，2006年，县委、县政府作出“退二进三”决策，将工业园区的部分厂房收回改为商品房开发用地。2012年，抚吉高速通车后，乐安互通连接线延至南门花园，沿线建有翡翠城小区居民住宅6幢和农产品综合批发市场，总占地面积11.7万平方米。

乐安大道及沿线建设　1998年，乐安大道一期工程竣工，由原二车道扩建为四车道的水泥路面，沿线原来的低矮民房全部建成5层以上的高层楼，一楼全部为商铺，县气象局、民政局、水利局、公路局、交警大队、财政局、土管局等单位相继兴建在乐安大道两边。乐安大道的建设突破县城建设的瓶颈，拉大县城的框架，为迎宾大道及周边的建设奠定了基础。2016年进行改造，由原四车道扩建为六车道，其向西延伸段还兴建了九龙宏盛、祥瑞国际两大住宅小区和乐安县长途汽车站。乐安大道的扩建改造，使县城区面积向西推进近400公顷。

迎宾北大道及周边建设　2002年，县委、县政府按照“向西发展、往北拓展”的总体规划布局，将县委、县政府、县人大、县政协四套班子的办公楼由老城区移建至迎宾北大道西侧，即行政中心大院，总占地面积3.38万平方米。在行政中心和四九广场四周还兴建聚源财富广场、御景城住宅小区、名门首府、凤凰城、香山豪庭、豪德商贸物流。迎宾北大道的开通，使县城区面积向西北扩展延伸200公顷。

南环路及两旁新区开发　2014年6月，南环路建成通车，带动沿路两旁的新区开发，先后建有前坪工业区厂房30余栋，大部分都是招商引资企业，占地面积约20万平方米。住宅小区兴建了金域龙城、春天里、翰林世家和正在建设中的大都汇商业住宅小区。南环路的建成，使县城框架向南扩展400公顷。

东环路及保障性住房建设　2014年6月建成东环路，南侧是乐安县保障性住房建设基地，即经济适用房小区，占地总面积8.39万平方米，建筑面积14万平方米，建保障性住房2000余套，解决县城大部分贫困居民的住房困难。此路开通，使县城框架向东延伸近200公顷。

乐安大道西段

北环路及机关单位办公楼建设　北环路是从老城区迁出的机关单位办公用地，已建办公楼的单位有：县法院占地面积1.33万平方米，总建筑面积7520平方米；县公安局总建筑面积1.12万平方米；县计生委用地面积7200平方米，总建筑面积4082.75平方米；县环保局用地面积4200平方米，总建筑面积2225.32平方米；县综合性社会福利中心用地面积1.32万平方米，总建筑面积为8000平方米；县第二自来水厂用地面积3.2万平方米；县总工会用地面积7134平方米，总建筑面积5957平方米。北环路的建成，使县城框架向北延伸近150公顷。

随着城市的发展，城市框架的不断拉大，特别是昌韶高速、抚吉高速的开通，使乐安的交通区位优势越来越突显，为乐安的发展带来前所未有的机遇。

第四节　乡村建设

一、乡村规划

2000年，乐安县依据国务院发布的《村庄和集镇规划建设管理条例》《中华人民共和国城乡规划法》以及《江西省村镇规划建设管理暂行办法》，9月29日印发《乐安县乡（镇）村规划建设管理暂行规定》，对乡镇村规划的制定、实施、施工管理、环境管理、法律责任作了详细的规定。各乡镇根据这个规定编制乡镇总体规划，完善村庄布点规划，对规划过时的及时进行调整。建制镇按照《江西省城市和镇控制性详细规划管理条例》的要求，抓好控制性详细规划的编制工作。乡镇总体规划委托具有相应资质等级的单位根据《中华人民共和国城乡规划法》的相关规定编制。农村住宅房型从省建设厅《江西省新农村建设农村住宅设计获奖图集》和其他农房设计标准图、通用图中选择。流坑、湖坪等历史文化村按照《江西省历史文化名村名镇保护规划编制与实施暂行办法》的要求编制保护规划。

2016年年底，全县除大马头乡和县城规划区内的鳌溪镇外，其他14个乡镇完成总体规划，并通过县政府审批。

乐安县乡镇规划编制情况表

表19－1－6

乡镇	规划编制单位	规划期限	批复时间	完成情况
万崇镇	江西省城乡规划设计研究院	2003—2020	2003年04月11日	需重新修编
增田镇	江西省城乡规划设计研究院	2003—2020	2003年07月18日	需重新修编
湖坪乡	江西省城乡规划设计研究院	2004—2020	2004年12月08日	已完成规划、评审
山砀镇	江西省城乡规划设计研究院	2006—2025	2006年11月02日	已完成规划，待评审
龚坊镇	江西省城乡规划设计研究院	1997—2015	2006年11月02日	已完成规划、评审
招携镇	江西省城乡规划设计研究院	1997—2015	2006年11月02日	已完成规划、评审
公溪镇	抚州市城市规划设计研究院	2009—2020	2009年12月10日	已完成规划、评审
湖溪乡	江西省城乡规划设计研究院	2009—2020	2009年12月16日	需重新修编
戴坊镇	江西省城乡规划设计研究院	1997—2015	2010年09月17日	已完成规划、评审
谷岗乡	江西财大城市规划设计研究院	2010—2030	2010年10月21日	需重新修编
罗陂乡	江西省城乡规划设计研究院	2010—2030	2010年12月03日	已完成规划，待评审
金竹畲族乡	南昌大学城市规划设计研究院	2010—2030	2010年12月03日	已完成规划、评审
牛田镇	抚州市城市规划设计研究院	2011—2030	2011年09月15日	已完成规划、评审
南村乡	南昌大学设计研究院	2012—2025	2013年01月21日	需重新修编
鳌溪镇	—	—	—	见县城规划
大马头乡	未编制	—	—	需重新修编

（一）城镇发展规划

城镇空间结构　依据“中心极化、主次并进、带状集聚”的城镇空间总体战略，统筹城乡联动协调发展，调整完善城镇空间结构和发展策略，优化要素资源配置，规划乐安县域形成“一主、三次、两轴、三片”点轴发展的县域城镇空间结构。

“一主”：即中心城区（鳌溪镇），为乐安县政治、经济、文化、商贸及旅游接待中心，是全县经济发展的重心，县域经济的主要增长极，对周边乡镇具有较强的集聚和辐射功能。

“三次”：即中心城镇，分别为公溪镇、牛田镇和招携镇，为县域经济的次级增长点。

“两轴”：沿宋水线的城镇发展主轴，沿线有山砀镇、湖溪乡、鳌溪镇、增田镇和金竹畲族乡；沿厚莲线的城镇发展次轴，沿线有鳌溪镇和谷岗乡。

“三片”：全县分为北部城镇发展片区、中部核心发展片区和南部城镇发展片区。北部城镇发展片区包括公溪镇、山砀镇、龚坊镇、戴坊镇和湖溪乡，该片区重点发展现代农业、采矿业、农副产品加工业和商贸物流业；中部核心发展片区包括鳌溪镇和增田镇，该片区重点发展食品加工、旅游接待和商贸物流业；南部城镇发展片区包括金竹畲族乡、招携镇、万崇镇、牛田镇、湖坪乡、罗陂乡、南村乡和谷岗乡，该片区重点发展现代农业、农（林）副产品加工业、生态文化旅游和休闲度假产业。

城镇规模结构　规划中心城区的地位更加突出，小城镇的发展有较大改善，城镇规模、等级趋于合理。规划期末形成4个城镇规模层次等级，大于10万人城镇1个（鳌溪镇），1万～3万人城镇3个（公溪镇、牛田镇、招携镇），0.5万～1万人城镇5个（山砀镇、龚坊镇、戴坊镇、增田镇、万崇镇），小于0.5万人乡集镇6个（湖溪乡、罗陂乡、湖坪乡、金竹畲族乡、南村乡、谷岗乡）。

城镇功能结构　县域各城镇功能分为4类：综合型（鳌溪镇、公溪镇）；旅游型（牛田镇、招携镇、金竹畲族乡、谷岗乡、湖坪乡、南村乡）；工贸型（增田镇、山砀镇）；农贸型（龚坊镇、戴坊镇、湖溪乡、万崇镇、罗陂乡）。

（二）县域基础设施规划

供水系统规划　根据城镇现状人均用水和用水发展趋势判断，按照建设节水型社会的要求，确定城市人均综合用水量指标为500升/人·日，乡镇人均综合用水量指标为300升/人·日，农村人均综合用水量指标为150升/人·日；经测算乐安县日需水量为13.8万立方米/日。根据各供水区的水源、地理地形、水文地质条件、水质情况等，合理统筹安排乡镇建设自来水厂，供居民生产生活用水、农村饮用水，规划近、远期全县城镇自来水普及率90%、100%，农村生活饮用自来水普及率达65%、80%。水源以引山泉水、水库水、江河水为主，在无山泉水及水库水的丘陵区，可采用大口井取地下水。

排水工程规划　乡镇因地制宜提倡分散就地处理，推广生态型小型污水处理站；建立生活污水收集和处置系统工程。

乐安县乡镇污水处理设施规划表

表19-1-7　单位：吨/日

名称	位置	处理规模	服务范围	名称	位置	处理规模	服务范围
增田污水处理厂	增田镇	10000	增田	万崇污水处理厂	万崇镇	800	万崇
公溪污水处理厂	公溪镇	8000	公溪	湖坪污水处理厂	湖坪乡	500	湖坪
牛田污水处理厂	牛田镇	5000	牛田	罗陂污水处理厂	罗陂乡	500	罗陂
招携污水处理厂	招携镇	2000	招携	湖溪污水处理厂	湖溪乡	800	湖溪

续表 19-1-7

名称	位置	处理规模	服务范围	名称	位置	处理规模	服务范围
戴坊污水处理厂	戴坊镇	1500	戴坊	金竹污水处理厂	金竹畲族乡	800	金竹
山砀污水处理厂	山砀镇	700	山砀	南村污水处理厂	南村乡	800	南村
龚坊污水处理厂	龚坊镇	700	龚坊	谷岗污水处理厂	谷岗乡	800	谷岗

说明：服务范围指乡镇所在地

通信工程规划　规划2020—2030年移动通信乡镇级基站信号覆盖率达到100%，村级信号覆盖率达到85%。规划期内实现全县域无缝隙覆盖率达100%。基站设置中心城区按照300米1个，偏远地区按500米1个的原则布置，乡镇基站的设置根据有效服务半径设置。

邮政规划　乡镇各设1处邮政所，行政村按服务半径500～2000米的原则设置代办所。

广播电视　规划广播电视人口覆盖率达到100%。全县实现村村通广播电视，有线电视入户率达到80%。

消防　县消防支队以乡镇所在地各布局1个消防站为原则，布置的专业消防队为主体，其他形式为补充，形成城乡的网络式灭火体系。农村消防基础设施建设应当与农村公共基础设施统一规划、建设和管理。新建、改建农村公共建筑时，应当按照消防安全标准，使用符合耐火等级要求的建筑材料。

防洪　完善防洪减灾体系，积极推进防洪减灾体系建设，加快推进河流治理和山洪灾害防治，全面完成各类病险水库、水闸除险加固工程和标准堤防工程建设，对沿河的一般村庄和耕地则采用十年一遇洪水的防洪标准，对流域内河堤堤段加高加固，疏通淤积严重河道。

地质灾害防治　重点防治区：分布于县域西北侧的厚坊—龚坊—殷坊及东部的南村—谷岗等乡村。次重点防护区：分布于县域中部，总面积14.93万公顷，包括航桥—社坑、湖溪—金竹、盐丰—张坊3个亚区。一般防治区：分布于公溪至戴坊、牛田及罗陂等乡镇，总面积5.75万公顷，包括公溪—鹏洲、牛田—罗陂两个亚区。

（三）公共设施规划

文化设施　规划在公溪镇、牛田镇、招携镇等中心镇设立图书馆、文化活动中心、老年活动中心；规划在龚坊镇、山砀镇、戴坊镇、万崇镇分别设置图书站、文化站和老年活动站。

教育设施　规划目标全县实现高标准、高质量地普及九年制义务教育。小学适龄儿童入学率、巩固率和毕业率均达到100%；初中适龄少年入学率、巩固率和毕业率均达到100%；初中毕业生升入高中段比例近、远期分别达到90%、95%以上。

体育设施　规划在公溪镇、牛田镇、招携镇分别设置一处乡镇体育活动中心。一般乡镇配备健身设施和场地，满足居民日常体育锻炼需要。

卫生设施　中心镇配置中心医院、防疫站、妇幼保健站、血防站等设施，满足本镇及周边乡镇普通疾病、常见病诊治的需要，提供医疗保健知识；规划在公溪镇、牛田镇、招携镇设置中心医院、防疫站、妇幼保健站、血防站。规划在龚坊镇、山砀镇、戴坊镇、万崇镇等乡镇设置卫生院、防疫站。

福利设施　在全县逐步建立县、镇乡、街（村）三级社会福利服务网络，福利机构设立养老、残疾人养护、托管、康复、医疗、护理等服务项目，并配置相应综合服务设施。

文物保护利用与规划　乐安县现有全国重点文物保护单位1个——流坑村古建筑群；传统村落2个，分别为流坑村、湖坪村；省级文物保护单位4个，市级文物保护单位6个，县级文物保护单位35个。另外，流坑为江西省首批国家级历史文化名村，具有很高的文化价值，需制定措施，加强对文物的保护。

二、集镇建设

住宅建设　1986年，乐安县农民人均纯收入403元，新建住房面积5.86万平方米，农民人均住房面积20.8平方米。20世纪90年代，随着改革开放不断深入，农村经济迅速发展，集镇住宅建设速度较快。2005年，农民人均纯收入1666元，新建住房面积12.95万平方米，农民人均住房面积25.58平方米。随着农民的收入不断增加，投入住房建设的资金随之加大，不仅建筑面积逐年扩大，而且对房屋的样式和档次均有新的追求。住宅结构由砖木结构为主发展为砖混、框架结构为主的3层以上楼房。住宅造型各具特色，住宅外表美观，有碎石磨面、墙面砖饰面等；建筑风格有古代式、现代式、古代与现代结合式等。特别是省道沿线集镇的建筑物更为新颖，下店上宅多功能的商住楼日益增多。2016年，农村新建住宅面积约180万平方米，农村人均居住面积38.4平方米，户均140平方米。

公共建筑　1986—2016年，乐安县各集镇新建中学教学楼、实验楼、综合楼、宿舍楼、中心小学教学楼、辅导站综合楼、幼儿园、文化站、法庭、派出所。新建卫生院15幢，增加病床150张，新增村级卫生所建筑面积4.65万平方米。各村庄兴建的村级小学教学楼246幢，建筑面积19万平方米；修缮小学教学楼143幢，面积5.66万平方米；兴建村委会办公楼152幢，建筑面积15万平方米。

乡镇党政机关和企事业单位综合楼改建或搬迁兴建的不少，1995年，山砀乡政府机关搬迁至茂花岗，新建机关服务办公楼4800平方米，2012年新建文化综合大楼1330平方米；1998年，湖溪乡政府办公楼拆旧建新1200平方米，2015年新建综合服务大楼1600平方米；2005年，戴坊镇政府办公楼搬迁，新建机关服务办公楼3000平方米；2015年9月，招携镇政府办公楼搬迁，新建机关服务办公楼6800平方米；2007年，大马头垦殖场新建办公楼2000平方米，2012年大马头乡新建综合服务办公楼2500平方米。新建乡镇农村信用社、邮政通讯办公楼22幢。2001—2016年，各集镇新增和改建公共建筑面积9.6万平方米，公共建筑实有面积增至24.4万平方米。

基础设施建设　基础设施主要包括供水、供电、镇区道路、下水道、路灯、电讯、农贸市场等。

1990—2010年，县内各集镇所在地兴建自来水厂日供水量都在500立方米以下，随着集镇人口增多，造成供水困难。2011—2014年，集镇所在地自来水厂均有改扩建。公溪镇、招携镇、牛田镇、万崇镇的自来水厂扩建为日供水量2000立方米，湖坪乡、南村乡、增田镇、戴坊镇、山砀镇、龚坊镇扩建为日供水量1500立方米，谷岗乡、湖溪乡、罗陂乡、金竹畲族乡扩建为日供水量550立方米。全县通自来水的村委会2000年有24个，2840户、12765人用上自来水；2010年有82个，7万多人用上自来水。到2016年，全县农村投入改水工程1.8亿元，20%农户引入集镇自来水厂水源，40%山区农户建蓄水池，引入山渠泉水经沉砂过滤，自来水受益村庄122个，占农村人口的68.54%。

20世纪90年代，随着集镇经济的不断发展，电力设施亦逐年加强。至2003年，全县集镇供电率达100%。2005—2016年，县电网公司分别在公溪镇、龚坊镇、金竹畲族乡、招携镇、万崇镇等地建有35千伏变电站供电、10千伏输电线，使生产、生活用电更有保障。1999—2015年，对农村电网实行改造，边远山区的村落也实行电网供电，城乡同网同价，全县所有乡镇村庄实行国家电网供电，家家电灯照明。农村用电量，1986年115.47万千瓦时，1990年142.7万千瓦时，2000年286.8万千瓦时，2008年2847.3万千瓦时，2016年10043.1万千瓦时。

1986—2016年，全县集镇主要道路硬化率达到98%，道路总长61千米，面积72万平方米，桥梁涵洞51座。1986—1999年，行政村至乡镇建有砂石公路；2005年，完成乡村公路硬化175千米，98个行政村至乡镇公路实现水泥硬化路面。2016年，完成农村公路建设119.6千米，行政村至乡镇公路全部实现水泥硬化路面，全县25户以上自然村全面实现道路硬化。

为加强集镇防洪功能，1996年，招携镇在历年雨季多遭水患的招携河港田村段，按五十年一遇洪水标准修筑防洪堤1600米；戴坊镇修筑一条二十年一遇的防洪堤。

1986—2002年，各集镇新装路灯160盏。2002—2016年，各集镇新增路灯620盏，大部分安装太阳能节能式路灯。

1988年，乐安县程控电话开通。1993年，招携、公溪、721矿、261大队启用程控电话。1997年，随着坪溪、金竹开通程控电话，全县所有乡镇都开通程控电话。各集镇设有农话接入局1座，交换机容量均在1000门以上。2000—2010年，数字移动电话乡镇级基站信号率100%，村级基站信号率85%。2016年，各村委会均有电信、移动、联通网络全覆盖，光缆宽带覆盖率100%。通宽带的村委会176个，极大地方便和丰富人们的生活。

1992年前，全县有卫星电视地面接收站2座，分别为县城和721矿。1995年后，乡镇所在地基本建有卫星电视地面接收站。2000年，全县实施“村村通”工程，建立卫星地面接收站18座，广播电视人口覆盖率95%。至2016年，各集镇建起广播电视站，164个村委会实现有线电视网络输送，开通有线电视116套节目，安装有线电视率95%。

1986—1995年，全县乡镇有农贸市场17个，面积7650平方米。1996—2006年，县境有农贸市场37个，面积12.46万平方米。2007—2016年，兴建各类专业批发市场4个，改建带棚顶的农贸市场4个，公溪、牛田、龚坊、戴坊、招携、万崇等镇的农贸市场改建成商贸市场，集农副产品、百货、五金、水泥钢材等批发和零售功能，农贸市场四周配套建有商贸住宅两用楼。期间新增集镇农贸市场面积6万余平方米。

三、新农村建设

建设规划 从2006年始，编制全县新农村建设规划。至2016年，全县完成834个25户以上自然村（村小组）新村建设规划编制。

建设内容 新农村建设以“生产发展、生活宽裕、乡风文明、村容整洁、管理民主”20字方针为指导，发展新产业、培育新农民、建设新村镇、树立新风尚、形成新机制、创建好班子总体工作目标，以生产发展为重点，以村庄整治建设为突破口，以“三清四改四普及三绿化”为切入点推进社会主义新农村建设。

建设资金 2006—2016年，全县新农村建设省、市、县三级安排补助资金（直接统筹资金）7381.65万元，其中省、市级4562.9万元，县级2818.75万元。省、市、县财政直接统筹资金补助每个新农村建设试点村或建设点资金标准：2006年11万元、2007年为10万元，2008年14万元，2009—2012年16万元，2013—2016年，省级村点30万元，2016年，自建点平均为35万元。

建设成效 2006—2016年，新农村建设实施“四改四普及三绿化”工程，全县以改水、改厕、改路、改沟为主要目标的新农村建设试点村和建设点834个，其中，省级665个，县级169个。受益农户32749户，农民136308人。

“四改”：改水农户31275户，占试点村和建设点农户总数的95.5%。改水主要方式有无塔式集中供水、一户一泵、引山泉水，有条件的地方统一使用自来水，使家家户户用上自来水。由县统一补贴改水资金每户800元；改厕农户31537户，占试点村和建设点农户总数的96.3%。改厕以户为单元，新建或改建“三格式”无害化厕所，每户补贴改厕资金1200元；改路全县834个新农村试点村和建设点修建硬化进村主干道、支干道和入户路854.79千米。改路所需资金按统一标准进行补助。改房全县834个新农村试点村和建设点拆除破烂旧房22.27万平方米，新建住房36万余平方米。

“四普及”：全县834个新农村试点村和建

设点新增使用沼气户120户，使用太阳能户5230户，使用电话（含手机）2117户，安装有线电视22782户。

“三绿化”：至2016年，全县834个新农村试点村和建设点进村主干道、村庄空地和农户庭院新栽各种树木168852株，平均每个点新增植树202株左右。

推动农村特色产业发展。2012年，各建设点围绕发展烤烟、蚕桑、大棚蔬菜等优势产业，制定产业发展规划，有针对性地加大“一村一品”“一村一业”和农民专业合作社建设力度。全县涌现出一批烤烟、蚕桑、大棚蔬菜等特色产业村，有种植业、养殖业、加工业等各类农民专业合作社18家，发展会员900多人，带动农户2000余户。

四、农村清洁工程

2009年6月，县委、县政府决定启动农村清洁工程，成立乐安县农村清洁工程领导小组，下设办公室，办公室设在县委农工部，工作人员从领导小组成员单位抽调。

农村清洁工程对农村垃圾处理统一采取“户分类—村收集—乡运转—县处理”的城乡一体化垃圾处理模式，推进全县农村环境卫生综合整治工作。2009年，开始实施以农村垃圾无害化处理为主的农村清洁工程，使全县各整治村庄环境卫生明显改善，村容村貌明显改观，农村生活质量明显提高，实现新农村建设和农村清洁工程相互促进，共同提升。

农村清洁工程围绕“三个重点”实施，抓好“三大主体”建设，即以农民、村民理事会、保洁员队伍为主体。至2016年，全县组建一支1000余人的农村保洁员队伍，定期上户收集垃圾、定期打扫公共场所卫生，垃圾分类分拣、定期对垃圾屋（池）进行消毒，及时清运收集垃圾等。其报酬待遇按照每人每月不低于500元的标准发给，由民政、村、组承担并予以确保。不足部分，每月每户按3～5元的标准向农户收取。确立处理模式，在全县农村统一采取“3+5”处理模式，即可回收垃圾、厨余垃圾、建筑垃圾、有害垃圾（农药瓶、废弃电池等）分别采取不同的处理方式。每个实施农村清洁工作的村点做到“八有”，即每户有2个垃圾分拣收集桶，有1个以上垃圾屋（棚），聘有1名以上保洁员，购有1辆运输板车，配有1套扫把、铁锹等清扫工具，设有1个废旧电池收集封存箱。每个乡镇设有“一所一站一车一点”，即集镇有环卫所，建有1个垃圾中转站，购置1辆垃圾机动运输环卫车，1个废旧电池储存点。

至2016年，全县在802个村点实施农村清洁工程，其中，新农村建设点451个，非新农村建设点351个。建成沤肥窖1460个，乡镇购置环卫车18辆，配有保洁员874名，购置板车874辆，配置垃圾分类桶5614个。县财政投资4959万元，建成占地面积14.67万平方米的日处理垃圾120吨县级垃圾填埋场。

五、农村危房改造

乐安县自2009年开始实施危房改造，按照“因地制宜、科学规划、政府主导、农民自愿、经济适用、确保公正”的原则，采取“拆除重建和局部维修、集中建房、相对边片建房与分散建房”相结合的方式进行。成立农村危房改造工作领导小组，由县长任组长，分管副县长任副组长，住建、民政、财政、扶贫移民、残联、国土等单位负责人为成员。领导小组对农村危房改造工作实行统一领导、统一协调、统一考核。领导小组下设办公室，设在住建局，主任由住建局局长兼任，并明确一名副职具体分管这项工作，同时明确各成员单位的具体职责及挂乡镇的分工。各乡镇也成立相应的领导小组，16个乡镇向县政府签订责任书。各乡镇摸清住房情况，按照家庭住房困难程度排出危房改造先后顺序，分期分批推进，分户分类实施，依据农村困难群众“安全、适用、经济”的居住标准，实事求是、因地制宜地制订危房改造工作的总体规划及年度计划。严格按照“个人申请—村委评议—乡镇审查—县复查核准”的程序实施，同时严格公示、监督制度。各乡镇择优选择施工人员，全权负责工程现场管理，县建设局质监站不定期进行质量监督。建立危房改造档案，确保实行一户一档，批准一户，建档一户，分户归档。按照上级有关文件精神，把中央、省、市、县四级财政拨付资金直接打入危房改造户的惠农卡中，将危房改造资金实行县级报账、财政专户储存、专账管理、专款专用。资金严格按照工程进度分期分批拨付。

2009—2016 年，全县实施危房改造户 11548 户，其中改造新建户 9124 户，维修加固户 2424 户。政府投入危房改造补助资金 1.44 亿元。

农村危房改造资金援建的房屋

2009—2016 年乐安县农村危房改造情况表

表 19-1-8　　　　单位：户、万元

年份	改造户数	其中		政府投入补助资金
		改造新建户	维修加固户	
2009	604	453	151	604.00
2010	560	364	196	616.00
2011	941	706	235	1035.10
2012	1863	1584	279	2328.75
2013	1860	1544	316	2452.30
2014	1900	1480	420	2505.90
2015	2400	1857	543	3035.90
2016	1420	1136	284	1851.00
合计	11548	9124	2424	14428.95

第五节　建筑业

2006—2016 年，城镇建设规模日益扩大，多层、高层建筑在城区拔地而起。为了加强建设工程管理，提高工程管理专业技术人员素质，规范建筑管理行为，保证工程质量和安全生产，根据《中华人民共和国建筑法》《中华人民共和国安全生产法》《中华人民共和国招标投标法》《中华人民共和国档案法》，乐安县相继成立县公共资源交易中心、县重点项目管理办公室、县城建档案馆（备案中心）、乐安县恒新建设工程质量检测中心、乐安县力拓混凝土有限公司。为了进一步提高工程质量和安全生产，有效地规范全县建筑业市场，加强建设重点工程的管理，实行新建、扩建、改建工程进入招投标程序，严格把握建设工程立项、报建、审批关，建立工程竣工备案立卷归档制度，实现建筑市场治乱、建筑企业治散、工程质量治差，从而使全县建设事业得到提升和蓬勃发展。

一、建筑企业与建筑设计机构

（一）建筑企业

20 世纪 50 年代初，乐安县建筑工人基本上是分散独立经营，走村串户，靠一把泥刀一把斧头帮人做工获得劳动报酬，均为散兵游勇式作业。

随着手工业社会主义改造运动的开展，城镇建筑工人逐步走上合作化的道路，建立起集体性质的建筑队伍，并不断得到发展壮大。1958 年 1 月，经县政府批准成立国营乐安县建筑工程公司，创建全县第一个建筑施工企业。此后，各乡镇也相继建立起建筑施工队伍。

二十世纪六七十年代，乐安县建筑企业只能承建低层建筑工程施工（1 ~ 3 层建筑物，高度低于或等于 10 米的建筑物），到 20 世纪八九十年代能承建多层住宅（4 ~ 6 层）、中高层住宅（7 ~ 10 层，高于 10 米，低于或等于 24 米的建筑物）。随着建筑物向多、高层发展，施工设备和技术力量日益跟进，企业资质也逐步提高。1980—2001 年，全县有建筑企业 13 家，其中企业资质三级 1 家，即乐安县建筑工程公司；企业资质四级有 5 家，即乐安县顺达建筑工程公司、鳌溪镇建筑工程公司、公溪镇建筑工程公司、721 矿邹家山建筑工程公司、261 大队建筑工程公司；企业资质五级有 7 家，即 721 矿劳动服务公司基建维修队、戴坊基建队、公溪江边基建队、乐安县二轻基建队、增田基建队、招携基建队、湖坪基建队。20 世纪 90 年代后期，一些技术力量薄弱、施工设备落后的施工企业，逐步被淘汰。经 2002 年省建设厅对建筑企业进行资质认证，全县达到国家建筑施工企业三级只有 3 家，即乐安县建筑工程公司、乐安县正大建筑工程有限公司（前身为乐安县第二建筑工程公司、乐安县建筑工程公司二工区）、乐安县顺达建筑工程公司，其余 9 家建筑企业均被淘汰，取消施工企业资格。乐安县建筑工程公司在 2009 年 6 月 26 日由建筑工程三级资质升为二级资质。

乐安县建筑企业在 1980 年以前，建筑施工技术还相对落后，技术装备也单一，主要为劳动密集型加半机械化的施工方法。进入 21 世纪特别是 2010 年后，在开发、推广、应用新结构、新技术、新工艺、新材料等方面取得重大进展，各种先进的施工工艺和机械设备进入施工现场，打桩机、悬挖灌注桩、悬挑钢管脚手架、商品混凝土、泵送混凝土、人和物料施工电梯、塔吊等先进施工机械设备及新工艺已普及各个施工现场，具备多层、高层工程建筑施工，大大提高施工效率和工程质量及施工安全。

乐安县建筑工程公司 1958 年 1 月，县政府批准成立国营乐安县建筑工程公司。1977 年 11 月，分为乐安县建筑工程第一工程队，乐安县建筑工程第二工程队。1980 年 4 月 11 日，乐安县建筑工程第一工程队和第二工程队升格为乐安县第一建筑工程公司、乐安县第二建筑工程公司。1987 年 8 月，第一、第二建筑工程公司合并为乐安县建筑工程公司，下设一工区、二工区。

2002 年 1 月至 2005 年，二工区改为乐安县正大建筑工程有限公司，由乐安县建筑工程公司控股 99.7%。2006—2007 年，乐安县建筑工程公司、乐安县正大建筑工程有限公司实行企业改制，企业职工全部参与社保、医保，但保留乐安县建筑工程公司、乐安县正大建筑工程有限公司，企业性质为大集体。2008 年，乐安县建筑工程公司、乐安县正大建筑工程有限公司实行第一轮承包。2013 年，实行第二轮承包。

乐安县建筑工程公司在 2009 年 6 月 26 日由资质三级企业升为房屋二级企业、市政工程二级、建筑防水工程一级、建筑装修工程二级、金属门窗工程二级、土石方工程二级、环保工程三级，公司注册资金 2000 万元。工程技术人员 317 人。其中：高级工程师 2 人、工程师 11 人、助理工程师 43 人、经济师 2 人、一级注册建造师 3 人、二级注册建造师 11 人、临时二级建造师 18 人。

2009—2013 年，公司完成总产值 2.6 亿元，建筑总面积 32.74 万平方米。2010—2012 年连续 3 年获得抚州市建设局建筑协会优秀单位奖。2013—2016 年完成总产值 2.95 亿元，建筑面积约 40.6 万平方米。在乐安县承建的工程项目有：金域龙城、隆盛世纪花园、森豪苑、乐安县交通局业务用房及新汽车站、翰林世家、芙蓉春晓；在县外承建的工程项目有：抚州文昌雅苑、临川区人民法院、抚州祥和家园、黎川县学府新城、赣州市君悦学府、吉安香溢中央。湖南浏阳市嘉悦城土建及附属工程、吉安市遂川县汤湖茶厂建设工程。

乐安县正大建筑工程有限公司 1977 年 11

月，乐安县革命委员会批准建筑公司成立第二建筑工程队。1980年4月1日，乐安县建筑公司第二工程队升格为乐安县第二建筑工程公司。2002年1月，乐安县建筑工程公司二工区改为乐安县正大建筑工程有限公司，由乐安县建筑工程公司控股。2006—2007年，公司实行企业改制，企业性质为大集体。到2016年，公司企业资质为房建三级；注册资金4601万元；工程技术人员有高级工程师2人、工程师18人、助理工程师62人、经济师2人、二级注册建造师12人、二级临时建造师7人。公司内设：办公室、经营科、技术科、质检科、安全科、财务科、保卫科。公司完成总产值2.8亿元，建筑总面积20.82万平方米。

2009—2016年，乐安县正大建筑工程有限公司在乐安县承建的工程项目有：江西民康实业有限公司厂房、宿舍等，乐安县南方农产品综合批发市场，江西政毅汽摩制造有限公司综合楼厂房，恒瑞·天赐良园商住楼；在县外承建的工程项目有：井冈山市睦村中心小学教学楼、吉安市青原区风景名胜区车辆调度中心副楼。

乐安县顺达建筑工程公司　成立于1991年8月，隶属乐安县房地产管理局，全民所有制，公司资质主项为房屋建筑工程施工总承包三级，增项有市政工程施工总承包三级，注册资金4718万元。工程技术人员209人，其中工程师12人、助理工程师23人、技术员18人、经济师2人、一级注册建造师1人、二级注册建造师14人、二级临时建造师9人。公司内设：办公室、质检科、安全科、预算科、财务科、经营科、保卫科。2006—2016年，完成总产值2.2亿元，建筑总面积29.2万平方米。

2006—2016年主要承建工程项目：祥瑞国际3号、10号、16号楼工程、春天里商住楼。

（二）建筑设计机构

县内建筑设计机构有乐安县建筑设计室。1979年10月，乐安县基建局内设立设计室。1983年2月8日，县人民政府批准将基建局内的设计室划出，成立乐安县建筑设计室，单独核算。1983年12月，江西省计划委员会批准为丙级设计单位。1986年，改发“工业与民用建筑设计丁级”证书。1993年11月换证为“丁级建筑设计资质”。2000年5月30日，改为丁级建筑工程设计单位。2010年5月21日，江西省住房和城乡建设厅颁发“建筑行业（建筑工程）丁级”工程设计资质证书。

乐安县建筑设计室隶属县住房和城乡建设局，性质为事业单位，实行企业化管理，独立核算。全室在职人员8人，其中工程师2人、助理工程师6人；具有专业执业资格的2人，其中国家二级注册建筑师1人，国家二级注册结构工程师1人。技术装备拥有无氨快速晒图机、图纸打印机、图纸复印机和电脑9台。

2000年以后，县建筑设计室步入繁荣时期，设计人员在设计工作中积极采用新经验、新结构、新材料、新技术，节能环保，重视和发展建筑标准的多样化。同时，加速计算机的使用，使工程结构的内力分析更准确，截面设计更合理，逐步从手工制图转向计算机制图，设计人员的设计水平不断提高。2006—2016年，完成设计总建筑面积约69万平方米，主要设计工程项目：乐安县卫计委办公楼、乐安县环保局办公楼、乐安县司法局办公楼、鳌溪镇桥背社区办公楼、鳌溪烟站综合楼、乐安县商贸局办公楼、龙腾花城商住楼、县第三小学教学楼和综合楼、戴坊中学综合楼、乐安县实验小学教学楼、县第二小学教学楼、南村中学教学综合楼、牛田卫生院综合楼、龚坊卫生院综合楼、山砀卫生院综合楼、谷岗卫生院综合楼、龚坊幼儿园综合楼、戴坊幼儿园综合楼。

二、建筑工程管理

（一）建筑工程质量监督

乐安县建筑工程质量监督站成立于1986年5月28日，为财政全额拨款事业单位，编制人数为6人，有专业技术人员6人：工程师3人、经济师1人、助理工程师2人。

为了加强政府对建设工程质量的监督，确保工程质量，根据《中华人民共和国建筑法》和建设部《建设工程质量监督管理规定》，乐安县建筑监督站开展工程质量监督管理工作，对全县的新建、扩建、改建和市政基础设施的工程项目进行全面监督检查，加大各项法律、法规的执行力度，增强质量监督管理力度，建立质量保证体系，对房屋建筑和构筑物工程的地基基础、主体结构和决定使用功能、安全性能的重要部位，实行重点监督抽查，使全县建筑工程质量得到进一步的提高，未出现质量安全事故。县行政中心办公楼、县污水处理厂等工程均评为省优良工程。

全县建设工程质量检测主要是乐安县恒鑫建设工程质量检测中心负责。该检测中心成立于2009年7月，共有10人。其中，中级职称2人、初级职称2人。仪器设备71台，有液压万能材料试验机、压力实验机、抗析仪、数显回弹仪、雷氏沸煮箱、水泥胶砂搅拌机、数显鼓风干燥箱、混凝土振实台、沥青软化点仪、沥青针入度仪、楼板厚度仪、箱式电阻炉、钢筋位置测定仪等。

工程质量检测中心是从事专业建设工程材料鉴证检测和建设工程主体结构检测的专业检测机构，材料检测共8大类17个项目。

乐安县工程质量检测中心检测项目表

表19-1-9

分类	材料检测项目	分类	材料检测项目
金属材料	钢筋	墙体材料	烧结普通砖
	钢筋焊接头及机械连接接件		烧结空心砌块
水泥	水泥		非承重混凝土空心砖
建筑用砂、石	砂		承重混凝土空心砖
	卵石、碎石		蒸压粉煤灰砖
混凝土	混凝土	混凝土外加剂及掺合料	混凝土外加剂
	砂浆		掺合料（粉煤灰）
	混凝土构件结构性能	主体结构工程	主体结构实体现场检测
沥青	沥青		

建筑工程质量检测中心依据国务院《建设工程质量管理条例》和住房和城乡建设部颁布的《建筑工程施工质量验收统一标准》，对建筑工程使用的主要原材料进行二次检验和主体结构检测，更好地对房屋主体结构质量进行检测评定，从建筑材料的源头上把好质量关，杜绝和防止不合格的材料用于工程项目上，有效防止质量安全隐患出现，确保建筑工程质量。

（二）建筑安全生产管理

1992年成立乐安县建设业安全生产监督管理站，属县城乡建设环境保护局内设机构，与质监站合署办公。2002年6月11日，为县建设环保局直属事业单位。2004年，为财政全额拨款股级事业单位，定编制4个，具有专业技术职称4人，其中：工程师2人、助理工程师2人。

乐安县建设业安全生产监督管理站对全县在建工程实行监督管理，要求建筑企业建立健全安全生产责任制和安全生产组织保证体系，按照安全技术规范的要求组织施工，并经常到工地进行施工用电、“四口五临边防护”（预留洞口、电梯井口、通道口、楼梯口；楼面临边、屋面临边、阳台临边、升降口临边、基坑临边）、外脚手架、起重设备监督检查，特别是对深基坑、高大支模、悬挑脚手架，要求施工企业编制安全专项施工方案并监督实施，积极防范和遏制建筑施工生产安全事故。2002年获省建筑安全生产监督管理先进单位。2005年被评为抚州市建筑施工安全监督先进站。

（三）建筑工程造价管理

在建设工程招投标交易中心成立之前，房屋建筑和市政基础设施工程招投标交易在乐安县建设环保局二楼开标，招标范围：30 万元以上 50 万元以下的工程邀请招标，评标办法多采用最低价中标法；50 万元以上的工程公开招标，公开招标项目招标公告同时在报纸、乐安县电视台及乐安县建设局一楼电子显示屏公布，招标监督单位有县建设环保局招标办及县纪委监察局，评标办法多采用经评审的合理低价法。

建设工程招标投标交易中心成立之后，乐安县所有的工程项目交易均在交易中心实施，根据市政府的规定，10 万元以上的工程均需进行招标，即 10 万元～50 万元邀请招标。房地产项目邀请招标，评标办法多采用最低价法。评标委员会的组建由乐安县公共资源交易中心在省级评标专家库中随机抽取。

2013 年 7 月开始，根据市建设局文件要求，500 万元以上的政府投资项目均由市建设局及市监察局进行监管，评标办法多采用合理低价评标，该文件 2014 年 5 月取消。2014 年 7 月开始，全省实施电子化招标，政府投资 50 万元以上工程项目均在江西省公共资源交易网进行公开招标，并首次提出 500 万元以下的工程招标采用报价承诺法进行评标，即资格审查合格的投标人全部入选进行摇球确定排序；500 万元以上的工程采用综合评估法进行评标。凡是新建、扩建、改建的工程项目，一律进入招投标活动市场，并在招投标活动中，遵循公开、公平、公正和诚实信用的原则，有效杜绝抬价压价和利用承建工程项目腐败的现象，规范建筑市场，维护公平的市场经济秩序，从源头预防和遏制腐败，使乐安县建筑行业招投标工作得到健康发展。

（四）城市建设档案管理

1982 年，县建设局设立档案室，由局办公室专门负责管理。1997 年，分别建立人事、文书和各种技术档案（含规划、设计图、测量标志、施工、质检档案），下属部门和单位实行立卷、定期归案，档案资料由局档案室保管。2012 年 8 月，经县政府批准，成立乐安县城建档案馆（备案中心），为县住房和城乡建设局内设股室，定编制 4 个，属全额拨款事业单位，办公地点设在县住建局。

2012—2016 年，凡乐安县新建、扩建、改建和市政基础设施的工程，均已纳入工程竣工验收备案管理，全县竣工验收备案共计 252 个单位工程，其中：房屋建筑工程 233 个，市政工程 19 个。

第二章　城市管理

乐安县城市管理坚持问题导向，着力改善人居环境、优化市容秩序、提升城市品位。2010 年底成立县城市管理局，进一步理顺城市管理体制，实施精细化管理，不断提升城市管理能力和水平，做大做美做优县城，完善宜居宜业宜游的城市功能，为乐安经济发展提供良好的发展环境。

第一节　机构人员

一、城市管理局

1984 年 7 月，乐安县第九届人大会议根据上级有关文件精神，以及乐安县城市建设、市容环境管理需要，决定成立乐安县城镇建设管理委员会，县长任主任，鳌溪镇镇长任副主任；下设纠察队（简称“城建办”），隶属鳌溪镇，成员由相关单位抽调临时人员组成，无编制。1985 年 1

月正式挂牌，负责县城规划区内城建、市容环境的管理和监察。1990年6月起，城建办归口建设环保局，同时成立乐安县城乡管理监察队，正股级，人员12名，无编制。1993年更名为城建管理监察队，1998年4月13日正式定编14个，有人员14名，为自收自支事业单位。1999年，城建管理监察队增设乐安县液化石油气管理办公室、建筑垃圾余土管理办公室，人员编制未增加。2001年12月，经县人民政府下文批准，将室内外装饰装修行业管理办公室由县二轻局划归建设局，更名为乐安县建筑装饰装修行业管理办公室，为股级自收自支事业单位，编制3个，人员6名。至2005年，城建管理监察队人员增加到30人。实现一套人马，四块牌子，即城建管理监察队、液化石油气管理办公室、建筑垃圾余土管理办公室、装饰装修行业管理办公室。其内设管理机构有：市容管理组、城建监察管理组（液化石油气管理、建筑垃圾余土管理、装饰装修行业管理）。2006年3月，经县编制委员会办公室下文，将城建管理监察队和装饰装修行业管理办公室合并，成立城市管理监察执法大队。

2010年12月6日，成立乐安县城市管理局，为负责全县城市管理工作的县政府直属正科级全额拨款事业单位。同时将县建设局下属的乐安县环境卫生管理所、城管监察执法大队、市政公用设施管理所机构、编制、人员成建制划归县城市管理局，并组建路灯管理所和市政园林（森林公园）管理所，全局编制88个。局机关内设办公室、市政市容管理股、法制监察股3个职能股室，机关编制10个：局长1人，副局长2人，纪检组长1人，股级职数3人。

2010—2016年，历任局长：黄志勇、雷建荣；党组书记：詹海群。

二、园林绿化管理局

1986年，在县建设局内设立市政园林管理所。2000年更名为市政设施管理所，城市园林绿化为其管理职责之一。2006年，市政设施管理所更名为市政园林公用设施管理所，2008年更名为园林（森林公园）管理所；2010年12月，成立县城市管理局，园林（森林公园）管理所由县建设局划至县城市管理局管辖，为正股级全额拨款事业单位。2012年12月，成立乐安县园林绿化管理局，为城管局下属副科级全额拨款事业单位，定编制12个，设局长1名、副局长2名，内设办公室、园林建设股、园林管护股。2014年，依照国务院《城市绿化条例》和《江西省城市绿化管理办法》，制定《乐安县城市绿化管理规定》，明确园林绿化管理局的职能：参与县城规划区内的园林绿化规划编制和绿化工程竣工验收；负责县城规划区内行道树、公共绿地、植被的养护管理工作；依法审批占用城市公共绿地和砍伐迁移城市树木，依法对破坏城市绿化的行为进行处罚。

第二节　综合管理和整治

一、管理体制

乐安县城市建设与管理实行建管分离、综合执法体制，即由县住建局根据城市发展规模和方向进行总体规划建设，各相关职能部门根据自己的职能进行执法，并确定城市管理监察执法大队为城市市容秩序的执法主体，坚持综合执法与专项执法相结合，严格执法与文明执法相结合，坚持教育为主、处罚为辅的原则，同时明确执法的责任，建立长效管理机制，提高执法和服务水平。2008年，成立县违法建设违法用地整治工作领导小组，组建城市管理综合执法大队，对县城规划区内的违法建设违法用地进行监管。2010年12月6日，城市建设管理由县城市管理局负责监管。

二、市政公用事业改革

市政公用设施主要由政府投资建设，由市政管理所负责日常维修管理。在市政道路设施建设上与城市道路建设项目同步实施，在市政公用事业领域，按照住房和城乡建设部有关鼓励和引导民间资本进入市政公用事业领域的通知，逐步引进民间资本进行建设管理。县城污水处理厂即由企业进行运营管理。为提高效率，减少成本，将市容小广告清理采用服务承包方式承包给社会组织实施。

三、城市环境综合整治

随着城市规划建设的推进，乐安县城市功能得到不断完善，在市容市貌管理中，县城管大队严格落实管理责任制，采取分片包段管理方式，有针对性地对县城主要街道、人员密集点等路段开展专项整治，重点对户外广告、占道经营、乱停乱放、夜市和流动摊点、乱堆乱摆、乱搭乱建、乱吐乱拉等进行治理。在环境卫生管理中，县环卫所对城区卫生实行“定街、定员、定责”的管理方式，城区主要街道采取全天候“无缝隙”保洁措施，分片包干管理，保洁人员分4班次17小时滚动作业，对城区各主要街道路面进行清扫保洁，使城区垃圾日产日清无积压。积极开展环境卫生整治，定时集中人员对一些背街小巷、城乡结合部、城市出入口等处进行垃圾清理，使环卫监管伸入到盲区死角。

2001年6月10日，县政府颁发《乐安县县城市容和环境卫生管理办法》，从县城市容、环境卫生管理、环境卫生设施的建设、违法处罚办法作出详细规定。2005年4月，为创建文明城市，进一步巩固市容环境整治成果，提高县城管理水平，提升县城品位和形象，加快城市建设进程，根据县委办、县政府办《关于在县城深入开展市容环境整治活动的实施方案》的具体部署和要求，成立由县主要领导任总指挥、县直有关单位领导为成员的县市容市貌综合整治领导小组。在城建管理监察队成立城市管理综合执法大队（临时机构），分别由建设环保局、公安局、工商局、卫生局、交警大队和文广局抽调人员组成。市容市貌综合整治工作围绕改善县城投资环境和人民生活环境质量，促进城镇建设和经济超常规发展这一中心目标，结合开展创建文明城市活动，以综合整治为手段，从根本上改善县城市容环境面貌，塑造乐安对外开放的良好形象。

为提高城市管理水平，提升城市品位，规范执法行为，乐安县城市管理局全面推进社会化服务承诺制度，树立为人民管理城市的理念，并向全县市民公开服务承诺：规范管理、依法行政，文明执法、争创一流，廉洁自律、恪尽职守，完善设施、服务民生，改善环境、提升品位。

四、城市管理监察执法

乐安县城市管理监察行政执法受县住建局委托，由乐安县城市管理局负责。

执法文书主要有责令停工通知书、行政处罚告知书、行政处罚决定书。

执法事项有：城市市容市貌、户外广告、环境卫生、园林绿化、市政基础设施、路灯亮化、城市建筑垃圾和“违法建设、违法用地”执法等。

执法程序、法律法规及制度包括：严格按要求落实执法程序，规范对违法违规行为的处置方式，认真贯彻执行《中华人民共和国城市规划法》《中华人民共和国行政处罚法》《中华人民共和国建筑法》、国务院颁布的《建设工程质量管理条例》《城市道路管理条例》《城市绿化条例》、建设部《城市建筑垃圾管理规定》、城乡建设环境保护部《市政工程设施管理条例》、住房和城乡建设部《城市照明管理规定》《江西省实施〈中华人民共和国城市规划法〉办法》《江西省城市绿化管理办法》《江西省建筑管理条例》《乐安县市容环境卫生管理条例》等法律法规，内部管理上建立《乐安县城市管理监察执法大队工作职责及规章制度》《乐安县城市管理局管理制度》等。

五、城乡“三违”整治

遏制乱挖乱占　针对县城“三违”（违法建设、违法用地、违法交易）等现象，2010年1月6日，县委、县政府组建县城市管理综合执法大队，坚持“分片巡查、严防死守、集中强拆”的管理模式，将城区范围分成城南、城北、综合3个片区，分别负责城区规划区内“三违”和旧房翻建的监管，发现违法建造的地基、地梁，坚决铲除。是年共铲除违法建造的地基、地梁180户，面积1.6万平方米；拆除违法乱搭乱建30余户1600平方

第四节　城市水业

一、排水

河道治理　随着县城的快速发展，人居环境的改善，人们对城市的排水更加重视，因此河道的治理刻不容缓。

在开辟新城区的同时，县委、县政府将河道治理摆上日常工作议程。1992年10月，乐安县紧紧围绕"城建塑县"战略目标，将"鳌溪河两岸"治理作为城市建设的一项重点工程，成立治理鳌溪河工程指挥部，经过一年整治，清理河床3000米，挖除沉积淤泥砂石等1.49万立方米，新砌防洪墙183.3米，计718.3立方米，新砌微型拦河坝1座，共投资20余万元，既疏通河道，又改善鳌溪河水质，提高鳌溪河的蓄防能力。2014年6月，全面推进鳌溪河周边生态建设、景观工程建设，加快河道规划建设与管理。

排水设施　1986—2000年，为增强城市功能，县委、县政府坚持排水设施建设与街道建设同步发展的思路，对城区内原有大小排水管道逐年进行翻建、拓宽及维修，确保城区内大雨时排水畅通，不积水。同时，每年都对城区堵塞的排水设施，包括雨水箅、雨水井、排水沟涵等进行清理疏通等。

进入21世纪，新建的乐安大道延伸段、迎宾大道延伸段、东环路、南环路、北环路、迎宾中大道等主要道路，其排水管网的配套设施建设做到路修到哪里、下水道修到哪里，使得新老城区基本形成纵横交错的街巷排水网络，雨水、污水排泄畅通。至2016年年底，县城建成区共有大小排水道45条，总长度31.45千米。其中规格在1.2×0.8米以上的主干排水道9条，共8.8千米，规格在0.4×0.5米以上的36条，共22.65千米。

乐安县城主要排水管道情况表

表19-2-10　　单位：米

排水管道所在道路	起止地点	竣工时间	管道长度	排水管道所在道路	起止地点	竣工时间	管道长度
鳌溪路	卫生局—老兽药厂	1993.10	1646	象山南路	审计局—东环路	2010	2300
毕力路	老农机局门口—沿河路	1990.5	264	象山北路	审计局——一中老校门	2006	1200
沿河路	金敖桥—乐谷路口	1987.8	2096	东环路	南门花园—蚕丝厂	2010	7800
爱民路	档案局—县中队	1988.10	240	乐安大道	邮政局—国土局	1999	616
长征路	东门桥头—街心花园	1975.12	1767	乐安大道延伸段	信用联社—东家岭	2010	1500
广场路	粮食局—新华书店	1975.12	305	南环路	东家岭—严江桥	2010	1032
北环路	烟草公司—蚕丝厂	2010.11	5200	迎宾中大道	人民医院—万联城	1998	315
烈士路	粮食局—纪念塔	1981.9	494	迎宾南大道	工业区老办公楼—高速路口	1997	940
大元巷	大元巷1号—36号	1994.10	156	迎宾北大道	发改委—司法局	2003	1300
下街巷	下街巷1号—衙门巷	1986.10	282	迎宾北大道延伸段	疾控中心—消防大队	2010	2000

县城污水处理池

排水管理与技术　1986—2000 年，乐安县城排水状况为雨污合流制，排水管沿城市道路铺设，原有排水设施多集中在旧城一带，布局比较零乱，有些已建管渠多年失修，淤积严重，排水能力差，存在问题较多，雨污水均排放至鳌溪河。2000 年以后，随着新城区的逐步建成，制订《乐安县城市排水专项规划》，规划排水设施为用于雨水或者污水收集的管道、沟渠、泵站（房）及闸门、雨水口、检查井等附属设施。科学、合理布置城市污水处理设施，力求投资少、效益高，减少城市污水对河流的污染，特别是对鳌溪河水资源的污染，力争在 2020 年城市污水处理率达到 100%，下水道普及率 100%。并采用雨污分流的排水体制，即污水必须集中收集，统一纳入城市污水处理厂，经处理达标后，排入自然水体。工业废水必须符合国家有关排放标准，接入城市污水系统，纳入统一处理。雨水就近直排入附近沟渠河道。

在管理过程中，结合城区实际情况，按“高水高排、低水低排、以排为主、蓄排结合”的原则合理布置排涝设施，由各相关部门严格按照该规划的要求对县城排水设施进行日常维护、检查和疏通，确保城市排水设施的正常运行。

二、防涝

洪涝灾害　乐安县城仅鳌溪河一条河流，汛期洪水横溢，加上基础设施不完善，排水沟阻塞严重，防洪能力偏低，1998 年、2008 年、2010 年发生 3 次较大的洪涝灾害。特别是 1998 年特大洪水和 2008 年特大洪涝，基础设施损毁严重，城市积涝致使水位上涨，交通受阻，居民房屋进水，商店的商品被淹，经济损失非常严重。

洪涝防治　20 世纪 80 年代开始，县城的防洪建设逐年加强，先后修建 3940 米的长堤和修筑浆砌片石的护坡堤，基本上杜绝洪水倒灌的险情发生。进入 21 世纪，城市建设发展较快，城区内原有排水管道逐年得到翻建、拓宽及维修，城区排洪港有 4 条主排水沟，主要以 600、800、1000 厘米的圆涵为主。新建道路以雨污分流为主，加上鳌溪河的清淤，使县城排水状况得到进一步改善。

第五节　环境卫生

一、环境保洁

清扫保洁　乐安县市容环境卫生管理所负责县城区域内主要干道和部分巷道的清扫、县城各单位和居民生活垃圾的清运、部分居民楼院的垃圾袋装有偿服务以及县城公厕的清扫。1986—1993 年，清扫保洁面积由 4.38 万平方米扩大到 5.67 万平方米。2000 年，实际清扫面积 10.6 万平方米。2005 年，城区环卫保洁面积达到 31.6 万平方米，人均清扫面积 6450 平方米。至 2016 年年底，城区保洁面积约 200 万平方米。

街面清扫每天 5 点至 21 点 30 分，分两班人员 4 个时段（5 点至 8 点，8 点至 12 点，13 点至 17 点 30 分，17 点 30 分至 21 点 30 分）进行轮流清扫保洁，做到每天近 17 个小时街面不离保洁员。每天 5 点至 12 点（冬春季 5 点 30 分至 12 点），1 点 30 分至 6 点进行洒水除尘，有效降低空气中的灰尘。

加强对街道管理员的管理，同时，关爱环卫工人。1996年10月26日，县环卫所在第一个“江西省环卫工人节”，对成绩突出的先进个人进行表彰，发放纪念品。此后每年的环卫工人节，县环卫所均举办相关庆祝活动，县领导和主管局领导参加座谈欢庆，对环卫工人表示关怀和慰问。

垃圾收运　每天早上5时开始由清运、清扫人员用人力板车把城区路面和各窖点、垃圾桶（箱）垃圾就近运往中转站，再由垃圾清运车将各中转站垃圾运往城郊麻石岭和牛栏坑垃圾处理场作填埋处理。2000年，生活垃圾清运量2.7万吨，粪便清运量3000吨。2005年，日清运垃圾60余吨，年清运垃圾2.19万余吨。2016年，日清运垃圾169吨，年清运垃圾6.08万余吨，垃圾清运率达到100%。

垃圾清运车在街道清运垃圾作业

二、环卫设施

公共厕所　1986—1993年，县环卫所管理、清扫公共厕所34座，其中，公厕15座、单位厕所19座。随着商品房的开发，家庭厕所增加，公厕有所减少，部分旱厕改为冲水厕所。2000年有公厕13座，水冲式公厕1座。到2016年年底，城区公厕增至16座，由2人负责城区公厕和部分单位厕所清扫，每天清扫1次，每季度撒石灰杀菌1次。

垃圾箱　1993年，县城街道垃圾果壳箱仅有20只，2000年增至100多只。随着县城框架的不断拉大，果壳箱的需求量越来越多，环卫部门及时抓好果壳箱清理及修理更换工作，垃圾果壳箱不断更换，但仍不能满足市民对生活环境的要求。县财政不断加大对环卫设施的投入，2004年，投入2万元购置100只垃圾果壳箱，设置在县城主次干道沿线。2010年，在乐安大道、北大道、迎宾大道、万联大道、商贸大道、工业大道等路段更换新装垃圾果壳箱400只，到2016年年底，县城垃圾果壳箱共有700多只。

垃圾中转站　1999—2005年，县财政先后拨专款兴建4个垃圾中转站：象山中转站、一小中转站、东门桥中转站、东英角中转站。随着县城面积的不断扩大，人口数量的日益增加，垃圾量也在不断增加。为满足城市生活垃圾处理的需要，垃圾中转站列入城市基础设施建设，县政府陆续在龙腾花园上坡处、公园路、县医院、金茂商城兴建4座垃圾中转站。至2016年年底，县城有简易坑式垃圾中转站8座，压缩式中转站2座。

垃圾无害化处理场　为改善城区宜居生活环境，有效提高城区垃圾处理能力，给广大市民营造一个干净、整洁的生活环境，县委、县政府从2008年开始筹划建设乐安县生活垃圾卫生填埋场，选址在距离县城区约4千米的角华山，申请国家专项补助资金1600万元。2009年，经反复论证和研究考察，将乐安县生活垃圾处理场重新选址在大元村西北约1千米处，距离县城中心约6千米，占地约8公顷，项目总投资4802.31万元；垃圾场总填埋库容约89.47万立方米，填埋垃圾总量83.04万吨，在规划年限内平均处理量为165吨/日，垃圾填埋场服务年限可达14年以上。至2010年年底，已完成乐安县垃圾无害化处理项目可研报告、环评报告、专家现场评审等前期工作，2013年，垃圾填埋场启动建设，2016年年底，基本完成建设。

机械设备　1986年以前，环卫所使用的大多

环卫保洁车正在清扫街面

2012年，县园林绿化管理局加快城市绿化工作，绿化面积351公顷，种植树种花卉品种均有所增加。截至2016年年底，县城各类公共绿地分布合理，植物多样、功能完善，建成区绿地率36.22%、绿化覆盖率39.99%，人均公园绿地面积12.25平方米，公园绿地总面积144.5公顷。

为人力工具，主要有扫把、铁铲、板车等。1993年，县财政投入6.5万元，购买洒水车、小四轮各1辆。1998年、2007年分别增添洒水车1辆；2001年、2005年、2009年分别购置摆臂式垃圾运输车1辆，2003年更换清运农用车1辆，2007—2008年，购置工作用车、市容监察车各1辆。2016年购置高压冲洗车、洗扫车各1辆，大型挂桶车2辆，小型压缩封闭式垃圾运输车2辆，小型挂桶车4辆，小型勾臂车7辆，管理人员快速保洁车17辆，8桶电瓶车1辆。

第六节　园林绿化

一、公园广场绿化

1986年，县城公共绿地很少，文化广场、烈士陵园有少量的树木，树种单一，文化广场种香樟、广玉兰，烈士陵园种枫香、刺柏、泡桐等。20世纪90年代后，逐步重视城市绿化工作，到1993年共投入24万元，在县城街道栽树7665棵，义务植树26万株。各单位、学校、工厂区、居民庭院也因地制宜建有花坛、花圃、园林景树。2000年，园林绿化覆盖面积51公顷，建成区35公顷，公共绿地面积9.63公顷，人均公共绿地面积2.87平方米。

森林公园绿化　公园位于县城区东北部，迎宾北大道以东，环城北路以南。2007年4月投入资金200万元建设，2008年1月竣工，建成总面积59公顷，绿化面积约43公顷，2010年被评为省级森林公园。公园分为7大片区：入口景观区、森林保健度假区、山水文化景观区、红色文化纪念区、儿童游乐区、老年人活动区和特色植物景观区，把园林景观与自然景观有机地融为一体。

公园形成以香樟、桂花、乐昌含笑、银杏、杜英、樱花、龟甲冬青、法国高羊毛草、杜鹃、红花继木、海桐、瓜子黄杨、火棘等品种的大面积森林群落，其中乡土树种杉树为该公园主景。各类树木苍翠成荫，是一座以森林景观为主，集游览休闲、文教娱乐、康体保健、森林度假为一体的综合性公园。

湿地公园绿化　公园用地面积约20公顷，总投资5080万元，其中绿地面积约10公顷，

县城湿地公园一角

栽植棱角山矾、杜英、深山含笑、香樟、无患子、红枫等乔木以及蒲苇、花叶芦竹、粉绿狐尾藻、虾藻等湿生水生植物，水体面积约8万平方米。

水上乐园绿化　公园用地面积约28.2万平方米，总投资5257万元，其中绿化面积14.3万平方米，栽植乐昌含笑、黄连木、银杏、碧桃、水杉、池杉、落羽杉、桂花、香樟、樱花等乔木以及再力花、茭白、海寿花等水生湿生植物。

四九广场绿化　广场占地面积4.8万平方米，总投资约4700万元，其中绿化面积1.9万平方米，种有银杏、香樟、桂花等乔木，还栽植两排热带特有的树种——华盛顿棕榈。

文化广场绿化　广场总面积为7300平方米，绿化面积约5840平方米。种植草皮、广玉兰，栽植香樟和其他灌木。

二、道路绿化

县城道路绿化经历从品种单一到品种多样化，从简单绿化到造型美化的过程。至2016年，完成东环、南环、北环、迎宾北大道、迎宾中大道、迎宾南大道、乐安大道、前坪路、抚吉高速乐安互通连接线等市政道路的绿化，合计绿化长度20余千米。品种从单一的香樟到桂花、银杏、石楠、栾树、无患子等品种多样化。

东环路　采取两板三带方式绿化，主要树种有香樟、桂花、石楠、铁树、金森女贞、杜鹃、茶梅、红花继木、黑松等。

南环路　采取两板三带方式绿化，主要树种有雪松、香樟、红叶李、紫薇、石楠、杜鹃、红花继木、金森女贞等。

北环路　绿地面积约1.2万平方米，采取三板两带绿化方式，主要树种有桂花、石楠、金森女贞、杜鹃、红花继木等。

迎宾北大道　绿地面积约1万平方米，采取一板两带兼街旁休闲绿地方式绿化，乔灌草相结合，主要树种有香樟、桂花、罗汉松、石楠、金森女贞、红花继木、杜鹃等。

前坪路　绿地面积约6000平方米，采取一板两带方式绿化，主要树种有桂花、罗汉松、无患子、栾树、朴树、红叶李、日本晚樱等。

抚吉高速乐安互通连接线　长约3.2千米，绿地面积约6万平方米，采取一板两带兼街旁休闲绿地方式绿化，乔灌草相结合，种植84个品种，同一树种之间又有不同品种及规格。从层次上看由高到低，其中乔木有雪松、香樟、朴树、木荷等52种，灌木有木槿、孝顺竹、花石榴、金丝桃等24种，花卉有粉花绣线菊、丰花月季、花叶美人蕉等6种，最底下一层种植果岭草，形成绿树成荫，郁郁葱葱的效果。种植红枫、鸡爪槭、红叶李、紫叶桃、银杏、枫香等秋季色叶树，另外还利用花卉点景种植一些四季不同景象的花卉，如木瓜海棠、丰花月季等，使整个绿化带“一带有四季，一里不同天”以活跃四季不同视觉效果。（见本卷第一章城乡建设第三节城区建设“抚吉高速乐安互通连接线绿化、亮化工程”）

抚吉高速乐安互通连接线道路绿化

三、庭院绿化

1986年后，随着人们生活的日益改善，对居住和工作环境的要求也越来越高，城区绿地面积不断增加，特别是新建的商品房小区绿化档次不断提升。人们不仅在自己的房前屋后或在单位开展植树、栽花、种草活动，有条件的还把庭院规划设计成花园式，达到四季常绿、三季有花的标准。行政中心、人武部、林业局、第一中学、供电公司、御景城、香山豪庭、祥瑞国际、名门首府等庭院设计上档次，在庭院内乔灌木结合，植物造型优美的园林小品建设其中，既美化环境，又成为人们工作之余休闲的好去处。行政中心、林业局、人武部绿化效果好，被评为江西省园林化单位，御景城被评为江西省园林小区。

第三章 房地产业

1990年，乐安开始实施住房制度改革，私人建房逐渐减少，主要是以商品房开发为主。进入21世纪，地产项目开工不断，各地房产商不断进入乐安，住宅小区建设递增，新建住房向高层、宽亮、造型美观、装饰豪华、配套设施齐全的方向发展。水产场小区、金茂商城、御景城、祥瑞国际、金域龙城、九龙宏盛等小区的建成，为县城增加大量的房源，满足了普通百姓购房需求。

第一节 住房制度改革

1988年1月，国务院召开第一次全国住房制度改革工作会议，2月，国务院发布《关于在全国城镇分期分批推进住房制度改革实施方案》。为贯彻落实国务院住房制度改革会议精神，建立与社会主义市场经济体制相适应的城镇住房制度，实现住房商品化、社会化，加快住房建设，改善住房条件，满足城镇居民不断增长的住房需求，乐安县对城镇住房制度进行改革，分3轮进行，持续时间达8年之久。

第一轮房改 1990年10月1日，成立乐安县住房制度改革领导小组，下设办公室，办公室设在县城乡建设局内，开展房改前期工作。1991年12月，县政府制定和下发《乐安县住房制度改革实施方案》，该方案规定改革的原则是：体现国家、企业和个人合理的经济负担，从各方面积极筹措资金，变暗补为明补，坚持多住房、住好房者多掏钱；将租金一步提高到标准租金，并按比例发补贴，采取优惠政策，促进职工、个人购房，逐步实现住房商品化。

改革的目标是：“八五”期间达到准成本租金，“九五”期间达到成本租金，20世纪末达到商品房租金。推进租金改革，1996年按双职工家庭平均工资7%的比例测算，砖混结构住房使用面积月租金标准0.81元/平方米；1997年按8%测算，0.98元/平方米；1998年为10%；1999年为11%；2000年为12%。砖木结构、简易结构、分离式厨房的月平均租金标准分别按照砖混结构平均租金标准的85%、70%、55%进行测算。

改革的范围是：鳌溪镇、公溪镇、戴坊镇、牛田镇、招携镇规划区内的行政事业单位、全民所有和集体所有制企业单位。

对群众购房采取优惠政策和措施：一是住房出售实行优惠价格，对个人购买公房，免征住房造价中的建筑税、营业税、市政设施配套费、房产税和一次性契税。对砖混结构新房的优惠价格为170元/平方米（公溪下降4%，戴坊、牛田、招携下降8%），旧房根据结构、质量、楼层、竣工时间、地段、环境等因素进行折扣计算。二是职工在房改方案出台的第一年购房，在按优惠价格结算的基础上，再给予25%的优惠，第二年内购房优惠20%，第三年内购房优惠15%，第四年内购房优惠10%，第五年内购房优惠5%，5年后购房不再实行优惠比例。三是职工购买的住房，产权归个人所有，可使用、转让、继承、出售（须5年后），住房出售时，原产权单位有优先购买权。

至1992年，此轮房改全县有120个单位参加，共出售公有住房2801套，建筑面积23.92万平方米，回收资金530万元。

第二轮房改　1997年1月，县政府制定《乐安县深化城镇住房制度改革实施方案》，全面推进住房公积金制度，积极推进租金改革，稳步出售公有住房，鼓励购房户由部分产权按成本价补交房款后获得全部产权。以核实产权比例和住房公积金为重点，对1992年以后购买公房情况进行清理，凡按标准价购买公房的个人，必须在1998年1月30日24时前将单位与个人的产权比例核实完毕。鼓励个人购买全部产权，采取优惠政策购买全部产权可享受1.38%的工龄折扣，5%的现房折扣，每年2%的成新折扣，一次性付清房款20%的折扣和环境因素折扣。

至1998年年底，此轮房改对第一轮房改2801户进行产权核定，已购买全部产权的有2418户，建筑面积22.54万平方米，补交房款866.79万元。

第三轮房改　2001年1月1日，县政府下发《乐安县进一步深化城镇住房制度改革，加快住房建设实施方案》，成立房改领导小组。这次改革的目标是：停止住房分配，逐步实行住房分配货币化，建立和完善以经济适用住房为主的多层次城镇住房供应体系，发展住房金融、培育和规范住房交易市场。改革的原则是：在国家统一政策指导下，地方分别决策，因地制宜，量力而行，坚持国家、单位和个人合理负担，新房新制，老房老办法，平衡过渡，综合配套。改革的范围是：鳌溪镇、公溪镇、龚坊镇、戴坊镇、牛田镇、招携镇范围内的行政事业单位，全民所有制企业，外商投资企业以及中央、省、市属驻县单位。到2005年年底，对余留99户未购买全部产权的住房户实行了购买全部产权，补交购房款42.37万元。

第二节　住房公积金管理

乐安县住房公积金制度分两步实施。第一步自1997年1月1日起，下列性质单位先行实施：全额拨款的行政事业单位及中央、省、地属驻县单位；差额拨款和自收自支事业单位；经财政、税务部门核定、经济效益比较好的国有企业、集体企业和外商投资企业。第二步，房改范围扩大到其他单位（含镇、库、站、场属单位）。

收缴原则　1997年1月1日起，全面推行住房公积金制度，企事业和外商投资企业单位及其职工均按照“个人存储、单位资助、统一管理、专款专用”的原则缴纳住房公积金。

缴存比例　1997—2010年，单位、个人各缴存工资性收入的5%，此后有所提高。2011—2012年，单位、个人各缴存8%，2013—2015年，每年提高一个百分点的缴存比例，至2016年，单位、个人各缴存12%。

管理措施　住房公积金管理实行住房公积金管理委员会（市设）决策，住房公积金管理中心运作，银行专户存储，财政监管的原则。

使用范围　单位和职工缴存的住房公积金通过发放个人住房贷款和按规定提取个人账户余额，支持帮助缴存职工购买、建造、翻修、大修自住房，偿还贷款本息和租房还租。2003年贷款额度上限2万元，2007年贷款提高到10万元，最长10年期限。2008年贷款提高到20万元，最长20年期限。2014年贷款提高到30万元，最长30年期限，2015年贷款提高到50万元，最长30年期限。职工退休时，积累的住房公积金本息余额一次结清退还给职工本人。

归集使用　截至2016年年底，全县实缴存住房公积金单位265个，实缴职工9824人，1997—2016年，全县（含驻县单位）归集住房公积金5.54亿元，余额4.4亿元；职工个人提取住房公积金1.07亿元；发放个人贷款2296笔，贷款余额3.82亿元。

第三节　房地产开发

一、开发企业

乐安县商品房开发建设起步于1991年7月。2003年以后进入发展期。至2016年，进入乐安县城从事房地产开发建设的企业有26家。

乐安县主要房地产企业情况表

表19-3-1　　单位：万元

公司名称	注册资金	资质等级	资质证书号码	开发项目
江西鑫龙实业有限公司	850	暂定	赣建房开字4877号	九龙宏盛
江西广宇房地产开发有限公司	800	暂定	赣建房开字4504号	名门首府
江西福荣投资有限公司	2000	三级	赣建房开字3634号	御景城
江西恒派实业有限公司	2000	暂定	赣建房开字5199号	芙蓉翡翠
乐安县房地产开发公司	810	三级	赣建房开字113号	芙蓉春晓
抚州赣东房地产开发公司	245	四级	赣建房开字950号	凯悦大厦
江西省吉水龙城房地产开发有限公司	811	三级	赣建房开字1414号—2/2	金域龙城
萍乡新立房地产开发有限公司	800	暂定	赣建房开字4341号	春天里锦绣文博
江西省泰宏置业有限公司	800	暂定	赣建房开字4660号	香山豪庭
南城县房地产开发公司	800	四级	赣建房开字64号	今铭楼
江西亿星房地产开发有限公司	1000	暂定	赣建房开字1440号	祥瑞国际

1993—2016年，乐安县房地产开发总投资32.14亿元，其中外商投资27.27亿元。

二、各类房屋开发建设

改革开放以后，随着国民经济的不断发展，人民群众生活水平的不断提高，乐安县城不仅出现原有居民购房热潮，而且涌现大批农民工进城打工购房高潮，从而促使县城房地产业的快速发展。

1990年，县城有各类房屋总建筑面积67.5万平方米，其中住宅面积44.53万平方米；2000年年底，县城各类房屋总建筑面积发展到121.66万平方米，其中住宅面积81.74万平方米。

进入21世纪，县城开发建设各类房屋建筑面积：私人住宅68.86万平方米；保障性住房11.64万平方米；商品房145.66万平方米。

三、商品房开发建设

乐安县商品房开发建设始于1991年7月，由乐安县房地产开发公司在县城水产场旁开发建设第一处商品房住宅小区。2003年以后，房地产业进入发展期，主要是外商投资建设，2003—2016年，共开发商品住房11972套，店面房1895间，建筑面积160.5万平方米，最高楼层32层，装有电梯170部，总投资27.27亿元。

1991—2016 年商品房开发建设综合表

表 19-3-2　　　　　　　　　　　　　　　　　　单位：平方米、元 / 平方米

楼盘名称	开竣工时间	地点	栋数	层数	建筑面积	住房		店面	
						套数	售价：低、高	间数	售价：低、高
水产场小区	1991.07 1993.03	水产场	9	5	14800	144	360	—	—
乐安大道小区	1997.01 1999.04	县财政局东侧	4	5	11520	64	480	39	1500
金茂大厦	1999.08 2001.10	乐安大道土管局对面	1	7	4200	26	480	16	1500
南门花园	2002.01 2003.06	县人民医院东南侧	6	6	19666	152	520	52	2400
山青花园	2002.10 2003.10	新二中对面	2	6	9500	40	460	31	1500 2500
建丰花苑	2003.09 2004.12	沿河路原针织内衣厂	4	5 6	9100	72	500 600	16	3600
万联现代城	2003.09 2005.03	商贸大道	12	6	35332	268	480 560	146	3200 3800
时代家园	2004.09 2005.05	长征路林业局对面	1	7	6448.1	48	680	15	2600 3000
金茂商城	2003.11 2005.07	原县政府大院	6	7	27200	186	720 800	95	2600 4600
城中花园	2003.09 2005.08	原县老武装部地段	4	6	7535	100	600 720	7	4200
建丰大楼	2005.01 2005.12	街心花园万家福对面	1	6	1760	16	760 900	12	5000
金峰楼	2005.06 2006.06	象山桥头	1	6	1740.6	12	720 900	6	5000

续表 19-3-2

楼盘名称	开竣工时间	地点	栋数	层数	建筑面积	住房		店面	
						套数	售价：低、高	间数	售价：低、高
时尚广场	2004.12 2006.07	街心花园建设银行对面	2	6	9277.77	52	800 960	20	5200
金鼎楼	2005.10 2006.11	乐安大道原农机公司	1	7	4110	20	790	9	4000
亲亲家园	2005.12 2006.10	象山路	1	5	1600	15	780	—	—
名都广场	2006.04 2007.11	站前路原农机厂	8	6	28330.7	159	900	67	5000 8000
何氏花园	2006.06 2007.07	田仔巷	1	6	3800	30	760	—	—
金坪花园	2006.08 2007.04	前坪路	6	7	21800	110	1200	60	2600 5000
锦绣花园	2006.10 2007.10	乐安大道信用联社东侧	1	7	7977.55	24	1360	10	4900
怡家丽景	2006.10 2008.07	站前路原食品厂	9	7	48532.8	274	1100 1300	46	3000 8000
龙腾土家巷	2007.01 2007.10	龙腾花园西街	4	5	8100	54	1100	37	3000
龙腾家居商住楼	2007.01 2007.10	龙腾花园	10	5 6	32779	188	1200	85	3000
幸福家园	2007.01 2008.01	前坪路	5	7	22900	150	1300	61	3800 5200
阳光嘉园	2007.06 2008.06	站前路	1	7	16846	90	1360	27	11747 12860

续表 19-3-2

楼盘名称	开竣工时间	地点	栋数	层数	建筑面积	住房		店面	
						套数	售价：低、高	间数	售价：低、高
香溢育才苑	2007.07 2008.03	乐安大道	1	7	4750	42	1200	15	8000
广场明珠	2007.07 2008.10	迎宾大道	6	7	19020.2	112	1160	—	—
颐景园	2007.08 2008.08	前坪路	2	7	4800	52	1180	8	3200
时代明珠	2007.08 2008.08	宝塔路	7	7	20715	171	728 1158	—	—
金域花苑	2007.10 2008.09	鳌溪路	1	6	3900	18	1260 1600	17	6000
怡家俊庭	2008.02 2008.10	站前路104号	1	7	5120	33	1200 1760	12	平均 6200
瑞景园	2008.03 2009.10	乐安大道原县建筑公司地段	1	7	16755	85	1360 1680	12	10830
锦绣华城	2008.03 2009.02	东门桥原预制厂	6	7	21102	240	平均1100	—	—
御景城	2008.05 2013.06	四九广场西侧	31	7 18	133405.2	1092	1200 4280	250	4600 16000
东英角步行街	2008.11 2011.10	商贸城	13	7	44408	493	1020 1760	—	—
象山佳园	2009.06 2010.01	象山路	1	7	6249.3	45	980 1280	9	4000 8200
隆盛家园	2009.11 2010.10	原消防队大院	4	6	9995	96	1068 1208	—	—
鑫昕才子楼	2010.05 2010.12	育才路	4	7	13383.7	108	1500 1800	35	4000 8200

续表 19-3-2

楼盘名称	开竣工时间	地点	栋数	层数	建筑面积	住房		店面	
						套数	售价：低、高	间数	售价：低、高
隆盛世纪花园	2010.07 2011.12	迎宾大道	5	6	19054.9	160	1100 1340	16	9950 10000
江南别苑	2010.08 2011.12	迎宾大道	1	6	6215	36	1780 2600	8	7000 10800
森豪苑	2011.03 2011.12	迎宾大道	2	7	8816	88	2200 2700	19	7000 10000
金域龙城	2011.02 2013.12	前坪路 109 号	17	7	80092	606	2342 3560	75	6762 10494
才子家苑	2011.07 2012.02	育才路	2	7	10879.7	9	2500 2700	32	9200 10000
象山华庭	2011.10 2012.10	象山桥农贸市场东原三小	3	7	6999.6	50	2100 2500	23	7000 8000
锦绣文博花伴里	2011.12 2013.03	育才路新二中大门右侧	5	7 18	24170.7	166	3500 3900	35	8000 13000
春天里第一期	2011.11 2013.06	前坪路中段西侧	5	7 11	29898	218	3400 3958	50	9286 11800
香山豪庭	2011.07 2016.12	北环路与迎旁宾大道交会处	19	7 32	114108	824	3310 3820	31	7800
名门首府	2011.09 2016.10	民乐路西侧	19	7 19	121497.4	1315	3186 4300	133	8000 16000
祥和家园	2011.03 2012.03	象山桥原乡企局地段	2	7	4704	36	3600	14	8600
凯悦大厦	2013.01 2014.02	迎宾大道 1 号国税局北侧	1	17	21746.3	140	3770 3990	26	12000

续表 19-3-2

楼盘名称	开竣工时间	地点	栋数	层数	建筑面积	住房		店面	
						套数	售价：低、高	间数	售价：低、高
芙蓉翡翠	2013.08 2015.12	芙蓉山庄	29	6 11	134893.5	997	3360 4200	—	—
祥瑞国际	2013.03 2016.05	乐安大道延伸段北侧	24	7 17	113598	790	2577 4180	79	13600 2200
九龙宏盛	2012.07 2016.12	乐安大道至小蓬莱路口	19	7 16	166029.5	1177	2700 3999	78	9999 14000
才子家园	2015.01 2016.12	育才路花伴里对面	2	7	16934	120	4300 4700	41	20000
锦绣福邸	2013.08 2014.04	乐安大道延伸段南侧	1	6	5408.8	32	3380 3690	20	12900 14900
家和沁园第一期	2015.04 2016.10	北环路口北侧	14	3 6	61358.4	408	3960	—	—
总合计			348		1604863	11972	—	1895	—

商品房价格　商品房价格由土地使用权取得费、开发项目成本、住宅开发期间费用、利润和税费构成。政府对价格的干预，分为最高限价和最低限价。市场调节价是经营者可以自主制定的价格，所以估价应依据市场供求状况进行。

1993 年 6 月 19 日，县城水产场旁边 7 幢 112 套商品房交付使用，出售价格 360 元 / 平方米，标志着乐安县住宅建设进入商品化轨道。商品房经过 20 多年的发展，房子的式样、面积、质量都有较大的变化，价格也不断上升，到 2016 年，商品房最高价格每平方米达到 4700 多元，均价 3700 元。

商品房销售　从 2003 年起，房地产开发企业在取得预售许可证后，应在 10 日内将取得预售许可证的房屋全部对外销售，不得无故拒售或分期销售，不得捂盘惜售、囤积房源。未取得预售许可证的项目不得预售，也不得以内部认购、认订、登记、选号、VIP 卡等方式收取预订款性质费用，变相预售。

规范商品房买卖合同网上登记备案手续。房地产交易所将即时完成网上传送的商品房销售合同文本的核校，给予合同编号和房屋代码，并通过网上操作系统，发送合同备案证明和房地产登记申请受理书。房地产开发企业应打印已取得备案证明的商品房销售合同和房地产登记申请受理书，并与购房人共同在书面合同上签名（盖章）。

1993—2016乐安县商品房销售情况表

表19-3-3　　　　单位：万元、万平方米

年份	商品房名称	开发公司	销售额	建筑面积
1993	水产场小区	乐安县房地产开发公司	593	1.48
2000	南门花园小区	抚州通达实业有限公司	1400	1.97
2003	万联现代城	鑫顺房地产开发公司	2800	3.53
2004	金茂商城	金茂房地产开发公司	2200	2.72
2005	山青花园等	江西山青置业有限公司	5000	4.18
2006	名都商业广场	安福金雁房地产开发公司	6400	4.95
2007	怡家丽景	吉水文峰房地产开发公司	7260	4.84
	龙腾花城	乐安县财茂实业发展有限公司	7550	5.04
	阳光嘉园	抚州黄埔房地产开发公司	1980	1.32
	金坪花园	安福房地产综合开发公司	3090	2.6
	时代明珠	江西恒瑞置业有限公司	3300	2.07
	幸福家园	江西吉水房地产开发有限公司	2220	1.4
2008	御景城	江西福荣投资有限公司	28352	14.18
	锦绣华城	乐安县房地产开发公司	5481	2.61
	隆盛家园	抚州黄埔房地产开发公司	2110	1.01
	广场明珠等	乐安县房地产开发公司等公司	7086	3.37
2009	瑞景园	江西鑫达房地产开发公司	2824	1.28
	怡家俊庭、颐景园等	安福房地产开发公司等	5189	2.26
2010	东英步行街	乐安县房地产开发公司	10147	4.06
	才子家苑	乐安县房地产开发公司	2719	1.09
	鑫昕才子楼	江西鑫昕房地产开发公司	3470	1.39
	隆盛世纪花城	乐安县房地产开发公司	4763	1.91
	江南别苑等	乐安县房地产开发公司	4642	1.86
2011	香山豪庭	江西省泰宏置业有限公司	13818	4.06
	象山华庭等	乐安县房地产开发公司	3007	1.16

续表 19-3-3

年份	商品房名称	开发公司	销售额	建筑面积
2012	名门首府	江西广宇房地产开发有限公司	17521	5.84
	春天里、花伴里	萍乡新立房地产开发公司	16514	5.05
	九龙宏盛	江西鑫龙实业有限公司	29174	9.73
2013	祥瑞国际	江西亿星房地产开发公司	11691	3.90
2011—2014	金域龙城	吉水龙城房地产开发公司	12956	4.73
	凯悦大厦	抚州赣东房地产开发公司	6598	2.18
2015	芙蓉翡翠	江西恒派实业有限公司	50992	13.49
2016	才子家园	乐安县房地产开发公司	7605	1.69
	家和沁园	江西万民实业有限公司	24314	6.14
合计	—	—	314766	129.09

第四节　房地产业管理

一、机构人员

（一）乐安县房地产管理局

1953年1月，成立乐安县房产登记处，为自收自支事业单位，隶属县政府财政科。1963年1月，撤销乐安县房产登记处，改设乐安县房地产管理所，由县工业交通局代管，1971年1月又归县财政局管辖。1979年5月，撤销乐安县房地产管理所，成立乐安县房地产公司，隶属于县建筑工程局。1992年5月25日，乐安县房地产公司更名为乐安县房地产管理局，副科级单位，隶属于县城乡建设环境保护局。2011年11月24日，乐安县房地产管理局升格为正科级单位，隶属于县人民政府。下属机构：局办公室、房地产管理所、房地产交易所、房屋产权户籍登记发证办公室（2016年4月该机构及所属6人划归不动产局管理）、白蚁防治所、建房监察办公室、房地产开发经营办公室、保障性住房办公室、保障性住房建设项目部、行政审批股、房产档案室、华泰房地产测绘有限公司、乐安县房地产开发公司、乐安县顺达建筑工程公司。各时段人员：2002—2006年有58人、2007—2012年63人、2013—2016年67人（各时段含退休人员，不含顺达建筑工程公司39名企业人员）。

1992—2016年，历任局长：易根元、艾文新、曾四祥、周福生、曾贵才、黄爱英（女）、黄国星。

县房管局

（二）抚州市住房公积金管理中心乐安县办事处

1997 年 1 月 31 日，县政府印发《乐安县深化城镇住房制度改革实施方案》和《乐安县住房公积金管理办法》。1997 年 5 月 1 日，县政府批复：同意成立乐安县住房公积金管理中心，事业单位，定编 4 人。工作人员从房改办中调剂，挂靠县房改办。县房改办隶属县城乡建设环境保护局。

2004 年 8 月，乐安县住房公积金管理人员、机构、编制及资产统一上划到抚州市住房公积金管理中心统一管理。12 月，乐安县住房公积金管理中心更名为抚州市住房公积金管理中心乐安县办事处，属市住房公积金管理中心派出机构，定编 4 人。

1990—2016 年，历任主任：龚清国、丁林彬、游宴玲（女）。

二、房地产管理

（一）公产房管理

乐安县公产房分为两部分。第一部分是 1952 年土地改革时，由县人民政府在鳌溪、牛田、罗陂、万崇、湖坪、龚坊、南村等乡镇收归国有的祠堂、庙宇、无主房和没收地主、富农多余部分房屋，共计 38 万平方米；第二部分是 20 世纪 70 年代，县人民政府为解决老红军和抗日战争、解放战争中有功的老同志及部分县直机关干部住房困难，在县城胡家巷、芜塘街、城墙路、沿河路等地段兴建 46 栋 1.7 万余平方米砖木结构住房，租给 262 户居住。

至 1992 年，全县共有直管公房 1238 栋，建筑面积 40.35 万平方米。这些房产由房产管理所负责租赁、维修管理。其租金收取标准：1985 年前 0.05 元 / 平方米、1986—1992 年 0.2 元 / 平方米、1993—1997 年 0.4 元 / 平方米、1998—2004 年 0.85 元 / 平方米、2005—2016 年，县城保存的直管公房 1.4 元 / 平方米。

上述公产房，经近半个世纪的变化，乡下的由于资金不足，管理不便，除一部分出售给私人和流坑有几栋祠堂作为文物得到保护维修外，其余均已倒塌成为废墟。县城的第一部分是 1977 年 10 月兴建百货商场，1980 年 2 月兴建影剧院和此前兴建电影院，1982 年兴建县委办公楼，1985 年兴建县人民法院等公益事业用房，拆除占用公产房 3128 平方米。第二部分是 1993 年 2 月 4 日衙门巷，是年 9 月建设银行背后失火烧毁的公产房近千平方米。第三部分是 1994—1997 年建商品房拆除即将倒塌的公产房（含一小对面、詹家祠堂）近千平方米。第四部分是 1992 年 6 栋 38 户 2600 余平方米参与房改，卖给私人（1993—1997 年有相当部分参与房改）。第五部分是 2002—2004 年，经县人民政府下抄告单拍卖 5270 余平方米用于房地产开发公司归还集资款。2005—2016 年，县城公产房剩有 30 栋 120 间 7165 平方米。

抚州市住房公积金管理中心乐安县办事处

（二）房地产交易管理

县房地产交易所根据国家房地产交易政策和法律法规，对公、私房商品房买卖、分割、赠予、典当、交换、拆建等产权变更进行评估、办理交易手续，建立交易档案。1993—2016 年，共办理房地产交易 23300 宗，交易面积 283.2 万平方米。

（三）房屋产权产籍发证管理

县房屋产权产籍登记发证办公室，负责对房屋产权产籍抵押办理他项权证登记管理；对公、私房屋产权进行勘丈登记，发放房屋所有权证；对所发放的房屋所有权证和他项权证各种资料建立档案室（2001年建），档案资料专人管理。

1986—2005年，20年间共发房屋所有权证12630宗，建筑面积119.99万平方米。其中1992年对县城规划区内的156个房改单位2801套住房户发放房屋所有权证，建筑面积23.92万平方米。2006—2016年，发房屋所有权证16500宗，建筑面积234万平方米。

1997年7月，建设部下发《关于颁发全国统一房屋权属证书的通知》后，为做好换新证工作，1998年年初，出动宣传车、张贴公告、联系县电视台大张旗鼓进行宣传，到2005年年底，老证换发新证率80%，至2007年年底，全部换发完毕。

（四）房地产市场经营管理

所有房地产开发项目，经审查合格后，发放商品房预售许可证；商品房出售，必须签订正式合同，并填写质量保证书和使用说明书；2005—2016年，共对52个项目签发预售许可证，建筑面积152.74万平方米。

（五）房屋租赁管理

房屋租赁办公室配合公安部门对出租住房和营业用房进行登记、造册备案，核发房屋租赁许可证。2001—2014年，签发房屋租赁许可证3850余宗，租赁面积18.48万余平方米，收取管理费18万余元。国家对该项目取消收费，2015年后停办。

（六）房屋白蚁预防与灭治管理

白蚁防治所负责对全县房屋白蚁预防与灭治，对县城所有新建房屋基础（脚）进行药物防治，与建房单位和个人签订白蚁防治合同，确保建筑物15年不受白蚁侵害；对一些受白蚁侵害的老、旧房屋进行重点灭治。1994—2005年，防治面积达到35万余平方米。同时对县政府招待所、新华书店、农业银行、社保局、人民法院等单位旧办公楼进行重点灭治，达到较好效果。2006—2016年，对县城规划区内商品房、保障性住房、办公用房、移民建房、部分私人建房进行白蚁防治，建筑面积196万平方米。

（七）建房监察管理

中华人民共和国成立前，县城私人住宅多以同姓同族聚居的方式而建。游、何、元、詹四大姓各自建在县城一方。中华人民共和国成立后，政府机关、学校、工矿企业等国家单位，均实行住房公有制，有相当一段时间县城私人住宅建设处于停顿状态。至20世纪80年代初，县城的私人建房多为砖木结构，青砖砌墙，一层眠砖，二层空斗，预制水泥楼板，木质行条，土瓦盖顶。至1990年，县城共有私房1661栋，面积24.86万平方米，占县城房屋总面积的36.84%，人均面积25.8平方米。20世纪90年代初，开始出现砖混结构私房，即眠砖到顶、混凝土浇揭楼面。20世纪90年代后期，私房建设开始活跃。县房管、土管、城建等相关部门开始控制私人单独建房审批，使私人建房从零散型走向集中型：一是由县土管局统一征地，统一完成通水、通电、通路、平地，再由规划部门统一规划后，按市场价出售给私人建房或安置拆迁户；二是由开发商竞得土地使用权后，完成“三通一平”，由规划部门统一规划后，按市场价出卖给私人建房。从20世纪90年代后期至2016年，县城规划区内建有20户以上单门独院私房小区28个，共建3～5层砖混结构楼房2434幢（其中38幢5层以上公寓式），建筑面积68.86万平方米。

乐安县城20户以上私人住宅小区情况表

表19-3-4 单位：万平方米

起止年份	小区名称	坐落地点	幢套数	层数	占地面积	建筑面积	建房对象
1993	池头移民小区	万龙山寺南侧	76	3	1.20	1.70	山坑电站移民
1997	南门工业园小区	迎宾南大道南门花园路口两侧	41	3～5	1.90	3.26	东西2个点土管局开发
1997	前坪	前坪路南侧	130	3～4	2.00	2.60	鳌溪镇开发
1999	代陂岭A	代陂岭	67	3	1.00	1.50	土管局开发
1999	东英角A	财苑宾馆后面	54	3～5	0.40	0.70	县财政局开发
1999	东英角B	迎宾中大道以北100米处	52	3	0.75	1.20	企事业单位职工挖山开发
2000	山青花园	乐安大道新二中对面	40	3	0.70	0.95	开发商开发
2000	气象局	乐安大道南侧气象局大院后面	59	3	1.00	1.40	气象局开发
2001 2004	杨柳山庄（A）	乐安大道杨柳坑	59	3	1.08	1.35	县房地产开发公司开发
2002 2006	龙腾花园	鳌溪南路	496	3～6	9.80	12.00	开发商开发
2006 2008	金龙苑	县城西郊金龙寺南侧	56	4	0.90	1.60	各乡镇农村居民建房
2008	渔家村	迎宾北大道烟草大楼西侧	23	3	0.30	0.50	各乡村进城居民
2007 2009	代陂岭（C）	代陂岭路原饲料加工厂	70	3	1.00	1.70	原饲料加工厂开发
2007 2009	花园岭	乐安大道田西巷北侧	51	3～5	0.80	1.70	挖山和拆旧建房
2001 2010	民政局	乐安大道民政局办公楼以北	121	3～6	1.60	2.40	县直机关和乡镇干部企事业职工建房

续表 19-3-4

起止年份	小区名称	坐落地点	幢套数	层数	占地面积	建筑面积	建房对象
2008 2010	东家岭（A）	育才路西侧	77	3 ~ 5	1.40	2.60	县土管局开发
2001 2012	代陂岭（B）	代陂岭路	41	3 ~ 5	0.50	1.20	由个人挖山或拆旧房而建
2006 2012	城南综合小区	迎宾南大道加油站对面 200 米处	167	3	1.80	3.70	招携、坪溪农村居民建房
2007 2012	白元移民小区	迎宾北大道原湖溪路东西两侧	414	3 ~ 5	5.95	10.30	龙潭水库移民
2000 2013	大仔坑	县城东环路 3 个山洼处	112	3	1.60	2.70	鳌溪镇农村居民建房
2009 2013	万联小区	万联现代城南侧	512	3 ~ 7	3.50	8.00	安置拆迁户
2006 2013	杨柳山庄 B 小区	乐安大道南侧金龙寺对面两侧	120	3 ~ 5	2.00	3.50	各乡镇进城农民建房
2011 2013	毕力坑	毕力路	140	3 ~ 6	0.85	1.40	新建或拆除旧房建
2012 2013	白元林业福利房	迎宾北大道原湖溪路西侧	270	6	0.80	2.10	林业福利房
2014 2015	东家岭（B）	育才路西侧	1358	7	7.76	13.31	西坑、凸坊两村小组新农村建设项目
2014 2015	东家岭（C）	育才路东侧	135	5	0.83	1.39	拆迁户置换土地建房
2014 2015	锦绣福邸	乐安大道延伸段南侧	220	5	1.28	2.11	拆迁户置换土地建房
2014 2016	池头小区	北外环路南侧万龙山寺对面	172	5 ~ 6	2.30	3.81	池头村小组新农村建设项目

建房监察办公室对县城规划区内少批多建、未批先建、未批强行建等违法违规的公、私建房进行监察管理。发现上述行为和手续不全及未办手续的私搭乱建及时配合国土局、公安局等执法部门进行坚决查处。1995 年，查处杨柳山庄西北侧、东家岭老公路右侧等处违规建房。1996—2016 年，查处 110 变电站、老湖溪路、花园岭、东英角、代陂岭、水仔坑、田仔坑、池头、北门、老虎坑、南外环路、南门等地段违法违规建房 397 宗、建筑面积 9.2 万平方米。

三、物业和中介管理

物业管理　随着城市房地产业的发展，城区建成商品房（含保障性住房）住宅小区不断增加，购房（租房）业主对小区实行物业管理的认识不断提高，乐安县的物业管理也进入小区为业主服务。2009 年 10 月，御景城第一期商品房建成，率先在乐安实行物业管理，至 2016 年年底，县城建有 10 万平方米以上的小区 7 个，2 万～10 万平方米小区 5 个，共有住户 10674 户、建筑面积 106.62 万平方米实行物业管理，物业管理收费 0.2～1.2 元/平方米。

乐安县城区住宅小区物业管理情况表

表 19-3-5　　　　单位：元/平方米、户、平方米

小区名称	物业管理公司名称	实行时间	收费标准	户数	建筑面积
御景城	江西隆文物业管理有限公司	2009.10	0.7 ～ 0.9	1092	133405
大仔坑保障性住房	房管物业管理所	2010.11	0.2	2946	155550
花伴里	江西隆文物业管理有限公司	2013.30	0.7 ～ 0.9	166	24171
香山豪庭	江西隆文物业管理有限公司	2013.30	0.7 ～ 0.9	824	114108
春天里	江西隆文物业管理有限公司	2013.60	0.7 ～ 0.9	218	29898
名门首府	江西盛达物业管理有限公司	2013.60	0.7 ～ 0.9	1315	121497
金域龙城	江西隆文物业管理有限公司	2013.60	0.8	606	80092
九龙宏盛	乐安万泰物业管理有限公司	2014.10	0.7 ～ 0.9	1177	166030
凯悦大厦	江西隆文物业管理有限公司	2014.30	1.2	140	21746
芙蓉翡翠	抚州爱华物业管理有限公司	2015.12	0.8	997	134894
祥瑞国际	乐安万泰物业管理有限公司	2016.50	0.7 ～ 0.9	790	113598
家和沁园	江西隆文物业管理有限公司	2016.11	0.8	408	61385
合计	—	—	—	10679	1156374

中介服务管理　住房制度改革逐步实施，房地产中介服务随之活跃，服务内容包括房地产咨询、房地产估价和房地产经纪。他们走街串巷收集房屋买卖人双方信息进行中介服务，成交后收取成交额约 5% 的中介服务费。

2009 年开始，乐安县房地产管理部门依据建设部《城市房地产中介服务管理规定》和《江西省城市房地产中介服务管理规定》，将房地产中介服务纳入房地产管理部门统一管理。至 2016 年年底，乐安县有房地产中介服务机构 5 家，其中，挂靠抚州市中介服务机构的 4 家，本地审批成立 1 家。

2009—2016 年，经过中介机构买卖成交的房屋（土地）1576 套（幢），建筑面积 18 万平方米，成交金额约 3.6 亿元，收取中介服务费约 1080 万元。

第五节　棚户区改造

棚户区改造是改善人居环境，提升城市品位的惠民举措，是重大的民生工程。2015 年乐安县委、县政府根据《江西省国有土地征收与补偿实施办法》《抚州市人民政府印发集体所有土地上房屋征收与补偿安置办法（试行）的通知》精神，先后下发《乐安县城区（棚户区）改造房屋征收与补偿办法的通知》和《关于推进县城城区（棚户区）改造方案》，成立棚户区改造领导小组，于 2016 年年初对县城城区（棚户区）进行改造。

按照以人为本、民生为重，科学规划、分步实施，政府主导、市场运作，因地制宜、注重实效，完善配套、同步建设的原则进行改造。改造对象为平房密度大，使用年限久，房屋质量差，人均建筑面积小，基础设施建设不健全，交通不便，治安、消防隐患大，环境卫生脏、乱、差的城区房屋。房屋征收有货币补偿和房屋产权调换补偿两种办法，被征收人可选择其中一种补偿方式。至 2016 年年底，共有 2215 户申报，申报登记房产面积 25.99 万平方米，土地面积 18.30 万平方米。

2016 年乐安县棚户区改造申报登记情况表

表 19-3-6　　　　单位：平方米

名称	户数	房屋面积	占地面积	名称	户数	房屋面积	占地面积
原化工厂	62	7661	6755	西坑粮油加工厂 粮车队	71	8689	6583
下街巷	438	46958	35090				
余家巷	234	26356	17883	水产场	357	38368	24134
老车站	136	20658	13110	人民医院宿舍	116	9361	4709
胡家巷	408	49126	36451	詹家巷	287	32778	22477
红卫巷	106	19892	15833	合计	2215	259847	183025

第六节　保障性住房

一、住房建设

（一）工程建设

计划立项　保障性住房是一项解决中低收入家庭住房困难和构建和谐社会的民生工程。县委、县政府对此高度重视，不仅在项目立项、土地划拨等问题上大开绿灯，而且在财力上给予大力支持，2007—2010 年共立项建设保障性住房 1072 套，总建筑面积 5.98 万平方米，总用地面积 1.71 万平方米，总投资 4499 万元。其中：2007 年，经济适用住房建设项目立项 100 套、面积 8000 平方米，廉租住房建设项目立项 80 套、面积 4800 平方米。2008 年，经济适用住房建设项目立项 80 套、面积 6400 平方米，廉租住房建设项目立项 40 套、面积 2000 平方米。2009 年，廉租住房建设项目立项 262 套、面积 1.31 万平方米。2010 年，廉租住房建设项目立项 510 套、面积 2.55 万平方米。

2010—2012 年，用地面积 3.51 公顷，建设经济适用房 40 套 3200 平方米（不含 800 平方米店面）；建设廉租住房 930 套，每户建筑面积 50 平方米，总建筑面积 4.65 万平方米。具体为：2010 年建设 528 套，2011 年建设 282 套，2012 年建设 120 套。

2012 年后，停止经济适用房建设，开始建设公共租赁住房。截至 2016 年，累计建设经济适用房 260 套，建筑面积 2.28 万平方米；廉租住房 1352 套，建筑面积 6.76 万平方米，公共租赁住房 1434 套，建筑面积 6.52 平方米。合计建设保障性住房 3046 套，建筑面积 15.6 万平方米。

2007—2015 年乐安县保障性住房建设情况表

表 19-3-7　　　　单位：套、平方米

年份	经济适用住房		廉租住房		公共租赁住房	
	套数	面积	套数	面积	套数	面积
2007	100	9200（含杂间 1200）	0	0	0	0
2008	80	6400	40	2020	0	0
2009	40	3200	262	13100	0	0
2010	0	0	528	26400	0	0
2011	40	4000（其中店面 800）	282	14100	0	0
2012	0	0	120	6000	240	12000
2013	0	0	120	6000	300	15000
2014	0	0	0	0	420	18000
2015	0	0	0	0	474	20150
合计	260	22800	1352	67620	1434	65150

土地划拨　2007—2008 年划拨经济适用住房及廉租住房用地 1.5 万平方米。2009 年划拨保障性住房建设用地 3.2 万平方米。

规划编制　规划地点是县城东环路大仔坑。规划土地为 8.27 公顷山地。规划建设总面积 9.6 万平方米、1800 套住房。规划日照间距系数 1 ∶ 1，容积率 1.2，建筑面积密度 20%，绿化率 39%。

资金筹措　廉租住房建设资金来源于中央、省财政拨付及县财政配套，其中，中央财政按 400 元 / 平方米拨付，省财政按 200 元 / 平方米拨付，不足部分及配套设施建设资金由县财政配套兜底。2008—2010 年，累计拨付 2923 万元，其中，中央拨付 1879 万元，省拨付 1044 万元。2011 年，省财政拨付 300.58 万元，2013 年，省财政拨付 1119 万元，2014 年，省财政拨付 1674 万元，2015 年，省财政拨付 2056 万元，2016 年，省财政拨付 188 万元，累计拨付 5337.58 万元。2008—2016 年，中央和省财政总计拨付 8260.58 万元。

配套建设　保障性住房惠民家园小区建有休闲广场，安装有健身器材，还将逐步兴建幼儿园、超市、卫生所、杂间等生活所需的配套设施，真正做到标准适度、结构合理，环境优美、功能齐全、配套完善。

惠民家园小区

（二）工程管理

为使百姓住上“放心房、安心房”，县房管局积极探索出一套“倾力抓安全、全力保质量、合力赶进度”工作思路。在注重工程质量和进度的同时，始终将安全施工放在首位，建立安全管理制度，实行倒查办法，加强对施工作业、安全生产教育，并按要求采取安全措施，杜绝安全生产事故发生。按照设计图纸和施工规范要求，采取分标段，分任务的方式，合理调配技术管理人员，要求现场技术人员全天候深入工地跟班作业，督促、检查、指导工程施工，及时发现并解决工程施工质量等问题。对存在的问题及时下发整改通知书，并做好鉴证工作，保证工程优质。按照时间节点要求，合理安排施工进度表，每天安排2人负责检查当天机械设备到位、人员到位，施工进度情况。每周召开一次工程调度会，安排本周施工计划，解决存在的突出问题。每月月底组织现场管理人员对施工情况进行工程质量、施工进度、安全施工等方面检查，并制定奖惩措施。对县房管局聘请的2名管理人员，每月从工资中拿出200元，作为责任保证金。对施工单位在签订合同时交纳工程中标价10%的履约保证金，把工程进度与支付工程款比例挂钩，按合同约定每完成一层墙体，支付中标价8%的工程款，提前完成的增加2个点支付，未按进度完成的降低2个点支付，同时责成其在一周内赶上进度，有力地保证了工程进度按总体目标要求稳步推进。规范招投标，明确规定必须是国家二级以上建筑施工企业方可参加投标；规范建筑施工合同，实行项目法人负责制和责任追究制。

二、住房分配

（一）经济适用住房

申请、审批程序 1.由本人根据公布的购买经济适用住房条件向所在社区（单位）提出申请，并领取申请表；2.根据申请人出具翔实的证明材料，申请人所在社区（单位）进行民主评议，是否符合条件，然后报所在社区居委会进行第一次初审；3.初审完毕后，以社区（单位）为单位予以第一榜公布，公布时间为10天。对有异议者由社区居委会或单位主管部门组织调查；4.社区居委会初审无异议后报鳌溪镇政府进行复审。鳌溪镇政府复审完毕后，由县经济适用住房建设领导小组办公室统一编号（当年有效），在鳌溪镇和所在社区进行第二榜公布。公布时间为15天，对有异议者，由鳌溪镇政府组织调查；5.公开摇号确定后，由县经济适用住房和廉租住房建设领导小组办公室在新闻媒体和网站向社会进行第三榜公布，公布时间为15天，对有异议者，由县经济适用住房和廉租住房建设领导小组组织调查。

出售价格 2007年，建经济适用住房100套，总面积9200平方米（含杂间1200平方米），最高限价定为800元/平方米。2008年，建经济适用房80套，总面积6400平方米，出售价格为：三、四楼788元/平方米，二、五楼778元/平方米，六楼758元/平方米。2009年，建经济适用房40套，建筑面积3700平方米（含杂间），售价：二、五层778元/平方米，三、四层788元/平方米，六层758元/平方米，杂间1260元/平方米。2011年，建经济适用住房40套，面积4000平方米（含杂间）。出售价格由县政府批复价格为：一楼（杂间）1260元/平方米，二、四楼1280元/平方米，三楼1290元/平方米，五楼1250元/平方米，六楼1200元/平方米。

住房配售 严格执行经济适用住房分配“三级审核，三榜公示”和公开摇号配售制度，坚持公开、公平、公正。2007—2011年，通过摇号共分配住房260套。

上市交易 经济适用住房购房人拥有有限产权。购买经济适用住房不满5年，不得直接上市交易，购房人因特殊原因确需转让的，由政府按照原价格并考虑折旧和物价水平等因素进行回购。

购买经济适用住房满5年，购房人上市转让的，应按照届时同地段普通商品住房与经济适用住房差价的一定比例向政府交纳土地收益等相关价款，具体交纳比例由县人民政府确定，政府可优先回购；购房人也可以按照政府所定的标准向政府交纳土地收益等相关价款后，取得完全产权。上述规定应在经济适用住房购买合同中予以载明，并明确相关违约责任。已购经济适用住房不得改变使用性质，不得用于商业性经营、仓储等非居住性用途，一经发现，政府按原价收回或由购房人按现行市场评估价格补足购房款。

（二）廉租住房、公共租赁住房

申请廉租住房、公共租赁住房条件　人均收入在乐安县城镇居民最低生活保障标准以下；无房或人均现有住房使用面积低于10平方米；家庭成员中至少有1人为当地非农业常住户口；成员之间有法定的赡养、抚养或扶养关系。

廉租住房、公共租赁住房分配　坚持公开分配范围和条件、公开分配房源和户型、公开分配受理程序。1.严格执行三级审核、三榜公示程序，即通过社区居委会审核，房管、民政、县政府等部门审查，公示申请家庭收入、住房户申请资格等情况。2.电视直播公开摇号，公证确定中签户，对未中签的家庭实行轮候制度。3.纪检、监察、公证处等部门全程介入，将房源公开，中签结果公开，并设立举报电话和举报信箱，广泛接受社会监督，确保整个分配过程公开、公正、公平透明。4.对残疾、80岁以上高龄、重病等特殊家庭列入优先组，对应低楼层摇号，其余列入普通组，对应剩余楼层摇号。5.签订租赁合同。中签户凭中签手续到房地产管理所办理租赁相关手续，签订租赁合同。其租金每平方米0.75元/月（按建筑面积计算）。

住房租赁补贴　乐安县从2008年开始，对城镇居民最低生活保障标准以下的无房或人均住房使用面积低于标准的人群，发放住房租赁补贴。2008—2013年累计发放1034.95万元。

2008—2016年国家财政下拨和发放住房补贴表

表19-3-8　　单位：万元、户、元

年份	国家财政下拨住房补贴	住房补贴发放		年份	国家财政下拨住房补贴	住房补贴发放	
		户数	金额			户数	金额
2008	136	759	1030525	2013	174	1583	2014080
2009	201	1611	1029840	2014	213	1490	1996800
2011	492	1499	2021280	2015	97	1428	1935840
2010	312	1369	1839840	2016	225	1355	1992000
2012	297	1671	2265600	合计	2147	12765	16125805

2008—2013年乐安县廉租住房资金补贴发放情况表

表19-3-9　　单位：万元

年份	补贴标准	发放人数	总金额	年份	补贴标准	发放人数	总金额
2008	480元/人/年	2146	103.01	2011	480元/人/年	4211	202.13
2009	480元/人/年	2145	102.96	2012	480元/人/年	4765	228.72
2010	480元/人/年	3833	183.98	2013	480元/人/年	4460	214.08

三、住房管理

经济适用住房管理　经济适用住房每个家庭及其成员只能享受一次，已享受经济适用住房的家庭及其成员，不再享受其他住房优惠。居民个人购买经济适用住房后，应按规定办理权属登记。房屋、土地登记部门在办理权属登记时，应在土地使用证上填写划拨土地，在房屋所有权证上注明“经济适用住房”，并在产权人栏目中填写申请人家庭所居住人员的姓名。已购经济适用住房不允许上市交易，不得出租，不得擅自出售。如需出售，必须按照届时经济适用住房的价格，由政府收购。已购经济适用住房不得改变使用性质，不得用于商业性经营、仓储等非居住性用途，一经发现，政府按原价收回或由购房人按现行市场评估价格补足购房款。

廉租住房管理　县政府出台《乐安县城镇廉租住房管理实施细则（试行）》，规定已准予实物配租的家庭，应当与县房管局签订配租廉租住房协议，明确廉租住房情况、腾退住房的条件、方式及违约责任等内容，并与廉租住房产权单位签订租赁合同。承租人应当按照合同约定的标准缴纳租金，并按约定期限腾退出原有住房。已准予租金核减的家庭，县房管局应出具租金核减认定证明，由产权单位按提租后的净增租金减免50%，其核减的租金由财政从用于廉租住房的专项资金中补回。县房管局应当在发放租赁住房补贴、实物配租或租金核减后一个月内，将结果在受益人居住地予以公布。

廉租住房实物配租和住房租赁补贴实行动态管理，规定享受廉租住房保障的家庭应当按年度向县房产管理局或者其委托的机构如实申报家庭收入、家庭人口及住房变动情况。县房管局会同有关部门对其申报情况进行复核，并根据复核结果，对其享受廉租住房保障的资格、方式、额度等及时进行调整并告知当事人。2010年10月，县纪委、房管局、各街道社区派出工作人员深入低收入家庭住房困难户采取“查档取证、入户调查、邻里访问”等方式，对1300多户申请廉租住房租赁补贴的家庭人口、人均年收入、住房面积、房屋坐落、房屋性质、房屋类型等情况逐一进行调查核实。调查结束后，根据实际情况进行3次张榜公示，接受社会各界监督。

公共租赁住房管理　公共租赁住房租金标准，由县房地产管理部门会同相关部门进行实地调查后，按照同类地段市场租金的70%确定报县政府批准后实施（2016年为2.7元/平方米）。公共租赁住房租金和物业管理费，按市场行情实行动态管理，每两年调整一次。

公共租赁住房与廉租住房由政府确定统一租金，租补分离或差额化租金制度，即：凡符合廉租住房条件而承租公共租赁住房的承租户，其廉租房租金与公共租赁住房租金的差额部分由承租户先按公共租赁住房租金缴纳，然后再由县财政予以补贴。并由保障住房管理部门会同财政部门每年度末一次性核补，廉租住房每月每平方米0.75元。

保障性住房后续管理　乐安县针对保障性住宅小区中低收入家庭集中、弱势群体多、管理难度大等多种因素，采取强有力措施做好保障性住房小区管理工作，健全各项管理制度。建立住户档案，对“两房”入住家庭情况进行核查，并建立住户档案，实行动态跟踪管理；成立便民服务站，由房管所负责对小区日常管理，并聘请2名保洁员管理清扫，重大节日向住户发慰问信，提醒注意防火、安全用电，切实做到早发现、早处理，防患于未然。

第四章　环境保护

乐安县境内环境质量总体良好，整体环境容量大，大气质量、地表水质量良好。但随着工业企业的增多，工业污染排放的增加，污染加重。1986—2016年，环保部门认真贯彻实施《中华人民共和国环境保护法》，环保工作逐步走上制度化、规范化、法制化轨道。加强环保宣传，强化全民环保意识；加强生态保护和生态建设，加大整治力度，关闭污染企业，责令企业对工业污水进行处理，有效遏制了环境恶化趋势，明显改善了环境质量，促进环保与经济社会的协调发展。

第一节　机构人员

1981年，乐安县环保管理机构从卫生防疫站划出，归乐安县基本建设局管理。1983年5月，经县政府批准成立乐安县环境保护办公室，配备专职干部1人。1984年6月，乐安县基本建设局改为乐安县城乡建设环境保护局。1997年7月，“三定方案”将乐安县环境保护办公室更名为环境保护股（另挂环境监测站牌子）。1999年4月，经县政府批准，设立乐安县环境保护局，与县建设局两块牌子，一套人马。2006年5月，县建设环保局的环境保护职能分开，单独设立县环境保护局，为县政府正科级直属机构（2010年为政府工作部门）。内设2个职能股（室），即办公室、监督管理股。办公地点设在鳌溪路（县图书馆旁）。

县环境保护局所属机构：2001年，经县政府批准成立乐安县环境监理大队，与乐安县环保股合署办公。2002年，乐安县环境监理大队更名为乐安县环境监察大队。2006年9月，成立县环境监测站。2009年12月，成立乐安县污染物总量控制办公室。2013年2月，成立乐安县辐射环境监督管理站。

2006年5月，县环保局人员编制和领导职数：局机关行政编制2个，专项事业编制2个、工勤事业编制1个。领导职数：局长1名，副局长1名，纪检组长1名，股级职数2名。9月，核减纪检组长1名。2010年11月，成立中共乐安县环境保护局党组。2011年1月，局机关行政编制2个，工勤编制1个。领导职数：局长1名，副局长2名，股级职数2名。是年8月18日，县环保局搬迁到北环路新建的乐安县环境监测执法业务大楼办公。2014年12月，增加行政编制3个。

2006—2016年，历任局长为：陈国忠、饶南文。

县环保局办公大楼

第二节　环境质量

一、水环境质量

出境断面水质　乐安县地处赣江及抚河上游，境内雨量充沛，水系发育，溪流网布。县境东、北各水汇集成公溪、谷岗二水系注入抚河；县南各水汇集成牛田、万崇（湖坪）二水系注入赣江。公溪水系主流发源于大盘山及其附近的大池、水东一带，经仲溪、鹏洲、戴坊、马迹潭、梅溪、芫头、公溪出县境进入崇仁水。公溪水又名宝塘，是乐安县北部较大河流，位于崇仁水上游，属抚河水系。牛田水系支流最多，遍布县境南、西部。此水属赣江流域，是乐安县最大河流。为及时了解全县主要河流水质情况，2013 年，将公溪河白门楼及牛田水车里两出境断面设为地表水例行监测断面，对公溪河白门楼出境断面实行每季一次取样监测，由县环保局委托第三方执行；2016 年开始，对白门楼和车里断面实行每月一次取样监测，由抚州市环保局环境监测站取样监测，并对外公布结果。监测结果表明，公溪河白门楼及牛田水车里断面水质为 3 类，达到地表水环境质量标准。

乐安县出境断面水质监测情况表

表 19-4-1　　　　单位：毫克 / 升

监测结果	监测点位				
	公溪河白门楼断面（2013 年）	公溪河白门楼断面（2014 年）	公溪河白门楼断面（2015年）	公溪河白门楼断面（2016 年）	牛田水车里断面（2016 年）
pH 值	7.7	6.83	8	7.28	7.14
溶解氧	6.05	6.28	9.7	7.42	7.27
高锰酸盐指数	0.398	1.93	1	2.2	2.2
化学需氧量	10	8.09	14.9	12.7	11.6
五日生化需氧量	1.3	1.9	3.3	2.03	2.0
氨氮	0.08	0.221	0.132	0.389	0.363
总磷	0.033	0.02	0.056	0.077	0.066
总氮	0.106	0.74	0.676	0.64	0.62
铜	0.0025	0.011L	0.01L	0.0005	0.0005
锌	0.008	0.013	0.006L	0.005	0.005
氟化物	0.853	0.07	0.127	0.248	0.282
硒	0.007L	0.003L	0.005L	0.0002	0.0002
汞	0.00001L	0.000036	0.0001L	0.000015	0.0000123
砷	0.0058	0.007L	0.0001L	0.00015	0.00015
镉	0.0002	0.0005L	0.003L	0.00005	0.00005
六价铬	0.004L	0.006	0.004L	0.002	0.002

续表 19-4-1

监测结果	监测点位				
	公溪河白门楼断面（2013 年）	公溪河白门楼断面（2014 年）	公溪河白门楼断面（2015 年）	公溪河白门楼断面（2016 年）	牛田水车里断面（2016 年）
铅	0.0011	0.0025L	0.05L	0.0005	0.0005
氰化物	0.009	0.004L	0.004L	0.0005	0.0005
挥发酚	0.002L	0.0003L	0.001L	0.00015	0.00015
石油类	0.04L	0.04L	0.025L	0.005	0.005
阴离子表面活性剂	0.086	0.05L	0.05L	0.025	0.025
硫化物	0.088	0.005L	0.066	0.00345	0.0062
粪大肠菌群个 /L	未检出	20	未检出	515	535
水质类别	2 类	3 类	3 类	3 类	3 类

说明：“L”表示为低于方法检出限，数据为平均值

鳌溪河水质　鳌溪河是县城区内唯一河流，为城市生活污水受纳水体。为及时掌握鳌溪河水质状况，1986年始，由水文部门取样监测；1998 年，由抚州地区环境监测站进行抽样监测。2016 年始，由抚州市环境监测站进行采样监测，并对外公布结果，取样点位为象山桥下 100 米，监测频次为每月一次。监测结果表明：1998 年，鳌溪河水质达到 2 类。近年水质变差，县城区居民生活污水、垃圾排入是其主要原因。

1986—2016 年鳌溪河监测点位水质状况表

表 19-4-2　　　　单位：毫克 / 升、类

时间	1986—1992		1993		1994—2011		2012—2014			2015			2016		
监测点位断面	新桥	金元桥	新桥	金元桥	新桥	金元桥	象山桥	东英角桥	员陂桥	象山桥	东英角桥	员陂桥	象山桥	东英角桥	员陂桥
监测频率	6	6	5	5	4	4	4	4	3	6	6	6	12	12	12
监测水质类别	2（优）	2（优）	2（优）	2（优）	3（良好）	3（良好）	3（良好）	3（良好）	3（良好）	3（良好）	4 次 3（良好）2 次 4（轻度污染）	3（良好）	3（良好）	9 次 3（良好）3 次 4（轻度污染）	11 次 3（良好）1 次 4（轻度污染）
主要污染物	—	—	—	—	—	—	—	—	—	—	总氮	—	—	总氮、氨氮	总氮

1998 年 8 月 14 日鳌溪河水质监测情况表

表 19-4-3　　单位：毫克 / 升，水温 31.0℃

项目	自来水取水口	石桥下	东英角桥下	项目	自来水取水口	石桥下	东英角桥下
悬浮物	26	31	21	总砷	0.004	0.004	0.004
总硬度	15	24	25.8	总汞	0.0003	0.0003	0.0003
溶解氧	6.8	6.8	6.6	六价铬	0.002	0.002	0.002
高锰酸指数	2.5	2.9	2.9	总铅	0.005	6.8	0.005
生化需氧量	0.2	1.6	1.2	总镉	0.0005	0.0005	0.005
氨氮	0.2	0.68	0.74	石油类	0.06	0.11	0.83
亚硝酸盐	0.013	0.078	0.124	电导率	4.6	7.6	8.4
挥发酚	0.002	0.002	0.001	pH 值	6.58	7.18	7.26
总氧化物	0.001	0.001	0.002	—	—	—	—

2016 年鳌溪河水质监测情况表

表 19-4-4　　毫克 / 升

项目	象山桥点位	项目	象山桥点位	项目	象山桥点位
pH 值	7.7	铜	0.001L	铅	0.001L
溶解氧	6.05	锌	0.01L	氰化物	0.001L
高锰酸盐指数	7.77	氟化物	0.275	挥发酚	0.0003L
化学需氧量	12.2	硒	0.0004L	石油类	0.01L
五日生化需氧量	2.03	汞	0.000015L	阴离子表面活性剂	0.05L
氨氮	0.38	砷	0.0003L	硫化物	0.008L
总磷	0.067	镉	0.0001L	粪大肠菌群个 /L	487L
总氮	0.61	六价铬	0.004L	水质类别	4 类

说明：上表数据为年平均值，“L”表示为低于方法检出限

集中式饮用水水源地水质　1989 年，县政府发布《关于保护县城自来水水源的通告》，对鳌溪河上游自来水水源的保护范围、保护要求等提出具体的实施意见，确保县城居民饮水安全。2005 年，建成的龙潭水库是县城区集中式饮用水水源地。2013 年开始，对龙潭水库水质进行取样监测，由县环保局委托第三方执行，每季度 1 次，监测指标实行两年 1 次全项（109 项指标），常年监测为 61 项指标，监测结果表明：龙潭水库水质除个别因子超标外，达到饮用水 2 类标准。

2013—2015 年龙潭水库断面水质部分指标监测情况表

表 19-4-5　　单位：毫克 / 升

项目	2013	2014	2015	项目	2013	2014	2015
pH 值	7.56	7.07	6.87	氟化物	0.66	0.39	0.18
高锰酸盐指数	1.24	1.64	1.9	铜	0.002	0.0016	0.00009
化学需氧量	14.5	9.53	5.12	石油类	0.03L	0.02L	0.01L
氨氮	0.06	0.05	0.12	硫化物	0.11	0.048L	0.005L
总磷	0.01	0.016	0.01	粪大肠菌群个 /L	8052	3563	420
总氮	0.25	0.21	0.18	水质类别	3 类	3 类	2 类

说明：数据为年平均值，“L”表示为低于方法检出限

水库水质　2013年11月，根据抚州市政府《关于水库水质污染专项整治的实施意见》，县环保局委托江西省核工业地质局测试研究中心对全县138 座小（2）型以上水库进行水质检测。检测结果表明：达标水质水库（3 类以上，含 3 类）43 座，未达标水质水库（3 类以下，不含 3 类）94 座，未监测水库 1 座。2015 年 9 月，县环保局对 2013 年监测未达标水库计 95 座进行水质检测。检测结果表明：1 类水质水库 1 座；2 类水质水库 10 座；3 类水质水库 26 座；4 类水质水库 27 座；5 类水质水库 15 座；劣 5 类水质水库 16 座。经查，全县小（2）型以上水库，承包养殖 129 座。水库周边养殖场 38 个，其中养猪场 25 个，养鸭场 11 个，养鹅场 2 个。水库水质污染的主要原因：水库周边畜禽养殖场的污染治理设施不配套，污水超标或直接排放现象较严重，同时水库承包户向水体投放畜禽粪便、鱼饵、化肥也是造成水库水质污染的主要原因之一。

乐安县小（2）型以上水库水质状况

表 19-4-6

序号	乡镇名称	水库名称	坐落地点	水库规模	水质类别（2013）	水质类别（2015）
1	湖溪	署塘水库	东堆村	小（2）型	3	—
2		龙口上水库	东堆村	小（2）型	5	4
3		虎形水库	梅溪村	小（2）型	劣 5	4
4		元头水库	甘泉村	小（2）型	4	3
5		上保水库	小陂村	小（2）型	3	—
6		安门寺水库	沙港村	小（2）型	3	—
7	公溪	昌元水库	荷陂村昌元组	小（2）型	4	3
8		保丰水库	荷陂村聂坊组	小（2）型	3	—
9		后山水库	荷陂村后山组	小（2）型	劣 5	2
10		古城水库	公溪村公溪组	小（2）型	3	—
11		大力元水库	武家村大力元组	小（2）型	3	—
12		青年水库	古城村	小（2）型	5	劣 5
13		荷山水库	芜头村陂头组	小（2）型	4	5

续表 19-4-6

序号	乡镇名称	水库名称	坐落地点	水库规模	水质类别（2013）	水质类别（2015）
14	金竹	山坑水库	严杭村	中型	3	—
15	招携	山塘水库	肖坊村	小（2）型	3	—
16		来德坑水库	肖坊村	小（2）型	5	2
17		茶富水库	肖坊村	小（2）型	4	5
18		信元水库	山湾村	小（2）型	4	4
19		群来垅水库	望仙村	小（2）型	4	2
20		大头垅水库	高望村	小（2）型	劣 5	3
21		代元坑水库	港田村	小（2）型	劣 5	2
22	湖坪	看坊水库	中村村	小（1）型	3	—
23		胜利水库	西头村	小（1）型	3	—
24		冷水井水库	坊塘村	小（1）型	劣 5	劣 5
25		塘坑水库	贺立村	小（2）型	3	—
26		堵陂水库	东山村	小（2）型	4	劣 5
27		大巴垅水库	西头村	小（2）型	5	1
28		石咀头水库	参陂村	小（2）型	劣 5	3
29	罗陂	三佰塅水库	棠溪村	小（1）型	5	劣 5
30		尺江水库	右源村	小（2）型	3	—
31		小华山水库	云下村	小（2）型	5	5
32		芒江水库	上洋村	小（2）型	4	劣 5
33		斗门形水库	水溪村	小（2）型	5	4
34		城楼湖水库	罗陂村	小（2）型	3	—
35		长元垅水库	罗陂村	小（2）型	3	—
36		姚窝岭水库	罗陂村	小（2）型	3	—
37	牛田	坳背水库	麻坑村	小（1）型	3	—
38		蛇形水库	麻坑村	小（2）型	劣 5	3
39		新民水库	峡圳村	小（2）型	劣 5	5
40		乌泥坑水库	峡圳村	小（2）型	4	2
41		狗坑水库	水南村	小（2）型	5	4
42		星子岭水库	水南村	小（2）型	劣 5	3
43		杏家园水库	傍安村	小（2）型	5	4
44		双茅坑水库	流坑村	小（2）型	3	—

续表 19-4-6

序号	乡镇名称	水库名称	坐落地点	水库规模	水质类别(2013)	水质类别(2015)
45	大马头	新陂水库	新陂村小组	小（2）型	劣 5	5
46		西元水库	白竹村	小（2）型	3	—
47		石固头水库	石塘村	小（2）型	3	—
48	增田	南坑水库	王沙村南元	小（2）型	3	—
49		大坑水库	东湖村陈家	小（2）型	5	4
50		板子垅水库	东湖村汤元	小（2）型	劣 5	3
51		里江水库	东湖村里江	小（2）型	5	4
52		含华岭水库	增田村	小（2）型	5	劣 5
53		石仔坑水库	增田庙背	小（2）型	5	4
54		牛婆坑水库	石陂村尺山	小（2）型	4	2
55		占坑水库	瑶前枫树下	小（2）型	劣 5	4
56		大山背水库	西边占坊脑	小（2）型	4	3
57		大山垅水库	温田店脑上	小（2）型	4	4
58	南村	东元水库	南村努坪村	中型	4	3
59		来元水库	大里村	小（2）型	5	3
60		红旗水库	太平村	小（2）型	劣 5	3
61		垅坑水库	管坊村	小（2）型	4	3
62		青山水库	南村村	小（2）型	3	—
63		谷筛眼水库	南村村	小（2）型	3	—
64		东坑水库	樟坑村	小（2）型	3	—
65		王家垅水库	樟坑村	小（2）型	劣 5	2
66		槽坪水库	西坑村	小（2）型	4	4

续表 19-4-6

序号	乡镇名称	水库名称	坐落地点	水库规模	水质类别（2013）	水质类别（2015）
67	山砀	友谊水库	龙义邹家	小（1）型	劣 5	4
68		东陂湾水库	厚坊村	小（1）型	3	—
69		井坑水库	杏坊村	小（2）型	5	5
70		石下水库	杏坊村	小（2）型	4	劣 5
71		万坑水库	龙义村	小（2）型	3	—
72		小元水库	龙义村	小（2）型	3	—
73		直坑水库	流坊村	小（2）型	劣 5	5
74		白水窟水库	田下村	小（2）型	劣 5	4
75		含背垅水库	田下村	小（2）型	劣 5	4
76		炳塘坑水库	樟坊村	小（2）型	劣 5	劣 5
77		口前水库	口前村	小（2）型	4	劣 5
78		社坑水库	口前村	小（2）型	5	4
79	龚坊	石里元水库	长罗村	小（1）型	4	劣 5
80		西排水库	浯塘村	小（1）型	4	4
81		坳下水库	濂坑村	小（2）型	4	4
82		乌泥塘水库	炉下村	小（2）型	4	4
83		火石坑水库	大垅村	小（2）型	4	4
84		城王坑水库	陀上村	小（2）型	5	劣 5
85		太坑水库	浯塘村	小（2）型	4	3
86		大坑水库	浯塘村	小（2）型	劣 5	5
87		泊脑坑水库	陀上村	小（2）型	劣 5	5
88		贯口坑水库	陀上村	小（2）型	劣 5	劣 5
89		长排水库	炉下村	小（2）型	劣 5	5
90		石家岭水库	濂坑村	小（2）型	5	5
91		樟树坑水库	陀上村	小（2）型	劣 5	3
92		西林水库	濂坑村	小（2）型	5	3

续表 19-4-6

序号	乡镇名称	水库名称	坐落地点	水库规模	水质类别(2013)	水质类别(2015)
93	龚坊	头罗坑水库	同富村	小（2）型	3	—
94		王牙角水库	炉下村	小（2）型	5	劣 5
95		甘马垅水库	大垅村	小（2）型	3	—
96		枫树坑水库	同富村	小（2）型	4	劣 5
97		大水垅水库	炉下村	小（2）型	5	5
98		大坑水库	炉下村	小（2）型	5	3
99		江西元水库	浯塘村	小（2）型	劣 5	劣 5
100		邹水坑水库	同富村	小（2）型	3	—
101		羊木坑水库	南边村	小（2）型	3	—
102		瑶山水库	濂坑村	小（2）型	3	—
103	鳌溪	龙潭水库	鳌溪镇	中型	1	—
104		劣元水库	下劣元村	小（2）型	劣 5	4
105		油坑水库	上劣元村	小（2）型	3	—
106		鸭婆坑水库	下劣元村	小（2）型	3	—
107		石汉水库	潭港村	小（2）型	劣 5	4
108		沙嵊水库	上店元村	小（2）型	4	4
109		花木兰水库	赖村	小（2）型	3	—
110		丁元水库	咸溪村	小（1）型	4	3
111		江下水库	案山村	小（1）型	4	劣 5
112	戴坊	长垅水库	丰秋村	小（1）型	劣 5	5
113		大池水库	龙兴村	小（1）型	劣 5	3
114		才元水库	竹山村	小（1）型	劣 5	4
115		大盆山水库	麦坑村	小（1）型	3	—
116		横江水库	横江村	小（2）型	3	—
117		王泥元水库	沙堆村	小（2）型	3	—
118		横江岭水库	村前村	小（2）型	5	3
119		树下西坑水库	树下村	小（2）型	5	3

续表 19-4-6

序号	乡镇名称	水库名称	坐落地点	水库规模	水质类别（2013）	水质类别（2015）
120	戴坊	高岭水库	戴坊村	小（2）型	劣 5	4
121		长安水库	树下村	小（2）型	无水未监测	3
122		南芒水库	小曹村	小（2）型	3	—
123		锅坑水库	仲溪村	小（2）型	4	3
124		界山水库	仲溪村	小（2）型	劣 5	3
125		上林西坑水库	丰家村	小（2）型	3	—
126		小保坑水库	龙兴村	小（2）型	5	2
127		观音坑水库	麦坑村	小（2）型	3	
128		红旗水库	排下农场	小（2）型	劣 5	3
129		高坑水库	排下农场	小（2）型	劣 5	3
130	万崇	院前水库	丰林村	小（2）型	3	—
131		油店背水库	坪背村	小（2）型	5	3
132		攀坑水库	安里村	小（2）型	4	2
133		河石坑水库	上罗村	小（2）型	3	—
134		大脑坑水库	池头村	小（2）型	劣 5	5
135		增坑水库	池头村	小（2）型	5	4
136		益元垅水库	桐山村	小（2）型		4
137		坑头水库	盐丰村	小（2）型	4	2
138		乃江水库	丰林村	小（1）型	4	2

二、空气环境质量

2014 年始，在县城区布设 2 个环境空气质量监测点位，分别为乐安县森林公园及乐安县老街心花园处。每年监测 4 次，每次 5 天，监测因子为 PM_{10}、二氧化硫及二氧化氮。监测结果表明：县城区环境空气质量优，达到 2 类以上标准。

2014—2015 年乐安县城环境空气质量监测情况表

表 19-4-7　　单位：微克 / 立方米

年份	点位	PM_{10}	二氧化硫	二氧化氮	环境空气类别	年份	点位	PM_{10}	二氧化硫	二氧化氮	环境空气类别
2014	森林公园	40	7	11	1 类	2015	森林公园	130	70	31	2 类
	老街心花园	37	7	12	1 类		老街心花园	121	65	35	2 类

三、土壤环境质量

根据国家对土壤环境质量监测国控点位布设要求，2016 年，县环保局完成布设 11 个基础点位及 1 个背景点位，共计 12 个国控点位，为下一步全国土壤污染调查普查做好准备。至 2016 年年底，环保部门未开展土壤环境监测工作。

第三节　环境监测

一、环境监测建设

乐安县环境监测站为适应环保事业发展，不断推进监测站仪器设备标准化建设，至 2014 年，共有仪器设备计 77 件，仪器购置费用合计 176.78 万元，2015 年顺利通过达标验收。2016 年，投资 150 万元完成空气自动监测站建设，并于年底投入使用。拥有的仪器设备可以实施大气、水、土壤等样本取样。具备监测空气中二氧化硫、二氧化氮、PM_{10}、$PM_{2.5}$、一氧化碳、臭氧、甲醛，水中 pH 值、溶解氧、高锰酸盐指数、化学需氧量、五日生化需氧量、氨氮、总磷、总氮、铜、锌、氟化物、硒、汞、砷、镉、六价铬、铅、氰化物、硫化物、粪大肠菌群、声音分贝等因子的能力。

二、环境监测管理

县环境监测站始终把实验室 CMA（中国计量论证）资质认证工作放在首位，为争取早日实现 CMA 资质认证，每年选调业务骨干赴省监测站跟班学习。2014 年，选聘临时工作人员 2 名充实监测力量。同时积极做好环境监测业务工作。

配合环境执法检查现场取样送检。2006—2016 年，共出动监测人员参与环境监管执法现场取样 52 人次，收集样本点 41 个，送检及时率 100%，为环境违法立案查处提供监测数据的法律依据。

科学布设环境监测点位。2006—2016 年，水环境质量监测共完成牛田河车里、公溪河白门楼出境断面，以及永丰港河进入县境金竹断面等点位布设 3 个；鳌溪河水质监测点位布设 2 个；县城饮用水源地龙潭水库监测点位布设 1 个。大气环境质量监测，完成森林公园和街心花园 2 个点位布设。土壤环境质量监测完成山砀镇口前村，龚坊镇娘娘庙村、浯塘村、元头村、戴坊镇罗坊村，万崇镇洋陂江村，湖坪乡贺立坪村，鳌溪镇赖村村、朱家村、前坪村，谷岗乡田下村，招携镇茶园村等 12 个国控点布设。

划定农村饮用水源地保护区。2016 年，对日供水 1000 立方米以上的山砀农饮工程、龚坊农饮工程、戴坊农饮工程、牛田农饮工程、万崇自来水工程、湖坪农饮工程、招携自来水工程、南村农饮工程、马迹潭自来水工程 9 个农村饮用水源地取水口划定为保护区范围。

第四节　环境管理

一、一企一档管理

自 1985 年开征企业排污费开始，要求企业填报基本情况并进行排污申报，“一企一档”管理初步形成。但相关企业填报资料简单，污染因子及数量等内容填报少。至 1999 年，环保机构仅掌握几家大企业的情况。2000—2005 年，“一企一档”管理由县管企业向乡镇污染企业延伸，台账管理逐步完善。2006 年，对全县的排污企业，进行深入摸排调查，完善充实“一企一档”管理资料。2008 年全国污染源普查后，对企业资料进行更新，统一环保统计口径，实行“一企一档”台账跟踪管理，并运用电脑办公系统在局内联网实现数据共享，每年对企业台账定期更新，日常监管企业记录全部纳入“一企一档”管理。2015 年新环保法实施后，对全县污染源进行拉网式摸排，查清排污单位底数，做到不留死角。环保部门共建立完善“一企一档”单位 73 家，完成“一企一档”信息录入全省联网 65 家。至 2016 年，全县“一企一档”管理系统有企业 147 家，其中重点监管企业 39 家。一般监管企业 108 家。

2016 年乐安县排污企业基本情况表

表 19-4-8

序号	统一社会信用代码 / 注册号	名称	地址	企业类型	生产状态	管理类别
1	361025210001023	江西珠峰实业有限公司	前坪工业区南环路南侧	有限责任公司（自然人投资或控股）	生产	一般
2	361025210000334	乐安县永昌饲料有限公司	前坪工业区南环路	有限责任公司（自然人投资或控股）	停产	一般
3	361025210003150	乐安县亿童鞋业有限公司	前坪工业区	有限责任公司（自然人投资或控股）	生产	一般
4	361025210001881	乐安县力拓混凝土有限公司	前坪工业区	有限责任公司（自然人投资或控股）	生产	一般
5	361025210002497	乐安县平发金属有限公司	前坪工业区南环路	有限责任公司（自然人投资或控股）	生产	一般
6	561099733	乐安县旺农农机制造有限公司	前坪工业区	有限责任公司	生产	一般
7	361025310002071	乐安县加根淋浴保健用品厂	前坪工业区	个人独资企业	生产	一般
8	91361025690999084D	乐安县吉祥彩印包装有限公司	前坪工业区	有限责任公司	生产	一般
9	361025210003310	江西俊华电子科技有限公司	前坪工业区	有限责任公司（自然人投资或控股）	生产	一般
10	361025210005660	乐安县乐源电子科技有限公司	县小微企业创业园、C 栋一楼（西侧）	有限责任公司（自然人投资或控股）	生产	一般
11	91361000561059272Q	江西龙发包袋有限公司	前坪工业区南环路	有限责任公司（自然人投资或控股）	生产	重点
12	361025210003867	江西泉发实业有限公司	前坪工业区南环路	有限责任公司（自然人投资或控股）	生产	一般
13	361025210006693	乐安县三和包装有限公司	前坪工业区	有限责任公司（自然人投资或控股）	生产	一般
14	361025210001890	乐安县辉煌鞋服有限公司	前坪工业区	有限责任公司（自然人投资或控股）	生产	一般
15	361025210000965	乐安县奇億龙鞋服有限公司	前坪工业区	有限责任公司（自然人投资或控股）	生产	一般
16	361025210000617	乐安县玛雅进出口贸易有限公司	前坪工业区	有限责任公司（自然人投资或控股）	生产	一般

续表 19-4-8

序号	统一社会信用代码 / 注册号	名称	地址	企业类型	生产状态	管理类别
17	361025310000872	江西力东机电厂	前坪工业区	普通合伙企业	生产	一般
18	361025210006038	江西品升电子有限公司（宏富旺）	前坪工业区	有限责任公司	生产	重点
19	361025210007268	江西新时代家居有限公司	前坪工业区	有限责任公司（自然人投资或控股）	生产	一般
20	361025210000981	万事兴打火机制造有限公司	前坪工业区南环路	有限责任公司（自然人投资或控股）	生产	一般
21	361025310002186	乐安县安雅工艺品厂	前坪工业区	有限责任公司	生产	一般
22	361000520001156	抚州乐安苏乐乳胶制品有限公司	前坪工业区	有限责任公司	生产	重点
23	361025NA000015X	乐安县华盖山茶叶专业合作社	县城迎宾南路	农民专业合作社	生产	一般
24	361025210002042	江西山高制药有限公司	前坪工业区	有限责任公司（自然人投资或控股）	生产	重点
25	361025210000300	江西信达茧丝绸有限公司	前坪工业区	有限责任公司（非自然人投资或控股的法人独资）	生产	重点
26	361025210006417	乐安县聚缘工艺品有限公司	前坪工业区（江西鹏鑫食品有限公司）	有限责任公司（自然人投资或控股）	生产	重点
27	361025210007330	乐安县德保家具有限公司	前坪工业区	有限责任公司（自然人独资）	生产	一般
28	361025210000650	乐安县嘉德园艺有限公司	前坪工业区	有限责任公司（自然人投资或控股）	生产	一般
29	361025210000810	江西山蜂食品有限公司	前坪工业区	有限责任公司（自然人投资或控股）	生产	一般
30	361025210001082	乐安县鑫顺源米业有限公司	前坪工业区	有限责任公司（自然人投资或控股）	生产	一般
31	361025210001613	乐安县恒源食品有限公司	前坪工业区南环路	有限责任公司（自然人投资或控股）	生产	一般
32	361025210000772	江西广雅食品有限公司	前坪工业区	有限责任公司（自然人投资或控股）	生产	重点

续表 19-4-8

序号	统一社会信用代码 / 注册号	名称	地址	企业类型	生产状态	管理类别
33	361025210001621	江西鹏鑫食品有限公司	前坪工业区	有限责任公司（自然人投资或控股）	生产	重点
34	361025110000724	江西美美食品有限公司	前坪工业区	有限责任公司（自然人投资或控股）	生产	一般
35	361025210003377	江西省加乐食品有限公司	前坪工业区	有限责任公司（自然人投资或控股）	生产	一般
36	361025210000551	乐安县康达食品有限公司	前坪工业区	有限责任公司（自然人投资或控股）	生产	一般
37	361025210005362	抚州黑五类食品有限公司	前坪工业区	有限责任公司（自然人投资或控股）	生产	一般
38	361025210006134	乐安县恒新塑制品工艺品有限公司	厚发工业区	有限责任公司	生产	重点
39	361025210001259	乐安县华林木业有限公司	山砀镇杏坊村	有限责任公司（自然人独资）	生产	重点
40	361025110000829	江西唯康电子有限公司	厚发工业区	其他有限责任公司	生产	重点
41	361025120000656	江西洪城水业环保有限公司乐安县分公司	县城南环路下它村	控股的法人独资	生产	重点
42	361025210002147	乐安县昌达有色金属加工有限公司	县城南环路下它村	有限责任公司（自然人投资或控股）	停产	重点
43	12361126591840924K	乐安县龙潭水库管理局	鳌溪镇下岭村	事业单位	生产	重点
44	12361126492741226H	乐安县垃圾填埋场	鳌溪镇大元村	事业单位	生产	重点
45	361025210006054	乐安县宸诺天然气有限公司	鳌溪镇花园岭	有限责任公司（自然人投资或控股的法人独资）	生产	一般
46	91361025MA37PKK15K	乐安县东岸水电站	牛田镇南安村	股份有限公司	生产	重点
47	361025010000372	乐安县定点屠宰厂	县城前坪路	全民所有制	生产	一般

续表 19-4-8

序号	统一社会信用代码 / 注册号	名称	地址	企业类型	生产状态	管理类别
48	361025110000167	乐安县秀龙建材有限公司	鳌溪镇咸溪村	有限责任公司（非自然人投资或控股的法人独资）	生产	重点
49	361025210002235	乐安县博林化工有限公司	大马头乡石塘村	有限责任公司（非自然人投资或控股的法人独资）	停产	重点
50	91361030578750561J	乐安县恒财养猪场	大马头乡下陂村	个体工商户	生产	一般
51		乐安县岭元野生动物驯养繁殖基地	鳌溪镇岭元村	个体工商户	生产	一般
52	—	乐安县新成活性炭有限公司	鳌溪镇	有限责任公司	消亡	一般
53	92361025MA37UQHX1Q	永发矸石机砖厂	大马头乡石塘村	个人独资	生产	一般
54	92361025MA35M0TP64	兴发矸石机砖厂	大马头乡石塘村	个人独资	生产	一般
55	92361025MA36T7T69P	乐安县永荣新型建材厂	大马头乡石塘村	个人独资	生产	一般
56	361025600116542	乐安县潭港巴塘砖厂	大马头乡石塘村	个人独资	关闭	一般
57	361025210001904	乐安县聚才鞋业有限公司	公溪工业区	有限责任公司（自然人投资或控股）	生产	一般
58	361025210003393	江西仁瑾实业有限公司	公溪工业区	有限责任公司（自然人投资或控股）	生产	一般
59	361025210001195	乐安县凯迪绿色能源开发有限公司	公溪工业区	有限责任公司（非自然人投资或控股的法人独资）	生产	一般
60	361025210005910	抚州润泰药业有限公司	公溪工业区	有限责任公司（自然人独资）	生产	重点
61	361025210006175	乐安县鑫辉石业有限公司	龚坊镇	有限责任公司（自然人投资或控股）	生产	一般
62	91361000336413044J	江西德春塑料纤维科技有限公司	厚发工业区	独资企业（有限公司）	生产	一般

续表 19-4-8

序号	统一社会信用代码/注册号	名称	地址	企业类型	生产状态	管理类别
63	12360000492741445L	江西省核工业地质局二六一大队	公溪镇古城	事业单位	生产	一般
64	361025110000757	中核抚州金安铀业有限公司	公溪镇古城	有限责任公司（国有控股）	停产	重点
65	36102520001488	江西台大农业科技园有限公司	龚坊镇浯塘村	有限责任公司（外国人独资）	生产	一般
66	361025310003429	乐安县湖溪忠平废料加工厂	湖溪乡湖溪村	个人经营	生产	一般
67	91361025MA35H5G64U	乐安县畲乡华盛农业开发有限公司	湖溪乡甘泉村书塘组	个人经营	生产	一般
68	3610256000100793	乐安县双惠养猪场	山砀镇龙义村	个人经营	生产	重点
69	91361025MA35KDU882	江西楷宏农业开发有限公司	山砀镇	个人经营	生产	一般
70	361025610004343	乐安县山砀永固搅拌站	山砀镇流坊村	个人经营	生产	一般
71	361025600085820	乐安县建鑫萤石选矿厂戴坊萤石矿延伸工程	戴坊镇甘竹村	个体独资	生产	重点
72	361025210001486	乐安县永乐硅业有限公司	戴坊镇	有限责任公司	生产	一般
73	91361025744281263R	乐安县建鑫萤石选矿厂	戴坊镇鹏洲	个体工商户	停产	一般
74	92361025MA3679XF3T	乐安县飞达养殖场	戴坊镇南坪桔厂	个体工商户	生产	一般
75	92361025MA37QF4U2P	乐安县金敏养殖场	戴坊镇朱元村朱元林场	个体工商户	生产	一般
76	—	乐安县鹏兴养殖场	戴坊镇鹏家州村	个体工商户	关停	一般
77	361025600078725	乐安县石里元养猪场	龚坊镇长罗村	个体工商户	生产	重点
78	—	乐安县欣荣养殖场	龚坊镇炉下村范家村	个体工商户	生产	一般

续表 19-4-8

序号	统一社会信用代码 / 注册号	名称	地址	企业类型	生产状态	管理类别
79	361025210002341	乐安县恒达上新木竹制品有限公司	增田镇增田街	有限责任公司（自然人投资或控股）	生产	一般
80	361025210000211	乐安县黑金炭素有限公司	前坪工业区	有限责任公司（自然人投资或控股）	生产	一般
81	361025210002489	鑫泰矿业有限公司	南村乡傍岭	有限责任公司（自然人投资或控股）	生产	重点
82	92361025MA361P0797	乐安县牧兴养殖场	南村乡南村村周家组	个人工商户	生产	一般
83	361025210000012	乐安县金利矿业有限公司	招携镇	有限责任公司（自然人投资或控股）	生产	一般
84	361025310001280	乐安县锦杰花岗岩采石场	招携镇杭村	个人独资	生产	一般
85	361025210000502	乐安县扬盛石材厂	招携镇坪上村	有限责任公司（自然人独资）	生产	一般
86	—	乐安县高大养殖基地	招携镇高望村	个体工商户	生产	一般
87	361025210000326	诚旺石材有限公司	招携镇上严村	有限责任公司（自然人投资或控股）	生产	一般
88	L6632564—4	乐安县万崇为民搅拌站	万崇镇坪背村	个人投资	生产	重点
89	—	旺达机砖厂	万崇坪背村	个人投资	关停	一般
90	91361025MA35H37D91	乐安县花园畜牧养殖基地	万崇镇桐山村	个人投资	生产	一般
91	9136102558403318XT	乐安县景达畜牧发展有限公司	牛田镇傍安村	个人投资	生产	重点
92	361025310001298	乐安县新鑫建材厂	罗陂乡力下村	个人独资	生产	重点
93	361025NA000239X	乐安县坪溪竹笋加工厂（乐安县金竹畲族乡节节高竹笋合作社）	金竹乡坪溪村	有限责任公司	生产	一般
94	—	乐安县老虎脑自然保护区（林业局野保站）	县城长征路	事业单位	生产	一般
95	123611264927405737	乐安县人民医院	县城站前路	事业单位	生产	一般
96	49274059—X	乐安县中医院	县城象山路	事业单位	生产	一般

续表 19-4-8

序号	统一社会信用代码 / 注册号	名称	地址	企业类型	生产状态	管理类别
97	75675226—7	乐安县康福医院	县城迎宾北路	民营医疗结构	生产	一般
98	12361126MB0468631W	乐安县第二人民医院	公溪镇古城	事业单位	生产	一般
99	—	妇幼保健院	县城乐安大道	事业单位	生产	一般
100	12361126MB0210139K	鳌溪潭港卫生院	鳌溪镇潭港	事业单位	生产	一般
101	12361126492740821W	戴坊中心卫生院	戴坊镇	事业单位	生产	一般
102	12361126492740784N	增田卫生院	增田镇	事业单位	生产	一般
103	12361126492740717Q	湖溪卫生院	湖溪乡	事业单位	生产	一般
104	12361126492740725K	金竹畲族卫生院	金竹畲族乡	事业单位	生产	一般
105	12361126MB017625XG	戴坊鹏洲卫生院	戴坊镇鹏洲村	事业单位	生产	一般
106	12361126492740856F	罗陂卫生院	罗陂乡	事业单位	生产	一般
107	12361126492740653T	招携卫生院	招携镇	事业单位	生产	一般
108	123611264927407419	万崇中心卫生院	万崇镇	事业单位	生产	一般
109	12361126492740717Q	湖坪中心卫生院	湖坪乡	事业单位	生产	一般
110	123611264927408057	牛田中心卫生院	牛田镇	事业单位	生产	一般
111	123611264927406968	龚坊卫生院	龚坊镇	事业单位	生产	一般
112	123611264927407681	南村卫生院	南村乡	事业单位	生产	一般
113	12361126MB0468332Y	招携望仙卫生院	招携镇望仙村	事业单位	生产	一般
114	12361126492740776U	谷岗卫生院	谷岗乡	事业单位	生产	一般
115	12361126492740688D	乐安县山砀卫生院	山砀镇	事业单位	生产	一般

续表 19-4-8

序号	统一社会信用代码 / 注册号	名称	地址	企业类型	生产状态	管理类别
116	92361025MA35W60D4H	乐安县望仙加油站	招携镇望仙	个体工商户	生产	一般
117	361025610003897	乐安县南村加油站	南村乡	个体工商户	生产	一般
118	923610257391973663	乐安县东家岭加油站	县城东家岭	个体工商户	生产	一般
119	92361025MA361803XL	乐安县戴坊镇加油站	戴坊镇	个体工商户	生产	一般
120	92361025MA35RC6J0G	乐安县招携新乐加油站	招携镇	个体工商户	生产	一般
121	361025600019783	乐安县罗陂加油站	罗陂乡	个体工商户	生产	一般
122	361025600024491	乐安县万崇镇向阳加油站	万崇镇	个体工商户	生产	一般
123	92361025MA35R9T46G	乐安县山砀农机加油站	山砀镇	个体工商户	生产	一般
124	92361025MA361MUR58	乐安县湖坪乡加油站	湖坪乡	个体工商户	生产	一般
125	361025600085401	乐安县湖溪乡加油站	湖溪乡小陂村	个体工商户	生产	一般
126	92361025MA35NP2H27	乐安县谷岗加油站	谷岗乡	个体工商户	生产	一般
127	3625263670420	乐安县金竹畲族加油站	金竹乡畲族坪溪	个体工商户	生产	一般
128	361025120001430	江西抚州乐安石油分公司石塘加油站	大马头乡石塘村	有限责任公司分公司（非自然人投资或控股法人独资）	生产	一般
129	361025120000672	江西抚州乐安石油分公司商贸加油站	县城商贸北大道	有限责任公司分公司（非自然人投资或控股法人独资）	生产	一般
130	361025120000697	江西抚州乐安石油分公司山砀加油站	山砀镇茂花岗	有限责任公司分公司（非自然人投资或控股法人独资）	生产	一般
131	361025120000605	江西抚州乐安石油分公司南门加油站	前坪工业区	有限责任公司分公司（非自然人投资或控股的法人独资）	生产	一般

续表 19-4-8

序号	统一社会信用代码/注册号	名称	地址	企业类型	生产状态	管理类别
132	361025120000058	江西抚州乐安石油分公司乐南加油站	乐南公路旁（桂林寨）	有限责任公司分公司（非自然人投资或控股法人独资）	生产	一般
133	361025120000040	江西抚州乐安石油分公司牛田志远加油站	牛田镇汉上	有限责任公司分公司（非自然人投资或控股的法人独资）	生产	一般
134	361025120000550	江西抚州乐安石油分公司县城加油站	乐安大道	有限责任公司分公司（非自然人投资或控股法人独资）	生产	一般
135	361025120000031	江西抚州乐安石油分公司增泉加油站	增田镇平安村	有限责任公司分公司（非自然人投资或控股法人独资）	生产	一般
136	—	公溪镇莲塘钱溪造纸厂	公溪镇莲塘村	个人投资	关闭	重点
137	—	公溪镇莲塘无名造纸厂	公溪镇莲塘村	个人投资	关闭	重点
138	—	南槽造纸厂	招携镇南槽	个人投资	关闭	重点
139	—	昌乐造纸厂	招携镇	个人投资	关闭	重点
140	—	文盛造纸厂	招携镇	个人投资	关闭	重点
141	—	佳宜纸品加工厂	增田镇	个人投资	关闭	重点
142	—	增田长江造纸厂	增田镇	个人投资	关闭	重点
143	—	谷岗造纸厂	谷岗乡	个人投资	关闭	重点
144	—	山砀镇口前村胡志刚朱砂圆珠厂	山砀镇口前村	个人投资	关闭	重点
145	—	山砀镇口前村胡银生金箔圆珠小作坊	山砀镇口前村	个人投资	关闭	重点
146	—	公溪镇杨家村李斌朱砂圆珠厂	公溪镇杨家村	个人投资	关闭	重点
147	—	公溪镇杨家村李富平朱砂圆珠厂	公溪镇杨家村	个人投资	关闭	重点

二、污染管控

2006年以后，乐安县坚持把污染减排作为转变经济增长方式、推进产业结构调整的重要抓手，将污染减排列为政府目标管理考评重要内容，实行“一票否决”。加强工程减排和结构减排，加大排污企业的执法监管力度。严格控制污染物总量排放。2016年年底，全县化学需氧量和二氧化硫分别比2006年下降17.8％和20.1%，全面超额完成省、市下达的“十一五”“十二五”主要污染物总量减排目标任务。

2011—2016年乐安县主要污染物减排情况表

表19-4-9　　　　单位：吨

年份	项目名称	主要污染物消减量			
		化学需氧量	氨氮	二氧化硫	氮氧化物
2011	乐安县鸿达造纸厂	117.75	3.8	136	11.76
	乐安县水泥厂	0	0	79.18	185.02
	乐安县城镇污水处理厂	237.21	33.25	0	0
	共计	354.96	37.05	215.18	196.78
2012	乐安县湖坪乡丁家良种猪繁殖场	24.546	5.05	0	0
	乐安县万崇镇顺发养猪场	19.602	4.099	0	0
	乐安县腾飞造纸厂	292.88	5.18	163.2	23.17
	乐安县城镇污水处理厂	235.11	33.87	0	0
	江西中金铅业有限公司	0	0	27.2	2.3
	共计	572.14	48.2	190.4	25.47
2013	金荣种猪开发有限公司	21.06	4.536	0	0
	戴坊镇鹏辉养殖场	19.422	4.1832		
	湖坪乡贺立排上养殖场（乐安县湖坪乡徐金才养猪场）	16.146	3.4776		
	晨阳生态养殖园商品猪基地	17.784	3.8304		
	龚坊镇石里元猪场	21.06	4.536		
	山砀镇森鸿养猪场	17.3628	3.73968		
	艾格福地生态农业有限公司	22.4172	4.82832		
	乐安县鸿达造纸厂	292.9	5.2	187	106.46
	共计	428.152	34.3312	187	106.46

续表 19-4-9

年份	项目名称	主要污染物消减量			
		化学需氧量	氨氮	二氧化硫	氮氧化物
2014	乐安县双惠养猪场	37.37	8.05	0	0
	乐安县三发养猪场	21.99	4.73	0	0
	江西乐安制药厂	142.5	6.5	153.5	36.9
	共计	201.86	19.28	153.5	36.9
2015	乐安县华昌生猪养殖场	7.89	1.83	0	0
	乐安县顺鑫农场	1.24	0.29	0	0
	乐安县丰林人造板厂	79.01	2.70	0.6	0.4
	共计	88.14	4.82	0.6	0.4
2016	乐安县业中猪场	2.76	0.77	0	0
	乐安县景达畜牧发展有限公司	7.1	1.96	0	0
	江西山高制药有限公司（党校厂部）	86.7	13.5	114.1	17.8
	共计	95.56	16.23	114.1	17.8

三、排污收费管理

排污费征收　自1985年始，县环保机构开征排污费。开征之初，只征收县属几家较大企业，收费采取协商形式。1994年开征建筑噪声排污费。1995年开征餐饮等服务行业排污费，因征收面大，工作难度大，且金额小，2006年停征该项排污费。由于县监测站建设滞后，且未获得监测资质认证，依法征收缺少监测数据。县环保局成立后至2016年，排污费多采取“物料衡量法”加“协商”的办法收取。2010年开始，建筑噪声排污费列入县联审联批收费项目，在县行政办事大厅统一收取，收费标准为4.5～6元/平方米（建筑面积），2012年之后，建筑噪声排污费占年排污费征收总额70%～80%。自2010年县城污水处理厂投入运行开始，增收污水处理费。县城区工业、第三产业、居民生活用水区别价格以平均0.8元/吨在收缴水费中增征污水处理费。

排污管理　排污费开征后，每月全额上缴县财政，按季上报地（市）环保局，不允许截留。2008年开始，征收票款分离，在县行政办事大厅开票，银行专户收缴，县财政专户上缴国库。

排污费使用　排污费使用按上年度收费总额，国库、省留存20%和10%，70%下拨县财政；2006年开始，县财政在确保县环保局人员工资开支预算基础上按季度划入，并按完成比例分解使用。

1986—2016 年乐安县排污费征收情况表

表 19-4-10　　　　单位：万元

年份	征收额	年份	征收额	年份	征收额	年份	征收额
1986	2.88	1994	5.98	2002	21.92	2010	124.70
1987	1.80	1995	5.77	2003	26.69	2011	168.19
1988	2.17	1996	6.08	2004	20.01	2012	215.00
1989	2.45	1997	6.19	2005	22.48	2013	186.16
1990	3.22	1998	7.30	2006	53.46	2014	204.10
1991	3.16	1999	15.27	2007	86.10	2015	97.71
1992	2.52	2000	15.62	2008	72.10	2016	206.37
1993	3.28	2001	12.43	2009	78.40	—	—

四、建设项目环境管理

1999 年开始对建设项目执行环境影响评价，执行率（占全县总项目百分比）为 36.4%。至 2005 年达到 57.6%。2006 年，将建设项目环境影响评价列入环保重点工作之一，依照《中华人民共和国环境影响评价法》，严把环保前置审批关。对新、改、扩建项目，坚持环境影响评价和“三同时”（建设项目的环保设施与主体工程同时设计、同时施工、同时投入使用）制度。加大环境执法检查和未执行环评审批的处罚力度，建设项目不履行环保手续开工建设或建成投产的环境违法行为逐年减少。“先上车、后买票；上了车、不买票”的现象得到遏制，特别是 2015 年新环保法实施后，对全县遗留的违法违规建设项目进行全面清理整改。至 2016 年年底，全县建设项目环评执行率达 98.3%，县工业园区企业“三同时”执行率达到 99.8%。

2006—2016 年乐安县环境影响评价执行情况表

表 19-4-11　　　　单位：个、%

年份	项目审批				企业环评率	工业园区企业“三同时”执行率
	总数	环评影响报告书	环评影响报告表	环评影响登记表		
2006	17	1	1	9	64.7	72.1
2007	41	0	2	33	85.3	87.2
2008	32	1	4	16	65.5	76.8
2009	30	2	5	16	76.7	89.1
2010	69	0	5	62	97.1	98.6
2011	101	0	44	91	94	97.7
2012	147	2	22	138	96.5	98.2
2013	113	1	55	103	95.5	97.3
2014	105	2	12	86	95.2	96.5
2015	116	3	19	84	91.3	93.2
2016	186	2	39	142	98.3	99.8

五、环保信访提案和建议处理

1986—2005年，在县建设与环保部门合署办公期间，群众涉环保来信、来访由环保股接待。来信备案、来信登记后建立台账，然后派人到现场查核，根据具体情况按规定处理。随着人们环保意识增强，环境污染信访投诉呈现量多面广的态势。为拓宽投诉渠道，2002年，设立全县环保举报热线“12369”。2006年，在县环保局设立环境信访、投诉办公室，受理群众来信来访登记、处理、回访。2015年，设立“12369”环保举报微信公众号暨微信举报平台。2010年以后，与环保相关的投诉信访，经县领导批转，多数要求环保局调查处理。面对复杂的环保投诉信访件，根据责任划分、分类处理原则，属于环保局监管主体责任范围内的，全力按要求调查处理，对于不属于监管主体责任范围内的，引导群众向主体责任单位反映或直接将信访件移送其解决。

2016年，为解决各类环境污染投诉问题，建立健全来信来访和办理人大代表、政协委员建议和提案制度，对群众关心的环境热点、难点投诉，做到按时办结回访。对信访积案、重复信访件落实责任领导、责任人，限时办结销号。

2006—2016年乐安县环保问题办理和处理情况表

表19-4-12　　单位：件、%

年份	群众投诉来信来访					县人大代表建议		县政协委员提案	
	总件	省环保厅交办	市环保局交办	群众来信来访	处理和办结率	件	处理和办结率	件	处理和办结率
2006	39	1	8	30	98.4	0	0	1	100
2007	42	0	5	37	97.3	2	100	3	100
2008	40	0	7	33	100	1	100	1	100
2009	20	2	9	9	99.2	3	100	4	100
2010	47	0	13	34	100	0	0	2	100
2011	56	0	12	44	100	2	100	1	100
2012	59	0	11	48	100	2	100	2	100
2013	56	1	14	41	98	1	100	1	100
2014	64	2	12	50	97.6	1	100	0	0
2015	52	1	18	33	98.8	1	100	1	100
2016	60	0	19	41	100	0	0	1	100

六、环境执法监管

1986—2005年，县建设部门由环保股对排污单位的环境执法监管。2006年开始，县环保局履行主体责任，由环境监察大队执行，通常采取日常检查和突击检查、定期检查和不定期检查相结合的办法，监督排污企业遵守环保法律法规。现场检查中，发现企业存在环境违法违规行为，一般先立案，再派人调查取证，根据不同情节，实施责令改正、罚款、查封扣押、限期治理、停产整治、关停等措施，涉嫌环境犯罪的移交司法机关处理。随着社会对环保工作的持续关注，加大环境执法监管力度，通过开展“整治违法排污企业，保障群众健康”环保专项行动，企业环境违法违规现象有所减少。

淘汰落后产能　乐安县环保部门坚决淘汰落后产能，关停“十五小”等严重污染环境企业。认真落实《国务院关于环境保护若干问题的决定》，对严重污染企业“零容忍”，坚决依法关闭或取缔。1996年，关闭鳌溪电镀厂，取缔山砀乡康乐造纸厂。2000年，关闭乐安纤维板厂、鳌溪建材厂、南村农机铸造厂、乐安县水泥厂等4家企业。2003年，将没有治理设施、超标排放工业废水的公溪腾飞造纸厂、宏达造纸厂2家不法排污企业上报省环保局，列为全国清理不法排污企业专项行动的重点清理对象。2011年，实施断水断电、拆除生产设备，取缔关闭鳌溪镇桥背村铅酸蓄电池组装厂、公溪腾飞造纸厂、宏达造纸厂。2012年。关闭乐安兽药厂。2013年，关闭乐安县建安建材水泥厂。2014—2015年，会同供电、公安、乡镇联合执法，取缔公溪镇土法造纸厂、鳌溪镇土法造纸厂，关闭戴坊镇麦坑、鳌溪镇潭港横垅、湖溪乡甘泉游家山、招携镇坪上大汗、金竹乡山坑、牛田镇羊家岭、大马头乡石塘7家电子垃圾冶炼厂，关闭公溪镇邹家山、公溪镇废矿山、戴坊镇鹏洲、招携镇洞口、罗陂乡5家废旧轮胎炼油厂，铲除了“黑工厂”滋生的土壤。2016年，关闭公溪镇5家朱砂圆珠生产企业。

加大环境违法的处罚力度　2006—2010年，行政处罚环境违法案件53起，处罚金额114.4万元。2011—2014年，行政处罚案件42起，处罚金额253.6万元；2015年，以开展环境保护大检查等4个专项行动为契机，紧盯重点排污企业，对前坪工业区的乐安县昌达有色金属加工有限公司实施停产整治，行政处罚22万元。2016年，为解决历史遗留问题，消除环境风险隐患，采取“规范完善一批，整改备案一批，淘汰关闭一批”的方式对全县违法违规建设项目进行清理整顿，全县51个违法违规项目全部按要求整治到位。

实行环境保护约谈机制　按照环境保护“党政同责、一岗双责”要求，2015年，对在规定时间内未完成“三无”（无厂址、无厂名、无营业执照）企业整治任务的3个乡镇和2个县直单位主要责任人进行约谈；2016年9月，对未按时完成整治任务的12个企业负责人进行约谈，指出存在的问题和不整改到位的后果，有力地促进了企业整改。

2006—2016年乐安县环境执法监管情况表

表19-4-13　　单位：个、件

年份	排查排污染企业			关闭污染企业	责令停产整顿企业	查处违法案件
	重点企业	工业园区企业	乡镇企业			
2006	4	12	39	2	2	4
2007	4	23	43	4	1	15
2008	4	29	62	4	3	14
2009	5	28	40	6	0	10
2010	6	34	53	3	1	10
2011	16	48	59	4	0	5
2012	17	39	57	2	1	5
2013	17	44	60	1	6	15
2014	19	53	47	5	2	17
2015	26	50	63	7	4	8
2016	39	46	40	5	1	6

第五节　环境污染

一、污染成因

20 世纪 70 年代，乐安县还是一个传统农业县，全县工业底子薄，经济发展比较缓慢，生态环境良好，环境质量保持在良至优区间。20 世纪 80 年代始，全县工农业经济持续发展，但在发展经济的同时，带来的生态环境破坏，污染影响逐步显现。工业生产由于技术和管理水平较低，带来三废数量增多，污染了水、大气和土壤；农业生产由于农药、化肥施用技术落后等原因，造成土壤板结，贫瘠退化，污染地表水环境。2010 年后，禽畜规模化养殖业发展，超标排放养殖废水，以及农村生活垃圾等面源污染物处理不当，造成农村水环境呈下降、劣化趋势。与日递增的家庭小汽车等交通工具，其排放的尾气和城市建设施工扬尘等，造成大气环境 PM_{10}、$PM_{2.5}$ 浓度上升，成为污染空气质量的主要因素。

二、重点污染源及其影响

20 世纪 80 年代，全县乡镇工业企业发展迅速，环境污染日趋严重，1986 年测定废气排放总量为 57.6 百万标立方米，二氧化硫 403.36 吨，烟尘 110.72 吨，废水排放总量 1084.28 万吨，悬浮物 433.71 吨，化学耗氧量 2006.13 吨，生物需氧量 189.6 吨，工业废渣 79.45 万吨。至 1989 年年末，全县乡镇工业企业发展到 2086 个，拥有熔炼铸造、化工、酿造、砖瓦陶瓷等行业。据 1990 年全国乡镇工业污染源调查统计：全县共计详查乡镇企业 94 个，生产废水中化学需氧量 8.35 吨、悬浮物排放总量 11.69 吨；废气中污染物主要是：二氧化硫、烟尘、工业粉尘和氟化物，二氧化硫年排放量 310 吨，烟粉尘排放量 820 吨，工业粉尘 13.9 吨，氟化物 14.32 吨。燃煤、柴火产生的废气是造成环境污染的主要因素；而砖瓦陶瓷行业产生的废气占总量 96.74%，成为农村环境污染的主要污染源。

20 世纪 90 年代，乐安县实施“以大带小”关停并转政策，对全县企业进行优化整合。1996 年开展全县乡镇工业源调查，调查企业 229 个，主要有熔炼铸造、砖瓦陶瓷、煤矿、化工 4 个行业；共排放废水 750 吨、废气 6555.5 万立方米、二氧化硫 69.27 吨、烟尘 465.59 吨、氟化物 12.37 吨、固体废物 1449.15 吨。1997 年年末，全县共有企业 235 个，其中省属企业 1 个（261 大队）、县级企业 36 个、乡镇企业 198 个。县级企业中污染较严重的有蚕丝厂、纤维板厂、食品罐头厂、县人民医院、制药厂；其排放废水总量为 13.55 万吨 / 年，主要污染物化学需氧量排放总量为 69.5 吨 / 年、生化需氧量排放总量为 12.2 吨 / 年，是造成鳌溪河污染的主要污染源。

进入 21 世纪，县域经济发展定位趋于理性，加快生态立县的步伐。随着人民群众环保意识的提高，2006 年始，全县污染物排放实行总量控制，工业企业进一步优化发展。2008 年，第一次全国污染源普查，全县境内有排放污染物的工业源、农业源、生活源（含第三服务业）和集中式处理污染治理设施共 1049 家，其中工业源 88 家（重点源 31 家，一般源 57 家）。2010 年，全县重点污染源有：中核抚州金安铀业有限公司、乐安县昌达有色金属加工有限公司、腾飞造纸厂、宏达造纸厂等，其中乐安县昌达有色金属加工有限公司，生产排放砷、铜等重金属，污染鳌溪河及下游牛田河水质；中核抚州金安铀业有限公司排放放射性固废、废水等，污染公溪镇及其周边环境；腾飞造纸厂、宏达造纸厂生产废水，污染公溪河水质。2015 年实施新修订的《中华人民共和国环境保护法》后，加大环境执法管理力度，开展环境保护大检查等“四个”环保专项行动，对重点污染源进行重点监管。2016 年，全县重点污染源有：中核抚州金安铀业有限公司、抚州润泰药业有限公司、乐安县昌达有色金属加工有限公司、江西品升电子有限公司、江西广雅食品加工有限公司、江西鹏鑫食品有限公司、公溪造纸厂、增田造纸厂、谷岗造纸厂、招携造纸厂等企业。排放废水污染鳌溪河、招携河、谷岗河、公溪河水质。

三、污染案件处理

1986—2016 年，全县境内没有发生重大环境污染事件，查处的影响较大环境污染源案件有4件。

县纤维板厂污染环境案　1992年9月，县纤维板厂外排超标废水到鳌溪河，污染鳌溪河下游潭港乡增坊村，村民集体上访。经县人大常委会和环保部门调查核实后，协调处理污染纠纷，县纤维板厂对废水排放进行整治，增坊村获补偿款3000元，矛盾解决。

招携镇高望村倾倒废物案　2005年5月，接群众反映举报，位于招携镇高望村冷元垅山沟有废物倾倒，发出刺鼻恶臭污染环境。县建设环保局立即派出监察大队现场调查，反映情况属实，废物为县境外化工生产废物，并将案件移交公安机关查处。经公安机关立案侦查，嫌疑人黄某在浙江台州一农药化工企业务工，自称能处理生产废物残渣，伙同堂弟黄某将该农药化工企业生产的中间体废物运至高望村冷元垅山沟倾倒，从中牟取废物处理费。公安机关查明事实，依法对嫌疑人黄某两人拘留1个月并处罚金10万元。对废物的处置，公安机关与环保部门研究处理方案，确定将废物带土清挖装车（两车约30吨）押运转交浙江台州生产企业处理。

铅业企业引发群众阻断交通事件　江西中金铅业有限公司年产8万吨高纯铅及综合利用项目，落户于公溪工业区，于2009年3月31日开工建设，计划于2010年9月底进行试生产。2010年8月，周边群众担心该企业对环境造成污染，许多群众自发聚集到抚八线公溪段阻断交通。抚州市公安局抽调200多名警察到公溪镇维稳，江西中金铅业有限公司因这一群体性事件而关闭。

公溪镇山南、邹家山倾倒危险废物案　2015年4月初，接群众举报，有人将疑似危险废物用车装运倾倒在中核抚州金安铀业有限公司山南放射固体废物场。4月9—10日，县环保局工作人员到现场勘察，并提出处理意见，中核抚州金安铀业有限公司向公溪镇派出所报案，同日取样送南昌鉴定。4月15日，将调查情况报县公安局。4月20日，收到检测报告后，依据国家环境保护总局《危险废物鉴定标准腐蚀性鉴别》，检测结果显示，样本属危险废物。按照江西省环保厅有关文件要求将案件移送公安局。不久，发现中核抚州金安铀业有限公司邹家山矿区同样有类似固废，公安局作并案处理。经公安立案侦查，犯罪嫌疑人胥某、李某、文某等10人，将来源于江西乐平市宏柏化学科技有限公司和江西天新药业有限公司的废弃物非法装运倾倒在中核抚州金安铀业有限公司山南和邹家山矿区。事发后，县委、县政府高度重视，公溪镇、公安、环保等部门密切配合，按职责分工做好周边群众、案件侦破、环境污染防治处置工作。为鉴别废物属性，县环保局和中核抚州金安铀业有限公司两次取样分别送江西省核工业地质局测试研究中心和上海化工学院检测。是年8月21日，公安局提请逮捕犯罪嫌疑人。8月28日，县检察院审查认定：取样程序不符合规范（没有对固体废物进行称重并按固废重量进行取样送检），以事实不清、证据不足、不予批捕；8月19日开始，协调江西夏氏春秋环境有限公司清运废物至9月28日结束，共计清运废物101车，合计总重量6000余吨。清运费用约100多万元全部由夏氏春秋公司承担，前期对土壤的取样送检费用约3万元由县环保局承担。固废清运处置后，县环保局连续两年对邹家山周边的地下水、地表水和土壤进行取样送检，所需费用全部由夏氏春秋公司承担，结果表明邹家山、山南周边水、土壤环境没有受到污染影响。

第六节　污染治理

一、生活污水处理工程

县城污水处理厂　位于鳌溪河下游下它村，项目占地总面积2.4公顷，2008年12月开工建设，工程包括截污管网建设和污水处理厂两个部分。2010年6月，投入运行并移交江西洪城水业环保有限公司乐安分公司经营管理，特许经营权30年。一期工程处理规模为1万吨/天。污水处理采用改良型氧化沟处理工艺，排水去向为鳌溪河，外排废水达到（GB18918—2002）一级标准中B标

乐安县生态创建成果表

表 19-4-14

荣誉名称	命名时间	荣誉单位	命名单位
国家生态乡镇	环保部公告（2012 第 75 号）	金竹畲族乡	环保部
省级生态乡镇（4 个）	2010 年 2 月 8 日（第三批生态乡镇）	金竹畲族乡	江西省环保厅
	2011 年 3 月 1 日（第四批生态乡镇）	谷岗乡	
	2012 年 7 月 3 日（第五批生态乡镇）	牛田镇	
	2013 年 7 月 18 日（第六批生态乡镇）	湖坪乡	
省级生态村（7 个）	2010 年 2 月 8 日（第一批生态村）	牛田镇麻坑村	江西省环保厅
	2011 年 3 月 1 日（第二批生态村）	湖坪乡参陂村、牛田镇流坑村、万崇镇盐丰村	
	2012 年 7 月 3 日（第三批生态村）	鳌溪镇王家排村	
	2013 年 7 月 18 日（第四批生态村）	戴坊镇小曹村、谷岗乡板岭村	
市级生态村（43 个）	2012 年（第一批生态村）	戴坊镇小曹村、谷岗乡板岭村、湖溪乡康村村、龚坊镇炉下村、湖坪乡长富村、湖坪乡善和村、湖坪乡中村村、山砀镇杏坊村、山砀镇田下村、山砀镇口前村、山砀镇厚坊村、山砀镇蔡坊村	抚州市环保局
	2013 年（第三批生态村）	戴坊镇仲溪村、戴坊镇中心村、戴坊镇树下村、戴坊镇丰秋村、戴坊镇白石村、戴坊镇戴坊村、戴坊镇鹏洲村、增田镇石陂村、增田镇东湖村、增田镇温田村、增田镇瑶前村、山砀镇龙义村、山砀镇航桥村	
	2016 年（第四批生态村）	大马头乡下陂村、大马头乡召尾村、万崇镇安里村、万崇镇陂汗村、万崇镇桐山村、龚坊镇濂坑村、龚坊镇般坊村、龚坊镇长罗村、公溪镇丁垄村、公溪镇乐家村、公溪镇杨家村、公溪镇芜头村、南村乡车头村、南村乡大里村、南村乡炉桐村、南村乡努坪村、南村乡山心村、南村乡西坑村	

第二十卷

教育　科技　体育

本卷目录

第一章 教育管理机构

教育管理机构由县级和乡镇级组成。县教育体育局是县人民政府负责全县教育体育工作的政府职能部门，几经更名而来；乡镇由教育辅导站改为分别由中学校长负责制和中心小学校长负责制。

第一节 县教育行政机构

1979年，撤销乐安县革命委员会教育组，恢复乐安县文化教育局。1984年成立县教育局，将管理文化事业的职能划出。教育局内设人秘股、教育股、财会股、高等院校招生委员会办公室、勤工俭学办公室，后增设电视大学工作站、仪器电教站、审计监察股、中等学校招生委员会办公室、大中专毕业生分配办公室（与人秘股合署办公）和教育工会。

1990年成立中共乐安县教育局委员会。1996年10月，县教育局更名为县教育委员会，内设机构时增时减，时合时分。至20世纪90年代末，县教委有5个内设机构：办公室、人事股、财会股、教育股、审计监察股；8个直属单位：县教研室、仪器电教站，勤工俭学办公室、招生办公室、大中专毕业生分配办公室、电视大学工作站、校建办公室、教育电视台。

2002年10月，县教育委员会复名县教育局，大中专毕业生分配办公室的职能移交县人才交流中心，其他机构全部保留。2007年8月，成立县青少年活动中心，为县教育局下属正股级全额拨款事业单位，核定编制5个。2008年9月，成立县学生资助中心（与计财股合署办公）。2009年4月，成立县人民政府教育督导室，为教育局全额拨款股级下属事业单位，核定编制2个。2011年11月，撤销审计监察股，成立学校安全稳定股（增挂信访股牌子）为县教育局内设机构。是年，招生办更名为乐安县招生考试委员会办公室，教育电视台、电视大学工作站成建制并入县教研室。

2014年12月，政府机构改革，整合县教育局和县文化体育广播电影电视局的体育管理职能，组建教育体育局，为县政府工作部门。县少年体校、县老年体协成建制转入县教育体育局。领导职数为局长1名、副局长3名，股级职数6名。内设机构调整为：办公室（党委办公室，行政审批股与之合署办公）、人事股（增挂县语言文字工作委员会办公室牌子）、计划财务股（学生资助中心与之合署办公）、教育股、学校安全稳定股（增挂信访股牌子）和体育股。下属事业单位

县教育体育局办公大楼

调整为：教学教研室、招生考试委员会办公室、后勤和产业办公室、仪器电教站、教育工会、青少年活动中心、县教育督导室，乡少年体校和县老年体协，均为县教育体育局下属全额拨款股级事业单位，共计事业编制 37 名。

县教育行政管理机构名称虽多次变更，但其性质属于县人民政府领导下的行政管理职能部门，是全县教育工作的主管部门。

1986—2016 年，历任局长：李远锦、帅春隆、宋乐丰、王乐临、袁国梁、龚幼光；1990—2016 年，历任党委书记：刘一中、龚幼光、黄文清。

第二节　乡镇教育管理机构

1982 年，各公社成立教育辅导站，设站长 1 人，副站长 1 人，视导教师 1 人。1984 年撤社设乡后，各公社教育办公室更名为乡镇教育办公室。乡镇教育辅导站是教育局的派出机构，又是乡镇政府的教育管理机构。其职责是：宣传贯彻执行党和国家有关教育工作的方针政策和法律法规以及上级领导机关的决定；研究制定和实施本乡镇教育改革和发展规划及措施，协调处理本乡镇教育内部与外部关系；直接管理本乡镇小学、幼儿园，做好学籍管理和九年义务教育工作；深入开展农村教育改革，办好农民文化技术学校，扫除青壮年文盲；管理本乡镇教育经费；做好学校教学设施及校园文化建设工作，管好校园、校产，防止学校各种事故发生；负责乡镇小学、幼儿园的人事管理，保障教师合法权益，稳定教师队伍，组织教师培训；加强教学管理，开展教学研究活动，全面提高教育教学质量。

2000 年 8 月，乡镇教育辅导站撤销，乡镇不设专门的教育管理机构，中学教育教学业务管理由中学校长负责，中心小学、村完小（教学点）和幼儿园的教育教学业务管理由中心小学校长负责。

第二章　教育体制

1986 年 5 月，县委、县政府批转县教育局《关于在全县进行教育体制改革的报告》，教育体制改革在全县展开。本次改革以改革教育管理体制，实行县、乡、村三级办学，县、乡两级管理为中心环节，对教育的领导和管理，经费统筹、教师调配、干部任免、义务教育和中等教育结构、教学管理以及学校内部管理等方面进行较全面的改革。

2001 年，国家实行“以县为主”的义务教育管理体制。之后，逐步废止“三级办学、两级管理”的义务教育管理体制。2006 年，乐安县委、县人民政府下发《关于加快我县教育事业发展的若干意见》，提出之后 5 年教育工作目标，明确落实“以县为主”的农村义务教育管理体制，实行“三统”（工资统发、经费统筹、队伍统管）。对推进中小学人事制度改革，提高教师队伍素质，改善办学条件，优化教育环境等作了全面规划。

第一节　行政管理体制

1985—2001 年，除县直属学校由县教育局直接管理外，全县农村中小学校均实行县、乡、村三级办学，县、乡两级管理的管理体制。乡镇人民政府教育工作的主要职责是：辖区内教育规划、办学经费（含教师工资）统筹、办学条件改善、小学老师调配、“两基”达标、保学控辍、学校及周边环境治理等工作。农村中小学校属于县教育局和乡镇人民政府双重领导，初中、小学、学前教育办学条件的改善和办学水平的提高主要由当地乡镇政府负责。各乡镇设立教育工作领导和管理机构，下设办公室，履行对辖区内中小学校的领导和管理职能。2005 年 7 月，农村义务教育管理体制实行“以县为主”。2006 年起，全县教育经费全部纳入县本级财政预算，将“三统”具体化。

工资统发　全县教师工资全额纳入县本级财政预算，每月通过县教育财务核算中心，按照国家和省规定的项目和标准，及时足额拨付到教师个人的工资账户。

经费统筹　全县教育经费实行县财政统筹统拨，教育经费做到专账运行，统一核算，并建立“校财局管”的财务管理体制，县教育局本级及全县中小学（幼儿园）实行报账制。

队伍统管　全县教师的资格认定、招聘录用、职称评聘、培养培训、调配交流和考核的管理职能及学校股级以下干部任用及管理职权，均归口县教育局。学校科级干部一直由县委、县政府任免和管理。

第二节　学制与课程管理体制

一、学制

乐安县基础教育小学、初中、高中教育阶段学制从 20 世纪 70 年代末起一直为“五三三”学制。从 2001 年秋季开始，全县对义务教育阶段学制进行改革，由“五三”学制过渡到“六三”学制（小学阶段由 5 年学制改为 6 年学制，初中阶段依然是 3 年学制），并按年度逐年作出义务教育阶段学制过渡计划。学制过渡历时 3 年：从 2001 年秋季开始，全县小学一至三年级在校学生全部实行 6 年学制，小学四、五年级按比例实行 5 年制和 6 年制两种学制并存，学生按比例分班，班级数在 2 个或 2 个以上的学校，按比例在本校分别进行 5 年制和 6 年制编班；学生数、班级数较少的村级小学采取相对集中，成片进行 5 年制和 6 年制编班，立足解决班额低和教师短缺的问题；成班额一般为 45 人，最多不超过 50 人。2004 年以后全县小学、初中全部改为“六三”学制。

二、课程设置

1978 年 1 月，教育部颁布《全日制中小学教学计划试行草案》，于 1981 年修改后公布实行。乐安县实行了修改后的中小学教学计划。1997 年 3 月 31 日省教委印发《江西省全日制普通高中课程计划（试验）》，对普通高中的课程设置进行改革，将课程分为学科类和活动类，学科类又分为必修、限定选修和任意选修课程。必修学科是每个高中生必修的课程，限定选修学科是学生在学习必修学科的基础上，侧重接受升学预备教育或接受就业预备教育所必须进一步学习的课程。任意选修学科是为发展学科兴趣爱好、拓宽和加深知识、培养特长、提高某方面能力而设置。学生可以根据个人兴趣和志向，在教师指导下，从学校可以提供的任意选修学科中自主选择修习。活动类课程包括校会、班会、社会实践、体育锻炼、科技、艺术等活动。

2001 年秋季开始，乐安县全面贯彻教育部《基础教育课程改革纲要（试行）》。在基础教育课程改革的形势下，调整九年义务教育阶段的课程设置。新的课程总体设置九年一贯制的课程门类和课时比例，课程设置增加综合课程、实践课程和信息技术课程，加强外语课程。在总课时中，划出相当的课时由地方和学校自主开发课程。

2008 年秋季，乐安县普通高中正式启动新一轮课程改革，新的普通高中课程由学习领域、科目、模块 3 个层次构成。学习领域：设置语言与文学、数学、人文与社会、科学、技术、艺术、体育与健康和综合实践活动 8 个学习领域。科目：每一领域由课程价值相近的若干科目组成。8 个学习领域共包括语文、数学、外语（英语、日语、俄语等）、思想政治、历史、地理、物理、化学、生物、艺术（或音乐、美术），体育与健康、技术等 12 ～ 13 个科目。模块：每一科目由若干模块之间既相互独立，又反映学科内容的逻辑联系。

每一模块都有明确的教育目标，并围绕某一特定内容，整合学生经验和相关内容，构成相对完整的学习单元，每一模块都对教师教学行为和学习方式提出要求和建议。

普通高中学制为 3 年，课程由必修和选修两部分构成并通过学分记述学生的课程修习情况。

2008 年乐安县高中课程设置情况表

表 20-2-1　　　　单位：学分

学习领域	科目	必修学分 108	选修学分 1	选修学分 11
语言与文学	语文	10	根据社会对人才多样化的需求，适应学生不同潜能和发展的需要，在共同必修的基础上，各科课程标准分类别，分层次置若干选修模块，供学生选择	学校在根据当地社会、经济、科技文化发展的需要和学生的兴趣，并设若干选修模块，供学生选择
	外语	10		
数学	数学	10		
人文与社会	思想政治	8		
	历史	6		
	地理	6		
科学	物理	6		
	化学	6		
	生物	6		
技术	信息技术、通用技术	8		
艺术	艺术或音乐、美术	6		
体育健康	体育与健康	11		
综合实践活动	研究性学习活动	15		

2013 年乐安县九年义务教育课程计划表

表 20-2-2　　　　单位：课时、%

科目		一	二	三	四	五	六	七	八	九	学科总课时	九年课时总计比例
品德	品德与生活	2	2	0	0	0	0	0	0	0		
	品德与社会	0	0	2	2	2	2	0	0	0	626	6.4
	思想品德	0	0	0	0	0	0	2	2	2		
语文		8	8	8	7	7	7	5	5	5	2090	21.3
数学		4	4	4	4	5	5	5	5	5	1425	14.5

续表 20-2-2

科目		一	二	三	四	五	六	七	八	九	学科总课时	九年课时总计比例
英语		0	0	3	3	3	3	4	4	4	832	8.5
科学与人文	科学	0	0	2	2	2	2	0	0	0	280	6.2
	生物	0	0	0	0	0	0	2.5	2	0	157.5	
	物理	0	0	0	0	0	0	0	2	3	169	
	化学	0	0	0	0	0	0	0	0	3	99	1
	历史	0	0	0	0	0	0	2	2	2	206	3.5
	地理	0	0	0	0	0	0	2	2	2	140	
健康	体育	3	3	3	3	3	0	0	0	0	—	9.6
	体育与健康	0	0	0	0	0	0	3	3	3	939	
艺术	音乐	2	2	2	2	2	1	1	1	0.5	943	9.6
	美术	2	2	2	2	2	1	1	1	0.5	—	
信息技术		0	0	1	1	1	1	1	1	1	243	6.4
综合实践活动		0	0	1	1	1	2	2	2	2	381	
合计		21	21	28	27	28	27	305	32	31	8531	87.1
地方、校本课程		5	5	2	3	2	3	3.5	2	3	991.5	10.1
周课点数		26	26	30	30	30	30	34	34	34	274	2.8
学年总课时		910	910	1050	1050	1050	1050	190	190	1122	9797	100

职业中等学校的课程设置较为复杂，其文化基础课一般与同级普通中学课程大体相似，专业技术课则根据学校专业设置的变化而常有变更。2013 年县职业中学课程安排如下：

文化基础课 5 门：语文、数学、物理、化学、职业道德（政治）。

专业技术课 8 门：计算机专业，机械制图、电工学、数字电路、计算机操作系统、计算机电路、计算机原理、中英文打字及排版 PASCAC（帕斯卡语言）、单片机及应用、Z-80 汇编语言、微机接口技术、数据库处理系统。电子电器专业：电工基础、电子线路、音响设备原理与维修，收录机原理与维修，黑白电视机原理及维修，彩色照相机原理及维修，家用电器原理与维修。服装设计专业：服装美术设计基础、服装材料学、服装简史、服装美学、服装造型设计、服装机械常识、服装结构制图、服装工业管理知识、服装制作工艺。电脑财会专业：政治经济学、会计原理、统计原理、微机基础、计算技术、经济法概论、财政金融、企业管理、经济活动分析、工业会计、商品流通、企业会计、税收基础、企业财务管理、预算会计、审计、涉外企业会计。涉农专业：园艺栽培。汽修专业：汽车修理。教育类专业：幼儿教育。艺术石雕专业。

第三节　招生考试管理体制

1984年机构改革，县教育局设立招生考试办公室，负责全县高、中等教育招生考试工作。1989年，随着招生考试工作任务的增加和分工的细化，县教育局招生考试办公室将中等教育（初中起点）招生考试工作划出，成立中等学校招生考试办公室（初与教育股合署办公，后分开办公）。2011年3月，高招办、中招办合并，组建乐安县招生考试委员会办公室，委员会成员单位有教育、监察、宣传、发改、人社、财政、卫生、公安、保密、交通、工会、共青团等部门，后将住建、城管、交警、食品药品监管、工信、供电、电信等部门纳入其中，委员会主任由县领导担任，具体工作由其下设的办公室（设教育局内）承担。义务教育阶段招生工作由县教育局教育股负责。全省小学升初中考试于2001年废止。

一、高招工作

高招工作主要负责国家高、中等（高中起点的中专称大中专，2001年停止招生）院校年度的招生考试工作，具体工作任务由县教育局高等教育招生考试办公室承担。县高招工作包括3项招生考试，即普通高中等院校招生考试、成人高等教育招生考试和自学考试（成人高考和自学考试情况见本卷第五章）。具体工作任务有考生报名、资格审查、组织考生体检、组织考试、档案建立、协助录取等。

1985—2016年，乐安县高招工作得到不断加强，方法和手段得到全面改进。2012年，由省财政负担在县第二中学建设70个标准化考场。2016年，省、县两级财政共同负担，在县第一中学建设82个标准化考场，县第二中学增建20个标准化考场，实现网络化管理模式。

二、中招工作

1989年，县中等教育招生考试办公室单独办公后，主要任务为初中起点学校招生考试工作，后将普通高中会考（后称高中学业水平考试）工作纳入其中，包括考生报名、资格审查、组织考试、普通中等专业学校生员体检、档案建立、录取等。2011年3月高、中招办合并成为乐安县招生考试委员会办公室。

普通中等专业学校招生录取工作　1985—2016年，县中等专业学校招生考试工作经历两个阶段。1985—1996年，中等专业学校实行国家“统一招生，统一分配”。县中招办严格按照国家招生政策和上级下达的中等专业学校招生计划数，通过中考，遵循学生志愿从高分到低分，择优录取，为中等专业学校输送生源。1997年以后，中等专业学校招生实行并轨，学生毕业后即自主择业。此后，中等专业学校享有较大的办学和招生自主权，“择优录取”成分降低，学生成分多样（分统招生、委培生，以后又并为一种身份），招生计划不具体下达到县。期间，中等专业学校招生工作较为简单，只需向上级中招部门或招生学校提供考生考试成绩和个人档案。2007年，省教育厅等部门下发《江西省定向培养农村小学教师工作实施方案》，县中招工作承担本县“三定向”教师培养计划生源的选拔任务。

普通高中、中等职业教育招生录取工作　县中招工作的主要任务是：普通高中、中等职业教育的招生录取工作。包括三方面：组织年度初中升高中考试工作；按照招生政策划定录取分数线（含统招生、均衡生和择校生分数线）；按照招生计划，参照学生志愿和相应的分数线做好学校新生录取工作。

2011—2016年，普通高中录取方式：按县第一中学、县第二中学统招计划从高分到低分划线录取。其中县第一中学生源录取县第一中学，县第二中学生源录取县第二中学，乡镇中学生源由县第一中学和县第二中学均分。

根据教育部和省教育厅有关规定：从2007

年开始，乐安县普通高中招生实行均衡生制度。在每年初中升高中的统招指标中，划出一定的比例为均衡生招生指标并列入统招计划，其指标分配到城乡各中学。每年按照计划总数以及均衡生的最低比例分别划定全县统一的统招分数和均衡生最低控制线，其中农村中学均衡生最低控制线要比县城中学低10分。均衡生人数2011年为40%，2012年为50%，2013—2016年为70%。通过实行初中升高中均衡生招生制度，不仅体现城乡教育公平和均衡发展，而且使全县一大批农村初中毕业生进入高中，减轻他们通过自费进入高中的经济负担，保障一大批农村初中毕业不因家庭经济困难而失学。

1996年开始，乐安县普通高中招生录取方式还实行择校（亦称自费生）录取方式，即在县第一中学、第二中学高中招生总数中划出一定比例作为择校生录取。择校生指未达到高中统招录取分数线但又要求上高中的初中毕业生，其录取原则是：学生接受教育局制订的交费规定，需交高于统招生学费的资金，并按不同分数档次交纳资金，方可录取县第一中学、第二中学（2007年不含均衡生）。2011年起，为进一步减轻学生家庭的经济负担，乐安县率先取消择校生制度，实行职业中学学生在县第一中学或第二中学借读。2013年起取消借读生制度。

高中学业水平考试工作 高中学业水平考试是国家承认的省级普通高中文化课毕业水平的考试，它是检查评价普通高中教学质量，考核普通高中学生文化课学习是否达到毕业水平的重要手段。2008年以前，称高中会考；2008起，称普通高中学业水平考试。县教育局招考办每年组织两次高中学业水平考试。普通高中各年级学生，根据课程设置安排参加相应的考试。每位普通高中学生均须参加高中各课程学业水平考试，所有规定科目考试合格，方准予发放高中毕业证。学业水平考试全省统考科目有：语文、数学、英语、思想政治、历史、地理、物理、化学、生物、信息技术、通用技术11门课程，另外艺术鉴赏、体育与健康、综合实践活动3门科目为考查科目。2010学年至2016学年，高中学业水平考试参考人数：2010级1223人，2011级1211人，2012级1280人，2013级1415人，2014级1491人，2015级1743人，2016级2020人。上述年级参考人员考试成绩均合格。

第三章 学前教育

学前教育是指对年龄未满7周岁的儿童进行语言、文化、艺术等方面的启蒙教育。乐安县的学前教育主要是贯彻《中华人民共和国教育法》、国务院《幼儿园管理条例》、教育部《幼儿园工作规程》等法规，指导幼儿园实施素质教育，为学校教育和终身教育奠定基础。学前教育实行政府统筹管理，县教育局具体负责教育教学的指导和办园（班）的设置、审批、评估。乐安县采取公办、集体、个体、联合等形式发展学前教育。学制为学前一年教育至学前三年教育并举。

第一节 发展规模

20世纪80年代后，幼儿教育得以长足发展。乐安县各乡镇和大马头垦殖场相继办起了中心幼儿园，县城除县办幼儿园外，县商业局、林业局、二轻局、人民医院等单位也自办幼儿园。随着农村进城务工人员及个体经营者逐步增多，1997年，县城开始有民办幼儿园。是年，全县城乡共有幼儿园35所。2016年，全县有公办、民办的幼儿园84所，其中：公办幼儿园2所（县幼儿园和古城幼儿园），民办幼儿园82所。有专任教师747名，教学班405个，其中公办22个班，民办383个班；入园幼儿12169人，其中公办942人，民办11227人。公办幼儿园园长持证上岗率100%，民办幼儿园园长持证上岗率38%。乐安县学前教育经历了发展（1986—1992年）、整合（1993—2000年）、提高（2001—2016年）三个阶段，逐步形成以公办幼儿园为龙头，民办幼儿园为主体的学前教育格局。

1986—2016年乐安县幼儿教育发展情况表

表20-3-1　　单位：所、人

年份	幼儿园			幼儿班数					入园幼儿	幼儿园教师		
	县城	乡镇	总数	小班	中班	大班	学前班	小计		县城	乡镇	总数
1986	20	11	31	5	20	30	50	105	3695	81	30	111
1987	20	7	27	—	—	20	32	52	2017	140	34	174
1988	20	6	26	—	—	25	36	61	2017	140	34	174
1989	20	16	36	—	—	30	34	64	2064	130	34	164
1990	19	13	32	—	—	30	34	64	1999	140	39	179
1991	19	13	32	—	—	27	30	57	1978	113	30	143
1992	19	10	29	—	—	30	34	64	1904	126	30	156
1993	17	10	27	—	—	30	30	60	2248	125	30	145
1994	20	12	32	—	15	30	35	80	2651	125	52	177
1995	22	14	36	—	13	25	30	67	2064	125	59	184
1996	21	14	35	—	15	25	33	73	2151	120	50	170
1997	20	15	35	—	15	25	33	73	2175	120	50	170
1998	20	11	31	15	20	30	35	100	2068	120	44	164
1999	20	14	34	15	20	30	35	100	2063	120	44	164
2000	25	32	57	20	35	45	50	150	3592	150	82	232
2001	28	37	65	25	30	45	52	152	3680	150	90	240
2002	28	42	70	23	30	58	62	173	4340	160	120	280
2003	30	55	85	36	45	55	67	203	5680	180	160	340
2004	30	65	95	40	65	81	80	266	7550	195	215	410
2005	30	70	100	45	65	80	80	270	7820	205	216	421
2006	30	91	121	55	75	90	80	300	8720	265	315	580
2007	30	90	120	65	80	95	90	330	9890	285	345	630
2008	30	90	120	75	85	105	100	370	11000	325	350	675
2009	25	70	95	70	73	95	95	333	10020	325	325	650
2010	25	75	100	76	84	100	90	350	10500	325	350	675

续表 20-3-1

年份	幼儿园			幼儿班数					入园幼儿	幼儿园教师		
	县城	乡镇	总数	小班	中班	大班	学前班	小计		县城	乡镇	总数
2011	25	80	105	81	80	100	90	360	10865	325	357	682
2012	25	80	105	81	89	100	90	360	10838	325	357	682
2013	23	72	95	85	100	125	55	365	11023	330	360	690
2014	23	72	95	90	100	125	50	365	11159	330	360	690
2015	20	70	90	105	115	135	45	400	12058	365	375	740
2016	20	64	84	110	120	135	40	405	12169	370	375	747

2016 年乐安县部分幼儿园在园幼儿表

表 20-3-2　　单位：个、人

幼儿园名称	小班		中班		大班		学前班		合计	
	班级	幼儿	班级	幼儿	班级	幼儿	班级	幼儿	班级	幼儿
合计	31	1274	41	1978	42	2138	19	852	146	6242
县幼儿园	3	148	5	190	5	272	0	0	13	610
古城幼儿园	2	67	4	136	2	88	0	0	8	291
卉佳幼儿园	8	393	10	521	12	625	0	0	30	1539
育泉幼儿园	1	22	2	97	2	103	3	143	8	365
育苗幼儿园	1	35	2	85	2	110	3	165	8	395
鑫佳幼儿园	2	71	3	130	2	105	3	149	10	455
锦绣幼儿园	2	40	2	72	3	90	0	0	7	202
公溪天天乐幼儿园	1	32	1	46	2	58	1	42	5	178
龙腾幼儿园	4	155	4	212	4	218	0	0	12	585
惠民幼儿园	2	50	3	112	3	105	2	93	10	360
益童幼儿园	2	43	1	38	2	51	0	0	5	132
龚坊春蕾幼儿园	1	26	0	0	1	32	0	0	2	58
牛田明日之星幼儿园	1	42	2	100	1	55	1	54	5	251
湖坪新星幼儿园	1	27	1	35	1	40	0	0	3	102
招携中心幼儿园	1	18	1	20	1	22	2	59	5	119
招携蓝天幼儿园	1	60	2	60	1	30	1	44	5	194
阳光幼儿园	0	0	1	24	1	34	1	38	3	96
增田小博士幼儿园	1	45	2	100	2	100	2	65	7	310

第二节 保教工作

一、培养目标与学制

以教育部《幼儿园工作规程》《幼儿园教育指导纲要（试行）》为指导思想，以“健康活泼、勇敢自信、文明乐群、好奇探索”作为培养目标，促进幼儿素质全面提高。

幼儿园学制一般 3 年，招收学龄前 3 ~ 5 周岁幼儿入学。幼儿园分小、中、大班组织教学活动。部分乡镇设置学前一年教育或学前两年教育，有的乡镇小学开设学前班，招收学龄前 5 周岁幼儿进行学前一年教育。

二、卫生保健

城区公办幼儿园及一些规模较大的民办幼儿园设立专门的卫生保健室，公办幼儿园还配备专职保健医生和必备的卫生保健设备。幼儿保健工作职能为：传染病预防、校园设备消毒、食品保鲜与消毒，对幼儿身体状况检查与登记、园内卫生监督、幼儿卫生习惯的养成教育、幼儿在园突发身体疾病的应急处置等。

1999 年以后，全县幼儿园的卫生保健工作得到逐步加强，幼儿园建立卫生消毒制度、幼儿晨午检制度、传染疾病预防制度、幼儿定期体检制度、食品采购台账制度等，确保幼儿园保健工作的正常开展和幼儿在园的身体健康。

三、教育教学

幼儿园由保教处主管教育教学工作，下设年级组，分层管理，层层落实。2001 年教育部《幼儿园教育指导纲要（试行）》颁布后，全县幼儿园将纲要提出的各方面教育内容渗透在幼儿园一日生活（包括晨间活动、午餐、户外活动、区域活动等）各个环节中，发挥各种教育手段的交互作用。2012—2016 年，全县各幼儿园把贯彻落实《3 ~ 6 岁儿童学习与发展指南》作为教学工作的重中之重，定期组织专题研讨和教研活动，不断提升教师的专业水平和实践能力，努力提高幼儿教育教学水平。

县幼儿园

第三节 幼儿园管理与选介

一、幼儿园管理

公办幼儿园由县教育局领导和管理，幼儿园设园长 1 名、副园长若干名，下设保教处、总务处、安稳办，具体业务工作由县教育局教育股管理。

民办幼儿园未设内部领导机构，各项工作大都由法定代表人安排处理。有些规模稍大的民办幼儿园，内设机构比较规范，设有保教、后勤、综治等机构，履行管理职能。

二、幼儿园选介

乐安县幼儿园　坐落在县城鹤栖路 14 号。1943 年创办，是全县规模最大的一所以日托为主的公办示范幼儿园。2016 年，该园占地面积 3617 平方米，建筑面积 2446 平方米，在职教师 38 名，卫生保健员 1 名，获得专业资格证和教材教法合格证的教师达 100%，入园幼儿 610 人，13 个教学班。其中，小班 3 个，148 人；中班 5 个，190 人；大班 5 个，272 人。开设语言、计算、常识、体育、音乐、美工、思想品德等课程。1986—2000 年，设有大、中、小和小小班。1998 年 9 月首次开办 5 个中餐班，中午在园用餐幼儿 180 人，此后中餐班延续至今。2001 年 9 月起增设学前班。2001—2004 年，在县城开设两所分园，共招收幼儿 965 人，2005 年 2 月取消分园。多年来，该园推进素质教育，丰富教学手段，录音机、幻灯等电化教学和木偶教学先后进入课堂。重视幼儿的智力开发，培养幼儿动脑、动手能力，充分应用贴线磁性、立体图片、实物模型等直观教具进行教学。自20世纪80年代以后，该园教师竞相自制教具，共自制教具、玩具累计千余件，其中1991年、1994年两次选送全国参展的作品有50余件。集体和个人先后多次获地级以上各种奖项。1981—1997年，连续7年评为县先进单位。2004年12月，经省、市幼儿教育专家评估组评估，被市教育局评为市一级一类幼儿园。

随着城镇化的不断发展，县幼儿园的发展空间受限，县委、县政府决定整体搬迁县幼儿园至县城伟卿路。2016年10月12日，正式开工建设。占地面积18667平方米，建筑面积13687平方米，计划开设36个班、招生1200余名。校舍整体结构按江西省级示范幼儿园标准设计兴建，含幼儿活动及辅助用房、幼儿生活用房、户外活动场及附属设施等。

乐安县古城幼儿园　坐落在公溪镇。1965年创办，时属第二机械工业部721矿管理的公办幼儿园。后因企业改制，2006年1月1日划归乐安县教育局管理。该园占地面积5120平方米，生均24平方米；建筑面积2560平方米，生均12平方米；户外活动面积1500平方米，生均7平方米；绿化率50%，生均6平方米。园内设计新颖美观，布局合理，户外活动场地宽阔，各种用房及设施设备配套完善，面积达标，在社会上享有较好的声誉。2016年，有教职员工28人，其中正式员工13人，聘用人员15人。教师专业合格率100%，其中大专10人、中专3人。保育员8人，均具有初中以上学历。炊事员2人，门卫兼保安2人。入园幼儿291名，设有8个教学班，其中大班2个、中班4个、小班2个。每班配备了“两教一保”。在管理方面有着丰富的经验和先进的理念，2016年3月，经抚州市教育局批准晋升为市一级一类幼儿园。

古城幼儿园

乐安县卉佳幼儿园　坐落在县城迎宾中大道东侧。2002年10月创办，是全县规模最大的一所民办以日托为主的幼儿园。该园占地面积14600平方米，建筑面积11000平方米。2016年有在职教师75名、卫生保健员1名、保育员36名。获得专业资格证和教材教法合格证的教师100%。开设有语言、计算、常识、体育、音乐、美工、思想品德等课程。设有大、中、小托班共30个教学班，入园幼儿1539人。2008—2009年被授予抚州市民办教育先进单位及市一级一类示范幼儿园，2012—2013年被省教育厅授予江西省示范幼儿园及先进单位，2014—2015年被评为抚州市民办教育先进单位。

乐安县龙腾幼儿园　坐落在县城鳌溪南路龙腾小区C区。2007年10月开工兴建，2008年6月竣工，是一所民办幼儿园。占地1000多平方米，建筑面积1300多平方米。2016年有教职工40多人，入园幼儿分12个教学班，共585人。园内有200多平方米的室外活动场地，100多平方米的室内软式活动场和120多平方米的区域活动室。设有音乐舞蹈室、多功能教室、图书阅览室以及厨房、幼儿寝室、医务室、传达室等，还有一个精美的小舞台。每个教室备有一体机、钢琴、监控安防系统、校园广播系统、图书柜、玩具柜、展示柜等保教硬件设施。2012年被评为市一级一类幼儿园。

人，教师学历达标率100%，所有教师都评聘相应的专业技术职称。建有立德楼、树人楼、仰红楼及念红楼。拥有体育器材室、艺术器材室、图书室、阅览室、美术教室、心理咨询和卫生保健室、计算机室、实验室、音乐教室、仪器室、舞蹈室和少先队部活动室等。学校始终坚持“一切为了学生，为了一切学生，为了学生一切”的办学宗旨，以“抓思想建设，攻智能开发，创幽雅环境，兴劳技活动”为工作重点。近年一直担负着国家三类城市语言文字工作实施重任，做好全县语言文字规范化教学点。在抓好教学质量的基础上，注重校园文化建设。以迎接国家县域义务教育均衡发展工作为契机，建设装备校园，已实现“四化”（学校管理科学化，校园建设标准化，教学方式多样化，警民共建经常化）教学模式。曾多次被省、市、县评为文明单位、先进单位、先进集体、平安校园、人民群众满意学校等荣誉称号。

县第三小学

乐安县第三小学　坐落在县城站前路140号。1982年8月创建，时称鳌溪镇第三小学，隶属于鳌溪镇管辖，原址位于县城鳌溪路99号。1992年更名为乐安县第三小学，由县教育局直接管理。2007年9月迁至站前路140号（原乐安县第二中学校址）。2016年，学校占地面积27932平方米，建筑面积9801平方米，有46个教学班，学生3088人，教师121人；有省骨干教师2人，县名师14人；小学高级教师7人，小学一级教师82人；教师学历全部达标，其中研究生学历1人，本科学历占60%以上。学校建有办公楼、综合楼各1幢，教学楼3幢；羽毛球场、塑胶跑道、硅PU足球场、篮球场等运动设施俱全；配有计算机教室、美术教室、音乐教室、图书室、阅览室、科学实验室、音美器材室、体育器材室、科学仪器室、多媒体教室、监控室等教学辅助用房，教学班级均配备班班通设备；教学区、运动区规划合理。学校先后获得江西省安全文明校园、全省工会工作先进单位、抚州市语言文字规范化示范校、全县教育系统综治工作先进单位、全县文明单位、全县争先创优工作先进党支部、全县消防工作先进单位、先进基层党组织等荣誉称号。

乐安县第四小学　坐落在县城文渊路与安民路交叉处。2010年3月开工建设，校园占地面积27140平方米，建筑面积19718.13平方米，绿化面积9300余平方米。2012年9月正式招生，至2016年年底，全校有61个教学班，学生4860人，教职工150余人，现任教师中有县名师、县学科带头人等10余人。

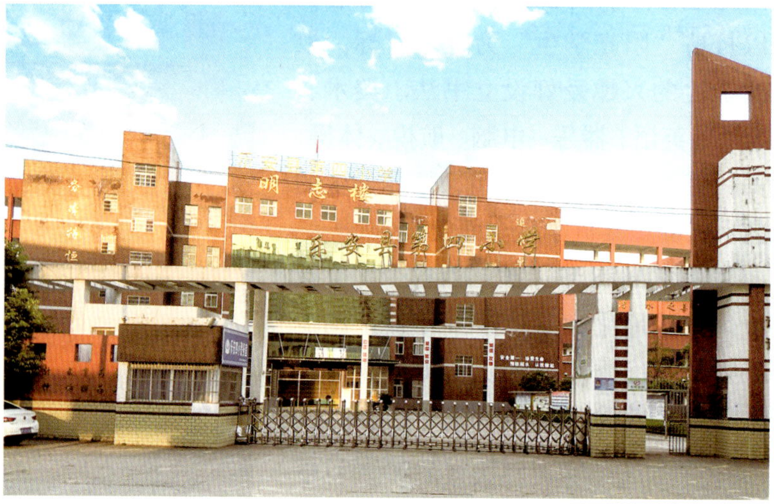

县第四小学

学校党支部被评为抚州市优秀基层党组织，学校获得江西省家长函授学校办学先进单位、抚州市示范性城区完全小学、抚州市经典诵读基地学校、抚州市语言文字规范化示范校等荣誉称号。该校在省市足球、跆拳道和书信等活动中获优秀组织奖。学校开展“国学经典”读书教育活动和“弯腰行动、扮靓校园”等德育工作成效显著。

乐安县第五小学　坐落在县城前坪大道北侧。2015年11月动工兴建，总投资2600万元。学校占地面积22811平方米，其中教学区占地面积16708平方米，运动区占地面积5503平方米，拥有教学楼面积7800平方米、功能房1590平方米、办公楼1668平方米、食堂宿舍2200平方米。学校预计开设教学班50个，招生2600人，安排搭中餐学生1000人，接纳住校生300人。

三、撤点并校

农村小学和教学点的设立和撤并是根据村庄人口变化和经济发展状况，由县教育局确定。“撤点并校”是随着2001年农村税费改革和义务教育财政体制的调整而提出的。2001年起，乐安县依据国务院《关于基础教育改革与发展的决定》，陆续对农村义务教育学校及教学点布局进行调整，在某种程度上确实整合了农村教育资源，降低了生均教育成本，但是随之出现校车安全、上学难、辍学率回升、教育资源浪费等问题，使人们不得不重新审视农村中小学“撤点并校”的必要性和合理性。2012年9月，国务院办公厅下发《关于规范农村义务教育学校布局调整的意见》指出：坚决制止盲目撤并农村义务教育学校，暂停农村义务教育撤并，原则上每个乡镇都应该设置初中，人口相对集中的村寨要设置村小或教学点，已经撤并的学校或教学点，确有必要的由当地人民政府进行规划，按程序予以恢复。要采取多种措施办好村小和教学点，解决学校撤并带来的突出问题。据此乐安县基本停止对农村义务教育学校的撤并。

1987—2016年乐安县撤销学校情况表（一）

表20-4-2　　单位：所（含教学点）

乡镇	学校名称	撤销时间	乡镇	学校名称	撤销时间
鳌溪	石老上教学点	1993	鳌溪	四都排教学点	1993
鳌溪	刘家湾教学点	1996	鳌溪	白石岭教学点	1998
鳌溪	斜元教学点	1998	鳌溪	牛场教学点	1998
鳌溪	河元教学点	1999	鳌溪	蚕元教学点	1999
鳌溪	上罗坪教学点	2000	鳌溪	三贯教学点	2000
鳌溪	增坊教学点	2001	鳌溪	琴岭教学点	2001
鳌溪	王元教学点	2001	鳌溪	王田教学点	2001
鳌溪	下它教学点	2001	鳌溪	坪上教学点	2001
鳌溪	岭元教学点	2002	鳌溪	池头教学点	2002
鳌溪	新建教学点	2002	鳌溪	樟坑教学点	2002
鳌溪	厚坊教学点	2003	鳌溪	王家排教学点	2003
鳌溪	古罗江教学点	1989	公溪	荷陂枧上小学	1998.08
公溪	白竹教学点	1999	公溪	乐家庙上小学	2005.08

续表 20-4-2

乡镇	学校名称	撤销时间	乡镇	学校名称	撤销时间
公溪	721 矿子弟学校	2008.01	公溪	荷陂江边村小学	2014.08
公溪	莲塘村前村小学	2014.08	公溪	莲塘乐丰小学	2014.08
公溪	莲塘铁路小学	2014.08	公溪	武家麻子坪小学	2014.08
公溪	芜头楼江小学	2014.08	公溪	新居大里元小学	2014.08
公溪	公溪渡头小学	2014.08	公溪	邹家邹家小学	2014.08
公溪	莲塘田西小学	2014.08	公溪	芜头王塘小学	2014.08
公溪	莲塘桃岭小学	2014.08	公溪	邹家布水小学	2014.08
公溪	莲塘高升小学	2014.08	公溪	乐家邹家山小学	2014.08
公溪	乐家邹船坑小学	2014.08	公溪	乐家周家小学	2014.08
公溪	芜头前江小学	2014.08	公溪	乐家乐家小学	2015.08
公溪	武家武家小学	2015.08	公溪	公溪去坑小学	2015.08
公溪	荷陂荷陂小学	2015.08	公溪	陈家陈家小学	2015.08
山砀	荷塘叶山小学	1992.09	山砀	蔡坊岭女上小学	1992.09
山砀	流坊麻田小学	1996.09	山砀	龙义王家山小学	1996.09
山砀	龙义南元小学	1996.09	山砀	杏坊土山小学	1999.09
山砀	杏坊宋坊小学	1999.09	山砀	杏坊淡川小学	1999.09
山砀	流坊塘边小学	1999.09	山砀	流坊草步桥小学	1999.09
山砀	龙义邹家小学	1999.09	山砀	新流坑小学	2001.09
山砀	龙义张家山小学	2001.09	山砀	荷塘浯溪坑小学	2001.09
山砀	荷塘社边小学	2001.09	山砀	元家小学	2001.09
山砀	蔡坊东元小学	2001.09	山砀	杏坊新陂湾小学	2002.09
山砀	蔡坊徐家小学	2002.09	山砀	蔡坊长塔小学	2003.09
山砀	蔡坊同古面小学	2004.09	山砀	黄家杨家排小学	2006.09
山砀	口前社坑小学	2012.09	龚坊	干口坑教学点	1995.09
龚坊	青陂教学点	1998.09	龚坊	坪下小学	2010.09
戴坊	丰秋伙场教学点	1987.02	戴坊	树下罗塘教学点	1987.09
戴坊	丰秋里溪教学点	1988.02	戴坊	龙兴大总元教学点	1988.09
戴坊	横江首元教学点	1990.09	戴坊	古竹塘边教学点	1990.09
戴坊	龙兴聂家教学点	1990.09	戴坊	村前新街教学点	1992.09
戴坊	村前官塘教学点	1992.09	戴坊	村前甘陂教学点	1992.09
戴坊	沙堆桐溪教学点	1992.09	戴坊	甘竹南元教学点	1994.09

续表 20-4-2

乡镇	学校名称	撤销时间	乡镇	学校名称	撤销时间
戴坊	小曹高坑教学点	1995.09	戴坊	仲溪邹坑教学点	1995.09
戴坊	上林田北教学点	1995.09	戴坊	龙兴桐田教学点	1995.09
戴坊	竹山才岭教学点	1997.09	戴坊	树下沙河坪教学点	1997.09
戴坊	红光排下教学点	1998.09	戴坊	丰秋任元教学点	1998.09
戴坊	丰秋北元教学点	1998.09	戴坊	小曹曾家教学点	1998.09
戴坊	良元王田教学点	1998.09	戴坊	竹山舒溪教学点	1999.09
戴坊	麦坑大池教学点	1999.09	戴坊	良元小学	2000.09
戴坊	龙兴保塘教学点	2000.09	戴坊	树下阴山教学点	2001.09
戴坊	树下英山教学点	2001.09	戴坊	红光罗坊教学点	2002.02
戴坊	横江社坑小学	2002.09	戴坊	龙兴山背教学点	2002.09
戴坊	小曹下丰元教学点	2011.09	牛田	傍安青里教学点	1988
牛田	傍安马安山教学点	1991	牛田	峡圳官庄教学点	1992
牛田	傍安建新教学点	1993	牛田	傍安锯元教学点	1994
牛田	员陂来塘教学点	1995.07	牛田	南安东岸教学点	1996
牛田	峡圳横木教学点	1998	牛田	员陂高车教学点	1998
牛田	员陂油麻田教学点	1999	牛田	员陂龙石教学点	1999
牛田	牛田农业中学	2008.08	万崇	坪背石桥教学点	2000.07
万崇	坪背熟元教学点	2000.07	万崇	桐山山下教学点	2001.07
万崇	盐丰汪家边教学点	2002.07	万崇	盐丰韶日教学点	2002.07
万崇	盐丰武薮教学点	2003.07	万崇	盐丰曾家教学点	2003.07
万崇	盐丰彭元教学点	2004.07	万崇	丰林古井教学点	2005.07
万崇	盐丰磊坑教学点	2005.07	万崇	丰林万坊教学点	2006.07
招携	杭村塔坪上教学点	1987.09	招携	饶坊陂元教学点	1988.09
招携	茶园上堡教学点	1989.09	招携	坝上黄香排教学点	1989.09
招携	午田廖家教学点	1989.09	招携	南槽车上教学点	1989.09
招携	南槽坝上教学点	1989.09	招携	茶园桥背教学点	1990.09
招携	坝上斜教学点	1990.09	招携	杭村活田教学点	1990.09
招携	茶园乌石坳教学点	1990.09	招携	奆田罗家教学点	1991.09
招携	高望冷元垅教学点	1995.09	招携	饶坊马加汗教学点	1995.09
招携	望仙云峰教学点	1996.09	招携	望仙白水洞教学点	1996.09
招携	望仙白竹坳教学点	1996.09	招携	饶坊小带教学点	1997.09

续表 20-4-2

乡镇	学校名称	撤销时间	乡镇	学校名称	撤销时间
招携	青里俄形教学点	1997.09	招携	茶园六豆岭教学点	1997.09
招携	坝上新村教学点	1997.09	招携	香菇厂小学	1998.06
招携	尧坊牛坪教学点	1998.09	招携	下严小学	1998.09
招携	望仙何家庄小学	2000.09	招携	茶园丰竹坪教学点	2000.09
招携	东炉徐田教学点	2001.09	招携	茶园豪朱社教学点	2001.09
招携	青里王泥汗教学点	2002.09	招携	青里上庄教学点	2002.09
招携	南槽曲港教学点	2002.09	招携	瓦子场横坝小学	2003.09
招携	午田来坊教学点	2005.09	招携	青里龙上教学点	2010.09
招携	山湾村葛陂教学点	2012.09	增田	青田教学点	1990.07
增田	夏家教学点	1993.07	增田	樵元教学点	1994.07
增田	炉家坪教学点	1994.07	增田	店脑上教学点	1994.07
增田	下保教学点	1994.07	增田	昌下员教学点	1994.07
增田	沙坑教学点	1994.07	增田	库下教学点	1994.07
增田	王家暮教学点	1994.07	增田	枧下教学点	1994.07
增田	杏家边教学点	1994.07	增田	双员教学点	1994.07
增田	排上教学点	1994.07	增田	东林坪教学点	1994.07
增田	方元教学点	1994.07	增田	王元教学点	1994.07
增田	寒南教学点	1995.07	增田	丰树下教学点	1995.07
增田	白竹下教学点	1996.07	增田	白元教学点	1999.07
增田	草元教学点	2000.07	增田	凹上教学点	2001.07
增田	廖门教学点	2001.07	增田	折元教学点	2003.07
增田	麻江教学点	2003.07	增田	炉元教学点	2004.07
增田	南元教学点	2004.07	增田	舟坊教学点	2006.07
增田	罗元教学点	2006.07	增田	尺山教学点	2006.07
增田	西江教学点	2006.07	增田	锁员教学点	2006.07
南村	东坑教学点	2000.09	南村	决溪教学点	2000.09
南村	老寮教学点	2000.09	南村	梨都教学点	2000.09
南村	小都教学点	2000.09	南村	洋畔田教学点	2000.09
湖坪	街上双龙教学点	1990.09	湖坪	贺立光辉教学点	1990.09
湖坪	贺立元头畲族小学	1992.09	湖坪	参陂冷水坑教学点	1998.09

续表 20-4-2

乡镇	学校名称	撤销时间	乡镇	学校名称	撤销时间
湖坪	贺立枣树教学点	2002.09	湖坪	中村且坊教学点	2002.09
湖坪	善和前山教学点	2002.09	湖坪	善和龙车上教学点	2002.09
湖坪	上长富教学点	2002.09	湖坪	下长富教学点	2002.09
湖坪	长富丁元教学点	2002.09	湖坪	西头茶元教学点	2002.09
罗陂	罗陂乡白露小学	2002.09	罗陂	罗陂乡聋江小学	2002.09
湖溪	青林小学	2014.08	湖溪	阳光小学	2014.08
湖溪	书堂小学	2014.08	湖溪	河元小学	2014.08
湖溪	郭岭小学	2014.08	湖溪	高峰小学	2014.08
湖溪	瑶红小学	2014.08	谷岗	上官教学点	1990.07
谷岗	古塘教学点	1991.07	谷岗	来坪元教学点	1992.07
谷岗	罗坊教学点	1992.07	谷岗	坪头教学点	1996.07
谷岗	黄泥坑教学点	1996.07	谷岗	汤家排教学点	1997.07
谷岗	车田教学点	1997.07	谷岗	何坑教学点	1998.07
谷岗	板岭教学点	1998.07	谷岗	鹅形教学点	1998.07
谷岗	沙坪教学点	1998.07	谷岗	小龙坪教学点	2000.07
谷岗	凹下教学点	2000.07	谷岗	朱坑教学点	2001.07
谷岗	峡山教学点	2001.07	谷岗	肖家边教学点	2001.07
谷岗	欧坊教学点	2002.07	谷岗	山下教学点	2002.07
谷岗	强元小学	2003.07	谷岗	坪坑教学点	2004.07
谷岗	火嵊小学	2009.07	金竹	徐庄畲族村洪水山教学点	1988.07
金竹	严杭村南斗岭教学点	1992.07	金竹	坪溪村合溪教学点	1992.07
金竹	严杭村鲁安社教学点	1993.07	金竹	坪溪村王沙教学点	1994.07
金竹	引水村羊古岭教学点	1995.07	金竹	坪溪村温坑教学点	1995.07
金竹	坪溪村上东坑教学点	1996.07	金竹	深垳村石嵊上教学点	1997.07
金竹	半坪村豪军石小学	1998.07	金竹	深垳村王泥坑教学点	1999.07
金竹	徐庄村下年坑教学点	2000.07	金竹	严杭村湖竹坪教学点	2000.07
金竹	坪溪村马安坪教学点	2000.07	金竹	严杭村山坑教学点	2002.07
金竹	徐庄村上年坑教学点	2004.07	金竹	大通村徐家寨教学点	2004.07
金竹	大通村杨梅坑教学点	2006.07	合计	267	

说明：牛田谢家乌江、水南横木、水南茶园、麻坑高车教学点，先后于 1982 年、1983 年、1985 年撤销

1987—2016 年乐安县撤销学校情况表（二）

表 20-4-3　　　　　　　　　　　　　　　　　　　　　　单位：所（含教学点）

年份	鳌溪	公溪	山砀	龚坊	戴坊	牛田	万崇	招携	增田	南村	湖坪	罗陂	湖溪	谷岗	金竹	合计
1987	0	0	0	0	2	0	0	1	0	0	0	0	0	0	0	3
1988	0	0	0	0	2	1	0	1	0	0	0	0	0	0	1	5
1989	1	0	0	0	0	0	0	5	0	0	0	0	0	0	0	6
1990	0	0	0	0	3	0	0	4	1	0	2	0		1	0	11
1991	0	0	0	0	0	1	0	1	0	0	0	0	0	1	0	3
1992	0	0	2	0	4	1	0	0	0	0	1	0	0	2	2	12
1993	2	0	0	0	0	1	0	0	1	0	0	0	0	0	1	5
1994	0	0	0	0	1	1	0	0	15	0	0	0	0	0	1	18
1995	0	0	0	1	4	1	0	2	2	0	0	0	0	0	2	12
1996	1	0	3	0	0	1	0	3	1	0	0	0	0	2	1	12
1997	0	0	0	0	2	0	0	4	0	0	0	0	0	2	1	9
1998	3	1	0	1	5	2	0	3	0	0	1	0	0	4	1	21
1999	2	1	6	0	2	2	0	0	1	0	0	0	0	0	1	15
2000	2	0	0	0	2	0	2	2	1	6	0	0	0	2	3	20
2001	6	0	6	0	2	0	1	2	2	0	0	0	0	3	0	22
2002	4	0	2	0	3	0	2	3	0	0	8	2	0	2	1	27
2003	2	0	1	0	0	0	2	1	2	0	0	0	0	1	0	9
2004	0	0	1	0	0	0	1	0	2	0	0	0	0	1	2	7
2005	0	1	0	0	0	0	2	1	0	0	0	0	0	0	0	4
2006	0	0	1	0	0	0	1	0	5	0	0	0	0	0	1	8
2008	0	1	0	0	0	1	0	0	0	0	0	0	0	0	0	2
2009	0	0	0	0	0	0	0	0	0	0	0	0	0	1	0	1
2010	0	0	0	1	0	0	0	1	0	0	0	0	0	0	0	2
2011	0	0	0	0	1	0	0	0	0	0	0	0	0	0	0	1
2012	0	0	1	0	0	0	0	1	0	0	0	0	0	0	0	2
2014	0	0	0	0	0	0	0	0	0	0	0	0	7	0	0	7
2015	0	23	0	0	0	0	0	0	0	0	0	0	0	0	0	23
合计	23	27	23	3	33	12	11	35	33	6	12	2	7	22	18	267

第二节　特殊教育

乐安县特殊教育始于20世纪90年代初，时断时续。2011年在县第四小学设立特教班，有特教教师2人，学生11人。特教班开设语文、数学、品德、音乐、体育、美术、计算机等课程，音乐以唱歌为主，以舞蹈为辅。还开设语训课，对有微弱听力的学生利用听力补偿器，进行语言训练，练习听话和说话。同时增设说话、生活自理等课程。

县教育局重视与规范残疾儿童的认定工作，对全县的智残学生进行摸底排查，建立档案，请特殊教育专家进行认定。对认定后的特殊学生，要求教师不宣传、不歧视，而更加重视这些学生。

第三节　中学教育

一、初中教育

1985年，含牛田农中、招携林中、乐安职中（初中部）、721矿和261地质大队子弟学校在内，全县有初级中学28所，在校学生14796人。90年代末，随着社会主义市场经济的深入发展和城镇化进程不断加快，农村人口不断向城镇转移，部分乡镇中学生源日益减少，办学规模日趋缩小，为此对全县乡镇中学进行调整。至2005年秋季，全县有初级中学21所（县城4所、农村17所），另有职中一所（含初中），在校初中生15200人。261地质大队子弟学校于2002年转为民办学校，更名为新居育才学校；721矿子弟学校于2005年划归县教育局管理，并更名为乐安县第四中学。

1986—2016年乐安县初中学校数与在校学生数

表20-4-4　　单位：所、人

年份	学校	学生	年份	学校	学生	年份	学校	学生	年份	学校	学生
1986	27	14600	1994	24	11536	2002	21	16520	2010	21	9720
1987	27	13869	1995	24	11117	2003	21	15920	2011	21	10215
1988	27	13402	1996	24	11868	2004	21	15500	2012	21	10287
1989	27	12670	1997	24	12540	2005	21	15200	2013	21	11548
1990	27	13207	1998	24	14204	2006	21	14705	2014	21	12597
1991	27	12872	1999	24	15054	2007	21	13634	2015	21	12402
1992	27	12549	2000	24	17404	2008	21	13283	2016	21	14705
1993	24	12215	2001	21	16950	2009	21	13182	—	—	—

二、高中教育

1985年，全县有完全中学8所，即县第一中学、县第二中学、县职业中学、261地质大队子弟学校、721矿子弟学校、721矿莲塘子弟学校、湖坪中学、公溪中学，在校高中学生3339人。2005年秋季，全县有高中学校6所，即县第一中学、县第二中学、县第四中学、县职业中学、新居育才学校、县现代高级中学，在校高中生3280人。

1986—2016 年乐安县普通高中情况表

表 20-4-5　　单位：人

年份	招生数	毕业数	在校学生数	年份	招生数	毕业数	在校学生数	年份	招生数	毕业数	在校学生数
1986	1430	878	3378	1997	801	644	2184	2007	1210	915	3460
1987	1156	1056	3651	1998	717	717	1945	2008	1250	955	3510
1988	1319	1295	4230	1999	582	687	2032	2009	1320	1025	3580
1989	950	1019	3044	2000	886	573	2232	2010	1380	1180	3870
1990	924	987	2693	2001	852	660	2375	2011	1420	1210	4250
1991	960	875	2810	2002	910	680	2545	2012	1520	1260	4650
1992	960	871	2780	2003	950	740	2850	2013	1650	1382	4870
1993	970	879	2595	2004	1050	810	3010	2014	1921	1465	5010
1994	976	886	2506	2005	1120	850	3280	2015	1823	1716	5791
1995	938	809	2316	2006	1160	880	3400	2016	2247	2032	6131
1996	803	809	2253	—	—	—	—	—	—	—	—

1986—2016 年乐安县高考录取情况表

表 20-4-6　　单位：人

年份	报考	本科	专科	中专	合计	年份	报考	本科	专科	合计
1986	3378	87	116	144	347	2002	2545	315	330	645
1987	3651	88	97	99	284	2003	2850	408	420	828
1988	4230	51	134	61	246	2004	3010	531	365	896
1989	3044	84	103	34	221	2005	3280	434	537	971
1990	2693	58	96	25	179	2006	1523	601	746	1347
1991	2810	33	55	50	138	2007	1498	569	714	1283
1992	2780	46	104	49	199	2008	1567	595	720	1315
1993	2595	77	154	43	274	2009	1461	569	672	1241
1994	2506	81	133	32	246	2010	1533	582	705	1287
1995	2316	132	148	19	299	2011	1642	614	817	1431
1996	2253	142	167	30	339	2012	1495	695	700	1395
1997	2184	115	103	19	237	2013	1342	572	667	1239
1998	1945	104	78	19	201	2014	1483	602	752	1354
1999	2032	193	124	14	331	2015	1584	501	767	1268
2000	2320	225	166	2	393	2016	1817	575	997	1572
2001	2375	271	208	0	479	—	—	—	—	—

说明：2001 年起，中专不在高招中录取

三、中学选介

乐安县第一中学　坐落在县城象山路 66 号。1939 年 9 月，在水南茶园义云书院创办乐安县立初级中学。初创时设 2 个班，教师 4 人，学生 80 余人。1941 年迁入县城，校址设元氏宗祠。1944 年有 6 个班，学生 170 余人，教职工 17 人，其中专任教师 13 人。20 世纪 50 年代初称乐安县初级中学，1952 年在城南桥背新建校舍，1958 年迁

县第一中学

城北现址，增设高中部，更名为乐安中学。1978年更名为乐安县第一中学。1981年被省政府确立为首批重点中学。2004年县委、县政府将县委原大院和乐安宾馆无偿划拨给一中，在原址扩建。2008年县第一中学扩建工程作为县重点项目实施，被列为市政府督办的三大重点建设工程之一，校园面积从56728平方米扩大至134767平方米，为实现“一轴三区”的新校园格局奠定了坚实的基础。

2016年，有教职工267人，其中专任教师238人，省特级教师1人，省学科带头人2人，省骨干教师8人，市学科带头人4人，县学科带头人、名师、教学能手60余人。有学生6250人，教学班82个，其中初中43个班，学生3381人；高中39个班，学生2869人。学校实行条块管理和年级组负责制，设有办公室、教导处、教研处、电教处、招生办、政教处、总务处、团委、工会等9个处室和6个年级组。

建校以后，县第一中学向高等学府输送万余名合格人才，涌现出龚军平、陈文辉、刘坚、张少科、潘莹、陈友辉、邓昱群、黄灏、詹奥铭等清华、北大优秀学子。学校先后获得市级语言文字规范化学校、市级文明单位、市级中小学示范性学校、省级人民群众满意学校、省级德育示范学校、省级安全文明学校、省级现代教育技术示范学校、全国教育科学规划教育部重点课题实验基地等荣誉称号。

乐安县第二中学 坐落在县城梦授路北侧。1978年创办，坐落在县城站前路140号，是一所完全中学，校名为乐安县第二中学。初创时只有两幢教学楼，16间教师宿舍和一个食堂，总建筑面积1990平方米，教师37人，招收学生161人。经过20多年的发展，至2002年，学校占地4.27万平方米，建筑面积1.3万平方米，教学班50个（其中高中部26个班级），在校学生3681人，教职工221人。2004年获准进入江西省优质高中建设项目学校系列，县委、县政府决定实施异地新建整体搬迁，校址选在梦授路北侧。新校区占地面积17.07万平方米，总建筑面积7.59万平方米。教学区建有1幢办公大楼，3幢教学大楼，1幢实验大楼（物理、化学、生物区15个实验室），1幢科技大楼，建筑面积58282平方米；生活区建有2幢标准学生公寓和1幢能容纳2000人就餐的膳厅及三幢教职工宿舍，建筑面积17650多平方米；运动区建有塑胶跑道运动场及足球场、网球馆、篮球场、健身器械场地。各种教学设施日益完善，建有多媒体教室、语音室、微机室、多媒体功能室、通用技术教室、多功能活动室、通用技术实验教室、舞蹈房、美术画室等。拥有省二级图书馆，配有专门的师生阅览室。建成了校园广播网、闭路电视网、宽带互联网、远程教学网和人人通平台。各类教学用房、教辅用房和生活用房齐全。2008年9月完成整体搬迁，2009年5月晋升为江西省重点中学，校名更为江西省乐安县第二中学。

2016年，在校学生7496人，教职工331人，专任教师315人，其中高级教师132人，一级教师88人，硕士研究生以上学历11人。有省、市、县学科带头人和骨干教师30余名，全国模范教师1人，省、市优秀教师、班主任29人。

近20年中，该校17次夺得县高考理科状元桂冠。为清华大学、北京大学、中国人民大学、复旦大学、香港城市大学输送了易斌、董俊华、

县第二中学

游国平、刘宇楠、张海林、戴灵真、杨薪蓉、黄鑫、杨俊、邱志玮、董振、陈芸等一批学生，累计为本科以上院校输送万余名优秀学生。该校学生在中日韩国际青少年艺术展示活动中分别获得声乐金奖和舞蹈类银奖；在第六届全国学生书法作品大赛中获毛笔组一等奖，钢笔组三等奖；2016 年江西省第一届中学生健美操大赛获一等奖。先后被授予全国"十一五"规划教育部重点课题实验学校、中国西部教育顾问学校、全省高中新课改样本学校、省体育传统项目学校、《江西教育》基地学校、抚州市素质教育示范学校、抚州市语言文字规范化示范学校。先后获省新课程试验先进单位、省"五四"红旗团委、省巾帼文明岗、省教育系统"规范管理年"及"创新发展年"活动先进集体、市文明单位、市先进基层党组织等荣誉称号。

第四节 职业技术教育

一、发展规模

自 20 世纪 60 年代至 2004 年，县内先后创办横江农业中学、鳌溪林业中学、牛田农业中学、招携林业中学、乐安职业中学、龚坊农业中学、共产主义劳动大学乐安分校及抚州地区卫生学校乐安分校。课程设置有农业、林业、畜牧、水电、财会、兽医、农机、农技、农具制造、护理、助产、公共卫生等专业。在撤销共大乐安分校和抚州地区卫生学校乐安分校后，2005 年，全县先后撤销乡镇职业学校，乐安县职业中学成为全县唯一一所公办全日制完全职业中学。5 月创办乐安县现代高级职业中学，职业教育得以发展，办学规模得以扩大。

二、职业中学选介

乐安县职业中学 坐落在县城城墙路 335 号。1984 年 9 月，将乐安县第三中学与石陂中学合并，组建乐安县职业中学，是一所公办全日制完全职业中学。2016 年，学校占地面积 26610 平方米，建筑面积 5308 平方米，有学生 561 人，设 12 个教学班，教职工 35 人，其中"双师型"教师 5 人。开设计算机及应用、城市轨道交通与运营管理、计算机与数码产品维修、电子商务、旅游服务与管理、农产品保鲜与加工等 6 个专业，与广州、上海、惠州等地铁公司、华硕（苏州、上海）等公司签订就业合同。建有环形跑道、篮球场、羽毛球场等活动场所；装备计算机教室、音乐教室、形体与舞蹈练功房等。拥有校办工厂、农场等实习基地，农场面积 9.07 万平方米，其中果园 1 万平方米，栽有柑橘、枇杷、梨、葡萄等近 20 种果树，年产鲜果 10 吨，水田、鱼塘 2000 平方米，杉、松、茶、林地 7.87 万平方米。1994 年经省教委批准，农技、畜牧、美术装潢 3 个专业升格为中专班，并被县政府确定为示范职业高中。有农产品保鲜与加工实训设备 4 套；图书馆藏书量 3 万多册。

学校在"全面培养、强化基础、注重能力"的教学思想指导下，根据乐安县经济发展和人才需要，先后开设农技、畜牧、家电维修、服装制作、实用电工、包装制品、美术装潢、汽车维修、财会、制鞋等 10 个专业，共培养 1379 名毕业生，成为乐安县经济建设的一支生力军。坚持走联合办学的道路。1990 年同县劳动就业局联合对 200 名待业青年进行岗前专业培训。1991 年与县鞋楦厂联合开办制鞋专业班，42 名毕业学员全部成为

职业中学教学大楼

各制鞋厂的技术骨干。1994年暑假受县教育局的委托举办中、小学美术教师培训班，提高美术教师的专业水平。1996年与抚州富奇汽车制造厂联合开办汽车驾驶与维修班。开办实习基地，扶持专业发展，解决职教经费不足。1988年，学校在开设包装制品专业的同时，创办包装制品厂，作为该专业班学生的实习基地。不断扩大生产规模，开发新产品，产品远销湖南、福建、浙江等地，实现年产值55万元，创利润近3万元。1989年校办农场种植水稻，成为农技专业班的实习基地。农、果、林、鱼的创收，既补贴学校办学经费的不足，又使学生学到发展农业生产的技能。

学校重视学生的技能实践，每年都选派学生参加省、市中职技能竞赛，先后获省级二等奖1人次，省级三等奖6人次，市级一、二、三等奖20多人次，并分别获得抚州市第一届素描（写生）团体二等奖、市第二届计算机组装与调试团体三等奖、市第三届色彩（写生）团体二等奖等荣誉称号。

乐安县现代高级职业中学　坐落在县城北环路。2005年5月由浙江客商创办，是一所集高中教育和职业高中教育为一体的全日制民办学校。高中教育参加普通高考。职业高中教育有计算机应用班，中、高级电子电脑班、服装缝纫班等，学校占地面积2万平方米，建筑面积约1万平方米，教师30多人，在校学生400余人，共10个教学班。

2015年4月，学校法人代表变更，与乐安县职业中学联合办学，办学地址搬迁至乐安县职业中学校园内。学校开设有计算机应用专业、电子商务专业、计算机与数码产品维修专业、城市轨道交通运营管理专业等。各专业均采用订单式培养模式，学生入学后即与学校签订就业保障合同，毕业后全部推荐到各大知名企业从事中、高级技术工作。2016年有教职工36人。其中，高级教师6人，高级技师5人，在读学生500余人，共设12个教学班。

第五节　民办教育

1993年，中共中央、国务院印发《中国教育改革和发展纲要》，倡导和支持民办学校。1997年国务院颁发《社会力量办学条例》，民办教育应运而生。根据国家相关政策，有独立法人资格，有独立校园和教育教学设施，独立招生，条件符合的民办学校，试办期限满一年后，可以申请正式办学。民办学校实行校长负责制，老师招聘制。校长是学校法人代表。民办学校全面贯彻国家教育方针，执行国家课程标准，接受教育行政部门对教育教学监督管理和教育教学质量督导评估。

一、民办幼儿教育

民办幼儿园兴起于市场经济的浪潮中，国家提倡多种形式办园，为民办幼儿园的发展提供了宽松的政策环境。20世纪90年代中后期，县民办幼儿教育迅速发展。进入21世纪，全县民办幼儿园教育，无论学校数、在园学生数及占同级同类教育的比例，都呈逐年增长的态势，成为县幼儿教育的主体力量，对加快全县幼儿教育的普及起到积极作用。至2016年，全县有民办幼儿园82所，教学班383个，专任教师671人，在园学生11227人。

2016年乐安县部分民办幼儿园基本情况表

表 20-4-7　　　　单位：人、册、平方米

幼儿园名称	学生数	专任教师	行政人员	教辅人员	工勤人员	校办企业人员	代课教师	兼任教师	图书	校舍面积	教学辅助用房	行政办公用房	生活用房	经费统计计数教师
乐安县罗陂乡水溪幼儿园	108	4	1	1	2	5	0	3	400	404	314	50	40	13
乐安县招携蓝天幼儿园	183	5	1	0	1	0	0	0	263	471	324	147	0	7
乐安县名门幼儿园	266	12	1	1	8	3	0	0	168	1090	1030	60	0	25
乐安县惠民幼儿园	158	12	1	0	0	0	0	0	820	700	482	45	53	13
乐安县龚坊镇春蕾乐园幼儿园	44	2	0	0	2	0	0	1	200	630	185	120	160	4
乐安县锦绣幼儿园	160	6	1	0	6	2	0	0	450	620	450	40	68	15
乐安县增田小博士幼儿园	308	8	1	0	8	1	0	0	600	1500	1200	20	280	18
乐安县公溪镇天天乐幼儿园	190	8	1	0	3	1	0	0	900	1348	1148	140	60	13
乐安县公溪镇金太阳幼儿园	151	6	1	0	3	0	7	0	50	500	410	20	50	12
乐安县湖坪新星幼儿园	72	1	1	0	1	1	3	3	800	529	419	40	50	4
乐安县招携镇望仙阳光幼儿园	174	8	0	0	3	1	0	0	400	1330	1070	30	50	12
乐安县育苗幼儿园	283	6	1	0	0	0	0	0	800	688	603	12	38	7
乐安县九龙宏盛幼儿园	231	13	1	0	3	0	0	1	850	1000	800	150	50	17
乐安县益童幼儿园	258	15	1	0	5	0	0	0	2000	960	858	70	32	21
乐安县育泉幼儿园	302	13	1	0	0	0	0	0	2000	1004	814	50	40	14
乐安县卉佳幼儿园	1553	84	1	1	44	22	1	0	1200	10061	6793	1066	120	152
乐安县龙腾幼儿园	533	28	2	0	11	1	0	0	4600	1165	1039	20	37	42
乐安县牛田镇明日之星幼儿园	326	3	1	0	7	0	4	1	500	1560	1290	80	190	11
乐安县鑫佳幼儿园	294	16	2	0	0	0	0	0	1900	720	620	40	60	18

二、民办中学教育

新居育才学校　坐落在公溪镇新居村。2002年利用原核工业华东地质局261地质大队子弟学校的资产改制而成，校名为新居育才学校，是县内第一所民办学校。教师主要来源于退休教师和师范院校毕业未分配的大中专毕业生。2006年在校学生600余人，教职工21人。2012年因生源不足而停办。

第六节　德育教育

1988年后，学校按照中共中央《关于改革和加强中小学德育工作的通知》精神，遵循中小学生思想品德形成的规律和社会发展的要求，制定切实可行的德育工作计划，通过课内外、校内外各种教育途径，实施学校德育教育。

一、任务和内容

在不同的历史阶段，学校对德育工作有相应的任务和要求。中小学德育工作的基本任务是把全体学生培养成为热爱祖国、具有社会公德、文明行为习惯、遵纪守法的公民，引导他们树立正确的世界观、人生观、价值观。基本内容是爱祖国、爱人民、爱劳动、爱科学、爱社会主义。进行爱国主义教育、集体主义教育、社会主义民主和遵纪守法教育、劳动教育、思想道德和心理品质教育。

1986—1988年，学校注重对学生进行四项基本原则教育和正确理解社会主义初级阶段的理论、反对资产阶级自由化的教育。二十世纪八九十年代，开展学赖宁、学孔繁森活动，坚持开展评选三好学生、优秀团干、优秀学生干部活动，以激励学生奋发向上。1991年，按照国家教委颁发的《中小学加强中国近代、现代史及国情教育纲要》的内容和要求，对学生进行“两史一情”教育。1992年，按照国家教委、共青团中央印发的《关于在全国中小学深入开展学雷锋树新风活动的意见》的要求，在全县中小学普遍开展“学雷锋树新风”活动，在中小学生中进行雷锋事迹、雷锋精神的再宣传再学习。1994年，全县中小学贯彻中共中央《关于进一步加强和改进学校德育工作的若干意见》和《爱国主义教育实施纲要》，进一步对学生进行“两史一情”教育和法制教育。同时开展“跨世纪中国少年雏鹰行动”。1995—1997年，注重社会主义精神文明建设，对学生进行文明礼貌教育、党的基本知识教育、法制教育以及喜迎香港回归统一祖国的爱国主义教育。1998—2000年，开展爱国主义读书活动，主题是学法律、讲道德。1999年的主题是中华人民共和国成立五十周年辉煌成就、十五大文件以及喜迎澳门回归统一祖国的爱国主义教育。

2000年的主题是法律法规、行为规范和心理健康等教育。2006年开始实施中小学“校家同创”德育工程，各学校建立和完善校长负责，以德育干部、团队辅导员、班主任为骨干，全体教职员工为主体力量，家长、社区代表参加“校家同创”工程工作的领导体系和管理机制。进一步完善优秀学生的奖励和问题学生的教育、矫治、转化制度。县城学校及乡镇中心小学创造条件，在本校建立一个法制教育基地、一个模拟法庭、一个青少年维权岗。2010年3月，开展“感恩教育”活动，主题是以《进一步加强和改进未成年思想道德建设的若干意见》为指导，运用活动引领、细节渗透、文化熏陶等有效的策略，全方位实施“感恩教育”，精心培育学校“感恩文化”。通过主题班团（队）会、课堂教学、读书征文、演讲比赛、社会实践等多种形式，开展感恩教育系列活动。为贯彻落实教育部共青团中央全国少工委《关于开展“我的梦·中国梦”2013年全国少年儿童书信文化活动的通知》精神，广泛开展理想信念教育，深入推进中国特色社会主义学习教育活动。组织青少年学生以“我的梦·中国梦”为主题进行写作或绘画，并通过传统书信邮寄作品的方式参加活动，引导学生抒发自己的美丽梦想，并将个人理想与祖国前途命运结合起来，深刻认识实现中华民族伟大复兴是中华民族近代以来最伟大的梦想，需要每一个青少年学生坚定理想信念、励志刻苦学习，积极投身实践，为把国家建设好、发展好而努力奋斗。2014年，按照江西省关心下一代工作委员会的要求，开展青少年“五好”小公民，“美丽中国我的中国梦”主题教育读书活动。2015年，根据《教育部办公厅关于开展“少年传承中华传统美德”系列教育活动的通知》和《关于组织开展“少年传承中华传统美德”系列教育活动的通知》，开展“社会主义核心价值观”读书系列教育活动。2016年，根据省教育厅《关于在全省中小学开展红色文化、绿色文化和古色文化教育活动的通知》，持续开展红色（红色基因）、绿色（生态文明）和古色（优秀传统文化）“三项文化教育活动”。

二、实施途径

学校的德育工作，主要通过课堂教学、班主任工作、团队工作和家庭、社会教育等途径具体实施。

课堂教学　1986年开始，县教育局规定：将学生进行思想品德教育作为考核教师、职务评审、工资晋升、评先评优的一项重要内容和必备条件。县教研室对各科教学渗透思想政治教育提出具体要求。2000年后，县教育局教研室组织有关人员编写乡土教材，如《可爱的乐安》《乐安英烈》《流坑人文景观》等，让学生从中了解家乡，进而热爱家乡。随着全省、全市、全县加强校本教材工作的推进，全县各校编写了有自身特色的校本读物，有效实施爱国、爱家、爱校及廉洁修身教育。2011年，县纪委、县教育局在青少年学生中开展廉洁修身教育，同时开展演讲、征文比赛以及文艺演出、“开学第一课”等活动。开展“弘扬和培育民族精神月”活动，对学生进行的中华民族传统美德和革命传统教育，增强青少年学生的爱国情感和民族精神。加强学校法制教育，提高学生学法、知法、守法、用法的自觉性。乡镇中心小学以上的学校配备兼职法制副校长，组织学生认真学习《中小学生守则》《小学生日常行为规范》和《中学生日常行为规范》，培养学生良好的行为习惯。

班主任工作　班主任工作具体内容：一是认真选拔、培养班干部，组织建立良好的班集体，形成团结、紧张、严肃、活泼的班风和勤奋、好学的学风。二是开好每周一次的主题班会，会前有准备，会上有小结，会后有检查。三是定期召开学生座谈会，经常与学生个别谈心，做好个别学生的思想转化工作，鼓励学生进行自我教育，纠正错误，勇于进取。四是协调班级各方面的教育力量，紧密配合各任课教师，保持教育的一致性。五是支持共青团工作、指导少先队开展有教育意义的活动，陶冶学生的情操。六是定期召开学生家长座谈会或举办家长学校，通过家访、通信等方式，经常与学生家长保持联系。七是认真贯彻落实《中小学生守则》《小学生日常行为规范》《中学生日常行为规范》和学校的各项规章制度。八是积极组织丰富多彩的适合学生年龄特点的教育活动和劳动、社会实践活动、寓思想品德教育于活动之中。九是组织各种兴趣小组，开展读书活动，培养和发展学生健康的兴趣爱好。

团队活动　全县中小学校的团队组织，都比较重视对学生进行思想品德教育：一是通过开展健康有益、生动活泼的活动，引导学生树立远大理想和良好的道德风尚，继承革命传统，学会自我教育、自我管理；二是通过举办业余团校、少年之家以及开展丰富多彩、形式多样、有教育意义的校内外教育活动，充分发挥共青团和少先队员的积极性、主动性、创造性。学会生活，学会做人，德、智、体、美、劳全面发展。全县学校的团委和少先队基本上做到了学期初有工作计划，学期中有工作检查，学期末有工作总结。

校园文化　20世纪90年代后期，校园文化逐步向物质文明和精神文明建设相结合的方向发展，全县各学校校园文化建设有新发展，做到校园绿化、美化、净化，制定校训，创作校歌，建立文化走廊、宣传橱窗，充实图书馆、阅览室、团队活动室等。《中小学生守则》《小学生日常行为规范》《中学生日常行为规范》贴在墙上。校园内书写固定的激励性标语，张贴地图，悬挂中外历史名人及当代著名人物画像等，充分发挥黑板报、橱窗、校园广播的宣传教育作用，让师生在整洁、优美、富有教育意义的环境中学习和生活。

校外德育　县教育局关心下一代工作委员会于1997年成立，在局党委领导下，以退休干部、教师为主体，局机关、学校相关负责人参加，其主任一直由局党委书记兼任。局关工委成立以后，充分发挥教育系统退休老领导、老教师、老模范的政治优势、威望优势、经验优势、时空优势和亲情优势，坚持一年一个教育主题，深入学校、深入学生，采取专题研究、座谈交流和现场讲座等形式，适时对全县中小学生开展爱国主义、革命传统、公民道德、文明诚信、感恩、法制、安全等方面的教育。每年坚持与相关部门联合组织一次专题读书教育活动，活动形式主要有讲故事、征文、演讲比赛。邀请县关工委“五老”报告团，每年到城乡学校巡回报告30余场，言传身教、立德树人。2006年开始，实施中小学“校家同创”德育工程，中小学师生、家长和有关部门共同努力，丰富德育工作内容，拓宽德育渠道，提高德育工作水平。2009—2010学年，家长学校招生4080人，超计划610人。教师、家长认真总结家庭教育经验，共选送16篇论文参加市教育局“校家同创”工程“祖国在我心中”的征文比赛；选送163篇相关文章参加省、市“新蕾杯”读书活动；选送290多人参加艺术节，4个节目在市里获奖。选送17名教师、19名学生参加市“校家同创”工程的“我爱我的祖国”才艺技能比赛。

乐安县家庭教育工作成绩突出，2009年、2010年、2011年、2012年和2016年先后被省教育厅评为先进单位。

2011年乐安县“校家同创”德育工程工作日程表

表20-4-8

时间	工作内容
3月	1.召开乐安县2011年“校家同创”德育工程样本学校座谈会；2.印发《乐安县2011年“校家同创”德育工程工作要点》；3.部署中小学德育工作“校家同创”工程实践研究经验、成果征集活动；4.学校召开会议，传达贯彻乐安县2011年“校家同创”德育工程工作会精神，部署学校进一步推进“校家同创”工程工作
4月	1.各学校严格按照《乐安县2011年“校家同创”德育工程工作要点》要求，建立健全“校家同创”工程领导机构和工作方案，明确工作职责，完善学生家庭基本情况等各项资料；2.有网站的学校要开设“校家同创”德育工程专栏，及时交流宣传未成年人教育工作经验；3.邀请“关爱报告团”到学校作报告，县关工委及教育局领导出席报告会
5月	开展家长开放日活动：1.邀请家长参观学校和听课；2.召开家长座谈会，畅谈家庭教育体会，听取家长对学校工作的意见；3.班主任就学生的操行评价征求家长意见；4.邀请在工作中有成就的家长代表进行国旗下讲话或作报告
6月	收集上报中小学德育工作“校家同创”工程实践研究论文，篇幅3000字以内，各校推荐2—3篇到县教育局参评
7月	利用家访、家长会向家长反馈学生在校学习及行为情况，互相沟通、交流学生（孩子）在学校和家庭思想状况，为学生（孩子）过一个有意义的暑假作精心安排
8月	1.组织政教处主任、班主任学习研讨《乐安县2011年“校家同创”德育工程工作要点》文件，进一步明确“校家同创”工作内容；2.开展教师德育工作培训及经验交流；3.召开家庭教育工作会议，交流家庭教育经验，部署家庭教育工作
9月	1.利用学校网页、宣传栏、黑板报开展“校家同创”工作宣传；2.制作学校实施“校家同创”工程成果光盘

续表 20-4-8

时间	工作内容
10 月	开展感恩教育活动：1. 请学生记住父母的生日并为父母过生日，有条件的学校可选择本月的一天邀请这天生日的家长到学校，让学生（孩子）为他们过一个简单而庄重的生日；2. 要求学生（孩子）为家长做一件家务活，并以“我为父母做家务”为题作文
11 月	开展未成年人思想道德建设的理论与实践研究成果展示活动
12 月	交流年度“校家同创”德育工程工作经验，上报工作总结、表彰先进

第七节　教育督导

教育督导评估是教育督导部门代表政府和教育行政部门按照国家法律法规和方针政策对有关部门、学校的教育管理工作、教育质量、效率，以及发展水平进行价值判断的过程，具有鉴定、激励、导向、调控等功能。2009 年 4 月乐安县编委会研究决定成立乐安县人民政府教育督导室，为全额拨款股级事业单位，归口教育局管理，配备专职工作人员 3 人，聘请第二届县政府督学 21 人，建立督导责任区，制定《乐安县中小学校责任督学挂牌督导实施办法》，配备 17 名挂牌责任督学。

教育督导室主要负责对全县贯彻执行教育法律、法规、方针和政策的情况进行督导检查；对县政府有关部门和乡镇政府及教育行政部门依法履行教育工作职责，落实教育优先发展战略地位，加强教育领导和管理，保障教育经费投入，加强教师队伍建设等情况进行监督、检查、指导；加强对全县“两基”的实施、巩固和提高工作、基础教育、职教与成人教育热点和难点问题以及实施素质教育等进行督导、评估、检查；对全县各级各类学校及其他教育机构的工作进行督导检查和评估；组织教育督导人员培训，开展教育督导工作的科学研究；完成县政府和上级教育督导机构交办的其他事项。贯彻落实国务院《教育督导条例》和各项督导政策，协助抓好县级教育督导队伍建设，负责制定全县教育督导规划、实施方案和规章制度；在县政府的领导下，对乡镇人民政府和各级各类学校贯彻执行教育法律法规、方针政策和实施素质教育情况进行检查督导与考核工作；开展对实施义务教育工作以及配合有关行政部门实施义务教育职责的履行情况进行监督、检查、评估和指导；组织对乡镇村级小学、完全小学和初级中学及协助省、市对普通高中、职业高中进行办学水平督导评估；对学校办学方向、管理水平、教师队伍建设、义务教育均衡发展、教育经费投入、各项教育规划布局和法律法规以及国家教育政策规定的其他事项实施教育督导；对教育工作中带有方向性、全局性的问题进行调查研究并向政府和教育行政部门提出意见和建议，为领导决策提供依据；组织开展本系统重大问题的政策调研活动，向县政府或上级督导机构提出意见和建议；负责全县教育系统内部督导考核工作，以及协助上级教育主管部门组织的督导考核工作。

2010 年，教育督导工作坚持“全面推进，突出重点，分类指导，巩固提高”的方针，全面部署，全体动员，举全县之力，促进各类教育全面、均衡、可持续发展，全县各中小学办学条件和办学水平得到大幅度提高，通过省政府对县人民政府教育工作督导评估。2014 年，按照“学前教育做优，义务教育做实，高中教育做强，职业教育做大”的发展思路，不断深化教育体制改革，加大教育基础设施建设投入，切实加强教育内部管理，教育事业取得长足发展和进步，再次通过省人民政府对县人民政府教育工作综合督导评估验收。2016 年，统筹推进义务教育均衡发展，努力缩小城乡之间、校际之间义务教育办学水平差距，义务教育办学条件和水平得到进一步改善和提高，为次年通过国家教育督导评估验收打下扎实基础。

第五章　成人教育

1949年10月后，党和政府展开了大规模扫除文盲和业余文化教育工作，有效提高了工人、农民和干部、职工文化水平。1978年改革开放后，成人教育进入快速发展期，各机关团体、厂矿企业和广大农村纷纷开办业余学校，农民文化技术学校遍及全县乡镇，多形式、各层次成人教育全面展开。至2000年，全县基本扫除青壮年文盲。2001年起，乐安县成人教育以函授教育、自学考试、电视大学教育、党校教育和师资培训为主。

第一节　工农教育

一、乐安县工农教育委员会

1978年11月，《国务院关于扫除文盲的指示》发布，要求省、市、自治区和地、市、县、公社在党委的统一领导下，恢复和健全工农教育委员会。由党委和行政部门分管教育工作的负责人牵头，共青团、妇联、工会、文明办、农林工办、教育、人武部、知青办等有关部门负责人参加，分工负责，协同工作。下设工农教育办公室，作为其办事机构。

1981年7月设立乐安县工农教育委员会，主任由分管副县长担任，下设办公室，具体领导全县工人和农民的文化教育和普及工作。

职工学校有县总工会职工学校和县农机厂职工夜校。

二、农民夜校

中共十一届三中全会后，农民教育扫盲工作得以恢复和发展。至1980年，全县有农民夜校148所，入学农民达5291人。1985年起，全县加快扫盲步伐，是年冬，全县扫盲教育成效显著，经抚州地区教育局检查验收，达到基本无盲县目标。1997年，全县再次掀起扫盲工作高潮。大办夜校和农民文化技术学校，动员学员入学，全面推进“两基”工作。1998年5月20—23日，省教委一行7人受省政府委托，对乐安扫盲全面评估，验收合格。

全县夜校和文化技术学校统一教材，课程是以语文为主辅以数学、政治兼教应用文、时事政策。1989年后，除设正常的文化课外还讲授科技课，如科学种植、科学饲养等。

教师由当地中小学教师兼任，从20世纪80年代起，各公社（乡镇）中心小学、大队（村）完小都办扫盲夜校，老师白天学校上课，晚上夜校轮班上课。

全县办得较好的农民夜校有：万崇上罗村农民夜校（当时被评为县、地、省先进单位），山砀龙义村农民夜校（当时被评为县、地先进单位），增田带陂村农民夜校，招携坪头村农民夜校，牛田水南村、连河村农民夜校，湖坪街上农民夜校，罗陂村农民夜校，潭港石塘村农民夜校，鹏洲仲溪村农民夜校，戴坊横江村农民夜校，龚坊炉下村农民夜校，航桥草坑村农民夜校，公溪莲塘村农民夜校，湖溪小陂村农民夜校，谷岗登仙桥村夜校，坪溪引水村农民夜校，金竹村农民夜校。

受省表彰的农民夜校先进工作者：邓春山（时任万崇上罗小学校长）；受抚州地区表彰先进工作者：杨水生（时任山砀中心小学校长），王宜生（时任万崇中学校长），董祥葵（时任牛田农业中学校长）。

1986—2005 年乐安县农民夜校情况表

表 20-5-1　　单位：所、个、人

年份	夜校数	教学班	入学数	年份	夜校数	教学班	入学数	年份	夜校数	教学班	入学数
1986	152	158	5915	1993	230	250	9155	2000	438	512	2386
1987	160	164	6115	1994	268	330	11292	2001	466	492	2205
1988	168	192	6241	1995	374	438	15111	2002	442	465	2197
1989	176	196	6491	1996	396	488	16959	2003	440	452	2028
1990	194	206	7483	1997	588	635	22175	2004	420	425	1925
1991	206	226	8130	1998	530	750	26189	2005	385	385	1638
1992	214	236	8740	1999	524	651	2586	—	—	—	—

说明：2006 年全县脱盲，农民夜校停办

2006—2016 年，全县有乡镇农民文化技校 15 所，村组 165 所，办学面达 94%，共有学员 1869 人，脱盲、巩固率为 98.6%。

第二节　自学考试

县教育局负责管理自学考试和成人高考考试工作，县教育局招生办承担具体工作，负责全县自学考试报名、教材征订、发放准考证、组织考试、通知考生成绩、办理考生毕业等，接受省、地（市）招生考试部门的指导和检查。全县成人高等教育在 20 世纪八九十年代进入高峰期，报考人数众多，培养出一批高学历专业人才，为乐安经济建设和社会主义发展提供人才支持。随着普通高等教育的快速发展和普及程度的提高，进入 21 世纪后，成人高等教育特别是专科教育的报考人数和参学人数呈逐年下降趋势。

1984 年，江西省高等教育自学考试在乐安县设立考点。当年乐安县报考文科学员 12 名，理科学员 9 名。截至 2016 年，全县报考高等教育自学考试 24253 人次，毕业人数 1620 人。其中本科 460 人，专科 1134 人，中专 26 人。自考专业由最初开设的 20 多个专科专业，后来发展到本科专业 56 个，专科专业 51 个。每项专业的学科繁多，对每一学科全部科目考试及格方能毕业。

1985—2016 年乐安县高等教育自学考试情况表

表 20-5-2　　单位：人

年份	报考	毕业			年份	报考	毕业			年份	报考	毕业		
		中专	专科	本科			中专	专科	本科			中专	专科	本科
1985	1178	3	27	0	1989	1163	1	24	0	1993	970	0	74	4
1986	1180	4	30	0	1990	1052	5	69	0	1994	1130	0	38	3
1987	1205	3	26	0	1991	867	6	32	6	1995	1314	0	60	5
1988	1120	2	23	0	1992	1288	2	55	8	1996	1375	0	53	1

续表 20-5-2

年份	报考	毕业			年份	报考	毕业			年份	报考	毕业		
		中专	专科	本科			中专	专科	本科			中专	专科	本科
1997	1254	0	96	6	2004	785	0	59	33	2011	88	0	10	42
1998	1232	0	56	10	2005	598	0	50	39	2012	92	0	11	30
1999	1304	0	60	4	2006	89	0	16	14	2013	106	0	5	21
2000	1396	0	53	12	2007	76	0	4	19	2014	87	0	3	25
2001	1065	0	39	11	2008	72	0	8	20	2015	89	0	1	18
2002	1028	0	65	23	2009	75	0	11	53	2016	92	0	2	9
2003	794	0	56	23	2010	68	0	18	21	合计	24232	26	1134	460

第三节　电视大学教育

一、办学规模

乐安县电视大学管理站于 1987 年经乐安县人民政府批复成立。创办至 2016 年，共开设 24 个专业，短训班 6 期，共 3000 余人完成全部学业，获得中央电视大学和省电视大学文凭。2003 年 12 月，经中央电视大学批准，建立开放教育试点乐安县教学点，先后招收开放教育学员 300 余人。2012 年开始实施“一村一名大学生工程”，先后招生学员 282 人。2003 年度被市电视大学评为全市电视大学系统招生工作先进单位，2009 年被评为全市先进电视大学管理站，2012 年被评为全省电视大学“一村一名大学生工程”招生工作优秀集体，2013 年被评为全市先进电视大学工作站。

1987—2016 年乐安县电视大学招生与毕业情况表

表 20-5-3　　　　单位：人

年份	招生	毕业	年份	招生	毕业	年份	招生		毕业
							村干部培养	开放教育	
1987	20	0	1999	60	105	2011	0	44	0
1988	75	0	2000	75	187	2012	67	50	0
1989	59	0	2001	82	108	2013	40	27	24
1990	20	20	2002	41	60	2014	44	14	44
1991	25	75	2003	45	75	2015	34	35	117
1992	28	59	2004	46	82	2016	45	24	67
1993	24	20	2005	54	41	合计	1727		1509
1994	25	25	2006	58	45	—	—	—	—
1995	120	28	2007	46	46	—	—	—	—
1996	105	24	2008	0	54	—	—	—	—
1997	187	25	2009	0	58	—	—	—	—
1998	108	120	—	—	—	—	—	—	—

说明：2008 年撤销教学点，2010 年恢复教学点，2012 年起实施“一村一名大学生工程”培养计划

二、专业设置

乐安电视大学坚持从县情出发，按需开设办班专业，截至2016年，先后开设专科汉语言文学、财务会计、行政管理、文秘、会计电算化、法律、教育管理、会计学、法学、金融、高级护理、药学、工商管理、建筑施工与管理、学前教育共15个专业；本科法学、汉语言文学、土木工程、工商管理、教育管理、行政管理、护理学共7个专业；2012年后开设农村行政管理、农业经济管理专业。

三、办学方法

一抓教师队伍。乐安电视大学拥有一支政治素质好、业务精良、师德高尚的专职与兼职相结合的电视大学教师队伍。有专职领导1人，专职管理干部1人，专职教师4名，兼职教师20名。二抓考风考纪。严肃考纪，在制度上严格执行“三早三严”，即早计划、早动员、早安排；考务工作严、保卫工作严、监考要求严。三抓学员考核。制定电视大学学员及学员所在单位的全面考评细则。每学期结束时，对先进单位和学员个人，进行表扬和奖励。四抓基地和设施建设。有校内校外实践基地4个，即县第一中学，为教育管理实践基地；县人民医院，为护理学实践基地；县信用联社，为金融专业实践基地；县人民法院，为法学专业实践基地。有50座以上语音教室1间，图书资料室1间，录像机3台，普通上课教室3间，网络教室1间，配备联网计算机80台，多媒体教室1间，有视频投影仪1台，视频展台1个，有Ku波段卫星接收地面站，数字卫星接收机等。

第六章　教学研究

1986年后，县中小学教学研究室（以下简称“县教研室”）认真执行教学计划和教学大纲，开展教学研究，总结推广教学经验，积极组织教改实验，提高教师的业务水平，加强中小学教材建设，着力提高中小学教学质量。

第一节　教学研究机构

一、县教研室

乐安县教学研究室成立于1957年5月，配有专职干部5名。2005年有专职教研员10名。2016年有专职学科教研员9人（中学高级7人，小学高级2人），兼职教研员1人（小学高级）。县教研室在县教育局领导下进行工作，并接受上级教研部门的业务指导。主要职责是开展中小学教育思想、教学理论、课程设置、教学内容、教学方法和学科教学等方面的研究工作；研究提出执行教学计划、教学大纲和使用教材的意见，为教育行政主管部门决策提供依据；组织多层次、多形式的教学研究活动；指导和帮助教师改进教学方法，提高课堂教学和课外活动效益；组织教改实验，探索教学规律，推动教学改革，全面推进素质教育；做好对全县各学科教学的检查和质量评估，研究考试方法改革，组织指导全县中小学教育科研活动等。

二、乡镇中心教研组

各乡镇设有中心教研组，至20世纪90年代末，各中心教研组设立语文、数学、综合艺术、复式4个教研组，各组每学期分科开展教研活动。2003年实施新课程改革以后，各中心教研组设立语文、数学、思想品德、综合艺术4个中心教研组，各组每学期五六次活动。

三、校教研组

全县各学校均设有教研组，均有教研活动。

新课程改革以后，县第一中学、第二中学成立各年级学科备课组，积极开展学校、年级、学科教研活动。从20世纪80年代至2016年，在县教研室具体领导下，建立了三级教研网络，十分注意期初抓计划，期中抓检查，期末抓评比。

第二节　教学研究内容

20世纪80年代，县教研室明确提出“以教材为依据，以学生为主体，以教师为主导，以训练为主线，发展学生智力，培养学生能力，全面提高教学质量”的教研方针。进入20世纪90年代，全县各级学校，加快应试教育向素质教育的转轨，教研的重点转到面向全体学生、全面落实课程计划、减轻学生负担、优化课堂教学、提高教学质量上，构建符合素质教育需要的课堂教学模式。

为改进教法上千篇一律、格调一致的固定程式，县教研室提出教材教法专题研究课题，小学重点研究语文、数学等教材教法。中学重点研究语文、政治、数学、物理、化学、外语等学科的教材教法。通过专题研究，使教师真正吃透教材，因材施教，因人施教。

2003年实施新课程改革，县教研室指导教师执行教学计划，钻研、掌握课程标准和教材，改进教学方法，提高课堂教学效益，进行教学质量管理，教学过程评估及终端评估。组织学校和教师开展基础教育教学课题研究和教改实验，评选、总结、推广教学成果和经验，探索教学规律，积极推动教育教学改革。积极开展区域教研，牵头组建以县城中小学为龙头的县第一中学教研联盟、县第二中学教研联盟、实验小学教研联盟、县第二小学教研联盟、县第三小学教研联盟、县第四小学教研联盟。

第三节　教学研究成果

一、自制教具

1986年9月，县第三小学制作的“蒸气轮机”水蒸气转化为机械能的教具，参加地区展获一等奖。1988年6月，县第一中学制作“浮沉实验器”，演示物体浮沉过程清晰，获地区三等奖。1992年6月由县教研室、电教仪器站主办，展出全县中小学各类自制教具400多件，选送部分到地区参展，均获得较好名次，其中县实验小学制作的“天体方位测量仪”送省展获一等奖。1996年县第二中学制作的“多功能静电演示箱”是江西省送京参评的5件教具中唯一获一等奖的教具。

二、学科竞赛

县教研室在全县范围内，经常开展中小学语文、数学、英语、物理、化学、书画等竞赛活动。20世纪80年代至2000年，参赛学生4726人次，获奖1136人次。其中，县级：一等奖191人，二等奖143人，三等奖212人；地级：一等奖52人，二等奖162人，三等奖295人；省级：一等奖4人，二等奖9人，三等奖2人，优秀奖1人；国家级：二等奖20人，三等奖45人。

组织全县中小学教师参加各种比赛，项目有各类优质课竞赛、说课竞赛、初高中英语老师演讲比赛、撰写论文竞赛等。1992—1999年，全县中小学举办各类竞赛19次，参赛教师290人次，其中优质课竞赛110人。1992年度有167人获奖。其中，县级一等奖40人、二等奖53人、三等奖52人；地级一等奖2人、二等奖11人、三等奖9人。

三、新课程改革

2003年开始实施新课程改革，组织指导教师参加各级各类教学竞赛及教学成果展示，获国家级奖励有51人，省级奖励有258人，市级奖励若干人；每年组织不少于2次的送教下乡活动或教学研讨活动，片区教研优势得到充分展现。因教研成果突出，县教研室获得诸多荣誉：2002年获全市县教研室评估教学研究先进单位，2003年获全市教育教学课题研究评比先进单位，2005年度获全市教师队伍建设工作先进单位，2005年、2006年、2008年、2009年、2010年、2013年、2014年7年获得省教育厅家庭教育工作和家长函授学校办学工作先进单位，2008年度获全市教研工作先进单位，获2003—2005学年度、2006—2009学年度、2011年度全市先进县教研室，2010年获江西省第五届（2006—2009年）教研系统课程改革工作先进单位，2012年获江西省第一届县（市、区）教研工作亮点评选先进单位。

第四节　教育科研课题

一、组织管理

乐安县教育科研课题采用分级管理办法：由省、市、县、校4级共管的课题为省级课题；由市、县、校共管的课题为市级课题；由县、校共管的课题为县级课题。每一课题组设1人为主要负责人，主要参与人员1～4人。课题的主要负责人应负责课题的全部管理工作，检查课题计划实施，定期召开课题研究会，审批课题研究的经费开支，提供上级主管部门对课题评定、鉴定所需要的材料。课题组成员的主要责任是：对课题进行设计和制定实施方案，而且对所提出的课题应具有较深刻的、全面的理论研究和实施操作能力；协调参与研究者各方面的关系；不断学习教育学、心理学、现代教育科学的理论知识，并能指导课题组成员善于发现研究过程中的问题，并解决问题。

二、课题立项

校级课题立项。由课题组向学校教导处或教研处提交书面申请、课题方案等，学校对课题进行初审交学校行政、科研领导小组审批，批准后即为校级课题编制。

县级课题立项。由学校或个人向县教育科研领导小组提交书面申请、课题论证报告和实施计划等材料，经县教育科研领导小组评审，下发课题立项通知书即为县级科研课题。向县教育科研领导小组申报的课题若未立项的为校级课题，若研究成果具有较高价值可滚动为县级课题，按县级课题程序进行申报。

省、市级课题立项。凡向省、市级申报的课题，必须先为县级课题或经县教育科研领导小组同意并推荐，待省、市审定通过，立项后为省、市级课题。省、市级课题相关材料同时交县教育科研领导小组存档。

三、课题实施与结题

课题实施过程主要由课题的负责人负责，按课题的实施计划，组织课题组全体成员进行分项研究，利用全体成员的智慧，逐个地解决课题总目标下的各项内容，对课题的研究逐步进行综合，并不断发现新问题，解决新问题。按实施计划写出阶段总结和成果评价，做好资料的汇编，及时向县教育科研领导小组备案。

教育科研课题若按课题的实施计划已实现了课题所制定的研究目标，应向上级主管部门申请对课题进行评价鉴定，也就是结题。由学校向县、市科研领导小组提出书面申请报告，县、市科研领导小组邀请有关领导、专家学者对课题进行鉴定评价。

2008—2016年，乐安县教研机构及各级学校共有13个省级课题和224个市级课题结题。

2012—2016年乐安县省级课题结题汇总情况表

表20-6-1

课题负责人	学校	学科	报送时间	课题名
欧国平	县教研室	小学数学	2012.12	探究小学数学课程整合信息技术的策略
郭时生	县教研室	综合	2012.12	提高教师队伍信息化水平的研究
王小兰	县实验小学	小学语文	2013.12	小学语文综合性学习研究
管爱武	谷岗中心小学	小学语文	2013.12	学生习作评改策略探究

续表 20-6-1

课题负责人	学校	学科	报送时间	课题名
谢晓明	县第一中学	英语	2013.12	初中英语生活情景化的教学实践研究
管　华	县第二小学	小学语文	2013.12	小学语文课堂教学有效性——创设有效教学情境的策略探究
邹祎娟	县第三小学	小学语文	2013.12	实行开放式阅读教学，提高课堂教学有效性尝试
杜丽萍	招携中心小学	小学数学	2013.12	新课标下优化问题意识的教学策略的研究
邹小华	县教研室	信息技术	2015.12	学生信息技术的培养研究
邹　艳	县第一中学	高中生物	2016.12	高中生物课堂教学反思的研究与实践
曾国明	县第一中学	高中历史	2016.12	课改背景下高中历史课堂教学习惯性错误诊断
王志坚	县第一中学	高中化学	2016.12	高中化学实验实效性教学研究
陈　玲	县实验小学	小学语文	2016.12	积累·表达·赏识三位一体式作文教学研究

2008—2016 年乐安县市级课题结题汇总情况表

表 20-6-2

课题负责人	单位	学科	结题时间	课题名
邹丽玲	县第一中学	中学语文	2008.12	初中语文快速阅读能力培养
杨乐根	县第一中学	中学语文	2008.12	激起作文教学法
李方明	牛田中学	中学语文	2008.12	探究语文自学能力培养策略
刘寿华	牛田中学	中学语文	2008.12	阅读教学中学生“自得”能力的培养
刘　江	县教师进修学校	中学语文	2008.12	中学语文“三维”教学法研究
林建娟	县教研室	中学语文	2008.12	新课标下语文学科教学法的探究
王赣波	县第二中学	中学语文	2008.12	语文“三位一体”教学法的研究
刘华荣	万崇中学	中学数学	2008.12	初中数学目标导学教学研究
袁小平	县第二中学	中学数学	2008.12	高中数学“递进式”课堂教学设计的探究
谢付荣	牛田中学	中学英语	2008.12	课堂中学生创新能力的培养
饶定安	县职业中学	中学英语	2008.12	初中英语听力技巧训练的研究
姜才龙	县教研室	中学物理	2008.12	利用物理小学实验培养学生自主创新能力的研究
潘华平	县教研室	中学化学	2008.12	初中化学“引导法”教学研究
江建忠	鳌溪中心小学	小学数学	2008.12	数学教学与生活化实验

续表 20-6-2

课题负责人	单位	学科	结题时间	课题名
顾冬兰	县教研室	小学语文	2008.12	小学语文个性阅读教学研究
康小迷	县实验小学	小学语文	2008.12	小语开放式教学实践的课题研究
李小菊	县实验小学	小学语文	2008.12	小语课堂生活化教学研究策略
万绍华	县实验小学	小学语文	2008.12	小语课堂教学实施和谐教育的策略研究
罗学翔	县教师进修学校	综合	2008.12	教师教学技能的培养
曾瑞群	县第一中学	信息技术	2009.7	高中生信息素养与能力的培养研究
乐舒融	县第一中学	初中英语	2009.7	创新教育在英语教学中的渗透
黄绍荣	县第一中学	中学数学	2009.7	CAI、WBI 对中学数学课堂教学结构影响的研究
曾荷花	湖坪中心小学	小学语文	2009.7	听、读、说、写四结合作文教学法研究
袁小平	县第二中学	中学数学	2009.7	高中教学递进式课堂教学设计的探究
张艳琴	增田中心小学	小学语文	2009.7	小学语文教学生活化研究
周红军	县第一中学	中学语文	2009.7	中学语文写作教学“快乐作文”研究
李仁贤	万崇中学	中学数学	2009.7	数学教学中学习兴趣的培养和保持的研究
董开望	牛田中心小学	小学语文	2009.7	学生习作评改实验探究
黄愿清	牛田中心小学	小学数学	2009.7	学生自主解决问题探究
李芳华	牛田中学	初中体育	2009.7	“快乐式”体育教学
李小菊	县实验小学	小学语文	2009.7	小语课堂教学生活化研究
顾冬兰	县教研室	小学语文	2009.7	小学语文个性阅读教学研究
邓志平	县第一中学	中学语文	2009.7	高中语文阅读教学“比较法”研究
王爱民	县第一中学	中学历史	2009.7	初中历史教学中人文精神的培养
管红英	大马头小学	小学语文	2009.7	作文创新教学的研究
邹美花	县第一中学	中学体育	2009.7	高中“体育与健康”课程中运用信息技术的研究
曾艳晖	县第一中学	中学英语	2009.7	新课标初中英语阅读教学研究
袁希媛	县第一中学	中学英语	2009.7	体验法与英语学习的研究
熊光辉	戴坊中心小学	小学语文	2009.7	小学语文自主性教学实施及策略
邹华英	戴坊中心小学	小学数学	2009.7	小学生数学问题意识培养的研究
郭良萍	县实验小学	小学语文	2009.7	小学语文“自主选择 合作探究”模式探究
吴平生	县第一中学	中学物理	2009.7	利用物理小实验培养学生的自主创新能力研究

续表 20-6-2

课题负责人	单位	学科	结题时间	课题名
林建娟	县教研室	小学语文	2009.7	新课程标准下语文教学法探究
刘寿华	牛田中学	中学语文	2009.12	阅读教学中学生“自得”能力的培养
王赣波	县第二中学	中学语文	2009.12	语文“三位一体”教学法的研究
陈明珠	县第一中学	中学语文	2009.12	分层培养学生阅读品质的研究
刘　江	县教师进修学校	中学语文	2009.12	中学语文“三位”教学法研究
易新江	县第二中学	中学数学	2009.12	中学生空间思维能力的研究
何小英	县第二中学	中学数学	2009.12	中学生数学应用能力研究
姜才龙	县教研室	物理	2009.12	利用物理小实验培养学生自主创新能力的研究
谢付荣	牛田中学	中学英语	2009.12	培养中学生创新能力的教学研究
李小菊	县实验小学	小学语文	2009.12	小语课堂教学生活化研究策略
江建忠	鳌溪中心小学	小学数学	2009.12	数学教学与生活化实验
董　耀	牛田中心小学	小学语文	2010.7	多维互动学习研究
丁伟民	县第二中学	高中数学	2010.7	运用现代教育技术培养学生探究、自主学习能力的研究
董仉莲	县第二中学	高中语文	2010.7	自主、合作、探究学习法的研究
张　凡	大金竹学校	初中数学	2010.7	引导自主学习的探究
黄丽萍	县第一中学	高中英语	2010.12	转变学生学习方式
陈吉荣	县第二中学	高中语文	2010.12	作文教学创造性活力的培养
戴赛荣	县第一中学	化学	2010.12	初中化学分层教学的研究
金卫琼	县第二中学	历史	2010.12	乡土知识在历史教学中的运用
游建辉	县第二中学	物理	2010.12	加强学法指导　提高学习效率
龚克祥	湖溪中心小学	小学数学	2010.12	小学数学自主探索型教学研究
陈春香	罗陂中心小学	小学数学	2010.12	小学数学课堂教学策略新探
邹菊红	县第二小学	小学数学	2010.12	学生自主发展的教学探究
康小迷	县实验小学	小学语文	2010.12	小语开放式教学模式的课题研究
陈保华	罗陂中心小学	小学语文	2010.12	在阅读教学中培养学生的创新能力初探
李海花	罗陂中心小学	小学语文	2010.12	农村小学生口语交际能力的培养
董建安	罗陂中心小学	小学语文	2010.12	小学语文“自主选择 合作探究”教学模式探索
邱子明	罗陂中心小学	小学语文	2010.12	语文教学中小学生观察能力的培养

续表 20-6-2

课题负责人	单位	学科	结题时间	课题名
董德华	罗陂中心小学	小学语文	2010.12	提高小学生课外阅读能力
何　婷	县幼儿园	幼儿数学	2010.12	幼儿数学教学游戏华之探索
黄　红	县幼儿园	幼儿语文	2010.12	幼儿语言学习的特点及教学对策研究
陈　敏	县第二中学	中学英语	2010.12	初中英语情景交际活动实验研究
杨欣义	县第二中学	物理	2010.12	初中物理学法指导研究
邱小兰	戴坊中心小学	小学语文	2011.7	农村小学生口语交际能力培养的研究
张　琳	戴坊中心小学	小学语文	2011.7	小学语文课堂合作学习之探究
戴慧荣	戴坊中心小学	小学语文	2011.7	探究体验性学习在小学语文教学中的作用
戴强兴	戴坊中心小学	小学数学	2011.7	培养小学生发散性思维能力的研究
江小芳	戴坊中心小学	小学语文	2011.7	培养学生积累作文素材与个性化表述
邹招花	戴坊中心小学	小学数学	2011.7	培养学生自主探究，促进全面发展
陈红珍	县第一中学	信息	2011.7	宽带环境下信息技术教学模式的研究
杨六生	戴坊中心小学	小学数学	2011.7	在创新教学中如何夯实学生的“双基”的探究
兰奕轩	山砀中心小学	小学语文	2011.7	口语交际开放　创新教学模式
陈拾英	县实验小学	小学语文	2011.7	小学生创新能力培养初探
陈广明	县第一中学	政治	2011.7	中学政治“互动—发生式”教学法研究
曾国明	县第一中学	历史	2011.7	高中新课程历史课堂教学常见误区研究
游春花	县第一中学	语文	2011.7	初中学语文文教学中德育渗透的研究
黄　颖	县第一中学	语文	2011.7	初中学语文文创新写作教学的研究
郭文明	谷岗中学	中学数学	2011.12	“互动评价”教学模式研究
周丝弦	县实验小学	小学语文	2011.12	小学生创新能力培养的探索
杨贤福	县实验小学	小学数学	2011.12	小组合作探究学习方式
陈小群	罗陂中心小学	小学数学	2011.12	数学应用意思培养的研究
周莉娟	县第二小学	小学数学	2012.7	数学教学中的创新能力探究
董福旺	湖坪中学	学中理物	2012.7	生活中的教具在八、九年级物理教学中的应用
胡　良	招携中心小学	小学语文	2012.7	小学语文探究性阅读教学研究
邹　萍	县实验小学	小学语文	2012.7	强化朗读训练的研究
罗桂金	县第一中学	中学语文	2012.7	语文“对话”式阅读教学的探讨
郝玉华	县实验小学	小学语文	2012.7	农村小学生活作文教学研究

续表 20-6-2

课题负责人	单位	学科	结题时间	课题名
黄贵明	戴坊中学	中学语文	2012.12	初中学语文文“自主学习”的探究
戴立生	山砀中学	中学政治	2012.12	《思想品德》课堂教学中的探究性阅读研究
刘国英	南村中学	中学语文	2012.12	现代文阅读教学中培养学生质疑、释疑能力的探究
刘艳玲	县第一中学	音乐	2012.12	以校园文化提升学生音乐素养的研究
江海燕	县第一中学	高中英语	2012.12	高中英语听力能力策略研究
郝金菊	戴坊中学	中学语文	2012.12	多媒体技术融入语文教学的研究
刘浩军	湖坪中学	中学语文	2012.12	农村初中学生语文口语交际能力培养研究
余　珊	县第一中学	中学英语	2013.7	挖掘初中生英语阅读潜能的研究
王荣花	县第一中学	中学政治	2013.7	情境教学在思想品德课中的运用
詹晓花	县第二小学	小学语文	2013.7	低年级作文“启蒙”教学初探
刘美兰	县实验小学	小学语文	2013.7	培养小学生的作文能力
陈　莉	湖溪中心小学	小学数学	2013.7	以课堂情境创设提升数学问题意识的研究
曾　嫔	湖溪中心小学	小学数学	2013.7	自主探究、合作交流、愉快活泼教学模式研究
罗秀青	县幼儿园	幼儿	2013.12	大班幼儿多元看图讲述活动研究
黄　瑜	龚坊中心小学	小学语文	2013.12	小学语文生活化课堂教学策略研究
廖明根	戴坊中心小学	小学语文	2013.12	小学低年级识字教学方法研究
陈年花	湖坪中心小学	小学语文	2013.12	农村小学生书写现状分析及对策的研究
董菊莲	县第三小学	小学语文	2013.12	小学作文教学中培养学生创造性思维的实践与探索
王文娟	罗陂中心小学	小学数学	2013.12	鼓励学生质疑的研究
刘　芳	牛田中心小学	小学数学	2013.12	开展研究性学习的探索
肖　星	县实验小学	小学美术	2013.12	古村傩资源在美术活动中的实践研究
黄建明	县第一中学	高中语文	2013.12	信息技术在高中语文课堂教学中的运用
陈德华	县第一中学	高中语文	2013.12	语文阅读教学中“三步自读法”的运用
邓小云	县第一中学	高中英语	2013.12	高中英语过渡教学之探索
刘旺章	县第一中学	高中数学	2013.12	网络环境下高中生数学学习能力的研究
刘永青	县第二中学	高中数学	2013.12	对高中生数学运算能力培养的研究
李芳林	县第二中学	高中数学	2013.12	在高中数学教学中运用创新教学与发散思维能力的研究
何小平	县第二中学	高中计算机	2013.12	教育信息化进程中网络环境下教学模式的研究

续表 20-6-2

课题负责人	单位	学科	结题时间	课题名
张小平	县第二中学	高中化学	2013.12	新课程标准教学中学生反思能力构建的研究
杨莉华	县第二中学	高中化学	2013.12	高中化学边教边学边实验
王志坚	县第一中学	高中化学	2013.12	高中化学问题探究式教学
文莹清	县第一中学	高中地理	2013.12	高中地理“过程教学”理念的课堂实践与研究
唐爱军	县第二中学	初中语文	2013.12	培养中学生阅读能力的研究
严明才	县第二中学	初中语文	2013.12	学生自主探究阅读习惯的培养
邱建明	万崇中学	初中语文	2013.12	利用德育渗透促进语文教学的研究
王国平	湖坪中学	初中物理	2013.12	实验在物理教学中的应用研究
周乐平	南村中学	初中数学	2013.12	初中数学小组合作学习的研究
高玉龙	县第一中学	初中化学	2013.12	初中化学分层差异化教学
杨菊英	县第一中学	初中化学	2013.12	教学手段和教学环境营造研究
徐长安	牛田中学	初中化学	2013.12	初中化学探究教学的研究
龚莉兰	县第一中学	高中生物	2014.12	生物教学中学生探究能力的培养
黄小荣	县第二中学	高中化学	2014.12	高中化学教学中探究性实验能力的培养
吴海莲	县第一中学	高中化学	2014.12	化学教学中引导探究式学习的研究与实践
邱春兰	县第二中学	初中语文	2014.12	语文课堂教学语言的研究
吴　鹏	鹏洲中学	初中语文	2014.12	初中语文探究式阅读方法的探讨
王　英	潭港中学	初中语文	2014.12	初中语文的启发式教学艺术研究
董丽琴	县职业中学	初中语文	2014.12	语文创新写作教学的研究
董兵祥	牛田中学	初中英语	2014.12	提高学生英语听力有效途径的研究
黄卫琴	县第一中学	初中物理	2014.12	物理实验教学中培养学生自主性学习的研究
左海芳	县第一中学	初中数学	2014.12	学生探索问题能力的培养探究
胡圣孟	增田中学	初中数学	2014.12	农村中学有效课堂中探究性学习的研究与实践
谢　平	谷岗中心小学	小学语文	2014.12	小学语文提升创新能力的探究
李向华	龚坊中心小学	小学语文	2014.12	在小学语文教学中进行感恩教育的实践研究
毛辉明	牛田中心小学	小学语文	2014.12	农村小学作文教学研究
董凤良	县实验小学	小学数学	2014.12	小组合作型学习模式的探究
张泽群	县实验小学	小学数学	2014.12	提高学生学习兴趣与教学质量研究
张水根	罗陂中心小学	小学数学	2014.12	怎样使数学课堂教学“活”起来

续表 20-6-2

课题负责人	单位	学科	结题时间	课题名
董乐云	罗陂中心小学	小学数学	2014.12	关于两极分化现象的成因与对策研究
董晓琴	县实验小学	小学英语	2014.12	小学英语阅读教学
胡科兴	南村中心小学	小学英语	2014.12	小学英语课堂互动教学模式的研究
陈雪梅	罗陂中心小学	小学英语	2014.12	游戏在小学英语教学中的运用
陈剑虹	罗陂中心小学	小学英语	2014.12	活动教学法在小学英语教学中应用研究
邓　禄	牛田中心小学	小学美术	2014.12	怎样使小学美术课堂教学“活”起来
易清明	县第四小学	综合	2014.12	县第四小学“161”小学有效教学行动模式探究
董丽琴	湖坪中学	初中历史	2015.12	乡土资源整合历史教学的策略与实践
董　璐	县第二中学	初中美术	2015.12	本土建筑与传统艺术文化的表现形式及发展研究
祝赛红	县第二中学	初中数学	2015.12	初中数学有效课堂中探究性学习的研究与实践
李小玲	潭港中学	初中数学	2015.12	初中数学探究性教学研究
余桂花	潭港中学	初中数学	2015.12	如何培养学生在初中数学课堂教学中的兴趣
曾冬根	县第二中学	初中物理	2015.12	初中物理探究性教学法的实施
杨禧庆	潭港中学	初中物理	2015.12	利用物理小实验培养学生的自主创新能力的研究
丁凤玉	县第四中学	初中英语	2015.12	强化英语阅读训练 提高英语教学效果
马赵梅	县第四中学	初中英语	2015.12	农村初中英语课堂写作教学的“导”与“练”
邓静芸	增田中学	初中英语	2015.12	初中英语作业设计有效性研究
罗军保	县第四中学	初中语文	2015.12	如何提升初中生自主学习语文的能力的研究
陈丽娟	县第一中学	高中地理	2015.12	高中学生地理信息获取与解读技能培养策略研究
戴　斌	县第一中学	高中化学	2015.12	高中化学课程中自主学习初探
邹小丽	县第一中学	高中生物	2015.12	高中生物课堂教学反思的实践研究
李小英	县第二中学	高中数学	2015.12	高中数学整合计算机辅助教学的研究
陈新华	县第一中学	高中物理	2015.12	物理教学中学生探究能力的实践与应用
杨爱霞	县第一中学	高中语文	2015.12	比较阅读教学的研究
刘志辉	鳌溪中心小学	小学数学	2015.12	数学活动 体验式教学模式
邱　露	谷岗中心小学	小学数学	2015.12	互动探究学习方法研究
蔡丽娟	谷岗中心小学	小学数学	2015.12	优化问题意识教学策略的探究
黄林玲	谷岗中心小学	小学数学	2015.12	小学数学“先学后教，当堂训练”学法指导研究
黄兴龙	湖坪中心小学	小学数学	2015.12	小学数学易错题分析及其策略研究

续表 20-6-2

课题负责人	单位	学科	结题时间	课题名
熊友明	湖溪中心小学	小学数学	2015.12	小学生问题解决策略的研究
黄　晴	罗陂中心小学	小学数学	2015.12	关于有效提问对学生学习影响的研究
王毕生	南村中心小学	小学数学	2015.12	探究情境教学与生活化结合
欧芳珍	南村中心小学	小学数学	2015.12	数学练习设计有效性研究
杜国清	鳌溪中心小学	小学语文	2015.12	学生在自主阅读中问题解决能力的探究
陈炜娟	戴坊中心小学	小学语文	2015.12	小学习作教学资源的开发与利用研究
邱茵芝	戴坊中心小学	小学语文	2015.12	培养小学生识字兴趣、习惯和能力
黄　华	湖溪中心小学	小学语文	2015.12	小学生作文素材的积累与个性化表达
刘年华	罗陂中心小学	小学语文	2015.12	培养小学生的观察能力
万晶晶	罗陂中心小学	小学语文	2015.12	关于学生语文朗读能力提高的研究
陈柏林	罗陂中心小学	小学语文	2015.12	小学语文学困生转化探究
董秋明	牛田中心小学	小学语文	2015.12	阅读教学中朗读训练的研究
曾薇頔	谷岗中心小学	小学体育	2015.12	农村小学开展特色体育活动研究
黄　芸	鹏洲中学	初中英语	2016.12	探究英语听说、交际能力的培养
陈　玲	县第一中学	初中英语	2016.12	初中英语情景交际活动实验研究
詹霭霞	县教研室	初中语文	2016.12	语文阅读教学四步法探究
陈金霞	县第二中学	初中政治	2016.12	在思想品德课堂中实施“自主探究、小组合作”的实验研究
李小英	县第二中学	高中数学	2016.12	高中数学整合计算机辅助教学的研究
龚　兰	县第一中学	高中数学	2016.12	新课程下高中数学反思教学的研究
王相泉	县第二中学	高中物理	2016.12	高中物理教学中情感态度价值观教育的实施
伍良福	县第一中学	高中物理	2016.12	高中物理教学中的物理模型研究
邱美兰	县第二中学	高中英语	2016.12	用科学发展观培养学生自主学习能力
朱小平	县第一中学	高中英语	2016.12	高中学生英语口语水平研究
熊友明	湖溪中心小学	小学数学	2016.12	小学生问题解决策略的研究
吴美兰	湖溪中心小学	小学数学	2016.12	小学数学课堂教学策略新探
王青青	罗陂中心小学	小学数学	2016.12	后进生生成原因及转化对策
王毕生	南村中心小学	小学数学	2016.12	探究情境教学与生活化结合
欧芳珍	南村中心小学	小学数学	2016.12	数学练习设计有效性研究

续表 20-6-2

课题负责人	单位	学科	结题时间	课题名
平福香	鳌溪中心小学	小学数学	2016.12	关注学习困难、激发学习兴趣的实践研究
刘若泉	牛田中心小学	小学数学	2016.12	怎样使课堂教学“活”起来
易慧英	牛田中心小学	小学体育	2016.12	在体育教学中提高小学生耐力策略的研究
黄建文	湖溪中心小学	小学语文	2016.12	小学语文诗词学法探究
张正英	牛田中心小学	小学语文	2016.12	作文教学中张扬学生个性的研究
乐　炜	招携中心小学	小学语文	2016.12	小学语文课堂问题创设的研究
黄　淳	县第一中学	信息技术	2016.12	信息技术的分层教学研究
吴智萍	县幼儿园	幼儿	2016.12	幼儿园艺术教育与创造能力发展的研究
黄　英	县幼儿园	幼儿	2016.12	幼儿美术创造法之探究
艾慧兰	县实验小学	小学数学	2016.12	小学数学发展性课堂教学评价的研究

第五节　教育质量综合评价改革

2013年抚州市列入全国中小学教育质量综合评价改革30个实验区之一。为配合抚州市圆满完成工作任务，乐安县根据实际情况，参照市教育局制定的《抚州市中小学教育质量综合评价改革实验方案》，制定《乐安县中小学教育质量综合评价改革实验方案》，改变单纯以学生学业考试成绩和学校升学率评价中小学教育质量的片面倾向，引导学校大力推进素质教育，促进学生全面发展。

一、项目实施概况

2016年参加教育教学质量综合评价改革的样本校有：高中学校，县第一中学、县第二中学；近郊初中，增田中学、龚坊中学；近郊小学，增田中心小学、龚坊中心小学；远郊初中，招携中学、万崇中学；远郊小学，招携希望小学、万崇中心小学；中心城区初中，县第一中学、县第二中学；中心城区小学，县实验小学、县第四小学；结合部初中，县第四中学（九年一贯制）、湖溪中学；结合部小学，县第二小学、湖溪中心小学。

各样本学校各年级学生参与2016年综合评价改革人数统计（一）

表 20-6-3　　单位：人、%

类别	内容	乐安县			抚州市	
		参测人数	有效人数	各年级占比	有效人数	各年级占比
年级	4年级	1157	1157	33.4	11905	33.8
	5年级	1123	1123	32.1	11868	33.7
	6年级	1209	1209	34.6	11479	32.6
合计	参测人数	3499			35261	
	有效人数	3499			35252	
	有效率	100			100	

到仪器存放科学、安全、整齐、美观；管理账目清楚，使用制度严格。

第二节　图书装备

1985 年，学校的图书除教师的教学参考书由学校订阅外，其余由上级教育主管部门提供，包括文学、艺术、连环画等，但数量很少，中心完小图书拥有量一般在数百册以下。20 世纪 80 年代中后期，每年的“五四”青年节和“六一”儿童节，县、乡的工、青、妇组织均赠送部分图书给学校。20 世纪 90 年代兴起的希望工程，一些经济发达的地方组织社团和企事业单位支援老区教育事业，向老区学校赠送图书。1993 年，香港新界社团联合会捐资 5 万元购买图书等资料送给希望小学。1996 年，上海仓桥镇政府一次捐献 4000 余册图书给 4 个乡镇学校。1997 年，曾下放谷岗的上海知青赠送图书资料 5000 余册。2010—2013 年，薄弱学校改造工程配备图书 34.2 万册，2013—2015 年，标准化建设工程配备图书 23.32 万册，全面改造薄弱学校工程配备图书 34.68 万册。2016 年，全县学校总藏书 112.2 万册。

第三节　电化教育

乐安县的电化教学从录音、幻灯教学起步。20 世纪 80 年代初，盒式录音带的使用和幻灯教学在县内兴起。1989 年，全县具有仪器电教设备的学校有 10 所，其中一类完全中学 1 所（县第一中学），二类完全中学 5 所（县第二中学，公溪、湖坪、龚坊、招携中学），二类初中 4 所（金竹、万崇、谷岗、牛田中学）。1990 年，全县中学、中心小学都配备录音机、彩电、放像机，县第一中学、县第二中学配备电脑和语音室等电教设备，县职业中学配备电脑。1991 年，电教设备装备了重点中学 1 所、二类完全中学 4 所、职业中学 1 所、农村初中 5 所、中心小学 18 所。1993 年，装备村完小风琴 80 台，教学组箱 60 箱；全县小学按一类标准装备 1 所，初中按一类标准装备 2 所，按二类标准装备 22 所，按三类标准装备 2 所，配齐率 100%。

20 世纪 90 年代中期，随着电化仪器装备不断充实，投影、幻灯、录音、录像、广播、电视、计算机等电教媒体与其他教学媒体结合，电化教学在县城学校广泛运用。至 1996 年，全县有 20 所学校配备书写投影仪，10 所学校安装教育卫星电视接收站，7 所学校配置 20 英寸彩色电视机，5 所学校配置录（放）像机，县第一中学建有微机室，有微机 25 台，各种教学磁带大量运用于教学。1998 年，全县中学、中心小学都设立教育电视接收站，可以接收中央教育电视台 2 个频道，江西教育电视台 1 个频道。

2005 年，全县共投入 324 万元，农村中小学全部安装宽带，添置教师用计算机 114 台；县教育局建有中心机房 1 个。2007 年，国家实施农村中小学远程教育工程，投入 469 万余元，农村中学共建有 20 个计算机网络教室，20 个多媒体教室，114 套卫星地面接收设备，64 套光盘播放设备。2016 年，全县共有班班通 1093 套，拥有学生用计算机 2386 台，教师用计算机 2155 台，全县大部分学校接入互联网。

第四节　教育电视台

一、建台进程

1990 年 8 月建立乐安教育电视收转台，台址设县教育局 4 楼，使用 4ch，50 瓦的电视发射机，天线高 50 米，频率 76 ~ 84（n）4 频道，可接收中国教育电视台 3 套节目，覆盖范围 100 平方千米、3 万人。每周播出中国教育台节目 6 小时，录制近 3000 小时节目带库存。1993 年 9 月，县教育局在坪溪乡引水村建有教育电视收转台 1 座，12 频道，发射功率 3 瓦，覆盖范围 10 平方千米、1000 人，每天转播中国教育台节目 8 小时，为提高山区人民素质、丰富群众精神文化生活作出贡献。1995 年 12 月，县教育局在南村乡太平村建有电视教育收转台1座，并接入当地有线电视网，每天转播8小时。乐安教育电视台1997年添置DP200摄像机1台和夏普mA48录像机2台；1999年添置字幕机、以标音标机、编辑机和检测设备，达到摄播功能齐全。

随着有线电视的普及，乐安教育电视台于2001年关闭。关闭前乐安有教育电视台1座，收转台2座，卫星地面接收站10个，转播收看覆盖全县1/3面积，1/5人口。

二、电视教育成果

乐安教育电视台每天10：30—22：00为转播时间，转播中国教育电视台26个栏目的节目，其中以教育、科技、饮食及燎原学校等内容为主，同时转播儿童动画影院、少儿天地等节目。开辟《乐安教育新闻》《两基动态》等专题节目。曾与县委组织部联合办节目，播出《党的基本知识》《学习邓小平理论系列讲座》《科技之星》等20部党员电化教育片。电视台工作人员积极投入新闻采访报道中，跟踪大型教育活动和先进典型人物制作新闻片、专题片，在本台和赣东教育电视台播放。1994年4月17日，由乐安教育台拍摄的首辑电视专题节目在“幼儿天地”成功播出，5月10日在乐安电视台播放。为配合电化教学，1995年始，拍摄优质电教课，送省、地参评，大大发挥了教育电视收转台在电化教学中的作用。

第八章　教师队伍

1986年，全县有教师3813人。其中，中学教师720人，小学教师2904人，职校和县教师进修学校教师78人，幼儿园教师111人。大多数教师来源于师范院校大中专毕业生分配和民办教师。2000年国家取消大中专毕业生分配政策，教师队伍的补充渠道是公开招聘、“三支一扶”（支农、支教、支医、扶贫）“三定向”（定向招生、定向培养、定向就业）“特岗教师”等途经。2016年，全县有教师3922人。其中，中学教师983人，小学教师2152人，职校和县教师进修学校教师40人，幼儿园教师747人。

第一节　教师管理

一、队伍规模及管理权限

1986年，全县有教职工3702人（不含幼儿园教师）。其中，小学公办教师1093人，民办（含代课）教师1811人；中学公办教师617人，代课教师103人；职校和进修学校教师78人。1994年，江西省教育委员会印发《关于对民办教师进行清理整顿工作的通知》，1998年，乐安县人民政府印发《关于清理编外民办教师的通知》，并在2000年完成民办教师清理整顿工作，对编外民办教师进行辞退。截至2002年，全县编内民办教师通过“招”“转”等措施全部转为公办教师。

1982年始，乐安县在改革教育管理体制时，逐步下放部分教师管理权限，乡镇党委、政府在教师调动上有一定的权限。2005年7月，县委、县政府印发《关于进一步加强农村教育工作的决定》，实行“以县为主”的农村义务教育管理体制，明确全县中小学教师资格认定、招聘录用、职称评聘、培养培训、调配交流和考核等管理职能全部归口县教育局。

1986—2016 年乐安县各类公办学校教师数表

表 20-8-1　　　　单位：人

年份	教师总数	小学				中学			职业学校	教师进修学校
		合计	公办	民办	代课	合计	公办	代课		
1986	3702	2904	1093	979	832	720	617	103	65	13
1987	3886	3029	1136	1110	783	779	665	114	63	15
1988	3925	3028	1194	1128	706	816	686	130	65	16
1989	4181	3095	1236	1246	613	1012	837	175	60	14
1990	4411	3329	1251	1443	635	1010	852	158	53	19
1991	4373	3313	1349	1342	622	991	886	105	51	18
1992	4099	2952	1428	1124	400	1086	987	99	43	18
1993	4011	2880	1596	1013	271	1070	1003	67	45	16
1994	3965	2834	1685	954	195	1059	1010	49	58	14
1995	3755	2548	1791	607	150	1132	1094	38	57	18
1996	3795	2598	1795	597	206	1121	1069	52	56	20
1997	3944	2702	1991	594	117	1162	1133	29	56	24
1998	4141	2836	2056	581	199	1216	1166	50	62	27
1999	4745	3369	2134	574	661	1308	1143	165	42	26
2000	4294	2708	1986	268	454	1526	1413	113	41	19
2001	3859	2482	2075	150	257	1321	1257	64	39	17
2002	3335	2094	1840	0	254	1183	1119	64	42	16
2003	3276	2002	1768	0	234	1226	1167	59	31	17
2004	3271	1965	1765	0	200	1253	1203	50	36	17
2005	3224	1920	1752	0	168	1259	1217	42	30	15
2006	3191	1905	1754	0	151	1241	1203	38	31	14
2007	3159	1889	1759	0	130	1228	1195	33	28	14
2008	3274	2017	1892	0	125	1215	1184	31	28	14
2009	3199	1933	1833	0	100	1221	1196	25	30	15
2010	3433	1900	1792	0	108	1486	1459	27	30	17
2011	3262	1862	1750	0	112	1354	1326	28	29	17

续表 20-8-1

年份	教师总数	小学				中学			职业学校	教师进修学校
		合计	公办	民办	代课	合计	公办	代课		
2012	3189	1906	1805	0	101	1234	1209	25	29	20
2013	3086	1923	1846	0	77	1115	1096	19	27	21
2014	3094	1976	1916	0	60	1076	1061	15	20	22
2015	3078	1987	1987	0	0	1050	1050	0	20	21
2016	3175	2152	2152	0	0	983	983	0	20	20

说明：幼儿园教师数量见本卷第三章学前教育第一节发展规模

二、编制管理

2003 年 8 月，抚州市机构编制委员会办公室、市教育局、市财政局核定乐安县中小学教职工编制总数为 2717 个。县机构编制委员会办公室印发《关于下达中小学教职工编制的通知》。此次核编，按师生比进行核算，县城小学按 1∶19.7，农村小学按 1∶23.5，县城初中按 1∶18，高中按 1∶14.6；教学点按班师比 1∶1.5 进行核算，全县中小学共定编 2717 个。县教育局机关事业单位、县教师进修学校、县职业中学和县公办幼儿园编制由县机构编制委员会办公室另行核定。

2010 年 10 月，对全县各中小学教职工编制重新进行核算，核定全县中小学教职工 3120 名，每年根据学生数的变化和学校教学工作需要，在编制总量范围内对部分中小学的编制进行调整，县教育局机关事业单位、县教师进修学校、县职业中学和县公办幼儿园沿用原编制。

三、教师补充

1986—2000 年，教师补充主要来源于大中专毕业生分配，2000 年，国家取消大中专毕业生统一分配政策，乐安县教师补充主渠道是公开招聘。2000—2005 年补充数量较少，教师队伍年龄老化和学科配置失衡等问题日益突显。2005—2007 年，实行县教育局、人社局和财政局到高校自主招聘制度；2007 年始，中小学每年接收安置一定数量的“三支一扶”支教人员，是年通过“三定向”（定向招生、定向培养、定向就业）方式，为各乡镇定向培养小学、幼儿园教师。2008—2009 年，经县政府同意，由县人社局与教育局组织笔试和面试，面向社会为全县中小学招聘一批教师。从此，乐安县教师补充工作进入正常轨道，每年补充的教师不少于上年的自然减员数。2009 年始，江西省开始实施农村义务教育阶段学校教师特设岗位计划，从此县内农村中小学每年都招聘义务教育阶段学校教师特设岗位教师（简称“特岗教师”），2013—2015 年招聘数量较多，3 年共招特岗教师 386 名。

四、教师交流

为缓解县城中小学师资紧缺问题，2000 年起，经县委、县政府同意，一般每两年开展一次面向农村中小学选调一批教师进城任教。2015 年，县政府出台《推进义务教育学校校长教师交流轮岗工作实施办法》，鼓励城区学校及教师富余学校的教师到人员紧缺的边远山区小学支教，并作为职称评聘的硬性条件，每年有不少于符合交流轮岗条件校长教师总数的 10% 参与交流轮岗，进一步促进校际间的师资均衡。

五、干部任免

1986—2005 年，全县各学校正股级干部由县教育局考察提名，县委宣传部批准任免；副股级干部由县教育局考察任免。2005 年，实行“以县为主”的农村义务教育管理体制，中小学校长的任免管理权限，归口县教育局管理。学校副科级以上干部由县委提名、县政府任免。2010年暑期，公开选聘县第四小学校长。

第二节　培训考核

一、继续教育培训

乐安县教师进修学校　1984年创办，初名乐安县教育学校，1993年更名为江西省乐安县教师进修学校。主要职责是对全县小学教师进行继续教育培训，使其学历达标；对小学领导干部进行岗位培训，使其政治达标，管理水平和领导艺术有新的提高；专业短期培训在职教师。学校以科学的管理，扎实的教学，优质的服务，为全县培训了一批高素质的教师和教育管理人员，成为全县教师继续教育培训基地和现代信息技术教育中心。2000年，学校被评为市级示范进修学校，2012—2016年，先后4次被评为江西省中小学教师远程培训先进单位。

该校坐落在县城城墙路273号，学校占地面积8321平方米，建筑面积1742平方米。有综合大楼1幢，培训大教室1间，多媒体教室1间，运动场、休闲广角、图书室、教工活动室、食堂、学员寝室等设施齐全。2016年内设办公室、培训处、函授处、总务处、工会，在职教师18人，其中高级教师6人、一级教师12人，退休教师20人。

培训成果　1985—1990年，先后举办4期中师培训班，脱产学习2年，毕业人数146人。1987年起，县教师进修学校开展卫星电视教育工作，开设教育学、心理学、习作与文选、几何、代数、自然、语文基础知识、算术基础知识、教材教法、小学数学、史地、体育、音乐、美术、政治、卫生、师德等课程，至1997年年底，共举办29个卫星电视函授班，结业人数3260人。1992年始，每两年举办一次音乐、体育、美术等紧缺学科转岗培训。1993年5—8月，举办民师岗位培训班，594人参训。1993年始，分期分批对村级完小校长、教导主任、总务主任和中心小学校长和副校长岗位培训班及提高班培训，每年培训约200人次。1995年始，每年对新招聘、入职的教师进行岗前培训和岗位培训。1999—2000年，对全县教师进行“三字一画一话”基本功培训。2005年，开始实行全员培训制度，每年进行一次全员继续教育考试，并对考试结果进行登记。2008年，全员培训转到互联网，教师网上远程学习，电脑培训由教师进修学校统一管理。

二、其他培训

在鼓励与支持教师到师范院校进修的同时，还组织教师参加中、高师函授、电视师范学习，参加成人自学大、中专考试。为落实继续教育制度，不断提高在职教师业务素质和知识水平，乐安县每年组织一批教师参加国家、省、市、县组织的各类学习与培训进修，教师专业水平有较大提升。2009—2010年，全县有10人参加省级各学校骨干教师培训，43人参加省级骨干班主任培训，53人参加农村教学点省级培训，5人参加省级骨干教师培训，31人参加江西省首批普通中小学骨干教师培训，2人参加省级完全中学校长培训，11人参加市级校长提高班培训。

2010—2011年，932人参加省级国家培训计划——江西省农村中小学骨干教师远程培训，63人参加省级国培计划“信息技术学科”培训，63人

县教师进修学校

参加省级国培计划幼儿园教师培训，2 人参加国家级培训，82 人参加省级骨干教师培训，1 人参加省级（高级）完全中学校长任职资格培训，1 人参加省级（高级）完全中学校长提高培训，1 人参加省级特殊学校校长培训，8 人参加市级幼儿园园长培训，12 人参加市级初中校长提高培训。

2012—2013 年，15 人参加国家级学科培训，1265 人参加省级国家培训计划“农村中小学骨干教师”远程培训，132 名幼儿教师参加省级国培计划“幼儿园骨干教师”培训，42 名幼儿园园长参加省市幼儿园安全工作培训，4 名省级学科带头人参加省级培训，12 名教师参加省学校安全管理培训，23 名教师参加省级培训班培训，13 名教师参加省级名师工作室培训，36 人参加省级脱产置换培训，32 人参加省级新课标培训班培训，11 人参加省级优秀班主任培训，156 人次参加省级骨干教师培训，9 人参加省、市校长提高班培训，11 名校长参加省、市级校长任职资格培训，10 人参加省级校长国培培训，3 人参加省高中校长培训班培训。

2013—2014 年，62 人参加国家级培训，其中校（园）长培训 5 人，学科培训 7 人，远程培训 50 人。644 人参加省级国培计划“农村中小学骨干教师”远程培训，52 名幼儿教师参加省级国培计划“幼儿园骨干教师”远程培训，3 名教师参加全省学校安全管理培训，16 人参加省级班主任培训，34 人参加省级骨干教师培训，8 人参加省级心理健康教育培训，9 人参加省级工作坊研修，37 人参加省级幼儿园教师培训，73 人参加省级特岗教师培训，3 人参加省级高中校长提高培训班，2 人参加省级高中校长任职培训班，6 人参加农村义务教育薄弱学校改造项目校长培训班，8 人参加市级校长培训，2 人参加省级幼儿园园长培训。

2014—2015 年，1563 人参加省级国培计划“信息技术学科”培训，23 人参加国家级学科培训，24 人参加省级新课标培训班培训，11 人参加省级优秀班主任培训，15 人参加省级校长国培培训，12 人参加省、市校长提高班培训，7 名校长参加省、市级校长任职资格培训，56 人参加省级国培计划幼儿园教师培训，32 人参加省级优秀班主任培训。

2015—2016 年，590 人参加省级国培计划“农村中小学骨干教师”远程培训，70 名幼儿教师参加省级国培计划“幼儿园骨干教师”远程培训，18 人参加省、市安全教育培训，8 人参加省级班主任培训，3 人参加省级工作坊负责人培训，57 人参加省、市骨干教师培训（省级 45 人，市级 12 人），8 人参加省、市心理健康教师培训，12 名校长参加省级校长提高培训，5 人参加市级校长岗位培训，8 名幼儿园园长参加省级培训班培训。

三、学历达标情况

全县中小学课程专任教师的学历达标情况是：1990 年普通中学的高中 56.2%，初中 89.7%，小学 94.7%；2016 年，高中 95.8%，初中 99.8%，小学 100%。

1986—2016 年乐安县中小学专任教师学历情况表

表 20-8-2　　　　单位：人

年份	小学教师						初中教师						高中教师				中专教师		
	合计	本科	大专	中专	高中	初中以下	合计	本科	大专	中专	高中	初中以下	合计	本科	大专	中专	合计	本科	大专
1986	1093	63	296	557	83	94	677	336	264	72	3	2	191	108	82	1	—	—	—
1987	1136	69	314	571	97	85	696	347	272	73	3	1	199	110	86	3	—	—	—
1988	1194	81	334	612	94	73	648	319	252	71	3	2	208	117	89	2	—	—	—

续表 20-8-2

年份	小学教师						初中教师						高中教师				中专教师		
	合计	本科	大专	中专	高中	初中以下	合计	本科	大专	中专	高中	初中以下	合计	本科	大专	中专	合计	本科	大专
1989	1236	86	356	631	98	65	636	313	247	72	3	1	205	116	86	2	—	—	—
1990	1251	175	475	488	47	66	651	394	190	62	4	1	201	113	86	2	—	—	—
1991	1349	203	513	512	57	64	725	440	218	63	2	2	203	137	64	—	—	—	—
1992	1428	217	542	540	65	64	792	481	243	64	3	1	195	133	62	—	—	—	—
1993	1596	247	606	599	81	63	801	487	246	64	3	1	202	137	65	—	—	—	—
1994	1685	263	640	630	90	62	793	482	243	64	3	1	217	148	69	—	—	—	—
1995	1791	282	681	667	99	62	876	540	274	56	4	2	218	148	70	—	—	—	—
1996	1795	323	682	628	102	60	846	521	263	57	4	1	223	152	71	—	—	—	—
1997	1991	358	757	697	118	61	908	563	286	54	3	2	225	153	72	—	—	—	—
1998	2056	370	781	720	127	58	930	577	294	54	3	2	236	160	76	—	—	—	—
1999	2134	384	811	747	180	12	930	577	314	36	2	1	213	145	68	—	—	—	—
2000	1986	437	953	427	159	10	1192	799	361	31	1	—	221	150	71	—	—	—	—
2001	2075	457	996	444	168	10	1043	699	312	31	1	—	214	169	45	—	—	—	—
2002	1840	405	883	400	144	8	899	602	265	32	—	—	220	191	29	—	—	—	—
2003	1768	389	849	386	138	6	960	643	285	32	—	—	207	180	27	—	—	—	—
2004	1765	388	847	335	188	7	981	657	292	31	1	—	222	193	29	—	—	—	—
2005	1752	385	841	333	184	9	1004	673	299	31	1	—	213	185	28	—	—	—	—
2006	1754	386	842	333	185	8	981	657	292	31	1	—	222	193	29	—	—	—	—
2007	1759	387	845	334	186	7	974	653	289	31	1	—	221	192	29	—	—	—	—
2008	1892	416	908	360	207	1	988	662	324	2	—	—	196	171	25	—	28	24	4
2009	1833	403	880	348	202	—	994	666	326	2	—	—	202	176	26	—	30	26	4
2010	1792	421	897	358	116	—	1239	893	344	2	—	—	220	191	29	—	30	26	4
2011	1750	411	875	350	114	—	1100	792	306	2	—	—	226	208	18	—	29	25	4
2012	1805	424	903	361	117	—	971	699	270	2	—	—	238	219	19	—	29	25	4
2013	1846	434	923	369	120	—	855	616	237	2	—	—	241	222	19	—	27	23	4
2014	1916	450	958	383	125	—	833	600	231	2	—	—	228	210	18	—	20	17	3
2015	1987	467	994	397	129	—	812	585	225	2	—	—	238	219	19	—	20	17	3
2016	2152	506	1076	430	140	—	741	534	206	1	—	—	242	232	10	—	20	17	3

第三节　工资福利

一、工资待遇

1988年，试行教师专业职务评聘后，受聘教师增加职务工资。教师工资经过多次调资和工资改革及实行各种津贴以后，工资福利增长幅度较大。1996年全县教师年平均工资收入为4568元，在全县14个行业中居于第六位，比1976年在全县系统排名倒数第二前进一大步。同党群系统干部职工相比，仅低0.73%，20年缩小16.77个百分点。教龄在30年以上的退休教师，退休金为退休前工资的100%，在非岗位性福利待遇方面基本上与在职教师同等待遇。

1994年起，乡镇教师工资由乡镇财政统筹，由于乡镇经济基础薄弱，教师工资不能按时足额发放，出现大面积拖欠。至2000年6月底，全县拖欠教师工资1530.76万，拖欠教师工资时间最长达14.5个月，最短的6.5个月。为此，县委、县政府作出《关于深化教育体制改革的决定》。2006年起，全县中小学教师工资纳入县本级财政预算，教师工资得到有效保障。

2007年，全县教师开始实行绩效工资，当年执行平均标准为每年5000元，之后逐年上调，2010年上调到9000元，2013年1月调到19600元，2013年7月调到26800元，2014年10月调到23200元，2016年7月调到20980元。

2008年开始，对金竹畲族乡所辖学校及其他乡镇村小教学点等艰苦边远地区农村中小学发放艰苦边远地区农村中小学教师特殊津贴，当时发放标准为每人每月70元和120元。之后标准逐年上调，到2015年提高到300元和500元。全县约30%的乡村教师享受到该项津贴。

2014年开始，对全县乡村学校教师人均每人每月发放200元的乡村教师生活补助。

2015年1月开始，对农村学校教师发放乡镇工作津贴，根据学校边远程度和参加工作年限，每人每月发放200～500元。

二、福利待遇

20世纪80年代初开始，教师住房建设纳入校舍建设的组成部分。1983—1985年，县城学校新建教师宿舍3800多平方米，骨干教师的住房问题基本解决。此间农村学校新建教师宿舍1万余平方米，300多位农村教师喜迁新居。20世纪90年代前期，随着住房制度改革在乐安县逐步实行，教师住房问题得到进一步解决。许多学校通过集资合作建房为教职工新建和改建宿舍，使绝大多数教职工的住宿条件有明显改善。据1997年10月统计，全县教职工宿舍共有55719平方米，教师住房难的问题得到进一步缓解。

教师结婚可享受婚假3天，产假158天，女方生育男方可享受护理假15天。

教师亡故，除按规定领取丧葬费和抚恤金外，其遗属（夫妻关系，父亲年满60周岁、母亲年满55周岁。未满18周岁的子女和年满18周岁仍在校就读子女）可按月领取生活补助费。

2008年起，全县公办教师实行基本医疗保险制度。是年，全县教师实行住房公积金制度。

2014年10月起，全县退休教师退休费由县城镇职工基本养老保险局发放，在职教师纳入城镇职工基本养老保险体系。

第九章　教育经费与校园建设

1986—2016年，财政对教育的投入逐年加大，由1986年的479.5万元，增加到2016年的47838.9万元。教育经费投入的增加，使全县教育设施发生巨大变化，教育用房、教学设施不断更新，教育现代化步伐加快。

第一节　教育经费

教育经费一般分为四大块，即教师工资（含政策性福利）、保障学校正常运转的公用经费、校园建设项目建设经费和教育民生工程经费。1986—2001年，在实行“县、乡两级管理”“县、乡、村三级办学”的教育管理体制期间，全县教育经费的筹措以县为主，县、乡镇财政按一定比例分担。学校公用经费除上级拨款外，相当一部分来自学生缴纳的学杂费。

1986年国家颁布实施义务教育法后，乐安县教育经费投入基本保持“两个增长”，即每年教育经费的增长必须高于财政经常性收入的增长，学生生均经费略高于上年，并尽力扩大教育经费筹措渠道。1994年，国家实行分税制财政管理体制改革后的五六年间，因乡镇财政特别困难，乡镇教育经费的筹措和投入出现严重的“缩水”，教育经费投入得不到保障，学校向学生收取的学杂费也存在被乡镇挪作他用的现象。2001年，国家实行“以县为主”的义务教育体制后，教育经费筹措和投入步入正常轨道。2005年秋季，全县义务教育阶段学校实行“一费制”收费标准（2008年秋季，全县义务教育阶段废止借读费）。2006年，国家颁布实施修订后的义务教育法，义务教育实行“两免一补”（免学费、免杂费、补助寄宿生生活费）。是年，国家建立义务教育经费保障机制，由“地方负责、以县为主”的体制逐步向“中央、地方政府共同负担，省级政府统筹落实”模式转变，并且确立各级财政教育经费的分担比例（中央与省6∶4，省与县8∶2）。之后，教育经费投入得到根本性保障，上级转移支付教育经费的力度也不断加大，确保“三个增长”：国务院和地方各级人民政府用于实施义务教育财政拨款的增长比例，保证按照在校学生人数平均的义务教育经费逐步增长，保证教职工工资和学生人均公用经费逐步增长。生均公用经费的额度从2008年的小学225元/年，初中390元/年逐步增加至2013年的小学560元/年，初中760元/年。全县义务教育经费来源主要有：县本级财政预算资金，上级转移支付和各种补助资金，城乡教育费附加，城市建设维护税10%，土地出让金剔除成本后的10%。2016年，乐安县教育经费投入已达到法定增长比例。

1986—2016年乐安县教育经费投入情况表

表20-9-1　　　　单位：万元

年份	总计	其中				年份	总计	其中			
		教育部门和其他部门	民办学校	事业收入				教育部门和其他部门	民办学校	事业收入	
				合计	其中学杂收入					合计	其中学杂收入
1986	480	442	—	38	38	2002	5512	4347	—	1165	219
1987	626	573	—	53	53	2003	10308	9005	—	1303	883
1988	729	682	—	47	47	2004	5293	4329	—	964	656
1989	779	755	—	24	24	2005	6282	5552	—	730	722
1990	896	839	—	57	57	2006	7625	6524	—	1101	975
1991	962	885	—	77	77	2007	9313	9267	46	—	—
1992	1071	1003	—	68	68	2008	12163	12091	72	—	—
1993	1255	1124	—	131	131	2009	16953	16651	302	—	—
1994	1246	1246	—	—	—	2010	17814	16814	1000	—	—
1995	1281	1281	—	—	—	2011	27915	36959	956	—	—
1996	1513	1513	—	—	—	2012	38862	38452	320	—	—
1997	1853	1853	—	—	—	2013	42578	42208	370	—	—
1998	2440	2440	—	—	—	2014	38315	38190	125	—	—
1999	4249	2827	—	1422	477	2015	45881	44889	992	—	—
2000	2870	2522	—	348	294	2016	47839	46555	1284	—	—
2001	1870	2522	—	347	294	—	—	—	—	—	—

1986—2016年乐安县教育经费支出情况表

表20-9-2　　　　单位：万元

年度	事业性经费合计	个人部分支出	个人部分		公用部分支出	其他资本性支出			基本建设支出	
			在职教师工资福利支出	对个人和家庭的补助支出		商品服务支出	专项公用支出	专项项目支出	合计	其中：预算内基本建设支出
1986	442	378	354	24	64	58	6	—	0	0
1987	572	522	496	26	50	47	3	—	0	0
1988	682	647	616	31	35	32	3	—	0	0

第三节 校园建设

1986—2016年，乐安县校园建设（以下简称“校建”）资金来源主要有各级财政拨款、群众集资和社会捐赠。

“文化大革命”期间对教育投入的“欠账”多。因政府财力不足，至20世纪80年代初期，乐安县中小学办学条件仍然比较艰苦，教育教学设备设施满足不了基本的办学要求。部分学校在祠堂、庙宇、居民厅堂中办学。学校正规教室、课桌椅严重不足，3个学生挤坐一条板凳的现象屡见不鲜。学校存在大面积危房，严重影响教育的普及和师生安全。1983年初，县文教局在调查校舍现状的基础上，向县委、县政府提出开展群众性集资建校，尽快实现中小学“一无两有”（校校无危房，班班有教室，学生人人有课桌板凳）的工作意见，县委、县政府向全县人民发出集资建校的号召，提出“人民教育人民办，办好教育为人民”“再穷不能穷教育，再苦不能苦孩子”的口号，全县各公社、大队及广大干部群众积极响应，纷纷解囊，掀起全县性集资建校活动的高潮，为解决中小学“一无两有”问题带来“及时雨”。1985年春，经县委常委会研究决定，在继续抓好农村集资建校工作的同时，县城也开展集资办学活动，号召县城干部职工踊跃捐款，为改善城区中小学办学条件作贡献。之后，集资建校工作得到进一步加强，利用集资兴建校舍，逐步消灭学校危房，极大地改善了中小学办学条件。1990年以后，乐安县校建工作抓住了多个发展机遇期，从校园建设的面、量、质方面均提出更高的目标和要求，促进全县校园建设再上新台阶。

一、校园“六配套”建设

1990年4月18日，县委、人大、政府、政协、纪委、人武部六套班子领导召开会议共商全县教育大计，一致通过在全县实现中小学校园“六配套”（教学行政用房、生活用房、卫生设施、围墙校门、运动场、道路和绿化环境6项建设配套）的决定，出台10条集资措施（渠道），即农村人口人均集资4元，乡镇村按财力拨出一定经费，足额征收城乡教育费附加和基建附加，县财政补助建校资金和增拨地方公粮附加，按规定比例拨足城市维护税，争取上级教育基建拨款和“六配套”奖金，城乡干部、工人、县城和集镇非农户居民按不同情况分等集资，提倡和鼓励各单位和个人自愿捐资赞助，学校勤工俭学收入或其他收入拿出一部分资金，清理往年集资欠款。将筹措任务分配到各乡镇和县直属学校。是年，全县共筹集校建资金224.27万元（其中省、地拨款25万元），新建校舍22230平方米，维修校舍3000平方米，新砌围墙8315平方米，建校门120个，新增饮水设施43处，新修道路2560米，植树2万余株。全县25所学校重建，面积10566平方米；24所学校扩建，面积7302平方米。全县校舍总量扩大到17.14万平方米，校园“六配套”建设目标的实现，强有力地保障了全县1991年9月1日起开始实施的5年初等义务教育。

二、“两基”达标配套建设

1993年3月，县六套领导班子会议研究全县“两基”工作，将校舍建设列入“两基”达标的硬件指标，强化县、乡镇“迎检”工作责任，落实校建工作措施。经过3年努力，全县新建改建校舍面积18891.9平方米，而且出现一批标准化程度较高的校舍。其间，县第二中学将10幢平房教室改建成两层楼房教室，建筑面积扩大一倍，总面积5000多平方米。1995年“两基”工作经省验收，全县校舍符合要求。“两基”验收后，乐安把校舍建设的标准化、规范化作为巩固“两基”成果，提高“两基”水平的突出任务来抓。在县委、县政府的关心和支持下，全县校园建设出现新的面貌，许多建筑呈现出投资大、设计新、功能全、标准化程度高的特点。流坑小学教学楼及其联能式楼群代表着当时的校舍建设特色。

三、“希望工程”捐建

希望工程是团中央、中国青少年发展基金会于1989年发起的以救助贫困地区失学少年儿童为目的的一项公益事业。其宗旨是根据政府关于多渠道筹集教育经费的方针，以民间的方式广泛动员海内外财力资源，建设希望小学，资助贫困地区失学儿童重返校园，改善农村办学条件，以促进贫困地区基础教育事业的发展。1989 年，乐安县接收第一笔捐赠资金 8 万元，至 2017 年，共接收捐赠资金 1304.27 万元，受建学校 35 所，改善了部分贫困山区的办学条件，改变了一批失学儿童的命运。

乐安县希望工程捐建情况表

表 20-9-6　　单位：万元

学校名称	捐建人（法人、自然人）	捐建时间	捐赠金额
谷岗中心小学	香港新界社团	1994	25
申银万国招携希望小学	申银万国证券公司	1996	30
山砀荷塘小学	杨继盛	1998	69
牛田谢家小学	江西省政协港澳委员会	1998	25
牛田麻坑小学	江西省政协港澳委员会	1998	25
谷岗谷坑小学	上海下放知青	1999	20
金竹引水小学	江西省国家安全厅	2000	19.89
中石化严杭小学	中国石油化工集团有限公司	2001	39
芫头逸夫小学	邵逸夫	2002	25
招携茶园小学	中国人民财产保险股份有限公司	2003	24
培侨流坑小学	香港培侨中学	2004	30
炉桐宗申希望小学	宗申产业集团有限公司	2005	25
湖溪明德小学	王永庆（台塑集团创始人）	2005	45
湖溪中学	中国石油化工集团有限公司	2006	50
牛田南安小学	中国人民财产保险股份有限公司	2006	15
人保西坑希望小学	中国人民财产保险股份有限公司	2007	20
望仙学校	中国人民财产保险股份有限公司	2007	13
人保盐丰希望小学	中国人民财产保险股份有限公司	2007	12
人寿草坑希望小学	中国人寿保险股份有限公司	2007	10
牛田傍安小学	尊朴欣欣基金会	2007	8
人保青山希望小学	中国人民财产保险股份有限公司	2008	36
沙堆圣象希望小学	圣象集团有限公司	2008	20
甘竹春蕾希望小学	中国人民财产保险股份有限公司	2008	20
人保四青小学	中国人民财产保险股份有限公司	2008	15
金竹中心小学	江西省高速公路管理局	2008	34.38

续表 20-9-6

学校名称	捐建人（法人、自然人）	捐建时间	捐赠金额
龚坊明德小学	王永庆（台塑集团创始人）	2009	45
竹山高霞希望小学	高霞	2010	30
湖坪村里小学	佛山市江西商会	2013	60
鳌溪赖村小学	深圳乐安商会	2014	50
瑶前雪莲之花希望小学	雪莲之花基金会	2016	10
万崇上罗小学	江西易事特科技能源有限公司	2016	140
公溪丁垅中保希望小学	中国人民财产保险股份有限公司	2017	26
招携高望小学	上海扬盛石材有限公司	20016	60
山砀中心小学	郭华山、黄晟文	1989、2017	8+100
新世纪仲溪希望小学	新世纪基金会、刘志良	2008、2016	20+100
合计			1304.27

四、县政府实施的标准化建设

2001年，全国实行“以县为主”的义务教育管理体制后，教育经费得到保障，教育投入机制运行通畅。2006年，乐安县建立义务教育经费保障机制，校建经费逐年增加，政府投资3000万元新建县第二中学，建筑面积6.5万多平方米。2009年实施校园安全工程，将校建工作提到更重要的议事日程，加快校园标准化建设的进程。全县新建改建69幢教学楼，面积7.3万余平方米；新建学校8所。县委、县政府将多个城区校建项目作为县重点建设工程项目实施建设，由县领导挂点，督促建设进度和施工质量。2011—2016年，全县先后投入资金2亿余元，在城区新建县幼儿园、县第四小学、县第五小学，改建县第一中学，城区学校得到扩容提质。农村学校建设也进入快车道，共实施214个农村学校建设项目。

1985—2016年乐安县中小学校舍建设及资金筹措情况表

表 20-9-7　　单位：平方米、万元

年份	新、改建校舍	维修校舍	乡、村和干群集资	县拨经费	中央、省、地拨款	其他渠道集资	教育附加	集资总计金额
1985	4788.9	1674	29.17	24.3	0.9	1.818	9.0	64.188
1986	8210.1	1170	33.273	6.21	7.434	1.8	11.8	61.517
1987	13854	3050	62.27	3.05	14.4	11.7	12.6	104.02
1988	8278	3600	48.18	53.1	10.8	45	18.0	175.08
1989	5400	3600	81	5.4	9	6	18.0	149.4
1990	20700	2700	270	4.6	15	18	21.0	328.6

续表 20-9-7

年份	新、改建校舍	维修校舍	乡、村和干群集资	县拨经费	中央、省、地拨款	其他渠道集资	教育附加	集资总计金额
1991	17300	3600	200	4.8	12.6	28.3	22.5	268.2
1992	11700	900	169	4.5	13.4	45.7	4.50	237.1
1993	7273	2727	90.5	18	18.5	11.5	74.7	213.2
1994	6380	4300	85	9	19.8	148	108	369.8
1995	4546	7298	19.8	7.2	22.5	27.6	126.8	203.9
1996	6300	5470	45.00	13.45	18.00	8.15	170.00	254.6
1997	9000	6840	89.06	31.45	22.50	30.7	172.80	346.54
1998	10000	540	23440	60.63	—	5400	45.9	394.93
1999	28000	2162	756.80	217.45	171.00	—	90.00	1235.25
2000	2000	—	48.60	10.80	—	—	18.00	77.40
2001	7600	—	—	171.45	130.90	—	90.00	392.35
2002	3600	—	—	171.00	135.00	—	90.00	396
2003	3640	—	—	84.36	72.00	—	63.00	219.36
2004	10000	—	—	356.45	99.92	—	45.90	502.27
2005	8000	—	—	168.00	117.00	—	63.00	348
2006	6510	—	—	300.00	300	—	—	3300
2007	4300	—	—	190	180	—	—	370
2008	5231	—	—	78.54	188.54	—	—	266.99
2009	3441	2300	—	132.30	216.00	—	84.40	432.70
2010	5001	440	—	160.00	289.88	—	84.40	534.28
2011	2400	900	—	1846	1846	—	84.40	2130.4
2012	2300	800	—	2600	1050	—	84.40	3734.4
2013	52000	1000	—	396	5200	—	—	5396
2014	51230	2200	—	384	4800	—	—	5184
2015	50890	2500	—	369	4900	—	—	5269
2016	72000	2800	—	2500	4200	—	—	6800

第四节　学校安全

1986—2010 年，学校安全管理工作是教育局教育股一项常规工作，2011 年 3 月，县教育局成立安全维稳（信访）股，为教育局机关内设机构，负责学校安全维稳信访工作。是年，全县各学校均成立安稳办，由一名副校长分管，配备一名安全干事。至此，全县各校安全工作均实现有机构、有人员、有经费、有办公场所，学校安全工作得到有力保障。

2011 年后，各地把学校安全工作作为一项政治任务、一项民生工程、一项和谐社会建设基础工程来落实推进。坚持把中小学安全工作摆在重中之重的地位，切实把工作重点转移到提前防范上。从明确职责，细化任务，落实措施，强化管理等方面入手，将工作做细、做深、做实：一是明确职责分工，层层签订安全责任状，进一步明确各类人员的安全工作责任，做到各司其职、各负其责。二是强化安全知识宣传教育，全县各中小学利用广播、墙报、横幅、宣传栏等多种宣传媒介，强化交通、涉水、消防、食品卫生、治安等安全知识的宣传教育。各校还通过召开家长会、发放致家长书、手机短信等方式，提醒家长切实履行监护人职责。努力构建学校与家庭安全工作合力。三是组织安全隐患排查，各校能够坚持一月一次安全大排查，在排查中注意根据季节的变化分别将防溺水、食品卫生、流行病防控、住宿生管理、道路交通、消防安全等项目列为排查重点，并积极进行安全隐患的整改活动。

每年年初，县教育局与各学校，学校与各年级、班级、教师层层签订学校安全工作责任书，明确校长为安全工作第一责任人，分管副校长为安全工作的直接责任人，班主任教师为安全工作具体责任人，将安全管理工作纳入到对学校教育目标管理考评中，实行安全工作“一票否决制”。

县教育局指导各学校先后制定《预防学生拥挤踩踏应急预案》《学校消防安全应急预案》《预防学生溺水应急预案》《学校交通事故处理应急预案》及《学校食品安全管理制度》《学校门卫安全管理制度》《学校校舍安全管理制度》《学校消防安全管理制度》等多个安全预案、制度，全县各学校经常性开展安全教育系列活动，定期开展安全应急演练活动，增强学生安全防范能力。

县政府每年多次组织相关职能部门对全县各学校及周边安全隐患进行拉网式排查，开展专项整治行动，各学校先后编制通俗易懂安全校本教材，收到良好效果。

2010 年，全县中小学校、幼儿园建立校园警务室，县城学校均按要求配备专职保安。学校为保安人员配制警服、警棍、头盔等常用安保防护装备。2013 年，一次性投入 37 万元，为全县各乡镇中小学安装监控设施。2016 年，投入 30 余万元为公路沿线学校设立斑马线、减速带、警示牌等安全防护措施。

第十章　科　技

1986—2016 年，乐安县认真贯彻科学技术是第一生产力的思想，实施科教兴国战略，积极探索科技兴农、兴企，开展科技市场、科技普及活动，组织实施科技计划、科技扶贫项目，取得一批科技成果，促进全县经济社会事业的发展。

第一节　机构人员

1978 年 11 月，恢复“文化大革命”中撤销的乐安县科学技术委员会，为县政府职能部门。2002 年更名为乐安县科学技术局，与县教育局合署办公。2010 年县科技局并入县发展改革委员会；2011 年从发改委分出，为县政府组成部门，并挂县知识产权局、县防震减灾局牌子。2016 年有 4 个职能股室：人事秘书股、计划成果股、防震减灾股、知识产权股；核定行政编 5 个，工勤事业编 1 个；领导职数：局长 1 名，副局长 2 名，股级职数 4 名。

1986—2016 年，历任局长（主任）：汤儒萍、余厚仁、杨卫、丁锦林、刘晋平、钟剑文。

第二节　科技工作

科技兴农　乐安是农业大县，县科委（科技局）始终把农业科技摆在整个科技工作的突出位置，加强农业科研和科技开发，抓好新品种、新技术的引进推广，实施“星火”科技项目，助力脱贫攻坚。大力调整农业结构，建立优质稻、蚕桑、烤烟、油料、瓜果、大棚蔬菜、食用菌、特种水产养殖等产业基地。运用高新技术，加快名、优、特、稀农产品的开发。

1986 年，县科委在特困乡——潭港乡实施食用菌“星火计划”项目，运用稻草、棉籽壳栽培凤尾菇，稻草栽培黑木耳，荫棚木屑袋装香菇。通过 3 年的努力，食用菌栽培成为该乡农民脱贫致富的主导产业，并获得抚州地区“星火计划”一等奖。1990 年，南村乡列为全省科技示范乡之一，取得较好的经济效益。1992 年，江西省科技兴农领导小组授予乐安县“1991 年县（市）科技兴农先进单位”。

科技兴企　立足实际，按照择优扶强原则，加速骨干企业新技术、新设备、新工艺的引进、消化、改造、开发和应用；抓好“借脑”“攀亲”智力引进工作，加强与科研院所、大专院校的科技合作与交流；鼓励科技人员到企业去承包或技术入股。20 世纪 90 年代初，公溪镇江边铸造厂，主要生产多种球墨铸造配件，该企业积极引进科技人员进行技术攻关，生产出合格的球墨铸铁产品，质量达到省内先进水平。据 1992 年统计，科技人员到国有企业、乡镇企业、集体企业参与承包、技术开发的人数 77 人，其中，小型国有企业中技术人员 55 人，行政干部 22 人。

科技市场管理　1983 年 8 月，乐安县科委开始筹建科技市场，是全省首批农村科技市场之一。县科技市场示范基地选址在鳌溪镇前坪村。基地拥有房屋面积 450 平方米，有橘园 4 亩，鱼塘 1 亩，总占地面积 10 余亩。1984 年，基地购进和安装食用菌制种、栽培、养鸡、孵鸡等全套设备和仪器。科技市场贯彻“放开、搞活、扶持、引导”的八字方针，以县办技术市场为核心，逐步引向农村技术市场。县科委成立技术市场管理办公室，配备 1 名科委副主任分管技术市场工作，实行政事分开。乡镇技术市场得到发展，全县有技贸机构 22 个，实行自主经营，自负盈亏。县科技市场开展种植、养殖方面的试验和推广工作，同时承担省二级项目“生物循环技术试验研究”、地级项目“稻草瓶栽黑木耳试验”等，均获成功。

20 世纪 90 年代，随着市场化改革的深入，由于人才、体制、创新能力等原因，到 1998 年县科技市场关闭。

科技情报　乐安县科技情报所成立于 1982 年。科技情报工作的任务是紧紧围绕乐安县国民经济建设和科学技术发展的需要，广辟情报、信息来源，加强文献资料收集整理工作，深入进行情报调研，掌握国内外科学技术成就和发展动向，为领导及时提供情报信息。

1986—1993 年，县科委与科技情报所联办的《乐安科技》，先后与省内《江西农业科技》《南城科技》，省外的四川省《康定科技》，浙江省《莹县科技成果选编》，广东省《南海科技》等 66 家单位保持资料交换，信息往来，并积极开展引进人才和情报调研活动。

科技计划管理　主要包括项目提出、咨询、调研、论证、研究、鉴定、验收、推广等全过程。科技研究计划的对象是工业、农业和社会发展的科学技术研究项目。20世纪90年代全国科技计划有攻关计划、高科技研究发展计划、“火炬计划”“星火计划”、基础研究计划和推广计划等6种。1986—1993年，乐安县共列入各类计划128个，其中按层级分，有省级计划8个，地级计划6个，县级计划114个。按计划类型分有“星火计划”5个，重点计划123个。在列入地区级以上的14项科技计划中，经过验收鉴定的有11个，占项目的78.49%；列入县级计划及通过县级验收的有81个，占项目的70.19%。

乐安县科技专利从无到有，从少到多。2001—2011年，各项专利共86项。其中，发明专利22项，实用新型专利42项，外观设计专利22项。2012年至2014年6月，全县专利申请量56项，专利授权量41项。2015—2016年专利申请量167项，专利授权量126项。

科普活动　1987年，县科委组织科技扶贫专业技术培训24期，培训人数1670人次，培训项目主要是水稻杂交制种、吨粮田技术、柑桔保花保果、贮藏保鲜、家禽防疫、养鱼、养猪、养兔、烟叶、食用菌、造林抚育、采种育苗、药材种植、电工技术等20项实用技术。1995年，县委办公室、县政府办公室下发《关于加强科技进步实施目标管理考核考评的意见》。是年，在乡镇配备科技副乡镇长，并在行政村配备50%以上的村科技副主任；设立科技进步奖，将科技进步、科普活动列入乡镇和县直单位、企业的目标管理考评。1996年9月，县委、县政府下发《关于加快我县科技进步的决定》，要求真正把科技是第一生产力放在“第一”的位置，在全县范围内积极开展“科技兴农、兴工”和“科技进步月”活动，高度重视农村科普工作，切实组织好“科技三下乡”（卫生、文化、科技）活动，建立健全县、乡、村、组四级农村科技网络。

1997年，全县组织100名科技人员下乡开展科技咨询活动；组织万册科技书刊进村；组织医务人员下乡开展卫生保健和送医送药活动；推广100名种养、加工专业大户科技致富经验；组织农机维修保养队分赴各地开展农机维修保养活动；组织电影科技片、农村实用技术录像片下乡巡回放映。

2001年全县组织4个小分队进村入户搞好科技宣传服务。

宣传小分队：由县委宣传部和县文广局、新华书店、科协、农业局、科委等单位组成，广泛宣传党的农村政策，宣传科学思想，普及科学技术。

农业科技服务小分队：由县农业局、水电局、科协、烟办、经贸委、农机局、科委等单位组成，重点推广反季节蔬菜栽培，果树高接换，大棚草莓高产栽培，中低产果园、茶园、桑园改造，低成本养殖，配方施肥，生猪驱虫保健，食用菌栽培，作物病虫害防治，烤烟高效栽培，农机维修保养等技术。

林业科技服务小分队：由县林业局等单位组成，宣传保护生态环境，发展生态林业的科技知识，宣传对全县河流发源地、河流两岸、大中型水库周围、城镇村庄周围，水土流失严重区域实行全面封山，全面实施天然林保护工程，推广油茶林和毛竹低产改造等林业生产先进实用技术。

医疗服务小分队：由县卫生局、计生委等单位组成，开展农村爱国卫生、防疫、妇幼保健、计划生育科技知识咨询，送医送药，开展医疗服务，普及农村常见病、多发病和疑难病防治技术。

2015年8月17日至10月17日，中国科协“流动科技馆”在乐安县开展以“体验科学”为主题的巡展活动。巡展地点在乐安二中食堂二楼，巡展内容有声光体验、电磁探索、运动旋律、数学魅力、健康生活、安全生活、数学生活7个主展区；50件互动展品与科学表演、科学实验、科普影视相结合。县委、县政府高度重视此次巡展活动，成立县“流动科技馆”巡展活动领导小组，县科技局认真做好组织、协调工作。组织全县人民，尤其是青少年免费参观。

第三节　科技成果

1986—2016年，经科技人员的不懈努力，乐安县科技成果丰硕。其中有省级以上科技成果26项。

1986—2016年乐安县科技成果获奖情况表

表20-10-1

获奖单位	成果名称	奖励等级	获奖年份	主要完成人
县农业局	农田鼠害综合防治	抚州地区科技进步奖	1986	乐安县农业局与抚州地区植保站、临川县农业局等合作
县农业局	早稻地膜育秧	江西省农业厅技术进步三等奖	1986	凌　云
县农业局	防疫灭病科技成果推广消灭“一疫”控制“二瘟”	抚州地区科技进步一等奖	1987	县农业局
县人民医院	脊椎离断术处理嵌顿性横检死胎	抚州地区科技进步三等奖	1988	邓育贤
县人民医院	用硅胶管作支架行输卵管吻合术	抚州地区科技进步四等奖	1988	袁震群、李平英
县科委	露地木屑袋栽香菇技术	抚州地区星火计划一等奖	1990	抚州地区科委与黎川、乐安、资溪县科委合作
县人民医院	B超诊断肾衰的探讨	抚州地区科技进步奖	1992	肖龙九
县烟叶办公室	烤烟优质适产高效示范推广	抚州地区星火计划一等奖	1993	王传基、王寿香、黄协怀、杨国辉、游明日、张学明、方　彤
县农业局	稻田养鱼高产丰收示范推广	抚州地区星火计划二等奖	1993	陈志华、徐小明、徐凤保
县农业局兽医站	猪瘟计划免疫技术应用	江西省农业厅技术改进奖	1993	与抚州地区、宜黄、崇仁兽医站合作。聂招鹏、万双贵、顾忠怀、邹凤祥、吴道昌、李跃孙、杨廉生
县农业局土肥站	绿肥丰收计划	农业部农牧渔业丰收奖	1993	陆金刚
县妇幼保健站	孕产妇死亡监测	卫生部科技进步二等奖	1993	黄友红
县实验林场	江西省杉木优良种源推广	江西省科技进步二等奖	1994	陈显明
县实验林场	山地人工用材幼林关键技术组合及优化模型应用	江西省农业科教人员突出贡献一等奖	1994	陈显明

续表 20-10-1

获奖单位	成果名称	奖励等级	获奖年份	主要完成人
县实验林场	山地人工用材林幼林阶段关键技术组合及优化模型的研究	江西省省科技进步二等奖	1994	胡宜兆
县实验林场	江西省杉木优良种源推广	江西省科技进步二等奖	1994	陈显明、龚顺祥、万于根等
	山地人工用材林幼林阶段关键技术组合及优化模型的研究	江西省科技进步三等奖	1994	乐安县实验林场与抚州地区林业局合作
县畜牧兽医站	大面积推广养猪生产实用技术	江西省星火科技	1994	县畜牧兽医站
县土地管理局	土地利用现场调查	江西省土管局应用科学一等奖	1994	戴敬祥、邓木森
	土地利用现状调查	国家土地管理局应用科学技术成果二等奖	1994	陈家环、戴敬祥、邓书生、王义翔
县畜牧兽医站	猪瘟计划免疫试验	江西省科技进步三等奖、抚州地区科技进步一等奖	1995	欧阳彪、付志群、万双贵、顾忠怀、杨小勇、供荣生、陈友华
县人民医院	中国围产儿出生缺陷监测及高危发出生缺陷的病因探讨	卫生部科技进步三等奖	1995	刘灿清
县农牧渔业局	再生稻栽培技术推广	江西省农业科教人员突出贡献二等奖	1996	曾青云
县林业局	江西省荒山绿化生态经济模型研究	江西省农业科教人员突出贡献二等奖	1996	曾华明
县林业局实验林场	低丘陵荒山林业生态模式研究	江西省科技进步奖二等奖	1996	县林业局实验林场
县科委	旱稻酸土秧试验示范	抚州地区科技进步奖	1996	乐安县科委与地区科委、地区农科所合作。刘小衍、张振中、杨印寿、陈跃进、龙　风
县农技推广站	再生稻栽培技术	农业部农牧渔业丰收奖成果奖	1996	曹开蔚、曾青云
县江边机械厂	赣东—130 型全喂入稻麦联合收割机	抚州地区科技进步三等奖	1998	刘国安、杨贵荣、徐风亮、郭春生、周华民、陈海荣、陈辉明

续表 20-10-1

获奖单位	成果名称	奖励等级	获奖年份	主要完成人
县水产技术推广站	稻田养鱼新技术的研究与推广	江西省科技进步奖	1999	与省水产局、省水产站、于都、万载、遂川、上犹、宁都、铜鼓县水产站合作。官少飞、雷汉兴、刘来瑞、张潜龙、付辉云、蓝显全、张鼎明、邹正华、陈志华、曾兰生、胡军龙、黄地云、黄晓平
县水产技术推广站	稻田养鱼新技术的研究与推广	江西省科技进步二等奖	1999	与江西省水产技术推广站协作
县农业局	稻田养鱼新技术研究与推广	江西省科技进步二等奖	1999	陈志华
县土地管理局	土地利用总体规划	江西省国土资源厅优秀成果一等奖	2000	戴敬祥
县实验林场	世行贷款国家造林项目科技推广	江西省科学技术进步一等奖	2000	陈显明
县人民医院	超短波综合治疗阑尾周围脓肿	抚州市科技进步二等奖	2000	詹义芳、许贵勤、刘晓峰、阮国平、詹晓敏、田旺莲
	肝叶切除治疗肝胆疾病在基层医院的应用	抚州市科技进步二等奖	2000	詹义芳、许贵勤、刘晓峰
	距回盲瓣 15 厘米内回肠吻合术	抚州市科技进步三等奖	2000	詹义芳
721 矿职工医院	QC 课题：提高健康知识水平普及率	核工业总公司 QC 成果一等奖	2001	内科整体护理 QC 小组
县土地管理局	土地利用总体规划	江西省国土资源厅优秀成果一等奖	2002	戴敬祥
县烟叶办公室	烤烟工厂化漂浮育苗技术	抚州市科学技术三等奖	2004	王寿香、黄振辉、游高亮、张学明、邱国平、杨国辉、曾　敏
乐安县实验林场江西省林科院	秃杉种源家系变异及选择研究	抚州市科学技术三等奖	2006	胡宜兆、楼浙辉、胡清才、王乐农、龚凤英、邹全荣
县中医院	中医治疗妇科出血性疾病的研究	抚州市科学技术三等奖	2008	黄荣昌
县鹏鑫食品有限公司、江西农业大学	清水山露菜栅栏调控保鲜技术开发	抚州市科学技术二等奖	2009	王贵才、张凤英、吴磊燕、董开发、陈元璋、梁丽琴、周乐梅

续表 20-10-1

获奖单位	成果名称	奖励等级	获奖年份	主要完成人
县烟办、山砀镇烟办	烤烟大型密集栅栏调控保鲜技术	抚州市科学技术奖	2009	游高亮、黄赵平、曾　敏、周乐梅、张学明
县烟叶办公室 山砀镇烟叶办公室	烤烟大型密集型烤房智能化烘烤工艺技术	抚州市科学技术三等奖	2009	游高亮、黄赵平、曾　敏、周乐梅、张学明
县鹏鑫食品有限公司	绿色竹笋酶法生产新工艺研究	抚州市科学技术二等奖	2012	王贵才、董开发、陈元璋、李　娟、杨群英、刘　成
县第二人民医院	尿毒症免费血透救治	全省岗位技能标兵、技能竞赛三等奖	2012	陈　斌
县农业局	蚕桑高效生产与利用关键技术研究与示范	农业部农牧渔业丰收奖成果奖	2016	与省蚕桑所、湖坪农技站等合作。叶武光、杜贤明、高其璋、黄伍龙、胡丽春、管帮富、毛平生、黄红玲、刘太阳、康金国、罗仁青等18人

说明：收录资料不全，或有遗漏

第四节　气象服务与防震减灾

气象服务　乐安县气象站始建于1956年11月1日，初名乐安气候站，设在县城东门外城郊。1958年1月1日，迁至县城西门城内（今乐安大道15号），12月1日，更名为乐安县气象站。1979年9月，成立乐安县气象局。1984年6月，更名乐安县气象站。1990年7月，恢复为乐安县气象局。

乐安县气象局以增雨抗旱减灾为重点，不断拓展人工影响天气服务，充分发挥人工影响天气在防御和减灾、促进经济社会发展中的重大作用，先后开展农业抗旱减灾、森林防（灭）火、水库增蓄水、城市降温减排等服务。

1986—2016年，历任局（站）长：陈先福、邓小明。

地震台建设　2004年9月建成乐安县数字遥测地震台，属县科技局。2007年6月1日正式投入使用。2010年获全省地震监测预报工作先进集体。2012年架专线埋设地网，避免监测台遭受雷电打击，至2016年监测台零故障。

乐安县气象局办公大楼

第十一章　体　育

1986—2016 年，随着经济社会的快速发展和人民生活水平的显著提高，乐安县体育事业得到较快发展，体育机构进一步健全，体育队伍不断壮大，体育设施逐步完善，群众参与体育锻炼的热情高涨，全民健身活动保持良好发展势头，全县体育运动水平显著提高。

第一节　机构人员

1973 年 2 月，乐安县体育运动委员会成立。至 20 世纪 80 年代末，机构一直未有变化。办公地点先后在长征路与乐安大道衔接处（现农业银行营业厅对面）和县教育局内；1990 年迁至鳌溪路与象山路交叉处新建的体委办公用房。1996 年机构改革，县体委与县教委合署办公。2002 年县体育运动委员会与县文化广播电视局合并，组建县文化体育广播电视局。2014 年，县政府机构改革，将县教育局和县文化体育广播电影电视局的体育管理职责整合，组建教育体育局，到 2016 年，体育管理机构一直保留在乐安县文化广电新闻出版局内，未合并到县教育体育局。

1986—2002 年，历任主任：孔庆同、陈福保、彭光华、袁国梁。

体育协会　1985 年成立乐安县老年人体育协会和老年人体育科学协会，1986 年成立县银鹰体育协会，1988 年成立县老年钓鱼协会，1989 年成立县篮球协会、棋类协会，1990 年成立县农民体育协会。1995 年成立乐安县体育总会，到 2016 年历时 5 届。21 世纪后，各种群众性体育协会相继建立。如乒乓球、羽毛球、排球、足球、门球、太极拳、武术、跆拳道、登山、游泳、自行车、象棋、围棋协会等。

第二节　体育设施

1986 年，县第一中学、第二中学相继建成田径运动场。之后，县体委建成室内游泳池 1 个。1989 年在县城广场路建成全县第一个灯光球场。2002 年 12 月，县城第一个体育健身公园在鳌溪路南侧落成，占地面积 3000 平方米，由上海市虹口区体育局资助体育器材 36 件套。2005 年 10 月，在鳌溪路北侧建成乐安县老年人活动中心，在迎宾北大道东侧建成青少年活动中心。

2016 年，县城有风雨人工草坪门球场 4 个，

县一中篮球场

老年排球场2个，乒乓球馆1个，羽毛球馆1个；除体育健身公园外，森林公园、文化广场、四九广场及居民小区广场，均建有供居民锻炼的活动场所。县城中小学、农村中学、中心小学及70%的村建有篮球场、田径场、室内活动室，配置必备的体育器材。

根据2014年全县体育场地普查情况，全县有体育场所538个，人均占有体育场地面积0.88平方米，200～400米田径场34个，室内活动室280个。

第三节　体育活动

职工体育　20世纪80年代成立银鹰体育协会、篮球协会、棋类协会等，共有会员500余人。协会会员坚持“平时有活动，节假日有比赛”，小型分散，形式多样地开展体育活动。每年元旦的棋类赛、长跑赛、“三八”妇女运动会、“五一”“五四”职工、青年体育比赛，“八一”建军节军民篮球友谊赛，以及国庆节的篮球等多种比赛，成为传统庆典活动项目。1986年以后，县总工会等单位、各体育协会先后举办职工运动会、妇女运动会、退休职工运动会、独生子女运动会等各种形式的体育活动200余次。2009年8月8日，国务院确定全民健身日后，广场舞、秧歌、健美舞蹈、歌咏比赛等全民健身活动丰富多彩。2015年8月8日，乐安县在县城灯光球场举行的全民健身歌舞比赛活动照片被《人民日报》头版采用。

农民体育　20世纪90年代初成立县农民体育协会后，各乡镇相继成立农村体育工作领导小组，配备专兼职体育干部，积极开展农村体育活动。全县各乡镇及农村中小学校建有篮球场、田径场等体育活动场所，常年参加体育锻炼的人逐年增加。

二十世纪八九十年代，结合民兵训练开展各项体育活动，是农民体育活动的一大特点。集训期间进行拉练长跑、登山、射击比赛；节假日开展拔河、棋类、打球等竞赛，以及舞龙舞狮等民间传统项目，涌现一批农村体育活动人才。鳌溪镇、戴坊镇先后被评为抚州地区农村体育工作先进单位。

1990年11月，县农民代表队参加全区农民自行车比赛，获团体第四名；1994年县农民代表队参加全省农民象棋比赛，获团体第三名。2008年11月，牛田镇、山砀镇被评为全省农村老年体育工作先进乡镇，南村乡前团村被评为全省农村老年体育工作先进村。2010年8月，鳌溪镇门球队参加全市老年农民门球赛，获甲组第一名。

老年体育　20世纪80年代成立县老年人体育协会和县钓鱼协会后，各单位和各乡镇、村先后建立起老年体协组织。至2016年年底，全县16个乡镇和18个社区建立老年人体协；建立村老年人体协126个，占行政村总数的72%；县直（含省、市属）单位建立老年人体协42个，占应建单位总数的91%。县城建有老干部活动中心1个，风雨人工草坪门球场4个，老年排球场2个，建有太极拳（剑）场、羽毛球场、钓鱼基地等活动场所供老年和全体居民健身强体。

乐安县有一定规模的体育活动队伍有：门球队20支，柔力球队7支，气排球队6支，太极拳

体育活动

体育活动

青少年体育　青少年体育活动以学校为主。1986年，县教育局成立体育课教研组，组织老师钻研教材和学习外地经验。县教师进修学校先后举办10期体育教师培训班，保证全县中小学体育教学活动的正常开展。各学校举办春秋两季运动会，学生保健检查、广播体操、推广《国家体育标准》等。各项体育活动进校园活动均能得到落实。尤其是《中华人民共和国义务教育法》的贯彻实施，素质教育得到重视，中小学的体育指标均能达到。

（剑）队8支，健身球队11支，健身舞操队26支，健身腰鼓（秧歌）队25支，健身气功队2支，木兰拳（剑）队2支，垂钓队28支，文艺队（艺术团）4支，拐杖操队2支，棋牌队20支，女子舞龙队1支。

1986—2016年，派出代表队参加地区（市）、省老年人体育比赛近30次，均获得较好成绩。1986年9月，张庆招获抚州地区第一届老年人象棋比赛第一名；1990年10月，乐安县乒乓球代表队获全区第二届运动会团体第三名；1997年11月，方彤获全区垂钓单尾第一名，并作为抚州地区代表队成员参加全省比赛获团体第四名；2000年9月，乐安县门球队参加抚州撤地设市庆祝活动门球比赛，获第二名；2002年10月，在抚州市老年人文体展示活动中，乐安县的“筷子舞”获第二名；2003年10月，乐安代表队参加省第二届全民健身运动会抚州赛区老年人门球赛，获第二名；2004年9月，黄俊荣、黎向阳参加全市第一届老年人健身运动围棋比赛，分别获第一名和第三名；2009年4月，詹绳德获全市老年人乒乓球男单第一名；2011年，山砀镇、万崇镇被评为江西省“十一五”期间老年体育工作先进乡镇，南村乡前团村、万崇镇上罗村、牛田镇牛田村、鳌溪镇象山社区被评为江西省“十一五”期间老年体育工作先进单位、先进社区，肖欧梅被评为江西省老年门球优秀运动员。

家长对青少年的业余体育活动日趋重视。节假日送子女参加各种业余培训、参加体育锻炼已成时尚。民间体育培训机构蓬勃发展，如武术、跆拳道、乒乓球、羽毛球、足球、篮球、象棋、围棋等，既培养青少年的体育技能，强身健体，又有利于开发智力、克服网瘾、促进学习和身心健康。一批经过培训的青少年选手在全省乃至全国比赛中崭露头角。

第四节　重要赛事

随着全县群众性体育活动的开展，涌现出一批优秀体育人才，先后参加全国、全省、全市体育比赛，取得较好成绩，为个人和全县人民争得荣誉。

一、参加全国比赛

1991年和1992年，乐安县运动员薛娟参加全国举重冠军赛，两次获得女子83公斤级第一名。

1993年，薛娟参加全国第七届运动会，在女子83公斤级比赛中，取得总成绩第四名，破亚洲纪录。

1994年，张照军参加全国射击锦标赛，获第三名。

1996年5月11—16日，陈海清参加在大连举行的全国残疾人运动会，获得60公斤级卧举第一名。

2002 年，李晓玲参加全国田径冠军赛，在女子三级跳远中，获第五名。

2003 年，李晓玲参加全国田径锦标赛，在女子三级跳远中，获第七名，成绩是 13.38 米。

二、参加全省比赛

1987 年 10 月，在全省第二届老年人运动会中，张庆招在象棋比赛中获第一名。

1988 年 12 月，在宜春举办的江西省中长跑、竞走、投掷比赛中，黄萍在 5 公里竞走场地项目中，取得 25′ 1″ 1 的成绩。

是年 12 月，在南昌举办的江西省第二届青年运动会中，李晓勇在 1500 米项目，取得 4′ 13″ 7 的成绩；在 5000 米项目中，取得 16′ 7″ 8 的成绩。齐胜华在 5 公里竞走场地，取得 26′ 40″ 7 的成绩。张照军在男子小口径自选步枪 3×40 项目中，取得 1097 环的成绩。

1991 年 10 月，在南昌举办江西省第八届运动会中，薛娟在 82.5 公斤级挺举比赛中，以 143.5 公斤成绩打破世界纪录，抓举、挺举总成绩也超过世界纪录。曾斌育在铅球 6 公斤项目中，取得 14.52 米成绩；在链球 6 公斤项目中，取得 42.36 米成绩。

1994 年，在江西省第九届运动会中，黄建平获 100 米第二名，200 米第三名；张照军参加射击比赛获金牌 2 枚，并打破全省纪录。

1995 年，在江西省第四届残疾人运动会比赛中，陈海清参加 56 公斤级举重比赛，以 150 公斤成绩刷新 140 公斤级的全国纪录；游娟获女子 7.25 公斤级铅球比赛第三名。

1998 年 1 月，在宜春举办的江西省第十届运动会中，李晓玲在三级远跳项目中，取得 12.75 米的好成绩。

2005 年 10 月，在全省第二届乒乓球公开赛（65 ~ 70 岁年龄段）中，罗义民获第二名。

三、参加全市比赛

1986 年，在抚州地区第七届运动会中，乐安县获羽毛球团体赛第一名。是年在抚州地区首届老年运动会比赛中，任锐光、陈绍陶分别获乒乓球比赛第一名和第二名，李建然获象棋比赛第一名。

1990 年 10 月至 1991 年 2 月，在抚州地区第八届运动会中，乐安县体育代表团获得金牌总数列全区第 3 位。参加羽毛球比赛女子组获团体第一名，男子组获第二名；参加男子足球比赛获第三名，男子乒乓球比赛获团体第三名。小学传统体校田径赛获团体第一名，中学组获团体第二名。黄萍在 10 公里竞走场地项目中，取得 50′ 15 ″ 的成绩。

1991 年 11 月，在抚州地区公路自行车赛中，乐安县获团体总分第三名。

1993 年 10 月至 1994 年 1 月，在抚州地区第九届运动会中，乐安县在田径比赛中获团体总分第四名，围棋比赛获团体总分第四名，女子篮球比赛第四名，男子羽毛球比赛获团体总分第一名，单打获第一、二名；女子羽毛球比赛获团体第二名，单打第二名。

2001 年，在抚州市第一届运动会中，乐安县参赛选手获男子羽毛球第二名。

2005 年，在抚州市第二届运动会中，在县（区）组中，乐安县获团体总分第四名，其中获金牌 22.5 枚，银牌 15 枚，铜牌 4 枚。在“四办”中（市委办、市人大办、市政府办、市政协办机关）获团体总分第五名。

2005 年 10 月，在抚州市老年人乒乓球比赛中，罗义民获第一名。

2006 年，在抚州市太极拳比赛中，王静获中青年级 42 式太极金牌 1 枚。

2008 年 10 月，在抚州市女子篮球赛中，乐安县女子篮球队获得第二名。

2009 年 9 月，在抚州市领导干部组乒乓球比赛中，曾月兴获第一名。

2009 年，在抚州市第三届运动会中，乐安县获团体总分第 6 位，其中金牌 20 枚，银牌 16 枚，铜牌 5 枚。

2012 年 10 月，在全市县级干部篮球比赛中，乐安县获第三名。

2013年，在抚州市第四届运动会中，乐安县获县（区）组团体总分第3位，金牌第3位，创30年来乐安县最好成绩。

2014年4月，在乐安县举办的抚州市第七届象棋比赛中，乐安县代表队获团体总分第三名。

2015年8月，在抚州市太极拳比赛中，陈洪贵获中青组自选套路拳金牌1枚。

2015年10月，在乐安县举办的全市气排球比赛中，乐安县男子代表队获第二名。

2016年10月，在全市气排球比赛中，乐安县男子气排球队获第一名。

第五节　人才培训和体育彩票

一、人才培训

体校培训　二十世纪八九十年代，县体委创办乐安县少年体育学校，开办篮球、足球、田径、跆拳道、羽毛球、乒乓球、象棋、武术8个项目，聘请兼职教练员8名，全年注册带训运动员约300名，每年向省、市体校输送运动员20名余人，向全国各大专院校输送体育专业考生30名余人。20世纪90年代中期停办。

民间培训　乐安县经批准的民间体育培训机构有3所：宏鹰跆拳道武术馆、龙腾少林武术馆分别成立于2004年、2013年，报名参加武术培训众多；乐安棋院成立于2013年，主要开展中国象棋、围棋培训，先后有10多名少儿棋手在省、市大赛中获奖。乐安县已成为江西省象棋协会的少儿象棋重点县。该院教师何昆获得2016中国象棋国家级裁判员证书。

二、体育彩票

经国务院批准，全国正式发行的彩票为体育彩票和福利彩票。根据江西省、抚州地区体育局安排，乐安县从1992年开始发行即开型体育彩票，至2016年，共发行体育彩票12次，销售额500万元。2001年3月开始发行电脑体育彩票，县城设置16个销售网点，乡镇设置14个销售网点，每年销售总额600万元。

第二十一卷　医疗卫生

本卷目录

第一章　主要机构

20世纪80年代后，乐安经济社会的快速发展不断推动医疗卫生事业的改革和发展，政府加大卫生事业经费投入，加强基础设施和硬件建设，先后建成县人民医院住院大楼和门诊大楼、县中医院门诊大楼、县卫生防疫大楼、县妇幼保健院，每个乡镇都设立了卫生院（分院）。医疗事业发展突破传统，大量民营资本涌入医疗领域，全县涌现出多家民营医院。

第一节　行政机构

县卫生部门是全县医疗、预防、保健、卫生科研机构主管部门。1951年7月，乐安县政府成立卫生科，管理卫生工作。1986年乐安县卫生局下设人秘、医政（业务）、财会3个综合职能股室，有乐安县爱国卫生运动办公室、红十字会办公室、卫生工作者协会3个常设机构，管辖县直医疗卫生单位和乡镇卫生院（含分院）。办公场所位于县城站前路189号（县人民医院院内）。1987年搬迁至毕力路2号新大楼办公。

1995年7月，乐安县公费医疗办公室由县财政局划归县卫生局管理。2001年12月，又划归县人事劳动和社会保障局管辖。1996年，成立中共卫生局委员会。

2003年3月，县卫生局对内设机构和人员编制进行改革，分设办公室、人事股、医政医教股、防疫妇保股、财务内审股。2009年12月，县红十字会从县卫生局分离单列。

2015年9月30日，乐安县卫生局与乐安县人口和计划生育委员会合并，更名为乐安县卫生和计划生育委员会，内设办公室、人事股、规划统计股、财务内审股、政策法规与综合监督股、医政医管股、疾病预防控制股、基层卫生与妇幼保健股、宣传教育股、计划生育基层指导股10个职能股室，行政编制15个、工勤编制2个。乐安县卫生协会、计划生育协会办公室挂靠卫生和计划生育委员会，在县城北外环大道南侧原计生委大楼办公。同时，撤销乐安县人口和计划生育服务中心，其职能并入乐安县妇幼保健院，核定编制39个；撤销乡镇人口和计划生育服务站，其职能并入乡镇卫生院。

1986—2016年，历任主任（局长）：黄福义、邹华恩、宋乐丰、邓小云、杨世辉；历任党委书记：刘道芳、董贵明、徐小平、邓小云、吴平安、杨世辉。

县卫生和计划生育委员会办公大楼

第二节　防疫保健机构

县疾控中心办公大楼

乐安县卫生防疫站　1958年成立乐安县地方病防治站，1972年更名为乐安县卫生防疫站。2005年10月撤销。

乐安县药品检验所　1986年成立，2002年3月撤销。

乐安县疾病预防控制中心　2005年11月1日在县卫生防疫站的基础上组建，为实施疾病预防控制与公共卫生技术管理和服务的公益事业单位。下设主任室、办公室、免疫规划科、传染病防治科、艾滋病防治科、检验科、预防接种门诊等二室四科一门诊，定编27个，有专业技术人员25人，其中中级职称13人、初级职称12人。乐安县疾病预防控制中心综合大楼坐落在县城迎宾北大道东侧，占地面积3600平方米、房屋总建筑面积2470平方米，总投资430万元，2006年6月1日投入使用。

乐安县卫生监督所　2005年10月在县卫生防疫站的基础上成立。2016年12月，与县人口和计划生育稽查队合并，更名为乐安县卫生计生综合监督执法局。

乐安县妇幼保健院　1953年8月成立乐安县妇幼保健站，1988年改为乐安县妇幼保健所，2001年更名为乐安县妇幼保健院。2012年初，乐安县妇幼保健院成功通过省级妇幼保健机构等级评审，成为二级甲等妇幼保健院。2015年12月，乐安县妇幼保健院与乐安县人口和计划生育服务中心合并为乐安县妇幼保健计划生育服务中心。至2016年，有医务人员50人，其中在职在编34人，医师14人。设置门诊部、住院部、手术室、财务室、保健科、B超室、化验室等科室，编制床位50张，实际开放病床30张。

乐安县皮肤病防治院　1972年2月成立乐安县麻风病防治所，主要收治乐安、崇仁两县麻风患者。2000年改名为乐安县皮肤病防治院。至2016年，有医务人员17人，其中中级职称1人、医师2人，设置皮肤科、检验科、药房、B超室、内科、外科、医师室、福利部等科室，有病床17张。

县妇幼保健院

第三节　医疗机构

一、县属医院

乐安县人民医院　1934年建院，坐落于县城站前路189号。经过80多年的发展，已成为乐安县一所集医疗、教学、科研、急救为一体的综合性大型医院。1996年，经省医院分级管理评审委员会评审，成为国家二级甲等医院、国家爱婴医院。科室设置齐全，仪器设备精良，是南昌大学抚

县人民医院

州医学分院教学基地、江西省人民医院的协作医院。2016年，门诊工作量为88733人次，开放病床205张，有医务人员431人，其中高级职称50人、中级职称146人。医院占地面积27516平方米，其中医疗区面积9037平方米，医疗用房建筑面积18450平方米，设有55个学课，27个医疗、医技科室，实际病床数460张。

乐安县中医医院　1984年12月正式挂牌营业，坐落于县城象山路28号。有医务人员25人，其中医师8人、护士4人、药剂人员6人，检验、卫技人员占全院职工人数的75%，设病床5张。1999年年底，全院职工增至86人。2005年年底，全院在岗卫技人员106人，其中高级职称6人、

县中医院住院楼

中级职称33人、初级职称29人，开设病床100张。2009年新建门诊住院综合大楼，建筑面积1.3万平方米。2016年，有医务人员224人，其中高级职称18人、中级职称59人，科室23个，编制病床200张，实际开放病床230张。

乐安县第二人民医院　1959年3月组建时为421矿（江西一矿）医务所，坐落在公溪镇古城街39号。1964年扩建为721矿职工医院。1996年，经卫生部核准为二级甲等医院。是南昌大学抚州医学分院、江西省中医药专科学校教学医院；南昌大学第一附属医院、江西省肿瘤医院协作医院。2005年12月划归乐安县管辖，更名为乐安县第二人民医院。医院占地面积3000余平方米，建筑面积1万余平方米。2016年，有医务人员106人，其中高级职称6人、中级职称24人。设置外科、手术室、急诊科、五官科、供应室、功能科、检验科、放射科、设备管理科、药械科、防保科、总务科等18个科室，开放病床100张。

二、乡镇卫生院

1986—2001年，乐安县设鳌溪防保站、南村中心卫生院以及航桥、山砀、公溪、龚坊、戴坊、鹏洲、湖溪、潭港、牛田、万崇、湖坪、罗陂、谷岗、增田、望仙、招携、坪溪、金竹卫生院。

2002—2009年，随着撤乡并镇，乡镇行政区域的变更，原航桥、鹏洲、潭港、望仙、金竹5个卫生院分别撤并为山砀卫生院航桥分院、戴坊中心卫生院鹏洲分院、鳌溪镇潭港分院、招携中心卫生院望仙分院、金竹畲族卫生院第一分院；龚坊、戴坊、牛田、湖坪、招携升格为中心卫生院，并在鳌溪镇上大街、下大街、芜塘街、桥背街、象山街社区设立卫生所。2005

山砀卫生院综合楼

初级职称 15 人。开设临床内科、外科、儿科、妇产科、骨伤科、眼科、耳鼻喉科、烧伤科、针灸推拿按摩科、微波治疗等科室。配有全自动生化分析仪、全自动心电图机、B 超机、多参数心电监护仪、全自动血液分析仪、膀胱镜、彩色经颅多普勒仪、多功能微波治疗仪、多功能手术床、多功能手术电刀和进口体外冲击波碎石机、气压弹道腔内碎石机等设备，开设病床 50 张。

年，将乡镇卫生院人员、业务、经费全部划归县卫生局统一管理。县财政局和卫生局制定《乐安县乡镇卫生财政补助经费上解管理办法》，对乡镇卫生院实行报账制。

2016 年年末，乐安县有龚坊镇、戴坊镇、牛田镇、万崇镇、湖坪乡、招携镇 6 所中心卫生院，鳌溪镇、公溪镇、山砀镇、增田镇、南村乡、湖溪乡、罗陂乡、谷岗乡、金竹畲族乡、山砀镇航桥、戴坊镇鹏洲、鳌溪镇潭港、招携镇望仙、金竹畲族乡金竹 14 所卫生院，医务人员 495 人，病床 176 张。

三、民营医院

乐安长征医院　2000 年 5 月创办，坐落于县城街心花园，2015 年 8 月迁至县城长征路原电信大楼。至 2016 年年末，开设有内儿科、妇产科、泌尿皮肤科、肛肠科、五官科等临床诊断科室及中西药房、检验室、B 超室、注射室、治疗室等辅助科室，配有彩超、二氧化碳激光仪、多功能综合治疗仪、微波治疗仪、电子阴道镜、微米光治疗仪、半自动生化仪、电子显微镜等仪器设备。有临床医师 5 人，B 超、检验各 1 人，药师 2 人，护士 3 人，病床 6 张。

乐安康福医院　2002 年创办，坐落于县城迎宾北大道，是一所全科医疗服务机构，兼为职工基本医疗保险、交通事故定点医院。至 2016 年年末，有医务人员 34 人，其中中级职称 9 人，

华侨医院　2013 年 9 月创办，坐落于县城迎宾中大道商贸城对面。至 2016 年年末，有医职人员 19 名，其中主任医师 1 人、主治医师 3 人、职业医师 1 人，设内科、外科、妇科、中医科等科室，配有彩超、热疗、微波、红光、盆腔治疗仪、利普刀、综合手术室、心电图、三合一治疗仪、全自动血液分析仪等，开设病床 30 张。

乐安现代医院　2016 年 8 月创办，坐落于县城宝塔路 26 号，属于一级综合性医院。设预防保健科、内科、普通外科专业、妇产科妇科专业、医学检查科、医学影像科、中医科。配备 500 毫安 X 光机、日本阿洛卡 B 超、多功能数码疼痛治疗仪、欧恩兰臭氧治疗仪、超导可视人流系统、奥林巴斯宫腔镜、妇产科电脑综合治疗仪、麻醉剂、全自动生化分析仪、尿液分析仪、电子显微镜、血球分析仪、高频电刀、电动吸引器、多参数病人坐护理各 1 台。

四、村卫生室

20 世纪 60 年代后期，全县农村各大队普遍成立合作医疗站，由“半农半医”的赤脚医生负责卫生防疫、医疗预防、妇幼保健等工作。1981 年起农村大队医疗站均改为个体医疗人员承包。2016 年年末，全县村卫生室分布情况为：鳌溪镇 9 个，从业医生 37 人；公溪镇 16 个，从业医生 70 人；山砀镇 16 个，从业医生 32 人；龚坊镇 11 个，从业医生 37 人；戴坊镇 19 个，从业医生 68 人；牛田镇 8 个，从业医生 35 人；万崇镇 10 个，从业

罗陂乡水溪村卫生健康服务室

医生32人；增田镇12个，从业医生51人；招携镇15个，从业医生53人；湖坪乡13个，从业医生38人；罗陂乡8个，从业医生23人；南村乡12个，从业医生36人；谷岗乡10个，从业医生23人；湖溪乡8个，从业医生30人；金竹畲族乡9个，从业医生24人。

五、厂、矿、场、学校医疗机构

2016年年末，乐安县有县水泥厂、磷肥厂、食品罐头厂、蚕丝厂、谷岗林场、招携林场等6个医务所，从业医生15人；还有县第一中学、县第二中学、实验小学、保育院等4个医务室，有医务人员5人，不开展诊疗活动，只配合防疫部门搞好学校卫生。

第四节　红十字会

乐安县红十字会成立于1988年12月，挂靠县卫生局。2009年12月，从乐安县卫生局分离单列，为股级事业单位。2012年12月升格为正科级事业单位，编制3个，会长由分管副县长兼任，设常务副会长1名（正科级）、副会长2名（副科级）。2009年12月至2016年11月，红十会机构单列，但未配备专职人员，红十字会工作一直由县卫生部门开展。2016年12月，配备常务副会长、专职副会长各1名，办公场所设在县卫生和计划生育委员会办公大楼6楼。

2016年常务副会长：郭玉棠。

第二章　医疗技术

乐安县医疗技术随着科学技术和医疗科学发展而不断进步，检验、检查项目日益增多，各种现代化诊疗技术、设备，从无到有，从小到大，从单一到全面，朝着电子化、自动化、遥控化、超微化发展，医疗卫生现代化步伐加快。

第一节　专业队伍

随着医疗卫生事业的发展，乐安县医务人员人数呈逐年增加的趋势，医务人员的技术业务水平不断提高，高级技术职称人员不断增多。2005年，全县有医务人员945人，获高级职称44人，其中：主任医师2名、主任药师1名，副主任医师37名、副主任药师3名、副主任护师1名，占全县卫技总人数4.7%；获中级职称294人，其中：主治医师164人、主管药师21人、主管护师102人、主管技师7人，占全县卫技总人数31%；获初级职称473人，占全县卫技总人数50%；其他人员134人，占总数14.2%。2015年，全县各级各类医疗卫生机构从业人员1408人，其中高级职称64人、中级职称 315 人、研究生 2 人。相比 2010 年，每千人口执业（助理）医师数由 1.64 人增长到 1.85 人，每千人口注册护士数由 1.15 人增长到 1.79 人。2016 年年末，乐安县有中级以上医疗职称人员 459 人，其中高级职称 81 人（含副高级职称 72 人）、中级职称 378 人。

第二节　专业技术

一、乐安县人民医院

1986 年，乐安县人民医院开设口腔科、眼科、矫外科、泌尿外科、五官科、小儿外科、神经外科、消化内科、皮肤科、显微外科、心血管内科、神经内科，以及脑电图、脑血流图室。1987 年，增设血液科。1989 年，增设呼吸内科。1990 年，增设内分泌科、中医妇科。1992 年，增设胸外科。1993 年，增设皮肤性病科。1994 年，增设急诊科、动态心电图室。1996 年，增设 CT 室。

在专业学科方面，通过学习和技术革新，由简单内、外科，发展成大内科和大外科，医疗技术不断提升。2009 年，体外冲击波碎石；GBC 包皮除去环；白内障超声乳化 + 人工晶体植入术。2010 年，眼球摘除 + 义眼植入术；鼻内窥镜下泪囊鼻腔造瘘术；胃镜下息肉电切术；肺功能检测。2011 年，鼻内窥镜下鼻脊液漏修补术；羊膜移植术。2012 年，眶内肿瘤（良性）摘除术；鼻内窥镜下鼻内翻性乳头状瘤切除术。2013 年，腹腔镜胆囊切除术；鼻内内窥镜下鼻腔泪囊造瘘术 + 上下泪囊置管术；阴道镜。2016 年，PFNA 磁力导航内固定术；椎间盘经椎间孔镜手术；人工牙种植术；腹腔镜下精索静脉高位结扎术；无痛胃镜、无痛肠镜、HP 检测；宫腔镜微创；腹腔镜微创；阴式手术；PPH 环切术（痔上黏膜环切术）。

二、乐安县中医院

以中医专业为特色，中西医结合为主，设置中医科、大内科、大外科、医技科和药剂科。中医科开设中医内科、中医儿科、中医妇科、中医骨伤科、针灸推拿科、蛇伤科、肛肠科等专业学科；大内科开设心血管内科、神经内科、消化内科、呼吸内科、儿科、传染科等专业学科；大外科开设普通外科、矫形外科、脑外科、泌尿外科、妇产科等专业学科。同时，还开设眼科、耳鼻咽喉科、口腔科等。

2006 年，增设成人留置针穿刺及护理雾化吸入；子宫全切术；股骨颈、股骨粗隆间骨折切开复位内固定术；肾切除手术；腹腔镜胆囊切除术；LC 术（腹腔下胆囊切除术）医疗业务。2007 年，增设儿童留置针穿刺术及护理；留置针穿刺术；泪囊鼻腔吻合术。2012 年，增设腹腔镜宫外孕及附件切除术；肝癌切除术；跟骨骨折切开复位撬拨术 ；白内障超声乳化 + 人工晶体植入术。2016 年，增设 TCT 液基薄层细胞检测、椎体成型术、颈椎骨折脱位手术复位植骨融合内固定术、四肢长骨骨折闭合复位内固定术、股骨颈（股骨粗隆）骨折闭合复位内固定术（PFNA）、前列腺等离子气化电切术、膀胱肿瘤气化电切术、手指断指再植术、热敏灸、中药熏蒸等。

三、乡镇卫生院

2016 年年末，乐安县乡镇 6 所中心卫生院、8 所卫生院、4 所卫生分院，基本开设内、外、儿、妇产、中医、中西药房、检验等科室。

第三节　医疗设备

一、乐安县人民医院

1986 年拥有国外进口 B 超仪、心电图仪、400mA 和 500mAX 光机、裂隙灯检查仪、脑电图仪、脑血流图仪、微循环仪、体外反搏机、纤维胃镜、膀胱镜、脑地形图仪、耳鼻喉科微波治疗仪、血钾钠测定仪及心电、血压、脉搏监护仪等。而后，逐步加大添置高、精、尖设备的投入，新购置一批大型医疗仪器设备。

2016 年，装备有美国专家型全身 CT 机；美国 BT-2100 全自动血球计数仪；美国 TDS-9900 经颅多普勒；美国 AGII 全自动生化分析仪；日本富士电子肠镜、胃镜；法国康强 880 彩色多普勒；日本阿洛卡 B 超 SSD-1000；纤维支气管镜；日本光电血球仪 MEK-6138K；酶标仪、自动洗板机；美国进口 AS-4 微生物分析仪；万东 HF-SOR、50KM 高频摄影系统；日本富士 WG-88FP 电子胃镜；戴西斯尿沉渣充量分析系统；法国康强 5000 气动电控麻醉机；北京新东方 DR 型号 TX-1000；MX-6000X 线电子计算机断层扫描装置；7180 型全自动生化分析仪；FUJINON-200WR 胃镜；FUJINON-250WR5 肠镜；ADVIA-CentaurCP 全自动化学发光免疫分析仪；BuckyDiaguost 飞利浦平板 DR；锐影（HD11XE）全身彩色多普勒诊断仪；GE-C5 全身彩色多普勒诊断仪；ESG-400 奥林巴斯等离子电切镜系统；7600 型全自动生化分析仪；Brivo MR 1.5T 医用核磁共振成像设备；H is Cis 信息化系统；Voluson S8 全身彩色多普勒诊断仪等现代化医疗设施。

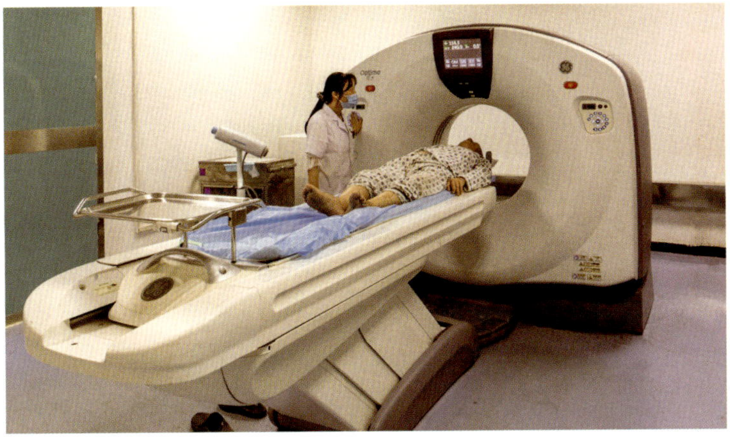

县人民医院 CT 室电子计算机断层扫描仪

二、乐安县中医院

乐安县中医院创建初，仅有老三件（体温表、听诊器、血压计）及三大常规检验（血常规、尿常规、大便常规）器械，设备简陋。

随着卫生事业的发展及医院业务的不断增大，逐年添置一大批医疗设备，诊断治疗水平得到提升。2016 年，医院拥有 A 超、200mAX 光机、B 超机、胃镜、胃电图机、心电图机、681 分光仪及 721 分光仪、胆石治疗仪、纤维胃镜、尿 8 项分析仪，脑电图、脑血流图、冲击波体外碎石设备、电脑红外线乳腺诊断仪、动态心电图机、美国产 HP200c 型彩超、ICD-111 型智能电子痔疮治疗仪、日本产富士能电子胃镜、BC-2000 血球分析仪主机、麻醉机、美国产 2000 专家型 CT 机、master300 型生化仪、全自动多功能麻醉机、经颅多普勒、微波治疗仪、泪道激光机、BC-3000 全自动血液分析仪、Max4000 菲利浦 CT 机、MSX500R CR 扫描仪、HRK-7000A 东轿 X 线机、YP-90B 电脑验光仪、AU480 全自动生化分析仪、SOVEREIGN 眼力健超声乳化仪、心电骨伤愈合仪、STRONG600AB 眼科 AB 超、URIT-5250 全自动血液分析仪、SF-8000 全自动凝血分析仪、81600N ACCESSZ 免疫分析系统、TMS-4 角膜曲率仪、口腔全景机、Cs8100 DR、Picker1600 磁共振、I-open015T 综合验光机等现代化医疗设备。

三、乐安县第二人民医院

2016 年，开设有大内科专业和外科、妇产科、传染科、中医药、放射科、药剂科、五官科等专业。同时，还开展各种临床检验检查及理疗专业。

四、乡镇卫生院

2016 年，乡镇卫生院医疗设备主要有 B 超机、200mAX 线机、胃镜、尿液分析仪、心电图机、脑电图仪、自动生化仪等。

第三章　卫生防疫

1986—2016年，乐安县逐步建立和健全保健机构，推行新法接生，开展妇女普查普治，强制实行儿童计划免疫，为人民群众创造良好的生存条件。随着医疗手段的进步，县内对传统地方病和传染病的防治取得较好效果，并得到有效控制和消除。

第一节　爱国卫生运动

一、创建卫生城镇

1986年以后，乐安县结合开展创建“文明县城”工作，开展创建卫生县城、卫生镇、卫生村和卫生庭院活动，集中整治城镇、村环境卫生，对乱倒垃圾、车辆乱停乱放、乱摆摊点等不文明行为进行集中整治。2005年，乐安县委、县政府、县人武部、县教委、县民政局、县财政局、县林业局、县卫生局、县第一中学、县审计局、县城建局、县人民医院等15个单位获江西省卫生庭院称号。流坑管理局对流坑村的环境卫生进行综合整治，环境卫生面貌得到改观，成为乐安旅游景点一张名片。

二、改水改厕

1990年，乐安被列为抚州地区实施初级卫生保健试点县，开始在农村开展以提高环境卫生质量为目标，进行“两管、五改”（管水、管粪，改炉灶、改环境、改畜圈、改水、改厕）工作。1996—2005年，全县用于改水改厕经费79.5万元，其中：国家投入33.5万元，集体投入28万元，个人投入18万元。2005年，全县饮用安全卫生水受益人口为33.93万人，占总人口的95.63%，其中饮自来水9.13万人、占总人口的25.73%；饮用手压机井水8.03万人、占总人口的22.63%，饮用其他改良卫生水16.76万人、占总人口的47.24%。2016年，乐安县用于农村改水投入2200万元，其中：国家投入1600万元，集体投入300万元，个人投入300万元。全县农村总人口26.99万人，农村自来水当年受益2.57万人，累计受益16.52万人，累计受益率61.21%；手压机井累计受益6.32万人，累计受益率23.41%；其他累计受益4.13万人，累计收益率15.30%，总累计受益26.97万人，总累计受益率为99.93%。

2002年，全县改厕户数有4.99万户，占农村总户数54.42%，其中：三格化粪池式2.28万户，占农村改厕户数45.69%；各粪沼气式0.58万户，占11.62%；其他类型2.13万户，占农村改厕户数42.69%。经省爱卫办考核验收，乐安县被评为江西省农村无害化厕所建设先进县。2011年，根据抚州市政府下发《关于加强创建全省农村卫生工作先进县工作的通知》和《转发市卫生局关于当前农村卫生工作情况的报告的通知》文件要求，积极开展全省农村卫生工作先进县创建工作，大力实施农村改水改厕工程，对农村地区集中式供水水源进行卫生监测工作。2016年，乐安县用于农村改厕投入400万元，其中：国家投入200万元，集体投入40万元，个人投入160万元。全县农村总户数7.21万户，卫生厕所有6.46万户、普及率为89.59%，无害化卫生厕所普及率达到65.50%。

三、健康教育

1986年以后，乐安县主要利用广播、电视、宣传栏、宣传画等各种形式，广泛开展宣传爱国卫生条例等活动，推动“全国九亿农民健康教育行动”深入发展。全县共举办健康教育培训20次，发放《江西省爱国卫生工作条例》200张，卫生宣传牌2000张，发放有关疾病预防手册2000本，积极配合县创建办开展创建文明卫生县城宣传普及工作，开展爱国卫生月、世界无烟日、爱牙日、爱眼日等卫生宣传咨询活动。

第二节　疾病防控

一、地方病防治

丝虫病防治　1986—1997年，开展丝虫病病源监测、传播媒蚊监测和治疗微丝蚴血症者等工作。监测乡镇15个，血检13366人，占流行区人口4.83%。未检出微丝蚴血症者。捕获人房中华按蚊1196只，解剖1025只，未检出感染蚊。1997年10月经省级考核，确认乐安县达到部颁消灭丝虫病标准。2004年，为迎接卫生部对江西省进行消灭丝虫病审评工作，乐安县开展慢性丝虫病调查建档、基本消灭丝虫病和微丝蚴血症患者复查复治工作，调查行政村153个、22万人，查出慢性丝虫病人数305人，其中象皮肿280人、乳糜尿5人、鞘膜积液3人。2006年开始，按照《江西省慢性丝虫病关怀照料方案》，积极开展对慢性丝虫病患者的关怀照料。2008年共发放红霉素软膏800支。2016年年末，累计建档慢性丝虫病象皮肿患者750人。

碘缺乏病防治　碘缺乏病是危害乐安县人民身心健康及影响人口素质的主要地方病之一。1985年10月在全县范围内开展地甲病普查。共普查26.87万人，查出地方性甲状腺肿11447例，患病率4.26%；7~14岁儿童甲状腺生理肿大54586例，肿大率23.36%。通过采取全民食用加碘盐和对重点人群普服碘制剂相结合的防治措施，取得显著成绩。1987年地甲病患病率由4.26%下降至2.45%，7~14岁儿童甲状腺生理肿大率下降至17.45%。同年12月经省级考核，乐安县达到部颁基本控制地甲病标准。1998年11月，经省卫生厅组织的审评，乐安县达到部颁消除碘缺乏病标准。2000年4月，江西省政府血吸虫病地方病防治领导小组办公室组织对乐安县消除碘缺乏病阶段目标进行评估，达到消除碘缺乏病阶段目标。

1988—2000年乐安县碘缺乏病病情监测和考核情况表

表21-3-1　　　　单位：人、%

年份	居民			7~14岁学生		
	调查人数	患病人数	患病率	调查人数	肿大人数	肿大率
1988	659	19	1.88	1679	329	19.59
1989	671	18	2.68	1874	341	18.20
1990	642	9	1.40	1710	224	13.10
1991	627	9	1.44	1700	123	7.24
1992	615	11	1.79	1653	129	7.80
1993	574	12	2.09	1600	70	4.38
1994	617	10	1.62	1748	49	2.80
1995	0	0	0	211	26	12.32
1996	0	0	0	634	29	4.57
1997	0	0	0	40	1	2.50
1998	0	0	0	530	23	4.34
1999	0	0	0	80	3	3.75
2000	0	0	0	400	8	2.00

疟疾病防治　从1952—1994年，疟疾病防治经历调查摸底、群防群治、后期监测管理三个阶段。1977—1987年，11年间开展赣闽二省三地十一县的抗疟疾联防工作。经过40多年的艰苦努力，疟疾发病率从1952年的568.26‰下降到1986年的0.31‰，发病数从1976年11941例下降到1990年0例。1994年11月，经省政府血吸虫病地方病防治领导小组组织考核，达到部颁基本消灭疟疾标准。

二、传染病防治

乐安县卫生防疫贯彻“预防为主”的方针，大力开展防病灭病工作，以防治鼠疫、霍乱、脊髓灰质炎、白喉等传染病为重点，通过开设肠道门诊、发热门诊等进行监测和及时发现、隔离、治疗传染病人等一系列措施，传染病防治工作取得较好成效。从未出现过鼠疫、霍乱疫情；至今连续21年未发生脊髓灰质炎病例，连续20年未发生白喉病例，其他严重危害人民群众身体健康的传染病也得到较好地控制，未出现大的全县范围内传染病流行。

（一）呼吸系统传染病

麻疹　2009年后，麻疹发病率控制在1/100万以下，达到基本消除麻疹标准。

流行性脑脊髓膜炎　2002—2006年，无流脑报告病例；2007年报告病例1例；2008—2011年，无报告病例。

白喉　1986年后，无病例发生。

肺结核　2003年，列入世行贷款、英国赠款、全球基金结核病控制项目县，贷款金额7万美元，对结核病人实行免费治疗。2004年4月，项目工作正式启动，治疗涂阳肺结核病人129例。2005年治疗涂阳肺结核病人134例。2006年治疗涂阳肺结核病人177例，病人发现率70%以上，治愈率92%以上。2015年，开展新涂阳和复治涂阳病人耐多药筛查工作，涂阳肺结核病人家属筛查率95%以上，肺结核病人系统管理率100%，非结防机构肺结核病人的报告率和转诊率98%，结防门诊初诊病人的查痰率99%。

非典型肺炎　2003年3月，全国先后有20多个省、市发生“非典型肺炎”疫情，引起社会恐慌。乐安县成立传染性非典型肺炎领导小组和非典疫情应急机动队，在县域各进入口设置留验观察站10个；县人民医院设立发热门诊诊察室。5月，罗陂乡中、小学生出现群体发热。县政府高度重视，抽调医务人员在县人武部刚竣工的新营院内设置发热病人观察床，采取综合防治措施，得到及时诊疗。在全县上下严防死守下，构筑了牢固的防御屏障，全县未出现一起“非典”病例和疑似病例。

甲型H1N1流感　2009年4月30日，乐安县成立甲型H1N1流感防控工作领导小组和甲型H1N1流感疫情应急机动队等技术小组，下设3个应急机动分队，组建流调组、消杀组、宣教组、检验组、后勤保障组，明确各组职责和任务，制定甲型H1N1流感疫情应急工作预案，指导乡镇卫生院开展甲型H1N1流感的消毒和防感染工作。从5月初开始，县疾控中心规定在甲型H1N1流感防控期间，全体职工24小时应急待命，确保联络通畅；对乡镇卫生院、中小学校、托幼机构等单位，分别就现场流行病学调查、疫源地消毒、医院感染控制和个人

结核病宣传工作

防护等内容开展相关培训，累计培训7次286人次，疾控中心技术骨干参加上级部门组织的培训6次22人次，组织全体职工培训7次210人次。组织应急机动队进行多次甲型H1N1流感应急演练，熟练掌握流调、消杀、检验等相关知识、操作规程和防护服的穿脱程序，完成各相关环节和过程的演练课目。先后印发甲型H1N1流感防治知识宣传单1万余份，出宣传板报10期，出动宣传车巡回宣讲6车次，县电视台开展甲型H1N1流感防治知识宣传，在黄金时段连续播放防控甲型H1N1流感知识字幕。购置和配备隔离服、防护靴、防护眼镜、N95口罩等个人防护用品58套，储备“84”消毒剂、过氧乙酸、漂白精片等消杀药品约350余千克，电动喷雾器、手动喷雾器共4台。

根据卫生部和江西省卫生厅疫苗分配计划，2009年到位甲流疫苗1.46万支，共为一线医疗卫生人员、公安、武警、消防、交通运输以及中小学校、幼托机构的教职员工及学生1.43万人进行免费接种，中心储备330支。11月17日，乐安县第一中学先后确诊5例甲型H1N1流感患者。疫情发生后，立即启动甲型H1N1流感疫情应急工作预案，组织应急机动队等技术小组对县第一中学疫情进行处理。共采集学生咽拭子标本8份，对200余名学生进行流行病学调查，对教室及课桌椅用“84”消毒液进行喷洒和擦拭，消毒面积约1.05万平方米，并指导教育部门进行各项防控措施的实施，有效防止县第一中学甲型H1N1流感疫情的扩散和传播。

2010年，乐安县调入甲流疫苗11850支，为一线医疗卫生人员、公安、武警、消防、交通运输以及中小学校、幼托机构的教职员工及学生11350人进行免费接种，中心储备500支。

截至2016年，乐安县甲型H1N1流感疫情总体平稳，未出现新的甲型H1N1流感疫情。

人感染高致病性禽流感　截至2016年年末，乐安县未发生人感染高致病性禽流感疫情。

（二）消化系统传染病

霍乱　中华人民共和国成立后，乐安县无病例发生。

流行性脊髓灰质炎　1985年后，无脊髓灰质炎报告病例。

乙肝　2003年，乐安为国家GAVI项目县，将乙肝疫苗纳入计划免疫范围。

（三）其他传染病

流行性乙型脑炎　2007年后，无病例发生。

性病、艾滋病　截至2016年年末，乐安县共发现淋病46例、梅毒447例、尖锐湿疣74例、生殖道沙眼衣原体感染47例、生殖器疱疹14例、艾滋病患者107例（其中死亡11例）。县卫生防疫站所设立的“HIV初筛实验室”，经省卫生厅考核达标，是抚州市县级卫生防疫站第一个被确认的“HIV初筛实验室”。县疾控中心、县人民医院、县中医院、县妇育保健院、18个乡镇卫生院、2所民营医院通过HIV初筛实验室验收。

鼠疫　2009—2016年，为江西省定鼠疫自然疫源地监测点县，未发生鼠疫疫情。

（四）疫情报告

建立健全县、乡、村三级疫情报告，全面实行旬报、月报、年报制。2002年，县卫生防疫站实行网络直报。2004年，在县直医疗卫生单位和乡镇卫生院实行网络直报，村级实行电话报告。全县疫情报告基本实行网络化。至2016年，全县疾病预防控制机构能力建设全面加强，疾病预防控制体系进一步完善，传染病报告总发病率保持低水平，加乙类传染病得到有效防控，传染病疫情网络和突发公共卫生事件网络直报覆盖率达到100%；全面实施国家扩大免疫规划，儿童免疫规划疫苗接种率达到90%以上，疫苗可预防传染病得到有效控制。

1986—2006年乐安县报告法定传染病情况表

表 21-3-2　　单位：例

年份	报告发病数	报告发病率（/10万）	年份	报告发病数	报告发病率（/10万）
1986	1407	428.56	1997	428	138.19
1987	894	298.09	1998	500	158.73
1988	618	202.93	1999	686	214.37
1989	592	192.39	2000	514	156.59
1990	473	147.55	2001	638	194.09
1991	669	211.86	2002	533	161.76
1992	589	186.53	2003	663	198.19
1993	295	93.03	2004	711	210.73
1994	540	170.38	2005	766	219.19
1995	537	176.17	2006	726	206.09
1996	553	179.61	—	—	—

2006—2016年乐安县急性传染病发病、死亡情况表

表 21-3-3　　单位：例、人

年份	淋病	流脑	麻疹	流感	痢疾	乙脑	梅毒	伤寒	肝炎	肺结核	出血热	手脚口病		艾滋病		狂犬病	
												病	死	病	死	病	死
2006	0	0	1	2	130	0	9	3	147	381	0	0	0	0	0	2	2
2007	1	1	10	0	54	1	13	4	152	412	0	0	0	0	0	0	0
2008	2	0	3	4	104	0	15	4	157	405	2	23	0	4	0	0	0
2009	1	0	1	3	73	0	14	1	178	322	2	6	0	4	2	1	1
2010	4	0	3	2	62	0	23	2	171	292	2	139	1	4	0	1	1
2011	2	0	1	16	62	0	17	1	174	256	0	448	2	10	2	2	2
2012	3	0	0	7	64	0	42	1	159	272	4	383	2	6	1	2	2
2013	2	0	0	8	81	0	61	0	167	259	3	125	0	10	0	0	0
2014	13	0	0	13	39	0	82	1	168	256	4	140	0	7	2	0	0
2015	5	0	0	10	19	0	57	0	232	258	0	154	0	7	3	0	0
2016	4	0	0	10	9	0	61	1	211	248	14	493	0	17	1	0	0

三、计划免疫

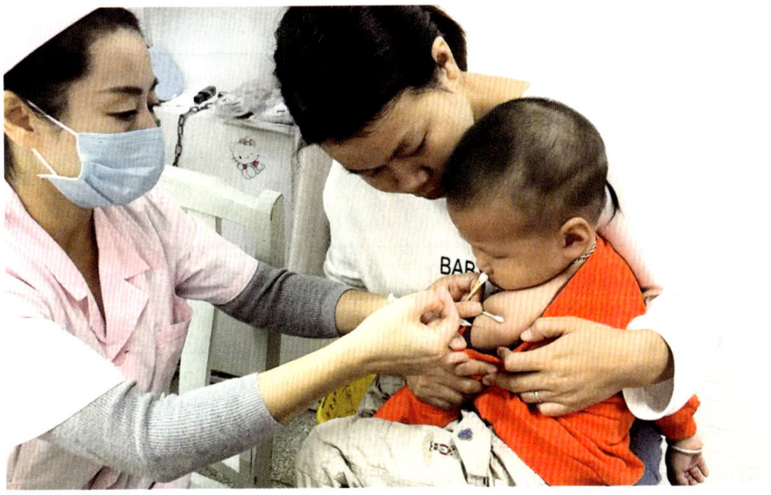
儿童接种疫苗

计划免疫是严格按照国家儿童基础免疫程序，对12月龄的儿童完成卡介苗、脊灰疫苗、百白破疫苗、麻疹疫苗8针次的基础免疫工作。从1980年开始，乐安县实行儿童计划免疫，内容为“四苗”（卡介苗、糖丸、百白破疫苗、麻疹疫苗）预防“六病”（结核病、小儿麻痹症、百日咳、白喉、破伤风、麻疹）。1986—1996年，在全县开展“以省、县、乡为单位儿童计划免疫接种率达85%”工作。1989年1月，通过以省为单位第一个85%考核达标，接种率93.81%；1990年8月，通过以县为单位第二个85%考核达标，接种率97.62%；1996年，通过以乡为单位第三个85%考核达标，接种率91.42%，确保连续21年未出现脊髓灰质炎病例。1998年又增加乙肝疫苗三针次的基础免疫，从而充分保障儿童“五苗”的接种，其相关传染病得到较好控制。1993—2003年，每年12月5—6日和次年1月5—6日，对辖区内4周岁及以下的儿童进行两轮脊髓灰质炎免疫疫苗接种工作，共出动各级各类人员15175人次，接种疫苗20轮304732人次，接种率97.58%。2003年后，乐安县列为国家GAVI项目县，乙肝疫苗纳入计划免疫疫苗，内容为“五苗”（卡介苗、糖丸、百白破疫苗、麻疹疫苗、乙肝疫苗）预防“七病”（结核病、小儿麻痹症、百日咳、白喉、破伤风、麻疹、乙型肝炎）；2008年后，计划免疫升级为扩大国家免疫规划，内容为“14种疫苗”（乙肝疫苗、卡介苗、脊髓灰质炎疫苗、百白破疫苗、白破疫苗、麻疹疫苗、乙脑疫苗、流脑疫苗、甲肝疫苗、麻腮风疫苗、麻风疫苗、出血热疫苗、炭疽疫苗、钩端螺旋体疫苗）预防“15种传染病”（乙型肝炎、结核病、脊髓灰质炎、百日咳、白喉、破伤风、麻疹、乙脑、流脑、甲肝、腮腺炎、风疹、出血热、炭疽、钩端螺旋体病）。

1986—2005年乐安县儿童基础免疫情况表

表21-3-4　　单位：人、%

年份	建卡率	单苗接种情况										全程免疫率
		糖丸		卡介苗		麻苗		百白破		乙肝疫苗		
		接种人数	接种率	接种人数	接种率	接种人数	接种率	接种人数	接种率	接种人数	接种率	
1986	100	6778	96.42	6921	97.21	6754	95.28	6745	96.24	0	0	95.30
1987	100	7366	98.87	7418	99.57	7354	98.71	7356	98.74	0	0	97.41
1988	100	7342	97.85	7571	99.68	7462	98.25	7433	97.87	0	0	96.30
1989	100	8138	97.84	8238	99.04	8185	98.08	8128	97.72	0	0	96.07
1990	100	7461	97.92	7474	98.10	7493	98.35	7461	97.92	0	0	96.25
1991	100	6473	98.42	6487	98.63	6462	98.25	6447	98.03	0	0	97.13

1998 年乐安县初级卫生保健目标完成情况表

表 21-4-1

初级卫生保健 13 项最低标准	完成情况
1. 把初级卫生保健纳入乡村委的目标和当地的社会经济发展计划 100%	已达标
2. 乡镇政府卫生事业的拨款，指标为占年度财政总支出的 8%	占 5%
3. 健康教育普及率指标为 65%	普及率 72%
4. 行政村卫生室覆盖率指标为 95%，甲级村卫生室占 50%	覆盖率 88%
5. 集资医疗人口覆盖率为 70%	覆盖率 10%
6. 安全饮用水普及率为 80%	普及率 50.89%
7. 卫生厕所普及率为 60%	占 39.2%
8. 食品卫生合格率为 80%	合格率 80.2%
9. 婴儿死亡率 35‰	死亡率 18.3‰
10. 孕产妇死亡率为 6/ 万	死亡率 3.9/ 万
11. 儿童四苗接种率为 85%	达 91.42%
12. 法定报告传染病发病率每五年递降标准为 10%	为 8.2%
13. 乡村办工业企业有害作业总卫生合格率为 80%	合格率 91%

第五章　医政药政管理

1986—2016 年，乐安县积极贯彻执行国家有关医药卫生工作的方针、政策、法令和规定，采取有效措施，切实加大对医疗机构监管力度，在提高医疗质量、保障用药安全、改善服务态度、维护人民身体健康中发挥作用。

第一节　医政管理

一、服务体系建设

2008—2016 年，乐安县先后投入使用基层卫生管理信息平台、新型农村合作医疗管理系统和县级综合医院管理系统，建立传染病疫情和突发性公共卫生事件的网上直报信息平台，有序推进卫生服务能力项目达标建设，改善全县医疗条件，全面提升卫生服务能力，经省、市验收合格。2016 年 5 月，根据抚州市委、市人民政府《关于推进乡村卫生计生服务能力建设的实施意见》规定，全县 176 个行政村卫生计生服务室按照诊疗室、治疗室、计划生育技术服务室、观察室、药房（计生药具室）、人口学校、值班室、档案信息室、公共卫生间“八室一间”的要求，按人口多少分为 80 平方米、120 平方米、160 平方米、200 平方米、240 平方米 5 个规格进行标准化建设，年底竣工验收。

二、规章制度建设

1986 年以后，加强制度建设，实行规范化管理。建立院长、副院长、各科室主任、护士、门诊部医师、住院部医师、后勤人员等职责 76 项；建立股静脉穿刺等 43 种临床医师基本技术操作规程；建立皮内、皮下、肌肉注射等 24 种技术操作规程；严格要求每个医务人员挂胸牌上岗，并将每个人的姓名、性别、文化程度、职务、职称、专业技术特长及个人照片公布于众，任由病人选择医生；门诊厅设置咨询台及导诊人员，为病人提供便捷服务。县人民医院将各种检查费、手术费等收费标准用电子显示牌告之于众。120 救护车接诊病人，做到随叫随到，昼夜服务。实行 24 小时门诊制，方便病人及时就诊。

三、医务人员培训

通过实施“引进来、走出去”的人才引进、培训、交流战略举措，乐安县医疗质量和服务水平不断得到提升。1992 年，按照省、地卫生主管部门的要求，凡未进行中专学历学习或培训的乡村医生，均须参加“红色证书工程”3 年专业培训。全县 243 名年龄在 40 岁以上的乡村医生由县卫生局培训；108 名 40 岁以下的乡村医生则参加抚州中医学校举办的乡医函授部学习，3 年后均获得中专毕业文凭。通过培训，全县 351 名乡村医生全部取得乡村医生证和乡村医生上岗证。2004 年，县卫生局根据《乡村医生从业管理办法》的规定和《江西省 2004—2008 年度乡村医生在岗培训计划和培训大纲》要求，对全县 176 所村卫生所 593 名在岗乡村医生进行业务培训，培训率为 100%。

2005—2016 年，每年组织在岗乡村医生 600 人左右参与培训，培训率 91% 以上；输送 5~6 名乡镇卫生院医生参加省卫生厅组织的全科医生培训；组织 30 多名乡镇骨干医师培训。2012 年，制定《乐安县乡镇卫生院聘用人员管理规定》，规范乡镇卫生院自聘人员管理。2013 年，全县卫生院系统 700 余人参加双卫网远程教育培训和考试。至 2016 年，持续执行县级医疗机构对口挂点乡镇卫生院、分配三支一扶人员和优秀选拔生到基层上岗等人才帮扶制度；通过市卫生事业单位招考，乐安县每年录用数名专业技术人才；每年邀请北京大学医学院的专家到乐安对白内障手术适应患者实施手术，使县医生获得宝贵临床学习机会。

2006—2016 年，卫生部、财政部和国家中医药管理局关于“万名医师支援农村卫生工程”和《江西省“千名医师支援农村卫生工程”项目执行方案》实施，鹰潭市人民医院派出医疗专家支援乐安医疗卫生工作，普外科及泌尿外科专家多次带领县医师上手术台进行手术指导，还就当前新技术开展学术讲座 20 余次。

四、医患纠纷处置

2008 年，组织各医疗机构开展“和谐平安医院”创建活动。2009 年，开展效能作风整治专项行动。2010 年，开展医院管理年活动。2011 年，开展医疗质量万里行活动。2012 年，开展群众满意医院创建活动，同时贯彻执行卫生部、公安部联合下发的《关于维护医疗机构秩序的公告》，制定《乐安县医患纠纷预防与调处暂行办法》和《关于预防与处理医患纠纷工作的实施意见》，做好医患纠纷调解工作，维护医患双方正当利益，保障社会和谐稳定。2013 年，开展专项整治行动。2014 年，开展民营医院医疗质量示范科室创建活动。2015 年，开展卫生行风建设和医药医务阳光行动。2016年，开展乡镇卫生院管理提升年活动。通过上述活动，促进各医疗机构加强自律，自觉提高服务水平，树立行业新形象，有效预防和减少医患纠纷。至2016年年末，未发生严重的医患纠纷和越级上访现象。

五、医疗卫生改革

新型农村合作医疗改革　2008年3月，乐安县启动新型农村合作医疗（简称“新农合”）制度，通过遏制医药费用不良增长、提高住院实际补偿比、加大支付方式改革力度等举措，重点实现基金运行平稳和便民惠民政策，持续保持较高农民参合率。2011年，农村居民住院补偿封顶5万元。2012年，农村居民住院补偿封顶提高到8万元。2014年，加大新农合基金监管力度，出台《乐安县新型农村合作医疗违规处理办法》《加强县级新农合民营定点医疗机构监督管理意见》和《乐安县新型农村合作医疗门诊统筹违规处理办法》；县、乡两级新农合信息管理系统投入使用，与市级信息系统完成对接，初步实现县、乡新农合网上报账、网上审核。2015年进一步完善意外伤害保险及大病保险制度，减轻患大病参合农民经济负担。当年补偿意外伤害患者1009人次、金额243万元；补偿大病保险123人次、金额71万元。2016年，审批门诊大病（慢性病）1588人，195人次申请重大疾病救治，63人获得尿毒症免费血透救治，4例患儿得到“两病儿童”（白血病、先天性心脏病）免费救治。

2008—2016年乐安县新农合有关情况表

表21-5-1　　　　单位：人、%

年份	参合农民人数	占农业人口数比例	新农合统筹基金使用率	年份	参合农民人数	占农业人口数比例	新农合统筹基金使用率
2008	241100	90.85	78.72	2013	272073	99.13	—
2009	244600	92.18	104.28	2014	277666	99.23	88.39
2010	253066	95.79	71.65	2015	287710	99.33	95.77
2011	257865	97.6	92.48	2016	290285	99.41	80.17
2012	266183	98.45	—	—	—	—	—

基本公共卫生服务　2009年，乐安县启动基本公共卫生服务均等化工程。5月，建立居民健康档案、为65岁及以上老年人进行健康体检、0~3周岁婴幼儿做生长发育检查、孕产妇开展孕前孕后保健、掌握高血压病患者人数及状况、掌握Ⅰ型糖尿病患者人数及状况、掌握重性精神病患者人数及状况、重点人群免费接种甲型流感疫苗、诊治新发传染病。2010年，根据《国家基本公共卫生服务规范》，制定《乐安县农村基本公共卫生服务逐步均等化项目实施方案》，建立长效机制。2016年，基本公共服务专项经费45元/人，完成城乡居民健康电子档案建档人数27.34万人，建档率78%，电子化率达100%，各类重点管理任务全面完成。

重大公共卫生服务　2009年5月，江西省实施“光明·微笑”工程在乐安县开始实施，白内障和唇腭裂患者先由乡镇医院初步筛查，再抽调县内医疗专家在县医院集中时间对患者进行确诊，对手术适应症患者进行手术；实行全县8~15周岁青少年免费接种乙肝疫苗；实行全县育龄妇女免费补服叶酸；实行农村孕产妇免费住院分娩补助。2014年开始，将15种慢性疾病（耐多药肺结核、肺癌、食道癌、胃癌、结肠癌、直肠癌、慢性粒细胞白血病、急性心肌梗塞、脑梗死、血友病、I 型糖尿病、甲亢、儿童苯丙酮尿症、尿道下裂、地中海贫血）列入门诊大病补偿范围，住院费用实行按病种付费，新农合实际补偿达到 70% 以上。2016 年，“光明·微笑”工程白内障手术 101 例；免费救治先天性心脏病患儿 15 例、白血病患儿 2 例；尿毒症免费血透救治 129 人；救治重性精神病患者 535 例；适龄妇女免费发放叶酸 2317 人；农村孕产妇分娩补助 2825 人；救助农村“两癌”（即宫颈癌、乳腺癌）妇女患者 2 人。

重大公共卫生服务应急演练

国家基本药物制度　2010 年 2 月 1 日，乐安县 6 个中心卫生院先行启动基本药物制度。12 月，所有乡镇卫生院全面启动基本药物制度。2012 年 5 月 1 日，全县 175 个行政村卫生室按照《乐安县村卫生室实施国家基本药物制度实施办法》，列入国家基本药物制度实施范围。全县医疗单位基本药物统一参加以省为单位网上药品集中招标采购，并由招标选择配送企业统一配送药品，保证药品质量，降低虚高药价，减轻群众用药负担。

公立医院改革试点　2011 年，乐安县人民医院率先开展临床诊疗路径管理试点工作，单纯性阑尾炎、小儿疝气、剖腹产等列入单病种收费；在县人民医院和县中医院实施“优质护理服务示范工程”；基层医疗卫生单位全面实施绩效工资制，实现多劳多得、优劳优酬，充分调动医务人员的积极性。2012 年，县属公立医院对部分病症实行单病种付费试点改革，以及开展优质护理服务示范工程，制定并落实控制医药费用过快增长的政策措施，加强公立医院财务管理和成本核算。2013 年，研究县级公立医院药品零差价及医疗服务收费改革政策，落实县级医院综合配套改革各项措施，提升公立医院服务能力和水平。2014 年，县属公立医院推行临床路径管理，实行单病种付费试点改革；加强公立医院财务管理和成本核算；鼓励社会力量办医，按照相关规定程序批准申报创办乐安康宁医院和华侨医院。2015 年，按照省、市全面推进县级公立医院综合改革工作要求，成立乐安县公立医院改革领导小组，研究制定《乐安县县级公立医院改革工作实施方案》，出台《关于成立县级公立医院理事会的通知》。11 月 1 日 0 时，县人民医院、县中医院、县第二人民医院、县妇幼保健院 4 所县级公立医院正式启动综合改革，所有药品实现“三统一”管理（统一采购、统一配送、统一结算），所有药品（中药饮片除外）实行零差价销售。

第二节　医德医风

1989 年，乐安在全县进行加强医务职业道德教育，开展医德医风讲评活动。1993 年，将医德医风考评成绩列为晋升职称必备条件。1994 年，开展向人民好医生赵雪芳学习活动，把职业道德教育纳入医疗管理的重要内容。全县医疗单位聘请社会义务监督员，各科室还将医务人员的姓名、职务、职称及照片公布于众，请群众监督；设立行风意见箱，欢迎广大群众提意见、建议。1996 年，在全县卫生系统开展“假如我是病人”为主题的换位大讨论，帮助全体医务人员树立以病人为中心、视病人为亲人的医德。1997 年 10 月，江西省卫生系统医德医风先进集体和先进个人表彰大会在乐安召开，县卫生局开展争先创优活动，制定医德规范及实施办法。

2000年以后，县卫生局成立纠风领导小组，下设办公室，具体负责全县医疗行业纠风工作实施。制定《乐安县卫生局关于解决群众看病难看病贵的实施方案》《乐安县卫生局关于开展纠正医疗服务中不正之风专项治理实施方案》《关于在全县医疗机构推行20条便民措施的通知》《关于在全系统开展转变作风年活动的实施意见》及《建立健全乐安县卫生行风建设长效机制的实施办法》。聘请9名卫生行风监督员，向社会公布举报电话，接受群众监督。

对每个医务人员的医德医风表现，每年进行考评。加强在诊疗工作中有否向病人或服务对象索要“红包”或物品；有否利用病人名字开搭车药、作搭车检查治疗；有否在采购药物器械或在卫生、执法监督活动中收受回扣、好处费；有否利用职务之便收受贿赂，搞假证明、假检查报告；有否违犯计划生育政策，收受贿赂、假结扎、假引产、性别鉴定；有否服务态度生硬，责任心不强，语言粗鲁，推诿、拖延病人等检查。各医疗单位每年根据专业技术人员医德医风表现，填写医德医风考评表，实行自查。科室按优秀、良好、及格和不及格4个档次进行考评，填写考评意见，提出奖惩建议。个人医德医风考评表由单位保存建档，作为本人今后评先、调资及职称晋升的条件之一。

2005年，全县各医疗单位共拒收红包135次，拒收金额2.1万元，拒吃请165次，收到表扬信、锦旗26件。2008年，开展“提升行政效能，建设服务型政府”的主题活动，在全系统医务人员中，大力开展医德医风教育，提高服务质量，树立卫生系统良好形象。2009年，在全系统医务人员中开展“医疗质量万里行”“和谐平安医院创建”活动；在民营医院开展“规范服务行动”、创建“医疗质量示范科室”活动，提高服务质量，保障医疗安全；妥善处理医患纠纷，建立第三方调处机制，维护社会稳定。2010年，开展“树新风正气，促卫生发展”活动。2013年，开展“群众满意医院”创建活动。2014年，开展“十佳护士”“十佳医生”和“医德医风标兵”评选活动，弘扬“救死扶伤”“医者仁心”的卫生精神，加强对医务人员服务质量和服务行为动态监督。2015年，贯彻落实中央八项规定及《医疗卫生行风建设“九不准”规定》，整治“红包”“回扣”“办事难”等问题。2016年，重点围绕纪律作风、医疗卫生和计划生育服务、医药购销、专项资金管理使用、行政审批和监督执法等5个方面开展集中整治工作。

第二十二卷　文化　旅游

本卷目录

第一章　主要机构

1986—2016年，乐安县文化广播电视新闻出版管理机构经过多次的调整，职能不断变化，业务工作有所创新，文化事业日益繁荣。业务管理专职机构有文化馆、图书馆、博物馆、新华书店、电影公司、广播电视台、文化市场执法大队、体育运动委员会等。各乡镇设有文化站、广播站，村设有文化室、文化户。2001年和2004年，县政府先后设立县旅游局和流坑管理局，以适应全县旅游工作的需要。

第一节　县文化广电新闻出版局

1978年12月，恢复县文化教育局。1984年6月，把文化教育局的文化工作职能划入广播事业局，成立县文化广播电视局。1996年5月，成立中共乐安县文化广播电视局委员会，之后，党委名称随着局名称变化而改变。1996年10月，更名为县文化局。2002年10月，县体委与县文化局合并成立乐安县文化体育广播电视局。2014年12月，体育职能划入教育局，改称乐安县文化广电新闻出版局（简称“县文广新局”），设办公室、文物股、文化股、广电股、市场管理股。县文广新局下属机构有：文化馆、博物馆、图书馆、电影公司、文化市场综合执法大队、县广播电视台和体育运动委员会。

1986—2016年，历任局长：陈银保、郭林根、丁锦林、王贵香、龚幼光、游娟娟（女）、钱民；历任党委书记：王庆华、黄清华、龙小凤、曾乐平。

县文化广电新闻出版局大楼

1960—2016年部分年份乐安县文化系统人数情况表

表22-1-1　　单位：人

单位	1960	1970	1980	1990	2000	2010	2016
局机关	—	—	—	12	20	18	19
县文化馆	8	8	13	22	22	16	18
县博物馆	—	2	6	9	6	7	9

续表 22-1-1

单位	1960	1970	1980	1990	2000	2010	2016
县图书馆	—	—	—	11	11	8	8
县新华书店	5	7	11	19	33	19	18
县电影公司	8	14	25	24	25	23	15
综合执法大队	0	0	0	0	0	4	4
广播电视台	—	—	—	—	7	18	19
网络公司	0	0	0	0	19	19	19
体委	—	6	5	6	3	3	3
合计	21	37	60	103	146	135	132

根据中央、省、地、县关于职称改革的有关规定，结合单位专业队伍的实际情况，于1987年8月成立乐安县文广局职称改革领导小组，并相应成立各系列评审小组，评定直属文化广电单位专业技术职称人员52人。其中，副高职称3人、中级职称13人、初级职称36人。

2016年乐安县文化系统专业技术职称情况表

表 22-1-2　　　　单位：人

单位	人数	职称			小计	单位	人数	职称			小计
		高级	中级	初级				高级	中级	初级	
县文化馆	18	1	4	13	18	县电影公司	15	0	4	1	5
县博物馆	9	1	2	5	8	综合执法大队	4	0	0	4	4
县图书馆	8	0	0	6	6	县广播电视台	19	1	1	7	9
县新华书店	18	0	3	0	3	合计	91	3	14	36	53

说明：局机关、体委、网络公司无专业技术职称人员

第二节　县旅游局和流坑管理局

县旅游局　2001年2月，县政府设立县旅游局，为县政府主管全县旅游工作的直属正科级事业单位，2007年12月，列入参照公务员管理单位。主要职责为：研究拟定全县旅游业发展规划，并组织实施；制定全县旅游的开发措施，指导旅游资源的开发利用和保护工作，培育和完善旅游市场，指导重要旅游产品的开发；开展旅游宣传和推介工作，负责全县旅游统计工作，为发展旅游业提供信息服务等。2010年，成立乐安县旅游资源开发办公室，为县旅游局下属正股级事业单位。是年11月，成立中共乐安县旅游局党组。2016年，县旅游局内设人秘股、质监股，定事业编制5个，实有人员6人。

2003—2016年，历任局长：黄爱英（女）、邓新荣。

流坑管理局　为加快流坑古村的开发利用，2004年4月，县政府成立流坑管理局，为正科级事业单位，编制14个，下设党政办公室、文

流坑景区游客服务中心

物保护办公室、景区建设办公室、社会事业办公室、新村建设办公室、旅游开发办公室6个内设机构，共有14人。主要职责是负责管理流坑村的文物保护、旅游开发、环境卫生、教育、安全与消防、社会稳定、扶贫移民、景区建设与规划等工作。

2004—2016年，历任局长：詹鸿飞、周冰、戴慧龙、王乐富、杜国辉、詹海群；2009—2016年历任书记：孙仉才、余剑。

第二章　群众文化

中共十一届三中全会后，乐安县群众文艺创作进一步繁荣，群众文化活动也非常活跃。1986年，全县21个乡镇均建立文化站，并发展81个村文化室，58个农村业余剧团，93户文化户，一个多层次、多渠道的县、乡、村、户四级文化网络初步形成。此后，全县开展“以文补文”“多业助文”取得可喜成就，社会效益和经济效益双丰收，各项工作呈现勃勃生机。

第一节　文化网络

一、县文化馆

1978年，县政府拨专款4万元，兴建总面积为984平方米的文化馆活动楼，1980年9月，县文化馆迁入新址。1986年，县文化馆内设文学戏剧组、音乐舞蹈组、美术摄影组和行政后勤组。至1990年，馆内工作人员增加到22人。其中，副研究馆员1人，馆员6人，助理馆员7人；省作协会员1人，省剧协会员2人，省舞协会员1人，省美协会员1人，省摄影家协会会员1人，省群文学会会员2人。

20世纪80年代，县文化馆活动设备不断添

乐安县文化馆

加，录像、摄影、乐器、音响、服装、道具等固定资产 12 万多元。

随着城乡文化设施建设的加强，县文化馆积极开展各项文化活动，丰富和满足广大群众对文化生活的需求。1988 年，县文化馆被评为全省三等文化馆；1989 年，获抚州地区先进文化馆一等奖；1990 年，被评为全省“以文补文”先进单位。1991 年，在全省文化馆、站考评定级达标检查中，县文化馆被评为省级一等文化馆。是年被文化部授为“达标馆”。

二、乡镇文化站

根据国家“六五”计划的要求，各公社组建文化站。1985 年，将增田、公溪、牛田、招携 4 个乡（镇）的文化站扩建成文化中心。是年，坪溪、招携、增田、谷岗、湖溪、公溪、戴坊、罗陂、湖坪文化站共 9 名乡镇文化员，经考试合格，转为国家正式干部。1992 年，有乡镇文化员 30 人。乡镇文化站设有图书室、报刊阅览室、游艺室，规模较大的文化站（中心）有录像放映室、桌球室、科技阅览室、儿童阅览室、影剧院、球场等。文化站坚持对读者开放，并因地制宜地开展各项活动，如组织文艺演出、举办故事会、科技讲座、展览，刊出宣传橱窗等，对宣传党的方针政策、丰富群众文化生活、帮助农民科学致富、维护社会治安等起到积极作用。1986—1989 年，增田、公溪、招携、牛田文化（中心）站连年被评为全区文化系统先进单位。

三、农村文化室

农村文化室是大队（村委会）一级农民开展文化活动的主要场所。中共十一届三中全会后，农村文化工作的领导和管理得到全面加强，农村文化室得到较大的发展。据 1990 年不完全统计，全县农村建有各种形式的文化室 81 个。这些文化室普遍设立图书阅览室、娱乐室、电视室。湖坪乡坊塘村文化室办得很有特色，不仅经常组织农民开展文体活动，还长年举办农民培训班，传授缝纫、兽医、农技等知识，为农民脱贫致富铺路搭桥，多次受到省、地的表彰和奖励。

第二节　民间文化

一、民间舞蹈

乐安民间传统文化绚丽多姿，颇具特色。在种类繁多的民间民俗文化中。

傩是远古时代人们为驱鬼逐疫所举行的一种祭祀活动，是乐安县最古老的民间舞蹈之一。据专家推断，乐安傩舞至少有千年以上的历史。流传至今的乐安傩舞主要分布在乐安县增田镇东湖村、牛田镇流坑村、鳌溪镇罗山村。东湖称之为“滚傩神”，流坑取名为“玩喜”，罗山叫“打戏头鼓”。

乐安傩舞其悠久的历史，风格流派各异，丰富的文化内涵和古老稚拙、粗犷豪放的原生态特征，在国内外享有盛誉，被称为中国舞蹈“活化石”。日本神奈川大学教授广田律子女士一行两次慕名至乐安考察乐安傩文化。2006 年 5 月 20 日，国务院公布乐安傩舞为第一批国家级非物质文化遗产。

乐安县民间舞蹈集成编纂工作受到上级文化主管部门的表彰，乐安卷编纂小组被地区评为民间舞蹈集成工作先进单位。流坑、东湖、罗山分别获省文化厅、省舞协颁发的挖掘民间艺术先进单位奖。

东湖傩舞表演

二、民间音乐

（一）民间歌曲

乐安民歌遍布城乡，尤其在偏远山区，几乎家喻户晓，人人吟唱。由于长期扎根在人民生活的沃土中，逐步形成清新、优美、朴素的风格和浓郁的乡土特色。

20世纪80年代，县文化馆组织人员深入基层采访，收集乐安民歌300首，选辑200首编成《乐安县民间歌曲集》（含山歌83首，田歌7首，灯歌29首，小调52首，儿歌9首，风俗歌2首，生活音调2首，革命历史民歌16首）。其中，73首民歌选入《中国民间歌曲集成江西卷抚州地区分卷》；有42首选入《中国民间歌曲集成江西卷》；脍炙人口的《手拿锄头开荒田》和《我打长工实艰难》两首民歌被选入中国音协编辑的《民歌一千首》，《洗黄瓜》被选入上海人民出版社出版的《中国民歌》第四卷。

乐安民歌内容丰富多彩，大多是反映社会矛盾、婚姻爱情、生产劳动以及日常生活的事情，也有反映革命斗志的苏区民歌。

在乐安民歌里，集中反映阶级矛盾的民歌占有一定比例。长期以来，乐安人民经受封建统治阶级的残酷剥削和压迫，痛苦的生活使他们产生了许多控诉反动统治阶级罪恶的民歌。例如：《我打长工实艰难》《长工歌》《老板送饭还冇来》《栽禾歌》等。这些民歌不仅揭示旧社会尖锐的阶级矛盾，而且表现了劳动人民对反动统治强烈的反抗精神。

在乐安民歌里，反映婚姻爱情的民歌占有很大的比重。这类民歌大致可分为三类：

一类是通过倾诉劳动人民在爱情、婚姻方面的不幸遭遇，控诉封建礼教的束缚，追求妇女解放。如《十八小姐七岁郎》《十二月寡妇》等。

二类是冲破旧的婚姻制度束缚，表现男女青年对婚姻自由及美好爱情的向往和追求。如《洗黄瓜》《要我断情拿刀来》《恋妹躲在隔壁觑》。后两首的唱词是：

要我断情拿刀来

我上山剁树下山栽，
十七八岁交得来；
我半斤猪肉氽两碗，
要我断情拿刀来。

恋妹躲在隔壁觑

恋妹要去隔壁觑，
转弯抹角笑嘻嘻；
怕你爷娘做面色，
哪个晓得我爱你。

三类是对在劳动中建立起来的勤劳、朴实、纯洁爱情的赞颂。如湖坪山歌《手拿锄头开荒田》：

手拿锄头开荒田

哎呀嘞，日头一出朦胧天，
坪上碰见好娇莲；
娇莲问，做什个，
一点年纪的心肝妹，
手拿锄头开荒田。

日头一出晒高坪，
坪上一群好后生；
栽起禾来鸡啄米，
唱起歌来实好听。

在乐安民歌里，还有不少是表现劳动人民生产、生活的。这些民歌内容广泛，形式多样，有的是歌颂劳动情景的，有的是互相逗趣、启智的，有的是表现节日欢快气氛的，多半反映劳动人民勤劳、质朴、乐观的思想感情。如《耘禾歌》《割禾歌》《牛角弯弯》《南风吹来禾叶青》《十二月花》等。

苏区民歌是乐安民歌的重要组成部分。土地革命战争时期，乐安苏区为扩红支前，发展生产，拥军优属，鼓舞人民旺盛的革命斗志，出现了许多优秀的民歌，如风靡全苏区的《送郎当红军》《当兵就要当红军》《共产党领导真正确》《日头出来煌煌红》《斧头不怕劈硬柴》《活捉张辉瓒》等，当时在广大农村普遍传唱，有些红色歌谣给人们留下深刻印象。

送郎当红军歌

送郎当红军，阶级要分清，帝国主义呀，它不是革命。

送郎当红军，革命要认真，地主恶霸呀，剥削咱穷人。

送郎当红军，切莫想家庭，分到田地呀，政府派人耘。

送郎当红军，莫把妹挂心，家中事情呀，妹妹会担承。

送郎当红军，革命要认真，前线杀敌人，坚决不留情。

说明：1931 年妇联望仙联欢晚会上演出。

红军纪律歌

纪律要严明，行动听命令。打土豪要归公，买卖要公平。

工农的东西，不可乱分文。讲话要和气，开口莫骂人。

无产阶级劳动群众个个都欢迎。

出发和宿营，样样要记清。上门板捆禾草，房子扫干净。

借物要送还，损失要赔钱。大便找厕所，洗澡避女人。

三大纪律八项注意大家要执行。

苏区万众一条心（榜子腔）

工农革命，万众一条心。一个人一条心，就是反革命。

望你们前方去，团体结得紧。大家努力向前行，勇敢冲锋。

红军当兵，奋勇打胜仗。打胜仗杀敌人，拿定好主张。

打土豪分田地，不交租税粮。反对中国国民党，无产端祥。

帝国主义，资本齐活动。资本家大地主，自由到我国。

军事上政治上，侵略我中华。一切利益特殊权，种种剥削。

无产阶级，都是好兄弟。资本家大地主，我的死敌人。

小资产小商人，参加来革命。打倒中国国民党。实现共产制。

说明：1931 年县政府开代表会时编。

上前线歌

炮火连天烽烟滚滚，我们少年先锋队武装奋勇向前线。

用我们的刺刀枪炮对准敌人，用我们的刺刀枪炮对准敌人，

作坚决英勇抗争。开展胜利的进攻，消灭万恶的敌人。

夺取那吉安与南昌等中心城市，苏维埃的先锋旗帜插满全中国，

哎——苏维埃的先锋旗帜插满全中国。夺取革命的胜利。

说明：1931 年县委编。

江西是个好地方歌

江西是个好地方，好么呀好地方。山清水秀好风光，赣江流水浪滔滔。

庐山难见真面貌，鄱阳湖上渔船飘。渔船飘呀依也么呀呀，鄱阳湖上渔船飘。

江西是个好地方，好么呀好地方。八一起义在南昌，勇向国民党开炮枪。

工农武装闹革命，井冈山上红旗飘。红旗飘呀依也么呀呀，井冈山上红旗飘。

江西是个好地方，好么呀好地方。革命传统大发扬，哎哎哟大发扬。

胜利的旗帜歌

胜利的旗帜，哗哪哪地飘，千万人的呼声，地动山摇。

毛泽东、斯大林，毛泽东、斯大林，像太阳，天空照。

红旗在前面飘，全世界走向路一条。

争取人民民主，争取持久和平，全世界人民心一条。

送肉感赋

1933 年年底，李福槐送驻竹溪区的白区工作部部长李赤生半斤牛肉，随感而赋：

半斤牛肉战友情，不是寻常席上珍。劳苦功高堪食禄，莫嫌礼薄意真诚。

民国民谚

县长作威作福，区长买田做屋。乡长嫖嫖赌赌，保长吃鱼吃肉。

地主高利剥削，恶霸敲诈勒索。甲长比蛇还毒，百姓啼啼哭哭。

苏区教育歌

毛主席真是好，领导大家打土豪。打倒土豪分田地，国民匪党一扫光。

靖卫团真残酷，牵耕牛，烧房屋，拿去床上被，又抢走仓里谷。

军阀、地主、富农、资本家、帝国主义都是剥削阶级，都是我们要打倒的敌人。我们要打倒阶级敌人，就要组织强有力的革命武装。红军、游击队、赤卫军，都是消灭阶级敌人的革命武装。

幸福不忘共产党

过去生产懒洋洋，交完地租只剩一把糠。自从打倒土豪和劣绅，人民当家作主张。如今生产喜洋洋，幸福生活不忘共产党。

乐安民歌的体裁形式多样，有山歌、田歌、灯歌、小调、儿歌、风俗歌、生活音调等。

山歌在乐安民歌里是一种常见的民歌体裁。山歌多在旷野歌唱，不和劳动动作相伴随，多半是触景生情，即兴吟唱。山歌手不仅民间语言丰富，而且形象生动，多用“比”和“兴”的手法来表达歌词内容。在歌词的结构上多半是“四句头”山歌，歌词有四句，也有六句或八句的，群众有的把这种句式的山歌叫“四六歌”或“短歌仔”。句子多由七字组成，但也有长短不一的词句。

乐安山歌有本地山歌与客家山歌之别。本地山歌为平腔，节奏规整，接近语言声调，而在乐安县南部山区还有高腔山歌，音乐高亢悠扬，多为单句变化，重复组成上下句。客家山歌是外地传入而又本地化的品种。乐安山区盛产竹木，土法造纸已名扬中外，造纸业发展吸引了大批兴国、宁都、永丰、新干、崇仁、宜黄等地的造纸农工，他们远离家乡，生活凄苦，经常用家乡山歌、小调宽慰自己，思念亲人。这种外地引进的民歌与当地民歌相互吸收兼容，逐渐形成一种变体腔调。如《撑排哥哥真可怜》《手拿锄头开荒田》《我打山歌盖江西》等，其旋律异常优美。

田歌和灯歌是乐安民歌中常见的形式。田歌主要是直接用以反映农事生活为主要内容的民歌，如《栽禾歌》《耘禾歌》《割禾歌》。灯歌是逢年过节出灯时一种载歌载舞的小演唱形式，乐安当地人叫“花灯戏”，演出这种小歌舞时，群众称“出灯”，其唱腔优美，气氛热烈，节奏性强。如招携的《十二月花》《十唱祝英台》等。

小调在乐安民歌中占有一定比例，而且多为叙事性和抒情性的农村生活小调。如《哨郎》《十别》《十断情》《十二月花》《十绣荷包》《妹唱小曲哥宽心》等。小调的音乐稳定，词曲结合妥贴，曲式结构严谨，节奏、节拍多半很规整。歌词有七言或五言，四句、五句、六句或八句一段的，多段歌词组成一首歌。曲调朴实、流畅，有轻松活泼的，也有深沉忧伤的，有纤细抒情的，也有清新高雅的。

乐安民歌中的儿歌，大致有两种：一是母亲唱的摇儿腔以及儿童逗趣时唱的逗儿歌和各种知识性的童谣，二是孩子们游戏时唱的各种歌谣。如摇儿腔《宝贝》，童谣《萤火虫》等。这类民歌结构短小，近似语调，旋律十分优美、委婉、亲切。

乐安民歌中，除小调、灯歌在节拍上多为2/4拍子，节奏较规则外，山歌、田歌、摇儿腔多采用混合拍子，形成音色多变、情绪跌宕起伏、对比鲜明的歌唱效果。

（二）民间器乐

乐安县一些人口稠密的村落常组织“龙灯会”“朝华会”和“迎神会”等集会活动，集会时往往借助各种乐器增添热闹气氛，从而逐渐形成大小不等的民间乐队。乐队组合的种类大致分为打击乐（锣、鼓、钹）、丝竹轻音乐、吹奏乐（主要是唢呐）3种。他们不但在大姓族村落组成的集会中出场演奏，有时在婚丧喜庆时也应邀演奏。全县的丝竹乐队以流坑董姓的乐队最为出色，配有锣、鼓、钹、二胡、月琴、扬琴、唢呐、箫笛等十余种乐器。相传其演奏的乐曲牌调是明代董裕在朝廷任刑部尚书时，带领家乡子弟到宫廷乐队学习而得来的。其中《浪淘沙》《风入松》《朝天子》《小桃红》《梅花三弄》《水底鱼》《麻婆子》等曲牌，其音调婉转、优雅动听。

乐安民间器乐能人多分布在流坑、水南、招携、南村、坪溪、湖坪、罗陂等地。老艺人董国香是流坑吹唢呐能手，他吹奏的《浪淘沙》《水底鱼》和《麻婆子》等小曲，不仅婉转悠扬，娓娓动听，而且传说常常引来百鸟共鸣。中华人民共和国成立后，出现过不少唢呐演奏高手，其中丁茂旺、董梅香，演奏造诣甚深。他们的演奏特点是：指法熟、音色美、感情充沛。董梅香善于运气，一口气能演奏1个多小时，而且感情深厚，悲喜分明，吹奏悲曲《大开门》《哭天亡》，催人泪下；吹起喜曲《一枝花》《满堂红》，使人顿感欢乐。他参加抚州地区业余文艺会演并获奖。

1990年，乐安县组织专人深入全县重点乡镇从事民间器乐采编工作，收集整理风格各异的民间器乐曲36首，其中，唢呐锣鼓腔有《四季长锣》《小八仙》《解宝》《访贤》《四景》《双合梅》《十八扦》《一枝花》《满堂红》等；宫廷乐曲有《将军令》《朝阳歌》等；道教音乐有《祭神》《升天》《点光》等。

三、民间灯彩

自古以来，乐安县民间便有在元宵节张灯结彩、玩灯舞狮的习俗。早在宋、明两代，乐安县歌舞灯彩就极为盛行。中华人民共和国成立后，在“百花齐放、推陈出新”的文艺方针指引下，开展各种形式的灯彩活动，不仅使传统的民间灯彩重放异彩，而且注入了许多新鲜活泼、健康时尚的内容。

器乐爱好者在健身公园演奏

乐安县灯彩遍布城乡，主要分布在牛田、增田、湖溪、鳌溪、招携、戴坊等地。灯彩种类繁多，流传至今的有龙灯、狮灯、蚌壳灯、采莲船、花鼓灯等（属表演型灯彩）；牛灯、马灯、鸡灯、鱼灯、兔灯、猴灯、花灯、花篮灯、花钵灯、孔雀灯、白鹤灯、船灯、焰火灯等（属观赏型灯彩）。其中，最有特色的传统灯彩是“焰火灯”和“手摇狮”。

“焰火灯”，俗称“放花火”，流传于鳌溪、增田一带。“焰火灯”制作工艺精细复杂，其外形像蒸笼，内分5～7层，每层均根据民间传说，纸扎成故事人物，如“仙女散花”“猴子撒尿”“七层宝塔”等。表演时，将灯悬挂在高处，点燃后，灯内纸扎的各种形象即一层一层往下落，落下一层，表演完毕，又落下一层，接着又开始表演。当表演“猴子撒尿”时，猴子身上即火光四射；当表演“仙女散花”时，即洒下一团团五彩缤纷的花瓣，并不时发出阵阵鞭炮声，有时还飘下一条条写有“五谷丰登，六畜兴旺”之类的彩带，更增添节日的热烈气氛。

“手摇狮”，分布在乐安县湖溪、戴坊两地。湖溪的“手摇狮”小巧玲珑，形态逼真，工艺精湛。表演时由一对青年手摇狮子作各种武术动作表演，颇具特色。戴坊的“手摇狮”造型生动，外形较大，由1～2人撑起，不作表演。

全县灯彩活动以舞龙最为盛行。一些大的圩镇和村落，每年元宵节都要自发组织舞龙。如牛田、湖坪等地每逢元宵佳节前后，都要举行舞龙活动，湖坪、水南群众于每年中秋前后，要滚稻草龙庆丰收。中华人民共和国成立后每年元宵节，群众自筹资金组织龙灯队到县城机关、商店和群众家中进行表演。

1988年2月，县城举办大型元宵灯会，悬挂130盏工艺精湛、寓意新颖的彩灯，并由牛田、湖溪、戴坊、鳌溪组织4条彩龙集中到县城广场表演，吸引2万余人观看。江西电视台通过实况录像报道这次灯会的盛况。

1990年，举办马年大型元宵灯会，广场花园悬挂100余盏造型别致、情趣盎然的彩灯，观灯者络绎不绝，赞叹不已，流连忘返。

四、非物质文化遗产

2005年始，乐安县启动非物质文化遗产（简称“非遗”）保护工作，着手对全县非遗项目进行普查、搜集、整理，并用文字、图片、录音、录像等记录建档并建立数据库。截至2016年年底，乐安县已列入国家、省、市非遗项目共11项。其中，国务院公布第一批国家级非遗项目名录有1项（乐安傩舞），省级6项（罗陂庙会、湖坪装故事、乐安蛋雕、乐安打船歌习俗、乐安小吹会、乐安花鼓戏），市级2项（乐安民歌、乐安袁氏木雕）；被批准列入省级非遗传承人7名、市级17人、县级33人。

尚在收集整理的有：牛田范制葫雕制作技艺、罗陂制陶技艺、南村仕女扇制作技艺、竹衣技艺、祭孔佾舞、大华山道教音乐、南村古琴会、装席面、扭扇神、火龙、稻草龙、彩莲船、船里鼓、滚地狮、何杨灯、木偶戏、乐安道情、民间剪纸、水南竹编、毛边纸制作工艺等。

保护项目之多为全市之最，乐安县文化馆先后被省、市文化部门评为非遗保护工作先进单位。

五、民间工艺

木雕　清代末期，乐安各地有不少工艺精湛的雕匠。其中增田镇寨头村雕刻艺人袁祥盛（1884—1960），从小随父习雕刻，技艺造诣甚深，所雕偶像惟妙惟肖，栩栩如生，闻名省内外。他所雕各种文武塑像百余种，高者二三米以上，小者仅十几厘米。所雕飞禽走兽，造型美观，形象逼真。此外，其油漆粉画亦负盛名，制品光滑如镜，亮彩透明，视为珍品。至2016年，该村袁明贵已继承祖业，雕刻艺术胜过前辈，所雕人物形象，尤其是傩面具，虽百余种，其忠奸优劣、老少妍陋，无一相似者。其孙袁小平现已接班。

蛋雕　乐安蛋雕起源于明清时期民间送“彩蛋”习俗。每逢端午节或生子添丁等喜事，亲朋好友邻里之间都要送“红蛋”，寓意“喜事同享、圆圆满满”。有的把蛋染成五颜六色的彩蛋，或在蛋上画上各种花卉、图案祝福字语。为了便于收藏，民间艺人将动物、人物、山水等各种图案雕刻在蛋壳上，逐渐形成一种独具特色、具有较高收藏和欣赏价值的民间艺术——乐安“蛋雕”。蛋雕艺人邹兆庆自小师从父亲学习蛋雕技艺，传承蛋雕技艺30多年，是乐安蛋雕第4代传人，其作品选材讲究，构思精妙，雕法细腻，造型生动活泼，深受大众喜爱。邹兆庆先后代表江西参

竹衣工艺

加上海世博会、米兰世博会、首届中国非物质文化遗产博览会、中国鄱阳湖国际生态文化节深圳文博会等国际性、全国性的展演活动，还代表中国参加斯里兰卡“中国非遗文化周”活动。作品多次获奖，许多作品被国内外人士收藏，被誉为“中国最美的雕刻艺术之一”。

竹衣工艺　利用竹衣（竹笋壳）的独特纹理质地，经过选料、蒸煮、烘干、整形、裁剪、拼贴、打磨、定型等工序，制作的工艺品能保持百年质地不变，具有装饰效果好、艺术感染力强、古朴典雅之美等特点。传承人陈亮为江西省美术学会会员。

纸扎　乐安县纸扎工艺以民间艺人张毛姑最为杰出。张自幼家贫失学，跟随祖父靠纸扎、泥塑为生。其扎塑出的人物或花鸟虫鱼、舟车物件，大至数丈，小如核桃，莫不惟妙惟肖。此外，他的人物画，如《天官赐福》《钟馗打鬼》，工笔细腻，形象逼真，亦为乐安县首屈一指。

篾织　牛田镇水南村篾工丁云中，其竹编工艺堪称民间竹编工艺的佼佼者。1960 年，他用竹子编织的《鲤鱼跳龙门》，宛如鲤鱼在盘中戏水，栩栩如生。他在 1973 年编织的毛主席画像，在省、地美术展览会上，深受观众好评。特别是他的“龙、凤、鹿、马摇床”和“八角形提篮”送至广州交易会展出，受到外商的交口称誉。其后，流坑蔑工董水生竹编手艺不亚于丁云中，他编织的流坑古村匾额、楹联以及造型别致的竹篮也受到游客的赞赏。

第三章　群众艺术

1986—2016 年，乐安县内群众艺术异彩纷呈，音乐与舞蹈遍布城乡，书法和美术创作成果丰硕，摄影队伍不断壮大，作品质量在全国各地获奖。县文联和县文化馆开展业余文艺调演、音乐舞蹈、书法和美术、摄影等比赛，活跃了群众的文化生活。

第一节　群众音乐

一、大型活动

20 世纪 80 年代，随着改革开放的不断深入，美声唱法、民族唱法及通俗歌曲占领了舞台，群众歌咏活动出现一浪高过一浪的态势。乐安县每年都举办大型群众歌咏比赛活动，颇有影响的活动有：1986 年，县文化馆举办芙蓉金秋青年歌手大奖赛，有来自县直、乡镇、厂矿的 70 多名业余青年歌手参赛，经过 3 天角逐，评选出 13 名优秀歌手，在文艺晚会上作精彩表演。1986 年和 1989 年，先后两次举办吉他培训班，培训吉他爱好者 50 名。1990 年，乐安、崇仁、宜黄 3 县联合举办迎亚运庆国庆歌手联谊赛，分别在各县公演。是

庆祝中华人民共和国成立 60 周年歌舞晚会

年，举办全县千人歌咏大会，县属单位组成 16 个代表队参加演出，县六套班子领导及各局负责人带头登台演唱，人人引吭高歌《社会主义好》《没有共产党就没有新中国》和《团结就是力量》等歌曲。1991 年，举办爱党歌曲人人唱文艺晚会，县属 20 个代表队参加演唱。1997 年 7 月，县文化馆举办“迎回归、庆七一”卡拉 OK 大奖赛，有 40 余人参赛。1999 年 5 月，县委宣传部、团县委、县教育局、县文广局联合举办纪念五四运动 80 周年文艺晚会。是年 9 月，举办上海知识青年插队乐安 30 周年专场文艺晚会。2012 年，组织 130 余人的合唱队参加抚州市“庆国庆，迎盛会，永远跟党走，齐心奔小康”大合唱比赛。2014 年，举办“乐税杯，乐安好声音”大奖赛。

在开展各项群众性音乐活动中，发现和培养一批业余青年歌手，他们不仅在乐安举行的文艺晚会、演唱会、歌曲大赛中表演，而且在省、市举办的各种音乐比赛中取得可喜的成绩。

二、音乐创作

20 世纪 80 年代，乐安音乐创作日趋活跃，涌现一批新秀，为繁荣乐安县音乐创作取得前所未有的好成绩。

1986 年，县音乐家协会根据民歌改编创作的《手拿锄头开荒田》（李丛词，谢广德曲）、《南风吹来禾叶青》（李丛词，谢隆基曲）、《山里妹子一朵花》（方小华词曲）、《乐安唱山歌心欢喜》（李丛词，谢隆基曲）、《人人说妹会做鞋》（周悦文词，李春阳曲）、《排工歌》（李丛词，谢广德曲）、《麦笠歌》（卢学军，李丛词，陈富安曲）、《卖蛋歌》（李丛词，谢广德曲）、《卖酒歌》（卢学军、李丛词，陈富安曲）、《三月流水》（丁国祥、石群词，谢广德曲）等 10 首新民歌在全区民间音乐舞蹈调演中，分别获得优秀节目奖、创作奖、表演奖等 7 项奖。是年 7 月 14—16 日，江西人民广播电台文艺部采录组专程到乐安录制，于 10 月 29 日和 11 月 2 日专题介绍播出。1990 年，县创作的民歌大联唱《如今山里大不同》，参加全区业余文艺调演，获优秀节目奖和歌词创作奖。

业余音乐创作颇丰的作者有李丛、黄启达等。20 世纪 80 年代，李丛谱写的《杨梅红》《带给妹妹的月亮》《离不开你哟，故乡》《毛毛快睡觉》《金花银花是党撒》《摇橹

不要打听我是谁

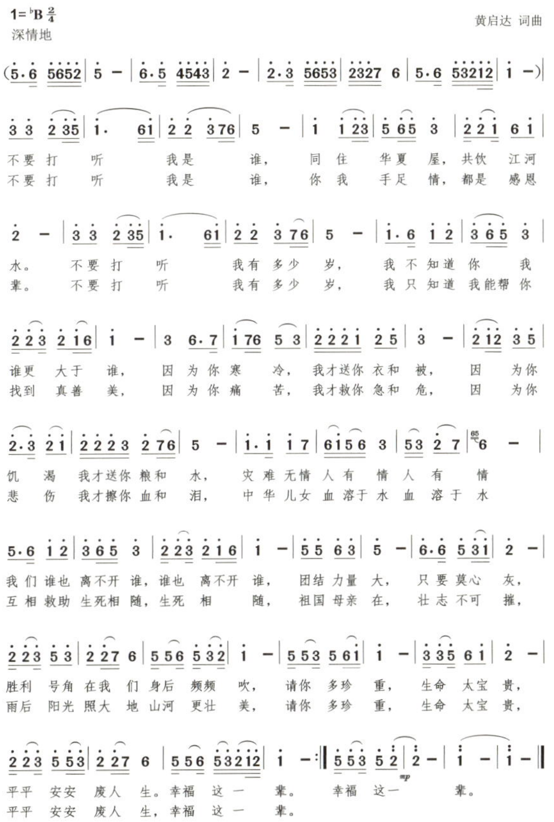

歌》等10余首歌曲分别发表在《解放军歌曲》《心声》《音乐》和《玉茗花》等专刊上。黄启达2008年创作的歌词《感恩》，获全国首届新创歌曲歌词大赛三等奖；歌词《不要打听我是谁》，获感动中国——2008全国首届新创歌曲歌词大赛一等奖；2009年创作的歌词《当街歌》，获中国大众音协主办的感动中国全国首届新创歌曲歌词大赛三等奖；2011年创作的歌词《教师赞》入选感动中国全国词曲创作精英人物邮票典藏；不久，推出新作歌词《行个军礼送战友》《芙蓉山下清泉水》。

据不完全统计，乐安县业余音乐作者20世纪80年代至2016年，在全国、省、市发表（含演出）音乐作品共48首。

第二节　戏曲与舞蹈

20世纪80年代初，群众性的舞蹈活动较少，舞台表演大多是移植外地节目。20世纪80年代后期，随着改革开放的不断深入，群众对文化生活有着更高层次的追求，群众舞蹈活动随之兴起，交谊舞、霹雳舞、迪斯科、街舞、广场舞开始从外地传入。这些舞蹈自娱性、群众性强，人们不仅在舞台上表演，而且利用舞蹈来强身健体。每天早上，县城许多不同年龄段的人以跳广场舞锻炼身体。1989年后，交谊舞开始在群众中普及。1992年年底，县城舞厅发展到11个。

群众文艺活动在文化广场表演

文化馆扶植并鼓励作者创作优秀节目，许多作者自编自导的节目在各种文娱演出中取得较好成绩。1986年，卢学军根据《鸡嘴》《猪嘴》创作的舞蹈《金鸡唱晓》参加全区民间音乐舞蹈调演，获优秀节目奖，胡光斌获个人表演奖。卢学军、何环珠、孔萌芽创作的舞蹈《鸡逗》，参加“庐山之夏文艺博览会”演出，获江西省文化厅颁发的创作二等奖，孔萌芽、胡光斌获个人表演奖。《鸡逗》录制节目参加全国民间音乐、舞蹈调演比赛，获文化部、广播电视电影部颁发的“丰收奖”。

1988年，乐安县组织少儿舞蹈《小雨伞》《乡间小路》参加全区少儿歌舞比赛。《小雨伞》获优秀节目奖，肖翔、陈颖获个人表演奖。

1991年，余国忠的小戏曲《抢财神》，获抚州地区业余文艺调演优秀创作奖；3月，乐安县举办中老年迪斯科大赛，县直34个单位260余人参赛；5月，举办交谊舞大奖赛，县直单位数百人登台参赛。1993年，郭林根的戏曲小品《挂拓牌》《义务捐献》，分别获抚州地区业余文艺调演创作一等奖和二等奖，舞蹈《丰收的喜悦》获抚州地区业余文艺调演三等奖。1997年5月，县第二中学创作的舞蹈《七色光》入选参加江西第五届少儿艺术节演出。1999年10月，乐安县选送《传傩》等2个节目参加地区“国庆五十周年文艺晚会暨第三届临川文化艺术节”演出。

第三节　美术与书法

一、队伍建设

乐安县重视书画艺术人才的培养，为造就一支业余美术创作队伍，县文化馆从1986—1990年，先后举办过8期美术培训班，培训业余美术人员278人。

1986年，县文化馆选送一名美术干部先后到天津美术学院、广州美术学院学习。1987—1989年，县文化馆每年举办一次暑期少儿美术培训班，每期培训学员50～60人，培训时间

30～40天，共培训少儿美术爱好者170余人次。受训者普遍提高了少儿绘画技能，有些少儿创作的美术作品在全国、省、地少儿美术书法大赛中获奖。

1989年，县文化馆举办为期15天的报考艺术院校青年美术培训班，20余人参加培训，2名学员分别考入抚州文艺学校和景德镇艺术院校。1989—1990年，县文化馆先后两次举办“青年美术培训班”，40余人参加培训，学习绘画基础知识，重点学习素描，学习结束后，展出学员习作100余幅。1990年年底，县文化馆举办第二期乡镇文化员培训班，27人参加培训，除学习文学、戏剧、摄影、美术等基础知识外，还进行实践与创作。此外，县第一中学、县第二中学美术教师对美术爱好学生进行课外培训，不少学子考入美术院校。

二、美术创作

20世纪80年代后，乐安县群众性美术创作活动日趋活跃，培养和造就一批书画艺术创作人才，创作出一大批为群众喜闻乐见的好作品，作品以宣传画、年画、国画、连环画、油画、农民画、少儿画、剪纸等为主，美术创作呈现繁荣景象。

1988年，组织作品参加省“纪念三个六十周年”书画展和闽、浙、皖、赣九地市美术展。县文化馆广泛征集县内作者作品，相继举办庆祝中华人民共和国成立35周年美术书法篆刻作品展览、“新星杯”书画大奖赛等大型美展，同时还利用宣传橱窗举办书画业余作者习作展。1989年，县实验小学学生创作的少儿画，参加全国“双龙杯”少年儿童书画大赛均获佳作奖，有的获优秀作品奖。1997年，游永康指导的磨漆画《何阳花》参加江西省第五届少儿艺术节获二等奖；陈东阳指导的剪纸《热烈庆祝》获三等奖。1998年，参加抚州地方题材邮票图稿设计比赛，丁虎新《千年古村流坑》获一等奖。1999年，选送陈东阳剪纸作品《九九双喜》、郑玲娟《欢庆五十周年》，获地区艺术节书画作品展三等奖；县实验小学陈晶莹同学的作品《庆国庆迎澳门回归》荣获第六

剪纸：扶贫邦困

届江西省少儿艺术节美术作品二等奖；全县举办庆祝中华人民共和国成立五十周年艺术作品展，共展出作品80余件。2000年，参加第四届“临川文化艺术节”比赛，陈祖葵《庆祝建党八十周年》剪纸作品获二等奖；孙建中吹塑画《中华魂》获三等奖。2003年，举办学习“三个代表”重要思想书法、美术、摄影展，以学习“三个代表”重要思想，弘扬井冈山精神，建设美好江西为主题，反映乐安经济建设新成就，展示新时期乐安新形象、新风貌，展览作品98幅。2014年，邹兆庆被评为江西省工艺美术家；2015年1月，创作的蛋雕作品《十大元帅》在第三届江西省工艺美术“杜鹃奖”评比中获银奖；2015年7月，创作的《民族魂》获中国工艺美术百花奖铜奖；7月17日，参加在意大利米兰举办的第42届世界博览会“江西主题活动日”展演。小学教师陈祖葵几十年刀耕不已，创作的剪纸作品多幅发表在全国各级报刊上。中国美术家协会会员、县文化馆乐龙跃创作的油画、国画、连环画、瓷板画等，其中多幅作品发表在省以上刊物，有的作品参加上海艺博会和香港、新加坡、美国、法国、俄罗斯等地展出，被多家美术博物馆和私人收藏。

三、书法

20世纪80年代，书法艺术在乐安县蓬勃兴起，涌现一批书法新秀。他们潜心钻研书法艺术，有不少作品在全国、省、地各级报刊采用并获奖。

2012年9月，李新元的作品入选中国书协首届“赵孟頫奖”、第二届中国书协举办的楹联展、

北京“笔墨当随时代奖”，2014年，被吸收为中国书协会员；中国书画家协会会员艾敬福，多次在北京、上海、济南等地举办个人书画展，参赛作品6次获全国书法大赛金奖、2次获银奖，有的作品被国家博物馆、军事博物馆收藏；詹德昌的隶书作品入选《中国当代书法名家墨迹》、全国“峨嵋杯”书法大赛、“苏东坡杯”中国诗书画联展、全国炎黄子孙书法大赛；黄更昌的行、草书法作品被《国际当代书法篆刻大观》《中国当代书法篆刻家精品集》《中国当代书法名家墨迹》，“峨嵋杯”书法大赛采用；游解放、艾文新、周才生、邹永信、罗育才等人的书法作品均在全国、省、地书法大赛中入选和获奖。邹永信、艾文新、周才生、龚武还热心于青少年书法培训教育工作，并取得一定成绩。据不完全统计，1986—2016年，乐安县在省以上发表书法作品82件，获奖36件。

第四节 摄 影

一、摄影队伍

20世纪80年代，乐安摄影爱好者渐增。县文化馆先后举办6期摄影培训班，共34天，培训130多人。1988年，在文化馆和县总工会的指导下，成立以机关、学校、厂矿、企业青年为主体的青年职工摄影协会，有会员23人。协会组织开展各种摄影活动，先后组织会员参加10余次省、地摄影创作比赛，举办20余次中、小型摄影展览，并选送一批优秀作品参加全国、省、地摄影艺术大赛。1989—1991年连续3次被江西省摄影家协会评为先进单位。

2000—2016年，摄影从胶片进入数码时代，摄影热在乐安勃然兴起，县城机关、厂矿、学校许多人对摄影发生浓厚兴趣。为发挥他们创作积极性，乐安县摄影家协会吸收一些摄影爱好者加入协会，队伍不断扩大。

二、摄影创作

1986—2016年，乐安县摄影家协会不定期举办各种活动，讲授摄影知识，到乡村进行采风创作。全县摄影队伍创作水平日趋成熟，群众性的摄影创作异常活跃。期间，由县文化馆、县摄影家协会重点组织摄影作者参加全国、省、地、县的摄影创作活动有20余次，取得丰项成果。其中规模较大的创作活动有：

1987年，组织参加抚州地区老区新貌摄影作品展览，有7幅作品入选，1幅作品获奖。1988年，抚州地区举办“新星杯”美术、书法、摄影作品展览，乐安县选送展出摄影作品8幅。1989年，组织文化馆（站）摄影干部参加江西省群艺馆举办的群艺馆、文化馆摄影干部摄影作品展览，有3幅作品入选参展。

1990年，组织参加省文化厅、省摄影家协会举办的“傩乡杯”摄影艺术大赛，选送作品700余幅，有22件作品入选参展，其中9件获奖；参加江西第十二届摄影作品展览，有1幅作品入选参展；参加抚州地区“农行杯”摄影艺术大赛，选送作品30余幅，有6幅作品入选参展并获奖，其中1幅作品获大奖；参加闽、浙、皖、赣九地市摄影作品展览，有4幅作品入选参展，其中1幅作品获奖。

1991年，组织参加省委组织部、省摄影家协会举办的“在党的光辉照耀下”摄影作品展览，有16幅作品入选参展，其中2幅作品获奖；选送2幅作品参加省政协、省摄影家协会联合举办的“双旗颂”摄影作品展览；选送1幅作品参加省摄影家协会举办的摄影新作展览；组织参加四省九地市地方风情摄影作品展览，有14幅作品入选参展。

1994年9月，乐安县举办省摄影家协会会员黄清华作品展览。2003年2月，举办日本高桥亚弥子摄影展览。2011年，县摄影家协会与国土局联合举办“秀美乐安”摄影比赛，有160多幅作品参赛，在县博物馆展出。2012年，县摄影家协会与县政法委联合举办“和谐家园”摄影比赛，有120余幅作品参加展出。县摄影家协会于2012年创办会刊《心影》，刊登摄影爱好者的作品。2016年7月7日，抚州市人民政府、中国摄影报社主办的“寻梦·汤公故里抚州行”——纪念中国戏剧家汤显祖逝世400周年全国摄影作品征集活动，在乐安流坑村举行启动仪式，中国摄影家协会主席王瑶出席活动。是日，中共抚州市委宣传部、市文联、乐安县人民政府联合举办的“寻找赣东的红军足迹”——纪念红军长征胜利80周年全国摄影作品征集活动在流坑启动，王瑶向参加寻找赣东红军足迹的摄影家授旗。

纪念中国戏剧家汤显祖逝世400周年全国摄影征集活动在乐安县流坑村举行启动仪式作品展（2016年）

会员许多作品发表在各种报纸杂志，有些优秀作品获得各级比赛的奖项。据不完全统计，1986—2016年，乐安县广大业余摄影作者有379幅摄影作品发表在省以上报刊（展赛），其中获省以上奖项122次。发表的报纸杂志主要有：《人民日报》《江西日报》《光明日报》《农民日报》《中国文物报》《中国摄影报》《中国妇女报》《人民中国》《江西青年报》《光华时报》《赣东报》《幼儿教育》《江西画报》《江西老区建设》《前线民兵》等。

第四章　文学创作

1986—2016年，县文联与县文化部门通力合作，建协会，抓创作，涌现出大批文学新人，创作出一批有影响的力作，《千古浩劫》《南京大屠杀之铁证》《赣文化第一村——流坑》等在广大读者中引起强烈反响。

第一节　文学活动

中共十一届三中全会后，乐安县文艺工作者解放思想，深入生活，积极创作。据县文化馆1979年档案显示，全县建有完备档案的作者有96人，来稿300余件。为加强文学创作队伍建设，尤其是加强对文学新人的培养，县文化馆多次举办文学讲座、文学创作学习班、研讨会，为作者赠送书刊，并组织作者深入乡镇、工厂体验生活，使业余作者的文学素养、创作水平有较大的提高。

1986年9月正式出版《抚州地区民间文学集成乐安县卷》。该书共收入人物传说20篇，风物传说30篇，民间传说50篇，民间笑话20篇，苏区故事10篇，民间歌谣14篇，俗语200条，谚语70条。其中，有10篇民间故事入选赣东民间故事集《五虎攥羊》，有7篇入选《抚州历史名人的传说》，有9篇入选《江西省民间文学集成》。

20世纪80年代，县文联与县文化馆通力合作，共同抓好文学创作队伍建设，成立相关协会。协会对文学新人热心扶植，帮助他们修改稿件，向各级报纸杂志推荐作品，使文学新人的优秀作品见诸报纸杂志，激发他们的创作热情。最具代表性的作品有林长生的长篇历史小说《千古浩劫》及文史类专著《南京大屠杀之铁证》等。1990年，

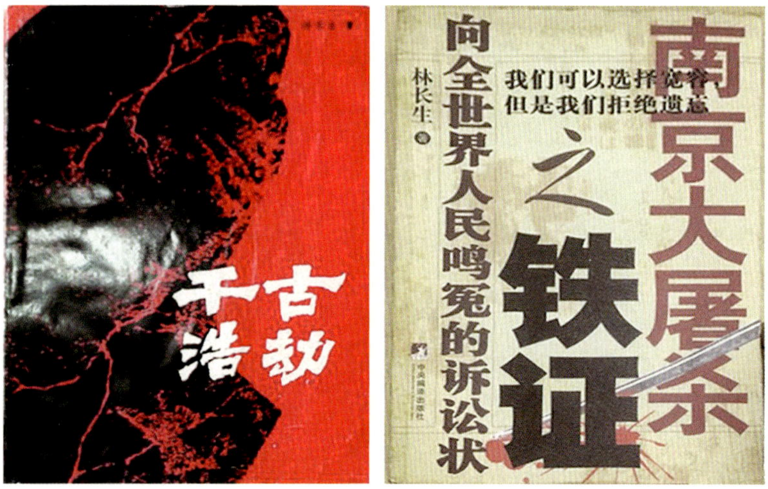

林长生长篇小说《千古浩劫》和《南京大屠杀之铁证》

胡光斌的相声《啼笑皆非》，获江西省相声、新故事“宜春杯”大赛优秀创作奖。721矿一批青年工人作者为繁荣乐安县文学，创作不少作品。

进入21世纪后，乐安文苑更加繁荣，不少文坛新秀脱颖而出。他们各自寻找课题，勤奋创作，撰写一部又一部长篇巨著，成为乐安文学创作的新亮点。林辉（原名邓辉）的《夜郎诗词集》被北京大学、清华大学、中国人民大学和国家图书馆认证收藏；黄孝阳创作多部长篇小说，莫言评价他的长篇小说《人间世》：“犹如万花筒般丰富多彩的江南才子书”；黄更昌的《探古览胜话流坑》等8部著作以及董金声的《不管你是啥人物》等4部长篇小说都是这一时期出现的佳作。创作颇丰的文苑新秀还有董海花、邹振忠、余箫等。

第二节　创作成果

乐安县文学创作体裁有：小说、诗歌、散文、报告文学、民间文学等。

一、小说

小说在乐安县文学创作史上占有重要地位。代表作有：

林长生的长篇小说《千古浩劫》，全书35万字，1986年5月由江西人民出版社出版，印数6000册。1987年9月再版。小说以南京大屠杀为背景，用生动的艺术形象和真实史料揭露日本侵略军的野蛮和残酷，歌颂中华民族抗击侵略者的英雄气概和宁死不屈的民族气节。

《千古浩劫》的创作，从搜集素材、整理、研究资料和撰写书稿，经历30多个年头，是乐安县文学创作史上第一部长篇小说。该书出版后，在国内外引起强烈的反响。《解放军报》《中国青年报》《文学报》《江西日报》和中央电视台等16家新闻媒体对这部小说相继作介绍和评论，香港《华侨报》《文汇报》《明报》同时报道。《千古浩劫》的出版还引起日本方面特别关注，日本大使馆和日本学者纷纷投信到江西人民出版社购书，日本东京青年出版社总经理福井肇来函申请翻译《千古浩劫》一书。

1988年，《千古浩劫》被评为江西省6部优秀长篇之一，在华东文艺书籍评奖中获二等奖。1989年，在第三届全国优秀图书评选中获优秀图书奖。

继《千古浩劫》之后，林长生又连续创作长篇小说《为愿春华美》、文史类专著《南京大屠杀之铁证》，受到广大读者的赞誉。

之外，黄孝阳发表《人间世》《遗失在光阴之外》《网人》《时代三部曲》《阿槑冒险记》等多部长篇小说。董金声发表《小山村出了个大人物》《好想当个大人物》《不管你是啥人物》《董金声长篇小说集》。黄更昌创作的《残垣夜雨》改编成电影。

短篇小说主要有：黄寿祥的《神秘的信件》载1988年《鹃花》。张和的《婚礼和葬礼同时举行》发表在1988年《鹃花》杂志，获《鹃花》优秀作品评比二等奖。詹平相的《摘去心灵唱盘上的“唱针套”》入选初中三年级《阅读》和《初中现代文课外阅读指导与训练》。

二、散文、报告文学

代表性散文作品有：吴德恒的《故乡瓜市》，李丛的《山城采风》，丁国祥的《落地与及第》《颜真卿与大华山》，分别在《语言报》《江西日报》等报刊发表；李谦的《某公履历》刊载于《讽刺与幽默》；吴孟轲的《青春的脚步》刊载于《玉茗花》。董海花的《冯骥才来乐安》《感谢一路有您》发表在《作家在线》，《山有木兮木有枝》刊载于《江西工人报》，《姊妹花》于2016年由江西人民出版社出版。

代表性报告文学作品有：丁国祥的《黄岩树性格的人》，载于《玉茗花》，《脊梁》入选《赣东风采》，由江西人民出版社出版；董金声的《父亲背出来的歌手》，刊载于1998年《江西日报》。

三、诗歌

2012年8月12日，成立乐安县诗词楹联协会。协会多次对会员进行诗词创作知识讲座，提高会员写作能力，多次组织会员进行采风活动，汇集他们的作品于2015年出版《鳌河荇藻》一书。

主要代表作有：谢生连的《神剑颂》、李剑敏的《流泉》、熊寿松的《盘哨》、陈艳冰的《窗帘轻轻飘起》等发表在《抚河》杂志上。董海花、董海云的诗文集《陌上花开》由中国文联出版社出版。董海花的《浅浅的笑》编入英汉对照版《当代诗人简历》。林辉的《我的诗》《相见欢》《西湖夜月》《春雨》《问天》等作品受到广泛关注。

第五章　群众戏剧

乐安的业余剧团在农村非常活跃，大多在农闲或逢年过节时组织演出，深受群众欢迎。1986—2016年，参加省、地（市）文艺调演或比赛以及“三下乡”活动，都从业余剧团选调优秀演员和筛选优秀节目。

第一节　农村业余剧团

乐安采茶剧团在市场竞争中逐渐退出，1984年把排练厅改放电视录像。1988年5月，乐安采茶剧团撤销，人员分流，8人调入县文化馆。1986年，农村业余剧团有39个，业余演出人员975人。是年10月，抚州地区群众艺术馆与县文化馆在招携联合举办为期10天的业余剧团表导演培训班，请专业人员讲课，39个业余剧团派员参加培训。20世纪90年代以后，受影视活动冲击，农村业余剧团走入低谷。互联网和智能手机兴起后，不少剧团活动停顿。2002年始，有些地方重新组建业余剧团，有代表性的剧团9家，这些剧团多则20多人，少则10多人，个别剧团经济实力较强，人员比较稳定，硬件设施也较完善，有流动演出车、P4大屏幕等。2015年，乐安县文化馆举办农村业余剧团培训班，邀请抚州市著名编导授课，有16个乡镇20余名业余剧团骨干参加培训。

第二节　文艺会演

一、县内业余文艺会（调）演

1987年，组织部分农村业余剧团演出评比，涪塘、舟坊、桐山、贺立、张坊、坊塘、深坵等地的业余剧团参加演出。

2001年2月，由县文化广播电视局举办农村业余剧团调演，抽调增田舟坊、南村前团、牛田流坑和招携等地业余剧团演出。

二、参加省、市文艺会（调）演

1991年，组织代表队参加全区业余文艺调演，创作演出小戏曲《抢财神》《卖粮之后》，《抢财神》获优秀创作奖、表演三等奖。1993年，组织代表队参加全区业余文艺调演，创作演出戏剧小品《挂

县农村业余剧团在乡村演出

招牌》《义务捐献》《下海》《打假》。《挂招牌》获创作一等奖、演出一等奖；《义务捐献》获创作二等奖、演出二等奖；舞蹈《丰收的喜悦》获演出三等奖。县文广局获组织奖，4名演员获表演奖。1996年，组织代表队参加抚州地区首届艺术节演出，小戏《流坑情》获创作三等奖。1997年，组织代表队参加抚州地区第二届临川文化艺术节演出，小戏《董燧杀马》获创作二等奖、表演二等奖。

2001年，组织代表队参加抚州市文艺调演，黄启达创作的小戏《喜看桃花今又开》，获戏剧表演二等奖。2004年8月，组织代表队参加第五届临川文化艺术节演出，卢学军编导的《四老汉逛乐安》获创作节目二等奖，管炳文获表演一等奖。2004年，黄启达创作的剧本《锦囊妙计》发表在中国戏剧家协会主办的权威期刊《剧本》2005年第1期上，并荣获华东六省一市小品大赛二等奖、第七届江西“玉茗花”戏剧节剧本创作三等奖。2008年，组织参加抚州市“迎国庆，展新貌，促发展，纪念改革开放30周年”大型文艺调演，县文化馆创作的民歌大联唱《劳动者之歌》获声乐一等奖，民间器乐演奏《乡射遗乐》获三等奖，县文化馆获组织奖。2010年，组织参加江西省农民文艺会演，元新太创作的表演唱《大工程暖人心》获三等奖。

2011年，组织代表队参加抚州市“三个代表”之歌群众文艺演出活动暨临川文化艺术节文艺调演，革命历史题材小戏《锦囊妙计》获创作一等奖。2012年，卢学军创作的戏剧小品《回归》、元新太创作的表演唱《高唱反腐倡廉歌》，获抚州市反腐倡廉小戏小品大赛三等奖。2013年，黄启达创作的小戏《喜看桃花今又开》参加江西省首届“赣鄱群星奖”比赛，获戏剧作品类“赣鄱群星奖”，这是乐安戏剧创作史上获得的最高奖项，后参加文化部主办的全国第十六届“群星奖”评选。该剧还选至山东威海12省市戏剧、小品展演中演出。

第三节 文化下乡

1986年，乐安县农村业余剧团遍及全县各个乡镇，演出较为活跃。20世纪90年代，农村业余剧团开始走入低谷。2002年后，不少地方重组剧团，乐安群艺采茶歌舞剧团、畲族采茶剧团、龙凤采茶剧团、鸿发采茶剧团、好运来采茶剧团、星鑫采茶剧团、群艺采茶剧团、百花采茶剧团、鳌溪花鼓班等9家剧团比较有代表性。

县采茶歌舞剧团送戏下乡演出

文化下乡活动邀请这些剧团演出，剧种多为采茶戏，也有少量花鼓戏。演出的剧目有现代戏曲、小品、演唱、歌舞，也有古装戏，如《白蛇传》《宝莲灯》《珍珠塔》《猪八戒》《王宝钗》《薛仁贵征东》等。乐安群艺采茶歌舞剧团尚能紧跟形势，组织创作排练一些歌舞、戏曲演出，如《喜见桃花今又开》《回归》《高唱反腐倡廉歌》《踏出快乐》（舞蹈）等。

这些剧团无论条件优劣，都能常年坚持下乡演出。乐安群星采茶歌舞剧团每年演出80多场次，足迹遍布全县各乡镇；龙凤采茶剧团每年演出300多场次，有时还涉足邻县各地演出。据不完全统计，9个剧团每年共下乡演出五六百场次，有时在农村古戏台演出，有时露天演出，均受到农民群众的交口赞誉。

群星采茶歌舞剧团成立于2002年5月，有演出人员30余人，成员大都来自学校的教师和其他行业爱好艺术的青年，有些成员曾经在戏剧舞台上展露出才华，在音乐剧的创作和市场化运作方面取得了一定的成绩。剧团创作的《春天的故事》《好日子》《在希望的田野上》《开门红》《爱一个人好难》《良宵》等优秀曲艺节目，受到群众的欢迎。每年送戏下乡文艺演出不少于60场次。

2002—2016年乐安县群星采茶歌舞剧团演出情况表

表22-5-1

年份	演出场次	其中		主要节目
		城镇演出场次	农村演出场次	
2002	87	15	72	《美丽的家园》《好收成》《家和万事兴》《锦囊妙计》《再见吧大别山》《走进新时代》等
2003	80	15	65	《春天的故事》《好日子》《在希望的田野上》等
2004	76	13	63	《开门红》《爱一个人好难》《良宵》《半个月亮》等
2005	68	18	50	《十六大精神传万家》《天地喜洋洋》《为乐安加油》《美丽的丹顶鹤》等
2006	75	22	53	《县官下乡》《山不转水转》《军民团结一家亲》《父亲》等
2007	90	18	72	《祝福祖国》《美丽的古丽》《爱乐安爱中华》《红旗飘飘》等
2008	78	20	58	《咱老百姓》《中华我的家》《牧笛》《春又来了》等
2009	86	20	66	《扇子红》《竹林深处》《青春的旋律》《赛马》《红遍全球》等
2010	84	20	64	《白玉凤》《丝罗带》《金玉奴》《阴阳扇》等
2011	86	15	71	《申冤记》《金玉奴》《花烛洞》《太师逼婚》《三凤求凰》等
2012	77	17	60	《老年大学好》《高唱反腐倡廉歌》《回归》《五个乐安定实现》等
2013	66	40	26	《江西是个好地方》《快乐加油》《茶香中国》《呼唤绿荫》等
2014	78	20	58	《为民超市》《老两口打电话》《迈步新征程》《振强有约》等
2015	88	24	64	《黄河源头》《把欢乐举起来》《雪山姑娘》《国韵》《啦啦爱》等
2016	84	24	60	《傻妞妞》《把一切献给党》《盛世花开》《开门红》等

第六章　图　书

1986-2016年，乐安县图书发行网点遍布各乡镇，读者购买方便。县图书馆和乡镇图书室图书品种较多，基本满足广大读者需求。

第一节　图书发行

中共十一届三中全会后，出版事业迅速发展，图书发行贯彻中央关于“一主、三多、一少”的原则（以新华书店为主渠道，多种流通渠道，多种经济成分，多种购销形式；减少流通环节），图书市场不断繁荣，新华书店实行多种形式的内部经营责任制，取得明显的社会效果和经济效益。1990年，全县图书销售额161.5万元，为国家创利20.3万元。

1993年后，江西省各地新华书店上收为江西省新华书店垂直管理。2003年，加盟省新华书店连锁，进、销、存退等业务环节通过电脑操作微机处理，财务管理、业务管理办公网络化。2010年，江西新华发行集团成为中文天地出版传媒股份公司的子公司，乐安县新华书店更名为江西新华发行集团有限公司乐安县分公司，有职工19人。内设办公室、财会室、业务组（兼管仓库、批发、代发）、计划发行组、门市部等机构。企业改制后，内部各部门进行融合，设综合办公室、教材科、营销科、中心门市，实行报账制。2013年，购置一辆江铃双排座厢式运输车，用于教材的运送。

1986—2016年，历任经理：周印生、张亚玲（女）、黄乐平；历任书记：余菊金（女）、张亚玲（女）、黄乐平。

图书发行　在基层建立义务代销点，开展农村图书发行。1986年，在全县各乡镇供销社设立图书发行点，至1994年，形成遍布全县的图书发行网点，基本解决广大农村读者的需求，图书的发行量逐年有所增长。县城有门市营业面积291平方米，1996年，在现址内建课本仓库320平方米，后因全县教材业务量不断增大，在县城外环路租用仓库600平方米，使库存面积有所增加。

乐安县新华书店

政治书籍发行　江西新华发行集团有限公司乐安县分公司是党的政策重要宣传阵地，积极开展政治理论书籍的发行业务，长年开设国家重要文献及老一辈无产阶级革命家著作的销售专柜。2011—2016年，发行《理论热点面对面》《法制热点面对面》《朱镕基讲话实录》《政府工作报告读本》《中国梦》《中国共产党章程》

《十三五规划》《见证共和国往事》《胡锦涛文选》《习近平文选》《提高党的建设科学化水平》以及中共十六大、十七大、十八大报告和辅导材料、文件汇编等各类政治读物，销售37628册，销售码洋合计为66.52万元。2011年，精选建党90周年理论书籍，其中《红色经典传奇100例》《奋斗的足迹——中国共产党90年光辉历程》等读本销售17024册。

县图书馆阅览室（2016年）

2016年5月13日，乐安县分公司在县城两所小学开展“护苗2016绿书签”活动，请著名儿童文学作家、冰心儿童文学奖获得者晓玲叮当作主题讲座与互动。省、市、县及教育局领导亲临活动现场，举行活动开启仪式。这是公司创新营销模式的一次新的尝试，为推动全民阅读起到示范作用。公司员工走进校门、流动摆摊销售图书2839册，码洋8.08万元，取得较好的效果。

中小学教材发行　乐安县分公司的主营业务是发行中小学教材，严格履行“课前到书，人手一册”的承诺，做好教材发行工作，保证全县中小学校学生按时得到新书上课。

一般图书销售　1997年，乐安县分公司在新建的综合大楼二楼门市实行部分图书开架销售，2007年，实行全部图书开架销售，大大方便读者选购图书。2014年10月，对中心门市进行扩建装修，扩大图书营业面积，优化购书环境，丰富库存图书品种，有图书2万多册，有效地促进一般图书销售，经济效益与社会效益有显著提高，年销售额从2010年的34.1万元增加到2016年的81.58万元，每年以15%以上的速度递增。利用各种营销手段，增加店堂销售和节假日的促销活动。推行团供、直销等多元销售方式，全员分片跑单位，送订单、找关系做工作，店外销售成效显著。

农家书屋工程　农家书屋是党中央五大文化惠民工程之一，也是提高农民科学文化素质、传播社会主义先进文化的一项重要措施。农家书屋的创办，丰富和活跃农村文化生活，是广大农民朋友的精神乐园和致富加油站。乐安县分公司按照集团公司的要求认真做好乐安县175个农家书屋网点图书的分发与配送工作。组织首批农家书屋管理人员培训，制订农家书屋管理制度、农家书屋借阅制度等，使农家书屋发挥重要作用。

1986—2004年乐安县新华书店图书销售情况表

表22-6-1　　　　单位：万元

年份	金额	年份	金额	年份	金额	年份	金额
1986	85	1991	185	1996	627	2001	779
1987	75	1992	227	1997	731	2002	753
1988	109	1993	247	1998	846	2003	748
1989	137	1994	235	1999	808	2004	650
1990	159	1995	427	2000	733	合计	8561

2005—2016 年乐安县新华书店图书发行情况表

表 22-6-2　　单位：万册、万元

年份	销售图书	销售金额	缴纳税金	年份	销售图书	销售金额	缴纳税金
2005	56.91	683	—	2011	109.27	1750	139.15
2006	49.52	644	—	2012	108.47	1844	92.36
2007	48.71	682	—	2013	111.90	2350	155.30
2008	55.20	774	—	2014	110.40	2430	188.47
2009	66.20	993	—	2015	114.10	2622	203.55
2010	92.16	1381	100.63	2016	125.21	2880	223.25

第二节　图书阅览

一、乐安县图书馆

（一）设施及藏书

1986 年 3 月，在县城沿河路与毕力路交叉处，破土动工兴建县图书馆馆舍，1993 年落成，建筑面积 1230 平方米。内设图书外借室、报刊阅览室、少儿阅览室、地方文献室、电子阅览室、多功能报告厅、多媒体播放室以及书库、采编室等。图书外借室采用全开架借阅方法，每年采购 1000 余册新书并编目上架，供读者阅览与借阅；报刊阅览室每年订阅报纸杂志，通过馆内阅览和外借方法供读者阅览；少儿阅览室采用全开架借阅方法，每年采购 1000 余册少儿图书并编目上架，供少儿读者阅览。2012 年，省政府下拨基层图书馆维修专项资金，对县图书馆进行全面维修改造。截至 2016 年，图书馆在编人员 8 人，正副馆长 3 人，总藏书量 35.3 万册，其中电子图书 24.5 万册，订阅报纸 78 种，杂志 126 种，办理借书证、卡 5576 个；2016 年，总流通 91216 人次，其中书刊文献外借 68476 人次，年书刊文献外借 106077 册次。

1986—2016 年乐安县图书馆藏书及流通情况表

表 22-6-3

年份	藏书	借书证（个）	图书流通情况		年份	藏书	借书证（个）	图书流通情况	
	册数		人次	册次		册数		人次	册次
1986	1462	127	3824	7321	1992	652	89	2954	5315
1987	1654	134	3927	8540	1993	436	84	2816	5217
1988	1741	129	3756	7428	1994	418	81	2713	5422
1989	1629	115	3269	6212	1995	528	86	2804	5124
1990	1054	121	3412	6424	1996	624	97	2720	5217
1991	679	96	3187	6318	1997	569	107	2612	4832

续表 22-6-3

年份	藏书	借书证（个）	图书流通情况		年份	藏书	借书证（个）	图书流通情况	
	册数		人次	册次		册数		人次	册次
1998	639	112	2714	5315	2008	1059	119	15325	29254
1999	746	127	2981	6636	2009	1082	127	17989	30964
2000	598	116	3642	7724	2010	1406	136	19987	32581
2001	437	104	4936	10121	2011	1980	145	30159	60308
2002	364	96	5315	11240	2012	2190	129	31473	62942
2003	428	89	6154	14263	2013	2347	136	37912	75824
2004	632	98	8254	16354	2014	2358	166	41059	82118
2005	1160	104	10124	19542	2015	13478	218	47779	95559
2006	1140	108	11240	21425	2016	242190	370	68476	106077
2007	1091	112	13041	25347	—	—	—	—	—

（二）服务工作

县图书馆转变服务理念，改革以往重藏轻用的旧观念，树立主动面向社会服务的意识，扩大服务范围，采用多种流通方式为读者服务。

送书上门　县图书馆每年定期组织人员送书到县城和各乡镇中、小学及武警、消防、看守所、人武部等单位，为学生和武警战士等服务。据统计从 1986 年—2016 年，县图书馆共送书 16000 册。

送书下乡　从 2003 年—2016 年，县图书馆坚持开展“送书下乡”活动，援建乡（镇）图书室 16 个，共送图书 36000 余册、杂志 3000 余册。

流动图书车　2015 年，文化部、财政部赠送县图书馆流动图书车一辆，县图书馆利用该车每年不定期下到各乡镇、学校开展图书流动、科技下乡、服务宣传等活动。

1988 年始，每年举办不同类型的科技讲座 2 ~ 3 次，请专业人员或利用文化信息共享工程音像视频资源向农民朋友传授农业新技术。将各种科技报纸杂志上的新技术和致富信息编印成《科技摘编》《农科信息》小报，坚持每月一期，每期编印 200 份，及时送往农村读者。每年开展各种小型展览 4 ~ 5 次，如举办青少年书画展、抚州好人图片展、中国濒危野生动植物图片展和中外儿童文学名著插图展等，年接待参观读者 3000 余人次。

二、机关、学校图书馆（室）

1978 年 9 月县第二中学建校时，配套建设图书室，配专职管理人员 2 人。接着，县城各小学、乡镇中学和县教师进修学校、县职业中学以及县人武部、武警中队、消防中队、看守所、县人民医院等单位均建立图书室，设专兼职人员管理。县工人文化宫、实验林场、科技情报所、国土资源局、乐安农业支行等单位，也先后建立过图书室，现已停办。

截至 2016 年，乐安县直机关、学校图书馆（室）初具规模的有 14 所，藏书多的有 26 万余册，少的有 1000 册左右。

2016 年乐安县各单位图书馆（室）情况表

表 22-6-4　　单位：册

名称	藏书	名称	藏书
第一中学图书馆	261000	第四小学图书室	95000
第二中学图书室	187813	县委党校图书室	6000
教师进修学校图书室	9000	县人民医院图书室	2067
职业中学图书室	23000	县人武部图书室	2600
县实验小学图书室	50000	武警中队图书室	1800
第二小学图书室	18000	消防中队图书室	2400
第三小学图书室	47115	看守所图书室	2100

三、乡镇图书室和农家书屋

1986—2016 年，乐安县各乡镇文化站均设有图书室，各图书室藏书均在 1000 册以上，订阅报刊 24 ~ 40 种，图书室逢集市日开放，让读者阅读或借阅，年均接待读者 1000 余人次。

2008—2016 年，乐安县建设农家书屋 176 个，藏书均在 1000 册以上，报刊 30 余种，电子音像制品 100 余种。

2016 年乐安县乡镇图书室情况表

表 22-6-5

乡镇	藏书（册）	订阅报纸（种）	订阅杂志（种）	活动人次	借阅（册次）	面积（平方米）
鳌溪	2100	24	16	610	1200	60
公溪	1800	20	10	420	860	60
山砀	1400	18	9	380	810	40
龚坊	1200	17	8	360	640	40
戴坊	1400	16	8	320	600	40
罗陂	1300	18	6	370	710	30
湖坪	1200	16	9	310	580	40
万崇	1300	17	7	300	600	30
牛田	1500	18	6	320	630	30
大马头	1300	17	8	290	580	40
金竹	1800	18	6	340	680	40
招携	1900	19	7	320	640	40
增田	1200	18	8	310	620	30
南村	1370	17	8	330	660	30
谷岗	1400	16	9	300	600	30
湖溪	1300	17	7	290	580	40

第七章　电　影

电影在20世纪60—80年代比较红火，由黑白发展到彩色，由小银幕发展到宽银幕，由县城独家经营发展到县、乡、村并举，活跃了群众的文化生活。到21世纪，随着电视的普及，电影市场逐渐不景气。

第一节　管理体制

管理机构　1968年，全县文化单位合并成立毛泽东思想宣传站，直接领导各文化单位的人事和业务工作，财务单独核算。1971年4月，恢复乐安县电影放映管理站，设指导员、站长各1人，工作人员增至13人，内设发行、放映、机修、放映组和县办电影队，下辖10个社办队。至1976年，下辖社办队17个，工矿、农村、企业、学校队7个（含721矿、261大队），县办队随之缩减。1982年2月，乐安县电影放映管理站改称乐安县电影发行放映公司，内设行政、财务和业务股。1985年，增设县电影公司录像放映队。1987年，下辖放映单位增至68个，工作人员增至27人。1988年4月下旬，县电影公司实行经营承包责任制，设主包经理1名（法人代表），助包经理2名，强化经理负责制。

体制演变　自县电影放映队成立至县电影管理站，列为事业单位。1980年，根据国务院批转文化部、财政部《关于改革电影发行放映管理体制的请示报告》精神，县电影发行放映公司改为国营文化企业，负责领导与管理乐安县的电影发行放映工作，直接经营管理文化系统的电影院和放映队，接受当地文化行政部门和上一级分公司的双重领导。1985年，电影公司列入事业单位工资制度改革范围，一直延续至今。

企业管理　1988—1990年，实行招标承包，强化经理责任制，放映收入上升40%，超额完成上缴国家利润，职工收入逐年增加。为适应市场，1991年，实行委任承包。其他厂矿、校、乡镇、村等放映单位，除影片租金、技术指导和机械维修与县电影公司有业务联系外，其行政管理、财务核算均由各主办单位直接管理。

1994年，取消承包责任制，按照企业运作，沿用至今。2016年，由自收自支的事业单位定为生产经营类事业单位。

第二节　电影放映

1981年后，全县农村电影事业在社办、队办

县影剧院

电影队的同时，开始兴办农村集镇电影院或售票点。1984年，全县各类放映单位增至59个。随着社、队放映点增多，农民看电影次数增加，从每年只能看上五六场，发展到能看上五六十场。1986年，全县有各类放映单位68个，放映9301场次，观众510.52万人次，放映总收入23.09万元。

1992年后，受电视、录像的冲击，电影放映面临着严峻的形势，农村电影没有市场，各放映队陆续停止放映业务。县电影公司紧紧抓住对全县中小学生进行爱国主义教育影片放映以及优秀影片展映等，使乐安县电影市场保持稳定。随着2005年“农村文化工程”的启动，全县电影市场又开始出现良好的发展势头。

2005年后，电影放映开始由胶片电影向数字电影过渡。到2010年，放映设备全部更换为数字放映，全县共有数字流动放映设备13套，用GPS和数字回传系统进行全面监控，保障放映的实际效果。随着电影设备的更新，放映任务逐年增加，由2005年放映1320场，增至2009年放映3044场。2014年放映3064场，2016年放映3380场。

第三节　放映机构和技术培训

一、放映机构

乐安县电影放映从城市走向农村，截至1989年，共有放映单位78个。其中，县城电影院2个，厂矿（721矿、261大队）电影院2个，集镇电影院6个，厂校放映队8个，集中售票点16个，村办放映队转为个体电影队22个。

1996年，电影放映网点出现萎缩，农村网点陆续关闭，35毫米电影只保留在县城放映。2000年，县城电影院仅对县城各中小学生放映爱国主义影片，无对外营业，电影院成为接纳社会团体文娱演出的场所。

2013年，私营企业投资兴建“三和”数字影院，加盟江西星河电影院有限公司，于是年10月正式营业，影院设在县行政中心西面，有3个影厅，共有227个座位。

二、技术培训

县电影放映公司主要通过以下途径培训放映员。

集中训练　县电影公司、电影院的放映人员参加省、地训练班学习培训，培训时间少则1～6个月，多则进修2年。农村放映员参加县举办培训班学习，时间1个月，少数人还到地区电影公司培训班学习。到1990年，全县先后举办放映技术学习班15期，培训熟练放映员200多人。

传帮带　对未进培训班学习的放映人员，通过师傅传帮带，掌握放映技术。经考核，乐安县放映公司有中级经济师1人，放映技师4人，三级美术师1人，助理会计师1人，一等放映员10人，二等放映员40人，三等放映员50人。

2005年以后，省、市放映公司每年组织业务骨干培训，2005—2016年，先后举办培训班16期，全县参加省、市培训人员共50多人次。

第四节　展映与农村文化工程

一、优秀电影展映

1986—2005年，开展优秀影片展映，放映抗日、建军、法制、反腐倡廉等不同历史背景题材影片，如《孔繁森》《鸦片战争》《大转折》《生死抉择》《邪教的本质》《张思德》等影片，使党员、干部受到深刻的爱国主义教育、法制教育、革命传统教育，共放映132场次，观众6万余人。

2005—2016年，重大节假日，在县城广场、社区、敬老院等场所进行公益主题放映。

二、农村文化工程

2005年县文化广播局实施国家广电总局、文化部等五部委于1988年提出的跨世纪农村电影工程和文化建设项目“2131”工程，使全县电影事业进入新的发展阶段，乐安县电影公司在全县组建17个放映队，筹集科教片200多部，2005年放映1320个场次，观众达38.06万人次，极大地丰富农民文化生活。2010年，电影放映全部使用数字机，每个村委会一年放映12场，每个学校放映4场，全年全县放映3300场，2016年放映3380场次。

1985—2016 年乐安县部分年份电影事业发展情况表

表 22-7-6

项目		1985	2005	2010	2016
电影院（座）		8	1	1	2
电影队（个）		60	16	16	16
职工人数（人）		169	31	30	29
电影机（台）	35 毫米	11	2	2	0
	16 毫米	25	38	38	0
	8.75 毫米	48	0	0	0
	0.8k 数字放映机	0	2	13	13
放映工作日		6838	1320	3500	3646
放映场次		1079	1320	3300	3380
观众（万人次）		64.20	38.06	72.49	44.86
放映收入（万元）		27.40	26.79	89.42	71.76
发行拷贝收入（万元）		9.62	8.08	21.43	27.35

第八章　广播电视

1986—2016 年，乐安县广播由线路发展为调频；电视由无线发射发展为有线电视。广播电视成为宣传国家政策和经济发展的重要工具。至 2016 年，调频广播遍及城乡，有线电视安装 48000 户，“户户通”11490 户。广播电视的发展促进新闻队伍建设，大量的乐安新闻作品在国家、省、市广播电视台播放，不少作品获省以上新闻奖。

第一节　广　播

一、广播站（台）

1982 年 8 月，在县广播站基础上成立乐安县广播事业局，实行局、站合署办公。1984 年 6 月机构改革，成立乐安县文化广播电视局，局、站分开，县广播站单独办公。2010 年 6 月，乐安县广播站与乐安县广播电视台合并成立乐安县广播电视台。

1986 年，乐安县有线广播机房设备老化，传输方式落后，仅县城有广播线路约 2000 米，喇叭 12 只，覆盖面小，传播效果不佳，维护费用高，且影响市容市貌。县政府投资 3 万元，省广播电视厅资助 2 万元，对县广播站的播控设备进行更新改造。购置 GR—2 型播控台和盘式录音机。1996 年，县政府投资 10 万元，省广播电视厅资助 5 万元，建起一座 300 瓦功率的调频广播发射台，调频发射频率 93.6 兆赫，调频广播覆盖 90% 以上的县域面积。乡镇广播站的设备也得到同步改造。1996—1997 年，全县乡镇财政共投资 70 万元，建起 12 座 30 ~ 100 瓦小功率调频发射台，使辖区内的群众都能听到中央、省、地、县的广播。至此，乐安县调频广播结束单一线路传输广播讯号，实现无线和有线混合覆盖。其间，县乡广播机房设备也进行更新改造，传输质量明显提高。

为适应新形势下广播发展需要，全面提升广播技术装备水平，有效扩大广播覆盖，让广大人民群众更好地收听到高保真、高品质的广播节目，2010 年 5 月，经县政府批准，县文体广电局从文化体育与传媒事业发展专项资金中拨付 10 万元，用于调频广播数字化建设。根据建设规划，乐安县调频广播分前端、发射端、终端 3 块建设。前端和发射端设备放置在海拔 274 米的仕山寨家岭县电视台无线发射机房。前端设备主要为一套数字音频录编播一体机，由电脑软件对节目的录编和播出进行控制，于 7 月底安装调试完毕。发射端设备于 8 月底安装调试完毕，发射功率为 1000 瓦，频率为 105.0 兆赫，信号传播直线距离可达 70 ~ 80 千米，可覆盖 95 %以上的县域面积。在信号覆盖区域内，听众可用带调频波段的收音机等接收装置，直接收听乐安调频广播节目。是年，接着购置 30 只 25 ~ 50 瓦调频喇叭，安装在县城区主要街道、户外公共场所等开阔地段。经实地察看，第一期在县电影院、公安局、纪念碑、图书馆、教育局、国税局、工业园区等 20 个点安装调频广播喇叭，并于 10 月 29 日正式运行。

二、队伍建设

1986—2010 年，乐安县广播宣传报道队伍建设得到进一步加强，建立一支以县广播站为中心，乡镇广播站为基础，专业宣传报道队伍与业余宣传报道队伍相结合的广播宣传报道队伍。专业队伍主要由县广播站的编辑、记者、播音员以及乡镇广播站的报道员、播音员组成。其中，县广播站 12 人，乡镇广播站 62 人；业余宣传报道队伍主要来自全县各条战线的骨干通讯报道员。他们每年向县广播站及上级新闻单位投寄新闻稿件 3000 多篇。

三、广播宣传

1986—1996 年，县广播站的自办节目由单一的“新闻节目”增加到 4 个节目（新闻节目、对农村广播、专题节目、乡镇广播站节目联播）、8 个栏目（新闻、简明新闻、乡编节目、乡村新事、农业科技、生活知识、计划生育、法制教育），宣传质量也有明显提高。1986—2010 年，共有 49 件广播作品获省、地优秀广播电视奖。其中，获江西省优秀广播新闻一等奖 2 件、二等奖 4 件、三等奖 7 件；获抚州地区（市）优秀广播新闻一等奖 4 件、二等奖 10 件、三等奖 2 件。获江西省广播电视优秀论著三等奖 2 件，获抚州地区优秀论著二等奖 1 件。

第二节　电　视

一、电视台

1984 年 8 月，乐安县电视差转台成立，主要转播江西电视台节目。1986 年 6 月，建立卫星电视地面接收站，转播中央一台、二台和江西台共 3 套电视节目，乐安县电视差转台改称乐安县电视转播台。1994 年 4 月成立有线电视台，和电视转播台合署办公。2002 年 12 月，实行网台分开，县有线电视台和县电视转播台一分为二，县电视转播台单独办公。2005 年 2 月，撤销乐安县电视转播台，组建乐安县广播电视台。2010 年 6 月，乐安县广播站与乐安县广播电视台合并，正式成立乐安县广播电视台，为县文化广播电影电视局下属财政全额拨款正股级事业单位。2012 年 12 月升格为正科级事业单位，领导职数为：台长 1 名、总编 1 名、副台长 2 名。

乐安县广播电视台办公楼坐落在县城广场路 22 号，无线发射机房位于县仕山寨家岭。下设办公室、总编室、新闻专题部、广告部和播出部。主要负责广播电视新闻宣传和农村广播电视无线覆盖工作。至 2016 年 12 月，全台编制 24 个，在编人员19人，退休人员9人，有中级职称（编辑）1人、初级职称（助理编辑、记者）4人、二级播音员3人，有8人获得国家广电总局颁发的广播电视编辑记者执业资格证书。

2015—2016年，台长：陈立新；2016年，总编：游国珍。

二、设施建设

县电视差转台成立时，转播机房设在县影剧院四楼，在影剧院楼顶树立约15米高的发射铁塔，用10瓦的差转机，转播江西电视台节目。1986年5月，县政府筹集资金7.19万元建县城卫星地面接收站，第一套6米卫星电视接收天线安装成功，于10月1日正式转播中央一套电视节目，开创我县卫星电视地面接收转播的先河。1987年5月，县政府又筹集资金6万多元，购置转播中央二套电视节目设备，采用3频道转播，电视转播节目覆盖县城及增田、潭港、望仙、湖溪等乡镇。至此，人们可以清晰地收看到中央一台、中央二台、江西台共3套电视节目。1992年6月，转播台自筹资金10万元建起一座高50米的综合性发射铁塔，进一步提高电视节目收视效果。此后，谷岗、增田、南村、罗陂等乡镇也相继建起卫星电视地面接收站。

20世纪90年代初，乐安县广播电视事业进入一个新的发展时期，有线电视呈现出良好的发展势头。1993年3月，乐安县成立有线电视筹备小组，着手兴建县城区域内有线电视。具体由县文广局、县广播电视台负责实施。有线电视系统工程，初建阶段投入资金100万元，县有线电视筹备小组借鉴外地经验，确定借助外力发展全县有线电视的工作思路。5月，与四川绵阳783厂签订建设乐安县有线电视工程合同，由筹备小组提出总体规划和整体技术指标，783厂负责工程设计以及前端、干线、用户分配网络等工程施工。工程分2期进行：第一期施工鳌河以北居民区，从1993年6月到12月底，完成安装1000户有线电视任务；第二期施工鳌河以南居民区，从1994年1月至8月底，全面完成城区区域内用户安装任务。783厂工程安装队完成第一期系统网络工程和机房设备安装，通过系统调试、试播，系统工程安装质量和传输网络终端电视质量指标均符合国际、部颁标准，于1993年7月1日正式开播，可传输中央一套、中央二套、中央四套、中央六套以及云贵台、江西台等8套电视节目，后逐渐增加到24套电视节目。县城区有线电视安装完毕后，各乡镇所在地也相继建设有线电视。至2016年，全县有线电视用户达4.8万户。

1994年4月，成立有线电视台，隶属县文化广播电视局。有线电视台和电视转播台合署办公，下设采编、机务、装修、发行、收费、后勤6个组。为加强有线电视维护和管理，根据国家有关政策规定，结合乐安县具体情况，制定《乐安县有线电视管理的暂行办法》和《乐安县有线电视总体规划》。2001年3月，有线电视机房迁至县文广局大楼七楼。

2002年12月，乐安县进行网台整合，县有线电视台和县电视转播台一分为二，成立乐安县广播电视网络传输有限公司，隶属江西省广播电视网络传输有限公司；乐安县电视转播台，为县文化广播电视局下属事业单位。2005年2月，撤销乐安县电视转播台，组建乐安县广播电视台。

2007年12月，在省广播电视局的支持下，恢复无线电视发射建设工作，并于2008年4月正式转播中央一台和七台2套电视节目。

2015年，江西省财政厅、江西省新闻出版广电局下达2015年补助地方广播电视发展专项经费，启动中央广播电视节目12套无线数字化覆盖系统建设。

三、节目制作演播

为有效地提高电视节目制作能力，乐安电视台不断改造更新设备，使制作电视节目的质量上新台阶。1992年，乐安转播台购置松下M-7000摄录机和录像机等设备，开始制作单一的自办节目“荧屏点歌”，以插播的形式不定期播出。1993年，购置线性编辑机和松下AG455、M9500摄像机各1部，录像机2部、宝励字幕机1套，基本上满足制作自办电视节目的需要。1994年10月1日，乐安电视台开始用11频道，每周二、五晚两次播放"乐安新闻"，并不定期播放专题节目，同时每晚播放两集电视连续剧，其余时间转播抚州电视台节目。

2001年，基于广播电视技术日新月异的变化，乐安广播电视台着眼于未来数字化的发展方向，投资10万元，购入品尼高非线性编辑机1套，数码摄像机2台，淘汰所有模拟设备，极大地提高电视节目的清晰度和电视节目的质量。同时为实现制作播出电视节目由模拟化向数字化转变创造更为优越的条件。

2002年和2004年，乐安县广播电视台先后购置数字摄像机3台，数码录放机1套，明星非线编辑机和硬盘播出机各1套，还有演播室冷光源、提词器、录音话筒等。2003年11月，摄、录、编设备全部实现数字化，自办电视节目实现硬盘播出。

2005年后，广播电视台陆续购买索尼190p、198p、x280、ex280、380、580等系列摄像机，更新mx5000硬盘播出机2台，多地址系列非线性编辑机4台，并在广播电视大楼六楼建立20平方米的简易演播室，进一步加强电视节目制作数字化建设。

2016年7月，省发改委下发《关于下达新闻出版广播电视基础设施建设2016年中央预算内投资计划的通知》，下拨160万元支持乐安县广播电视基础设施建设，于是年年底正式启动，投资项目有：建设60平方米虚拟演播室，购置摄像机4台，非线编辑机4套，硬盘播出2套以及服务器、存储器、录音系统各1套。通过全台网的建设，对于探索新的制作模式及节目生产流程具有重要意义。

四、电视宣传

1998年8月，经广播电影电视部正式批准，乐安县建立广播电视台，呼号为"乐安电视台"。此后，乐安电视台步入快车道，开始用有线电视11频道全天播送自办节目，主要栏目有"乐安新闻""天气预报""信息之窗""政法广角""请您欣赏"及"影视剧场"等。周一、三、五为"乐安新闻"，周二、四、六重播；周日为"政法广角"。"乐安新闻"主要报道乐安县政治、经济和社会发展的时事要闻。"乐安新闻"先后开设"结构调整看行动""招商引资看成效""园区建设看落实""贯彻全委会精神实现新跨越""加强作风建设、促进工作开展"等70多个栏目。2005年10月改版后，"乐安新闻"主要围绕新闻立台，内设"时政要闻""社会新闻""新闻聚焦""公众话题""典型人物"等栏目板块。"乐安新闻"每年播出100多期，播出新闻稿件近千篇，为宣传贯彻党的方针政策发挥积极作用。

同时，积极组稿上中央、省、市电视台新闻，每年在省、市电视台用稿数十条。还积极参与省、市广播电视作品评选活动，其中有不少作品获奖。1998年，《舒省长与老农》获抚州新闻一等奖；1999年，《王长海和他的路灯》获抚州市建国50周年作品展播一等奖；2002年11月，《古村悠悠》电视专题片获文化部、国家电视总局等7部委颁发的第十届中国人口文化奖；2003年，《流坑村入选全国历史文化名村》分别获抚州市新闻一等奖、省广播电视新闻三等奖、江西新闻三等奖；2009年，《"健康快车"首次开进乐安县边远山区》分别获抚州市新闻二等奖、江西新闻三等奖；2011年，《新农保乐安模式》分别获抚州市新闻二等奖、江西新闻三等奖。

1994—2016年，乐安电视台提供6篇新闻稿件在中央电视台播放：1994年8月，《乐安县发现特大瀑布群》在《新闻联播》播出，这是乐安新闻第一次上中央电视台；1995年10月，播放《乐安县万名群众打响水利冬修战》；1996年7月，播放《干部帮助双抢》；1997年1月，播放《乐安城西发现古墓群》；2007年1月，《江西教师符爱起殉职讲台，数千群众十里相送》在《新闻联播》播出后，在社会上引起强烈反响；《乐安县发现活体野生黑麂》于2016年11月在《新闻直播间》播出。

2016年，乐安电视台采编制作《乐安新闻》146期，用稿910条，制播《一周新闻综述》48期，稿件302条；在《江西新闻联播》上稿24条；在《抚州新闻联播》上稿146条。

江西广电网络公司乐安分公司办公楼

第三节　网络传输

1994年4月，成立有线电视台，为全民企业单位，隶属县文化广播电视局，有线电视台和电视转播台合署办公。2002年12月，实行网台分开，县有线电视台和县电视转播台一分为二，成立江西省广播电视网络传输有限公司乐安县分公司，隶属江西省广播电视网络传输有限公司，实行独立核算，自主经营，自负盈亏。分公司内设行政财务部、城网管理部、农网技术部、数字播出部、721管理部，主要经营乐安县有线电视传输网络及各地接入网的建设、经营、维护、管理；网上增值业务及信息网络相关设备的生产、销售；因特网业务、会议电视；视频点播付费电视；网络工程、系统集成；远程教育及诊断服务（未取得专项许可证的项目除外）。

2003年1月，乐安县有线电视通过330兆赫传输网传送模拟电视节目16套；8月，由省广播电视网络传输有限公司投资进行城网改造，新建广播电视城网主干线管道12千米，铺设光缆线路30千米，开通光节点35个，对机房设备进行更新改造，新增同步数字系列传输设备，光发射机9套、光分路器9套，信号传输频率由330兆赫提高到550兆赫。通过混合光纤同轴网络传输网传送模拟电视节目33套、数字电视节目31套，覆盖鳌溪、公溪、山砀、龚坊、戴坊、大马头6个乡镇场。

2003年9月，投资60万元，购买鳌溪路9号楼，2004年5月装修竣工，乐安县广电网络传输分公司办公中心机房由广场路广电大楼搬至鳌溪路9号楼。2016年年底，全县有线电视用户4.8万户（其中城区用户1.8万户），数字电视用户300户，互联网用户80户，电视节目116个。

2002—2016年，乐安网络公司总经理：傅德勇。

第九章　文化市场管理

1986—2016年，乐安县改革开放不断深入，社会经济快速发展，文化市场生机勃勃，文化事业走向市场，音像、网吧、舞厅、桌球、书摊、文艺演出等经营性文化项目迅速发展，出现国家、集体、个人多渠道办文化的新格局。

第一节　文化市场

一、演出市场

2005—2009年，乐安文化市场的演出主要是外省民营文艺团体，演出形式以表演歌舞、马戏、杂技为主，多在县影剧院表演，也有临时搭台演出。每年演出30场次左右。随着文化“三下乡”活动的开展，2010年后，外来演出团体逐年减少，而具有本地特色的地方采茶戏文艺表演团体相继成立，到2016年，全县有7家民营文艺表演团体，他们大都下乡村、进社区演出。

二、出版物（音像、图书）市场

互联网的快速发展，改变人们获取知识、信息的方式和习惯，通过网上浏览阅读图书作品、观看电视电影的逐年增多，传统的图书零售、音像制品零售及其他出版物市场深受影响。2005年后，县内音像制品、图书经营单位由20多家锐减到8家。录像放映、图书租赁经营单位自行消亡。音像制品经营单位都兼营小电器来维系运转。图书零售主要销售中小学教辅教材等书籍，兼营文具用品，大部分因经营状况不佳而退出市场。到2016年，全县仍在经营出版物的单位有10家，其中音像制品2家、图书零售8家。

三、娱乐场所（歌舞、游艺）

2005年，全县有8家歌舞娱乐场所，面积都不大，装修简单。2009年，外来投资商在县城设立宝丽金歌舞厅，装修较豪华，环境舒适，经营火爆。2013年，随着歌舞娱乐场所设立标准和条件要求的提高，原有的几家歌舞厅因经营状况不佳，逐步退出经营。到2016年，全县还有6家仍在经营。

2005年，全县有5家电子游艺（戏）点。2007—2008年，电子游戏行业迅速发展，经审批设立的游艺（戏）经营场所增至14家。之后，因越来越多的未成年人沉迷电子游戏，影响学业，家长、老师反映强烈。为此，县文化市场管理领导小组成员单位加大对市场监管力度，多次对全县电子游戏业进行整顿治理。随着网吧的出现，玩电子游戏的人员锐减。2010—2014年，按照上级管理部门的要求，停止新场所设立审批，全县有证经营单位仅5家。2015年，取消审批总量规划数量要求，电子游戏行业又得到迅速发展。截至2016年，全县电子游戏经营单位有12家。

四、网络市场

互联网上网服务场所（即“网吧”）的出现，让上网浏览阅读图书作品，观看电视、电影，进行网上电子游戏竞技的消费人员逐年增多。网吧在给人们生活带来方便、快捷的同时，也让越来越多的未成年人沉迷网络游戏，影响学业，引起家长、老师较多不满，成为社会反映的一个热点问题。为此，县文化市场管理领导小组成员单位加强对行业的监督检查，每年都对网吧和网络游戏进行专项整顿治理。至2005年，全县共审批设立网吧25家，其中，县城11家，乡镇14家。根据对网吧审批实行总量控制的要求，规定2010年前乐安县网吧数量控制在30家以内。2014年前，乡镇除湖溪乡、金竹畲族乡未设立网吧，其他乡镇均开设1家。2015年，根据省、市主管部门文件精神，为营造公平竞争、优胜劣汰的市场环境，规范市场秩序，促进上网服务行业转型升级，取消原有的总量限制，降低准入门槛，短时间内出现投资网吧的热潮。在激烈的市场竞争中，先后有11家网吧因经营不善，自行退出市场。截至2016年，全县有网吧25家。

五、电影放映市场

2012年前，乐安县电影放映市场仅有电影发行放映公司国有单位经营。2012年，省广播电影电视局下发《关于加强全省城市数字影院规划建设与管理工作的指导意见》，强调要加快城镇数字影院建设，满足城乡人民群众观影需求，促进电影产业繁荣发展。要求全省每个县（市、区）至少建成一座3厅以上的数字影院。2013年，县委宣传部、县文化体育广播电视局引进客商在县城投资，兴建“乐安县三和影视有限公司”立体电影数字影院，丰富群众的精神文化生活。

六、印刷业市场

1986—2000年，乐安县仅有3家国有、集体印刷企业。2000年后，随着国企改制，允许各类资本进入印刷市场，各类的民营印刷企业和复印、打字店逐年增多。截至2016年，在县城经营的印刷企业有6家，专门复印、打字店有31家。

第二节　管理机构

1986年，成立乐安县文化广播电视局音像管理发行站，负责管理录音磁带销售和录像放映；1988年4月，随着歌舞厅、台球市场的出现，成立乐安县文化市场管理委员会；5月27日，成立乐安县文化教育管理监察队，下设文化分队，对文化市场进行经常性监督检查，收缴一切有黄色内容的书刊、音像制品、电子出版物，扫除网上淫秽、色情、暴力、凶杀的信息，打击、取缔非法出版物及销售点（简称“扫黄打非”）。1989年5月，各乡镇成立文化市场管理小组，由文化站、广播站人员组成。

1994年，乐安县文化教育管理监察队撤销，组建乐安县文化市场管理办公室，为县文化广播电视局内设股室，负责全县文化市场的监督检查和行政执法工作。2002年，县文化局与县体委合并成立乐安县文化体育广播电视局，县文化市场管理办公室改称乐安县文化广播电视综合执法室，2005年后，改称市场管理股。其主要职责是，做好国家文化广播电视新闻出版的政策、法律、法规的贯彻落实和宣传，行使行政执法监督权，指导和监督文化市场综合执法。

2004年2月，成立乐安县文化体育广播电视稽查大队，为全额拨款股级事业单位。具体负责全县文化、文物、体育市场的日常监管和行政执法工作。2013年，组建乐安县文化市场综合执法大队，核定事业编制4个，原乐安县文化体育广播电视稽查大队人员及编制成建制并入。

第三节　管理活动

2005年，按照文化部、教育部等部门《关于进一步深化网吧管理工作的通知》精神，县政府制定《关于进一步加强乐安县网吧管理工作的通知》，县文化广电局、县教育局、县公安局等部门共同印发《致全县中小学生及家长的公开信》，组织万名学生“珍惜青春，远离网吧”的签名活动。

2006—2007年，县政府制定《乐安县集中执法季行动工作方案》和《乐安县网吧等互联网上网服务营业场所专项整治工作方案》，县相关主管部门采取增加巡查、聘请文化市场义务监督员、向社会公布举报电话以及督促网络运营商加强网络信道管理等方式，开展网吧管理工作，加大查处力度。根据国务院新修订的《娱乐场所管理条例》有关规定，开展娱乐场所重新审核登记、安全生产的专项检查。按照省、市扫黄打非工作部署、反盗版百日行动文件精神以及文化部阳光行动要求，制定扫黄打非工作方案和集中打击盗版音像和计算机软件制品行动方案，开展打击政治性非法出版物、校园及周边环境治理和反盗版百日行动，开展卫星地面接收设施清理整治工作，查处非法销售店铺4家、安装人员5人，收缴接收设施9套，依法拆除非法使用的接收设施36套。

2008年，组织8次各类文化市场从业人员培训班和管理工作会议，学习法律法规知识，与经营者签订经营管理责任状。结合县政府《创建和谐平安文化市场实施方案》和《乐安县文化市场奥运保障行动实施方案》要求，县文体广电局、县公安局、县工商局等部门共同制定发布《关于开展迎奥运集中整治娱乐休闲场所取缔无照经营专项行动的通告》。全年共查处违法非法销售安装店铺2家，收缴卫星地面接收设施6套，依法拆除非法使用的卫星地面接收设施近100套。

2009年，贯彻落实文化部36号令和“稽查人员十不准”等制度，县政府制定乐安县《行政处罚自由裁量权适用规则》《行政处罚自由裁量权细化标准》《行政处罚错案责任追究办法》及《行政执法监督检查制度》等规章制度。对全县文化市场进行重新审核登记，与70多家经营单位和个体签订安全生产责任状。举办网吧、娱乐场所（含电子游戏机室）和印刷行业经营人员法律法规培训班各一期。积极开展扫黄打非、网吧实名登记制、校园周边环境和文化市场安全隐患等专项整治活动。对卫星电视广播地面接收设施进行清理整治，下达责令改正通知书126份，依法拆除非法安装使用的卫星地面接收设施56套。

2011年，召开文化市场各类经营业主会议6次，举办培训班3期。开展学校周边环境清理整治行动、消防安全大检查行动、扫黄打非专项行动、“两会”（人代会、政协会）文化市场保障行动、中高考文化市场净边行动、建党90周年文化市场保障行动、暑期网吧专项整治活动、卫星电视地面接收设施专项整治行动、“清剿火患”战役行动等。

2015年，召开网吧、歌舞娱乐场所、游艺娱乐场所管理工作会议6次。组织扫黄打非工作培训和执法人员综合执法培训各一期，参训70多人。全年出动执法人员580多人次，检查文化市场经营单位800多家次，立案查处违法违规经营案件24起。2016年，县政府下发《关于开展学校及周边复印店专项治理行动的通知》《乐安县中、高考期间文化市场专项整治方案》《校园周边文化市场专项整治行动方案》《乐安县暑期文化市场整治方案》《关于开展打击利用云盘传播淫秽色情信息专项整治行动工作方案》《2016年乐安县文化市场集中整治行动方案》，开展“扫黄打非·清源2016”“护苗2016”“净网2016”等专项行动，召开文化市场经营业主会议4次，举办2016年乐安县非法出版物公开销毁活动，开展“护苗2016·绿书签”系列宣传活动。全年出动200多人次，检查经营单位800多家次。查缴非法销售卫星电视广播接收设施25套。

2005—2016年乐安县扫黄打非情况表

表22-9-1

年份	收缴盗版音像带（盒）	收缴非法出版物（册）	收缴盗版光盘（张）	查封赌博游艺机（台）	查封非法游艺机（块）	取缔无证经营（家）
2005	3100	1200	70	12	16	2
2006	7000	4000	100	20	40	3
2007	5600	2600	130	70	100	2
2008	2200	2800	100	21	16	3
2009	4000	2000	50	10	14	3
2010	2100	1600	75	19	21	2
2011	3000	2000	120	35	60	1
2012	4000	2000	95	27	18	4
2013	2200	1500	76	15	21	2
2014	3800	1200	55	13	10	2
2015	3400	600	109	8	21	5
2016	3100	900	50	12	7	6

第十章　文　物

20世纪80年代后，乐安县文化部门通过考古调查，发掘新石器时代遗址14处，发现古墓葬58处、古城堡14处、古石桥150座、古塔楼坊277处、石刻石雕数十处。同时，发掘采集石器、铜器、铁器、陶器、瓷器、玉器、金银器皿等馆藏历史文物1257件，诸如元代枢府瓷、宋代影青执壶、龙泉荷叶高足杯、西汉弩机、明代五更鸡、赵之谦木刻楹联、袁国栋水墨画等极为珍贵文物，特别是元代枢府瓷为全国罕见。

第一节　博物馆

1969年，在县城广场兴建占地621.29平方米的“毛泽东思想胜利万岁馆”，1971年夏落成，并开始征集革命史料。1977年1月，经江西省革命委员会批准，成立乐安县革命历史纪念馆，有资料宣传、美工摄影、财务保管等业务，负责全县文物收藏、陈列展览、文物研究、文物保护管理等工作，配备工作人员6人。

1983年3月，乐安县革命历史纪念馆更名为乐安县博物馆，由县文化广播电视局直接领导。1986年后，博物馆人员编制9个，有副研究馆员1人、馆员2人，助理馆员5人。内设考古业务组、陈列群工组、保管保卫组和办公室。承担馆内、馆外文物保护利用工作。

县博物馆多次获得国家、省、市表彰。1982年4月，中国博物馆学会吸收乐安革命历史纪念馆为团体会员。1985年12月，乐安博物馆被评为全国文博系统先进集体，梅绍裘出席全国文博系统先进集体和个人表彰大会。2009年5月，乐安博物馆被国家文物局评为国家三级博物馆。

县博物馆

第二节　历史文物

一、古遗址

寨上新石器时代遗址　1976年，县考古工作者在鳌溪镇城北端发现一遗址，长为1300米，宽为320米，总面积41.6万平方米。从地面上发现有石斧、石镞、石锛、石矛、石刀和陶纺轴等实物。1977年，考察现场，采集到砺石、豆脚、羊角器脚和大量的绳纹软陶。1984年，发掘1.3米厚度的文化层，采集印有方格纹、米字纹等软硬陶片。

浯塘甲山新石器时代台地遗址　1985年冬，在龚坊镇浯塘村北发现的台地遗址，长350米，宽

万崇下胡家考古挖掘现场

120 米，总面积 4.2 万平方米。采获石刀、石镞、石斧等石器，均为质细坚硬的岩石磨制而成，在遗址中心千米范围内，发现不少印纹陶片，其中的松软夹沙红陶、灰色硬陶陶片饰有叶脉纹和粗细不等的方格纹。

营盘边西周遗址　位于山砀镇山砀村南端，长 260 米，宽 180 米，总面积 4.68 万平方米。从遗址地面暴露出不少石刀、石铲、石齿，并有大量印纹陶片，陶片的纹饰有粗绳纹、细绳纹、大方格纹、小方格纹、网结纹、菱形纹、米字纹、交错绳纹和大块变体雷纹等。全部印纹陶片质细松脆，灰褪色，其质坚硬。

肖坊坑春秋战国时遗址　位于鳌溪镇潭港林头湾处，采集出土遗物有卜方格纹，经考证为兴平县遗址。

天子脑春秋遗址　位于湖坪乡天子山，采集出土实物有泥灰色印陶纹、方格纹硬陶、炭化谷（乌米）等。

铜壶寨打铁店遗址　位于湖坪乡东南 2000 米处。铜壶寨形势险要，东有南山寨，南有麻塘寨，西有洪元寨，北有湖坪寨，西北有龙岭寨，五寨易守难攻。据清同治十年《乐安县志》载："世传唐将葛师罗领兵驱寇至铜壶寨，夜半神筑城以防寇攻"。现城墙模糊难辨，但寨里打铁店、卖牛场遗址尚可辨认，考古工作者在铜壶寨打铁店址深掘至 1 米多深处文化层，出土不少铁屎。

金石坑遗址　位于湖溪乡东堆村通往小陂村路北端台岗上，总面积 31 万平方米。遗址因水土流失严重，地表、文化层都遭冲刷破坏，因而暴露文物不少，考古工作者多次至现场考古，采集不少珍贵文物，有青石磨制的穿孔刀、石镞、石锛，不同类型的灰陶器脚、三角形砺石，纹饰多样的粗绳纹、方格突点纹、双线菱角纹、兰纹陶片等。分析论证为商、周时期文化遗址。

乐安县先秦遗址情况

表 22-10-8

遗址名称 发现时间	地理位置	坐标	文化层堆积保存状况	采集遗物	时代
双牛山遗址 2013.12	万崇镇坪背村上坊村小组东北	N：27° 15'26.20" E：115° 42'46.64"	遗址区域内均有文化层堆积，厚约 0.3~0.5 米，地面散见陶片、石器等。植被已破坏，地面新栽有小树苗。	发现若干陶片和陶罐残块	新石器 西周春秋
月形山遗址 2013.12	万崇镇坪背村下胡家小组西侧，双牛山遗址东北约 200 米处	N：27° 15'33.07" E：115° 42'47.92"	遗址区域内均有文化层堆积，厚约 0.2 ~ 0.3 米，地面发现零星陶片等。部分植被破坏，分布有现代墓葬群。	发现若干陶片	西周春秋
角峰山遗址 2014.01	万崇镇坪背村牌坊东南约 200 米，西邻罗陂公路	N：27° 14'52.72" E：115° 42'36.21"	遗址因整修梯田遭到破坏，文化层厚约 0.1 ~ 0.3 米，地面散见陶片、石器等。	发现若干陶片	西周春秋

续表 22-10-8

遗址名称 发现时间	地理位置	坐标	文化层堆积保存状况	采集遗物	时代
南拱山遗址 2014.01	万崇镇坪背村东南，县级公路西南200米处	N：27° 14'41.95" E：115° 42'29.60"	遗址区域内文化层堆积较差，部分岩石裸露，文化层厚约0.1～0.2米，地面散见陶片、石器等。	发现若干陶片	新石器晚期春秋
东排山遗址 2014.01	万崇镇坪背村东南，南拱山遗址西南1000米处	N：27° 14'35.54" E：115° 42'25.27"	遗址因整修梯田遭到破坏，文化层厚约0.1～0.2米，地面散见陶片等。	发现陶器残片若干	战国汉代
芋头山遗址 2014.01	万崇镇坪背新村北侧约50米处，月形山西北方，罗陂公路西侧	N：27° 15'35.35" E：115° 42'35.14" H：126米	遗址区域内植被茂密，文化层厚约0.2～0.4米，地面散见零星陶片等。	发现陶器残片若干	战国汉代
芳坑遗址 2014.01	万崇镇坪背村新建村小组西侧，罗陂公路西侧50米处	N：27° 14'44.79" E：115° 42'08.26" H：148米	遗址因整修梯田遭到破坏，文化层厚约0.1～0.2米，地面散见陶片等。	发现陶器残片若干	春秋战国汉代
坡脑上遗址 1982	南村乡南村南部100米处	N：27° 18'15.80" E：115° 55'19.70" H：193米	遗址内植被覆盖较好，山顶部分区域岩石裸露，南部因整修梯田遭到破坏，文化层厚约0.1～0.2米，地面散见陶片等。	采集到少量陶器残片	春秋战国
黄泥坪遗址 2015.1	南村乡太平村塅上小组西侧	N：27° 21'28.83" E：115° 55'51.34" H：189米	遗址保存尚好，东南部文化层厚约0.8～1.0米；西部山腰区域文化层厚约0.6米。整体区域植被覆盖较好。	采集到陶片若干	西周春秋战国
鼓楼上遗址 2011.7	鳌溪镇西边村石田村小组西北约50米处	N：27° 23'06.28" E：115° 50'27.02" H：149米	遗址因高速公路通过已发掘	采集到较为丰富的陶器残片	西周
秋田山遗址 2011.7	鳌溪镇赖村秋田村小组西北约400米处	N：27° 21'32.32" E：115° 55'52.14" H：178米	遗址因高速公路通过已发掘	采集陶片若干	西周春秋战国
赖村松山遗址 2011.7	鳌溪镇赖村东南	N：27° 23'40.47" E：115° 50'57.96" H：148米	遗址因高速公路通过已发掘	采集陶片若干	新石器晚期商代西周东周
邹家松山遗址 2013.12	山砀镇龙义村邹家村小组西北约500米处	N：27° 40'19.65" E：115° 48'58.35" H：131米	遗址因高速公路通过已发掘	发现陶器残片若干	西周春秋
甲山遗址 1982	龚坊镇同富村杜家小组北部约200米处	N：27° 34'12.70" E：115° 47'06.39" H：92米	遗址区域内文化层堆积一般，个别区域尚好，文化层厚约0.3～0.8米，地面散见陶片、石器等。	发现石镞和陶器残片若干	新石器晚期西周春秋

二、古墓葬

黄法氍墓　墓位于鳌溪镇案山村黄沅岭上，清光绪三年（1877）八修，2001年2月13日重修。坐北朝南，碑为三碑两层的古墓葬，上碑高0.24米，宽0.74米，下碑高0.97米，宽0.58米。墓前视野开阔，墓两侧有高山两座，所谓的“左钟右鼓”形，再向前有此起彼伏丘陵山冈各9座，堪舆家称之为“十八学士上朝纲”的福地。黄发氍（518—576），南朝梁陈时期军事家，龚坊镇青陂村人。

曾旧墓　位于增田镇吊鸡岭，坐北朝南，长5米、高2米余。曾旧，字惟人，生于唐玄宗天宝元年（742年），是曾参33世孙。曾参是孔丘的高徒“曾子”，原籍山东武城郡。曾旧于唐大历十二年（777）中进士，先后任宣武军节度使，金紫光禄大夫、检校尚书、左仆射、中书门下平章事（即宰相）。唐元和初（806年），为避社会动乱，曾旧携老扶幼，寻找世外桃源，在华盖山下林深竹茂的秧田村肇基。垂暮之年的曾旧，壮志未酬，常在此教导长孙曾国俊不忘“三省吾身”。后“国俊草擢上第（进士）、出守宜春（袁州太守），有可书之绩”。唐末，众太守与节度使割据易旗，他“清风高节”，挂冠归里，隐居种菊，与浪迹乐安的余杭诗人罗隐“有累岁之交”。罗隐所写的《菊坡记》，载入秧田村《曾氏族谱》。

罗隐墓　位于增田镇罗家潭，潭水枯落，直现墓石，有“罗隐”字样。罗隐为唐末文学家，曾任节度判官、给事中等职，其散文小品笔锋犀利，多为讽刺现实之笔。晚年客居望仙、增田一带，民间有不少奇闻传说。

武齐墓　位于公溪镇芜头村东南8千米的灵宝山深坑。墓为大麻石砌成，占地面积为110平方米。墓碑高大壮观，配有石羊、石马、石人像，并建有砖木结构的守墓亭。1941年被人盗墓，墓室破坏，后修水利又被搬走大量墓石，但因墓室很深，全系坚硬条石砌成，因而墓室棺椁并未遭到破坏。武齐，字广渊，明永乐二十一年（1423）出生于公溪武家村，景泰五年（1454）中进士，明成化三年（1467）任刑部尚书，是年四月十三日病卒。

邹望龙墓　位于戴坊镇横江村炎坪老村宝峰山之阳渴马饮泉形，始建于北宋开宝二年（969），明万历三十三年（1605）由邹元标、邹德溥、邹德泳3位进士及鹏洲村邹一民贡士重修。1985年，新干、乐安、永丰三县邹氏族人进行第二次联修，保存至今。邹望龙（878—？），讳正峰，谥号文定公，生于崇仁县七十七都铁炉坪（现乐安县龚坊镇炉下村），后迁居七十八都炎坪（现戴坊镇横江村炎坪村小组），生子三：义甫、行甫、奇甫，尊为乐安、新干、永丰邹氏开基祖。出身官宦之家，且乐善好施。宋太祖乾德年间因朝廷平叛军队赈济军粮有功，被敕封为银青光禄大夫殿前检校国子祭酒兼监察御史。清咸丰八年（1858），邹氏族人在炎坪村建有邹望龙公祠，时年永丰县状元刘绎为祠题写匾额“善成堂”。2018年，邹氏族人又筹资在原址重修邹望龙公祠。

骆公墓　位于湖溪乡严陀寨西北，现墓碑已毁。

董裕墓　位于招携镇瓦子场村禄元村小组白鹤山上，墓建于明万历三十六年（1608），由石门、神道、石像、墓冢组成。1987年12月公布为江西省文物保护单位，是保存至今由官府建造的明代石构古墓。（见本卷第十一章旅游第一节旅游资源）

三、古城堡

公溪古城　古城为梁时城垣旧址，土筑城墙，梁普通三年（522）巴山郡治设于此。梁敬帝太平二年（557），置高州，辖临川、安城、豫宁、巴山等郡，巴山郡治设在古城。

县城墙　乐安县创建于南宋绍兴十九年（1149），县治初设古塘（今鳌溪镇北门口），次迁学宫侧（今县第一中学办公大楼址），再迁詹圩（今县实验小学址）。城墙初时筑土为垣，建栅为闾。明正德年间增土筑城，城高5米，宽广1500米，纵长2000米，周围5000米。明嘉靖年间，始垒石成城，城墙延袤5000多米，高5.67米。明崇祯年间，挖出旧基墙，扩改建石城，城墙延袤5000多米，高出地面7.67米，有2180垛，立有谯楼5座，分东、南、西、北和小南5门，每门高2.87米，俱用铁皮包裹，坚固难损。清康熙十四年（1675）改为1600垛，内垣增高0.7米，有如省府城。道光十九年（1839），再次固修，历时三载而成，规模定型，邑举人邹峄贤记："大功告成，日夕登陴，百雉与万山相巩，邑之利赖远矣。"1939年，日本侵略军陷南昌后，为适应战时需要，县政府奉令拆除城墙，以利开展游击战。现尚残留有城墙遗迹。

神运城　在湖坪乡西头村与汉上村内，旧名罗城（卢城），因地形似铜壶状，又名铜壶寨，为唐代旧土城址，内有"打铁店""卖牛场"等遗址，至今乡民尚能指点辨认。

严陀寨　在湖溪乡境，有山东北壁立，西南稍可攀登。唐元和年间，乡境屡遭兵扰，朱伦聚集乡众，筑城堑，立门关以为寨，自保安宁。宋统一全国后，乡民各自回归，寨自废。自山下村盘旋1500米始至山巅，有平坦空旷地5亩，寨建于其址，峰南平坦地为练兵场，场延伸有宽3.33米、长1500多米的环峰跑马道，寨下峰有人工开凿的梯田及占地4700平方米的水库，平时引水灌田，临战放水御敌，以解山寨之危。

羊罗寨　在县城东离城5000米的鳌溪境内，山上五峰巍然，其中三峰平坦，有岩洞可居。元仁宗延祐二年（1315），县士民议守此山以避兵乱。

四、古书院

慈竹书院　原址在乐安县城西部。北宋太平兴国年间（976—984年），文学家、地理学家乐史创办。乐史曾作《慈竹诗》以劝世，至于该书院得名。据同治《乐安县志》载："慈竹书院在县西，慈竹出自陵阳，连理而无旁枝，乐侍郎史移植庭阶，枝干森耸，迥异凡竹，此书院由名也。"该书院在登科入仕方面取得骄人成果，乐史及其子乐黄中、乐黄目、乐黄棠、乐黄庭先后考取进士，成为"一门五进士"的美谈佳话，可谓抚州进士家族的典范。明代，其裔孙乐翰曾予重修，现院址无存。

西山书院　位于牛田镇流坑村之西山麓，为南宋知名理学家、学者曾丰所建，现院址无存。

鳌溪书院　在县城东门外鳌溪河畔，故名鳌溪书院。元大德四年（1300），县儒士夏友兰捐资兴建。夏友兰，字幼庵，乐安牛田脑风亭人，少聪颖，师事理学家吴澄，躬行践履。后捐田500亩，建书院以宣传吴学。相传仁宗皇帝被他热心倡学的事迹所感动，先后3次在潜邸诏见他。其子后又捐田160亩，以充书院办学经费。元皇庆元年（1312），朝廷赐予"鳌溪书院"匾额并设学宫。其规制与白鹿、鹅湖等著名书院相同。明朝正德年间毁于火，正德和清道光年间两度重修改建，现院舍全废。

义云书院　在牛田镇水南村委会上茶园村，清康熙时，丁溥捐建正栋，其余为忠义、云盖两乡捐修，故名义云书院又名两乡书院。门楣上有青石雕刻的"义云书院"四字，两边对联云："义路礼门君子所履；云龙风虎大人之占"。清光绪年间废科举、兴学校，县人邹希孟等倡议捐资重修该书院，改名为罗宿小学。1939年，县立初级中学创办于此。中华人民共和国成立后，牛田中学、牛田农业中学先后设于此，为古书院仅存者。

文馆　又名"江都书院"，位于牛田镇流坑村北陌兰洲大宗祠之西，周围环境幽雅，地域开阔。始建于明代晚期，后代历有修葺，现存建筑为清道光年间重修之物。

子男书院　位于牛田镇流坑，为祀奉宋朝董德元（封庐陵开国子）、董敦逸（封长青开国男）立。

心斋书院　位于牛田镇流坑中巷，南宋名儒董德修建。兵部郎中王畿作《心斋书院记》，兵部尚书谭纶书题"潜心堂"匾。董德修，字仲修，为流坑董氏第10代。师事陆九渊，得陆氏心学真传。曾参与鹅湖书院朱熹与陆九渊学术辩论的盛会。在两次科举考试未中之后，返乡兴办"心斋书院"传播陆学，教育子弟，人称"心斋先生"，被尊为"流坑理学之宗"。

园通书院　位于牛田镇流坑村，为董燧、董

极立。董燧常与安福县名儒邹守益、吉水状元罗洪先（念庵）等人于此讲学。

雪峰书院　位于牛田镇流坑村，为明代御史董时望读书之所，罗洪先（念庵）有记。

蓉山书院　位于牛田镇流坑陌兰洲，明代理学家董蓉山建。

龙岗书院　位于鳌溪镇西坑村龙头岗，元朝邑人谢均福与其弟均寿创建。明天顺年间（1457—1464），其五世孙将书院修缮一新，并为书院买田以供祭祀、束修之费。

安浦书院　位于乐安县城西，清道光三年（1823），县人何文芬捐田2800余担兴建。

乐安县在宋代还建有杏坞书院、沂水书院、古梅书院、汝水书院，元代建有西溪书院、柳塘书院，明代建有卧云书院、安定书院、道乡书院、大成书院，清代建有乐庠书院、奎成书院、尚义书院、步云书院、七都书院等。

五、古寺院

乐安境内有石桥寺、天仙寺、观性寺、龙泉寺、觉华寺、万善寺、蟠龙寺和临云寺等28座开放古寺庙，在第二十三卷宗教民俗第一章精神文明宗教的第二节古寺选介中作详细介绍。

六、古石桥

县内古石桥较多，但保存下来的较少，登仙桥、金鳌桥、大元桥、世昌桥、道山桥、青山桥、参陂桥等保存完好，其他古石桥还有湖坪龙湾桥、增田王家暮石拱桥、谷岗坪坑石拱桥以及四十七都枧下的永平桥等。古桥在第十八卷交通运输信息产业第一章交通运输第一节设施建设介绍。

七、古塔楼坊

宝塔　建立于县城中心，高33米多，底基围13米多，为花岗岩建成的等边八角形七级浮屠。底层辟一门出入，其他6层均辟八门。门分真假两种，假门作为装饰。真门又有虚实之分，虚门为迷门，误入虚门必背壁而退始得出；实门则供游人出入与上下。每层有飘出尺许的人行道，门内有螺旋形石阶，游人可借石阶和人行道盘旋上下出入，一直可至七级眺望全景。塔顶垒有七铁钵作小塔状铁顶。全塔设计独具匠心，古人有诗赞云：“浮屠千仞出，高处近星文，日午全无影，天空自有云，光明上界澈，铃声上方闻，不是攀登处，何因静世氛”。塔建于明万历十年至十六年（1582—1588），经历明、清、民国，“文化大革命”中被“造反派”作为“四旧”而被拆毁。

佛塔　屹立于县南75千米万龙山，清代涡蝉师是龙泉古寺主持多年的长老和尚，他死后葬于宁（都）、乐（安）两县上山大路交叉处的万龙山。墓前的祭坪呈圆形，5级石阶之上便是墓室，其骨灰毁于“文化大革命”中。墓室净高2.5米，3块墓碑工正整齐，中间一块为墓门、可关可开，横条石“宝墙惠镜”4个大字为青石凿刻，位于墓门上方。

佛塔为六角塔，以青麻石结构而成，全高4.5米，上端为葫芦顶，正面“涡蝉师之墓”碑文依稀可辨，整个塔保存完好。

状元楼　位于牛田镇流坑村西边的棋盘街旁，始建于南宋，晚清重修，为砖木结构的硬山式二层重楼，是纪念南宋高宗绍兴十八年（1148）恩科状元董德元而建的。楼为两层，下层前后门直通，后门右侧有转折式木梯通二楼檐廊。檐廊四周相通，中间部分装有编竹造

流坑状元楼

隔断屏风，壁上绘有麒麟、灵鹿等瑞兽图。正中有神龛，内设神台，上置牌楼式“灵屋”，安放状元董德元牌位。后来，董氏为显示其家族科宦之盛，又将董淳、董敦逸、董藻和董裕4位历代名臣的牌位也立于其中，以供祭奉。祭堂两侧挂有“南宫策士文章贵，北阙传胪姓字先”的木刻楹联。正阁悬有仿制的朱熹所题端庄雄浑、遒劲有力的“状元楼”题匾。

状元楼气派轩昂，建造工艺高超，技艺精湛，构思巧妙，且处于流坑古代聚居至高处，登楼可俯瞰流坑全貌，近观龙湖一泓水，远望东华诸秀峰。状元楼作为董氏门户的象征，一直耸立在流坑村西口，以夸耀董氏文风绵远，科举昌盛，并激励子孙后代勤奋读书，为功名不息追求，同时也折射出流坑董氏走的是以儒名家，科举兴族之路。

翰林楼　位于牛田镇流坑村贤伯巷东侧出口处，为纪念国子监司业、翰林院编修董琰所建。始建于明代，清乾隆元年（1736）重修。楼为二层，砖木结构。上层为瞭望楼，前后均有瞭望窗口，置身其间，前可观乌江之水，后可看巷道檐宇，既是纪念性建筑，又可作防御关卡。楼面上层，嵌有砖刻“翰林”竖额，两侧为明代宰辅杨士奇（江西泰和人）所书联“数封天子诏，当代帝王师”。下层门楣有“少司成第”横额，署款“明东阁大学士杨士奇为国子司业前翰林院编修董琰立”。门旁有明文渊阁大学士、礼部尚书金幼孜（江西新干人）所书联“国史总裁婺重一时锁闼，英才乐育名高天下宗师”。楼后面正中上方嵌有“恩荣”砖刻竖额，下方嵌有明江西省学政邹学柱所题“盛世丝纶”横额。

董琰（1352—1419），字子庄，明史有传，学识渊博，著作颇丰，为时人所尊。明洪武五年（1372）中举人，曾任茂名（广东）知县，经大学士杨士奇推荐为翰林院编修，并参与《永乐大典》纂修。后任国子监司业、赵王府右长史。同时，他又是流坑经历元代近百年衰落后科宦复兴的第一位显赫人物，死后被举祀入乐安县乡贤祠。因为纪念他，这座小小的望楼便成了村中有名的建筑。楼面墙体虽然显旧，但名人题书的砖刻仍风骨犹存，给这座望楼增添浓郁的历史文化氛围。

祥麟阁　位于湖坪乡东山村下阳山麓，始建年代不详，清嘉庆年间重建。为古寺庙式建筑，属佛教之所，占地300多平方米，坐北朝南，二进一天井。入门为四柱三间牌坊式门坊，两侧翼墙与正墙相吻接。门楣上大额坊雕刻有“祥麟宝阁”四字。坊上横额及檐部均雕有花、鸟、麒麟、狮、人物等图画，并饰有油彩，寓吉祥之意。门坊建筑华丽典雅，气派轩昂。堂内两侧均为配房。上堂较高，且堂面开阔，其后设置神台，供奉观音佛像。在厅堂之间天井部构架上，有精美木雕装饰，东侧辟门与偏殿相通。

乾隆三十八年至四十三年（1773—1778），乐安知县米锦（清代四川人），曾赏游祥麟阁，并为之题有嵌阁名联“人游阁上祥云覆，日暖龛前麟趾舒”。

祥麟阁高7米、宽8米、纵深15米。阁前有青砖砌的围墙，外有池塘，两侧月门为进出通道，左侧月门首书“慈云广复”四字，配门联：“瓶渊杨枝水，炉焚柏子香”。虽几次修葺，其建筑风格仍如其旧。

龙图学士坊和刺史传芳坊　位于罗陂乡水溪村，2013年列为第七批全国重点文物保护单位。（见本卷第十一章旅游第一节旅游资源）

科甲丛芳坊　位于龚坊镇同富村口，坐南向北，始建于明隆庆三年（1569），迄今有400多年的历史。（见第二十四卷特色专记第二章传统村落第五节同富古村“科甲丛芳牌坊”）

继序其皇牌坊　位于牛田镇水南村，清顺治十年（1653）为水南丁氏十世裔孙丁浩诰封怀远将军兴工建造。2006年经江西省人民政府批准为重点文物保护单位。（见第二十四卷特色专记第一章传统村落第二节水南古村“继序其皇牌坊”）

恩荣红石牌坊　位于牛田镇连河村，是一座

石质牌坊，系用红粉石叠砌而成，正中上方有一块长额，凿有“圣旨”二字。红石坊即为庆记丁上英所建。（见第二十四卷特色专记第二章传统村落第九节连河古村“恩荣红石牌坊”）

百岁坊　位于牛田镇水南村，坐北朝南，始建于明万历三十九年（1611），迄今已有400多年。现存此坊重修于1997年春。（见第二十四卷特色专记第二章传统村落第二节水南古村“百岁坊”）

董氏节孝坊　位于湖坪乡东山村的石坊牌，宽度为4米，高为4.6米。

青宫侍讲坊

五桂坊　位于牛田镇流坑村龙湖西岸棋盘街旁。始建于宋代，为一间二柱一楼的石砌建筑，是为纪念北宋景祐元年（1034）流坑董氏一门五人同中进士这一盛事所建。

北宋时期是流坑董氏科宦鼎盛时期，宋真宗大中祥符七年（1014），董文肇4个儿子（滋、湘、渊、淳）全部中举。次年，董淳首登进士第，成为流坑董氏考取进士的第一人。从此，董氏科甲之盛，一发而不可收，“登科之儒，累累相续”，且出现六七人同举，四五人同中进士等盛事。在宋仁宗景祐元年（1034），董文广的侄子董洙、董汀，侄孙董仪、董师德、董师道兄弟叔侄5人，同科考中进士，称为“五桂齐芳”。为纪念这一旷古盛事，云盖乡（流坑时属吉州庐陵县云盖乡）改名为“五桂乡”，流坑村中立“五桂坊”。南宋文天祥在《上权郡陈通判觊谢解》中曾说：“名耀贴金，以一门而五董，”即用这一典故。明崇祯九年（1636）冬，大旅行家徐霞客游览流坑村时，曾亲眼见到为纪念这一盛事而建的“五桂坊”，其游记载：“其处阛阓纵横，是为万家之市，而董氏为巨姓，有五桂坊焉”。现“五桂坊”仅留下几块花岗岩基石，中华人民共和国成立后在其遗址上建有一座门坊。

文武三元坊　位于牛田镇流坑村，为恩科状元董德元、武状元董藻、会元董良史、解元董传、董极、董经等而建，坊建于明万历以前，系木质结构，“文化大革命”时被拆毁。

同时文宗坊　位于县城老街（今实验小学与原鳌溪镇政府之间），为明代御史董裕、詹事讲而建，为石质浮雕，玲珑别致。坊上题有“同时文宗”四字，右书董裕官衔及年月日立字样，从右而左书写，右书詹事讲官衔及年月日立等字样，从左而右书写。石坊建于明万历年间。“文化大革命”期间被拆除。

青宫侍讲坊　位于湖坪乡东山村，为纪念湖坪王氏11世孙、翰林承旨兼太子说书王晋而立。始建于元代，现存青宫侍讲坊即为宣统三年（1911）重修。（见本卷第十一章旅游第一节旅游资源“青宫侍讲坊”）

八、古祠堂

蓝科进公祠　位于金竹畲族乡流舍畲族村丰坪村小组。坐南朝北，背山面水，两进一天井，歇山顶，山墙为鹅卵石夹杂黄土石灰干打垒，面阔13.45米，进深24.68米，内有神龛、壁画，其檐廊木构架上的雀替、斜撑均雕有鹿、象等动物。前厅天井正中放置一张畲族人所特有的祭天时所用的石案桌，高1.28米，采用完整的麻条石制作。后堂为祭堂，祭桌桌面两边起翘，形似动物犄角，整个建筑具有畲族建筑风情。据谱载，该祠于道光二十二年（1842）兴建，同治五年（1866）创祠。

同治七年（1868）建成，光绪十年（1884）由蓝振葵立碑，其子蓝科进高中进士后，畲族人为纪念他，改名为蓝科进公祠。

草庐公祠　位于鳌溪镇咸口村，明代吴澄后裔为纪念吴澄所建，清代重修。上书一副楹联：“道通东鲁三千里，名冠南洲百万家”，落款为汤显祖撰。门楣石匾镌刻有“草庐公祠”四字，为明代理学家吴与弼所书。吴澄号草庐，故名。因年久失修，现仅剩下门坊，2015年国家拨专款进行复原维修。

流坑、湖坪、稠溪、东坑、连河、前团等古村中都有古祠堂。（见二十四卷特色专记第二章传统村落）

九、石刻石雕

乐安县古建筑讲究雕刻装饰，以材料和技法分，有木雕、木刻、砖雕、石刻、石雕和彩画、墨绘等。木雕、木刻为各类古建筑的主要装饰手段。其主要技法有：立体雕、透雕、浮雕3种。砖刻、砖雕则主要施之于门楼、门罩、楼坊和照壁之上，可分立体雕、浮雕和线刻数种。柱础多为石刻，技法有线刻和浅浮雕，也有独立的立体雕和石雕造型。题材以花草、人物、瑞兽祥禽为主，制作雅致细腻，富于寓意，集江南诸省精华，有很高的工艺水平。

流坑“怀德堂”照壁　以带浅浮雕图案的方砖拼成鸟兽图，或以凤凰为主体，配以鹭鸶、白鹤、野鸡、山鹊、孔雀等禽鸟和竹、莲、芙蓉等花卉，或将喜鹊、奔鹿、立鹤、蜜蜂、游禽、戏猴组成祥禽瑞兽嬉戏游玩的和谐画面。寓“喜上梅（眉）梢”“丹凤朝阳”“雀（爵）鹿（禄）峰（封）猴（侯）”“莲（连）升三级”等吉祥含意。其画面构思严谨、制作精巧，形象优美，诚为稀世精品。

流坑永享堂照壁　填以精工烧制的雕花方砖，上有砖雕“望日麒麟”：麒麟长80厘米，高100厘米，龙头鹿身牛尾，满身鳞甲，并披彩带；前肢腾起，张口吐舌，回首遥望左上方的一轮太阳。其设计独具匠心，制作精致细腻，形象奇异生动，堪称流坑一绝。

流坑大宗祠遗址红石狮

流坑圆雕红石狮　在流坑董燧故居“理学名家”宅门前和大宗祠遗址中的红石狮，是独立的立体雕造型，为明代留下的艺术精品。

流坑吞头　装饰在大门正上方石雕、木雕或泥塑傩面，形象严厉、诡秘、怪异，在民俗中，它具有驱邪祈福的作用。流坑古村保存至今各式吞头有十四五具，风格古朴、造型夸张、工艺精湛，为他处所不及，堪称国粹。

十、古器具

东陂湾银器　1977年9月，修筑航桥乡东陂湾水库，挖出一批银器，其中双鱼盘38件，构图严谨、花纹细致的匙22件，椭圆形汤勺1件，上方下圆银箸22双，高足杯20件，夹层合成的凸花杯1件，玉壶春式瓶2件；平口短颈壶2件；文字牌2件，其中一件制有北宋王禹偁所作《黄州竹楼记》，另一件制有宋欧阳修所作《醉翁亭记》。这是乐安县首次大批出土文物，总计100余件，重6500克，品种和数量之多、质量之佳在省内尚属首见。

元代枢府瓷　1.卵白釉福寿印花盘5件。盘敞口，深腹微鼓，内底宽平，碗心下凹；圈足，足壁宽厚；砂底，有突出尖鸡心，底足内墨书“德星”二字；瓷盘内壁模印“枢府”“太禧”“福禄”“福寿”字样，为元代官窑出品。2. 卵白釉斗笠印花碗2件。碗敞口，深腹斜削，浅圈足，沙底。碗呈斗笠形状，通体施以卵白釉，釉质肥厚莹润。内壁压印连续回纹花边一道，边内饰有对称凤凰和飞蝶图，纹饰精美，构图严谨，印纹清晰规整。底足墨书“德星”二字。3. 卵白釉印花盘，共2件。盘敞口，浅腹腰弧鼓，内底宽平，碗心微下凹；圈足，足壁宽厚；砂底，有突出尖鸡心。施用卵白釉，有棕眼。内壁压印缠枝牡丹图案，4. 卵白釉“枢府”印花盘4件。盘敞口，浅腹微斜，内底宽平；碗心微下凹，圈足稍为宽厚，砂底，有突出尖鸡心。施着卵白釉，釉汁厚润，有棕眼。内壁内底满饰模印缠枝牡丹图案，纹饰繁复而不乱，内壁花纹空隙处压印楷书阳文“枢府”二字，清晰可见。

枢府瓷为元代最高军事首府“枢密院”在景德镇订烧的专用器，“有命则供，无命则止”。造型多为碗、盘、碟和高足杯之类。因器物中隐印有“枢府”二字，故称枢府印花瓷。此器于1984年1月3日在乐安县城北面原物资局基建工地出土，为国内所仅见，成为稀世珍品。1984年10月和1985年9月，先后送往北京建国三十五周年文物展览和在罗马尼亚首都布加勒斯特举办的中国文物展览会展览。1990年，先后选送至香港和日本举办的中国陶瓷艺术展览会展出，被誉为稀世瑰宝。

元代枢府瓷印花碗

影青葫芦执壶　影青又叫青白釉，是北宋中期景德镇瓷窑的独创。影青执壶形如葫芦，施影青色釉，釉色白中泛青，釉层细薄晶莹，为影青瓷器中的精品。

1982年9月，在鳌溪镇东门池头金鸡山，发掘一座南宋嘉泰墓。墓主洪觉顺是江西派诗人洪刍的曾孙女，又是宋代江西词派的创始人黄庭坚的曾外孙女，乃乐安县城詹恕之妻。乐安墓清理得7件遗物：影青葫芦执壶1件、粉盒2件、水盂1件、皈依瓶2件、墓碑1件。其中影青葫芦执壶，为国家一级藏品。

龙泉荷叶高足杯　产于元代浙江龙泉，龙泉窑为宋代五大名窑之一，所产瓷器多为贡品。1984年，在乐安县城北原物资局仓库基建工地出土的“元龙泉”，胎灰釉汁肥厚，是龙泉窑的典型代表作。

西汉弩机　弩机是古代运用机械力量发射箭矢的一种强弓，最早创制于战国，盛行于汉、晋时期。1985年2月，在戴坊镇排下农场附近山坡上一座西汉古墓中出土。随葬品有西汉弩机1件、环首铁长刀1把、青瓷小碗3件，破烂印纹陶片有方格纹、蕉叶纹、回字纹等。

古铜钱　1985年9月中旬，鳌溪镇与龚坊乡两地农民建房，出土一批古铜钱，重43千克，总数约万枚以上，品种十分丰富，上起两汉五铢钱，下迄清代各帝王的年号钱，其中夹杂有少许日本和越南钱。

青瓷罐　1986年4月，龚坊乡陀岭上发现一座晋代古墓，采集四系青瓷罐1件、四系扁腹小罐1件、青瓷小鼎1件、青瓷小碗6只。

影青波纹斗笠碗　1987年6月，大马头垦殖场发现宋墓群，采集影青波纹斗笠碗、影青双鱼芒口碗、皈依瓶、影青罐和端砚。

青花鼓式三足炉　青花，在瓷器上是一种釉下彩绘，以氧化钴为着色剂，在胎坯上进行绘画装饰，再施一层透明釉，经1300℃左右还原焰焙烧而成。中国青花瓷源于唐代河南的巩县窑，至宋仍罕见，而成熟于元末，明代得到空前的发展。

青花鼓式三足炉，系明弘治十五年（1502）景德镇民窑烧制的精品，型制似鼓状。它是研究明代前期青花瓷的标准件。

青花梅瓶　1987年7月，公溪镇马迹湾村后山上一座明故处士武扬绩夫妻合葬墓被盗掘，出土遗物有青花梅瓶、小香炉、粉彩小菩萨、小白瓷俑等8件。

青瓷香炉　1988年2月，湖溪乡中格田短岭发现10余座古墓，出土遗物有：青瓷罐、青瓷钵、青瓷盘、青瓷碗、青瓷小杯、青瓷香炉、青瓷鸡首壶等19件；还有铁刀、铁铲、匕首、铜镜等21件。墓砖上大多是同心圆纹与古钱组合，初步认定为南朝古墓群。

晋古铜钱　1988年9月，万坊乡池头村塔坑出土一批窖藏汉、晋古铜钱，计重1.6千克，共计691枚。除8枚半两钱与11枚新莽钱外，全部是两汉魏晋五铢钱。保存良好，无一枚锈蚀，在古钱币中实属罕见。

宋古铜钱　1989年12月，公溪镇芜头村出土窖藏宋代古铜钱，计重103.5千克。除少量两汉、新莽、唐、五代和金国钱之外，大部分是两宋44个年号钱。这次出土的古铜钱，数量之大，种类之繁，在乐安尚属首次。

青花壶　1992年2月，鳌溪镇象山路南端与环城路交叉处，出土窖藏明清瓷器。经发掘清理后有：青花坛、青花罐、粉彩盘、青花杯、粉彩碟、青花瓶、青花壶等91件；铜烛座、石印鉴、印泥盒共6件。其中52件是精品。

石碑《蒋侯祠记》　1991年4月，乐安实验小学右侧，出土一块明代纪事大型石碑《蒋侯祠记》，为缅怀乐安县令蒋良鼎而立。明嘉议大夫南京工部右侍郎董裕撰文。中宪大夫山西按察司陈所学书丹，朝列大夫浙江盐运使曾维伦铭刻。碑文楷书，阴字，其文记叙当时乐安为江西险恶之地，盗贼四起，灾难深重，民不聊生。县令蒋良鼎以简朴清廉之风，体恤民情，励精图治，任职5个月不幸逝世。在他临终之时，乐安县百姓为他殓棺安葬，做祭祀，树碑建祠，以缅怀他的政绩。

青瓷碗　1996年11月18日，在乐安县城西坑村，发现两座汉代古墓，出土遗物有原始青瓷罐、钵、碗、盏之类，较为珍贵。

十一、其他

左宗棠馈品　1984年4月，在湖坪乡湖坪村采集到晚清名臣左宗棠给王长贵之馈品：玛瑙杯、贝壳调羹、银质杯托，楹联一副，上书“琼林萦映圆海回渊”。另有山东巡抚魏光焘为王长贵撰写的《墓志铭》。

赵之谦篆刻木质楹联　1984年7月，在湖坪乡王文才家，采集一幅用竹囊篆刻楹联，联语选自苏东坡赠王安石诗句：“此老初来百神仰，从公已觉十年迟”。是清代书画家、篆刻家赵之谦真迹。字体浑厚遒劲，乃篆刻中精品，弥足珍贵。

彩瓷镶嵌诗配画挂屏　在流坑古村采集。挂屏以彩瓷人物故事、四季花卉，配以杜甫《饮中八仙歌》中的：“李白斗酒诗百篇，长安市上酒家眠，天子呼来不上船，自称臣是酒中仙”诗句镶嵌而成，充分展示文人雅士闲情逸致的个性追求与张扬。悬挂在居室会客厅，反映清代景德镇陶瓷艺术在家庭装饰上的运用和发展。

《蕉岗何氏十三修族谱》　1986年4月，在

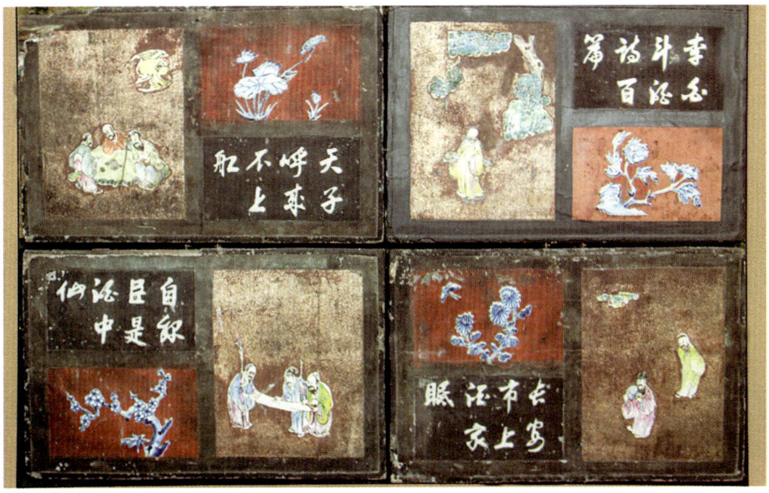

彩瓷镶嵌诗配画挂屏

望仙乡观性寺找到《蕉岡何氏十三修族谱》，发现南宋孟太后避难在观性寺的真实记载：建炎三年（1129）十月，参军何维贞自吉安一路迎孟太后至观性寺，太后在此留下墨迹："余乃先皇哲宗皇帝妃也。时因国势式微，屡遭金贼寇乱，二君蒙尘在外；康王乃即真于南京，与之同听国政，又遭金虏。为难逃避临吉，一路何参军辅车至此，爰书数言以志感。"上述记载与《中国历史大事年表》完全契合。

流坑谱牒　流坑古村现存明清以来历修谱牒20余种，明万历十年（1582）族谱洋洋数十万言，详尽记载董氏家族的渊源和发展，收藏了谭纶、聂豹、罗洪先、邹守益等许多名人手迹，不仅内容、文字极其宝贵，版刻、印刷也非常精美，堪称难得的家族史巨著。

袁国栋画　袁国栋《隔河两舟》《春放渔乐水阁亭》《日落晚州舟不归》和《高峰远岸无人声》4幅绢裱山水画，于1983年在鳌溪镇东门李石生家征集至馆藏。袁国栋，乐安县城东隅人，善画花鸟虫草，清乾隆时召试内廷，御取第一，时称画状元。其画造诣很深，气势磅礴，自成一体，开辟了当时画坛新天地。享年80岁。

乐安县部分馆藏可移动文物表

表22-10-9

类别	文物名称	时代	数量	质地完缺情况	文物来源
陶器	方格纹双系盘口陶壶	汉	1	盘口残缺	发掘
陶器	网纹双系陶罐	汉	2	口沿有磕碰	发掘
瓷器	青瓷网纹平底罐	汉	1	釉层剥落	发掘
瓷器	青瓷四系盘口壶	晋	1	一系残断、口沿残缺	发掘
瓷器	青瓷深腹平底钵	晋	1	口腹部残缺，釉层剥落	发掘
瓷器	青瓷饼足盏	晋	1	釉层剥落	发掘
金银器	捶揲“永镇万年”铭银钱	东晋	1	有霉迹	接受捐赠
金银器	蝴蝶纹银戒指	东晋	1	前胸、尾部有3个破孔	接受捐赠
瓷器	青瓷连体盘托杯	南朝	1	杯口沿残缺	发掘
瓷器	青瓷高足盘	南朝	1	口沿有一处缺口	发掘
瓷器	青瓷平底盘	南朝	1	釉层剥落	发掘
瓷器	青瓷印花花卉纹钵	隋	1	有些土斑	发掘
瓷器	青瓷饼足碗	隋	1	釉层剥落	发掘
瓷器	洪州窑青瓷莲瓣纹盂	唐	1	有些土沁	征集购买
瓷器	青瓷堆塑荷叶边纹长颈瓶	唐	1	上腹一条裂缝，足沿轻微磕碰	发掘
瓷器	白釉葵口碗	五代	1	口沿有2处冲口，内壁2条冲线和1道划痕	发掘
瓷器	青白釉堆塑人物龙虎纹瓶	宋	1	口部残缺	发掘

续表 22-10-9

类别	文物名称	时代	数量	质地完缺情况	文物来源
瓷器	青白釉堆塑人物龙虎纹瓶	宋	1	口沿轻磕，颈部局部剥釉并有1条裂纹	发掘
瓷器	仿哥窑青黄色水波纹碗	宋	1	基本完整，冲口1处	发掘
瓷器	褐釉直颈深腹四系罐	宋	1	口沿3个缺口，1系残缺	发掘
瓷器	青白釉束颈罐	宋	1	釉层剥落	发掘
瓷器	青白釉盖罐	宋	1	罐1、盖1。盖沿及足沿有磕碰，大部剥釉	发掘
瓷器	青白釉六方盒	宋	1	缺盖	发掘
瓷器	景德镇窑青白釉荷莲纹粉盒	宋	2	盒1、盖1。污迹，内处有1处污迹	发掘
瓷器	黑釉平底罐	宋	1	釉层剥落	发掘
瓷器	青釉刻画纹碗	宋	1	有冲口1处，3道裂纹，冰裂纹	发掘
瓷器	景德镇窑青白釉刻画水波纹碗	宋	1	有2条裂缝，3处冲口	发掘
瓷器	青白釉刻画双鱼纹碗	宋	1	有1小冲口	发掘
瓷器	青白釉印花双鱼纹芒口碗	宋	1	有些土沁	发掘
瓷器	青白釉刻画双鱼纹碗	宋	1	有冰裂纹，旧冲口1处	发掘
瓷器	青白釉堆塑荷叶边纹瓶	宋	1	口部2个大缺口	发掘
瓷器	景德镇窑青白釉牡丹花纹粉盒	宋	2	盒1、盖1。内处有污迹	发掘
雕塑造像	鎏金铜羊	宋	1	口沿有轻微磕碰	接受捐赠
金银器	银托	宋	1	口沿有轻微磕碰	接受捐赠
石器石刻砖瓦	嘉泰四年洪氏墓志铭石碑	宋	1	有一磕口	发掘
瓷器	龙泉窑青釉印花高足杯	元	1	口沿有冲口，足沿轻磕	发掘
瓷器	龙泉窑青釉印花高足杯	元	1	口沿1处有土斑和轻磕	发掘
瓷器	龙泉窑梅子青莲瓣纹高脚杯	元	1	口沿有小磕口	发掘
瓷器	黑釉碗	元	2	下腹部分剥釉，足沿有轻微磕碰	发掘
瓷器	景德镇窑卵白釉福寿款印花纹碗	元	1	有1缺口和1冲口	发掘
瓷器	卵白釉印花纹折腰碗	元	1	有1处裂缝，口沿有冲口	发掘
瓷器	卵白釉福禄款印花纹碗	元	1	有1缺口	发掘
瓷器	卵白釉牡丹纹盘	元	1	足沿有轻微磕碰	发掘

续表 22-10-9

类别	文物名称	时代	数量	质地完缺情况	文物来源
瓷器	枢府釉福寿款印花纹碗	元	1	缺口1处，通口1处，口沿有4道直裂纹	发掘
瓷器	卵白釉福寿款印花碗	元	1	有1小冲口	发掘
瓷器	卵白釉牡丹纹盘	元	1	基本完整	发掘
瓷器	明弘治青花花鸟纹梅瓶	明	1	有些土沁	征集购买
瓷器	弘治青花花鸟纹梅瓶	明	1	有些土沁	征集购买
瓷器	弘治青花花鸟纹梅瓶	明	1	有些土斑	征集购买
瓷器	弘治青花高士图三足筒形炉	明	1	有些土斑	征集购买
竹木雕	墨书“龙图学士”款木匾	明	1	上边梃、右边梃残缺	接受捐赠
铜器	带柄青铜镜	明	1	基本完整	征集购买
铜器	狮子铜灶	明	3	残缺	征集购买
铜器	当朝一品青铜镜	清	1	完整	征集购买
瓷器	乾隆款豆青地青花蝠寿纹盘	清	1	有点土斑	征集购买
瓷器	乾隆款豆青地青花蝠寿纹盘	清	1	有点土斑	征集购买
瓷器	青花双龙戏珠纹筒形炉	清	1	口沿有3处磕口	征集购买
瓷器	青花团花纹盘	清	1	有些土沁	征集购买
瓷器	粉彩太极团花纹高足葵口盘	清	1	口沿1冲口，内底有土斑、土蚀	发掘
瓷器	粉彩朵梅纹高足六方盘	清	1	口沿有轻磕，内壁有土斑、土蚀	发掘
瓷器	青花双龙戏珠纹钵式炉	清	1	口沿1处冲口	征集购买
瓷器	青花人物故事纹盘口瓶	清	1	盘口有污迹，釉沿有污垢	征集购买
瓷器	青花山水纹七言诗双耳六方瓶	清	1	口沿有1缺口	征集购买
瓷器	青花雀梅花纹双耳瓶	清	1	口沿有1磕口	征集购买
瓷器	青花釉里红松竹纹盘口瓶	清	1	口沿缺失部分	征集购买
瓷器	青花花鸟纹双系瓶	清	1	口颈残缺	征集购买
瓷器	仿哥釉夔耳盘口瓶	清	1	口部微缺	征集购买
玉石器宝石	左宗棠馈品墨绿玛瑙杯	清	1	有1处裂缝	接受捐赠
玉石器宝石	左宗棠馈品墨绿玛瑙杯	清	1	有1处裂缝	接受捐赠
牙骨角器	刻花纹贝壳调羹	清	1	有些黄斑	征集购买
牙骨角器	刻花纹贝壳调羹	清	1	有些黄斑	征集购买

续表 22-10-9

类别	文物名称	时代	数量	质地完缺情况	文物来源
竹木雕	光绪十八年浮雕龙凤纹“敕授武显将军”款木匾	清	1	有脱漆、开裂	接受捐赠
家具	红漆涂金浮雕人物花卉木联屏	清	9	9 块。有些磨损漆痕	征集购买
其他	赵之谦书苏东坡七言诗贴竹黄木对联	清	2	上下各 1 联。有 1 处裂缝	征集购买
瓷器	粉彩花卉纹杯	民国	1	内壁有划痕	发掘
瓷器	白釉红彩寿字汤匙	民国	1	边沿有轻微磕点	发掘
瓷器	白釉红彩寿字汤匙	民国	1	边沿有轻微磕点	征集购买
瓷器	粉彩花卉纹碟	民国	1	器身有土斑，足底有黏土	发掘
瓷器	粉彩花卉纹四方碟	民国	1	器身有土斑、污渍	征集购买
瓷器	祭红釉长颈瓶	民国	1	口沿缺失部分	征集购买
瓷器	祭红釉长颈瓶	民国	1	口沿缺失部分	征集购买
瓷器	青花牡丹凤纹瓶	民国	1	有 1 处裂缝，口沿有磕口	征集购买
瓷器	青花莲荷纹瓶	民国	1	4 处冲口	征集购买
玉石器宝石	玉手镯	民国	1	镯面有 1 条划痕	征集购买
玉石器宝石	玉手镯	民国	1	镯面有 2 条划痕	征集购买
玉石器宝石	玉手镯	民国	1	镯面有土斑，有 1 圈冲线	征集购买
玉石器宝石	玉手镯	民国	1	有 3 圈冲线	征集购买
玉石器宝石	玉手镯	民国	1	镯面轻微土蚀	征集购买
石器石刻砖瓦	人物故事图大理石板	民国	1	有划痕、磨痕、褪色	征集购买
石器石刻砖瓦	渔家乐图大理石板	民国	1	有划痕、褪色	征集购买
玻璃器	料器手镯	民国	1	镯面轻微土蚀	征集购买
竹木雕	涂金红漆浮雕菊花回纹木香座	民国	1	立柱少 1 个木雕动物	征集购买
竹木雕	雕刻木傩面	民国	1	有修补，一角残缺	移交
其他	木框戏曲人物图纸本画	民国	1	附木框。纸画有起翘、脱漆、缺口，盖板有破损	征集购买
其他	连木座农夫识字图纸本屏	民国	1	纸画局部剥漆，木框有裂口	征集购买

第三节　革命文物

土地革命战争时期，苏区中央局和江西省委于1932年9月在乐安成立中心县委，组织领导乐安、崇仁、宜黄三县人民的革命斗争。毛泽东、周恩来、朱德、邓小平、彭德怀、陈毅、聂荣臻等老一辈无产阶级革命家多次亲临乐安，点燃革命火种，掀起燎原之势，乐安80%的乡村建立红色政权。乐安人民同敌人进行艰苦卓绝的斗争，配合红军粉碎敌人“围剿”，有2200多名英雄儿女献出宝贵生命，在乐安革命史上谱写光辉的一页。苏区革命时期留下的红军战斗遗址、党政机关旧址和老一辈革命家旧居，遍布城乡各地。经核实，毛泽东、朱德、周恩来和邓小平等老一辈革命家旧居66处，革命遗址16处；采集革命文物670件，这是乐安人民一笔宝贵的精神财富。

一、革命家旧居选介

丁氏大宗祠　位于牛田镇水南村。1931年第二次反“围剿”期间，朱德同红一方面军转战水南，住此屋。

明德书院　位于湖坪乡西头村。1933年5月，大湖坪整编期间，周恩来住在此屋。

聚秀常凝宅　位于湖坪乡西头村。1933年5月，大湖坪整编期间，红军将士住此屋。

另有毛泽东大金竹村旧居、毛泽东鳌溪旧居，周恩来鳌溪旧居、朱德和康克清善和旧居、朱德和康克清东山村旧居见本卷第十一章旅游第一节旅游资源“红色景点”。

二、革命旧址选介

永福庵　位于金竹畲族乡金竹村。1929年10月，上级党组织派遣邱钰、李贻谋到乐安工作，在永福庵成立乐安县工农革命委员会。

县城　第二次国内革命战争时期乐安战役旧址。1932年8月15日，毛泽东、周恩来、朱德率领红一方面军到达乐安招携，发布了《红一方面军攻击乐安城的命令》。当晚，在招携列宁小学召开军事会议，研究作战部署。8月17日，红一方面军在毛泽东、周恩来、朱德亲自指挥下攻克乐安县城，全歼守敌2个多团，俘敌3000余人，缴获各种枪支2000多支、迫击炮10多门、无线电台1部、击落敌机1架。

丁家脑　位于县城南门外高地。1932年8月中旬，毛泽东、周恩来、朱德指挥红一方面军攻克乐安县城，前沿指挥所设在此地。

芙蓉山王家崖　位于乐安县湖溪乡。1934年1月4日，新干县委、县苏维埃和独立营遭到敌人的重兵袭击，被迫突围，由县妇委会书记黄秀英等数十名干部与新干独立营部分战士组成突围部队，历尽千辛万苦，转战到乐安县芙蓉山区，与敌遭遇了数十次战斗，最后剩下黄秀英等5位女战士。她们在敌军的围追堵截下，依然坚贞不屈，顽强抵抗，终因弹尽粮绝，寡不敌众，五姐妹拒不投降，纵身跳下芙蓉山南端的王家崖，壮烈牺牲。中华人民共和国成立后，江西省革命烈士纪念堂陈列了5位女战士英勇献身的事迹，被誉为“芙蓉山五女壮士”。

另登仙桥和国宝公祠革命旧址在本卷第十一章旅游第一节旅游资源“红色景点”的登仙桥大捷旧址和大湖坪整编旧址中介绍。

三、馆藏革命文物

乐安县博物馆成立后，收藏整理革命文物670件。部分重要文物：1932年8月朱德、毛泽东在乐安县招携总司令部发布的训令（复制品）1件。1933年3月朱德、周恩来发布袭取乐安的训令（复制品）1件。1933年4月20日红一方面军供给部部长叶季壮给万崇区送交土豪罚款出具的收据1件（复制品）。乐安县农民协会会员证和会员名单（复制品）各1件。1933年“围剿”红军的国民党第43师127旅53团连副阎保笃墓石1块。1932年在乐安马迹潭坠落的国民党飞机金属齿轮1件。张禅林与鲁迅1922年合影照片1张。

乐安县博物馆部分馆藏革命文物情况表

表 22-10-10

类别	文物名称	数量	质地完缺情况	来源
钱币	中华苏维埃共和国国家银行壹圆纸币	2	有点黄斑	征集购买
钱币	中华苏维埃共和国国家银行壹角纸币	10	残破，边缘和中间局部已有破洞	征集购买
钱币	中华苏维埃共和国国家银行伍角纸币	7	残破，中间有皱折，边缘有破洞，并有褪色	征集购买
钱币	中华苏维埃共和国国家银行贰角纸币	4	边缘有缺，中间有明显的折痕	征集购买
钱币	中华苏维埃共和国国家银行伍分纸币	15	有点黄斑	征集购买
钱币	中华苏维埃共和国经济建设公债伍圆券	2	有些黄斑	征集购买
钱币	中华苏维埃共和国经济建设公债壹圆券	2	有些黄斑	征集购买
钱币	中华苏维埃共和国经济建设公债贰圆券	1	残破，表面褪色，并有污迹	征集购买
钱币	中华苏维埃共和国临时中央政府干谷十斤借谷证	1	有点黄斑	征集购买
钱币	中华苏维埃共和国中央政府粮食人民委员部一斤米票	1	纸张有些小皱纹	征集购买
文件宣传品	苏区拾枚印花税票二连张	1	有点黄斑	征集购买
钱币	中华苏维埃共和国国家银行贰角银币	12	大部分表面藏有污垢，有一个破损有裂缝	征集购买
钱币	中华苏维埃共和国国家银行五分铜圆	1	大部分表面藏有污垢，有一个破损有裂缝	征集购买
其他	红军用过的马灯	1	残缺锈蚀，玻璃破	接受捐赠
其他	红军用过的马灯	1	残缺锈蚀，加油嘴盖失	接受捐赠
其他	1930 年毛泽东在乐安县金竹乡金竹村用过的马灯	1	残缺锈蚀，加油嘴盖失	移交
文件宣传品	“宁都县漳灌乡公所”铜佩章	1	基本完整	征集购买
文件宣传品	“蒋委员长肖像”铜佩章	1	残缺，别针残失	征集购买
文件宣传品	乐安县政府金属证章	1	残缺，别针失，锈，污迹	移交
玺印 符牌	道教双面雕刻“雷霆号印”方形木印	1	基本完整	移交
文件宣传品	红军家属椭圆形布证	1	基本完整	征集购买

续表 22-10-10

类别	文物名称	数量	质地完缺情况	来源
武器	步枪子弹	1	残缺变形，锈蚀	接受捐赠
玻璃器	张木生烈士使用过的折脚眼镜	2	残缺镜1、盒1，镜片破裂，眼镜盒表面剥脱	移交
古籍图书	张木生烈士使用过的字典	1	残缺，略破旧，泛黄，污迹	移交
织绣	蓝布腰绣花黑绸裤	1	基本完整，有折痕，褪色，磨迹	接受捐赠
武器	第二次国内革命战争时期步枪子弹	14	残缺，严重锈蚀	移交
武器	在登仙桥战斗中遗留的手雷	2	严重残缺（含缺失部件），柄残，稍变形，严重锈蚀	移交
武器	攻打乐安县城使用过的枪刺刀	3	基本完整，刺刀1、套1，刀与套锈结。刀把残	移交
武器	攻打乐安县城使用过的梭镖	4	残缺锈蚀	移交
武器	攻打乐安县城使用过的土铳	1	严重残缺（含缺失部件）锈蚀，木柄残缺	移交

四、纪念设施

革命烈士纪念碑　矗立在乐安县城北面仕山之巅，始建于1964年5月，为纪念第二次国内革命战争时期及以后乐安县牺牲的烈士而建。碑身用钢筋水泥浇铸，水磨石磨平，2016年对该碑实施提升改造，改用灰色大理石板材装饰，碑身加高1.8米。现碑身高13.8米，四面有仿刻毛泽东题词，正面是“人民英雄永垂不朽”，左右两面分别是“无上光荣”“死难烈士万岁”，后面是“永垂不朽”。碑顶一颗闪闪的红星，象征着党的光辉照耀乐安大地。碑基长25.16米，宽19.60米，四面嵌有汉白玉石材，一面镌刻镏金碑文，另三面分别刻有黄陂登仙桥大捷、红军攻克乐安城及芙蓉山五女烈士英雄形象的浮雕。

纪念碑前场地开阔，用大理石铺就，其右侧用大理石砌成长15.3米、高3.4米、宽0.90米烈士英名墙，正面有2226名烈士名单，背面有张震、康克清、肖克、杨得志、杨成武、张爱萍、甘渭汉、孙晓村、周湧、卢文新等老一辈革命家的题词。

乐安革命烈士纪念碑

纪念碑外围备有汉白玉镂花栏杆，周围种植松、柏、杉、枫、樟、栗、竹和匐地的山花、芳草，翠绿如茵，景色优美宜人。人们沿着纪念碑左侧依山势而建的126级大理石台阶拾级而上，无不感到纪念碑的雄伟壮观。

每逢清明节，乐安县城工人、农民、部队、机关、学校等络绎不绝的人们至此悼念。

乐安县博物馆　1969年开工兴建，

始称“万岁馆”，1977 年，改称乐安县革命历史纪念馆，主要陈列毛泽东等老一辈无产阶级革命家及乐安苏区人民革命斗争活动文物和史料。1983 年 3 月 21 日，更名为乐安县博物馆。馆舍仿“江西省万岁馆”设计建造，长 42.7 米、宽 14.55 米，高 12.26 米（寓意毛泽东 12 月 26 日诞生日）。占地面积 621.29 平方米，主体为两层砖木结构楼房。馆舍大门前耸立着 6 根高大的大理石镶嵌的石柱，门楣上悬有张爱萍题写的“乐安县博物馆”馆名，门楼上嵌有精心设计的韶山、井冈山、八角楼、古田、遵义、延安、天安门等 7 块浮雕图案，象征中国革命胜利的 7 个里程碑。馆内有展厅 6 个，主要陈展乐安县古代历史文物和第二次国内革命战争时期的革命遗物。

登仙桥战地纪念碑　位于谷岗登仙桥左侧，宽 1.5 米，高 2.3 米，碑文记述 1933 年春周恩来、朱德指挥红一方面军在登仙桥、黄陂一带歼敌 52 师、59 师并俘敌师长李明、陈时骥的历史。

第四节　文物保护

一、文物普查

2008 年 9 月，乐安县博物馆成立文物专业普查队，联合古籍普查队，对全县 16 个乡镇（场）、175 个行政村开展文物普查工作，共调查核实不可移动文物 610 处，其中：复查点 215 处，新发现点 395 处，消失文物点 2 处；古遗址 15 处，古墓葬 10 处，古建筑 527 处，石刻 1 处，近现代重要史迹 57 处。首次发现南宋青白瓷窑址，填补乐安陶瓷发展史上一项空白，是乐安陶瓷发展史上一大重要发现，为乐安文化遗产保护增加厚重的一笔。

2012 年，乐安县为保护文化遗产、弘扬革命精神，组织县委党史办、县文体广电局、县档案局及相关单位着手对全县数以千计的红军标语及漫画进行勘察普查，在金竹、招携、增田、湖坪、罗陂、牛田、万崇等乡镇普查到现存红军标语及漫画 1800 多条。2016 年年底，乐安县再次组织抽调全县精干力量深入 13 个乡镇、43 个行政村 60 多个村小组，重新普查核实现有红军标语及漫画，并请省、市专家、学者现场指导。历时数月，普查核实至今保留的红军标语及漫画共 2035 条。在此基础上，县博物馆举办“传承苏区精神，建设美好乐安”红色标语展览。

二、保护措施

1983 年，乐安县博物馆在各公社共聘请 36 名文物保护员，从事文物安全保护工作。是年起，县博物馆注意添置和更新防火设备，添置警报器，对于展厅、库房，用钢筋、铁皮加固门窗。对于重要厅室，采取专人管理，日夜 24 小时监守。1984—1989 年，对 13 处省、县级文物保护单位设立保护标志。1988 年，增添文物保险柜 1 台，自制保险柜 2 台，用于收藏珍贵文物。对藏品、展品实行定位排架，在全面登记基础上，立卡建档。为加强全馆人员工作责任心，强化内部安全保卫工作，制定一整套规章制度，建立严格的安全保卫措施，并在防虫、防腐、防火等方面采取必要的科学治理方法。经过定期的清仓查柜，未发生丢失和霉变文物的现象。2010 年，对库房进行改造，库房面积达到 100 平方米，安装安防监控设施并加强日夜值班，做到人防、物防、技防相结合。2011 年 11 月，为加强管理，成立乐安县文物管理所，与乐安县博物馆合署办公，实行两块牌子，一套人马，负责对全县不可移动文物进行保护、维修及管理。2013 年 2 月，进行馆舍维修改造，对陈列展览提升改版。2015 年 6 月，完成安防消防系统升级改造。

乐安县被国家、省、市、县批准保护的文物单位有 82 处。2001 年，牛田镇流坑村的“流坑村古建筑群”被列为全国重点文物保护单位；2013 年，罗陂乡水溪村的“龙图学士和刺史传芳牌楼门”被列为全国重点文物保护单位。1987 年，董裕墓被列为省级文物保护单位；2006 年，牛田镇水南村的“继序其皇”坊式门楼和湖坪乡东山村的“红一方面军大湖坪整编旧址”被列为省级文物保护单位。2001 年，东坑村的“东川陈家村民居群”和案山村的“黄法氍墓”被列为市级文物保护单位；2006年，“登仙桥战斗旧址”“邓小平旧居”“万寿宫”“胡用先墓”被列为市级文物保护单位。1980—2016年，“毛泽东旧居”“周恩来旧居”“朱德旧居”“草庐公祠”“张英墓”等71处被列为县级文物保护单位。

第五节　陈列展览

一、基本陈列

乐安县博物馆共有文物1797件。其中，一级文物8件，二级文物21件，三级文物115件，一般文物1653件。20世纪70年代，将革命文物分为6个展厅陈列：第一厅“序幕厅”；第二、第三厅，陈列第二次国内革命战争时期，乐安县苏区党、政、军组织的发展和壮大，以及苏区人民保卫和建设苏区的光辉事迹；第四厅陈列苏区土地革命和经济文化建设的历史；第五厅，围绕“乐安战役”沙盘模型展示毛泽东、周恩来、朱德等在1932年8月中旬，指挥红一方面军，攻克乐安县城，全歼国民党军第27师80旅吕如珂部的历史；第六厅，陈列展览中央苏区第四次反“围剿”的历史。1983年，挤出一厅陈列历史文物。坚持每天开放，每年接待参观者3万余人次。

2003年，县博物馆展厅全面改版，主题为“古今乐安”，由序幕厅和“钟灵毓秀”“地灵人杰”“近代风云”“山乡巨变”5部分组成。2008年博物馆免费开放后，前往参观人数增至每年12万人次，2011年达到14万人次。

2014年7月，县博物馆陈列展览再次改版。主题为“灵秀乐安”，由“古色篇”“绿色篇”“红色篇”3个部分组成。展示乐安绿水青山、物华天宝、人杰地灵的历史画卷。改版后陈展内容更丰富，涵盖面更广，吸引众多参观者，2015年，参观人数增至16万人次。

二、专题展览

1986—2016年共举办专题展览40多次。

1986年春节，举办秦始皇兵马俑展览；6月，举办乐安县农业区划成果展览。1987年春节，举办乐安县矿藏标本展览；8月1日，举办纪念中国人民解放军建军60周年图片展览；12月，举办贯彻文物保护法成果展览。1988年春节，举办邓小平图片展览，分青春风采、革命征途、军事生涯、外事活动、生活情趣5个部分；7月，举办抚州地区书画协会作品展览。1989年3月，举办乐安、临川、崇仁、宜黄书画摄影作品展览；5月，举办《文物保护法》宣传画图解展览；10月1日，举办庆祝中华人民共和国成立40周年图片展览。

1990年春节，举办乐安县历史名人画像展览；5月，举办乐安离退休老干部功绩展览。1991年4月，举办各朝代古钱币展览；7月1日，举办纪念中国共产党成立70周年陈列展览。1994年1月，举办纪念毛泽东100周年诞辰书画、诗词、摄影作品展览；9月，举办江西省摄影家协会会员黄清华作品展览。1995年11月，抚州地委宣传部与四川省重庆市联合举办“重庆中美合作所集中营史实展览”，乐安展出200多块版面，以大量的珍贵文献和历史资料照片、绘画、图表，披露当年国民党反动派与帮凶美帝国主义，在渣滓洞对共产党员残酷施暴的滔天罪行，展示江姐、许云峰、小罗卜头等红岩英烈英勇不屈的光辉形象与崇高品质。1996年，举办乐安县职业中学学生书画作品展览。1997年6月20日，举办迎接香港回归祖国展览。

2003年2月，举办日本高桥亚弥子摄影作品展览。2005年12月，举办董必武生平图片展览；8月举办“大地之子——胡耀邦”图片展览。2008年5月，举办“5·18”国际博物馆日宣传展览；6月，举办“六一”少年儿童书画作品展览和第3个文化遗产日宣传展览；12月，举办改革开放30周年图片展览。2009年5月，举办国际博物馆日宣传展览；6月，举办第4个文化遗产日宣传展览；9月，举办中华人民共和国成立60周年书法美术摄影展览。

2010年4月，举办中国历代名家字画精品展览；5月，举办博物馆日展览；6月，举办第5个文化遗产日展览；10月，举办恐龙昆虫图片展览。

2011年5月，举办第35个国际博物馆日暨文物保护宣传周展览；6月，举办“国土杯”中国共产党成立90周年摄影作品展览；7月，举办童心向党——庆祝中国共产党成立90周年少儿书法展览。2012年1月，举办“庆元旦 迎新春”董斌个人书画作品展览；3月，举办广西海洋生物科普展览；6月，举办第7个文化遗产日暨乐安县非遗名录代表性传承人现场展览；8月，举办纪念中国人民解放军建军85周年，纪念明末杰出的科学家、哲学家、军事家揭暄诞辰399年《揭子兵法》百名将军书法抚州巡回展览；9月，举办桑榆之乐系丹青——张传武书画习作展览；11月，举办乐安县“国土杯”和谐家园书画摄影作品展览。2015年6月12日，举办第10个文化遗产日暨县博物馆“灵秀乐安”展览；9月，举办纪念抗日战争暨世界反法西斯战争胜利70周年书法作品展览。2016年1月31日至2月4日，举办全国道德模范宣传展览；5月，举办“5·18”国际博物馆日宣传展览；6月，举办乐安县历史文化遗产宣传和蛋雕展览；10月，举办抚州市首届榜书展览。

第十一章　旅　游

20世纪90年代，随着一批具有文物价值和景观价值的旅游资源被发掘，乐安县委、县政府立足资源优势，以流坑古村、大华山风光、金竹瀑布群、牛田古樟林以及土地革命战争时期红军遗迹为依托，开发“古色、绿色、红色”旅游景区景点，将旅游业作为县域经济发展新亮点加以培育，使旅游事业得到迅速发展。

第一节　旅游资源

一、景区景点

流坑古村　位于乐安县境西南部，距县城37千米。四周青山环抱，三面江水绕流，山川形胜，钟灵毓秀。流坑村肇建于五代南唐昇元年间（937—942），面积3.61平方千米，全村以董氏为主，有1200余户6000余人。宋时以董氏科第而勃兴，成为江右聚居的大家族。元代遭毁。明清时期，董氏绍继祖业，兴教办学，修谱建祠，并发展竹木贸易。明中叶渐次形成七横一竖街巷布局，族人按房派宗支分巷分区居住，现仍保留这一传统的遗痕。巷口设置望楼，门楼间以村墙连接围合。巷内鹅卵石铺地，下有良好的排水系统。村中现存古建筑中，有明清古建筑及遗址260余处，均为砖木结构楼房，高一层半，格局为二至三进。建筑装饰讲究，有木、砖、石雕及彩画、书法艺术，并有匾额188方，楹联72幅，门头墙壁题榜362方。重要建筑群18组，戏台、书屋等文化建筑6处，牌坊5座，宗祠48处，庙宇8处，另有古水井、风雨亭、码头、古桥、古塔、古村门及古墓葬32处。古建筑及遗址总面积67284平方米。古民居保存完好，组群完整，街巷仍为传统风貌，有很高的历史价值、人文价值及环境与建筑艺术价值。1996年11月19日《光明日报》头版头条以《江西千年古村流坑——中国古代文明缩影》标题登载，将流坑村誉为中国古代文明的缩影，中国古典民居建筑的标本，中国古代农村文化的典型。1997年时任国家文物局局长张文彬专程考察流坑，为之题书“千古第一村”。是年8月，江西省人民政府特批流坑村为江西省历史文化保护区，其中21处古建筑被列为省级文物保护单位。1998年初，清华大学建筑学院专家组进驻流坑村深入考察调研，是年5月编制出《流坑古村保护规划》。2001年6月经国务院批准，流坑村古建筑群公布为第五批全国重点文物保护单位。2003年11月，经建设部、国家文物局评定，流坑村命名为“中国历史文化名村”。2012年12月，流坑古村被建设部、文化部、财政部公布为首批中国传统村落；2016年2月评为国家AAAA级旅游景区。

流坑古村有傩舞、游神、乡射遗乐、竹编、刺绣、雕刻等非物质文化遗产，其中，傩舞2006年5月被列入国家级非物质文化遗产名录，乡射遗乐2008年5月被列入省级非物质文化遗产名录。（见第二十四卷特色专记第一章千古第一村——流坑）

金竹飞瀑景区　位于金竹畲族乡流舍村境内，距县城63千米。景区总面积67平方千米，山势雄峻，共有瀑布26处，自然形成形态各异的大小瀑布总落差400多米。附近摇钱山上，古木参天，长藤高树茂密，竹林遍布，绿意盎然，森林覆盖率高达90%。山中甘泉凛冽，野生动物种类繁多，有牛鼻洞、神仙洞、棋盘石等多处景点，景观壮丽雄奇。1993年3月，金竹乡政府检查林业生产，发现金竹瀑布群的旅游观光价值，进行大力宣传和推介。1994年8月13日，中央电视台新闻联播节目播出金竹瀑布群被发现的消息，此后其旅游开发价值逐渐被人们所认识。2008年，乐安县人民政府与江苏永达户外传媒有限公司签订金竹飞瀑景区开发协议，对该景区进行开发建设。建有游步山道、亲水栈道、峡谷漂流河道等旅游设施，主要景点有虎啸瀑布、双龙瀑布、点光潭等。2015年1月，被评为国家AAA级景区。

虎啸瀑布是金竹飞瀑景区最为壮观的景点，因瀑布左下侧岩石状若猎狗的头像，故当地人称作“狗脑瀑”。此瀑总落差96米，分为3级，瀑面宽10米左右，雨季有15米以上。瀑底为岩层深潭，并在石岩中形成数个大小不一的壶穴。瀑水旋滚飞泻，瀑中奇石隐显，瀑底潭深水旋，瀑边竹木掩映。翠竹临风，身临其境，强烈的视听感受令人震撼。飞瀑倾泻，摇曳天光，似银珠飞滚，水雾朦胧；高崖深潭中，水声轰隆，如猛虎长啸，震撼山谷，故称虎啸瀑布。

点光潭位于虎啸瀑布的东面，相距约2千米，是合瀑、潭于一体的景观，而以潭著称。其水源主要来自上通村山溪之水。潭上瀑布飞流而下，使瀑底形成一个大而深的圆水潭，潭壁为岩石，瀑水在潭中旋滚而溢，成为一大景观。又因此潭与当地一个颇具影响的民俗活动紧密相关，使这一天然景观兼具人文内涵，富含神奇色彩。相传在很早以前的一年冬日，天高云淡，日朗风清，芳草村溪中竟波浪翻腾，水位猛涨，溪流中有3根檀香木逆水而上，并自行上岸，村民们见而称奇，视之为神，遂将这3根檀香木雕成3尊神像，敬称“总管老爷”，并于溪边建庙砌神台安放之，供村民世代祀奉。在神像“开光”之日举行隆重的仪式，为神像“点光”，祈求灵光永照，保佑村民。因此，这个神像沐浴净身的瀑潭名曰“点光潭”。

“双龙汇瀑布”位于瀑布的下游。此两瀑布之水，在经一段平缓之后，至“双龙汇”上端又飞滚而下，似两条同向腾跃的蛟龙，并相互靠近而汇合，形成双瀑双潭之景观，让人叹为观止。

除上述3处瀑布景观外，“三叠泉”“幽谷飞濂”等瀑布也气势不凡，富有意境。还有牛鼻洞、棋盘石、龙都口、天女散花、神龟探水、淑女怀春、古木迎宾、猴子望月等景观也各具神态。加上这里环境优美，气息清新，凉爽宜人，是一处特好的游赏避暑胜地。

大华山　又名华盖山，位于南村乡与谷岗乡交界处，距县城27千米。海拔高996米，状如莲花宝盖，因而得名为“华盖山”。大华山系道教名山，旅游胜地，不仅有峰、洞、崖、潭、泉、池、井、涧等胜迹，自然天成，风物奇秀，并有许多奇闻传说，引人入胜。该山在古代时人文景观规划布局严谨，观、坛、宫、堂，配以楼、台、亭、阁。玉亭观、南真观、仙林观、桥仙观建造精巧，各具匠心。昔日大华山从山麓至山巅建有“大华盖山”“敕赐崇仙观”“蓬莱仙境”3道山门，其门楼雄伟壮观，流光溢彩。峰顶建有“三仙正殿”，匾曰“大华山”，附近有“圆江亭”“憩霞轩”“天官殿”“宾仙阁”等建筑。2015年1月被评为国家AAA级景区。（详见第二十三卷宗教民俗精神文明第一章宗教第一节教派“道教”）

水南古樟林　位于牛田镇乌江两岸，距乐安县城32千米。沿乌江两岸呈块状分为16个小群落，并在河道拐弯处形成水南洲、连河洲、杨柳洲3个绿洲，绵延十里，面积70公顷，有香樟、黄檀、女贞、椤木、石楠、香枫等古树4127棵，其中古樟2907棵。树龄大多在200年至1000年间，其中树龄500年以上的有346棵，200年以上的有2330棵，径围多为4米至6米。棵棵古树枝繁叶茂，苍翠挺拔，其古老苍劲，雄浑博大，使人震撼。水南古樟林以其面积之大、古樟之多、树龄之长、株体之大、环境之美，赢得国内外专家、学者和游客的普遍赞誉。2001年12月3日，南非野生动物保护与生态旅游区创始人大卫·瓦提考察古樟林，为之惊叹。2016年入选上海大世界基尼斯总部“规模最大的古樟林——中国第一古樟林”纪录。

由于水南古樟林风景独特，不同时节呈现出不同景观，春天生机盎然、青翠欲滴的春色；夏天姹紫嫣红、奇花斗艳的夏妆；秋天金风送爽、黄叶飘逸的秋景；冬天朔风萧萧、银装素裹的冬貌。雨天，放眼望去，整个林子雾霭缭绕，一棵棵古树仿佛穿上朦胧的纱裙，似美丽的仙女，轻歌曼舞，婀娜多姿。晴日，树林里郁郁葱葱，阳光透过树间照射下来，青翠碧绿，驳彩斑斓，若遇上阳光透雾天气，则光芒四射，景象万千。最可贵的是林中有一条鹅卵石铺就的曲径小道通往邻村和田间，村民上工下地走亲戚，儿童上学读书都要往返于此，在林中守候常常能拍到令人惊喜的情景。为此成为影视、摄影创作基地，《星火》《牡丹亭》《穷孩子富孩子》《大傩·董春女》等多部影视作品都以水南古樟林为外景拍摄场地。

石桥寺　位于县城通往流坑古村公路旁0.8千米处的大马头乡石塘村白竹村小组，距抚吉高速流坑互通仅1千米，距县城15千米，交通便利。该寺坐落于丘陵地耸起的丹霞地貌——天然大石形成的石桥下，始建于唐天宝三年（744）。该寺附近景点有丹霞地貌形成的五色岩、官帽岩（石砻石磨）、牛鼻岩、老虎岩、石罗汉、石娘娘等，皆形象逼真，引人入胜。（见第二十三卷宗教民俗精神文明第一章宗教第二节古寺选介“石桥寺”）

大龙山　位于金竹畲族乡严杭村，距县城62千米。系乐安、宜黄、宁都三县交界处海拔1325米高的雩山西部支脉，南邻军峰山，北连大华山，东接凌华山，西连鹿角峰，四面名山怀抱，似众星捧月一般。山高路险，美景众多，最负盛名的八大景点为“真武踏龟”“高山涌泉”“门外香炉”“龙渊印月”“神钟附水”“案列眠弓”“木鱼挺秀”和“古杏双株”。另有4处小景为“宝塔慧境”“仙鹤展翅”“中子灵岩”“飞瀑迎日”。山上有唐龙寺，据说公元978年南唐后主李煜被宋太祖赐毒酒而逝，其后家人因乱军追赶至此，被寺庙前的银杏树仙所救，故该寺得名唐龙寺。宋代时，这里的香火鼎盛。千年传奇，虽无从考证，可至今寺院前的银杏树仍枝繁叶茂，生机盎然。寺院后面的一颗巨大红豆杉也有千余年。唐龙寺海拔1200多米，两颗千年古树一前一后守护，寺院的后山是一片青翠的竹林，一股清泉从竹林里溢出，湍湍地趟过小溪，流入银杏树边的一口水塘。

大码头生态度假区　位于大马头乡龙虎岭，距乐安县城15千米、“千古第一村流坑”15千米、抚吉高速流坑互通200米。

度假区内的原生态休闲漂流源自天然的山溪水，水质清澈，四季长流。全长5千米，漂流大概需要1.5小时，途经孔雀墩、老石桥、白龙潭、老虎嘴、燕子崖、鸰金滩、月亮湾、银河畔等处，处处自然景点美不胜收。新建的龙潭峡谷滑索，从老虎嘴观景台上站，到白龙潭下站，滑道全长320米，峡谷垂直高90米，滑索落差28米，游客空中滑行需要 45 秒左右。乘滑索置身于空中，使人体会到凌空飞渡的神奇感受和太空失重的超级体验。

度假区正在兴建度假别墅，配套民族山寨、宾馆、天然游泳池、超市、健康中心、书法、美术苑等设施。2014 年 1 月评为江西省 AAAA 级乡村旅游点，是年 12 月评为国家 AAA 级旅游景区。

小蓬莱景区　位于乐安县城西南城郊的王家排村，是一个集观光、旅游、休闲为一体的旅游景区。入口处有游客接待中心，包括休息室、餐厅、歌舞厅、游泳区、赏景台、钓鱼台等。景区内有一座占地 600 余亩的生态园，主要栽种浙江东魁杨梅，还有毛竹林、景观树等。整个生态园四季常绿，与湖水交相辉映。景区 2007 年被省旅游局为全省首批乡村旅游示范点，餐饮部于 2006 年评为江西省三星级农家旅馆。2013 年 5 月评为江西省 AAAA 级乡村旅游点。2015 年 12 月评为国家 AAA 旅游景点。

乐屿生态农业观光园　位于戴坊镇，距县城 27 千米，创办于 2013 年 6 月。该园定位为无公害蔬菜生产及生态旅游发展区，是农业部蔬菜标准（创建）生产基地。基地占地 1000 余亩，2016 年有高标准钢架大棚 1000 余座，设有蔬菜采后处理中心、游客服务中心、育苗区、蔬菜种植区、科研试验区、采摘体验区、农家乐生活体验区等。已初步建成以农业旅游为主线，集生态种植、生态养殖、精品大棚蔬菜、休闲娱乐、会议、度假、农业观光、垂钓、科普、餐饮于一体的生态农业旅游区。2014 年评为江西省 AAA 级乡村旅游点。（另见第十三卷农业第五章经济作物第三节蔬菜“乐屿蔬菜基地”）

江西台大农业科技园　位于龚坊镇，中共中央原总书记胡耀邦祖籍地浯塘村旁，距县城 25 千米。是 2006 年中国台湾大昇化工股份有限公司投资的农业开发项目，为台商独资。科技园一期建设租赁山场面积 6000 多亩，主要发展果业、渔业、牧业、旅游观光业。通过几年的建设，至 2016 年已建成苗木区、果树区、茶花区、蔬菜区、畜牧区等供游客观赏休憩。园内基础设施完善，2014 年评为江西省 AAA 级乡村旅游点。（另见第十三卷农业第九章农业科技与农业产业化第二节农业产业化“江西台大农业科技园有限公司”）

华盖山茶文化观光园　位于南村乡山心村草坪村小组，距县城 18 千米，东距大华山 8 千米；南距东元水库 5 千米。观光园以生态农业为主线，发展农业休闲旅游。2014 年评为江西省 AAA 级乡村旅游点。（另见第十三卷农业第九章农业科技与农业产业化“乐安县华盖山茶叶专业合作社”；第十卷商贸第二章供销合作第一节机构人员“乐安县华盖山茶叶专业合作社”）

“桑海人家”旅游休闲生态区　位于湖坪乡参陂村，距县城 45 千米。距“千古第一村流坑”20 千米，是流坑——金竹瀑布景区旅游线路的必经之地。现有村民 283 户，1000 多人。村庄山环水抱，2 条小溪绕村流，2 条小溪穿村而过，村中古木参天，环境优美。全村耕地面积 1900 多亩，村民主要以农业、林业为主。2007 年，围绕“享受田园生态、体验农家文化、参与乡民娱乐”发展旅游业，种植蚕桑 600 多亩，建起“桑海人家”生态园，有 80 亩“五味果园”，20 亩桑葚园，种桑养蚕体验园 300 多亩，并配有“农耕文化馆”“蚕桑文化长廊”“青少年科普教育基地”等旅游休闲项目。2010 年被省旅游局评为“省级乡村旅游示范点”。2014 年评为江西省 AAA 级乡村旅游点。

二、名人故迹

吴澄故里　位于鳌溪镇咸口村，距县城 17 千米。吴澄（1249—1333），字幼清，元代理学家、教育家。宋咸淳六年（1270）中试乡贡。宋亡以后隐居乐安公溪布水谷，潜心著作，学界称之为“草庐先生”。元至大元年（1308）任国子监丞，皇庆元年（1312）晋升为司业，至治元年（1321）任翰林学士诰授国史总裁，泰定元年（1324）升任经筵讲官。去世后追封临川郡公，谥“文正”。有《吴文正公全集》传世。村中有明朝宣德年间为纪念吴澄所建的草庐公祠。祠宇坐东向西，前门为青砖结构牌坊式。门楣上端横额书有“草庐公祠”4个大字，笔力遒劲，为明代理学家吴与弼所书。祠内分前后两庭，中有天井。祠宽10.4米，进深19米，总面积197.6平方米。梁架穿斗式。昔日名人颂扬吴澄，留下许多对联：汤显祖的“道通东鲁三千里，名冠南洲百万家”；罗伦的“学本唐虞三代，道同濂洛诸公”；邹元标的“文水河东环千古道源流不息，华山峰南耸万年山斗仰弥高”；陈献章的“孔孟以来真学者，朱程之后又斯人”；1980年经乐安县人民政府批准列为县级文物保护单位。

董裕墓　位于招携镇瓦子场村禄元村小组白鹤山上，距县城38千米。董裕（1537—1606），字惟益，号扩庵，流坑董氏第21世。明代中期，董裕祖父董重鼎因见流坑乌江上游15千米处的招携港田“蓬蓬白云，二水环立，有衣冠之气”，遂迁居于此。不久就出了名臣显宦董裕，使港田这方水土光耀乐安。

董裕为明隆庆五年（1571）进士，历任东莞知县、监察御史、光禄寺少卿、大理寺少卿、工部侍郎、刑部侍郎、刑部尚书等职。为官果毅清廉，政绩昭著。万历三十三年（1605）因年老体衰上疏恳辞，次年病逝于故里港田，享年70岁。朝廷闻丧，于万历三十五年九月二十八日赠董裕太子少保，并下旨敕葬。董裕墓建于明万历三十六年（1608），占地1500平方米左右，由石门、神道、石像、墓冢组成。石门为一座四柱三间的石构牌坊；神道碑文由礼部尚书、东阁大学士吴道南（江西崇仁县人）所撰。墓前两侧分立石雕像8尊，左侧：文臣、武将、石马、石羊；右侧：文臣、武将、石马、石獬豸。由于历时久，不少已破损。由此再上数十级台阶至墓堂，墓立面为四柱三碑，配翼墙，全系石构，多处以石雕各种图纹装饰。中间主碑文：“明故资政大夫、刑部尚书、赠太子少保扩庵董先生墓”，为吏部尚书、武英殿大学士张位（江西新建县人）所题。墓顶以石砌铺，正中立有四周雕满龙云图案的“敕葬”石碑。1987年12月公布为江西省重点文物保护单位，是保存至今由官府建造的明代石构古墓。

刺史传芳坊　位于罗陂乡水溪村，距县城42千米。牌坊为纪念水溪彭氏祖先、唐末吉州刺史彭玕所建。彭玕（853—933），字叔宝。唐乾符年间（874—879），受黄巢起义影响，江西各地动荡不安，彭玕毅然投笔举义，召集族众、乡民保家卫乡，建立赫赫战功，被授予指挥使，不久转为吉州刺史。在任二十余年，治军、行政皆功绩卓著，声闻朝野。后梁乾化年间（911—915），授金紫光禄大夫、检校太保。历后梁、后唐，进授太傅，加太尉，封安定王。后唐长兴四年（933）三月去世，敕葬于潭州长沙县，其子彭彦昭遵父遗愿，将其遗骸运回吉州吉水县折桂乡安葬（在今江西吉水县白水镇境内）。

刺史传芳坊始建于元代，现存建筑为清乾隆十六年（1751）重修之物。牌坊为四柱三间三楼，单檐歇山顶，砖石结构，两侧配砖砌翼墙，平面呈“八”字形。坊中间辟门，两侧间和翼墙均为白粉素壁。主楼高出，两侧次楼等高对称。门额刻“刺史传芳”四字，门旁两柱刻联：“北国休声不替，垂家庆泽仍长”。表达彭氏族人对先祖彭玕以功勋报国、恩泽家族的敬仰与缅怀之情。坊的上部以砖雕、堆塑、彩绘各种形体和图纹装饰，顶部以烧制的斗拱（主楼4层、次楼3层）支撑起檐，顶覆灰瓦，飞翘角，古典壮观。2000年7月被江西省政府公布为全省重点文物保护单位；2013年3月被国务院公布为全国重点文物保护单位。

龙图学士坊　位于罗陂乡水溪村，距县城42千米。与刺史传芳坊并排而列，牌坊为后唐工部尚书彭彦昭所建。彭彦昭（878—？），字仲穆，彭玕第五子（一说第三子）。唐末战乱，20岁的彭彦昭随父征战于江西各地，初为步军指挥使，升镇南军节度使、行军司马。后梁开平三年（909），随父赴湖南，受到马殷的器重，用为武安军衙前兵马使、辰州刺史。后唐明宗朝授静江军节度使，加检校工部尚书。后唐应顺元年（934），同兄彭彦晖统军10万伐淮南，旋进金紫光禄大夫，检校太保。时天下纷争，朝室更替频繁，彭彦昭遂于后汉乾祐三年（950）谢政归吉州永丰沙溪。常招请文人雅士，以赋诗饮酒自娱，享年逾百岁。敕赠“龙图学士”，葬于吉州吉水县折桂乡。

“龙图学士”坊始建于明洪武元年（1368），成化九年（1473）重修，后历经维修。坊为四柱三间二楼，单檐歇山顶，木质结构，漆朱红色，而两侧翼墙以砖砌，粉白色，平面呈“八字形”。坊三间均辟门，门后即为坊后祠堂的门廊。主楼门额刻“龙图学士”四字，端庄劲秀，为明代成化年间重修时，永丰状元罗伦所题书。据载，罗伦还为之题书一嵌坊名柱联，联文为：“龙图世德冠裳古，学士芳声礼乐新”。匾额上下的小额坊上以木浮雕人物、龙云等图案装饰。牌坊主楼高出，两侧次楼等高对称。顶部以木制如意斗拱承托起檐，顶覆灰瓦，飞檐翘角。古典雅致，风格独特，气派壮观。2000 年 7 月被江西省政府公布为全省重点文物保护单位；2013 年 3 月被国务院公布为全国重点文物保护单位。

总镇府　位于湖坪乡西头村，距县城 45 千米。始建于清代末期，由王长贵所建。该宅坐西向东，院门呈“八”字形，门楣上方为四柱三间式门罩，下花枋（石质）阴刻横书“总镇府”。入门即为方形庭院，南北两侧各为三开间观音兜式硬山平房，相向而置作为两庑。院落中央置泮池，后墙开圆形门。四周墙体用青砖单丁斗子砌成。该宅具有较高的历史价值，也为研究古代衙署官邸建筑提供实物依据。

青宫侍讲坊　位于湖坪乡东山村，距县城 46 千米。始建于元朝，原址位于村西南王晋故里湖坪下村，清乾隆六十年（1795）迁建于湖坪东山村，道光、宣统年间先后重修，现存青宫侍讲坊即为宣统三年（1911）重修。为纪念进士王晋而建。王晋（1286—？），名晋初，号晋堂。元延祐六年（1319）廷试中乙榜，恩赐进士，授翰林，封中议大夫，承旨太子说书。元朝皇帝加封王晋三代，并下旨为他立坊。该牌坊为四柱三间二楼砖石混构建筑，坐北朝南，明间花枋阴刻横书“青宫侍讲”，其反面纵书“元延祐乙未进士，承旨授翰林太子说书”，署款为晋立。两中柱上部阴刻纵书“本直温以教胄，赐紫玉而隆师”，署款为张元祯题。其反面书“雅化遗三郡，仁恩荷二君”，署款为江西廉访史吴当立。还有元兵部尚书黄昭的题联“秩荣颁授凤阙，廉访案巡山西”及元翰林学士危素的题联“治绩隆朝野，声明治古今”。两次间各枋素面无纹。整个牌坊装饰简洁、大方，虽经历代修葺，仍保留初建时粗犷、豪放风格，为研究元朝牌坊提供翔实依据。

董必武祖居地流坑村　位于乐安县牛田镇流坑村，距县城 37 千米。董必武（1886—1975），原名贤琮，字洁畲，又名用威，为流坑董氏合公第 36 世孙，红安董氏第 24 世孙。据谱牒记载：董合第 11 世孙董邦辅（文晃房洙派）由流坑村徙居乐安县牛田镇牛田村，而后由董合第 17 世孙董奉高从牛田村迁往湖北麻城（麻城董氏开基祖），清初再由董合第 22 世孙董级（麻城董氏第 6 世孙）从麻城迁至黄安县城南约 20 千米的傅董家村，稍后又迁至石家磅，直到董必武的前 6 代祖才迁到县城定居。1886 年 3 月 5 日，董必武出生在湖北省黄安县（今红安县）城内城南街（今南正街）一户清贫的秀才家庭，1905 年考入湖北“文普通”学堂，1911 年参加辛亥革命，1919 年参加五四运动，1921 年出席中共“一大”，是中国共产党的创始人之一，中华人民共和国成立后历任政务院副总理、最高人民法院院长、全国政协副主席、国家副主席代主席、全国人大常委会副委员长等职。1975 年 4 月在北京病逝，终年 90 岁。

2014 年 11 月 29 日，董必武长子董良羽、女儿董良翚及其爱人张力理亲临流坑寻根祭祖，并参加《流坑董氏合公族谱》发谱庆典仪式。

胡耀邦祖居地浯塘村　位于乐安县龚坊镇浯塘村，距县城 37 千米。全村总面积 15 平方千米，628 户，2820 人，大都为胡氏家族。据《安定浯溪胡氏族谱》记载：浯塘一世祖胡用先，为仲雅之子，居庐陵芗城，唐咸通二年（861）出生，初授巴陵县令，升授邵武府同知，梁乾化三年（913）

耀邦祖居地龚坊镇浯塘村口牌坊

殁于任所。其子安民扶柩归里，途经乐安浯塘，风雪交加，寸步难行，遂借宿枫山寺，葬父斯地，并“筑敝庐于左而成其家”。从此繁衍生息，逐渐发迹，成为巨族豪宗，名臣仕宦，代不乏人。明万历年间，浯塘23代孙胡允钦，为避战乱，携家眷离开浯塘，来到湖南浏阳文家市中和乡西岭下村定居，距今400余年。以世代计，胡耀邦则是浯塘胡氏第34世孙。如从湖南浏阳文家市中和乡西岭算起，胡耀邦则是西岭第12世孙。胡耀邦（1915—1989），出生湖南浏阳县中和镇苍坊村。1930年加入中国新民主主义青年团，1933年转为中国共产党党员，是中国共产党领导人之一，曾任中共中央总书记，1989年4月去世后葬于江西省九江市共青城。

胡耀邦去世后，其夫人李昭，让湖南家乡父老派人前往江西寻根访祖。1994年11月24日，胡耀邦堂侄胡德懋、胡德谦、胡祖铭、胡祖钦4人，背着族谱，千里迢迢专程来到乐安，找到浯塘，祭拜之后，写下《浯塘访祖记》一文：“我西岭、樟槽、藻岭数支，均出自浯塘，先辈与浯塘曾有过密切的联系，故浯塘胡氏与西岭数支胡氏先后合修了第七、八、九、十次族谱。由于民国初年军阀混战，继之日寇侵犯，道路梗阻，所以自十修族谱之后92年，两地的胡氏裔孙中断了联系。”

2004年6月11日，乐安县委党史办等部门会同龚坊乡浯塘胡氏到湖南省浏阳市中和镇西岭村拜访胡氏宗亲，送去乐安浯塘胡氏族谱。2005年7月，胡耀邦之子、曾任中央统战部副部长、全国工商联党组书记、全国光彩事业促进会副会长兼秘书长的胡德平到乐安祖居地视察，乐安县向胡德平赠送《胡氏宗亲纪念册》。

胡德平到浯塘村寻根祭祖时，建造了村口牌坊，其上“浯塘村”三字为胡德平亲笔书写。对联“天生浯水澎湃千里映晖耀，地造塘池滋润万物兴安邦”，巧妙的地嵌入“浯塘”“耀邦”字样，同时简洁表达浯塘源远流长的家族历史，歌颂胡耀邦一生丰功伟绩，可谓佳对。

三、红色景点

登仙桥大捷旧址 位于谷岗乡登仙桥村，距县城29千米。登仙桥始建于北宋绍圣年间，原名洪门桥，是大华山的门户。相传南宋嘉定年间，著名道士白玉蟾夜宿桥头，有“仰卧洪桥似登仙”的佳话，遂改名为“登仙桥”。此桥历经900余年沧桑，屡坏屡修，1912年被山洪冲毁，1922年当地群众捐款重建，即现在的亭式单孔拱桥，宽6米，长19米，高6米，拱跨17米，全用麻石砌成。桥基建在天然石上，坚固结实；桥中央建“将军庙”，两边通道设有13个石台阶。登仙桥四周高山耸立，起伏延绵，形成一条蜿蜒峡谷。1933年2月27日至3月1日，周恩来、朱德指挥中央红军主力在黄陂、蛟湖和登仙桥一带，采取声东击西与大兵团伏击的战略战术，歼灭国民党军第52、59两个师，取得第四次反“围剿”的重大胜利，这便是举世闻名的黄陂战役登仙桥大捷。1980年经乐安县人民政府批准，登仙桥大捷旧址列为县级文物保护单位。

大湖坪整编旧址 位于湖坪乡东山村。1933年5月上旬至7月上旬，红一方面军在湖坪、善和等地进行一次重要的军事整编，史称“大湖坪整编”。整编旧址为国宝公祠、子文公祠等处和旁边的操场等地。操场即为红三军团主力的驻地

大湖坪整编旧址

和练兵场，周恩来、朱德、彭德怀、肖克、张震、江渭汉等老一辈无产阶级革命家都曾住在该村。整编之后在这里成立东方军，召开东征誓师大会，东方军总指挥彭德怀传达“筹款百万、赤化千里”“把红旗插到福建去”等东征指示，红一方面军总政委周恩来在会上作动员报告，为党史、军史上一次重大历史事件。

国宝公祠是当时红军主要办公场所，为五进式，宽23米，纵深90米，总面积为2000余平方米，与总节孝祠、子祥公祠并排相连。国宝公祠始建于乾隆六年（1741）。祠前“文献世族”石牌坊与围柱石板（牌坊毁于“文化大革命”中，只留下4个须弥座，后重修），十分壮观。“八”字形牌墙圈成长方形院落与祠堂，牌墙下饰有4层如意斗拱。祠门前立有两对石柱，支撑卷棚檐。祠门左右有两尊高大的石狮子，气派雄伟。前三进，有中堂宝壁为前厅，厅上饰有藻井，石柱穿斗木梁架，雀替雕刻鳌鱼、凤凰以及各种花卉，千姿百态，栩栩如生。中间为四方形大天井。左右两旁长廊，廊门上雕饰各种花纹与几何形图案。四进为宽敞的拜堂，抬梁式 五架梁（四椽袱），上面梁柱粗大，顶层附有卷棚膜，前有长廊分两厅，两壁画着假山梁架。后幢两石柱露天垂立。

朱德善和村旧居　位于湖坪乡善和村，1933年5月中旬，周恩来、朱德、彭德怀率领红军在湖坪、善和进行“大湖坪整编”。朱德及其夫人康克清住善和安下景隆公祠，现保存完好。该建筑宽10余米，深12米，面积130多平方米。1980年11月，大湖坪整编旧址列为乐安县爱国主义教育基地。

毛泽东大金竹村旧居　位于金竹畲族乡大金竹村，距县城80千米。1930年1月26日，毛泽东和红四军党代表谭震林等，率红四军第二纵队，从宁都东韶至大金竹。晚上毛泽东在大金竹“上屋”宿营，并分别召见乐安县革命委员会和金竹党组织负责人张英、张方说等人，了解乐安革命斗争情况，指示他们要尽快在全县各地发动群众，组织武装，建立苏维埃政权，巩固和发展农村革命根据地。旧址大金竹“上屋”建于晚清时期，面阔13米，进深8米，通高5米，总面积104平方米，为两屋土墙的民房，硬山两坡顶。至今保存完好，1980年经乐安县人民政府批准，列为县级文物保护单位。

毛泽东鳌溪旧居　位于乐安县城下大街兴隆号。1932年8月16日，红一方面军总政委毛泽东在丁家脑指挥红一军团与敌交战。激战两天，至17日2时终于攻克乐安城，全歼守城之敌国民党军第27师吕如珂旅，取得乐安战役的重大胜利。8月17日夜晚，毛泽东居住在鳌溪镇下大街兴隆号。兴隆号建于清末光绪年间，门首用木板装饰为商店模式，面宽10.5米，进深17.8米，通高为9米，砖木结构，硬山两坡顶。1980年经乐安县人民政府批准，列为县级文物保护单位。

周恩来鳌溪旧居　位于乐安县城下大街。1932年8月17日，红一方面军在毛泽东、周恩来、朱德指挥下攻克乐县安城。当天晚上，苏区中央局书记周恩来在居住地“游氏大祠”，召开县城工商业人士会议，宣传党的工商业政策。次日，红一方面军指战员开赴宜黄，乘胜攻克宜黄城。游氏大祠始建于明代，清代经过维修。坐西向东，西面宽14米，进深26米，通高6米，梁架式砖木结构，分前后两厅一廊，硬山两坡顶。外面仍保持原貌。1980年经乐安县人民政府批准，列为县级文物保护单位。

朱德东山村旧居　位于湖坪东山村“总节孝祠”内，距县城45千米。1933年初，红一方面军粉碎国民党军队第四次“围剿”后，5月至7月朱德率红一方面军进行整编，红一方面军总部和红五军团驻善和，红三军团驻湖坪。在此期间，朱德、康克清居住在“总节孝祠”。至今，朱德带领红军战士捡田螺、康克清在“国宝公祠广场”教妇女儿童唱歌的故事仍在湖坪一带广泛流传。总节孝祠始建于清道光二十二年（1842），为纪念湖坪村175名贞妇、烈女而建，使命运相同的175名女子在天之灵得以安慰。该祠为内置前后天井硬山式建筑，坐西向东。平面纵向长方形，通面阔11米，通进深41.3米，四周墙体一斗一眠，前墙四柱三间式，大门上方石板阴刻“总节孝祠”。首进明间两缝梁架为抬梁穿斗式，中、后进用砖墙替代。前天井横向长方形，后天井方形。檐步有雕花雀替，人物、草叶纹穿枋，较美观。该祠保存完整。

邓小平南村旧居　位于南村乡南村村，距县城16千米。1933年5月，邓小平被“左”倾错误路线执行者指责为“江西罗明路线”的主要代表，被撤销江西省委宣传部部长职务后，下放到乐安南村，任望仙区委巡视员。邓小平在南村期间走村串户，访贫问苦，开展调查研究。他发现当时南村的土地问题没有解决好，分田委员会工作方法简单，主动找区委书记蓝凤辉反映情况，并提出在分田中一定要坚持阶级路线，依靠贫农、团结中农，组织贫农团，充分发动群众参与分田，不能用包办代替和命令的方法。区委领导接受意见，妥善解决了土地分配问题。邓小平在南村期间居住在港下屋。该旧居为清代建筑，面阔12米，进深15米，通高6.5米，青石砖木结构，硬山两坡顶。1980年经乐安县人民政府批准，列为县级文物保护单位。

第二节　旅游管理

一、资源保护

重点对流坑景区文物资源进行保护，对古村内的道路、水沟等基础设施进行维修，对古村内急需维修的古建筑进行摸底和建档，对三官殿、武当阁、蕃昌公祠、光禄观察两先生祠、理学名家、双桂先生祠等古建筑进行抢救性维修，对贤北巷、圩上巷的古建筑进行白蚁清巢灭治，防治面积约1万平方米。对龙湖周围违章建筑及障碍物进行清除，在古村内新建两个垃圾中转站，修建桥西巷排污排水系统等。启动流坑旅游新村和游客服务中心等基础设施建设。加大对濒危古建筑的维修与管理，对文馆周围环境进行整治，完善古村内各种引导标识。同时，对湖坪、水南、水溪、稠溪、朱坑、东坑等古村落具有文物价值和景观价值的资源进行抢救性维护，此外，对谷岗登仙桥大捷遗址和大湖坪整编旧址等一批红色旅游景点进行保护性维修。

二、行业管理

随着抚吉、昌韶高速的全线通车和流坑旅游公路全面升级改造的完成，县域旅游产业发展的外部条件得到较大的改善，旅游业服务水平也有较大提升，服务质量不断提高。旅游接待方面，已有乐安印象旅游有限公司、江西九瀑峡旅游开发有限公司、江西省穿梭旅游开发有限公司、乐安县畲村客聚缘旅游服务有限公司、抚州市锦江旅游汽车运输有限公司乐安分公司、江西省下棋峰旅游发展有限公司、江西董氏麒麟望日旅游开发有限公司、江西省慎余堂旅游开发有限公司、江西永达旅游发展有限公司、江西南庄异景旅游开发有限公司、乐安县北港生态旅游开发有限公司、乐安县水南三色旅游开发有限公司等12家旅游公司。有江西省中青旅国际旅行社有限公司乐安营业部、江西省中国国际旅行社有限公司乐安教工营业部、抚州市康辉旅行社有限公司乐安分公司、江西教之旅国际旅行社有限公司乐安营业部、江西百事通国际旅行社有限公司乐安分公司、抚州市春秋国际旅行社有限公司乐安县分公司、抚州文化国际旅行社有限公司乐安经营部、抚州市赣东国际旅行社有限公司乐安县营业部、抚州市教育旅行社有限公司乐安分公司、中国旅行社总社江西有限公司乐安门市部等13家旅行社。全县拥有各类宾馆、饭店140多家，总床位4000多张；景区景点设有专兼职导游；旅游直接从业人员近300人。

为保障旅游事业的健康发展，县委、县政府加强旅游市场监管和诚信建设，健全旅游监管体系。出台旅游标准，加强旅游公司、旅行社和景区、酒店、宾馆、娱乐休闲场所管理。加强旅游行业协会建设，提高旅游行业规范化管理水平和行业自律水平，加强旅游安全的监督检查，完善旅游预警制度，做好社会治安、旅游设施安全、运输安全和卫生保障等工作。打击非法从事旅游经营活动，整治虚假广告、强迫或变相强迫消费等欺诈行为，维护游客合法权益。

第三节　旅游规划

2002年，乐安县委、县政府提出“治贫兴县、优农稳县、重工富县、交通活县、旅游旺县、城建塑县”六大战略，首次将旅游开发提高到全县经济社会发展的战略高度。是年，编制《乐安县旅游发展总体规划》（2004—2020年），立足县域旅游资源优势，以旅游市场为导向，以景区景点建设为突破口，突出古色、绿色、红色三大特色，确定以文化底蕴深厚的流坑古村、山清水秀的金竹瀑布群、蔚为壮观的水南古樟林，山势巍峨的大华山、景观奇特的石桥寺、红色胜地登仙桥大捷遗址为旅游景区景点，打造流坑古村文化游、金竹瀑布生态游、水南古樟林休闲游、大华山道教文化游、石桥寺佛教文化游、登仙桥红色文化游等旅游产品。

2005年为加快红色旅游的开发建设，编制《乐安县红色旅游建设方案》，规划出县城（革命烈士纪念碑、历史博物馆、毛泽东旧居、周恩来旧居）—谷岗登仙桥大捷遗址—大华山—南村邓小平旧居，县城—金竹瀑布群—大金竹毛泽东旧居，县城—流坑古村—红三军团大湖坪改编旧址3条红色旅游线路。

2006年县政府成立乐安县旅游规划领导小组，聘请专家到乐安进行调查研究，制定出乐安县2005—2010年旅游发展规划，确定“十一五”期间旅游发展目标和思路。

在做好总体规划的同时，对景区景点做整体规划和详细规划。2007年，聘请浙江大学编制《江西乐安古樟飞瀑生态旅游区总体规划》，聘请南京尔目设计公司编制《江西乐安古樟飞瀑生态旅游区详细规划》，聘请南昌大学旅游学院编制《江西乐安古樟飞瀑生态旅游区飞瀑漂流区详细规划》。

2013年，编制《流坑文化生态旅游区总体规划》《流坑文化生态旅游区控制性详细规划》。

2014年《流坑文化生态旅游区总体规划》《流坑文化生态旅游区控制性详细规划》通过专家评审。是年，聘请北京江山多娇规划院修编完善《乐安县旅游发展总体规划》，重点打造“乐安四千”旅游精品，即：千古第一村——流坑古村、千年古樟林——牛田古樟林、千尺飞瀑群——金竹飞瀑群、千仞道仙山——大华山，全面提升乐安旅游的整体形象。同时打造江西台大科技园、大码头生态度假区等为引领的乡村旅游。逐步形成县域“一日游”“二日游”的精品旅游线路。

2015年编制乐安县“十三五”旅游业发展规划；《乐安县古樟林片区修建性详规和景观工程设计》完成初稿设计。

2016年，编制《古村状元楼南入口和古樟林至流坑古村乌江骑行道景观设计》《流坑古村龙湖截污治污湖水净化和周边景观设计》及《牛田古樟林修建性详规及景观设计》；编制《大华山景区可行性研究报告》《流坑景区可行性研究报告》《小蓬莱水上乐园创建国家AAA级景区提升规划》《乐屿健康农业生态园旅游发展总体规划》；编制《乐安县古樟林片区修建性详规和景观工程设计》《江西乐安古樟飞瀑生态旅游区总体规划》《江西乐安牛田古樟林景区详细规划设计》《乐安旅游集散中心（旅游产业园）规划设计》《江西乐安金竹畲乡“飞瀑漂流”旅游区修建性详细规划》等。

第四节　旅游开发

2003年，实施流坑旅游基础设施投入（第一期）工程，投资774万元对流坑古村的街巷、龙湖进行整理，铺设进村道路，新建停车场等基础设施。2004年争得项目资金铺设进石桥寺水泥道路。

2011年，制定《乐安县关于进一步加快旅游产业发展的实施意见》，明确县域旅游发展的目标，提出具体的工作步骤和工作措施，同时成立乐安县旅游产业促进委员会，为旅游发展提供组织保障；制定《2011年乐安县旅游产业发展考核评价办法》，成立乐安县旅游开发领导小组，推进旅游开发工作；制作《乐安县流坑文化生态旅游区综合开发项目书》和《大华山旅游综合开发项目书》；编制乐安县旅游基础设施建设项目书，积极向国家、省、市争取旅游项目建设扶助资金；制作旅游招商项目，引进外商对全县景区进行整体开发。

江苏永达公司陆续投入资金建设“古樟飞瀑”景区，铺设旅游公路7.8千米。县政府筹资1600多万元，对流坑古村的文馆、秘阁校书祠、绳武先生祠等古建筑进行修缮保护，规划建设流坑新村，完善新区道路、管道等基础设施。台大农业科技园投入资金，租用土地1.2万亩，栽种水蜜桃、甜柿、雪梨、茶花、樱花等树木，建设梅花鹿、鸵鸟、奶牛养殖基地。县政府筹资2000万元完善小蓬莱景区旅游基础设施，申报乡村旅游AAAA景点，并于次年获批江西省AAAA级乡村旅游点；筹资200万元建设桑海人家景区，申报乡村旅游点创建AAA工作；投入90万元重修金竹毛泽东旧居、大湖坪整编旧址和革命烈士纪念碑等红色旅游景点。10月，参加第三届世界旅游经济论坛会议，在“江西风景独好”（澳门）旅游推介活动中展示乐安旅游产品。

2012年政府筹资2000万元，对流坑进村公路升级改造。筹资200万元对大华山道教基础设施及道路进行改造。争取上级专项资金997万元对流坑古村古建筑进行维修保护，红色旅游资金260万元对湖坪省级历史文化名村古建筑及大湖坪整编旧址维修，20万元对登仙桥大捷旧址登仙桥维修。初步形成以县城为集散地，以流坑古村、古樟林为核心，以金竹飞瀑景区和大华山景观为两翼的乐安旅游发展格局。

2013年对流坑古村、古樟林、大华山等重点旅游项目进行包装完善，吸引有先进开发理念、经济实力强的企业进行全方位的综合开发。对现有乡村旅游点加大投资力度，完善其功能，充实其项目。同时，加强旅游纪念品生产制作，制作出具有乐安旅游特色的旅游商品。

为使“旅游强县”工作有序推进，制定《乐安县创建江西省“旅游强县”工作实施方案》《乐安县创建“旅游强县”责任单位目标任务》和《关于推进旅游产业发展的工作意见》，制定相关优惠政策，在旅游用地、税费政策、金融扶持、创牌奖励等方面明确具体的优惠措施。

流坑古村在获得国家重点文物保护单位和中国首批历史文化名村后，重新编制流坑古村保护规划和新村建设规划，在相关部门的努力下，2013年4月流坑古村荣获“省级风景名胜区”称号、入选中国最具潜力十大古镇（村），并被建设部、文化部、财政部等部委评为首批中国传统村落。

2015年着力推进流坑景区提升改造。启动全国重点文物保护单位标志牌更换23处，更新陈列馆内展板及秘阁校书祠匾牌，维修古建筑74处。改造古村游览沿线景观，打造20余处小游园、小景观。完成怀古亭、竹子林、状元楼区块、陈列馆区块等17处景观改造。投资900万元建设流坑景区旅游公路；投资1871万元，建成日供水1万立方米的景区自来水厂。完成流坑古村龙湖截污治污、湖水净化和周边景观设计工程。完成金竹瀑布群景区游步道、亲水栈道、虎啸山庄样板房主体工程建设。建成停车场、淋浴房、旅游公厕、游客服务中心和景区入口标志性门楼。大华山景区铺设游步道，建造太上老君塑像，完成部分指示牌、警示牌的设置。聘请北京江山多娇旅游规划院对大华山景区做旅游开发策划。推动一批乡村旅游点的提升改造，积极发展休闲农业。对小蓬莱风景区、江西台大科技园、大码头生态度假区及乐屿生态农业休闲观光园进行景区质量提升。大码头生态度假区在进一步完善漂流项目，增加漂流河道长度，增加垂钓项目，建设跨度320米的滑索，新建景区游客服务中心、停车场等基础设施。

2016年2月，流坑景区成功创评国家AAAA级景区，完成流坑建筑文化艺术展示馆、流坑农耕文化民俗博物馆、流坑文物陈列馆等工程建设，采用声光电、沙盘模型、裸眼3D、雕塑、场景复原、实物展示等方式，向游客展示“千古第一村”千年文明演变历程，发展旅游产业，引导和扶持发展篾匠店、裁缝店、豆腐坊、特色纪念品营销店等，鼓励开办更多特色商店。

为完成建设“旅游强县”工作目标，加快发展乐安旅游产业，制定《关于加快旅游产业发展建设旅游强县的实施意见》，出台优惠政策，在旅游用地、税费政策、金融扶持、创牌奖励等方面明确具体的优惠措施。邀请南京道源生态旅游开发有限公司就乐安（招携）峡谷激流水景园和金竹畲族民俗旅游相关旅游项目开发进行沟通商谈，签定关于乐安（招携）峡谷激流水景园合作开发协议，该项目正在实施。

第五节　旅游商品

一、旅游商品开发

进入21世纪后，乐安县在重点打造旅游景区景点的同时着力开发旅游商品，设立旅游商品开发专项经费，引导企业根据市场需求，开发具有乐安资源特点，满足不同层次需要的高、中、低档旅游系列商品；引导研发企业把旅游产品资源与旅游元素有机结合起来，根据游客心理和旅游购物特征，从产品功效、价格、外观设计、包装规格等入手，把旅游商品地域特色同景点文化特色有机结合起来；把艺术性同实用性结合起来；把传统技艺与高新技术结合起来；把个性化特点与多功能结合起来；把传统工艺品与现代商品结合起来；把宣传品与艺术品和实用品结合起来。处理好礼品开发与乐安地域文化的关系；处理好商品开发与市场需求的关系；处理好产品形象和宣传包装的关系；处理好业务指导与优质服务的关系。

把独具乐安特色的竹编、蛋雕等特色产品转化为特色商品品牌，加大对旅游商品文化的挖掘，围绕流坑文化精髓，开发以“魁星点斗”“独占鳌头”“理学名家”为创意的木雕、石刻、竹编等系列文化商品，依托畲族特色的民族风情，开发畲绣、彩带、斗笠、瓠靴、木屐等畲族民族服装、手工艺品，黑笋干、稻花鱼、畲山茶树鸡等特色饮食系列、民族风情系列旅游商品。以红色文化为依托，开发带有红军元素的军装、军帽、军鞋、水杯，红色文化的书籍、纪念册、音像制品，以工艺品和绘画作品为主的红色艺术品。深入挖掘民俗文化，开发独具特色的，以傩文化为代表的傩面具、以乡射遗乐为代表的笙、箫、板胡、月琴等民俗文化系列旅游商品。挖掘乡村土特产，开发状元红豆腐、状元红鱼、状元红米酒、茶薪菇、桑葚酒、油茶、桑果、小竹笋、香菇木耳干、竹笋罐头等系列土特产旅游商品。依托本地中草药资源，开发医药系列旅游商品，结合大华山道教养生文化，开发系列道教养生旅游商品。形成独具乐安特色的旅游礼品、纪念品、实用消费品，推进旅游特色商品开发。2013年开发的旅游产品广雅小竹笋荣获抚州市十佳旅游商品、江西省十佳旅游商品，鹏鑫食品、凌仁食品、流坑状元红豆腐乳系列产品等旅游产品相继推向市场，其中鹏鑫食品、乐安蛋雕等旅游商品在江西省旅游商品展销会上获得好评。

至2016年，一批专营乐安土特产的旅游购物销售网点相继开业，休闲场所逐渐增加，服务体系初步形成。

二、乐安名优特产品

乐安县地处山区，位于华南气候区与华中气候区过渡地带，亚热带湿润季风影响明显，境内气候温暖、日照充足、雨量充沛、无霜期长，有良好的生态环境、明显的小气候，优越、独特的环境孕育了一批名优特产品，选介如下：

乐安花猪　在江西各地流传着一句顺口溜："临川才子金溪书，宜黄戏曲乐安猪"。这里的"乐安猪"就是指具有乐安特别风味的乐安花猪。乐安花猪体型较小，头型以粗短、有皱为主，额顶有白色斑带，四肢粗壮，腰微凹、腹下垂，体重仅100公斤左右。毛色以"三花"为主，除头、尾为黑色外，其他部位黑白相间，并在黑白相间处有大小不等的"晕"带。肉色呈玫瑰红，脂肪洁白。因其肉质细嫩、味道鲜美、口感香甜而深受人们喜爱。

乐安花猪

1956年，乐安花猪就被列入江西省地方家畜品种名录，是江西省八大地方猪种之一的赣中南花猪中的独特类群。20世纪80年代，生猪养殖朝集约化、规模化的方向发展，乐安花猪因其生长缓慢、体形较小、经济效益较差而逐渐被弃养，进入21世纪濒临灭绝。随着人们生活质量的提高，乐安花猪的美味又重新唤起人们的记忆，2006年，乐安县金竹畲族乡村民在乐安花猪即将灭绝的情况下，抢救性地保存2头乐安花猪父本，收购一批乐安花猪母猪，建立乐安花猪原种繁育场。这一地方特色猪种才"起死回生"。2011年3月，乐安县向农业部申请建立乐安花猪种质资源保护。2014年5月，农业部批准对"乐安花猪"实施农产品地理标志登记保护。

稻花鱼　又称禾花鱼，是指生长在稻田里鱼类的泛称，通常为鲫鱼、鲤鱼、草鱼等。因其生长在稻田里，以稻田里的杂草、虫子、稻花为食，故称之为稻花鱼。稻花鱼产量较低，一亩稻田至多放养300～400尾鱼苗，多了则影响日后打理稻田的农活。

乐安县金竹、招携、谷岗等乡镇山区农民利用稻田养鱼，鱼以稻田中的浮游生物和稻花等为食，鱼所排出来的粪便成为稻田的肥料。因山区稻田气温较低、水质清淡、生态放养，鱼儿生长缓慢，是天然绿色食品。营养丰富，蛋白质含量是普通鱼高；味道鲜美，肉质细嫩，清香可口，有稻花的香味，没有一般淡水鱼的土腥味。食用方法主要有两种：一是煮汤。先将锅烧红，放适量的当地特产茶油，把姜丝煸至香味四溢，然后把鱼放入锅内。待到鱼身两面都炸成微黄时，注入泉水，盖上锅盖，沸腾后，添加食盐及其他佐料，再用细火焖10来分钟就可以出锅了。二是制成鱼干。将稻花鱼杀好刨净，以葱姜去腥，再以料酒提香，后加入五香粉、生抽、盐，调味，拌匀，腌好后再用细米糠，在铸铁锅中熏烤，最后用硬木炭火烘焙。颜色浅金黄色，酥香可口，回味无穷。若再将鱼干改刀切成鱼块，用指辣椒、腌萝卜、蒜苗等同炒，刚下锅就爆出一股浓香，不管是下饭还是佐酒都是上等佳肴。

稻花鱼

乐安霉鱼块　又称红鱼块，其肉质鲜嫩，辣中带香，开胃生津，风味独特，是本地乡土风味的地方特色食品。

乐安霉鱼块用传统工艺加工而成，多在冬季制作，有冷藏设备可长年制作。其制作的方法如下：选择新鲜的草鱼、鳙鱼或鲤鱼等。将鱼去鳞、除内脏、晾干水后，切成块，加食盐拌匀，待两三天后再拌红辣椒粉，并将拌好的鱼块逐一放入干洁的瓶罐中，加入少许烧熟的菜油，盖密封存。一般在 15 至 20 天后（也可经冬历春保存），即可按需量取出烹饪食用。食用方法主要有两种：一是煎炒，用植物油煎熟霉鱼块，加少许水、葱花、姜丝或蒜末及料酒、味精等至沸，即可食用；二是蒸制，用碗装霉鱼块，加上葱姜或蒜花和味精，并可加入少许香油，蒸熟即可食用。

乐安霉鱼块

子皮　是用蛋和薯粉做成一种呈黄色的丝状菜肴，有人也称之为蛋面条。用肉汤煮后，软脆香浓，味道鲜美，老少皆宜，是乐安民众办酒宴的必备菜。

制作方法：将鸡蛋或鸭蛋去壳，放入一盛器中，搅碎混匀，按每 10 个蛋 3 两薯粉的比例加入研细的薯粉，并同时加入适量的水，不停地搅拌。以文火烧铁锅，用肥猪肉擦遍锅壁，打一勺蛋粉液，沿锅壁转一周均匀倒下（动作要快），使蛋粉液布满锅的中下部，将流至锅底多余的蛋粉液打起，几分钟后即可成一张圆形的蛋粉皮。取脱，将其反面展贴在锅中一二分钟，取出、待冷，卷成筒状切丝。食用方法：把子皮放入鸡汤或猪骨汤中，煮入味，后加入少量姜花、葱花和食盐，即可食用。

子皮

黑笋干　是选用优质鲜笋精制而成的一种黑色笋制食品。选择节短、肉厚、鲜嫩竹笋，经削整、洗涤、切块、煮炒、晾晒等多道工序，笋块的颜色慢慢由淡玉色变为黑玉色，故称黑笋干。黑笋干是一种低脂肪、高纤维、蛋白质和糖含量适中的食品，口味纯正，风味独特。

食用方法：与肉类焖蒸品味极佳，将笋干清水清洗一次，用温水浸泡 2—3 小时后即可烹煮，可烹制成香胡猪腿笋、鸡茸金丝笋、玉兰肉片汤等名菜肴，鲜嫩可口，油而不腻；和腊肉一起煎炒，黑笋干的香脆嚼劲搭配腊肉的咸鲜，味道清甜香浓，嚼劲十足；黑笋干也是一种即食食品，不失为一种零食小吃。

黑笋干

茅苔韭菜　为野生宽叶韭菜，与韭菜同科，俗称“野韭菜”，比普通韭菜茎更高，叶更宽。

性喜阴，生长在海拔600米左右的山区，富含维生素C、钙、铁、磷等健康元素，特别是食用纤维含量十分丰富。盛产于乐安县金竹畲族乡，招携、谷岗乡、南村乡等高山地带亦有分布。20世纪90年代初，金竹畲族乡农民开始人工移栽茅苔韭，并取得成功，现已成为当地特色蔬菜。

茅苔韭菜可炒食、汤用或作馅，口感清脆、香甜爽口。民间常用炒食或与鲫鱼作汤。茅苔韭集美味口感与保健作用于一身，是绿色、健康、养生食品。

茅苔韭菜

舂辣椒　是指用蒸熟、炒熟或生辣椒放入陶质齿钵中，另根据个人喜好加入蒜、腌菜或茄子等伴料，用的木棒将其捣烂的一道家常菜。乐安城乡民众十分喜爱，尤其对喜欢吃辣的人来说，吃起来生津开胃，清香可口，别有风味。

舂辣椒

舂辣椒制作主要方法：一是炒舂法。选用新鲜青、红辣椒，洗净并切成小段，将适量食用油倒入锅中烧熟，倒入切好的辣椒，爆炒数秒钟后加入蒜碎等佐料和适量食盐，再妙片刻(不宜炒得过熟)，打入一专制的陶质齿钵中，用专用的木棒将其捣烂即可食用。二是蒸舂法。将新鲜的青、红辣假洗净，放入蒸笼或木饭甑中的饭上面蒸熟，再放入陶质齿钵中，加入适量的佐料和食盐，用木棒舂烂即可食用。三是生舂法。将新鲜的青、红辣假洗净，直接放入陶质齿钵中，加入适量的腌菜等佐料和食盐，用木棒舂烂即可食用。

霉豆腐饼　又称香松豆乳饼，主要由糯米粉和霉豆腐制成。制作方法：一般将所剩下不成块的霉豆腐加入糯米粉中(比例大约1比20)，同时加入适量水和食盐，掺匀，做成饼。将饼蒸熟，待冷切成均匀的薄片，摆开晒成干，装入瓶(袋)中密封，可长时间保存。食用方法：将晒干的薄片放入锅中用热油煎炒，待其刚变成米黄色取出，待冷即松脆爽口，香味独持，是下酒的佳品。

霉豆腐饼

米酒　包括酒娘、水酒和冬酒。米酒以其酒性平和、味道香醇、家庭可自行酿制而成为乐安民众普遍喜爱酒类，尤其是在节日和喜宴之时，必备米酒供家人欢饮或款待宾客。

其酿制的方法大致如下：原料主要为糯米和酒曲，清水将糯米洗后再浸5～10小时，将糯米捞起滤去水，倒入饭甑蒸熟成糯米饭，待冷却后用清水浇淋，再把清水溶化的酒曲液(每10斤米8个左右)洒入糯米饭中并拌均匀，将糯米饭倒入清洁的缸中，其表仍洒上少许酒曲液，加盖放妥(缸周包上能保温之物，农村一般将缸体放置在糠壳中)。视温度的高低，一般在3～7天即可酿出酒娘(糯米饭中出现的液体)。将酒娘煮熟，既可用作烹调的配料，也可用开水冲淡饮用。但用于饮用的米酒，通常是在酿出了酒娘的糯饭中直接加入清水(每10斤糯米加12至15斤水)，再浸泡一段时间(热天一般3天，严冬要近20天，滤出的液体即为生水酒。将生水酒煮沸便可饮用。

冬季最好在冬至后酿制，并封存越冬后饮用的米酒称冬酒。封存的方法是：将酒娘连同酒糟倒入干洁的小口缸中，密封，可保存一二年之久。平时，需小剂量，可用干洁(用沸水洗后)的用具打出(注意及时封口)，加开水即可饮用。将冬酒娘滤出，煮熟，瓶装封存，不易变质，可随时用开水冲饮，既是上等的烹调配料，还可入中药。若需大剂量，则可在封存的冬酒娘与酒糟中按比例加清水，滤去酒糟，煮熟供用。冬酒色黄，酒味香醇，有清热降暑的功效。

水酒

茶油　又称茶籽油，是由天然油茶籽压榨出油，素有“东方橄榄油”之称，与油橄榄树并称为世界上最著名的两大木本油料植物。油茶籽含油率一般为25%～35%，所榨出的油茶籽油主要含油酸、亚油酸等，其脂肪酸含量、比例与橄榄油极为相似。油茶整个生长过程无需使用化肥、农药。

茶油曾是乐安民众主要食用油之一，1985年全县有油茶林6000余公顷。2008年县政府大力支持种植高产油茶林，通过引进江西省高氏油茶产业发展有限公司，推广油茶嫁接，轻基质容器育苗等技术，发展油茶生产，2016年全县有油茶林12600公顷。

茶油

第六节　旅游推介

2003年，参加在南昌举办的中国江西及周边六省市大型旅游推介会。

2005年，参加中国江西红色旅游博览会，播放乐安旅游风光片，制作红博会(会刊)乐安专版。举办江西乐安流坑文化产业开发经贸洽谈会暨流坑董氏宗亲联谊会，来自河南、河北、福建等地的400多名董氏后裔及客商参加活动。

2006年3月，参加在哈尔滨举办的旅游推介会；4月举办乐安流坑形象大使选拔赛，选出3名流坑形象大使；5月在《人民日报》大地副刊制作流坑旅游推介专刊；6月参加在香港举办的旅游推介会；10月参加在南昌举办的红色旅游博览会。

2009年，出版《我心中的乐安》画册，以全新的视觉从古色、绿色、红色介绍乐安丰富的旅游资源、厚重的历史文化和独特的民俗风光。是年乐安被评为“中华民族文化生态名县”。

2011年，先后在江西电视台、《人民日报》《江西日报》等众多新闻媒体上宣传报道以流坑古村为龙头的乐安旅游整体形象。多次参加省、市旅游部门组织的旅游交易会，组织流坑管理局及旅行社人员到省、市进行宣传促销。利用“5·19”中国旅游日，制作旅游景区图片展板，展现乐安旅游资源和县委、县政府实施“旅游旺县”战略的成果。打造“乡村一日游”“绿色二日游”旅游线路，与龙虎山、井冈山等著名景区的旅游线路对接。指导县域旅行社团与周边城市旅游社团合作，共同推出生态度假游、古村文化游、农家乐乡村游等系列旅游产品。

2013年，先后在北京、上海、杭州、西安、南昌等城市高铁、车站、机场、高速公路沿线投放乐安旅游宣传广告，在抚八线沿线制作大型广告宣传牌，在江西省电话号码黄页上刊登多幅乐安旅游景点图片，利用乐安旅游网、流坑旅游网、新浪微博等网络媒体对乐安旅游进行宣传。5月，参加在上海东方明珠塔景区召开的抚州市旅游宣传(上海)推介会；6月，精选5件旅游商品参加省、市举办的旅游商品评比和展出；9月，参加在厦门举行的全国旅游博览会。组织人员到三明、福州、泉州、莆田、厦门开展旅游宣传促销和旅游景区推介活动。

2014年，创建乐安旅游官方微信平台，参加“江西风景独好”“华夏梦都才子之乡”旅游宣传推介会，在南昌昌北机场制作旅游宣传广告；在江西电视台天气预报栏目开通以宣传流坑为主题乐安天气预报。协助江西电视台五套旅游栏目组拍摄乐安旅游宣传片。举办流坑景区“旅行社开放日、千人游流坑”活动。

2015年，乐安千年古樟林申报“上海大世界基尼斯之最”（规模最大的古樟林——中国第一古樟林），成功申请注册“华夏快乐之都”商标。参加第十一届海峡旅游博览会、中国国际旅游交易会、江西旅游商品博览会、“江西风景独好”在上海、浙江、福建、江苏等地推介招商会等活动，建立乐安县智慧旅游平台APP和信息平台，县旅游局和流坑管理局分别建立微信公众号，适时发布乐安最新旅游信息和旅游产品。

2016年4月，参加在山东济南、烟台、泰安等地举办的旅游推介会；5月，协助江西省旅发委、江西日报社举办“提升乡村休闲旅游，助力同步小康——乐游乐安·2016年第八届全国网络媒体江西游”活动，新浪、搜狐、人民网、新华网、凤凰网等全国70多家知名网络媒体记者走进乐安，宣传报道乐安旅游；6月，上海大世界基尼斯总部在水南古樟林举办“中国第一古樟林——牛田古樟林”颁证仪式；6月至10月，分别参加在福建泉州、江西南昌、江苏南京等地举办的旅游推介会，多形式、多层次全方位展示乐安旅游品牌；9月，在牛田古樟林举办以“千年乡愁，梦圆乐安”为主题的“中国第一古樟林”乐安首届户外帐篷音乐节活动，邀请省内外户外运动俱乐部、社团组织，露营旅游爱好者，驴友、越野车、自驾车、摩托车、自行车车友，摄影爱好者和相关媒体参加；同月参加2016年江西省旅游产品博览会，选送乐安县莲合智造有限公司生产的莲智坊九品香莲花茶和茗仁坊金语满堂2件旅游商品，荣获铜奖；11月参加抚州市旅游商品博览会。

是年，投资220万元用于参加“江西风景独好”在中央电视台进行的旅游宣传广告。举办“千年乡愁，梦圆乐安——寻找乐安最具开发价值景点”大赛活动。先后在中央电视台、江西电视台、浙江卫视、东南卫视、凤凰卫视、《人民日报》《江西日报》等进行乐安旅游专题宣传。建立乐安旅游网、流坑旅游网、新浪微博等网站。实施“六个一”旅游宣传工程，即：印制一本宣传画册——《美丽的家乡—乐安》；制作一集流坑旅游影像——《千年古邑孕古村，三色辉映引宾朋》；编辑一本《乐安旅游指南》，介绍乐安景点景区、

水南“中国第一古樟林”颁证仪式

风情民俗和特色旅游商品等；拍摄一部旅游专题片——《乐安印象》（江西电视台拍摄）；征集一首旅游歌曲——《幸福乐安等你来》；确定一句旅游口号——“游生态乐安、品千古流坑”。

乐安先后编印一批相关的书和画册，宣传推介乐安。《千古第一村——流坑》《中国历史文化名村——流坑》《流坑历史文化资料集萃》《中国传统村落——湖坪》《秀美乐安》《可爱的家乡——乐安》《美丽的家乡——乐安》《乐山乐水乐安》《天地人缘》《赣文化第一村——流坑》等书籍画册对乐安旅游景区景点宣传起到很好的效果。乐安流坑成为中国民俗摄影协会、中国车坛摄影、江西省摄影家协会、北京人文大学、北京电影学院动画学院等单位定点摄影写生创作基地。

第二十三卷
宗教　风俗　精神文明

本卷目录

第一章　宗　教

乐安县有佛教、道教、基督教3种宗教。截至2016年年底，乐安县佛教有开放的寺庙28处、简易活动点8处，比丘8人、比丘尼9人；道教属正一派，共有信徒1.3万余人，有开放的宫观1处，道士3名；基督教有开放的教堂1处、简易活动点2处，传道员4名。

第一节　教　派

一、佛教

佛教在唐朝时就传入乐安，是乐安现有三大教派中传入最早、影响最深的宗教团体。信徒众多，分布较广。每年农历二月十九日观音生日、六月十九日观音成道日、九月十九日观音出家日，全县佛教信徒均聚集各寺庙烧香朝拜，高潮时多达数千人。

中共十一届三中全会以后，党的宗教政策得到落实，正常的宗教活动得到保护，一些寺庙也有不同程度的修复和建设，2016年，全县有开放性寺庙28处、简易活动点8处。

乐安县开放寺庙一览表

表23-1-1

名称	坐落地址	始建年代	现任住持或负责人
天仙寺	谷岗乡板岭村	元朝	释银花
石桥寺	大马头乡石塘村白竹村小组	744年	释银莲
龙泉寺	鳌溪镇桥背村	无考	释学连
观性寺	招携镇三湾村信元村小组	967年	曾桂春
觉华寺	湖溪乡高峰林场	1506年	陈宽仪
万善寺	招携镇青里村	1528年	邓乐平
蟠龙寺	招携镇青里村洋溪坑村小组	906年	谭才生
临云寺	招携镇横坝村	934年	释常勤
万龙寺	鳌溪镇县城以北	南宋	释净涵
新灵寺	鳌溪镇桥背村	1152年	董中梅
唐龙寺	金竹畲族乡严杭村	宋朝	邓禄煌
普华寺	湖坪乡贺立村	1796年	刘友发

续表 23-1-1

名称	坐落地址	始建年代	现任住持或负责人
古来寺	金竹畲族乡徐庄村大树岭	2002 年 7 月	廖发保
仙峰寺	牛田镇牛田村	西汉	释演隆
板岭凹寺	谷岗乡板岭村	晋	欧阳早龙
文昌寺	谷岗乡谷岗村	1320 年	释银光
万应名山寺	万崇镇万坊村	宋朝	万友生
灵山寺	鳌溪镇前坪村	明朝	肖春兰
清泉寺	南村乡车头村	1912 年秋	释宽文
玉隆寺	公溪镇公溪村	1126 年	武玉兰
长兴寺	谷岗乡谷岗村	晋唐时期	游鸿英
金龙寺	鳌溪镇鳌溪村	1871 年	丁保珍
回龙寺	龚坊镇南边义门村小组	1938 年	龚帮德
角庵	招携镇汗上村小组	明末清初	张远寿
雷峰寺	戴坊镇鹏洲村雷峰山	1346 年	邹林华
罗灵寺	鳌溪镇桥背村下街村小组	清朝	侯银兰
西隐寺	万崇镇池头村	唐朝	释悟桂
莲花禅寺	牛田镇水南村	1136 年	释法康

二、道教

乐安县道教主要有大华山道观。大华山道观，坐落在南村和谷岗两乡间的大华山上。大华山属雩山山脉，东沿宁都结成汉陵二十四山，延绵逶迤至乐安南部，经鹿角峰至南村乡太平村时，陡然耸起，插入云霄，海拔高 996 米。状如莲花宝盖，因而得名“华盖山”。其浮邱峰、香炉峰、着祺峰三峰鼎立，素有“江南绝顶三峰”之称。

大华山，为江西道教圣地。据《天下名山志》云：西汉文帝元年（前 179），浮邱真君在华盖山传授王、郭两弟子“三五飞步术，九一上清法”和修道炼丹，历尽沧桑，一直到魏景元初年（237），才功德圆满，得道成仙。三仙炼丹将成之时，华盖山灯光辉煌，光芒万丈。掌管天文的官吏见后，慌忙奏禀皇上：“江西瑞气腾升，似有新天子出世。”魏帝曹奂闻知后，即下旨李元晏将军率领数千精兵，向火光冲天的华盖山挺进。众官兵走到山腰时，只见三仙在主峰之上赏景，谈笑风生。李将军邀功心切，立即指挥众神箭手对着三仙射击，箭矢尚未近身，只见三仙腾云驾雾到了半空之中，莫名其妙受到毒箭的攻击，三仙也毫不客气地作法对垒。霎时，李元晏军射出的箭都倒了回来，一支支毒箭刺进了本部将士的身躯，使他们痛得鬼哭狼嚎，跪地求饶。三仙掐指一算，原来是一场误会，再说受伤的官兵也有悔改之心，即将毒箭化为芝杆，自行脱落，浑身上下毫发无伤。同时，为澄清误会，三仙朝天一招手，一把桂神弓自天而降。三仙同李将军等众官兵一同返

大华山道观

回京城，欲将桂神弓献于朝廷。魏帝曹奂亲驾迎接三仙，从此华盖山名扬四海。

据史料记载，大华山早于西晋元康二年（292）二月就兴建了道观。至宋庆元年间（1195—1200），对自晋元康年间以来兴建的殿阁楼亭进行大规模的重修，整整花了10年时间。重修的殿阁楼亭雄伟壮观，主要包括三仙殿、玉皇阁、三官殿、九皇宫、天官坛、宾仙阁、圆光亭等。

对于三仙的生殁年代和羽化奥秘，历代名人学者呕心沥血考证，终未作出科学的结论，他们只能借助想象的彩笔，记载有趣的神话，权作解释。北宋闽清诗人白玉蟾云："彼浮邱仙，生于商，仕于周，隐于汉，羽化终于晋，至隋开皇时，当在巴陵（今崇仁县）华盖"。《华盖山志》曰："王郭二仙是西汉汴州陈留人，一对孪生兄弟。兄从父姓，叫王衮，弟从县令姓郭，称郭姒。他俩不喜世事雅慕之风，遵神人指点，负瓢笠，直抵江南，遍历祠府，至抚州，到谷岗登仙桥，行3.5千米山路到华盖山巅。二人师事于浮邱仙。清远道人汤显祖在《华山志》序言中说："大致空明绝世，天宋籍之人亦世所考也，吾郡灵谷，华山有仙人之迹在其山隐蔽，亦非世人所悉也"。人们崇敬三仙，还由于他们"炼丹之遗迹撒于遍山，已化为丹，砂状如丸，有四方六角八楞，又金光灿烂，取于磨水服，能驱邪除病"。他们精心在山上栽培的药材更有奇效。长在巅洞之上，花瑶草异状殊形，难以名称。路过时奇香袭人，若遇顽症不治，采其服用可愈。元符二年（1099）夏季，洪州（今南昌）特旱，官民迎接三仙神像之府城祷雨即下等等。他们刻苦修道，练就利国益民的高超法术，做了许多消灾救民，助人济世的善事。

据《华盖山志》记载：三仙修道，功成正果升天，玉皇大帝亲派无底神船来迎接。神船航空，金光灿烂，光芒四射、仙女奏乐、飞禽走兽、载歌载舞、各显神通，特别是龙翔凤舞，更现异彩。那热烈欢送的场面，至今还保留着许多古迹，例如华盖山上的"八峰""六石""四洞""四凹""三谷""三井"等都是三仙修炼和活动之处。

大华山备受历代朝廷和官员的重视。宋熙宁八年（1075），宋神宗赵顼敕赐"华盖山"及"崇仙观"匾额，加封三仙为"佑圣真君"。明太祖朱元璋和宪宗朱见琛先后赍降御香；洪武二十六年（1393）天师张宇初奉敕建二天门，匾写"敕赐崇仙观"；明成化十六年（1480），淮王府差官马俊修建了三天门，匾额"蓬莱仙境"。嘉靖十二年（1533），益王府潭温乐施，从三仙殿至三峰（指浮邱、五岳和箸棋）修建一条似玉带盘绕的石级路。嘉靖二十年（1541），龙虎山少师夏言，在华盖山建一天门，匾曰"大华山"。明嘉靖二十四年（1545）二月七日，世宗朱厚熜敕谕保护华盖山，文曰："凡一应官员军民诸色人等，敢有不遵敕旨，肆行其毁搅扰损作践者，必罪不宥。"万历三十九年（1611），大学士吴道南改书"大华盖山"匾。相传清乾隆皇帝求子心切，亲驾大华山道观许愿，并在岩石上刻有"莲花宝盖"四字。

历朝公卿大夫和文人墨客慕名而来游览者甚多。宋代工部尚书谢谔、江西路转运司李冲元、德州太守曾丰，元代著名理学家吴澄、历史学家虞集，明代杰出戏剧家汤显祖、刑部尚书董裕、状元罗伦等都曾在此留下铭记和诗词，共计 200 余篇（首）。

唐大历四年（769），颜真卿任抚州刺史时，寻得隋开皇五年（585）华盖山下碑文，据此考证并撰写《桥仙观记》。

宋淳化五年（994），临川县吏饶洞天受神人指点，在华盖山掘得玉篆天心秘经一部，但未识“诀目玉格行用之由”，后在南丰县遇著名道士谭紫霄，礼拜师之，顿悟玄理，传行天心正法，创立天心派。

明代著名旅行家徐霞客游历大华山并在其《江右行日记》中载：“绕三峰之阴，共七里而登华盖之顶，谒三仙焉。盖华盖山峰并列，而中峰稍逊，西为着棋，东为华盖”。“华盖之上，诸道房如蜂窝驾空，簇绕仙殿，旁无余地，无可眺舒”。“其北正与相山对，而西南则中华山欲与颉颃，东与南俱有崇嶂，而道士不能名，然皆不能与华盖抗也。其山在崇仁南百二十里，东去宜黄亦百二十里，西去乐安止三十里，西南一百里至永丰，东南至宁都则二百余里焉。”

由于历代君王关注和名士倾慕，大华山声名日盛，四海扬名。

大华山山顶建有“三仙正殿”一栋，门匾有“大华山”三字，附近有圆光亭、憩霞轩、天官坛、宾仙阁、南真观、玉亭观、林仙观等胜景，其规模宏丽，独具匠心。三仙正殿内，设有邱、王、郭三仙塑像，四季香火不断。每年金秋季节，笙箫鼓乐和鸣，道徒香客结队成群，络绎不绝。除省内香客外，前来朝拜的还有安徽、浙江、福建、湖南等省的道徒。

1984 年 10 月 26 日，抚州行署批准其为开放道教活动场所。2016 年，大华山道观有道士 3 人，并成立民主管理小组。

三、基督教

基督教传入乐安是在“文化大革命”结束后，最早出现基督教徒是在 721 矿。该矿干部职工的家属子女来自全国各地，他们在异地信仰基督教，有些职工在原籍就是受洗的基督教徒，有正式教徒 100 多人。到 721 矿后，互相联系，组织多处家庭聚会点，进行基督教活动。1996 年，在公溪镇莲塘村铺前村小组教徒张福林家（临时聚会点），成立乐安县公溪基督教三自爱国委员会，由 9 名教徒任委员，并向乐安县政府写出申请书，要求批准开放和正式登记。为规范基督教活动，县政府于是年 12 月 16 日批准开放，并正式登记。1997 年，该教在莲塘山麓兴建 200 余平方米的乐安县公溪基督教三自爱国委员会莲塘礼拜堂。另外，乐安县还有基督教简易活动点 2 处：2003 年 3 月，经县政府批准的鳌溪镇蒙恩堂；2005 年 11 月，经县政府批准的龚坊镇濂坑村洋江上礼拜堂。

乐安县开放基督教礼拜堂表

表 23-1-2

名称	坐落地址	负责人
莲塘礼拜堂	公溪莲塘	邹蒲英
蒙恩堂	鳌溪镇	邹蒲英
洋江上礼拜堂	龚坊镇濂坑村洋江上村小组	刘光照

第二节　古寺选介

天仙古寺

天仙寺　别名天子堂，坐落于谷岗乡板岭村境内，始建于元代，清道光十年（1830）重修，1945年，住持僧释德跃募资再修。1979年，比丘尼释金兰率领十方信教弟子筹资，再次修缮一新。现有大雄宝殿、观音殿、天王殿、斋堂、厨房、澡堂等建筑物。其中，大雄宝殿、观音殿、天王殿三殿相连为一幢。山门的对联“天道沧桑佛光普照今胜古，仙山不老宝刹重修堂换寺。”巧妙嵌入横联“天仙古寺”四个字。1984年10月26日，经抚州地区行政公署批准为开放佛教活动场所，并被县政府列入文物保护点。

石桥寺　坐落于大马头乡石塘村白竹村小组，平坦的丘陵地面突矗起圆顶石山，山腰有巨大通孔，形成独孔拱桥，孔高15米，宽20米，桥洞跨度长58米，蔚为壮观，乡人疑为“仙造”，遂名“仙人桥”。该寺始建于唐天宝三年（744），在桥下建造寺宇，取名“石桥寺”，原寺分大雄宝殿、天王殿、念佛堂和钟鼓室，有泥塑或雕刻的各种菩萨。相传南宋著名理学家朱熹曾在此讲学。南宋文天祥曾在此就读，以后并捐资修缮。民国时兵祸连绵，寺宇倒塌无余。1984年5月，金倮法师率弟子重修古寺，寺门有联“石桥丛林俨仙境，古寺山水别有天。”横批“石桥古寺”。1995年12月1日，经县政府批准为开放佛教活动场所，并列为县级文物保护单位。

石桥古寺

观性寺　坐落于招携镇山湾村，宋乾德五年（967）创建，寺内种有一种滴滴金的菊花。宋建炎间孟太后幸此，并题咏：“一种黄花类似菊，分明枝叶有争差，若教滴滴成金后，岂在寻常百姓家”。元、明两代，该寺由何氏家族捐资修葺，清代由当地何、曾两氏共同修葺。1988年，住持释银文率信徒筹资重建。1991年8月6日，经县政府批准为开放佛教活动场所。

龙泉寺　原名十八庙，坐落在鳌溪镇桥背村金堂山麓，始建时间无资料可考。1983年4月，该寺由住寺比丘尼释中净带领善男信女捐资出力重建。龙泉寺由天王殿、大雄宝殿、圆通殿组成。寺院山门为八字形，门联手书“山藏云龙生紫气，谷引金泉流幽香。”门旁另有一联曰：“龙泉古寺古泉龙，乐安人求人安乐。”进入山门登上台阶即入天王殿。由天王殿而上，便是寺院的主殿大雄宝殿。殿内塑有释迦牟尼、阿弥陀佛和药师佛3座坐姿大佛，两边靠墙塑有立姿十八罗汉，后墙角左右是文殊和普贤乘骑麒麟与大象，栩栩如生，十分壮观。此外，还有千手观音殿，也叫圆通殿。殿内塑有千手千目观世音菩萨，高大雄伟。整个建筑，高低排列，错落有致，别有风格。该寺紧靠县城一隅，交通便利，因而常年鞭炮阵阵，香烟弥漫，经声朗朗。县人民政府将金堂山近1.4万平方米山林拨给寺院使用，已种植各种风景林。1995年12月1日，经县政府批准为开放佛教活动场所。

万龙寺　坐落在距县城北2千米古道旁，四周群山环抱，种植的杉、松树漫山遍野，寺院隐身在密林之中。万龙寺历史悠久，其前身为郁林寺，据考该寺建于宋绍兴十九年（1149）。因前来朝拜者大多有求必应，于是，人们又称万龙寺为“万灵寺”，赞该寺“千神显灵，泽及遐迩，万龙护寺，普度众生”。民国时，寺被焚毁，仅存一只铁香炉和历代文人游客所作诗词数首。直至1993年5月，由比丘尼释银文率领四方信士在原址附近重建该寺，占地面积500余平方米。寺内有大雄宝殿、观音殿、天王殿和膳宿用房等建筑。殿门前柱子全为龙体缠绕，更有观音菩萨坐在龙身上，呈祥而去，真有万龙之意。大雄宝殿内有泥塑3尊大佛及十八罗汉、文殊、普贤和普陀等107尊菩萨。冷落一时的万龙山寺，又香烟袅袅，古风酣然。

觉华寺　又名郭华寺，坐落在湖溪乡高峰林场觉华山巅，距县城5千米。1983年5月15日，由比丘尼释银爱率领佛教十方弟子，自愿筹集资金开始重修觉华寺，在原址上兴建了大雄宝殿和天王殿及膳宿用房一幢共18间，附属设施有柴房和厕所，总面积约420平方米。1985年9月9日，经县政府批准为开放佛教活动场所。

万善寺　原名万石寺，又称万善庵。坐落在招携镇青里村的三坑山腰中。距县城40千米，离镇政府3千米。寺庙由青里村洋溪坑财主曾太尧（大殿上今有塑像为证）单独捐资，始建于明嘉靖七年（1528）。该寺在清朝时倒塌，只重修了一间大殿，于是又把万善寺改为万善庵。直到1967年4月间，因特大洪水把庵堂冲倒而毁。1981年，比丘释常元率领善男信女，自愿捐资把该庵移到三坑的山腰上重建，又将万善庵改回万善寺。1985年9月9日，经县政府批准开放佛教活动场所。

蟠龙寺　又名茅岭庵，坐落在招携镇青里村委会洋溪坑村小组的茅岭山巅。距县城47千米。庙址山高海拔为640米。该寺始建于公元906年冬，由当时的一个谭氏财主捐资兴建，修缮都由谭氏群众出资，直至1983年仲冬，始由住持沙弥金庆率领十方弟子重修。1993年2月9日，经县政府批准为开放佛教活动场所。

临云寺　原名安全寺，位于招携镇横坝村，距镇政府3千米，离县城40千米。该寺始建于五代十国后唐末年（934），由一俗姓徐的僧人带领信众筹资兴建了天王殿、大雄宝殿，僧、客、斋户12间。明朝董裕年幼时在此寺读书。该寺迄今千余年，其间经多次修缮，直到清朝太平天国运动时，毁于战乱。1985年10月，寺院住持银山大师、知客释学勤率领十方信众，自愿捐资出力重新修建了安全寺。寺庙位置较高，经常有瑞云环绕寺院，因而改名为临云寺。1996年12月16日，经县政府批准为开放佛教活动场所。

唐龙寺　亦叫“龙泉古寺”，位于金竹畲族乡严杭村的大龙山。始建年代不清。相传初建寺院时，曾挖掘出一块残碑，上刻有“唐龙寺”三字，为颜真卿手书。该寺几经修葺。宋嘉祐四年（1063）始称禅师院，有房屋40余间，僧徒50余人。金末元初，兵荒马乱，寺庙渐毁。明洪武十九年（1386），大虚住持筹资复建，规模日趋齐备。明嘉靖四年（1525）八月十四日更初，遭火焚烧，唯有三门金刚、二殿铜铸关帝仅存。嘉靖十一年（1532）十二月二十七日重建竣工。其后百余年又遭毁灭。清朝多次新建、修复，1930年因战乱，寺院尽毁。1935年重建，1979年修复扩建。唐龙寺不仅有美丽的传说，还有众多美景。主要有“古八大景”和“今八小景”。2001年7月22日，经县政府批准为开放佛教活动场所。

第二章　风　俗

1986—2016年，乐安的风俗文化与时俱进、在传承传统习俗的同时，在形式与内容上赋予现代特色，一些西方风俗节日也随之渗入，在年轻人中喜欢过父亲节、母亲节、情人节、圣诞节，形成了古今结合、东西交融的新型风俗文化，多元文化的传播，丰富人们的生活情趣。

第一节　生活习俗

饮食　20世纪80年代，乐安人的早餐一般是将头天晚上剩饭用水煮热吃，配以自制的腌菜、霉豆腐、剁辣椒下饭，称为吃泡饭。20世纪90年代，随着生活水平的不断提高，人们饮食由过去以粗粮素菜、满足吃饱为主转向以细粮精菜、营养可口为主。农村居民主要在家做饭吃，城镇居民大部分家庭不在家中吃早饭，到早餐店用膳。早餐店荤素齐全，品种多样，主食有水粉、面条、包子、馒头、花卷、油条、油饼、麻圆、蒸饺、烧麦、茶蛋等；稀饭类有：白米粥、绿豆粥、皮蛋粥、八宝粥等；汤类有：肉饼汤、排骨汤、猪肝汤等；奶类有：纯牛奶、酸奶等。其中新鲜的水粉（汤粉）配以猪肝、瘦肉、猪肺、驴肉、牛肉、豆腐、海带、青菜、鱼头等。顾客根据自己的口味选购。

2000年以前，乐安人家中来客和生日喜庆，大多数自做菜肴，自备酒水在家中待客。进入21世纪，生日婚庆大部分都安排在酒店宾馆，许多经商的老板、工薪族、外出务工人员来客或家人亲朋相聚、逢年过节都安排到酒店、宾馆用餐，饭后上茶座、舞厅、足浴、按摩等场所娱乐休闲。

吃腻了鱼肉荤食的人们，开始青睐乡下的天然食品和带“土”的珍品，如：蕨菜、野芹菜、马齿苋、荠菜、田班菜，土鸡、土鸭、土鹅、土猪肉、土鸡蛋等，各种野味更是餐桌上的上等佳肴。

衣着　20世纪80年代，乐安人穿着比较朴素单一，颜色主要是蓝、灰、黑等色素，衣着以满足保暖透凉为主。冬天穿厚重的棉衣、棉裤、毛线衣、毛线裤，布料以深色耐磨的咔叽布、棉布为主；夏天穿短袖衣、背心、短裤，布料以的确良、乔其纱、化纤布为主。衣服大多数到裁缝店加工或自行缝纫，款式男士以中山装为主，女士以小西服为主，裤子男女均以直筒裤为主，少数赶时髦青年穿大脚口“喇叭裤”。

20世纪90年代开始，人们对衣着越来越讲究，对衣料质量和服装款式要求也很高。城镇居民比农村居民追求时髦，中青年女士穿套装、破洞牛仔衣裤、休闲装、运动衫、裙子、皮裤、旗袍、羽绒服等，还有短裤穿在紧身裤外；男士穿西装、休闲装、夹克、羽绒服，布料以真丝、羊毛、混纺、棉麻等为主。农村青年受城里人影响，穿着打扮紧随其后。随着互联网的发展，年轻人以网购为主，在实体店购买衣着的人逐渐减少，本地服装加工店被相关企业所替代。

居住　20世纪80年代，乐安县城镇居民大多数居住在本单位的宿舍区或自建住房，房屋多为砖木结构，厨房与卧室分开。1992年住房制度改革后，不少单位开始筹建集资房，干部、职工自筹资金建造私房，房屋式样和结构有很大变化。室内结构有二室一厅一厨一卫、三室两厅一厨一卫（或二卫）、四室两厅一厨二卫、阳台，一应齐全。还有单家独院的复式楼和各种建筑风格的别墅。室内装饰多样化，吊顶、墙纸、木地板、瓷地砖，各式风格因人而异。

农村居民也开始将原来的土屋、木屋拆除，新建砖（钢）混结构为主的楼房、别墅，房前屋后一般留有院子，自来水、沼气、太阳能、液化气进入农村百姓家。

出行　20 世纪 80 年代，城镇居民出行、上班下乡，乡村农民进城，主要是步行、骑自行车或乘坐客运班车。20 世纪 90 年代，摩托车逐渐取代自行车，县城出现载客的蹬士、拐的、出租车。进入 21 世纪，私营出租车大量涌现，载客的拐的、摩的、公交车方便了城乡居民出行。各乡镇（含部分行政村）都有往返数趟的客运班车，出县务工、出差、旅游的人们打的、开私家车，直奔车站、码头、机场，出行十分方便快捷。

交往　20 世纪 80 年代，城乡居民交往多是走街串户，通信用固定电话、明信片、书信来往。20 世纪 90 年代出现寻呼机和大哥大，21 世纪随着数字通讯和互联网的兴起，城乡居民开始使用手机和电脑，语音通话、短信和 QQ 取代书信来往。2010 年后，城乡居民开始用微博、微信、视频，交往更快捷。

第二节　礼仪习俗

送礼　结婚送礼，女方内亲一般送衣料、被单等，长辈另送“行嫁礼”“压箱礼”；男方亲朋送生活物品。女儿怀孕生孩子前，娘家给孩子送催生礼，孩子生下后，亲朋送糖、面条、鸡蛋、雏鸡等补品给产妇滋补身体。小孩满月时，外婆送银手镯、银项圈、长命锁、衣服鞋帽等。老人生日，亲朋送礼相贺，女儿女婿送寿烛、鞭炮、衣服鞋子等。男青年订婚后，端午、中秋、春节等节日前，须送礼给女方家，俗称“送节”，礼品多为猪肉、鸡、果品、糕点、烟酒、滋补品等。丧葬送礼，族人、亲朋送香烛、花圈等祭奠品。20 世纪 90 年代后，除丧葬仍送祭品外，其他喜庆之事一般送礼金。

20 世纪 80 年代，小孩生日、老人祝寿、婚嫁丧葬、建房乔迁，亲朋好友送礼。20 世纪 90 年代，小孩升学、参军、开店设厂等也设宴请客，送礼名目不断增多，范围不断扩大，人情往来日渐庸俗化，成为不堪承受的负担。

待客　乐安人素来以热情好客著称，一般客人到家里，主人起身笑脸相迎、递烟、泡茶、让座，以示敬重。农村居民正式就餐前，主人以水酒、茶水佐以花生、豆子、油炸红薯片、麻糍、水果等招待客人，俗称“打点心”；城镇居民则以茶水佐以瓜子、水果、糖果、糕点招待客人。如贵客上门，则要开“油锅”（油炸各种食物）、杀“头牲”（鸡鸭）、做鱼丸肉丸等，以示隆重。牛田、湖坪、望仙等地，有用麻糍煮鸡蛋招待贵宾的习俗。

宴客　婚嫁遵循“先请后贺，不请不贺”，寿筵、迁居、升学等喜庆“先贺后请、不贺不请”的原则，20 世纪 90 年代末开始，逐渐改为“先请后贺”；丧葬“先送祭礼，后请祭吊宴席”。

家中宴客，请老人、长辈、贵宾坐上席，吃菜先请客人下筷，喝酒先敬客人，客人吃完主人才能离席。宴席时，吃菜先请坐上席者下筷，喝酒先敬上席，全桌人吃完一起离席。20 世纪 90 年代末开始，县城大都改在酒店招待客人，很少在家设宴待客。县城请客不用三请四催，筵席一般不用安席（农村仍有安席排位入座的习俗）。

称谓　遇到年岁大的称老太人或爷爷、公公、伯伯、奶奶、婆婆，中年称叔叔、阿姨、大哥、大姐或同志、师傅；长辈称呼小辈，男称后生，女称姑娘，年龄小的称细伢子、细女子、小朋友。20 世纪 90 年代，称同志的日渐减少，大都男称老板、帅哥；女称小姐。进入 21 世纪，“小姐”被曲解为贬称，改称女性为美女。

朋友见面，县城居民以握手或点头致意为主，农村居民则笑脸点头打招呼。日常交往，普遍使用“请”“你好”“对不起”“谢谢”“再见”

等礼貌用语。过年，长辈给小孩压岁钱，晚辈给长辈拜年，左邻右舍相互拜年。拜年必称“新年好”“恭喜发财”“健康长寿”等吉利话。逢年过节，备礼走亲访友，20世纪八九十年代多为鱼、肉、果品，进入21世纪后，多送烟酒、营养品或保健品。随着手机的普及和互联网的应用，人们之间平常联系、节日祝贺多用手机打电话、发信息、发红包。

第三节　喜庆习俗

婚嫁　20世纪90年代中期以后，男女之间谈婚论嫁通过婚介所、征婚广告、网络等中介媒体进行。有些打工族在同一个公司、同一个单位上班，日久生情，先以男女朋友相处，通过手机聊天等发展成恋爱关系。异地恋越来越多，只要双方同意，不管天南海北，有情人终成眷属。

订婚，20世纪80年代中期以后，城镇男女青年多为自由恋爱，但农村仍以媒人说合定亲为主，通过媒人约定时间、地点双方见面交谈后确定婚事，若两情相悦，男方立即给女方见面礼，女方接收后，表示确定关系。然后女方选择吉日开出礼单由媒人送给男方过目，男方根据家境稍作变动，用红纸一式两份，回一份给女方，并付一定聘礼，是为订婚。

彩礼，结婚彩礼和嫁妆随着社会发展和生活水平提高在不断变化攀升。20世纪80年代讲求“自行车、手表、缝纫机”，彩礼钱1000元左右。20世纪90年代，彩礼钱1万元左右，另加“三金”（金耳环、金项链，金戒指）。女方出嫁时，娘家除陪嫁床上用品小物件之外，还需陪嫁黑白电视机、自行车、缝衣机。21世纪初，结婚彩礼上升到5万元左右，女方身上“三金”不变，娘家陪嫁一般为彩电、摩托车、家具等。2010年后，结婚彩礼涨至10万元左右，另女方身上“三金”和衣服5万元。娘家陪嫁空调、电脑、冰箱、洗衣机等，有钱人陪送小轿车、新住房。

察家境，俗称“扫场所”，男女双方认可聘礼之后，由男方选择良辰吉日邀请女方父母、兄妹、直系亲戚到男方上门察看家境，了解村貌和家庭状况以及家庭成员人品等。交通便利之地，男方用车接进送出，来者均以红包“打发”。接待礼节繁琐、程序较多。男方家须提前做好准备，打扫卫生，擦洗桌椅凳子，磨糯米粉炸油圆，杀鸡打鱼。客人进门，鞭炮迎接，待之以芝麻水、油圆、花生、饼干及各种水果。之后吃“汤碗”，每人一碗面条（或米粉），另加1只鸡腿、3个鸡蛋。午餐设宴招待，少则十几道、多则30多道菜。客人告辞，男方给每人一份包好的油圆，送礼打发，相互话别，鞭炮送客。进入21世纪，大多数人在酒店宴请女方宾客，礼节简化。

结婚，20世纪80年代接新娘用拖拉机，车头系一朵大红花，车厢两边贴对联，新娘坐驾驶室、车厢装嫁妆和吹打手；有些地方也用花轿迎接新娘。新娘由兄长抱上车，如果怀了孕，就由新郎抱上车。新娘到了夫家由牵娘牵进厅堂，跨火盆向祖宗行礼，随后全家人共喝一碗糖水，表示全家甜蜜相处。

婚宴一般都在家里操办，一桌16个菜，喝米酒。设专人安排席位座次，新郎舅舅最受尊重。由家族中有身份的人领着新郎手持新毛巾到舅舅

婚礼夫妻拜堂

面前鞠躬行礼，双手端碗向舅舅作揖，再双手拿筷子作揖，领着舅舅入首席上，尔后依尊卑长幼安排席位，正堂各席安好首席后方可开席。酒席中，待蹄花（猪蹄）上桌时，鸣鞭炮，吹唢呐。紧接着由新郎依次每桌斟酒三巡，然后由牵娘领着新娘轮番斟酒三巡。乐安北部乡镇新娘给舅舅斟酒，舅舅要给红包。

晚上闹洞房，几张方桌合并在一起围坐一圈，亲戚朋友轮流手执油烛到洞房门口喝彩，请出新娘出来斟酒。新娘出洞房后，先与新郎喝交杯酒，然后落座席中，斟酒划拳，闹到深夜，众人喝彩送新郎新娘入洞房。

20世纪90年代，结婚接新娘农村用摩托车，县城用汽车。

21世纪初，结婚讲究体面、排场、豪华，请司仪主持婚礼仪式，搭红拱门，宴席厅布置得五光十色、绚丽夺目，全程摄像。新郎西装革履、挂胸花，新娘穿婚纱，接新娘用装扮过的豪华婚车，少则6辆，多的10多辆。婚庆仪式上，司仪请男女双方介绍恋爱经过，向对方父母敬茶并改口叫“爸妈”，父母要给“改口费”。

生日　一般为小孩和老人举办。小孩出生满月要做满月酒，亲友齐集，送礼祝贺，东家燃烛放爆，设宴待客，并将婴儿抱给亲友观赏。小孩周岁要做周岁酒。小孩周岁较为隆重，亲朋好友都要来贺喜，外婆送衣、帽、鞋、袜，从头到脚穿戴俱全，另外还送首饰、银手镯或银项圈，有钱人送金项链。小孩10岁要做酒，特别是头男长女规矩与做周岁酒相同，外婆送全身衣着和首饰，小孩当天穿上外婆送的新衣，戴上首饰，展示给亲友们看。20岁~50岁俗称“本生”，一般都是本家双方父母兄弟小聚一下，民间有“三十无人晓，四十无人知，五十杀只鸡，六十来贺喜”之说。

60岁为花甲之寿，东家大摆酒宴，亲朋好友前来贺寿。庆寿是“先贺后请，不贺不请”。80岁生日79岁做。进入21世纪，随着生活水平提高，逢十都会邀亲会友庆贺一番。每做生日要买生日蛋糕，插上蜡烛，家人朋友唱生日歌，由寿星许愿吹烛，众人分享蛋糕。

升学　考取大学乃家庭之喜事，广发请柬，邀请亲朋好友相庆，升学宴必请任课教师，也叫“谢师宴”。农村还以放电影或在电视台点歌方式庆贺。20世纪90年代中期开始，谢师宴大都在酒店办，贴对联、竖红拱门、挂横幅、放鞭炮、燃烟花。贺喜者都送红包表示祝贺，根据与东家的关系，数额不定，少则几百元，多得上千元。如果录取北京大学、清华大学，学校和家族组织车队，披红挂彩，敲锣打鼓，游街过巷，轰动一时。

建房　俗称“做屋”。农村建房大都是砖木结构，建一栋房分别要做3次酒。第一次请风水先生择地基，选吉日破土动工，开墙基放基石（奠基），要请家族本房人和亲友吃“落石脚酒”，喝这次酒的人至少要帮3个工，其实也是召集劳力帮工、挖土、抬石等。奠基时要杀雄鸡祭石脚，放鞭炮。第二次是成架（竖牌扇），许多人用竹竿和绳子或拉或顶把柱子牌扇竖起，东家要做正席。第三次是上梁酒（竣工），这次酒席比前两次隆重，所有亲朋好友都要通知到位，本村本房每家都有人参加，一般是几十桌。做酒前一天要杀猪祭梁，用猪血把事先做好的脊梁染红，悬挂起来，防止妇女或小孩踩摸。正日上午，由泥木匠师傅举行上梁仪式。新房中央设一香案，上面放置点燃的香烛、米斗、红包、香烟及泥木匠的工具，红梁横架厅中，两头系着长长的红布，梁中放上3个小酒盅，主持师傅一手提着茶壶一手提着酒壶喝彩，家人穿上干净衣服跪在梁柱前听从师傅呼应拜梁。拜梁结束后开始升梁，两头的泥木工拉着长长的红布把梁柱升到屋脊上，顿时鞭炮齐鸣。随后接梁柱袋，泥木匠将事先准备好的红布袋（里面装有大米、豆子、鸡蛋、果品等），用红绳吊着从楼上抛入主人的围裙中，寓意接住财宝，最后抛喜果，在场的大人小孩争抢。

20世纪80年代中期后，房屋由砖木结构升级为钢筋混凝土结构，建房基本上不用木材，所以不再做上梁酒。进入21世纪，建房一般都由泥工承包，工资按平方面积结算，每层楼“打楼面”时，东家要宴请工人一次，在竣工时做一次圆工酒。

迁居　俗称“过火”，择吉日举行。一般在黎明时分进行，将老灶中火种移至新灶，俗称“接火种”。过火时由户主挑着装有火种（一般为燃烧的木炭）的火笼，插着点燃线香的香炉、祖宗牌位、包有五谷的红纸包及饭锅的箩筐在前，女主人拿着锅铲、火铲等炊事用具继后，众人手持点燃的香。出门时，亲戚或老邻居鸣爆相送，俗称“送火”；临到新屋时，亲戚或新邻居鸣爆相迎，俗称“接火”。女主人进屋后，烧火炒菜，请随来的亲朋好友喝酒，热闹一番。进入21世纪，此俗在县城有所简化，大都改在零时进行。从老宅把弄好的饭菜带出来，出门鸣爆，到新宅时鸣爆相迎。随来的亲朋好友喝“过火酒”。

开业　酒店、商铺开张，必择吉日，开张多选六、八、九日，取意为六顺、八发、九（久）长，鸣爆时间多为8点18分或9点18分。对联多为“生意兴隆通四海，财源茂盛达三江”，横批为“开张大吉”。老板在店门口搭红拱门、挂彩旗、铺红地毯、放音响、燃放爆竹，大型酒店、银楼或公司开张还有搭台唱戏、请主持人、搞优惠活动等。亲朋好友赠送花篮、镜匾、花瓶等以示祝贺。午餐宴请前来祝贺的亲朋好友和单位员工。

第四节　节令习俗

一、传统节日

春节　农历除夕俗称过年，正月初一称元旦或元日。乐安春节风俗逾千年历史，其礼俗讲究，传承至今较盛行的有：

过小年。农历十二月二十三日（也有二十四日、大年前一天）为小年日，是民间送灶神的日子。传说每年腊月二十三日灶王爷要上天向玉皇大帝禀报民间各户情况，为了让灶王爷“上天言善事，下地降吉祥”，家家户户请道士祭灶。旧时，财主是日停止向欠债人收取债务，商店老板请客吃饭联络感情，以求生意兴隆。如今仍有过小年习俗，但内容与形式都有变化，主要是家庭相聚吃喝。

除夕。农历十二月三十日为除夕，俗称大年三十。其习俗如下。

贴春联。春联也叫门联、门对、年对。20世纪90年代后，县城盛行代写春联之风，由一些书法爱好者自备笔墨，为市民书写春联，有的收取代写费用，有的义务书写。家家户户在贴春联的同时，还要在大门两边贴“迎春接福、接福福来”等小条幅，表示新春来到。

贴年画。乐安民间贴年画，有辟邪画（关羽和张飞，秦琼和尉迟敬德），有喜庆祈年、五谷丰登、风调雨顺、年年有余（鱼）以及寿星、财神爷等画，内容丰富多彩。

贴福字。流行于乐安各地。如今，有人有意将“福”字倒过来贴，谐音“福到了”。

挂彩灯。城乡流行在门廊、厅堂等处张挂灯笼、彩球、中国结等；

吃年饭。除夕中午或晚上，全家吃团圆饭，菜肴特别丰盛。饭前放鞭炮，全家按长幼坐定，席间互送祝福。进入21世纪，有些家庭的年饭改在酒店举行。

守岁。旧时，年夜饭后生起火炉，全家大小围坐火炉前讲故事、猜谜语，有的通宵达旦，谓之“守岁”。大人给小孩压岁钱。如今，全家人围坐在电视机旁，观看一年一度的中央电视台春节联欢晚会，晚上10时左右放鞭炮“封财门”，但大多数人在晚上12点燃放鞭炮或烟花，有辞旧迎新、迎春接福之意。

正月初一，其习俗有开财门，又称“烧头香”。清晨户主起床，点灯烛，烧香火，放鞭炮，开财门，口念“开门大吉”，跨出大门槛对天躬身三揖，迎接天开门，意为新的一年开始，大吉大利。男主人在烧好洗脸水之后，煮好麻糍，女人才起床。

拜年。正月初一早饭毕，邻里相互串门拜年，互致吉祥，互道“新年好”“贺喜发财”“健康长寿”。正月初二开始去亲友家拜年，有“初一崽，初二郎，初四外甥郎”之说，即初一儿孙向爷爷奶奶和父母拜年，初二女婿向岳父母拜年，初四外甥向舅舅拜年。拜年时捎带糕点、烟酒之类礼品，如亲戚家有小孩，还要给“压岁钱”。拜年一般持续到正月十五日元宵节止。20世纪90年代始，有的单位将本单位的人员集中在一起拜年，谓之“团拜”。此外，电话拜年、手机短信拜年、网上拜年、寄贺年卡等已成为一种新的民俗。乐安有正月初三不拜生人年的习俗，是日只拜上年亡故老人家的年。

元宵节　正月十五日元宵节，又叫灯节。乐安习俗有：

张灯，是晚家家户户房前屋后楼上楼下点灯、烧香烛，有的放烟花，处处灯火通明。

舞龙灯，正月十二日开始出龙灯，又叫“出头灯”“出明灯”，继而各种灯出游。正月十五日午饭后，村民组织舞龙，走村串户，家家点燃爆竹接龙灯，舞龙珠的人喝彩送祝福。

吃汤圆，元宵节家家户户有吃汤圆的习俗。

闹元宵，县文化部门组织大型闹元宵活动，包括滚龙、舞狮、猜谜语、歌舞表演等。

清明节　为民间思宗祭祖之期。扫墓、立碑、捡精（拾遗骨）、迁葬，大多数在清明前3天、后4天内进行。清明祭祖日，即便在外地的人也要赶回，荷锄携篮，登山扫墓，在墓前摆上三牲供品，焚香鸣爆，洒酒烧纸，祭拜先人。扫墓者必为坟墓清除杂柴乱草、培土、添加草皮。

清明扫墓烧纸金银元宝和纸屋、冥币。随着人们生活水平的提高和科技的进步，人间的家用电器、通信工具、交通工具、各种服饰、各种餐具、麻将等都用纸品制作为祭品。

各单位、中小学于是日集队祭扫烈士公墓，敬献花圈、花篮。

清明前，各地有将艾叶、鼠麴草（俗称伏泥草），掺米粉包菜馅做清明饼的习俗。

端午节　农历五月初五为端午节，又称端阳节。风俗活动较多：民谣说“五月五，天师骑艾虎；蒲剑东门辟邪，鬼魂入虎口”。是日，家家户户门窗插艾叶，挂菖蒲、葛藤等，以镇魔祛邪。端午节吃粽子、包子、鸡子（鸡蛋）、蒜子、油丸子“五子”。有些地方端午节还有喝雄黄酒，用雄黄酒给小孩擦鼻头、耳朵、肚脐及涂抹毒虫叮咬之处，或在额头上写“王”字，起清毒防虫作用。端午节又是敬老的节日，嫁出的女儿在端午节前拎着鸡、鸭、肉、粽子和扇子给父母送节。

中元节　农历七月十五日为中元节，也称七月半、鬼节。俗传农历七月十三，阎王开“鬼门关”，放鬼到阳间享受人间祭祀，农历十五再回到“关”内。故从十三夜至十五夜，家家户户焚香烧纸，用糍饼三牲等祭品供奉祖宗。另外，在村头三岔路口撒米团、焚香、烧纸祭亡灵，祭奠死于非命的孤魂野鬼。少数人在自家门前或在已故者坟前烧冥钱，钱包内装土纸、冥币、金银元宝及纸制的各种冥用物。

中秋节　农历八月十五日为中秋节，自古便有赏月、拜月、吃月饼、饮桂花酒、喝芝麻水，还有烧塔、放孔明灯的习俗。

重阳节　农历九月初九为重阳节，各地老年体育协会组织老年人登高、下棋、打门球等各种健身体育活动，有些地方还举行一年一度的盛宴，

清明节祭扫革命烈士纪念碑

叫老年人年会。

冬至节　民间有祭天、祭祖习俗，有些人家选择冬至修坟。金竹村的冬至街在乐安影响最大，赶集日延续3天。金竹村冬至街起源于清康熙年间，从未中断，吸引周边十里八乡的百姓。

立春　也叫交春，“交春大似年”，是日贴春联、装香敬神，立春时刻鸣爆迎春，俗称“迎春接福”。

二、法定节日

元旦节　机关、学校、工厂、企业大门都张贴“庆祝元旦”横批。一些文艺单位会举办元旦文艺晚会，给辛勤工作一年的工人、农民、机关干部和解放军、民警、消防官兵送去节日的问候。

“三八”妇女节　是国际劳动妇女斗争的纪念日。县妇联组织开展对“双学双比”“巾帼建功”等活动中涌现的先进集体和个人进行表彰。

“五一”劳动节　活动主要在城镇、机关、学校、企业开展，农村此时正是农忙季节，无条件组织庆祝活动。1999年实行五一长假制以后，不少人外出旅游。一些男女青年结婚典礼也选五一劳动节。县总工会从1984年开始，组织评选表彰劳动模范活动。

“五四”青年节　团县委组织青少年开展各种公益性活动，表彰优秀团员、优秀团干。

“六一”儿童节　主要由学校组织开展各种庆祝活动。

“七一”党的生日　1986年以后，乐安每年“七一”举行各种不同形式的庆祝活动，对涌现出来的优秀党员、优秀党务工作者、先进党组织予以表彰。

“八一”建军节　县委、县政府每年召开拥军优属座谈会，慰问走访驻县部队，走访老革命和伤残军人。

“九十”教师节　1985年六届全国人大九次会议决定每年9月10日为教师节。是年9月10日，乐安县隆重举行庆祝活动，表彰优秀教师、模范班主任和离退休教师代表以及具有25年以上教龄的教师代表。此后每年的教师节各地都以不同方式举行庆祝活动，大多数学校还向教师赠送纪念品，不少乡镇在教师节期间开展为学校办实事等尊师重教活动。

“十一”国庆节　10月1日国庆放假3天，1999年开始，实行7天假日，称为黄金周。县内很多人选择出外旅游，对坚持工作岗位者给予3天工资补助。城市机关多在国庆节前后开展各种文艺、体育竞赛活动。

第五节　行业习俗

新年开工　新年初次出工，家里人对出工者要说好话或祝福语，午餐比平时好一点，农村还要煮几个鸡蛋。

播种　农民用箩筐、禾斛等容器装着谷种，沉入池塘。早稻浸种一般在春社前后，也有延至清明的，有“懵哩懵懂，清明下种”之说；农民种芝麻时，无论天气多热，要穿长裤，谚语云：“长裤播种，凑莞结籽”。

插秧　俗称“栽禾”。插秧忌讳直接用手传递秧苗，作兴把成扎秧苗抛到插秧人身边，以避免“秧节风”；若雇佣短工栽禾，俗称“请栽禾客”。款待栽禾客，一日三餐须用酒肉，叫“请栽禾饭”；午间，还要用点心犒劳栽禾客。进入21世纪，各地推广抛秧技术，插秧日渐减少。

储藏　农家盛谷容器有木制谷柜和谷仓；薯芋等杂粮多打地窖储藏，通常在厨房的灶前或柴间的地下打“坑窖”，山区农民在山壁上挖“窑窖”，薯芋入窖后用木板糊泥封盖，以防雨水渗入。

制笋种菇　制笋习俗与伐木相似，笋厂不得留宿女性，忌说与“霉”音相近的字。菇厂设在深山密林中，来客不分亲疏，均以礼相待，招待客人以菇为食。做客菇厂，不得言“谢”，含有萎谢之意。

照泥鳅　春夏时分，常有鲶鱼、鳅鱼、鳝鱼伏于浅水中。夜晚，捕鱼者一手持窑笼火把，一手持鱼叉或渔钳，将鱼叉（钳）住。

捉石蛤　石蛤（棘胸蛙）是一种蛙类，栖息

乡射遗乐演奏

在本姓家族有一定身份的人家挑选数十名1～3周岁儿童，穿上不同的戏服，戴上刘备、关羽、许仙等人物的脸谱，盛装打扮成“故事戏”主角，分别扎坐在各台木制的“故事”架上。“故事”架分两层，上层须是女孩，下层男女不限，每台“故事”设一个“故事”架，“故事”架上面由2～3个小孩扮演不同的角色。大湖坪“装故事”共有7台“故事”，每台故事一个小戏台，内容有“文王托孤”“楚官弹琴”“黄鹤楼饮酒”“大破天门阵”“乾坤带”“反韶关”“昭君祭酒”“水漫金山”“长亭送别”“断桥相会”，还有“打花鼓”“小放牛”“穆桂英挂帅”“刘备招亲”“孔明借箭”“吕布戏貂蝉”“唐僧取经”“白蛇传”“三娘教子”等等一些人们喜闻乐见的节目。每台“故事”都能完整地表现一出传奇故事情节。每台故事架由4个壮汉扛抬，前面有10面彩旗开路，后面跟着各自的傩舞队和鼓乐队，一路燃放鞭炮，鼓乐齐鸣，按预先规定的路线进行巡游，白天到街道集市巡游，晚上打着灯笼、火把，到邻近各村表演，吸引众多村民和游客驻足观看。沿途观赏的村民燃香点烛，纷纷向“故事”架抛掷糕点、水果、红包等，以求神灵保佑。活动场面壮观热烈。

为保护和传承好“乡射遗乐”，2005年，乐安县投入40多万元资金，组织文化工作者用近3年时间对“乡射遗乐”进行抢救性挖掘和整理。数次派员深入到流坑村进行实地采访、记录，先后完成了“乡射遗乐”最具代表性的“朝天子”“风入松”“浪淘沙”等3首曲牌的记谱、录音，组织和指导流坑村乐班进行系统的演奏排练，使乐班人员能熟练演奏上述曲谱。2007—2008年，流坑演奏班的民间艺人分别在流坑文馆、乐安县影剧院和抚州汤显祖大剧院等地公开演奏，美妙的旋律仿佛让人置身于古代皇宫宴会之中，使更多的人欣赏到这一独具魅力的千古绝响，濒临失传的皇家绝响重放异彩。2008年6月，“乡射遗乐”被列入江西省第二批省级非物质文化遗产名录。

湖坪的“装故事”是一种具有浓厚艺术品位

装故事　是湖坪乡湖坪村里一种规模盛大的民俗活动，也叫“王氏大湖坪装故事”，迄今已有数百年历史。

“装故事”活动，相传是湖坪王氏先祖从山西太原引入，主要是驱鬼逐邪、除瘟禳灾，保村民平安。明万历年间开始盛行。大湖坪“装故事”每逢农历八月初九晚上起开始装演，白天逢街装演，一直到八月十五晚上结束。世代延续，盛况不衰。

“装故事”的表现形式是：农历八月初九至十五，王氏族长和头人，

湖坪村“装故事”夜间巡游

的民间活动，属于脸谱化、服装化的娱乐戏，主要反映过去的典故、传奇或具有诗情画意的事情。由于种种原因，湖坪“装故事”在20世纪60年代末走向衰败。2005年，乐安县组织各类专业人员，充分运用现代手段，对湖坪“装故事”进行了一个多月的调查、登记、整理、摄像、录音、认定、建档等工作，使此项非物质文化遗产得到完好保存。2008年6月，湖坪“装故事”民俗活动已被列入江西省第二批省级非物质文化遗产保护名录。

罗陂庙会　也称“朝神庙会”。据罗陂古村兆兴房草谱记载，明崇祯年间（1628—1644），罗陂陈氏31世（惟荣），因家境衰落，后经道士指点迷津，修建神台，雕塑菩萨，诚心敬神，并选择黄道吉日演神游街，方人丁繁衍，兴旺发达。此后，世代延续至今。

罗陂庙会活动不仅规模宏大，而且内容丰富，影响面广。它的主要特征是参与人数众多，有近千人参与。同时，活动的项目内容丰富、形式多样。庙会前一周，要请道士为菩萨“招兵”和“点光”，其意是拥有兵马的菩萨才具有保护村民的神灵。庙会正式开始时，数十支神铳和100余面旗帜为“菩萨”开道，接着8乘雕刻精美、描红鎏金的神轿，以及3部案（神）器、4台“故事戏”、1台“秋千”等，沿着主要街道和村中街巷，边走边表演，场面十分壮观。特别是“秋千”很有特色，它犹如一个可转动的巨大风车，4个方位分别绑扎1名体重相等的盛装儿童，转动起来犹如荡秋千一般，很有一番情趣。整个活动结束后，由主事人将菩萨放回神厅归位，各种器具放在祠堂保管，派人分工负责，每天早晚开放，供信徒敬香朝拜。

罗陂庙会

罗陂庙会不仅是乐安一项历史较长的民俗活动，也是一项保存较为完整的道教祭祀活动。其道士为菩萨“招兵”和“踩碗仔”等仪式，对研究当地道教文化具有较高的价值。可转动的秋千是一项创新，江南较少见。伴奏音乐都是民间流传的古曲经典，且村人会者甚多，对研究罗陂文化的历史渊源，有着重要的依据。2010年6月，入选江西省第三批非物质文化遗产名录。

舞狮　是乐安县春节期间出现的一种武术表演活动。1949年10月之前，全县不少较大的村落，到了腊冬农闲季节都有尚习武术的组织（俗称“起座”），由从学者集资，聘请师傅传授。据考，乐安县武术流派有“少林”“武当”两派。到了每年春节期间，这些“起座”习武的人，为了向社会群众展检各自习武的成绩，分别组成“打狮队”，人员二三十人不等，由师傅领队，到县城或较大圩镇村庄的大户人家（1949年10月之后主要是到机关单位）摆场子表演武术。其表演形式有套路（即拳、刀、枪、剑、棍等单人套路和两人以上的对打套路）和对抗（即散手、推手、长兵、短兵等项）。最后由一人舞动一个木质狮面套黄布作狮身的道具，作一阵狮子翻滚的动作便结束一场武术表演。据说舞青色狮面的“打狮队”表示自己这个队武术高超。“打狮”完毕后，接受东道户（或机关单位）的赠金。这种“打狮”游艺习俗至今流传城乡，甚受群众欢迎。

滚龙灯　是元宵节出现在乐安县城乡较大圩镇上的群众性提灯娱乐活动。“龙灯”的主体是一条用彩纸和彩布扎制成的7～9节长龙，配以“十二花神”“彩莲船灯”“鱼灯”“蚌壳灯”“花篮灯”“戏剧故事灯”等，彩龙的体内和各套彩灯的体内或灯托架的周围，均点有用茶（桐）油浸制成的小火炬（俗称“草鞋褶”或“龙烛蕊”，后改用干电池灯泡）。每套彩灯配以丝竹或锣鼓乐队，每年在农历正月十四至十六日3天中，到机关单位和群众家中进行舞龙表演。表演时，东道主大放鞭炮，间歇时吆喊一段吉利颂词（俗称“喝彩”）。演毕，接受东道主的赠金。1949年之前，有些地方设有专门筹备这种娱乐活动的组织叫“龙灯会”，1949年10月之后，由文化团体组织活动，但在内容和形式上推陈出新、面貌一新。

滚和合　在乐安县城，大年初一的黎明，当千家万户此起彼落焚香接喜的爆竹声响过后，街道闾巷便响起阵阵鼓钹声，这是孩子们组成的“滚和合”活动。“和合”是象征夫妻相爱的“神名”，取和谐合好之意，所以叫“和合”二仙。“滚和合”由4个孩子组成“和合拜年队”，其中两人戴塑成古装发结的“孩型面具”，各手执木质的“官宝型”道具一个，另两人分别敲鼓打钹，其鼓钹调为：“咚咚叉咚叉咚咚呛！”到各家串门，在各家设有的“迎春香案”前表演“送宝”动作，口念：“和合来送宝，送宝万万年。”东家会笑嘻嘻地送给少量赠金。1949年之后，这种娱乐活动未出现。

木偶戏　又称“木脑仔戏”，南宋时期传入乐安，以木偶人扮成各种戏剧人物，由2～3人在幕后提线操控木偶人表演各种动作，并代白代唱戏词。其腔调有四平调、高腔等，用笛子、唢呐、锣鼓等乐器伴奏。戏路很宽，多为民间盛传的历史故事，如《目莲救母》《观音传》《封神榜》《薛仁贵征东》《薛丁山征西》《东游记》《西游记》等。

乐安花鼓戏　是乐安县民间传统剧种之一，清康熙、乾隆年间发源于乐安与宜黄交界的谷岗小港村。花鼓戏起源于花鼓灯，远在明代以前，乐安花鼓灯异常活跃，舞灯者口唱小调，常在庙会或喜庆人家的院落表演。后来花鼓灯吸收民间“扭扇神”和民歌对唱的表演形式，发展到生、旦、丑三角表演（旦亦男性装扮），遂演变成乐安花鼓戏。康熙、乾隆年间，花鼓戏遍及全县。历史上，谷岗乡小港村邓明照和金竹畲族乡芳草村的廖启神花鼓班，均七代相传，闻名全县。南村吴湖南，招携廖梅生，鳌溪黄秋生，公溪裴梅生等均为乐安花鼓戏的名艺人。

打船歌　乌江南岸的水南村曾商贾云集、码头排立，是木竹、粮食、生猪等集散中心，村民多以撑船放排为业。每年元宵节后，外出谋生常结伴而行，为祈求神灵保佑远行的船筏顺风顺水，平安归来，村民在船队出发之前，要举行隆重的祭祀活动，名曰“打船歌”。“打船歌”由操灯出神和唱船歌两部分组成。活动在元宵节期间举行，先是到供奉神像的庙宇燃香点烛跪拜祷告，后抬着“水神”“许仙真君”“玉皇太子”等7尊神像到村中巡街游巷。晚上，各房支系组成操灯队伍，手持各式花灯到大街小巷舞灯唱彩，随后，围坐一起高唱“打船歌”。船歌为七字句，共有歌词157句，主要表达“神灵保佑，风调雨顺，出入平安，一帆风顺”等内容。船歌曲调具有“船工号子”的特征，粗犷大气，尾音悠扬，充满生活情趣。歌声伴随村民吆喝声和阵阵神铳鸣响声，形成一种虔诚、热烈的氛围。

“打船歌”在每年农历正月十三日至十六日举行，接连唱3晚，4天后凌晨，全村男女老少到村口目送船队出发。此时，请来道士画“船型图”，图上标有各种神鸟、符号，然后烧毁（称“化舟”），村民们即敬上一碗壮行酒、一碗平安茶、一碗思乡粥，船工们喝完酒、饮完茶、吃完粥，精神抖擞出发，村民即敲锣打鼓，燃放鞭炮与他们告别，整个“打船歌”活动就此结束。

据水南族谱记载，“打船歌”系乐安张姓始祖世延公于唐开元年间传入。迁徙万崇乡坪背村的31世孙愈成公将其视为传世之宝，每年均举行一次“打船歌”活动。除此之外，乌江两岸村落也延续有“打船歌”习俗。

船歌赛　俗称“船里鼓”，是1932年以前流传于县城的一种赛歌活动。每年农历四月十三日晚，县城各姓为了显示各自的文采，选派一些读书人组成赛歌队，抬击一面大鼓串街游巷，当两姓歌队相遇，即展开赛歌。一队鼓手猛击鼓边，再“咚、咚、咚”击鼓三声，高声说道：“阳对月”（意思是太阳对月亮，示意要出对子了），然后说出上句，若对方对答不上来，该队须停鼓熄灯给胜队让路，败队当众难堪，而且丢了本姓一族人的面子。这实质也是民间一种赛文才的娱乐活动。

装席面　是中华人民共和国成立前一种独特的娱乐活动，形式有两种：其一是搜集各家珍藏的古玩文物，择其最珍贵罕见者，摆设于八仙桌上；其二是雇聘名厨师制作精美菜肴装设在八仙桌上，然后以 2 ~ 4 人抬起这些桌子，配以乐队吹吹打打地游街巡展。

灯谜　农历正月十四日至十六日，县城游、詹两姓祠堂，举行为期 3 天的猜灯谜活动。祠堂内摆上几个四方立体衣柜式的灯谜架，四周糊上白纸，内面点上蜡烛，外贴谜语，供人们猜忖，凡猜中谜者，均有少许奖赏，如书、笔、纸、墨等，以示鼓励。中华人民共和国成立后，文化单位常在节日举办该项活动。

赛龙舟　1949 年前，公溪、流坑、官庄、员陂、峡圳等沿河的地方，每年端午节都要举行龙舟竞渡，其船只等设备由祠堂庙宇公产中开支。中华人民共和国成立初，流坑仍有这项活动，1960 年后停止。

渔鼓道情　俗称“唱戏文”，又称“嘭嘭腔”，在乐安流传 300 余年。演唱者手操“嘭嘭筒”边唱边敲，发出“嘭嘭嘭”声，话文唱本多为长篇传统故事，如：《锣白宝汗巾》《攀弓带》《梁祝姻缘》等，唱词口语化，通俗风趣，深受群众欢迎。民国时期，擅长这种曲艺者有耨姑、健颈、南安瞎子等人，他们都是当时进“养济院”的贫苦残疾人，被视为“下九流”，故后继乏人。现只有湖坪乡参陂村盲人曾才福能表演。

扭扇神　又叫扇仔神，流行于湖坪、善和、罗陂等地。每到农历八月中秋前，上述地方开展“画扇仔神”。画神人经过几番试测后，找到能够“来神”的年轻女性（大多为姑娘）。先让她口中含水，伏在几案上闭眼呈睡状。化神师手拿 3 支点燃的香，在她的头顶上一边绕圆圈，一边口中念化神词。边念边化。有的女性大约一刻钟左右就会“来神”，有的需半个小时左右。“来神”后，把她扶到演出场所。在二胡伴奏下，旁边唱曲者唱“十二月花”或“花鼓戏”中唱词，“来神者”会自动按戏词或曲词内容表演，一旦音乐或唱曲停下，她就会像喝醉酒的人一样摔倒，演出如要结束，化神师须扶住“来神者”，并将她口中的水抠掉，“来神者”马上恢复正常。每年农历八月上旬，许多村庄的晒场等地都会演扇子神，观者为周边村民。

老鹰抓小鸡　男女多人参加。游戏时一人扮作老鹰，一人扮作母鸡，余均作小鸡纵列于母鸡后，并用双手牵着前一人的衣后摆。游戏开始，老鹰冲向鸡群抓取小鸡，母鸡张开双臂拦阻，众小鸡则左右避闪。若小鸡被老鹰抓住，该小鸡便离队出场，直至众小鸡悉被抓尽。

斗鸡　分双方或多方争斗，人数不等。游戏时，各人单脚着地，一脚勾起，靠于另一大腿上，用勾起的膝盖冲撞对方，双脚着地即告负并退出场外。争斗时，同一方众“鸡”互相支援，合力将对方斗败。

打牌九　也叫推牌九、竹牌，是一种娱乐游戏用具。竹牌共有 32 张，分宫、点、么 3 种牌名。其中，宫牌 14 张，分别是天牌、地牌、人牌、和牌、梅花、长三、板凳各 2 张；点牌 10 张，分别是九点、八点、七点、五点各 2 张，六点和三点各 1 张；么牌 8 张，分别是斧头、四六、么七、么五各 2 张。大小顺序为：响牌大于宫牌，宫牌大于点牌，点牌大于么牌。六点和三点相合叫响，是竹牌中最大的牌，分开使用又是最小的牌。

竹牌通常玩法为玩家 4 人，每人摸牌 8 张。坐庄开局用骰子列顺序摸牌，由庄家开始出牌，玩家依座次轮流出牌，庄家出一块或一对，下手若要不起就跟着消牌一块或一对，字面暗放不公

打铜钱牌

开。出、消的牌每4张为一墩，共8墩，计12个子，出、消牌每一墩计一个子，最后一墩计5个子，一局牌结束，玩家身边有2墩牌即为保本，不盈不亏，除结局一墩外，其余依每人得牌数多少计算得子盈亏，庄家若倒，则轮流坐庄。用牌九娱乐有益健康，用牌九赌博则不可取，于法不允。

打铜钱牌　在流坑，常可看到村妇们围坐在一起玩铜钱，村里人称之为打铜钱牌。打铜钱牌所用的铜钱为“康熙通宝”，以其铜钱的背文（中文）作区分，有：宝河、宝浙、宝江、宝福、宝蓟、宝陕、宝东、宝宣等种。在上述铜钱币中随便取6种，每种要10枚，共60枚组成一副铜钱牌。其玩的方法大致如下：

组人、定庄：甲、乙、丙、丁4人围坐，膝盖一起顶着一个竹筛盘，由一人随手抛起一个扎有红毛钱的“宝河”铜钱，落停在那一方，她便是开局的坐庄。在第二局开始则以上局胜方为坐庄。

发牌：将一幅铜钱牌混乱，由坐庄以从左到右的顺序，每人发1枚，发15轮，即每人得15枚。

整牌：每人将同样的铜钱合在一起，3枚以上相同者为“清口”，5枚相同者称“坎”，6枚相同者称“龙”。如果有人手里都是3个以上相同的组牌，没有孤牌和双牌，叫“天和”；如果有3方都没有双牌，只有单牌，则要重新混乱发牌。

出牌、进牌：从坐庄开始依序进行。每人每次出1枚还可进1枚，无需者则可不出、不进。出牌时将孤牌抛出，或从4枚相同的牌中出1枚，但“宝河”牌无论有几枚均不出，作为定牌。若有双牌与上方所出的牌相同，则可进之清口（叫作“勃”），但如果同时有人有5枚相同的组牌与之相同，则双牌者要让她先进（叫作“开坎”）；若有3枚或4枚的组牌与上方所出的牌相同，可进之（叫作“圆”），但如果同时有人有双牌与之相同，则有3枚或4枚组牌者要让她先进。

和牌：如谁的牌均为3枚以上的几个组牌，此家即可和牌。和牌有“圆”有“阙”，所谓“阙”，即某家所有的牌都已成为3枚以上的组合，只有某一组牌还是两枚组合，而别人又打出1枚相同的牌，则可把那只相同的牌吃进，使两枚的组合变成3枚组合，同时也就和牌了。

定局、算子：除“宝河”牌外，其中有一方每组牌均在3枚或3枚以上（全清口），即可和牌（定局）。每人的子数 = “河”牌数 + 进牌数 + “坎”组数 + “龙”组数 ×2，以子数的多少定胜负（进子或赔子）。最后散场，以每胜1个子进多少钱定输赢。

打扑克　20世纪80年代，乐安各地打扑克的玩法主要有“关牌”“调主”“争上游”“五十K”等数种。2000年以后，兴起斗地主、押金花、箍炸、比大小等不一而足。打扑克用1副牌或2副牌，人员2～4人不等，胜负是先出完牌或积分多者为胜。此游戏老少皆宜，流传最广。

第七节　丧葬习俗

乐安老人逝世俗称“过身”“老了”“走了路”，殡葬俗称“白喜事”。有些人生前就准备棺木、寿衣，观风水择好坟地。老人在断气之前，儿女们必须赶到老人床前，听取临终嘱咐，看上老人最后一眼叫“送终”。老人瞑目后，主家向亲友发“讣告”报丧，为死者点“长明灯”，烧“起身钱”，放鞭炮送老人上路。儿女们披麻戴孝去到河边为老人“买水”，在河边装香点烛，往水里抛3个铜钱或硬币，再用水壶提来一壶水帮死者洗脸和洗抹身躯，然后为死者更衣（一般上四下三件），更衣完毕为死者入棺。乐安俗规都是3天出葬，除非择了日子。这3天家里不能“出财”，子女孙媳等亲属披麻戴孝，哭丧守灵。

出殡这天，前来送葬的亲友都要为死者上香、跪拜、烧纸、待“八仙”吃过早餐后盖棺加钉封紫口，儿女全部跪地而泣。起棺出门时，“八仙”用粗草绳手挽肩上把棺木抬至村口，然后绑龙杠抬棺至坟地，一路鸣锣开道，鞭炮齐鸣，散落纸钱。

葬后第三天，女子亲属携供品到坟前祭祀称“圆墓”。死者灵位桌要放在家里七七四十九天。在这49天里，儿女们每天要上香，一日三餐要把一碗饭放在灵桌上供死者用；每个七的晚上媳妇儿女都要哭丧；孝子不能理发，鞋上和帽子上缝白布，以示尽孝，现已改成戴黑纱。

2000年后，随着改革开放，经济发展，丧葬也有改革，对有工作单位的死者要实行火葬，政府发给规定的安葬费，农村老百姓不强行。葬礼大大简化，城镇居民亡故，逐步改为举行遗体告别仪式，致悼词，亲友送花圈和白包，钱的数额要逢单。送葬队伍每人胸扣小白花，肩披白毛巾，子女亲属披麻戴孝，出葬时乐队伴奏，长长的花圈队伍相送，一路燃放爆竹。尸体火化后，一般不用棺木，只安埋骨灰盒，也有些人安葬在公墓陵园。

第八节　禁　忌

乐安人凡事讲究“吉利”，要说吉利话，“无”要说“有”，有的地方“帽子”要说“有子”。正月初一，不担桶挑水、不倒垃圾，不泼水于户外、不打骂小孩；正月初一至初七忌洗晒衣物，挑尿粪桶。小年过后嫁出去的女儿忌回娘家。农历二月十五花朝日妇女不能出远门。农历七月十五鬼节不准小孩外出玩耍，更不许小孩到塘边、河边玩水，据说会被“落水鬼”找替身拖下水。分龙日忌晒衣服、挑尿桶。听到乌鸦与灰喜鹊叫，要“呸、呸”往地上吐口水，还要说“好事来，歹事去”“好事来来往往，歹事远走他方”。小孩被家禽家畜惊吓，要在畜禽身上拔点毛塞在小孩身上；小孩被人惊吓，则要那人剪些指甲和裤带煎水给受惊者喝；一般人突然受惊，则要“呸、呸”地吐口水。戏子、剃头匠、仵作、吹打和戴孝之人逢年过节忌进他人屋内。孕妇不能乱摸东西，妇女长短裤不能乱晒，大人小孩忌从所晒妇女衣裤下走过，后龙山的树木不能砍伐，平时房前屋后忌动土。小孩忌吃鸡爪，不然写字会发抖，字写得不好。不能用扫帚指向天，意为忤天，等等。一年内只有清明、冬至，百无禁忌，诸事皆宜。

随着人们文化知识的提高，多数禁忌逐渐被破除，特别是年轻一代许多禁忌已不甚讲究，但逢年过节、喜庆之日说吉利话、送祝福语之习俗仍盛行。

第九节　迷信陋习

一、迷信

修建庙宇、雕刻菩萨　一般由几个人牵头募捐筹集经费，修建庙宇。菩萨雕刻好了，还要请法师做道场，安神位，开光，以示从此神灵活显。

算命、测字、看相　从业人员多是残疾人或老年人，大都聚集城镇街头巷尾，招徕信客。算命、测字、看相往往三者合一，每一个从业人员都会操作，只是方式方法不同，其价格没有统一标准，主要由信者自愿给付。如有人八字带有神煞，还要花钱请予化解。

装灯、敬香、下斋饭　城乡均有一些老年人作兴，一些做生意的人更希望财神、菩萨保佑，行好运，挣大钱。县城有专营各种财神塑像、香、烛、纸钱等物品的店面。有些人家厅堂神台放有财神像，并长期敬香。

问“仙姑”　城乡皆有。有些成功人士开着

小车去问“仙姑”，使“仙姑”名声远扬，信众愈多。问过“仙姑”后得烧纸打包谢恩。

喊魂　对小孩发烧、呕吐或惊悸、说胡话等病症，认为是受惊吓或贪玩在外面丢了魂，须用“喊魂”的方法驱除惊吓，召回魂魄。由病人家属在拂晓或黄昏时刻到受惊吓处，一边以往地上捞东西的姿势，不断往围兜里捞病人丢失的“魂魄”，一边喊着病人的名字：“归来啊，归来看家，归来做种！”另一人则不断应着“归来了！”如此一路喊着，至家门口有亲属接应，口称“回来了！”一直引到病人床前，将所捞之“魂”倾倒在病人身上。如果在水中洗澡吓者，须拿小孩的衣物到水边捞魂。被牲畜吓者，由亲人拔下牲畜毛一撮，放在小孩衣袋里，表示“魂魄归位”。

制夜啼郎　婴儿夜晚啼哭不止，家人用红纸写若干张字条，上书“天皇皇，地皇皇，我家有个夜啼郎，过路君子念一念，一觉睡到大天光。”贴于街头巷尾或村边路口，路人见后即念，主家以此求安宁。现城镇已无此俗，乡村仍偶见。

二、陋习

赌博　赌博之风在乐安不同时期不同程度存在，由此而引发的家庭不和、社会不安现象时有发生。有的赌徒甚至偷盗抢劫，走上违法犯罪道路。

吸毒　吸毒在乐安仍有暗中存在，吸毒人群主要是无业年轻人。公安机关对吸毒人员进行打击，吸毒人群仍有存在。

第十节　修谱修祠祭祖

一、修谱

1984年11月20日，国家档案局、教育部、文化部联合下发《关于协助编好〈中国家谱综合目录〉的通知》。2001年2月7日，文化部办公厅下发《关于协助编好〈中国家谱总目〉的通知》，修谱一事得到政府的认可。

乐安家谱续修，一般由族谱编纂理事会或领导小组主持，以村庄或祠会或派系为单位开会动员，摸底造册，按辈分排序，列出世系图表，正式纂修。资金筹集渠道有：一是集资，按人丁、户头摊派；二是有工资收入的按职务或学位捐款，规定底线，可以超过，多则几千元、几万元，少则几百元；三是自由乐捐。县内已修成的谱牒，有的以村族为单位；有的以宗派为单位，同派同族人均入谱，甚至超越县境，远及湖北外省等地；也有同姓氏全县各村落共修总谱的；也有同姓氏跨县共修、跨省合修统谱的；还有同村不同姓氏合修的（村谱）。1986年以后，县内已修成的族谱有董、曾、陈、黄等几十个姓氏。各姓氏的家谱续修，改变旧时修谱的不良做法，倡导女性可以传宗接代，男到女家同样入谱不受歧视。多数新修谱牒将照片载入谱中。谱序一般由本族名人或德高望重者作。谱编好后举行特别隆重的接谱仪式，办酒席多的几十桌，还有的请剧团演戏庆贺，热闹非凡。

二、修祠

祠堂修缮，一般以产权范围的家族各户组织祠会，由祠会牵头设计实施，包括资金筹集，质量监理。修缮后的新祠堂功用远远超过旧祠堂，多数成了乡村特色文化的景观，在祠堂内搭台唱戏，创办棋牌室、阅览室、计划生育服务室、人口计生学校、幼儿园等。有的地方辟新址建新祠堂，但旧祠堂不拆除，并制定保护措施。有的地方因旧祠堂年久倒塌而在旧址重建，或扩大规模新建。旧址重建或新建祠堂有的仍用原堂名，有的门前挂礼堂之名，而内厅则悬挂堂名牌匾，表达敬宗效族、饮水思源之意。祠堂修好后都会举行落成典礼，也有请剧团演戏或放电影庆祝，仪式很隆重。

三、祭祖

乐安祭祖之风甚浓，一般集中在清明、冬至进行。祭祖方式有二：一在宗祠内进行；一在祖坟前进行。为了祭祖，在外工作或务工者只要可能不论天涯海角都要赶回家。有些人还开着小车，率全家大小回老家扫墓，整修坟墓，寄托对祖宗的怀念。扫墓祭祖物品有鸡、肉、斋饭，各种纸钱、鲜花、水果、包子等，品种繁多，相当丰盛。

第三章　精神文明建设

精神文明建设内容，一是以创建文明城市、文明村镇为中心而开展的移风易俗、文明礼貌月，讲文明、树新风，培养共产主义新人等一系列活动。二是把弘扬良好的道德品质、民族精神和遵守职业道德规范作为思想道德建设的重要任务而开展的思想道德、社会公德、职业道德教育。在广泛开展群众性精神文明创建活动中，县委、县政府充分利用行政手段与倡导、教育相结合的方式，使创建活动有序、持续地进行。

第一节　思想教育

一、机构设置

1986年，中共乐安县委、县人民政府成立乐安县五讲四美三热爱活动委员会，下设办公室（简称“五四三办”，“五讲”：讲文明、讲礼貌、讲卫生、讲秩序，讲道德；“四美”：心灵美、语言美、行为美、环境美；“三热爱”：热爱祖国、热爱人民、热爱社会主义）。

1989年3月30日，乐安县五讲四美三热爱活动委员会改称为乐安县精神文明建设活动委员会，下设办公室（简称“文明办”），并确定为正科级机构，办公室主任由县政府办公室主任兼任，定编制3个，系县政府组织指导、协调、监督全县群众性精神文明建设活动开展的职能部门。1990年5月，文明办与新成立的社会治安综合治理办公室（简称“综治办”）合署办公，两块牌子一套人马，配备一名专职办公室主任；至1991年5月，文明办与综治办分开办公，文明办仍属县政府职能机构。

2003年，县文明办归口为县委宣传部内设机构，定为副科级。2011年，升格为正科级，职能不变。

1986—2016年，历任主任：袁招祥、张绍仁、刘飞娥（女）、汪伟群、汤乐、黄志刚、陈爱华。

二、革命传统教育

乐安县红色资源丰富，毛泽东、周恩来、朱德、邓小平等老一辈无产阶级革命家曾经在乐安战斗过，大湖坪整编，黄陂战役的登仙桥战斗，都是革命传统教育的好教材。县委宣传部，县文化、教育等部门充分利用乐安红色资源，采用多种形式开展革命传统教育。

2002年，在全县中小学开展“弘扬井冈山精神，提高思想道德素质”读书活动。2008年，全县各单位开展纪念改革开放30周年活动，举行座谈会、报告会、文艺演出等，各单位把乐安改革开放30年的成就用图片的形式进行展览，组织单位干部职工观看。县电视台开辟专题宣传乐安改革开放取得的新成就。2010年，全县中小学组织学生阅读一本红色书籍、举办一次红色征文比赛、观看一部红色电影、学唱一首红色歌曲、开展一次红色主题班会等系列活动。

1986—2016年，乐安县充分利用红色资源，进行革命传统教育，每年清明节，各单位组织党员重温入党誓词，各学校组织团员和青少年学生瞻仰革命烈士纪念碑，祭扫烈士陵园。在中小学生中以讲故事、看图片的方式讲述乐安战役、登仙桥战斗、芙蓉山五女跳崖等革命故事，让广大未成年人了解幸福生活来之不易。

三、爱国主义教育

全县共有爱国主义教育基地10个，其中省

级爱国主义教育基地1个（流坑古村），市级爱国主义教育基地5个（县博物馆、县革命烈士纪念碑、南村邓小平旧居、登仙桥战斗旧址、红一方面军大湖坪整编旧址），县级爱国主义教育基地4个（牛田水南古樟树林、金竹瀑布群、大华山、县档案馆）；共接待参观人数100多万人次。

1986年，通过举办重大纪念活动、图片展览、演讲和知识竞赛、观看电影等多种形式进行爱国主义教育。1993年，举办毛泽东100周年诞辰纪念活动，组织青少年阅读《中国有个毛泽东》等读本，举办毛泽东诗词朗诵比赛。1995年，举办抗日战争和世界反法西斯战争胜利50周年纪念活动，组织青少年学生开展“三百”（读百部爱国主义书籍、唱百首爱国主义歌曲、观百部爱国主义影片）教育活动，举行百部爱国主义影片歌曲大赛，举办“党史、国情、爱国”图片巡回展，观众达10万人次。

1997年，围绕迎接香港回归祖国这一主题，县广播站、电视台开辟专题栏目，各机关、学校组织报告会、座谈会，开展爱国主义教育，激发全县人民的爱国热情。1999年，组织全县中小学生观看百部爱国主义影片，表彰影片发行放映工作先进单位18个、先进个人41人、优秀评论文章9篇。2010年，组织开展《社会主义核心价值观100例》主题读书比赛活动；组织全县中小学观看爱国主义教育影片，放映760多场次，学生观看20多万人次。2014年，成功申报流坑村史馆为省级项目。

到2016年，全县已建立一个青少年活动中心和24个青少年法制教育基地。同时，全县10个爱国主义教育基地开展各类爱国主义教育活动，各学校每学期组织观看2次以上爱国主义教育影片。

四、共产主义理想教育

1996年，举办两期科级干部读书班，专题学习中共十四届六中全会审议通过的《关于加强社会主义精神文明建设若干重要问题的决议》。1997年，在全县开展“讲文明、树新风”活动；开展两个文明建设争先创优夺杯竞赛评比活动，为加强精神文明建设，设立“新风杯”；开展“高举旗帜再创辉煌”读书教育活动。

2007年，在全县广泛深入开展“八荣八耻”（以热爱祖国为荣，以危害祖国为耻；以服务人民为荣，以背离人民为耻；以崇尚科学为荣，以愚昧无知为耻；以辛勤劳动为荣，以好逸恶劳为耻；以团结互助为荣，以损人利己为耻；以诚实守信为荣，以见利忘义为耻；以遵纪守法为荣，以违法乱纪为耻；以艰苦奋斗为荣，以骄奢淫逸为耻）教育，各中小学校开展“知荣辱、树新风”主题读书教育活动。2008年，在各单位开展“迎奥运讲文明树新风”礼仪知识竞赛活动。2011年，在全县各单位、各中小学开展建党90周年“爱在党旗下，红动中国心”系列活动。

1986—2016年，全县共产主义理想教育以“五爱”（爱祖国、爱人民、爱劳动、爱科学、爱社会主义）、“四有”（有理想、有道德、有文化、有纪律）为主要教育内容，培养社会主义新人，教育青少年树立共产主义世界观、人生观、价值观；组织“五老”（老党员、老红军、老干部、老劳模、老教师）宣讲团深入乡村、学校、社区，进行共产主义理想教育。

第二节　道德建设

一、社会公德

1986年，全县开展学雷锋活动，成立学雷锋小组613个、青年服务队17个、扶贫助耕队49个，不定期到所在地敬老院或公共场所大扫除，为居民修理家电，为老年人提供看病、理发、洗衣服等服务。1993年，各单位开展纪念毛泽东“向雷锋同志学习”题词发表30周年活动，组织开展大型座谈会、报告会、演唱会和知识竞赛，组织千人上街做好事。1995年，举办全县中小学师生“雷锋在我心中”演讲比赛，组织全县中小学师生观看爱国主义教育展览。1997年，在全县中小学师生中开展“雷锋在我心中”征文比赛。2014年，命名全县10个雷锋活动示范点、15个岗位学雷锋标兵。乐安县地方税务局办税服务厅被评为全市第一届学雷锋活动示范点，该局康国荣被评为全市岗位学雷锋志愿标兵。

2010年，开展关爱留守儿童活动，组织43个“知心队伍”，对全县11045个留守儿童，建立跟踪档案。2011年，关爱服刑在教人员的未成年子女健康成长，组织20名爱心志愿者与20名服刑在教人员未成年子女结成帮扶对子。同时，组织“五老”讲师团，深入各中小学开展革命传统、法制宣传、思想道德和家庭教育。

到2016年年底，全县各学校共聘请43名公、检、法、司等部门干部担任中小学校法制副校长，法制课纳入中小学课时安排，累计开展学生寒暑假安全、法律知识讲座157场次，参加讲座的有5.1万余人次；组建学校模拟法庭20个，开设未成年人维权服务中心、“12355”青少年维权和心理咨询服务热线等维权服务平台；开展校园周边环境整治218次，在校园附近设立治安岗亭25个，依法取缔学校周边200米以内的非法网吧。在11个乡镇中心小学建成11所乡村学校少年宫，丰富乡村学生业余文体生活。

二、职业道德

1992年，县卫生局编印《医务人员职业道德》小册子1000多份，在全县卫生系统开展“假如我是一个病人”专题讨论；县工商部门举行争创“文明经商户”竞赛活动，评选文明经商、遵纪守法户100多户。1993年，在全县各行业开展比、学、赶、帮、超活动，调动广大工人、农民、知识分子和干部的积极性。1995年，县卫生、教育、工商、金融系统制定和推出文明规范用语。县邮电局和金融系统开展加强行风建设的活动，要求做到窗口服务“三美”（环境美、着装美、语言美）、“三好”（服务态度好、现场管理好、业务宣传好）。

2000年，开展“百城万店无假货”示范店活动，通过自我申报、单位检查评比、社会公示、群众评议等方式，评选出无假货商店15家，并颁发“百城万店无假货”铜牌。2003年，开展学习贯彻落实《公民道德建设实施纲要》活动，宣传普及“二十字”（爱国守法、明礼诚信，团结友善、勤俭自强、敬业奉献）公民基本道德规范。2008年，认真贯彻中共十七大精神，深入开展“百城万店无假货”活动，评选范围更广，商家申报的积极性更高，对一些已评上而不诚信经营的商家进行摘牌处理。

中共十八大以后，在全县大力开展宣传社会主义核心价值观教育，倡导、培育和践行社会主义核心价值观。

1986—2016年，开展“四有”（有理想、有道德、有文化、有纪律）和“三德”（职业道德、社会公德、家庭伦理道德）教育，县文明办印发《文明公约》《乡规民约》，各单位开展职业道德教育和社会实践活动，在社会上引起广泛关注。

三、家庭美德

1986年，开展五好家庭评选活动，对家庭成员进行“四自”（自尊、自爱、自重、自强）教育，倡导健康文明、科学的生活方式。1990年，全县农村开展“评三户”（遵纪守法户、文明户、五好家庭户）活动，共评选出遵纪守法户1万个，文明户1000个，五好家庭户1000个。从1996年开始，由县文明办、县五好文明家庭创建活动协调小组组织开展“文明楼院”评比活动，主要在县城居民小区开展，由各街道办、居委会推荐上报，县文明办、县妇联审批命名表彰。至2013年，共评出县级文明楼院58栋。

1999年2月，县文明办与县妇联开展“五好文明家庭奉献月”活动，走访慰问五保户、鳌溪敬老院，并组织机关、街道妇女走上街头为社区办实事办好事。2007年以后，县文明办与县妇联每年都要开展“美德在农家”活动，每年评选“美德在农家”30多户。

2008年，继续开展“五好文明小区（楼院）”“五好文明家庭”评选活动，共评选出1个市级“五好文明小区（楼院）”、6个市级“五好文明家庭”。2011年，县文明办、县妇联在全县评选出15个“五好文明村落（庭院）”、15个“和谐平安家庭创建示范村落（社区）”、148户“五好文明家庭”、88户“和谐平安家庭”以及38户“美好农家”。

2014年5月，县文明办、县妇联、县综治办把开展“寻找最美家庭”活动作为建设和谐乐安、推动全民素质提升、加强公民道德建设的有效抓手，晒“最美家庭”故事、“最美家庭”家训、“最美家庭”照片、视频；展家庭文明风采、秀家庭未来梦想，在乐安电视台、乐安手机报展播最美家庭事迹。通过寻找发现并评选出20户事迹感人的“最美家庭”，对评选出来的20户“最美家庭”进行表彰，充分发挥先进典型的社会影响和示范带动作用，大力营造学习先进、崇尚文明、人人争当“最美家庭”的浓厚氛围。

1986—2016年，大力倡导和弘扬尊老爱幼、男女平等、夫妻和睦、勤俭持家、邻里团结的道德风尚，全县评出县级五好文明家庭1070户、县级美好农家104户。

第三节　创评活动

一、创建文明城市

为响应党中央提出的“做文明市民，创文明单位，建文明城市”的号召，1984年，乐安县拉开“建文明城市”的序幕。

1986年，开展县城创“三优”竞赛活动，筹资245万元，办成10件实事，整顿市容市貌，拆除主要街道两旁的违章搭棚141个，清理基建占地3200平方米。1989年，对县城6个公共卫生区的整治，采取分片包干责任制，将责任落实到机关单位，规定每周六下午举行大扫除。1990年，举行“县城开展创三优突击周”活动，发动县城军民万人打扫卫生，奋战一星期。1991年，拆除象山路、站前路和长征路上的旧房和摊棚140余间，重建新店面150余间，兴建街心花园、象山农贸市场，购置洒水车，制作卫生宣传牌2600多块。1992年，县人民政府颁发《乐安县环境卫生管理暂行办法》。1993年，开展对市场、交通、社会秩序全面整治，私营贸易货店近百户个体摊位得到统一安排，杜绝乱摆摊设点、乱停放车辆等现象。1997年，在县城开展综合整治市容市貌工作，各单位实行门前“三包”，市容市貌焕然一新。

2002年，开展“文化进社区”系列活动，举办交谊舞、健美操培训和群众声乐舞蹈器乐比赛。2008年，开展创建商贸大道（鳌溪客货运输停车场—县人武部）、乐安大道（县第二中学门口—县街心花园）等两条文明示范街活动。2010年，开展文明单位（行业）、“共铸诚信”“百城万店无假货”等一系列创评活动，长征路获全省“百城万店无假货”示范街称号。

2011年，鳌溪镇象山社区、桥背街社区、芜塘街社区被评为抚州市第五届文明示范社区。2013年，开展“诚信建设，提升服务窗口”主题实践活动。经过多年开展文明楼院创评活动，共评出县级文明楼院158栋。2016年，鳌溪镇芜塘街社区被评为抚州市第一届文明社区。

截至2016年，乐安县青年志愿者协会、乐安爱心志愿者协会成立，各文明单位组建志愿服务队161个，网上注册志愿者人数1.4万余名。每年都要组织开展“文明交通行”“百日安全行动”“绿色环保”“孝老助残日”“无偿献血”和科普服务日等志

社会主义核心价值观

愿服务活动。

二、创建文明村镇

1996年，实施全省群众性创建精神文明活动“1133”工程（即创建1000户文明家庭、100个文明乡镇企业、300个文明村、30个文明集镇）。1998年，全县评出文明村20个，文明集镇8个。2002年，实施中央宣传部“百县千乡文化宣传”工程，投资20万元在鳌溪镇兴建文化活动中心。

2006年，按照社会主义新农村建设“三清六改三建四普及”的要求，开展文明村镇创建活动。2008年，龚坊镇被评为第二届省文明村镇，同时被评为全国文明村镇创建工作先进乡镇；公溪镇、增田镇东湖村被评为第二届省创建文明村镇工作先进村镇；戴坊镇、公溪镇荷陂村被评为第二届市文明村镇；鳌溪镇罗山村、山砀镇杏坊村、湖坪乡参陂村、增田镇石陂村、牛田镇傍安村被评为第二届市创建文明村镇工作先进村镇。

2016年，全县有省级文明村镇1个、市级文明村镇4个。

2008—2016年乐安县省、市级文明村镇一览表

表23-3-1

年份	级别	届别	个数	文明村镇名称
2008	省级	第二届	1	龚坊镇
2010	省级	第三届	1	公溪镇
2013	省级	第四届	1	万崇镇
2016	省级	第五届	1	增田镇
2008	市级	第二届	2	戴坊镇、公溪镇荷陂村
2011	市级	第三届	2	万崇镇、湖坪乡参陂村
2012	市级	第四届	3	增田镇、戴坊镇、龚坊镇浯塘村
2016	市级	第五届	4	增田镇、戴坊镇、牛田镇、龚坊镇炉下村

三、创评文明单位

1990年，为加强文明单位创建和管理，县人民政府颁发《乐安县文明单位建设和管理（试行）细则》。1991年7月至1992年8月，先后对81个文明单位（村）进行全面复查，8个县级文明单位推荐为地级文明单位，68个文明单位（村）保持称号，有4个单位作自然淘汰处理，1个被撤销文明单位称号。同时，代省、地复查2个省级文明单位、5个地级文明单位。

1993年以后，创“三优”、自建、共建文明单位和文明活动更加广泛深入地进行，争创省、地文明单位的单位越来越多。1999年、2002年、2005年三届乐安县人武部、2010年龚坊镇分别被评为全国精神文明创建先进单位。2011年，县委办、县政府办转发市委办、市政府办《关于印发抚州市文明单位管理办法（暂行）的通知》。

1990—2016年，全县共评选县级文明单位798个，市级文明单位172个，省级文明单位72个。

1990—2016 年乐安县省级文明单位一览表

表 23-3-2

年份	级别	届别	个数	文明单位名称
1990—1991	省级	第三届	2	邮电局、核工业华东地质局二六一队
1992—1993	省级	第四届	4	邮电局、湖坪乡长富村、人民医院、核工业华东地质局二六一队
1994—1995	省级	第五届	3	邮电局、核工业华东地质局二六一队、人民医院
1996—1997	省级	第六届	4	人武部、核工业华东地质局二六一队、审计局、邮电局
1998—1999	省级	第七届	5	人武部、审计局、邮电局、核工业华东地质局二六一队、鳌溪镇
2000—2001	省级	第八届	6	人武部、审计局、电信局、人民医院、公路段、鳌溪镇鳌溪村
2002—2003	省级	第九届	7	人武部、审计局、电信局、人民医院、税务局、人民法院、盐务局
2004—2005	省级	第十届	7	人武部、审计局、电信局、邮政局、财政局、地税局、人民医院
2006—2008	省级	第十一届	8	国税局、财政局、审计局、水利局、地税局、林业局、建设局、中国移动乐安县分公司
2009—2010	省级	第十二届	8	财政局、国税局、地税局、审计局、林业局、检察院、中国移动乐安分公司、中国电信乐安分公司
2011—2013	省级	第十三届	10	法院、检察院、财政局、地税局、消防大队、审计局、国土资源局、交警大队、国税局、中国移动乐安县分公司
2014—2016	省级	第十四届	8	检察院、法院、国税局、地税局、供电公司、烟草专卖局、消防大队、交警大队

第四节　文明新风

1986—2016 年，乐安县在文明建设、精神风貌上有很大的进步，各类先进典型不断涌现。

2016 年，乐安县委、县政府表彰助人为乐、诚实守信、敬业奉献、孝老爱亲、最美少年、最美家庭 6 大类共 60 名全县践行社会主义核心价值观先进个人，通过这些典型的宣传，全县崇德向善、见贤思齐的氛围更加浓厚。

相约 2016 年东源村农民集体婚礼

第二十四卷　特色专记

本卷目录

第一章　千古第一村——流坑

流坑村是一个位于江西省乐安县牛田镇东南部的大村落。五代南唐昇元年间（937—943）建村，始属吉州之永丰县，南宋绍兴十九年（1149）割隶抚州之乐安县，延续至今，一直是董姓聚居的血缘村落。宋代，流坑村以董氏科第而勃兴，成为江右大家族聚居的典型。元代，村子遭兵燹，毁坏严重。明、清时代，村中有识之士，绍复祖业，兴教办学，著书立说，推崇心学，修谱建祠，凝聚族众，在科举渐趋式微的情况下，发展以竹木贸易为主的商业经济，使流坑村又一次繁荣兴盛。明代中叶，村子经董燧等族人的全面规划、整治和建设，在宋、元村落建设的基础上，形成七横一竖八条街巷、族人按房派宗支分巷分区居住、巷口设置门楼、门楼之间以村墙连接围合的格局，奠定古村进一步建设、发展的基础。

今天，流坑村仍是一派古香古色的风貌。四周青山环抱，三面江水绕流，山川形胜，钟灵毓秀。村中，纵街横巷，井然有序，高楼低宅，鳞次栉比。七条东西向横巷直通乌江江边码头，西边又与龙湖旁的一条南北向竖巷相连，形成一把梳子的形状。鹅卵石铺成的路面，保存至今，巷道一侧有排水沟，四、五百年前的完整排水系统，仍然发挥着良好的功能。各条巷道首尾保存有巷门望楼，大多完好。住宅、宗祠均临巷而建，古时族人按房派分巷居住的样子依稀可见。村西建的朝朝街，商品交易十分热闹。村中仍完整的保存明清传统建筑及遗址260余处，其中明代的有19处，这些古建筑不仅具有浓厚的地方特色，而且装饰朴实素雅，家藏文物丰富，匾联随处可见，是极具价值的赣式古代民居的代表。据统计，全村有家藏文物321件，匾额楹联682方（处），还有珍贵厚重的宗族遗存、古朴淳良的乡风民情、真情浓郁的民俗文化，无不渗透着流坑人的文化传承和审美情趣，无不展现流坑村历史文化的深

流坑村全景

厚和艺术内涵的丰富。“千古第一村”——流坑，是古村文化经典，是中国古典民居建筑中的明珠，也是人类文明的瑰宝。

第一节　地理位置

流坑村位于乐安县牛田镇东南部的乌江之畔，属牛田镇辖村。该村距南昌市 188 千米，距抚州市 140 千米，距乐安县城 38 千米，距京九铁路线八都站 70 千米，距抚吉高速流坑互通出入口 25 千米，距昌宁高速流坑南互通出入口 13 公里，公路直达村口，交通便捷。村落处在乐安县东南山区向西部中低丘陵过渡的地段，四面青山拱挹，中间一块盆地，乌江自南向北至村边转绕向西流去，予流坑抱水枕山之胜，灌溉舟筏之利。村域面积 3.61 平方千米，海拔 100 ~ 300 米，属雩山山脉的大树岭山系，赣江流域的乌江水系。乌江发源于永丰县的云山，汇合乐安的青里、坪溪、望仙、南村、竹溪五水后，又流入永丰县的恩江，再经吉水注入赣江，其上通吉安、赣州，下达南昌、九江，使僻在群山之中的流坑村，与吉泰平原和整个赣江流域形成密切的联系，历史上是流坑联结外部世界的主要纽带，对流坑有过极大的影响和重要的意义。如今，乌江两岸保存 2200 多棵树龄百年至几百年的大樟树，从流坑村口到牛田镇延绵十里，浓荫覆盖，与村中百余棵参天古木连在一起，形成一道亮丽的风景线， 江水中各种鱼虾漫游，古树上白鹭鸟群栖息，分外自然和纯朴。当地气候为亚热带湿润季风气候，日照充足，雨量丰沛，无霜期长，年平均气温为 17℃ 左右，年平均降水量为 1700 毫米左右。土壤为泥质岩类红壤土，含砂砾较多，土层也因地陡缓而薄厚不同。良好的自然植被，适宜耕作的气候、土壤， 为流坑村的生存与发展提供极为难得的地理条件和良好的生态环境。

第二节　历史沿革

五代南唐昇元年间（937—943），临川北源村（现宜黄县扩源村）居士董清然之曾孙董合，迁徙到流坑定居，成为流坑董氏的开基祖。那时，流坑属吉州庐陵县云盖乡，后改属永丰县云盖乡，南宋绍兴十九年（1149），割崇仁天授、乐安、忠义三乡及永丰云盖乡设乐安县，隶抚州。

北宋初年，流坑董氏第三代董文广，富有远见，兴教办学，培育子弟，适逢朝廷佑文轻武、大兴科举的机遇，许多董氏中举、为官，人才辈出。宋真宗大中祥符八年（1015），第四代董淳第一个中进士；宋仁宗景佑元年（1034）， 第四代董洙、董汀，第五代董仪、董师德、董师道，父叔子侄五人同科进士，称“五桂齐芳”，可谓殊荣，建有“五桂坊”纪念；宋钦宗靖康元年（1126），第七代董藻在以谋略取士的特设科中，名选第一，时称武状元；南宋高宗绍兴十八年（1148），第八代董德元廷试第一，以有官列第二，恩例与大魁等，称“恩榜状元”。两宋时期，流坑董氏中进士 26 人，特奏名本科出身 21 人，举人 67 人。从宋初到清末，流坑村共出进士 34 人（董氏 29 人，他姓 5 人），特奏名本科出身 21 人，举人 84 人（董氏 78 人，他姓 6 人），贡生 42 人。科举昌盛使流坑董氏仕宦如云，从宋初到清末，流坑进入仕途的，上至参知政事、尚书，下至主簿、教谕，计 186 人，有知府（州）11 人，知县 36 人。还有两名御医和诸多未入仕途的文人学士。宋代，是流坑历史上最辉煌的时期之一。董氏通过大办教育，以读书入科宦，以田产助科宦，以科宦扩田产、固宗族，逐步形成自己的文化传统，并发展成为一个政治地位和社会声望甚高的大家族。乐安置县前，吉州永丰有“欧（欧阳修）董（流坑董氏）名乡”之美称。置县后，元代大理学家吴澄在为流坑董氏族谱作序时认为，董氏科名之众、儒宦之盛、爵位之崇，可与抚州王（安石）、曾（巩）、乐（史）、蔡（承禧）、晏（殊）几大望族媲美，赞说“通抚之六族而论，仕宦之众

流坑村一角

莫之与伦”（见《钦定四库全书》《吴文正集》卷三十二），董氏家族当年的声望可见一斑。随着政治之荣显，给流坑带来的是经济上的发达和村社建设的繁荣。现仍矗立在村西口的南宋为纪念状元董德元而建造的“状元楼”、村中的“五桂坊”遗址以及人们常传为佳话 的“桂林书院”“西山书院”等告诉人们，宋代的流坑村已经是一个具有相当规模和建有许多纪念性文化建筑的大村落。

元代，流坑经历近百年的动荡和劫难。元军兵下临安（今杭州），流坑董氏汇入文天祥领导的抗元大军，保卫乡梓。及兵败，流坑为元军践踏杀掠，摧毁殆尽。随后十余年间，又常遭山寇劫掠，乡无宁居，族人流徙他乡。及后，更惨遭“丙申之难”，为本县夏普所率武装围攻破村，族人被杀的杀、逃的逃，散亡四方，流离颠沛，流坑一片萧索。元代流坑董氏科宦甚希。值得一提的是，动乱使董氏族中精英特别重视宗族制度的建设，元至顺癸酉（1333）族人继南宋始修族谱之后又二修族谱，元至正年间（1341—1370）又议建宗祠，并有秋祀祠堂。到元末，流坑又重新昌盛起来。

进入明代，流坑董氏复开登科之例，仕者亦渐盛。明成化二十年（1484），第二十代董时望再中进士，后官至御史，在族中传誉甚高。第十六代董琰， 字子庄，曾任茂名知县，后迁翰林院编修，与修《永乐大典》，又为南京国子监司业，赵王府长史，且著作颇丰，文才时望，在流坑称得上一流的人物，村人建翰林楼纪念。当然，此时流坑的科举仕宦与宋代相比相差甚远，呈下降趋势，但著书立说者颇多，仍不失为江右“文献世家”。到明代中后期，董氏族人受长江中下游商品贸易的影响，利用乌江之便利，进行竹木贸易，使流坑村有新的发展。与此同时，在族内一批精英的不断努力下，流坑董氏的宗族组织和社区建设得到很大发展，进入它的全盛时期。从明初到万历年间，董氏族人三次撰修族谱，三次修建大宗祠，采取强化族领、制订族规、增置族产等许多措施以凝聚族众，并且推崇心学，重视教育，激励族中子弟发愤读书、光宗耀祖。反映在村社建设上，出现“三多”：即祠堂多、书院多、纪念性文化建筑多。据族谱记载，万历年间流坑村内建有祠堂 26 座，书院 26 所，各种纪念性文化建筑 30 多座。明代中叶，董燧对流坑村进行重新规划和建设。他在宋元村落建设的基础上，于村西侧拓展南北方向、绵延如龙的“龙湖”，将村盘分成东西两大部分，且使东部村落主体部分形成三面环水之势。又在村落主体部分按七横（东西）一纵（南北）辟出八巷，沿巷营建房宅，形成规整有序的村落布局。各巷道皆以卵石铺地，一旁有排水沟道，雨水及生活污水不直接排入乌江，而是先汇入村西的龙湖，再从村西北的乌江下游处排出，巷口均有小楼，多嵌匾额楹联，装点村落，下通出入，上置公产，战时即为守望碉楼，楼与楼之间还有村墙连接围合。全村族人按房派宗支分巷分区居住，错落有致。并在乌江两岸及村东北水口处栽种樟树，美化村中环境。经过董燧这番改造，流坑这个人众繁庶的大村落不仅布局井然有序，而且提高了环境质量和防御能力，受惠匪浅。明代旅行家徐霞客游历流坑时曾赞：“其处阛阓纵横，是为万家之市，而董氏为巨姓，有五桂坊焉。”（见《徐霞客游记》第 147 页，上海古籍出版社）这不仅给流坑厚重的人文积淀留下又一件掌故，而且给我们留下当时流坑村景的宝贵描述。

清代初期，流坑社会发生重要变化。一方面，董氏的科举功名已是江河日下、大为衰落。另一方面，族人在明末开始竹木商运的基础上，大力发展商品经济，特别是发达的竹木贸易。他们从乌江上游的金竹、招携等地，贩运竹木到赣江沿岸的三湖、樟树、南昌等埠，以及长江下游的南京、扬州、常州等地销售。那时，乌江上游的竹木贸易完全为流坑董氏所垄断，竹木资源为董氏各房派之公产，出现竹木贸易的行会组织——木纲会，并依靠宗族力量控制乌江的竹木运输。竹木贸易的突出发展，不仅使董氏摆脱明代后期经济上的困境，而且在族内新生一个人数众多的处于中心地位的商人群体。这些商人在发家致富之后，纷纷通过捐纳的途径，挤入士绅、官僚阶层，又以巨额的财富积累，积极从事宗族和社区建设，如扩大族产、修建祠堂、编刻族谱、立学助教、修桥铺路、倡义施惠等等，使流坑又一次繁荣兴盛。尽管屡受战乱影响，但村落建设在清代前期和中期仍然得到进一步的发展。道光年间，村中祠堂增至83座，书院、学馆增至28所，今天村中尚存的这一时期的大量的古建筑和文物，使我们不难想象当年流坑的繁华和兴旺。

1840年鸦片战争以后，国运的衰落，也给流坑带来不幸。1927年8月，矗立近四百年的董氏大宗祠，为北洋军阀孙传芳属下邢玉堂部所焚，残存的巨大花岗岩石柱，只能使人想起延绵千年的董氏家族昔日的辉煌和经历的沧桑。

第二次国内革命战争时期，乐安是革命老根据地，全县80%的地区都建立红色政权，是乐、宜、崇三县中心县委所在地。其间，毛泽东、周恩来、朱德、彭德怀、邓小平等老一辈无产阶级革命家亲临乐安，开辟农村革命根据地，领导反“围剿”斗争。流坑村当时是根据地的一部分，建有党小组，成立农民协会、排业工会，建立苏维埃政权，1930年10月，乐安县苏维埃政府机关迁到流坑村。1930年11月7日，在村内“环中公祠”召开乐安县第二次工农兵代表大会，选举产生乐安县第二届苏维埃政府。这一时期，流坑董氏家族中许多排工和贫苦农民积极参加革命，据统计，光荣牺牲的革命烈士达20多人。至今仍遍布在全村的200多幅红军标语，充分展示当年革命斗争的面貌。1934年10月，中央红军主力长征后，革命转入低潮，流坑民众又沦于国民党统治下的水深火热之中。

中华人民共和国成立后，流坑的历史掀开崭新的一页，在中国共产党和人民政府的领导下，流坑村获得重大的进步和发展。广大村民从一千多年的封建地主土地所有制的束缚下解放出来，实现耕者有其田，发展农业生产。山村经历新中国农村从土地改革到改革开放各个时期的发展里程，仍然完好地保留下古村的古典风貌和融于自然的田园环境。从1990年秋开始，对流坑村历史文化和传统建筑的研究、宣传、保护、利用工作有序开展，尘封的明珠得以重放异彩。2016年年底，全村有1200余户，6000多人，耕地3572亩，山地53400亩，村落面积3.61平方千米，依然是全县数一数二的大村子。

第三节　特色与价值

流坑村是一个有着古老骄人历史和高度发达文明的古村落，她的形成和发展具有突出的历史个性和鲜明的地方特色。其有形的历史文物遗存与无形的历史文化遗产，有着极高的文化、历史、地理、美学、建筑、艺术、旅游等学术价值。

一、流坑古村的村落布局——融于自然、“天人合一”、功能合理、方便宜居，是我国古代村落规划思想的全新例证

流坑是地，山环水抱，古木参天，藏风聚气，融于自然。千余年来，在村落建设和发展中，董氏族人依据我国古代的“风水学”理论，始终注意 村落建设和自然环境的协调。董氏建村时二易其址。初时定居在乌江东北岸的白泥塘处，地

处乌江转弯的外弧，也就是风水学上说的“反弯水”，不利于长久的居住发展。不久，便迁到乌江南岸的白茅洲，这里是沉积岸，应该说不错。后来，在堪舆大师杨筠松的指导下，又从白茅洲迁到乌江西岸叫中洲的这块风水宝地上，使流坑村形成前绕“腰带水”，后枕“乌纱帽”之势，确实是一个既不怕干旱，又不怕洪涝，既利于居住，又利于农业的好地方。中洲高地西边有一串沼泽，南北绵延约600米，东西宽约60米，后改造成龙湖。龙湖西岸又有一南北走向的高地，北端叫高坪，后也有人居住。再往西是百余亩肥沃的水田，是村前之明堂，产金出银的聚宝盆。一条发源于盆地西南角的小溪向北曲折地穿过这片农田，这条小溪名为龙溪。乌江、龙湖、龙溪三水和中间的两块高地，便构成“二龙并落，三水并行”之佳境。

明代中期，董燧对流坑村进行全面规划和建设，其整体布局和风貌，保存至今，依然完好。村中有7条东西向的横巷，由北至南依次是隆巷、中巷、贤伯巷、明经巷、圩上巷、阎家港、上巷，每条巷的巷口都向着乌江河岸，与建在岸边的码头相对应，给生产生活带来方便，河风也顺畅地经巷口进入村中，使村中空气清新爽人。这7条横巷又与西头龙湖边一条南北向的竖巷相连，形成七横一竖的梳子形状，在大巷垂直方向还有许多小巷交叉沟通，状若棋盘。巷道皆以鹅卵石铺地，一旁设有排水沟，雨水和生活污水不直接排入乌江，而是先汇入村西的龙湖，经生物净化处理后，再流向村西北，与龙溪之水汇合后流入乌江下游，避免环境污染，村民深受其惠。各条大巷首尾修建巷门望楼，保存较好的有隆巷中“流砥柱门”、中巷“里仁门”、贤伯巷“翰林门”、明经巷“镇江门”，还有村北的“拱辰门”，南面的“图南挈北门”，西侧的“丛桂门”。楼上多嵌匾额楹联，装点村落，下通出入，上置公产，战时即为守望碉楼，楼与楼之间还有村墙连接围合，用于关启防御。村西建有朝朝街，村民在此进行商品交易，解决供需的要求。住宅、宗祠均临巷而建，族人按照房派宗支分巷分区居住，各房派宗祠与各房派族众结合在一起，像是众星拱月。全族大宗祠则建在村北之陌兰洲，其他宫观庙宇均建在村外，以符合古礼的要求。整个村落的布局很有特点，是一般仅仅拥有若干古建筑的村落难以比拟的。

流坑村中合理的街巷布局、人工拓展的龙湖、完备的排水系统、宜居的生活条件，充分说明古村从选址到建村以及对环境的治理，都十分注重人与自然的高度和谐，自然美与艺术的相互交融，体现“天人合一”的传统文化思想。流坑村是一个生态环境非常良好，具有示范意义的典型村落，为当代城乡建设、生态环境保护工作提供宝贵的、可供借鉴的实物资料。整个村落的布局仿唐宋时期的城邑的里坊规制，很像一座城池，也像一方都会，完全不同于江南古村落“以宗祠为中心，由内向外自然生长”的布局。为研究我国古代的村落规划思想提供一个全新的例证，具有重要的历史价值和科学价值。

二、流坑古村的民居建筑——数量众多、类型齐全、规模宏大、特色显著，是代表江西本域传统民居典型风格的赣派民居建筑

村中现存500余栋各类建筑中，有明清古建筑及遗址260处，其中明代建筑、遗址19处。这些古建筑中，有古典风范的住宅建筑或建筑组群190处，有宏伟壮观的宗祠建筑48处，有幽雅别致的庙宇建筑8处，有功能各异的文化建筑14处。此外，还有古水井、风雨亭、码头、古村门、古桥、古墓葬、古塔遗址等32处，文物建筑占地面积为47.8万平方米，其类型之齐全，数量之众多、规模之宏大，在全国自然村中实为罕见。尤其值得一提的是，村中较好地保存一批有确切纪年的明代及清早期的民居建筑，自明万历至清乾隆几无缺环，乾、嘉以后至宣统、民国更是无一缺环，在全国是独一无二的，是研究中国江南民居由明代向清代演变的不可多得的实物资料。

流坑村的民居建筑均为砖木结构的一层半式楼房，其布局简洁，朴实素雅，是具有浓厚地方

特色的赣派民居建筑。外看，多为长方形平面，用空斗砖墙围合，清一色的青砖灰瓦，高峻的马头墙，半掩半露的双坡屋顶隐在重重叠叠的马头墙后面。马头墙造型丰富多彩，翘首长空，既可防火，又可防风。入内，其格局多为二进三开间，一堂一厅，面阔三间，明间厅堂，次间卧室，左右对称。卧室通常高一层半，下层居住，上层是半层高的楼阁，堆放什物。厅堂没有分层，显得高大宽敞，气势堂皇。木构穿斗式梁架，依其使用目的之不同，用木质装修的“宝壁”、屏门、隔扇将厅堂内部自由分隔。下堂前檐部常做成各种式样的轩，形制秀美且富于变化。室内地面，以青砖横向错缝铺砌。神龛设在厅堂宝壁两边侧门的上方。堂前均有较为狭小的天井，既供采光通风之用，又取四水归堂之意，无形中把人与天衔接起来，体现“天人合一”的情境。居宅一般都有前门、后门，前门通正厅，后门连便厅或厨房，明代和清代前期正门多为侧入式，前为堂，后为厅；清中期以后大门一般开在中轴线上，前为厅，后为堂。门的形式各异，以一字门、八字门、牌坊式门、凸入式门和门罩式门较为普遍。室内装饰主要有木雕（刻）、砖雕（刻）、石雕（刻）、彩画和墨绘，其风格明快，工艺精湛，图案丰富，内涵深邃，反映流坑世人对美好生活的向往，对天人合一的崇尚，对伦理道德的尊重。“理学名家”宅门前和大宗祠遗址上的元、明时代的红石狮子，文馆享堂内六斗藻井上的明代彩绘，都是难得的艺术精品。而明代民居怀德堂照壁上的“雀（爵）鹿（禄）蜂（封）猴（侯）”砖雕壁画和永享堂照壁上的“麒麟望日”镶雕，更是题材丰富，技艺高超，国内绝无仅有，堪称国粹。

全村数以百计的屋宇，堂上有匾，门旁有联，对古村民居建筑来说是一种难得的文化装饰。据统计，保存完好的木质油漆匾额188方，门头墙壁的各种题榜362方，祠堂名额近60处，楹联72副。这些匾联皆有来历，内涵丰富，意境深远，或表主人之身世，或显家族之荣耀，或体现儒家传统的道德思想，或反映“天人合一”的美好情境。流坑匾联，以质地论，木、竹、砖、瓷、石均有；以字体论，篆、隶、楷、行、草齐全。其书法多出自名家之手，或飘逸俊秀，或凝重端庄，或气势雄浑，使人爱不释手。宋代朱熹，明代杨士奇、金幼孜、罗洪先、罗汝芳、曾同亨，清代刘绎、董士标、董其章等，均有匾联留传，虽经数百年的岁月沧桑，仍有很高的观赏价值。流坑匾联，展现多姿多彩的书法艺术，反映丰厚坚实的文化基础，显示出昔日流坑的高雅与尊荣，无愧古村之冠。

众多的家藏文物遍布民居之中，是流坑村民居建筑的一个明显特点。流坑董氏作为一方大族，留下不少可供子孙后人享受和利用的文化资源，特别是家家户户都在自己的生活空间中营造一种儒雅向学的文化氛围，所以当年制作和收藏的文物十分普遍。全村现有家藏文物321件，其中重要文物24件，多为精品，如明末清初的衣冠图，明宣德铜香炉、銮架、官府仪仗、明代象牙神轿、清代银质镂空龙凤纹头盔、晚清金彩楷书寿屏以及明清家具、瓷器、挂屏、花板等。刻成于万历十年的董氏族谱更是罕见之物，不仅内容非常丰富，而且书写、雕版、纸张、印刷都属上乘，尤为珍贵的是谱中保留聂豹、邹守益、罗洪先、谭纶等一批明朝官宦名流的书法手迹，被专家誉为文物藏品中的稀世珍品，很有价值。

流坑古村民居建筑的风格，历史学家、江西省社科院原院长姚公骞先生曾概括为“既非官非民，又亦官亦民；既非城非乡，又亦城亦乡”。但从其历史发展的过程看，经过一个先民后官、先乡后城的凝练过程，其功能与总体布局，仍属体现居住实用为主的居宅建筑。流坑民居，既不同于赣东北一带以婺源民居为代表的徽派民居，也不同于遍布赣南广大地区以土围子和吊脚楼建筑为特色的客家民居，而是植根于江西省历史上经济、文化昌盛的赣中抚州、吉州土地上，土生土长，自成一格，具有浓厚地方特色的赣派民居建筑，代表江西本域传统民居实用、典雅、朴素、大方的典型风格。

三、流坑古村的宗族活动——遗存丰富、内容完整、血统维系、道统发展，是中国农村封建宗族社会的缩影

流坑大宗祠遗址

流坑古村是一个有千余年历史的董氏单姓聚族而居的血缘村落，他们尊西汉大儒董仲舒为始祖，并认唐代宰相董晋是他们的先祖。在千余年的漫长岁月里，流坑董氏经历国家和民族的治乱盛衰、风云变幻，其始终凝聚不散，而且不断发展，为江西古代许多出过名人的村落和家族所不及。究其原因，除依附于自给自足的小农经济这个顽强有力的基础之外，一靠血统，二靠道统。

严密的封建宗法制度，是流坑董氏凝聚族众、维系秩序、稳定发展的重要支柱。

修家谱，按照父系血缘关系将族众联结在一起，是维系宗法制度的重要精神纽带，是宗族组织建设和发展的重要标志。流坑董氏，南宋初年开始修谱，至明万历，先后经五修，成四谱，曰：“原谱”“旧谱”“新谱”“重修新谱”，以后逐改为由各房派修房谱。至今，村中仍保存明万历族谱3本，各房谱牒20多个版本，各种谱牒保存完好，是研究流坑董氏宗族发生、发展的珍贵史料，可称之为流坑的“二十四史”。

流坑村中巷

如果说修族谱只是从精神上训导族众“尊祖敬宗”的话，那么修建祠堂，参加祠堂中围绕祭祖而展开的各项宗族活动，则无疑可以使宗族成员普遍地、经常地、直接地、形象化地感受到宗族文化的精神。流坑村内宗庙祠堂星罗棋布，房房有祠、巷巷有祠、房巷对应；大宗祠、小宗祠、总祠、分祠、家庙，系统支派严整，源流谱系清晰。现在村中仍保存有祠堂58座，成为流坑一项突出的人文景观。大宗祠，为祀奉流坑董氏的开基祖宋赠大司徒董合兴建，是流坑董氏“千门万户、聚居一家”的重要标志。该祠位于村北之陌兰州，座北向南略偏东，北有乌江环绕，南面正对全村，东为林峦，西有龙湖，环境十分优雅。据考，大宗祠始建于明嘉靖初，嘉靖末、清嘉庆重修，是一个三祠并列的建筑组群，东为桂林祠，西为桂岩祠（即文馆），中央是大宗祠。大宗祠是一个三进式重檐建筑，祠内设有育贤楼、敦睦堂、孝敬堂、彰义堂、报功堂、宗原堂、道原堂。三祠前面有一个宽敞的场院，中间竖立有96根彰显科举功名的旗杆石。场院左右侧各有一个牌坊为进出之门，组成一个宏大的建筑组群，占地

十余亩。可惜1927年被军阀孙传芳的残部烧毁，遗下敦睦堂中五根高8米、直径为70厘米的花岗岩石柱，依旧傲视苍穹，被称为流坑的“圆明园”，只能使人想起延绵千年的董氏宗族昔日的辉煌和经历的沧桑。

除撰修族谱、修建祠堂、祭祀祖宗外，流坑董氏还采取置族产、立宗子等许多措施，不断增强家族的向心力、凝聚力。

流坑董氏深知，如果仅靠血统，只能凝聚，而不能升华；只能维系，而难以发展。只有依靠道统的力量，即儒家的理学，存理去欲，修齐治平，才能使家族的维系进到理性的境界。有宋以来，董氏坚持“以德性为本”，以此“培植贞固而叶茂流光”。村中一批有识之士，如董德修、董燧等，长期致力于心学的研究，在流坑创办心斋书院、雪峰书院、蓉山书院等，用儒家经典，尤其是陆王心学，教化族众，这对于巩固宗族血缘关系的影响是巨大的。更加难能可贵的是，他们还将儒学理论与治村实际结合起来，形成一套有理有法、理法相融的道德规范。经董燧等人亲手制定的“遵圣训”“崇礼教”“宗正学”“供赋役”“修武备”“广储蓄”“勤职业”“敦俭朴”“禁邪巫”等十四条族规，就是按照道统的理念，对族众的思想行为进行全面而严格的规范、劝诫和教育，使之“辅血脉而禅于无穷”，是强化封建社会基层组织建设的典范。

流坑董氏百世不衰，并成为中国古代农村文明的典型，正是得力于小农经济的支撑、宗法制度的维系和儒家道统的教化。

流坑董氏是宋明以来农村大家族聚居的典型，其有形的历史文物遗存与无形的历史文化遗产交相辉映，对于研究宋代以来，江西乃至全国农村政治、经济、文化诸方面的发展演变规律，是非常难得的实物史料，具有重要的历史价值。

四、流坑古村的地域文化——“临”“庐”叠加，雅俗相映、内涵丰富、多姿多彩，是赣文化的一朵奇葩

江西自古“物华天宝，人杰地灵”。宋、元、明三朝直至清前期，承绪晋唐之风，人才济济，群峰竞秀，繁星满天。中原历经战乱侵扰，北人多次南迁，江西乃逐渐成为中国文化南移的重心所在，成为中华文化的重要之域，并对中华民族文化的发展作出重大贡献。“唐宋八大家、江西有三家，正是赣文化在中国文化历史上的无比辉煌。”流坑建村之时，正是赣文化形成、发展的这一重要时期。五百年耕读，五百年农商。流坑世人在赣文化的滋润下，通过近千年耕读传家的生活与传统、形成、养育、发展丰富多彩的流坑文化。农耕文化是流坑文化的基础，宗法文化、崇德文化是流坑文化的主体，发达的书院文化、鼎盛的科举文化、务实的商贸文化是流坑文化的主要内容及鲜明特点，流坑世人用自己的勤劳和智慧，不仅创造诗书、绘画，雕刻、建筑等许多极为精美的上层雅文化，而且创造傩文化、酒文化、饮食文化及寺庙灯会、龙舟竞渡、舞龙、纸扎、赛诗、武术、轻乐吹奏等诸多极为丰富的乡土文化。流坑村始属吉州的永丰县，后属抚州的乐安县，其文化既有吉州庐陵文化的传统，又受抚州临川文化的熏陶，兼备两州文化之长，形成叠加之势。江西古代的文化，尤其是宋、元、明、清四代，比较集中在吉、抚两州。而吉抚两州的庐陵文化与临川文化，在流坑村有集中的体现。说流坑文化是赣文化中的一朵奇葩，是当之无愧的。

流坑村那融于自然的山村环境，独特别致的村落布局，典雅古老的建筑群落，环保实用的排水系统，积厚流广的家族遗存，文情脉脉的匾额楹联、怡目激思的家藏文物，精美绝伦的建筑装饰，古朴纯真的民俗风情，多彩多姿的乡土文化，充分展现千年古村的文化传承。

国家文物局原局长张文彬对流坑村给予过高度评价：“流坑村的历史从五代一直延续到清代，延续时间之久，历史价值、学术价值、艺术价值之高，建筑艺术之精美，保存之完整，文化内涵之丰富，恐怕是国内其他地区的古村落所不能比拟的”，并为流坑村题词“千古第一村”。

第四节　宣传、保护与利用

一、宣传

为了扩大流坑的影响，邀请国内的专家、学者和新闻媒体的记者来流坑参观考察。1990年秋，时任省委宣传部副部长的周銮书到流坑考察后，写出《初访流坑村》在《江西画报》发表，引起社会对流坑的关注，引来许多新闻记者。《人民日报》《人民中国》《中国旅游》《旅游天地》《焦点》《寻根》《江西画报》《新华日报》《江西日报》《江西电视台》等50余家新闻单位先后报道流坑。其中，《人民中国》以15个彩页，《旅游天地》以10个彩页，香港《中国旅游》以12个彩页，《江西画报》以4个彩页，《人民日报》以整版篇幅对流坑作突出报道。江西电视台历时半年，摄制长达60分钟的大型专题片《依旧好流坑》，在江西电视台播出后，更引起全社会对流坑的关注。1996年11月19日，《光明日报》头版头条报道流坑，时任中共中央政治局委员、国务委员李铁映对流坑古文化保护工作作出重要批示，在全国各地引起更大轰动。国家文物局、省文化厅、省文物局的领导、专家、学者纷至沓来。

1997—2016年，先后出版《千古一村——流坑历史文化考察》，大型画册《千古一村——乐安流坑》；举办《古村流坑》大型摄影展览，精选100余幅照片汇成影集；编印彩色折页5000份，撰写《流坑概貌》《流坑现存重点古建筑简介》《流坑主要文物介绍》《流坑村有关材料》等资料10余种；编排小戏曲《流坑情》《董燧杀马》，参加抚州地区演出。通过多渠道、多形式对流坑的古代建筑、书画雕刻、文献古物、风俗民情进行全面地、系统地宣传；还不定期的编印《流坑文化工作简报》，寄送中央、省、市有关部门及县直相关单位。流坑宣传声势之大，范围之广，效果之好，参观者接踵而至。

二、保护

根据国家对文物“保护为主，抢救第一”的方针政策，各级领导对流坑古村的保护非常重视。时任中共中央政治局委员、国务委员李铁映、国家文物局局长张文彬、省委书记吴官正、省长舒圣佑，相继对流坑古文化遗存的抢救、保护工作作出重要指示。1996年11月，国家古建筑专家罗哲文、郑孝燮、鲍世行到流坑考察，肯定流坑是一处古民居瑰宝，可申报国家重点文物保护单位和争取申报世界历史文化遗产。1997年8月，国家文物局局长张文彬在考察流坑后，欣然题词“千古第一村”；8月11—13日，江西省人民政府在抚州召开“关于抢救保护乐安县流坑村古文化遗产协调会”，要求省地有关部门对流坑古村的抢救保护给予全方位支持，会议期间收到215万元的资助经费。2001年4月17日，国家文物局、省文物局的领导、专家考察流坑后，召开座谈会，他们从村庄整治、文物维修、防火防盗、合理开发、村民意识等方面提出许多合理化的建议。

根据申报“国保”必须具有精密的测绘和科学的规划要求，1997年11月，清华大学教授陈志华、李秋香率清华大学建筑学院学生一行10人，赴流坑编制《江西省乐安县流坑古村落保护规划》。是年，乐安县政府发布《乐安县流坑村文物保护管理条例》。1999年7月，江西省政府批复同意公布《江西省乐安县流坑村古村落保护规划》；2001年6月国务院公布流坑古建筑群为第五批全国重点文物保护单位。2003年10月，流坑村被建设部和国家文物局评为“中国历史文化名村（第一批）”。2004年9月，流坑村被江西省委、省政府公布为“省级爱国主义教育基地。”2009年，乐安县政府印发《流坑古村保护管理办法》；2012年10月，流坑古村被住房和城乡建设部、文化部、财政部公布为第一批中国传统村落。2014年10月，流坑村被江西日报社、江西省社联评为“江西十大文化古镇（村）。”2015年，委托江西师大城市规划设计研究院完成《乐安县流坑历史文化名村保护规划（2014—2030）》，并通过省住建厅和省文物局批复同意。2016年8月下旬，省文物局委派专家组到流坑村现场实地踏勘，对文物建筑逐一核查，并根据流坑村的历史文化、古建筑群的文物价值、古建筑历史渊源、发展脉络，包括古建筑类别的多样化，建筑年代的延续性和其保存完好程度，确定全国重点文物保护单位流坑村古建筑群单体建筑共216处。

流坑村古建筑群国保单体建筑名单

表24-1-1

编号	名称	门牌号或区位	修缮与否
1	上巷儒林世第	上巷	已修缮
2	敦逸公祠	上巷	
3	汉帝行祠	上巷	已修缮
4	董建宇宅	上巷	
5	佐君公祠	上巷14号	
6	环山书院	上巷	
7	逊荣公祠	上巷20号	已修缮
8	安仁门宅	上巷4号	
9	董火生保宅	上巷8号	
10	董河南宅	闾家巷1号	
11	董丕龙宅	闾家巷2号	
12	董贺立宅	闾家巷3号	
13	庆见南云宅	闾家巷4号	已修缮
14	容斋公祠	闾家巷8号	
15	念征公祠	闾家巷13号	已修缮
16	董家兴宅	闾家巷14号	
17	董元龙宅	闾家巷16号	
18	南极星辉宅	闾家巷20号	
19	绥定厥家宅	闾家巷22号	
20	董礼生宅	闾家巷口	
21	宋赠屯田董公祠	明经巷	已修缮
22	寅宾祠	明经巷	
23	履信门宅	明经巷	
24	董生根宅	明经巷11号	
25	董国兴宅	明经巷13号	
26	登仕第	明经巷17号	
27	克绳祖武宅	明经巷18号	

续表 24-1-1

编号	名称	门牌号或区位	修缮与否
28	董国平宅	明经巷 21 号	
29	明经第	明经巷 22 号	
30	花萼联辉宅	明经巷 24 号	
31	秀挹长庚宅	明经巷 25 号	
32	董闰年宅	明经巷 28 号	已修缮
33	庚星焕彩宅	明经巷 29 号	
34	旭珍公祠（含豁爽宅）	明经巷 32 号	
35	大宾第	明经巷口	
36	旸谷宅	圩上巷含章门对面	
37	圩上巷古井	圩上巷	
38	戬殿祠	圩上巷	
39	立定公祠	圩上巷 10 号	
40	必禄公祠	圩上巷 16 号	
41	应宿第	圩上巷 20 号	已修缮
42	崇德门	圩上巷 22 号	
43	含章门宅	圩上巷 24 号	
44	留客处宅	圩上巷 26 号隔壁	
45	九思堂	圩上巷 28 号	
46	西南集庆宅	圩上巷 30 号	
47	启明公祠	圩上巷 32 号	
48	明经第宅	圩上巷 33 号	
49	华川公祠	圩上巷 35 号	
50	资深居建筑组群	圩上巷 36 号	已修缮
51	翰林楼	贤伯巷口	
52	梅所先生祠	贤伯巷 1 号	
53	清赠儒林郎材伯先生祠	贤伯巷 3 号	
54	藏恕堂	贤伯巷 5 号	已修缮
55	瞻斗宅	贤伯巷 7 号	
56	襄义堂	贤伯巷 9-1 号	
57	董黑姑宅	贤伯巷 9 号	
58	思齐公祠	贤伯巷 10 号	
59	岐山公祠	贤伯巷 11 号	

续表 24-1-1

编号	名称	门牌号或区位	修缮与否
60	培裕堂	贤伯巷 13 号	已修缮
61	景岐公祠	贤伯巷 15 号	
62	瑞临门宅	贤伯巷 17 号	
63	迎恩门宅	贤伯巷 17 号	
64	熙载宅	贤伯巷 18 号	
65	益宇公祠	贤伯巷 19 号	已修缮
66	恩迎北阙宅	贤伯巷 21 号	
67	董善道宅	贤伯巷 23 号	
68	宸恩世锡宅	贤伯巷 25 号	
69	景徽门宅	贤伯巷 26 号	
70	斗光及第坊	贤伯巷	
71	三星财福宅	贤伯巷 28 号	
72	鹅公宅	贤伯巷 29 号	
73	董德发宅	贤伯巷 33 号	
74	汲古山房	贤伯巷 36 号	
75	星第门宅	贤伯巷 37 号	
76	乐善堂	贤伯巷 38 号	
77	近光门宅	贤伯巷 39 号	
78	宝贻公祠	贤伯巷 52 号	已修缮
79	勉迪前光	贤伯巷 54 号	已修缮
80	董祥兴宅	贤伯巷 56 号	已修缮
81	敬吉堂	贤伯巷 58 号	已修缮
82	董水南宅	贤伯巷	
83	齐寿门残架	贤伯巷 66 号	已修缮
84	怀德堂	贤伯巷 68 号	已修缮
85	绍愚公祠	贤伯巷 70 号	
86	仰山庙古戏台	中巷	
87	居仁门宅	中巷转隆巷	
88	肃臣公书屋	中巷	
89	蓉山亦山两先生祠	中巷	
90	古井	中巷	

续表 24-1-1

编号	名称	门牌号或区位	修缮与否
91	大宾第建筑组群[含中巷51号、中巷53号、中巷55号（务兹堂及披云望斗）、中巷57号（州司马第）、董大生宅]	中巷	已修缮
92	理学名家（含高明广大坊）	中巷	已修缮
93	四牌楼遗址	中巷	
94	董飞生宅	中巷	
95	振卿公祠	中巷	已修缮
96	董文求宅	中巷	
97	五世门宅	中巷	
98	环中公祠	中巷	
99	存仁堂（含爵先祠、江风山月宅）	中巷 11 号	已修缮
100	儒林世第	中巷 13 号	
101	慎余堂	中巷 14 号	已修缮
102	董桃生宅	中巷 16 号	
103	索文启玮宅	中巷 17 号	
104	珠壁联辉宅	中巷 18 号	
105	肇修堂建筑组群	中巷 20 号	已修缮
106	愚直公祠	中巷 21 号	
107	董洪兴宅	中巷 26 号	
108	建成公祠（含怀顾宅）	中巷 29 号	已修缮
109	大夫第	中巷 30 号	
110	壁合珠联宅	中巷 35 号	已修缮
111	彩彻云衢宅	中巷 37 号	
112	复新公祠	中巷 38 号	
113	依仁门宅	中巷 40 号	
114	佑君公祠	中巷 41 号	已修缮
115	启贤堂宅	中巷 42 号	
116	思义堂宅	中巷 43 号	
117	董其校宅	中巷 47 号	已修缮
118	重明丽正宅	中巷 48 号	
119	大光弘会宅	中巷 50 号	
120	董大公宅	中巷 51 号	

续表 24-1-1

编号	名称	门牌号或区位	修缮与否
121	纯然先生祠	中巷 59 号	已修缮
122	旌表节孝坊	中巷 8 号	
123	里仁门	中巷口	
124	中流砥柱门楼	隆巷口	已修缮
125	董金生宅	隆巷 5 号	
126	董明望祠	隆巷 7 号	
127	董贵孙宅	隆巷 9 号	
128	瑞挹启明祠	隆巷 11 号	
129	如祥公祠	隆巷 13 号	
130	安义堂	隆巷 15 号	
131	启诚公祠	隆巷 20 号	已修缮
132	双桂先生祠	隆巷 26 号	已修缮
133	民宅	隆巷 27 号	已修缮
134	绍南公祠	隆巷 31 号	已修缮
135	淑气南来宅	隆巷 32 号	
136	凝祥宅	隆巷	
137	遵道宅	隆巷 36 号	
138	爽气西来宅	隆巷 37 号	已修缮
139	继德堂	隆巷 39 号	
140	思敬堂	隆巷 40 号	
141	董学明宅	隆巷 41 号	
142	晖吉宅	隆巷 44 号	
143	董锡华宅	隆巷 46 号	
144	遵义门宅	隆巷 54 号	
145	董金根宅	隆巷 60 号	
146	望恩宅	隆巷 62 号	
147	道正堂	隆巷 66 号	
148	永享堂	隆巷 67 号	已修缮
149	信庵先生祠	隆巷 78 号	
150	董飞龙宅	隆巷 82 号	
151	董老年宅	隆巷 84 号	
152	民宅	隆巷 86 号	已修缮

续表 24-1-1

编号	名称	门牌号或区位	修缮与否
153	坦然公祠遗址	横巷	
154	拱奎门宅	横巷	已修缮
155	横巷董根仔宅	横巷	
156	腾千先生祠	横巷 3 号	
157	董老四宅	横巷	
158	民宅	横巷 10 号	
159	董盛高宅	横巷 11 号	
160	董毛毛宅	横巷 12 号	
161	董国珍宅	横巷 13 号	
162	董秋香宅	横巷 14 号	
163	节孝坊宅	横巷 17 号	
164	董来义宅	横巷 1 号	
165	董花脑宅	横巷 2 号	
166	丛桂门坊	西屋下	已修缮
167	景禧公祠	西屋下	
168	万茂公祠	西屋下 12 号	已修缮
169	彩奂庚星宅	西屋下 18–20 号	已修缮
170	彩映朱霞	西屋下 19 号	
171	存恕堂	西屋下 5 号	
172	朝选公祠	西屋下 6 号	
173	守斋公祠	西屋下 8 号	
174	乐善公祠	西屋下	
175	秀挹南山宅	西屋下 9 号	
176	董矮子宅	西屋下 13 号	
177	武当阁	村外北龙湖边	
178	复信公祠	桥西	
179	桥西石拱桥	桥西	
180	三义庙	桥西	
181	世德堂	桥西	
182	培德堂	桥西 27 号	
183	明德堂	桥西	
184	董守静公祠	桥西 22 号	已修缮

庄严的辟邪浮雕，这是从远古留传下来的傩像，或以泥塑，或以青石雕成，精湛高超，淳厚古朴，为别处雕像所不及，堪称国粹。

我们在村中穿梭盘桓，流连忘返，此时虽烈日当空，而兴味正浓。唯见种种文化遗存，杂然纷呈，真是瞻之在前，忽焉在后，俯仰皆是，美不胜收。大家都感到流坑村确是江西古代文明的一个代表，也是中国农业社会聚族而居、百世不衰的一个典型。

这次访问，过于仓促，浮光掠影，意犹未尽。盼望能够再来，仔细观赏和研究这一古老文化遗存的渊源本末和流风余韵。

（本文发表于1991年第3期《江西画报》。周銮书（1933—2007），历史学家，1983年始，历任中共江西省委宣传部副部长、江西省社联主席、江西省社会科学院院长。1990年秋，任江西省省委宣传部副部长的周銮书考察乐安县古村流坑，后来他又组织省内的专家、学者到流坑古村搞调查研究）

附三：

修缮《抚，乐流坑董氏族谱》后记（节选）

族谱是古代中国形成的宗族历史的标准记录形式，亦称“家谱”“宗谱”。《史记·太史公自序》曰：“维三代尚矣，年纪不可考，盖取之谱牒旧闻”，可见这个东西由来已久。唐末传统谱学已经衰竭。北宋时，由于欧阳修等人之倡导，谱学又死而复苏。明清时代，在农村可谓既没有无谱之族，又没有无谱之人。那时，宗族大都编有族谱、建有祠堂、置有族田，族谱、宗祠和族田三者，成为我国封建社会后期宗族制度的主要标志。编纂族谱，详细记载全族的世系源流、子嗣系统、婚配关系、人物传记、官场经历、祠堂祖茔、族产公田、族规家法，目的是使族人对本族出自同一始祖的历史有一个准确的认识，清晰地认准每个人在所属世系中的确切位置和相互间共同的血缘联系。它不仅从精神上训导族众“尊祖敬宗”，而且能有效的防止因年代久远或居处迁徙而发生血缘关系混乱所导致的家族瓦解，同时还是解决族内纠纷、惩治不肖子孙的文字依据。

乐安流坑董氏一族，南宋时开始修谱，至明万历，先后经五修，成四谱。宋时董良史所缮之族谱，以司徒公合为一世祖，族称“原谱”。元初兵燹之余，仅存罗坑一帙，经诸老成增修考证，续所未有，载所未备，前列《登科记》《衣冠图》，视旧加详。至顺癸酉（1333），嗣孙有庆请吴澄作序，又得虞集、揭傒斯、刘岳申诸名公之序、跋，稿成后，因祠堂未建，不能刊梓，遂写成家传，此为“二修”。元末丙申（1356）乱，谱牒亡散几近，幸董尚（文晃公房洙派第十五代）在宁都意外购得一本散失的族谱，携归珍藏。先与养性兄考证润色、缮写成编，复与桂林侄从新修正、依例增广，于明洪武丙子（1396）付梓刊成，凡十有六世，是为“旧谱”。明成化丙午（1486），御史董时望仿照大学士杨士奇家谱修纂的新规式，先修桂林一派的支谱。正德辛未（1511），训导董象又修校书一派的支谱。嘉靖辛卯（1531），润等复辑理之，凡二十有六世，是为“新谱”。嘉靖辛酉（1561），闽、广农民起义波及江西，新谱又遭损毁。此时，流坑董氏蕃衍已成四大七小派，芸芸子孙，混载一谱，检阅甚难。于是，明万历十年（1582），刑部郎中燧、大足县令极、监察御史裕、又御医君和、监生君直、儒官文辉、烨、庠生最、莹中、球、受雅、族正万源、哨官贤瑞、国用等，重新修纂新谱。谱内采取按四大派（明法文广、屯田文肇、校书文晃、道者文亨）七小派（正已、滋、渊、淳，淇、洙、汀）分系编写图传，图以明系，传以详事，以合公为始，每系起处及各版边方，皆书刻派系，使源委灿然。又易《衣冠图》为《名位表》，以时间之先后为次第，凡科甲、贡辟、封赠、军功、例椽出身，膺朝廷一命之荣者具载。外有乡贤、隐逸、贞节、遗英、方术五传，并据直书，明贤以示劝也。谱中完好地保存聂豹、邹守益、罗洪先、谭纶等一批明朝官宦名流撰写的序、记（篆刻手迹），十分珍贵。万历十年谱，曰“重修新谱”焉。自此以后，流坑董氏家族愈来愈大，子孙愈发愈茂，汇集入谱十分艰难，旷修几二百年，遂改为由各房派修纂房谱。至今，村中仍保存明万历十年族谱三部，各房谱牒二十余个版本，真可谓谱牒大村矣。

时逢盛世，改革开放的春风吹到流坑。自一九九〇年秋省委宣传部副部长周銮书初访流坑村、慧眼识珍宝以来，流坑村的研究、宣传、保护、利用工作有序开展，董氏万历族谱遂成为研究董氏渊源与发展最重要的一部文献资料。一九九六年十一月初，国家文物局古建筑专家组组长罗哲文、国家历史文化名城保护专家委员会副主任郑孝燮等专家来流坑古村考察时，盛赞董氏万历族谱是稀世珍品，是一级藏品，不仅内容非常丰富，而且书写、雕板、纸张、印刷都属上乘，很有价值，应该很好地保护起来。并具体指出："族谱有好几本，要把它校对一下，弄本完整的，把它保护起来，将来参观要看，可用复制的或者拍照的，原谱一定要抢救好保护好。"

一九九八年初，经乐安县流坑工委办、流坑文物管理局研究，并报省文物局领导同意，决定择董兆荣老师保存的万历族谱进行修缮。五月，在著名历史学家周銮书指导下，经省博物馆馆长彭适凡介绍，先后与浙江省博物馆、浙江省图书馆古籍部、江西省图书馆等处联系，商讨万历族谱的修缮工作。八月，将谱送到江西省图书馆进行修缮。该谱存在问题较多，主要有霉变（含粉化）、破残、水渍、污渍、虫蛀、错误方法的修补等。全谱共736页，其中霉变、错误方法的修补部分276页，严重破损部分约100页。省图书馆领导、专家、专业技术人员根据国家文物保护的政策，按照古籍修补规则，以整旧如旧为目标，制订了妥善的修补方案，对霉变、错误方法修补部分采取蒸、洗等特殊处理，对全书进行衬纸、防霉等处理。与此同时，我们对比其他两本族谱，对残页、缺页进行补充或复制，其中补充284页，复印原版字剪贴重版复制14页。在此基础上，我们采用激光制版新技术，原版复制族谱20本。

银光灿

二〇〇〇年六月

〔本文选自《抚，乐流坑董氏族谱》（修缮后复制版）。银光灿，时任政协乐安县第九届委员会主席、乐安县流坑古文化保护利用工作委员会常务副主任〕

第二章　传统村落

乐安钟灵毓秀，人文繁盛，有着丰富的文化物质遗存，仅就传统村落、古代建筑而言，在乐安境内遗存之多，内蕴之丰，为其他地方所难及。除全国重点文物保护单位流坑村外，还有中国传统村落水南村、水溪村，江西历史文化名村湖坪村等。

第一节　湖坪古村

湖坪古村位于乐安县西南部的湖坪乡，距县城40千米，为湖坪乡政府所在地，是一个王姓聚居的大村落。2016年，全村2880户9553人，分为西头、汉上、东山、街上4个行政村，46个村小组，是抚州市最大的单姓聚居自然村落。

据湖坪王氏族谱记载，湖坪王氏出自太原郡，

湖坪古村一角

北宋雍熙二年（985），王延年从吉水带源迁居于此肇基建村，成为湖坪的开基祖。1000多年中，王氏坚持“诗书继世长、品德传家久”的传统理念，依靠宗族管理，在此耕耘护本，攻读求达，经商致富，凭智慧和勤奋，人丁兴旺，文化昌盛，人才辈出。据清光绪二十八年（1902）《王氏族谱》记载，自开基以后，湖坪王氏子孙中科举与为官者共106人。其中，进士6人，举人25人，贡举31人。任官职者80余人。代表性人物有：鸿儒隐贤王科（1246—1317），授翰林供奉；青宫侍讲王晋（1286—1345），累官中书舍人、翰林承旨兼太子说书；元代良史王方贵（1286—1355），授东湖书院山长，在主讲和管理书院中表现卓著，深受士人推崇，荐升为阳江县尹；蒙难义勇王孚远（1319—1358），元至正之初，以贡至京城，授大同路学正，后任巢县主簿等职；大理少卿王时保（1328—1400）；志向晚达的王素节（1456—1542）；武显将军王长贵（1836—1894）；称为明代王氏“三忠烈”的王省（1366—1401）、王艮（1368—1402）；王祯（1419—1449）；称为敕旌父子“四义官”的王谦铭及其3个儿子王景烈、王丕烈、王承烈等。

湖坪王氏肇基后，村庄建筑也呈现繁华景象，现存300余栋传统建筑大多为清代所建，类型有祠堂、宅第、书院、牌坊、神庙、戏台和门楼等，具代表性的有：青宫侍讲牌坊、国宝公祠、总节孝祠等。

友初公祠 位于湖坪西头村，又名忠义垂芳祠，为祀奉湖坪王友初而建造。坐西向东，占地200多平方米，二进式砖木结构，一厅三间，两边有廊房，中间有天井，门面建有高大的牌坊作修饰，使祠堂显得古朴、庄重。牌坊用条砖砌成，高约10米，宽约7米，中间高耸，两边对称，顶上四角上翘，覆盖青灰瓦。青瓦上方，中间耸着3个连串的宝塔圆葫，四周用灰砖垒成匀称的蜂巢式花样，四方檐角上斜插着展翅腾飞的铁鸟。牌坊正中瓦檐下高悬着双龙缠边的“圣旨”匾。“圣旨”匾下方正中横嵌着用麻石雕刻的“忠义垂芳”门额。据王氏族谱记载，王友初之孙王谦铭，明朝正统、景泰年间，多次出谷赈灾，有功于朝廷，有德于民间，景泰皇帝诰封王谦铭祖宗三代，为显恩荣，后裔于清道光元年建造该祠，以表忠孝之德。

瑞庭先生祠 位于湖坪汉上村。由富商王瑞庭父子所建。为前带庭院中置天井二进硬山式建筑。四周墙体下端花滚式，上部一眠一斗砌成。首进山墙五花烽火式，后进搏风头起屏护檐成硬山式。通面阔14.35米，通进深27.5米。凹入式门廊，正门上方石刻“瑞庭先生祠”。各进面阔3间，条砖铺地，一进明间木构架用砖墙替代，墙面墨绘穿斗式梁架，二进穿斗式，后拖步辟神台。天井“凹”字状。该祠檐柱直径较大，裹麻髹漆，石础分齿轮状、圆鼓形二式。装饰手法有木雕、石刻、墨书、藻井。檐部构架立花篮状垫木、宝瓶形陀墩、祥凤式雀替及雕有双凤朝阳、人物造型的穿枋，均做工考究，颇为精致，二进次间前金步用四抹槅扇装修；正门上方石刻狮子戏球，前墙红石质漏窗镂空成花绘状，神台两侧石柱阴刻纵书“尊祖敬宗孝孙有庆，丰田采义世德作求”，涂朱描金，鲜艳醒目；院门两侧墨书“龙峰毓秀，湖水钟英”；一进后檐步置四斗藻井。“瑞庭先生祠”装饰华丽、繁缛，具有清中期典型建筑风格。

“忠义垂芳”和“天光云影”牌坊

尚义门牌坊　位于湖坪西头村。为表彰王谦铭父子赈灾湖北三楚之地有功而建。为六柱三间二楼砖石混构牌坊，呈“八”字状。通面阔 13.31 米，通高 8.25 米。6 棵抹角方形砖柱立于石础上。各间大门红石抱框，而石楣、石槛、门枕石则为麻石质。明间各枋共 7 层，下花枋（麻石质）阴刻横书“王丕烈尚义门”，中花枋（红石质）刻“勅书第”，定枋上承桷顶，盖青灰瓦，正脊置宝葫芦，两侧立鱼龙纹，四角起翘继铁钎饰飞鸟。两次间各枋共 3 层，定枋迭涩三层菱角牙子砖出挑，承檐顶。装饰手法采用石刻、砖雕、墨书。明间两中柱阴刻纵书“两代赈饥荒救全三楚灾黎，特建高坊彰大德，九重颁敕命旌表一门义士，褒扬善行有殊荣”。两次间内侧砖柱墨书“先公饥溺为怀，亦有仁义而已；助王赡养其民，岂曰小補之哉”。外侧墨书“鸢飞鱼跃，月白清风”。石刻麒麟望日、双龙戏珠，砖雕飞禽花草等图案，造型精美，形象生动。

董氏节孝坊　位于湖坪东山村。为表彰湖坪王兆富之妻董氏而建。相传清代嘉庆年间，王兆富之妻董氏新婚不久，丈夫便去世，没留下一儿半女，生活极其艰辛。但其人苦志坚，勤俭持家，孝敬公婆，抚养继子。董氏节孝事迹经地方官上报朝廷后，朝廷拨专款敕建节孝坊。该牌坊坐西朝东，为四柱三间三楼单檐庑殿顶结构，全系灰白色花岗岩石砌成。通面阔 5.4 米，通高 6.25 米，以长方形须弥座为台基，4 根抹角方形石柱立于其上，石柱下端前后各嵌雀替状抱鼓石，石面浅浮雕卷草纹。牌坊装饰手法精巧、讲究，分为石雕图案、题词、石匾和诗句。牌坊上镂雕的图案寓意深刻，如“龙首含珠”“麒麟呈祥”，象征富贵绵长；梅树梧桐寓意洁身自好；飞翔蝙蝠和回首翘望麋鹿等图案，则蕴含福禄双全之意。牌坊上题词为横书阴刻“大清嘉庆旌表儒士王兆富之妻董氏”“节孝”等字样，正反面皆有。石匾则采取纵面阴刻形式，正面为“圣旨”，反面为“恩荣”。在牌坊的两中柱下面还阴刻有纵书诗句，正面为“清节风规传诸彤管，贞节坊表树自槐阶”，反面为“万古纲常昭董史，九天伦德锡王家”。董氏节孝坊用料考究，色料洁白，结构紧凑，雕刻细腻，图案精致，造型优美，虽历经 190 年风霜雨雪侵蚀，迄今仍保存完整，具有较高历史、艺术和文物价值。

聚庆堂建筑群　位于湖坪汉上村，由富商王立坚等人建造。是一处以东西纵向共墙连体或隔巷相向而置的 10 幢宅第（聚庆堂、承启堂、修纪

颐龄人瑞祠堂

堂、青云有路宅、花萼联辉宅、棣萼联芳宅、紫气宅、天威宅、矩九公宅、青云公祠）组成的建筑群。总平面东西长 80 米，南北宽 56 米。宅为侧入式单进硬山式建筑，四周墙体花滚式砌成，砖体厚重，前墙阶梯状，山墙三花烽火式，主体建筑两侧建有廊屋、配房，室内前设天井、照壁，前厅堂两缝妥架为穿斗式，后金柱间置木板装修构成宝壁，上悬朱底金书匾额，前置香案；左、右山墙面内墙以木板装修遮蔽；前天井间用白釉泥铺地，打磨光滑划成方形，厅堂则方砖铺地。装修上采用“编竹造”和“穿枋插柳”做法，在照壁、随梁枋及桶扇上雕刻一些简洁动物、植物纹，早清建筑风格显著。

乐善好施宅　位于湖坪汉上村，是为清赠儒林郎之妻董孺人所建。董孺人 43 岁丧夫，清贞自守，抚侄为儿，多次出资赈灾，捐田资助族中弟子科试，朝廷嘉其好义，旌表其“乐善好施”。该宅为前带庭院中置天井两进硬山式建筑。四周墙体下端花滚式上部单丁斗子，两侧山墙首进四花烽火式，后进三花烽火状。通面阔 12.76 米，通进深 21.4 米。各进面阔 3 间，一进明间木构架用砖墙替代，但墙面墨绘穿斗式构架，二进梁架也用砖墙代之，后拖步辟祖龛，上悬“思齐堂”墨匾。装饰使用木刻、藻井、石雕。木刻用在室内，造型有狮子戏球的斜撑、奔鹿回首的雀替、花卉状的垫木、龙头鱼尾形的硬挑、披甲武士，颇为精致。藻井内壁雕戏剧故事、灵禽花草。石刻用在室外，漏窗镂空雕成“福”“寿”两字。前墙门楼为全宅重点装饰部位。门枋为四柱三间二楼式，花岗岩石砌成，明间上花枋阴刻横书“乐善好施”，左侧署款：道光二十五岁乙巳春月。该枋构图丰富，含义深刻，右次间宽大石板面用梅花“傲霜迎雪”的品格表达主人翁战胜艰难困苦的意志，左次间用莲荷“冰清玉洁”的特性彰显主人翁乐于助人的高尚情怀，各枋部花卉草木、飞禽走兽、历史典故等图案精雕细琢，刀法娴熟，线条圆润，令人遐思，具有强烈的艺术感染力。

明德书院　位于湖坪西头村，为祀奉湖坪王受训而建，建于清代早期，坐西向东。书院为前辟门廊，上下两堂，中辟天井的砖木结构建筑。首进构架抬梁穿斗式，后进构架以砖墙替代。外墙以青砖砌成，顶盖灰瓦，两进均为封火山墙，昂扬高出屋面。门廊通宽，木质圆形廊柱，正中辟大门，门额以白底墨书“明德先生书院”六字。上下堂两侧均置房，堂、房青砖铺地，天井以条石砌铺。上堂较高，后部为神室以槅扇装修，上悬“思敬堂”匾。书院内外装修（饰）简洁，给人恢宏而古朴之感。1933 年夏，在红军粉碎国民党军第四次“围剿”后，红一方面军第三军团在湖坪进行整编。期间，时为红一方面军总政委的周恩来就住在明德书院，予这座古老的建筑注入红色文化内涵。

通文公书屋　位于湖坪东山村。由富商王通文建造。该屋为前带庭院中置天井二进硬山式建筑，坐东向西。四周墙体单丁斗子砌成。平面长方形，通面阔 12.2 米，通进深 22.5 米。凹入式门廊，正门上方石刻横书“通文公书屋”。各进面阔 3 间，青砖铺地，明间梁架皆用砖墙替代，后拖步辟祖龛。装饰手段主要是书法、木雕。首进后端隔断用四扇六抹桶扇装修，桶心白釉泥封底上有草书，字体飘逸洒脱，裙板浮雕“福”“禄”“寿”“喜”和龙凤，涤环板刻麒麟、奔马、梅花、菊花、博古等，图案丰富多彩；天井间木雕和合、雀替猕猴摘桃状，造型独特，神态逼真，具有较高的艺术价值。

汉皇庙　位于湖坪东山村，为单进硬山式建筑，坐南朝北。据说此建筑始建于唐末宋初。平面近方形，通进深 7.5 米，通面阔 7.3 米，四周墙体下部二眠一斗式，上部花滚式，两侧山墙“人”字形，顶覆青灰瓦。大门开在前墙正中，门楣上方墨书“汉皇庙”。室内明间立两棵木柱承托纵向“人”字状木构架，后拖步辟神台。上部墙体砖面均刻印“成化戊子王受训”，可见汉皇庙于明代成化戊子重修。

王家井　位于湖坪西头村，建于唐末五代十国时期，原为舒氏所有，后舒氏衰败，更名为“王家井”。井口用麻条石抱框，呈葵口形；内壁用条砖垒迭至底，底部铺砖。井口西向立一石碑，阴刻横书“王家井”，署款“天啟甲子”。此井形制古朴，年代久远，为研究明代水井结构提供实物依据。

古戏台　位于湖坪汉上村“尚质先生祠”内。该祠为内置前后天井三进硬山式建筑。以一进明间前后檐柱为支撑点，纵向贯4棵楼护承托木板构成戏台，高1.5米。两次间为戏台走廊。祠堂中、后进用作看场。戏台上布置抬梁穿斗式构架，中有天花、藻井。天花以满布的冷色调海藻纹为地（寓意儒林早发），用红、绿两色以勾勒填色手法绘盛开牡丹（寓意荣华富贵）、飞翔蝙蝠（寓意洪福齐天），并相间作出圆形、桃形、石榴形开光，中以写意手法绘“鸳鸯戏水”“灵鸟报春”“百花吐放”等图案。藻井内壁彩绘“三英战吕布”“高山流水”等，戏台装饰华丽，精雕细琢，衬托出娱乐场所热闹气氛。

文献世族坊　位于湖坪东山村，始建于清嘉庆年间（1796—1820），咸丰二年（1852）族中八义士捐资复修，全部用优质麻石砌成，四柱三间三楼，高10米多，宽7米多。石刻浮雕，人物鸟兽惟妙惟肖。正面上方嵌有双龙缠柱“圣旨”竖匾，中坊正中横嵌颜体楷书“文献世族”四字，反面为“万派同流”。四柱正反两面分别刻有四联：“缑岭神仙世第，河汾理学名家”“孝子忠臣垂芳百世，状元宰相萃美一家”“三珠世泽传来归，九墨文章倍见新”“乔木发千枝岂非一木，长江流万派总是同源”。反映王氏家族绵长的历史和灿烂丰富的文化。现存建筑为2013年仿建。文献坊的矗立，既凝聚湖坪劳动人民的智慧和力量，又是湖坪王氏历史文化的缩影。

青云塔　位于湖坪东山村“文献世族”石坊前，始建于清咸丰壬子年（1852）。石质7层，永丰孝廉梁维翰提名“青云塔”，拟文笔之峰，兆科名之盛，平步青云，兴旺发达。1969年被毁，2013年冬重建，塔体呈八边形，7层，高13米。

2012年1月，湖坪村被江西省人民政府公布为第四批省级历史文化名村。是年12月，湖坪村被住房和城乡建设部、文化部、财政部确定为第一批中国传统村落。2016年申报中国历史文化名村。

第二节　水南古村

水南古村位于乐安县西南部的牛田镇，距县城32千米，与牛田镇政府驻地隔河相望，村庄依山傍水，沿乌江呈带状分布，江水自东向西绕村而过，因村庄建于乌江南岸，故称“水南”。水南村历史悠久，据水南谱牒记载，唐开元年间（713—741）邬、毕、周、王等姓在此开基创业，至今已有近1300年的历史。现仍有邬家园遗址、毕氏水井，周家、王家、毕家遗址和古墓。后有张、曾、魏、游氏陆续前来定居，留有张氏庙宇、曾氏书院、魏家厅屋等。丁氏于明洪武二年（1369）从连河分居水南，虽时间晚于其他姓氏，但丁氏在此蓬勃发展，人丁兴旺，成为水南大族。清代是水南丁氏鼎盛时期。据丁氏族谱记载，仅清代，水南村丁氏出将军1人（丁浩），五品官衔6人（丁启荣、丁鸣岐、丁觐光、丁文蔚、丁润章、丁口章），正七品官衔6人，秀才108人。2016年，水南村有1246户3053人，丁氏占全村总人口80%。

明清时期，借助乌江通江达海之利，水南村曾商贾云集，成为远近闻名的商品集散地。至今村中仍保存以鹅卵石铺就的街巷14条，有正大街、广聚街、盆桶街、沉塘街、下街，形成棋盘式格局，四通八达，各营其业。正大街主营南北货，广聚街主营副食、肉食，盆桶街主营水产、日杂、米豆，沉塘街主营医药、金银饰品，下街主营酒、糕点，应有尽有。

水南村内保存完好的明清古建筑有140余幢，有牌坊、门楼、祠堂、书院、庙宇、宅第、街巷、水井等，种类齐全，用料考究。石制门罩雕刻精美，室内墙壁、门柱、雀替、藻井也都雕刻有花鸟鱼虫、人物山水等精美图案。村内有多处古牌坊、6处门楼，采用上乘红石制作的门楼，历经百年仍风采如故。

继序其皇牌坊

继序其皇牌坊　位于水南村中心，建于清康熙五十九年（1720）。牌坊高11米，宽20米，厚0.8米。正楼为庑殿式，四柱三间三楼，单檐歇山顶，5层如意斗拱，层叠起檐，顶部置宝瓶刹。中门横额刻着“继序其皇”4个大字，两边书有题款人铭文。周围雕饰祥云捧月、丹凤朝阳、双龙戏珠、狮子滚绣球、鲤鱼跃龙门图案。顶上左右两边有浮雕郭子仪拜寿和高官侯爵行乐图。背面刻“陟降自天”。红石牌坊高大雄伟，气宇轩昂。牌坊后是宽3间、深3进的大祠堂。据史料记载，牌坊为村中丁氏十世裔孙丁浩受封为怀远将军时兴建。清顺治年间，丁浩奉旨挥师南下，平蛮靖匪，威震一方，立下赫赫战功，顺治十年封怀远将军，赐建“继序其皇”坊旌表其功。2006年，继序其皇牌坊被江西省人民政府批准为重点文物保护单位。

万寿宫　位于水南村西北边，清乾隆四十八年（1783）为纪念地方保护神——俗称“福主”许真君而建。建筑进深35米，宽16.4米，面积574平方米，共4进。是集祭祀、庙会于一体的建筑。大门正上方红石上刻有“万寿宫”3字，门两侧书有“万众齐祷许仙治水之恩，寿星咸谢旌阳施□□□”联。内有戏台，戏台两边为长廊式看台，梁架为穿斗式，藻井彩绘华丽，柱子上的雀替与斜撑雕饰有龙、凤、狮、象、麒麟、鹿等吉祥动物，工艺精湛，形态逼真，有较高的历史、艺术和科研价值。为市级文物保护单位。

百岁坊　位于水南村中心，建于明万历三十九年（1611），为六柱三间三楼式砖木结构，单檐庑殿顶。用红石雕刻的抱鼓石基座为须弥座装饰，工艺精细。牌坊正面的大额坊悬挂横匾两块，各书“期颐贤叟”与“百岁人瑞”；其反面相对位置，亦挂着“三世大宾”和“耆德嘉宾”匾额。这是水南丁氏开基祖焕章公第六世孙丁春魁“三世上百步，举大宾”，受到明嘉靖皇帝嘉奖而赐建的。

义云书院遗址　位于水南村以东约2千米的茶园自然村。为清康熙年间水南丁溥出资建造。书院坐东朝西，大门门楣青石板上刻有“义云书院”4个大字，大门两侧刻有一楹联：“义路礼门君子所履，云龙风虎大人之占”。书院前部是一个宽敞的院子，院子中间一条走道通向正厅，通道左右两旁是花圃。穿过院子进入正厅，正厅中堂正对大门的墙壁上是一个神龛，上面安放着龙位牌。牌上写着“大成至圣师孔子神位”，左边是“三千群弟子”，右边是“七十二贤人”。正厅后面是钟鼓楼。钟鼓楼中间墙上开7个圆月门，两边刻有对联“胆欲大而心欲小，智欲圆而行欲方”。正厅墙背面门额写着“左右逢源”4字，两边分别写着：“对付外人勿专恃圆通手段，欲强中国须注重教育精神”。进入月门是大礼堂，礼堂天花板上雕刻着各种花虫鱼鸟，甚为美观。清朝末期，清政府废除科举考试，转而兴办学校。忠义乡带陂贡生邹希孟、云盖乡水南副榜丁继先、流坑贡元董步汀等人发起募捐资金重修义云书院，并改名为“两乡书院”。1917年，创办“罗宿高等小学”，1930年停办。1939年，在此创办乐安县立首所初级中学，首任校长为乐安籍留法硕士游家训。1941年，迁移至乐安县城，即今乐安一中前身。中华人民共和国成立后，义云书院几经变迁，先后设为牛田粮站、牛田中学、牛田农业中学。

莲花庵　位于水南村西北边，与万寿宫、关帝庙紧邻。建于清乾隆四年（1739），是水南村“儒释道”信仰的物质依托。相传莲花庵为富翁丁孟钦次子丁一极，因晚年丧子，出家信佛，在村中创建莲花庵。自此庵内炉烟缥缈，灵光相映，香客络绎不绝，一直延续至今，已有270多年。民间流传有：“门前抬头见莲花，莲花宝殿座观音，招财送子显神灵，济世造福保康宁”。有对联曰：莲座观音济世于救苦救难，紫府王佛心怀那大慈大悲。

丁氏大宗祠　位于水南村中心，与百岁坊相邻，建于清代早期。为前辟门廊，三进两天井建筑。大门上方悬挂“丁氏大宗祠”木匾，建筑面积399平方米，天井巨大，气势恢宏，内部还保留较多的石刻和碑文，门口一对红石狮子和两个红色抱鼓石，具有较高的历史文化价值。

克洪公祠　位于水南村中心，继序其皇牌坊便是祠堂入口。为前辟门廊，上下两堂、中辟天井的砖木结构建筑，正面三扇大门一字排开，正中大门上方悬挂“克洪公祠”木匾。正堂上方挂有“永怀堂”匾额。有嵌“克洪”“永怀”楹联“克笃前微其功弥永，洪胎后裔惟德常怀”。建于清代早期，是村内建筑面积最大的祠堂，宽3间、深3进，建筑面积556平方米，建筑内宝顶、斗拱形式丰富，雕花精美。具有较高的艺术和历史文化研究价值。祠堂曾在民国时期被改建为村中新式学堂，中华人民共和国成立后设为水南中心小学。

克洪公祠

吉松祠堂　建筑形制特殊，天井较大，内部雕花装饰精美别致；一进上方保存有完整的藻井，工艺精致，建造时曾用镀金贴面，具有较高的艺术价值。

达清公祠　外立面有浓厚的西方建筑特色，内部结构为典型的天井式祠堂建筑，1932年，公祠曾为苏维埃乡政府所在地。具有一定的历史文化价值。

魏家厅　是村内保存最古老的建筑之一，据传原为丁家祖房。是典型的天井式民宅，内部装饰较为简单，但室内木柱半径较清后期建筑更大，且保留有使用早期工艺制作的保护膜，具有较高的历史研究价值。

码头遗址　北景门码头，现樟树林码头，位于古村东北角，与樟树林相接。码头从上至下有18个台阶，古时用于装卸货物。沉塘街码头，位于古村北部万寿宫旁。码头共有12级台阶延至乌江。下街码头，俗称老桥上码头，由于该码头地势较低，古时候可直接站在陆地与过往船只进行货物交易。

牌坊遗址　东皋牌坊，位于丁浩书院前，门首题有“可抵名家”。南熏牌坊，位于丁浩书院左侧，门首题有“熏风南来”。西华牌坊，位于丁氏大宗祠前，门首题有“簪缨世第”。北拱牌坊，位于百岁坊右侧，门首题有“北拱锁钥”。

红色遗迹　第二次国内革命战争时期，水南曾为红色苏区，朱德、彭德怀等红军将领曾在村中居住过，达清公祠设过苏维埃乡政府和粮食合作社。村前的广岩岭建过红军炮楼，村南前方1千米的刁坑塅、富家岭有红军挖的战壕；村中古建筑内还保存着大量的红军宣传标语等，据文物部门调查有150余条。

水南村仍保存众多古井、古树、

古庙、古巷道等。村东的古樟林面积108亩，内有古樟树4千多棵，树龄大多在200年至800年之间。最大的“三仙樟”树围6.28米。2016年被上海大世界基尼斯认定为中国“规模最大的古樟林——中国第一古樟林”，并入选“江西百景”。2009年7月，水南古村被确定为江西省第三批历史文化名村，2016年申报中国传统村落。

龙图学士牌芳和刺史传芳牌坊

第三节　水溪古村

水溪古村位于乐安县西南部的罗陂乡，距县城53千米。处于雩山余脉大树岭山系的大、小岭山脚下，群山拱挹，层峦叠嶂，清澈的山泉汇成小溪蜿蜒自北向南绕村而过。是个历史悠久的文化村落。宋建炎二年（1128）彭子昇与其子彭世臣，从永丰沙溪迁居乐安罗陂黑源。绍兴十二年（1142）翰林侍讲彭世臣迁居水口（水溪），为水溪彭氏开基祖。之后彭氏在水溪村兴基立业，繁衍生息。村落以村中两个炮台为界，把整个村围合在一起，房屋建筑东西朝向居多。村中心有一古池塘，池塘四周排布村中重要的建筑，龙图学士木牌坊和刺史传芳砖石牌坊都位于此地。村内有许多明清建筑，距今已有500多年历史。数十栋古建民居环绕在古塘四周，层层相套，坐落有序，布局严谨。2016年，村中有居民600多户2300余人，是一个彭姓聚居的村落。

村庄有新旧建筑1000余栋（处），其中明清建筑100余栋。除两座“国保”牌坊外，保存比较完好的古建筑还有公祠、楼阁、庙宇、牌坊、宅第等。这些古建筑散居于村中各处，古色古香，厚重典雅，有的雕梁画栋，有的斗拱层叠，有的飞檐腾空，风格迥异，各具特色。这些建筑细节与古建筑一起和山清水秀的村庄环境巧妙地融合在一起，水乳交融，相得益彰。

龙图学士牌坊和刺史传芳牌芳　龙图学士牌坊与刺史传芳牌芳毗邻，中间隔一小巷。（详见第二十二卷文化旅游第十一章旅游第一节旅游资源）

彭氏大宗祠

彭氏大宗祠　始建于明嘉靖十年（1531），吉水状元罗洪先为该宗祠撰记。清咸丰七年（1857）在清军与太平军交战中毁为灰烬，后来彭时通、彭永汪、彭鸾举、彭德修筹资重建，历3年建成。清同治年重修，1941年，最后一次维修。该建筑坐北朝南，三进两天井。主体建筑分上、中、下3堂，中间为享堂，明朝状元罗洪先为水溪彭氏大宗祠撰记，署时“嘉靖二十一年壬寅夏四月哉生明立”。附属东墙“干打垒”为一大特色。墙体全部用泥土堆砌而成。全长35米，宽处有两米。为彭氏祭祖、讲学、文化活动场所，具有较高的历史、艺术和科学价值。

彭永旺宅　该建筑毗邻“龙图学士”牌坊。建于明代晚期，是彭氏32代彭永旺的祖屋。坐北朝南，三滴水山墙，硬山顶。一进一天井，为侧入式进门。一眠一斗墙体，进门右侧为天井，左右两厢房保存完整，一层单体建筑，抬梁式结构。据谱载：彭永旺，行昭十，恩荣登仕郎。清嘉庆十四年（1809）正月十六日生，光绪十一年（1885）八月廿九日殁。同治三年（1864）鼎建宗祠，光绪元年（1875）督修族谱。该宅具有典型的明代建筑风格，对于研究水口民居具有重要价值。

回龙阁　始建于清代早期，最近一次维修是2005年。该建筑坐北朝南。庑殿顶，两进一天井。进门内有四大金刚镇守，中间供奉菩萨朝拜。后堂有道教张天师神像及两尊小神像。大门口一古老樟树掩映成荫，旁边弯弯的小河流过，显得格外秀美。整栋建筑古朴、庄重、典雅，为罗陂水口一带有名的寺庙，香火不断，人气较旺。该殿保存较完整，为研究古代寺观塔幢建筑提供重要参考价值。

庸先公祠　位于水溪村西南方向，坐东北朝西南，占地面积600多平方米，院落始建于清光绪二十九（1903）。整个建筑为前厅、中厅、后院式构建，三进三出，错落有致，庭院深深。中厅留有天井，采光极好。左右铺有回廊、耳门、四通八达，出入便捷。门上方书“庸先公祠”4个大字，前檐镶嵌精美的青砖雕刻，室内装饰龙凤、鳌鱼、麋鹿木雕梁，让人感觉华丽、凝重、庄重，对历史研究有重要价值。

旌表节孝坊　该建筑坐东北朝西南，为砖石结构，四柱三间二楼式样，两侧翼墙与宅院围墙相连。楼为单檐歇山顶，上覆青灰瓦，翘角飞檐。定坊砖砌，雕鱼鳞纹。明间上坊凸有石桩，立圆雕石狮一对。正间阳刻“圣旨”两字，两侧间有浮雕“打马游京街”人物像。额坊正间镌刻“旌表节孝”四个大字。下坊辟有一门，槛、框、楣全为麻条石，石门两侧镌刻“皎洁冰心万古纲常标彭泽霜寰雪鬓一生苦节振陇西”楹联。坊部砖雕图案丰富，有凸目飘髯、张口含枋的双龙首，有双耳耸立、翘首日月的麒麟，还有各种灵禽瑞兽、奇花异草、祥云图腾。牌坊后面建有一幢三进三开间民宅。该牌坊始建于清同治七年（1868），为褒显彭政先之妻曾氏“冰清玉洁、励志抚孤”而立。

真君阁　位于水溪村东口，建于清代，硬山顶，砖木结构，青砖墙体，内空斗处以黄泥、瓦砾等物填充，建筑外观呈青灰色，建筑高度一层，占地约100平方米。屋顶盖小瓦，阴阳瓦屋面，屋脊为小青瓦垒瓦脊，外部正门翻新维修过。

栋云公祠　始建于清代，坐东朝西，为两进一天井硬山式建筑。民国初作过私塾，土地革命时期为苏维埃乡政府驻所。二十世纪五六十年代为村级办公场所。彭栋云，号翔九，字吉圃，清宣统元年（1909）例授国子监大学生。后堂有一木匾“嘉乐堂”，为后代彭惟富获得。彭惟富，号超吾。1927年，任国民革命军第18师江西永丰、乐安、新干三县募兵委员暨18师师部军需处书记。1934年，任藤田特别区第二区第一保联主任。1936年，调任乐安县第三区第五保联主任。该祠堂为水口重要的历史建筑，有较高的历史价值。

经元匾屋　又称彭寿裳宅，始建于明末。坐北朝南，两进两天井，硬山顶，抬梁式结构。三楼式牌楼门罩，正门上方有“秀挹南口”4字。2007年做过维修，进正门为一天井，天井上方悬挂木匾“经元”。此匾是家世“原经”公赠送主人彭寿裳，而彭寿裳属原魁公房，原经为兄，原魁为弟。彭寿裳为水溪彭氏29世，治家得丰，俭之宜虑，嘉庆十四年（1809）列入国子监大学生，后督修族谱。整栋建筑保存完整。

西望楼、东敌楼　始建于明末，坐东朝西。为两层，上有瞭望口，东西两门相通，为全村进出主要通道。对于防守、抵御外来侵略起到镇关卡的重要作用。西望楼保存较完整，清代中晚期作过维修；东敌楼保存较好。

仕徐公祠　始建于明代晚期，坐北朝南，大门上方砖刻有“仕徐公祠”4字。该祠堂还兼有书院功能。前堂正屋保存较好，后厅留有遗址，剩下4个石础和两根砖柱，东面留有一处顺路势弯曲而砌的墙体，整栋祠堂古朴、凝重。两侧墙上留有红军标语和“反对帝国主义”漫画。仕徐公祠为水口彭氏家族宗祠与住宅、书院融为一体的建筑，具有明代晚期典型的建筑特征，对于研究水口乃至罗陂、永丰一带明清建筑具有重要的历史价值和科学价值。

友恭堂　建于明代，砖木结构，硬山顶，墙体为青砖墙体，墙上有镂窗，建筑外观呈青灰色，高度2层。屋顶屋面盖阴阳瓦，底瓦多为双面上釉的缸瓦，盖瓦为小青瓦，屋脊为小青瓦垒瓦脊。宅内使用镂窗、雀替、八角藻井，各式各样的雕刻，具有一定的研究价值。

立容公祠　墙体为青砖墙体，建筑正立面呈青灰色，侧面翻新涂抹成白色，山墙为青灰色，高度为一层，一井二厅，硬山顶，屋顶屋面盖阴阳瓦，屋脊为小青瓦垒瓦脊，封火墙，砖木结构。祠堂厅分为上下厅，中间有一天井，上厅左右为厢房，下厅左右各开一侧门。该祠为水溪村重要休闲活动场所。

2016年，水溪村申报中国传统村落。

第四节　稠溪古村

稠溪古村位于乐安县东南部的南村乡炉桐村，距县城约36千米。村庄坐落地峰峦叠嶂，地势险峻，森林葱茏。村落不大、落差却有数十米，溪水穿村而过，村舍沿溪谷两旁而建，随山坡梯级而列，以山石垒就的屋基高露地面，在高垒的屋基上，建着一栋栋青砖灰瓦昂墙的房屋，其中明清建筑有30余栋。村庄古道弯弯拾级而上，溪水潺潺穿村而下，体现一方古典山寨之风韵，故当地叫之“稠溪寨”。

稠溪古村

稠溪之地，在宋代以前鲜有人烟。宋代之后，因时局动荡，先后有杜、李、刘等姓徙居这山谷之地，使一方偏僻狭小的山谷住满人家。南宋末年，王氏迁徙于此，其后杜、李、刘等姓氏逐渐外迁，稠溪成为王氏单姓聚居的村落。

据稠溪王氏族谱记载，王安石之第11世孙王积贤在南宋末年参加文天祥抗元勤王活动，宋亡后为避追杀，隐居于稠溪，经700多年的繁衍生息，人口最多时有1300余人。因地处偏远山区，且存在地质灾害风险。2010年前后，全村整体搬迁到鳌溪镇鳌溪村小南门村小组何家山。2016年，稠溪古村仅几位老人住守。

稠溪王氏受家族影响，勤于耕读，诗书传家，世代都有通晓诗书的儒士名人。元朝，因受异族统治，尤其是参与抗元勤王的王氏子孙，耻于仕元，隐居致学。王积贤第三子王子明，著有《农隐集》，被吴澄称为“耆儒宿学”。明代以后，稠溪王氏子孙积极科举取士，明清两代，以乡举、入贡、荐举等途径获得功名，入仕为官的有数十人。较为出色的为王世昌。王世昌，明万历七年（1579）举人，官至知县，退休归家后，常与董裕、曾维伦等名流讲学于各地书院，倡导乡民制定乡规族约，以正民风世俗，著有诗文集多部，被推荐为乐安县乡贤。

据《稠溪王氏五修族谱》记载，先前村庄周边有8处景观，分别为：一柱凌霄、五龙攒秀、金鳞春跃、玉桂秋香、扶寨朝阳、榴峰夜月、天马南驰、华盖北望。

稠溪村有宅第、祠堂、牌坊和书屋书院等古建筑，且内涵深厚，特色鲜明，这些古建分布于村落，鳞次栉比，坐落有序，布局严谨。祠堂规模宏伟、飞檐流瓦。宅第雕梁画栋，描金绘彩。据乐安县文物部门考查，稠溪村现存明清建筑30多栋（处），其中公祠10座、书院遗址2座，宅第10余栋，门坊、坊牌2处。

王氏大宗祠　位于村口，坐东朝西。始建于明代，现存建筑为清初重建。是稠溪村最为典型的古建筑，占地面积338平方米，原为开基祖王积贤建的明诚书院，又名稠溪祠、王氏家庙，祠堂进深32.8米，通面阔10.3米，前墙四柱三间牌楼式，花枋阳刻“王氏大宗祠”，上方有“追远”两字，“追远”两旁各有一幅鳌鱼跃龙门的雕塑和人物花鸟图案。祠堂为三进硬山式砖石木结构。首进明间上部有斗八藻井；中进前檐步为卷棚轩式；后进前檐步覆斗状，直棂式槅扇装修。各进梁架为抬梁穿斗式，首进、中进明间立柱粗壮硕大，石础圆鼓状、八角形。祠堂前面为晒场，后面为浓荫掩遮的樟树林，南面有山涧小溪流。整体建筑美观、精致。

西汉祠　位于村西北小山坡上，坐西朝东，建于清代，原为社公庙，现保存有部分石构件，占地面积158平方米。祠堂四周树木茂盛，以樟树、柘树、柰树、桂花树为主，景色秀丽。

启柱先生祠　位于村东南山坡上，坐东朝西，建于清代，为纪念王启柱而建。王启柱，行道五，故又名道五祠。占地面积199平方米，青砖墙体，青灰色，高一层，砖木结构，硬山顶，封火墙，二井二厅，抬梁式梁架，右侧有配房。上厅左右为厢房，中为府座。下厅左右各开一圆形耳门。1991年维修时，基本保存原貌。

长孚公祠　位于村西北小山坡上，建于清代，是一栋砖石结构为主的古建筑，占地面积77平方米，原为纪念王长孚所建，后改成书院，里面存有22尊木雕神像。

正视公祠　位于村东南山坡上，南临图书馆旧址，北靠著存堂，坐东朝西，建于清代，原是纪念正视公而建的祠堂。占地面积315平方米，民国年间，改为稠溪学校，现仍保留有10根大石柱。

著存堂　位于村东南山坡上，毗邻正视公祠，坐东朝西，建于清代，原为纪念王友龙（字云从，号秀峰）而建，是一栋两进一天井式建筑。占地面积221平方米，建筑面积327平方米，大门两侧书有“著千秋伟业子孙共享，存万代功绩日月可鉴”对联。2005年重修后保持原有风貌。

图书馆旧址　位于村南面山坡平地上，坐东朝西，是民国时期的乐安县图书馆，占地面积275平方米，据说当时有藏书四五万册。20世纪80年代改为稠溪小学。

岭背书院　位于村东北山顶上，坐东朝西，是一栋两进一天井的清代书院，占地面积315平方米。据谱载，宋开庆年间（1259）开基祖王积贤同子王纯于立明诚书舍，此后村中讲学、办学蔚然成风，岭背书院即教育场所之一。

泰豫恒临门坊　位于村东部，坐东朝西，建于清代，占地面积21平方米，为两层砖结构，石

泰豫恒临门坊

节寿齐芳宅

雕精美，门首上有“泰豫恒临”4个砖雕阳刻大字，内有石水缸和完整的石雕构件。正坊为梯形图案；次坊为桌子、茶几图案，砖块粗硕完好；下坊为两个正方形照壁。

节寿齐芳宅　建于清代，占地面积235平方米，上有“圣旨”二字，里屋有“节寿齐芳”匾和“道光四年赠送王母曾太君八秩赞”落款。

王子升宅　建于清代，占地面积165平方米，进深16.5米，面宽10米，前带庭院，中置天井，二进硬山砖木结构，四周墙角用青条砖二眠一斗砌成，平面呈纵向长方形。前后进明间都为穿斗式结构，上穿枋横贯楼护，上满铺楼板，明间作厅堂，两次间为正房，天井两侧的内檐装修为六扇四抹槅扇，槅心为内外连锁式，三条环板楼环形穿孔。该宅明代风格深厚，清朝前期在原址上重建。

稠溪村中3棵具有保护价值的古树，其中一棵树龄500年的椤木石楠，已被挂牌列为“国家一级古树”。有古井5处，是村民生活水源的取水地点。位于村西侧的古井至今仍保存完好，修建于北宋，有一条古巷直通该井，井口呈矩形，为自流井，井中水质清澈，入口甘甜。

2016年，稠溪村申报中国传统村落。

第五节　同富古村

同富古村位于乐安县北部的龚坊镇，距县城约40千米。村庄分下边村和上边村，共400余户1900余人，是黄氏聚居的一个传统村落。据同富黄氏族谱和有关文献记载，宋大中祥符年间（1008—1016），曾任兵马副使的黄中逸途经崇仁桐冈（今乐安同富），被桐冈秀异的山水所吸引，认为此地秀异，其后必多出人杰，子孙有兴者。遂卜地肇基于此，成为同富黄氏开基始祖，至今历时千年。

同富村属丘陵地带，山水秀美，同富黄氏在此精心耕耘，诗书传家，经历漫长的肇兴发展、盛衰变迁的沧桑岁月，孕育出众多人物英才，造就一方历史悠久、文化内涵丰厚的村落。宋代时，人口并不多的同富黄氏就有中举入贡者十多人，以诗文显赫者不乏其人。黄千澄以俊异入国学，诸士推之为巨擘；黄天升以学优贡入贤关。元、明两代，同富黄氏以文章科甲声名鹊起。有进士6人、中举入贡者10多人，加上以其他途径获得功名者共有30多人。其中，有官职者20余人，不少为名儒显宦。

在同富显宦名儒中最有影响者为黄昭。黄昭（1298—？），字率性，号观澜，为同富黄氏第12代。元至顺元年（1330）进士，初授将仕郎，安庆路录事，后升兵部员外郎。至正年间，因受红巾军大起义的影响，江西起事民众活跃。为平息江西之乱，至正十五年（1355），元廷诏授黄昭嘉议大夫、兵部尚书，偕肃政廉访使吴当、江西行省参政火尔赤主持平乱事务。次年，黄、吴二人在平息抚州、建昌两路的战斗中功勋卓著，引起朵歹、火尔赤的忌恨，被诬告为通寇，又以南人不宜总兵，元廷遂解除黄、吴二人的兵权，降黄昭为临江路总管。火尔赤又说黄昭难以胜任牧民官，被元廷贬为平民。至正二十三年（1363），朱元璋与陈友谅在鄱阳湖展开大战，黄昭为朱元璋出谋献策，大败陈友谅。朱元璋称帝后，聘任黄昭为王府参军，同修律令，而黄昭因年老体衰，恳辞不任。

元、明时期，同富是个教育发达、文化昌盛、英才荟萃的村庄。到清代，虽科贡仕进有所衰退，仅有中举、入贡和以军功获得功名者四五人，但文化教育仍然呈现一派灿烂景象，而且商业经济逐渐发展。清中后期，同富不少人涉足商道，使同富经济有较快的发展。其宗族建设与管理得到进一步加强和完善，一些祠堂、寺庙、书院、路、桥、塔等得到修复或重建，村庄建设欣欣向荣。而至晚清随着国运的衰落，尤其是太平军转战乐安后，同富进入动荡衰退。直至中华人民共和国成立，经济文化等事业才有新的发展，村民生活逐渐改善。随着宗法管理制度的废除和村民对物质文化生活需求的变化，过去的祠堂、寺庙、宅第等建筑逐渐失去原有的功能，任凭风雨的侵蚀，逐年坍塌消失，有的被人为的拆除翻建。村中尚存十余幢古代建筑，其精工装饰的门面、檐宇、照壁等，古典雅致，承载着丰富的历史文化，彰显其往昔的辉煌。

同富村所存古建筑主要有祠堂、牌坊和宅第等，大多数为清式建筑，少部分带有明代建筑遗风，基本体现着赣中明清建筑的特征。其外观青砖墙，灰瓦顶，多为烽火墙式山墙，古朴素雅，昂扬气派；内部为木质构架，大多为一层半，三开间。不少建筑靠前墙内侧或厅堂之间设置天井，重工装修门面、檐宇、宝壁和天井部。对人文纪念性建筑和祠堂等建筑的门面，不少做成飞檐翘角的歇山式顶牌坊，现存的“科甲丛芳”牌坊和守元公祠、光程公祠的门面，是同富重要的古建筑。

科甲丛芳牌坊

同富村

科甲丛芳牌坊　位于同富村口，黄氏大宗祠（祠已毁，现为同富小学）的前方，为同富黄氏一族科宦之荣所立。始建年代不详，现存建筑为明隆庆三年（1569）的重建之物。全系石构，六柱三间三楼，使前后平面均呈“八”字形，结体稳固。坊中间顶部高出，两侧间等高对称。坊上多处以石浮雕各种形体的瑞兽、祥禽、花卉装饰。坊上层正中前后均嵌有“恩荣”竖额，中层前后分别嵌有“科甲丛芳”“簪缨接武”横额，署款：“皇明隆庆己巳秋吉旦裔孙重建”，昭示同富黄氏科举之盛、仕宦之崇。此坊构架独特，装饰精美，轩昂气派，特具古典韵味。2010年申报省级文物保护单位。

守元公祠　建于清乾隆年间，整修于道光十九年（1839）秋。为祀奉同富黄守正、黄元吉兄弟俩而建，祠为两进、中辟天井，门面建成四柱三间、砖粉结构的牌坊，飞檐翘角，气势雄伟，

守元公祠

室内础柱雕刻精美，公祠现为村民娱乐活动场所。

光程公祠　建于清光绪年间，为祀奉同富黄方陟（字光程）而建，此祠以门面的设计与装饰讲究而出色。门面为四柱三间二楼式牌坊，全系石构，中间辟门，顶部高出，两侧间顶部均分两个级次而对称。坊底部和上部均以石浮雕和镂雕各种形体和图形装饰；中部以石贴面；檐下以立体线装饰，坊顶塑有立体雕装饰物，极为精美，古典壮观。

同富曾有“桐冈八景”，名儒官宦为之所赋诗文，反映同富山川秀美和人文繁盛。如“古寺钟声”“清溪钓隐”“桐谷书声”“城楼琴韵”等。在同富村西约二里许，一片茂林修竹的山坡之下，一棵遒壮苍老的罗汉松（围径逾3米）枝繁叶茂，参天而立，引人注目。树前，一块约30亩长满青草的荒坪，即是“桐冈八景”之一“古寺钟声”之处。古寺早已不存，而罗汉松益发茂盛，傲然孤立，凝视荒坪，似乎在追忆其往昔的光景。

第六节　东坑古村

东坑，古称东川，位于县城西南方鳌河之畔，距县城约12千米，现为鳌溪镇东坑村委会所在地。因村东一川碧水奔流而过，故名曰“东川”，直至20世纪50年代才改称“东坑”。东坑原属崇仁县忠义乡，南宋绍兴十九年（1149），乐安建县时划入乐安县辖区。2016年，有村民245户748人，为陈氏聚居的村落。

据东坑陈氏谱牒和有关文献记载，东坑陈氏源出南北朝时期陈朝皇室，为陈宣帝陈顼的后裔。陈宣帝第17世孙陈绍府为北宋早期举人，任崇仁县尉，因勤政爱民、绰有官声，获授大夫衔。任职期间，陈绍府到忠义乡巡察，见东川之地山清水秀，遂于卸任归田后的北宋大中祥符年间（1008—1016），卜地开基于此，成为东坑陈氏开基祖。陈氏在东坑开基创业，随着人丁渐繁，家业不断拓展，人文蔚起，名儒雅士辈出，登科入仕者代有其人。

宋代，人口并不多的东坑村就有中解试、漕举和监举者5人，入仕者10余人，出现不少贤达之士。如陈西园、陈四达和陈澄等人。他们分别创建有西园、西楼和道山书院在村东河畔，传道授业，芳名传世。元初，乐安许多志士参与文天祥抗元勤王的队伍，不少村庄惨遭元兵杀掠。入元之后，许多志士耻于仕元，而隐居乡野，潜心力学。东坑道山书院隐于山川之间，且环境优美，成为元代初期乐安诸儒的会讲场所。元代大儒吴澄、何存心等都曾寓居道山书院聚徒讲学，使东坑之地四方文人云集，文化学术蔚然成风，出现众多名儒雅士，如陈崇达、陈崇贵、陈崇适、陈华瑞和陈沄生等人，都曾为一方名儒。

明代，随着社会逐渐安定，东坑陈氏积极在功名上进取，通过乡举、贡举等途径获得功名、官职者有10多人。其中，最有名为东坑陈嘉言。陈嘉言为明万历年间举人，初授山东青州府诸城县教谕，不久升为南直隶太平府芜湖知县，又历湖广黄州府黄梅县知县。因勤政爱民，仕绩昭然，两县均推之为名宦。后擢升为云南曲靖府陆京州知州，诰封奉直大夫。入清之后，东坑陈氏承明代发展的态势，呈现一派经济繁荣、文化昌盛景

东坑村

为纪念陈子谦而建，兼作住宅。大门前刻有“子谦公祠记”石碑。祠堂占地面积197平方米，坐东朝西，为两进一天井式，前有一院子，室内前厅后堂，雕刻装饰得富丽堂皇。

栅子祠堂　建于清代，占地面积257平方米，位于村中间，前为池塘，左右两边都是民宅，坐北朝南，内有“进士”木匾一块。

花上祠堂　位于村边，坐西朝东，占地面积201平方米，建于清代，前为一大池塘，为东坑早期祠堂。大门为两柱一字开，中间为一天井，前后两进。门柱上、梁枋间均雕刻有各种花纹，故当地人称为“花上祠堂”，整体保存较好。

州司马第　位于村中，坐东朝西，占地面积279.5平方米，东、北两面是池塘，南邻子谦公祠。是陈廷铨（1801—1867）建于道光年间。陈廷铨给太平军送粮食，太平军封其为州司马。进大门就有大“福”字木板，前进有一天井，天井内保留着一口长1.1米、宽0.78米、高0.68米的明代大水缸；后进保存精美木雕，艺术价值很高。

应宿第　坐落在风景优美的池塘边，占地面积114平方米，建于清代，是古代文人墨客会面、吟诗作画的好场所。

象。村中富庶之家多，读书子弟更多。在一个仅有几百号人口的小山村，就有道山书院、应宿第书院、思南书屋等6座书院书屋。清前期有中举、入贡和获得官职者5人，其中，陈文煊官升督运千总；陈承休仕至知县，并委署武昌府通判、同知。至清中期之后，东坑陈氏博取功名则呈现另一番景象。许多富商通过捐授途径获得州司马、儒林郎、登仕郎、布政司理问等官衔或监生、贡生等身份，这是一个既有文化内涵又有经济实力，在地方宗族中有着较高声望，起重要作用的群体。相比之下，从事科举的儒生们则显得穷困而黯然无光。面临这种现实，从事举业而备受艰辛、前途渺茫的儒生，无不心志低落，不少务实者改事实业或经商，步入“富而仕”的行列，促使东坑经济进一步繁荣。

明清两代，因东坑经济文化繁荣，村庄建设也进入鼎盛时期，宅第、祠堂、书院、楼阁、牌坊、庙宇、戏台等各类建筑齐全。然而，因屡经世乱，尤其是清末民国初兵荒马乱，许多古建筑先后被毁，现存的几十栋古建筑大多数为清代建造。这些祠堂、书院、宅第堂室内外均以重工装修，砖雕石刻、彩绘墨书等装饰手法并用，富丽堂皇，体现清代东坑豪门之风采。

子谦公祠　清嘉庆五年（1800），

东坑村游神活动

东坑村民宅

思南书屋　位于村中心，占地面积100平方米，砖木结构，前进仍保存，后进已坍塌。始建于明嘉靖二十八年（1549），为纪念陈允保而建，陈允保号思南，故曰“思南书院”，现存为清代建筑。

如兰书院　建于清代，坐西朝东，占地面积181平方米，墙体是干打垒土砌成。前为一天井，后为厅堂。书院后一口古井仍在使用。整体保存良好。

道山书院遗址　道山书院是东坑历时最久、影响最深远的书院。南宋咸淳年间由陈澄（号道山）所创建，虽历经维修，但因历时之久残破不堪。至清咸丰元年（1851），陈学序倡集族彦重建，并建水西桥、亭。重建的道山书院位于东坑村西南一里许的鳌河之畔，水西桥、亭在书院之西约40米处的鳌河之上。书院占地数亩，是集“延桂堂”“惜阴斋”“文昌阁”和“魁星楼”等为一体的建筑群。置田300亩，以供祭祀、教学之用和奖励读书子弟。曾经是一处名师执教、学者云集之地，可惜于1969年被一场大洪水冲毁，至今留下一片废墟。

旌表儒林郎邑庠陈洪勋门坊　位于村中间，前为草坪，左右两侧为民宅。建于清代，牌坊主体四柱三间，左右两侧书有对联“颖水腾辉门萃德星三锡命，鳌溪振彩邑开文苑并垂芳”，落款为“知乐安县事山荫史致祥拜题”。上方有花鸟、小桥和人物图案，为清代“鳌溪书院”前身，是主人陈洪勋创办鳌溪书院而立。2001年9月，抚州市人民政府公布为市级重点文物保护单位。

桥头牌坊　清代建筑，毗邻鳌河，占地面积6平方米，原为东坑村民进出村口必经之门坊，砖石结构，保存较好。村民游神出殡、婚丧嫁娶等重大事活动都要经过此门坊。

石拱桥（道山桥）　清代建筑，位于村旁鳌河下游，东面为大樟树，西边为小山和树林。为一座三孔石拱桥，是东坑村与外界联系交往的交通枢纽，至今保存完整。

第七节　朱坑古村

朱坑，又名珠溪，位于乐安县东南部的谷岗乡坳下村，距县城33千米，是古时去道教名山华盖山的所经之地。沿古村古道行进，至华盖山山顶约3千米。据朱坑余氏族谱记载，北宋初年，余氏祖先大用公（余雄，字道隐）从乐安县余家源迁往崇仁县五十六都朱坑。千余年来，朱坑村钟灵毓秀，人才辈出，有知府3人，知州1人，同知2人，州判、经历、总兵、知县各1人。

南宋著名道士白玉蟾，不仅在朱坑村当过塾

朱坑村

清慎公祠

师，设馆授徒，而且为朱坑村题写“八景诗”16首。朱坑村历史上建有众多祠堂、书院、楼阁、宅第、庙宇、古井、古塘和古桥等传统建筑。

余氏宗祠门坊　清代为纪念开基祖余大用而建，现只剩下门坊。门坊为四柱三间三楼牌坊式，砖石结构。坐北朝南，各立柱均为砖构，表面贴梯形砖。明间下部辟石门，上部分下枋、下花枋、上枋、上花枋，门额共5层。上枋砖刻双龙首，菊瓣纹，绶带纹，双狮戏球图案；上花枋墨书“余氏宗祠”。次间镂刻人物图像，门额用间柱隔为7间，各间分别刻有竹子、卷叶、麒麟、仙鹤、鲤鱼图案。柱头枋迭涩3层仰莲承托木质檐枋，上盖青灰瓦，两次间上部分为上枋、下枋、花枋3层。上枋雕刻芙蓉、梧桐、草叶等，定枋迭涩3层仰莲出挑，上支悬山顶。正大门右侧，竖立4块旗杆石。

清慎公祠门坊　为原村东清慎公祠的门楼，清代为纪念余在洪而建。余在洪，号清慎，赐官带正宾。门坊为四柱三间一栋牌坊式，明间下部辟圭形门。下花坊泥塑双龙戏珠、水波纹、卷卷纹。定枋迭涩4层如意斗拱屏托悬山顶，正脊两端立鸱吻，右次间上枋泥塑出水莲萍及姿态各异仙鹤；左次间塑缠枝花卉和灵鸟，柱头材迭涩3层如意斗拱屏托悬山顶。

永镇阁　坐落在村口，为进村的标志性建筑；建于清代晚期，坐北朝南；为单进重檐歇山顶建筑，最底层明间木构架为三架梁，二、三层为穿斗式构架；平面布局为天井式，入口为门厅。

啟秀宅　建于清代，为单进硬山式砖木混构建筑，坐北朝南，通面阔11.7米，进深4米，落墙阶梯式，山墙五花烽火式。明间为穿斗式梁架。天井间两侧厢房用四道四柱槅扇装修，颇为精致。涤环板雕有博古、八宝、棋琴书画、人物故事、梅花等，槅心为拼合式花瓣纹或折叠纹。大门开在落墙右侧，石楣上泥塑两柱单间式门罩，下花枋书“啟秀”二字。

拱秀宅　建于清代，为单进硬山顶建筑。坐南朝北，面阔17.8米，进深11.8米，两侧山墙六花烽火式。四周墙体一斗一眠。大门开在左侧山墙前端，石楣上方泥塑四柱三间门罩，下花枋墨书“拱秀”。室内明间作厅堂，两缝梁架为穿斗式，两次间作正房。天井间上方纵向由扁平月梁连接。梁枋面上原有各种木雕图案，可惜在“文化大革命”时被铲除。

“大心体物”宅　建于清代，为纪念宋代知名道士白玉蟾而建。该牌坊用白浆在砖墙面上做出四柱三间（类似门罩），明间下部辟方形石门，

拱秀宅

下花枋用间柱隔为3间，中间白灰面上墨书“大心体物”，两次间泥塑莲荷、灵鸟、仙鹤；上花枋中间刻出花叶，左次间折叠纹，右次间菱形纹；柱头枋上盖瓦，正脊立宝葫芦。两次间花枋墨绘“灵鹿回首”“树木灵鸟”，顶部覆瓦。从牌坊结构和用料看，应是清代晚期重修。据传“大心体物”是白玉蟾当年在朱坑村执教时的题词。

朱坑村内有6处古井，其中一处名为神仙井，据说白玉蟾在村中教书时，周围百姓生活疾苦，为改善他们的生活，挖此井可以酿得出美酒。井水清冽甘甜，是村民生活水源的重要取水点，现仍在使用。

村内有一石拱古桥，建于清代，是村民进出朱坑的必经之路，村中还有许多名贵树木，如红豆杉、罗汉松、女贞等。

2016年，朱坑村申报中国传统村落。

第八节　前团古村

前团古村位于乐安县东南部的南村乡，距县城22千米。村庄北邻道教名山大华山，东靠风景秀丽的老虎脑省级自然保护区，发源于北部崇山峻岭的钱溪河绕村东而过，在南部9千米处与乌江相汇，通达千古一村流坑。

唐末五代时期，张、毕、毛、陈等姓在此开基创业。宋元时期李、罗等姓氏也陆续迁来定居，逐渐形成一个多姓共居，世代相传，和睦相处，共同发展的大村落，号称“千家村”。元朝时便设有街市，街市沿河而建，分为上街、中街、下街。

数百年中，前团村民秉承耕读传家，注重教化理念，因而村子簪缨世显，贤才辈出，被誉为科甲之村。官宦衣锦还乡后，为显耀宗族门庭，不惜重金，大兴土木。加上前团村山林茂密，物产丰富，古时竹木贸易经钱溪河，向南过乌江，出赣江，通长江，运到九江、南京、上海等地交易，为村子兴祠造宅奠定雄厚的物质基础。时至今日，村子仍基本保存一纵六横7条街巷的格局。村内屋宇井然，青砖黛瓦，飞檐翘角，精巧传神，刻花图案，巧夺天工，砖雕造型，一派古色古香。2015年3月，前团村申报中国传统村落，据统计，全村保存完整的明清建筑有116栋（处）。其中宅第43栋、祠堂58栋、牌坊5座、戏台1座、庙宇9栋。保存较完好的有陈氏大宗祠、从质公祠等14栋，牌坊有陈平斋坊等。这些建筑立于街市两旁，或分布于村落巷道两侧，由多个单体建筑连成一片，蔚为大观。村落占地面积820亩，户籍人口4896人，常住人口3125人。

现存村落仍为明清时期规划格局：一纵六横街巷，纵向（南北向）沿着钱溪河西岸，以一条368米长的“朝朝街”，同6条横向（东西向）巷道（祥轩巷、守节巷、大口巷、从质巷、二门巷、五祠巷）相贯通，构成东西为主，南北延伸的村落街巷体系。宅第家祠沿巷道相向而置；宗祠庙宇沿街市或村外而立，以拱卫村落；街巷路面用鹅卵石铺砌，两侧用麻条石砌成排水沟，生活废水和天然雨水通过沟渠排入钱溪河。8口古井散布于大街小巷，水质清冽，甘甜可口，仍在造福于当地百姓。钱溪河紧临街巷，既方便百姓的日常生活，还可调节气温和消防灭火。

村口一片古樟林，绵延667米，占地面积1.65万平方米，共有古树368棵，树龄多在300~400年。

前团村

陈氏大宗祠

古樟高峻挺拔，遮天蔽日，郁郁葱葱，林中草木茂盛，鸟语樟香，被前团村民视为风水宝地。

陈氏大宗祠　为纪念前团陈氏一世祖陈�可而建。元至正二十三年（1363），朱元璋为统一南方，与陈友谅展开“鄱阳湖大战”。出于姓氏渊源关系，前团陈氏押运大批粮草援助陈友谅，途中被一支军队拦截，运粮首领看到对方举一面“朱”字旗帜，急中生智赶紧下跪说：此粮正是送往当今圣上的。朱元璋此时正需粮草，闻知大喜。前团陈氏建祠时，朱元璋特赐“圣旨”红石匾额，以示嘉奖。祠堂始建于明代洪武十八年（1384）。明嘉靖十六年（1537）进行扩建，清康熙三十六年（1697）重修。此后又经过多次维修。祠堂位于村北侧，在一片樟林环抱之中，坐东朝西，三进三开间，进深63米、面宽16米，占地面积1008平方米，宗祠正面为四柱三间两层弧形墙顶。二层中间下面横书“陈氏大宗祠”，上面竖书“圣旨”二字。正大门两侧书有“忠心报国真良第　孝行敦伦表义门”联，北门书有“报功崇德衣冠第　移孝作忠礼义门”联，南门书有“鱼跃鸢飞昭此地　龙蟠虎踞衛斯门”联。第一进为门厅，配有南北两厢房，祭祀时供鼓乐之用。第二进为享堂，是举行祭祀礼仪和宗族议事的场所，柱上有“增扩庙堂喜今綸阁流丹光映商彝周鼎　育培后裔从兹禹门劈浪庆会风虎云龙”联，署张舒翘拜题。第三进为寝堂，配有藻井，寝堂用于供奉祖先牌位。进与进之间设天井与廊。祠堂大门前有一小院，小院南侧门上书“礼门”，北侧门上书“义路”；小院前有一泮池。祠堂内南北墙壁上书有“忠、孝、廉、节”4个大字，前团陈氏一直把它作为立族之基、立身之本。

陈平斋先生祠　位于前团村二门巷，为祀奉前团陈平斋而建。陈平斋（1428—1495），为人宽宏大量，质敏好学，敦善循礼。祠堂建于清朝乾隆年间，光绪年间重修，占地面积810平方米，为前立牌坊后建祠堂，内置天井，二进硬山式砖木结构建筑。四周墙体一斗一眠，一进山墙五花烽火式，二进“人”字状。“一”字式门廊，面阔3间，3道大门，7颗门簪，显示家族富贵与显赫。木构架使用抬梁穿斗式和七架梁，用料粗壮，增添祠堂的空间和气势。匾鼓状石础，表面刻如意纹，含意“天圆地方，万事如意”。雀替和扎牵镂刻成花草形，生活气息浓郁。四柱三间牌坊上，砖雕图案有凤祥麟威、喜上眉梢、鲤鱼腾浪、正人君子、四季平安、喜气洋洋等，反映主人对美好生活的追求与向往。

守节公祠　建于清嘉庆年间（1796—1820），

陈平斋先生祠

为纪念前团陈守节而建。祠堂建筑面积352平方米，两进一天井，单檐两面坡，硬山顶砖木结构。两侧山墙二眠一斗，三花烽火式。“一”字式门廊，面宽3间，开3扇大门，门涂黑色，两只铁质铺首门环。一进五架梁，二进穿斗式，用料硕大，“日”字开天井与二级台阶相配，寓意“日进高升”。装饰以高浮雕技法，在各枋面、垫板、雀替等上刻出龙首吐芳、富贵万代、缠枝花叶、龙飞花丛等图案，刚健质朴，线条流畅，轮廓分明，技艺娴塾，给人一种乡野气息，淳朴之美。

从质公祠 位于前团村朝朝街旁，始建于明代，清道光年间（1821—1850）重修。为祀奉陈从质而建。陈从质（1343—1405），字贞国。明洪武二年（1369），陈从质捐粮5000石，助明军得以攻取燕都。明洪武四年（1371），又捐粮2000石，助明军攻占巴蜀。两次助军受到朱元璋嘉奖，赐“尚义阴陟”称号。祠堂面宽10米，进深约22米，建筑面积326平方米。一进一天井，硬山式砖木结构。四周墙体二眠一斗，人字形屋顶，“一”字形门廊，面宽3间，上檐步做成卷棚轩式，前砌3级垂带石阶，显示堂主身份地位。祠堂木构架采用抬梁穿斗式和五架梁，空间开阔明亮。檐步构件上镂刻各种精美图案，有和合两圣、三国故事、凤穿牡丹、花开富贵、麒麟回首、贺寿、习武、春游等图案，构图丰富，手法细腻，寓意深刻，具有浓郁的赣东韵味。

第九节　连河古村

连河古村位于乐安县西南部的牛田镇，距县城约38千米，至牛田镇约5千米，与千古第一村——流坑村遥相呼应。村落依山而建，一湾乌江水沿着千年古樟林向东南方向流去，形成一道天然的“C”字形屏障。古村嵌在山麓和江湾之间，村南边一片平坦开阔的稻田，形成一副天然的“山水民居”画卷。

连河村原有张、徐、董、潘等姓氏居住，丁氏迁居连河后，其他姓氏逐渐外迁，成为以丁氏为主的聚居村落，2016年，村庄有185户约740人，丁氏人口占总人口90%以上。

连河丁氏始祖是丁子彬，号碧潭居士，元至正七年（1347）以德望三请乡饮。丁子彬从牛田西务迁至连河，在此繁衍生息。600多年中，连河丁氏人才辈出，出了许多官宦人物，如丁上英，由国学任湖南长沙分府加升知府。丁让，县学附生，治易经。丁祥祖，以子贵赠中宪大夫。丁贞谟，以孙职貤赠中宪大夫。丁祥贵，国学生，候选州同知。丁梦龙，县学增生，治易经。丁步云，乾隆十一年举人，职授衔守府。此外，还有贞女节妇丁瑞三妻黄氏、贤士丁映选、富商丁映选、义士丁国用等，文士丁尚谦著有《鹪鸣诗》，编集《人物考》。

连河村古建筑遗存、历史文化遗迹分布较集中。古村保留传统村落格局、聚落结构、建筑形制等方面的历史信息。村内现存完好石牌坊，不仅建筑结构自成一格，别具风采，而且集雕刻、绘画、匾联文辞和书法等多种艺术于一身，熔古人的社会生活理念、封建礼教、传统道德观念、古代的民风民俗于一炉，具有瑰丽的艺术魅力，很高的审美价值和丰富而深刻的历史文化内涵。每一座石牌坊都是一件石雕工艺品。

恩荣红石牌坊 清代建筑，丁上英所建。据连河丁氏族谱记载：丁上英，字逊杰，行五。在国子监肄业后，被派往长沙任州同知。其间偶悉湖南巡抚王朝恩母亲背生恶疮，疼痛难耐，生命垂危，王朝恩广求良医均不愈。自小学有岐黄之术的丁上英，来到王府毛遂自荐，察看王母病情，亲自上山采药熬制贡丹，并用嘴吮吸疮内脓血，为王母擦洗伤处。半月之后，王母恶疮痊愈。王朝恩感其救母之恩，奏请朝廷提拔其为长沙府通判。此后丁上英仕途通达，直至62岁请旨告老还乡。乾隆七年，丁上英回乡省亲时，为感恩德在祖屋旁修建“恩荣”牌坊。牌坊宽6.59米，高5.59米，正中横匾上刻着“恩荣”二字。牌坊外立面结构保存完好，红石雕琢精细，十分精美。

龙章叠锡红石牌坊 清乾隆元年（1736）为褒奖丁上英所建。牌坊高7.29米，宽7.09米，

龙章叠锡红石牌坊

四柱三间全部用红石建成，远远望去，牌坊好似一顶大“官帽”。牌坊顶部正中长方形竖匾上的“圣旨”二字雕龙环绕，嵌着圣旨的“帽徽”为这座牌坊增添光彩。“帽徽”下方正中横匾上的“龙章叠锡”4字浑圆大气，匾额下方刻有“凤岗余栋书”并留刻印章（余栋，宜黄人，雍正五年进士，翰林院编修）。“龙章叠锡”牌坊的背面，正中的横匾刻有“对越在天”4字，嵌有一方精雕细刻的官员公堂办案的图案，图中的6块屏风上刻有鸟、树等图形，这是此座牌坊的特殊之处。牌坊东、西两侧有月门，门上红石上刻有“步云”“接武”。

潘氏节孝坊　建于清乾隆十年（1745），为旌表连河丁启昌之妻潘氏而建。丁启昌与潘氏同为连河人，丁启昌家境贫寒，潘氏家境富庶，两人青梅竹马、相互爱慕，并瞒着父母私订终身。到婚嫁年龄之时，潘氏谢绝前来提亲的富家子弟，决意非丁启昌不嫁。潘父使尽办法无效，无奈中又不甘这般便宜丁启昌，便以每年为潘家耕作10亩水田为要求。丁启昌与潘女成亲后，日子过得清苦，但小两口恩爱有加。丁启昌早出晚归田间劳作，忙完岳父家的农活又忙自家的几亩薄田。其岳父为人刻薄吝啬，丁启昌为他耕作田地竟然连饭都不舍得留。潘氏生下二男后，丁启昌的日子更是过得紧迫。由于长期辛勤劳作，刚过40岁便亡故。丈夫去世时，潘氏哭得死去活来，几次欲寻短见随夫而去。潘氏父母见女儿守寡，几次劝她改嫁，潘氏不从，全身心扑在养育孩子、孝敬公婆上。归乡后的丁上英获悉潘氏事迹后，上奏朝廷。乾隆皇帝被潘氏的节孝感动，赐建“节孝坊”。牌坊宽11.2米，高8.6米，六柱五间三楼歇山顶式。整座牌坊系青砖砌成。牌坊正中上方有一块红石雕刻“圣旨”二字的竖匾，“节孝坊”3字刻在“圣旨”下方的横匾中，至今只能看到脱落后的痕迹。牌坊正门上方石匾上刻着“旌表儒士丁启昌之妻潘氏”字样。

丁氏大宗祠　清代建筑，为两进一天井式祠堂，横梁、隔板上有大量精美雕刻。祠堂上堂挂有“重本堂”匾，东西两侧墙墨书“忠、孝、节、廉”4个大字，堂内设有神龛，供奉着丁氏先祖的牌位，并存放着丁氏族谱。祠堂至今仍是村民举行祭祀、

潘氏节孝坊

丁氏大宗祠

婚嫁等大型活动的集会场所。

陈冬生宅　为一进一天井式古民宅，始建于明代，建筑主体部分保存较好，内部雕刻精美，门面做工精致、雕刻精美。建筑门罩上刻有大量石雕，但在“文化大革命”时期被损坏，户主便将门罩中间的图案改造为富有时代特色的五角星。该宅原为丁氏大户所有，中华人民共和国成立后卖于陈冬生。

振齐书院　建于清代，为两进一天井式书院，现为民宅。书院藻井上有大量精美木雕，“振齐书院”牌匾为当朝状元所题。

合和屋　该建筑具有浓厚的地方特色，青砖灰瓦，马头墙高骏，由左右对称的两栋完整民居组成。为丁茂林住宅，卧室楼高一层半，厅堂以长条青砖横向错缝铺砌，尽显大气。合和屋建于清朝，相传当年丁基发两兄弟生活拮据，家中木材只够修建一栋民宅，弟弟礼让，请哥哥先建房，后来哥哥与村中富豪打赌，竟赢得双倍的建材，于是一次建成村内最大的民宅，兄弟二人一同居住，取名合和屋，以纪念深厚的兄弟情谊。

峡惠屋　该建筑采用青砖灰瓦，马头墙，内部结构左右对称，利用天井采光通风。

会春牌坊　牌坊结构保存完整，立面上有精美雕刻。牌坊左右的石狮为清朝初次建造时打造，保存完好，栩栩如生。始建于清，因年久失修倒塌。现存的牌坊为1978年村民在原址上重新修建。

连河村内有保存完好的明清建筑、巷道几十处。2016年申报中国传统村落。

第十节　上罗古村

上罗古村位于乐安县西南部的万崇镇，距县城45千米，是一个邓氏聚居的村落。据上罗邓氏族谱记载，上罗村邓氏原本姓李，为南唐后主李煜胞弟邓王李从镒后裔。宋开宝七年（974）宋太祖赵匡胤率兵10万向南唐发起进攻，次年11月攻陷南唐国都金陵（今南京）。李从镒之子李天和携家眷逃往江西，经洪州、临江，抵达新淦，辟地新淦登贤乡之桃溪（今江西省新干县桃溪乡）隐居。为避祸害，隐姓埋名，李从镒曾封为邓王，李天和则以父亲封号为姓，易李姓邓。北宋太平兴国二年（977），邓天和之子邓友信，避居吉州庐陵云盖乡茅宅（今乐安县招携镇坪头村），其后，邓友信之子邓君民又迁居云盖乡上罗（今万崇镇上罗村）。

几经沧桑，兴废巨变，往昔南唐皇室公侯转眼成为平民百姓。邓君明一家因国破家亡避居乡野，物质生活很快平民化，但其精神世界仍保存着皇家深厚内涵，尤其是南唐皇室的儒雅气质，虽立身于民间却超然脱俗，勤于耕读，不久即以学识仕宦而显达。至宋真宗时期，邓友信的4个儿子：邓文伯、邓文仲、邓文通、邓文德皆以学识及德望先后入仕为官；9个孙子有5人以登科、中贡、功业而入仕，成为宋代前期江南的一个官宦大家。千余年中，南唐皇室这支后裔在乐安繁衍生息，不断壮大，除外迁者外，2016年在上罗聚居有500余户2200多人。

如今村中有传统建筑300多栋，其中保存较好清代古建30多栋，最具代表性的为邓氏大祠堂。

邓氏大宗祠　是为纪念上罗邓氏开基祖邓君民而建。初建于明宣德三年（1428），初期仅为

邓氏大宗祠牌坊

邓氏大宗祠钟楼和鼓楼

一进屋。第二进建于明正德十二年（1517），邓氏族人为使后裔怀先祖丰功伟绩，抒发故国之思、亡国之痛，激励后代发愤图强，在前天井两侧增建“钟楼”和“鼓楼”，为第二进。第三进建于1924年，形成三进式建筑。

该祠为前带门坊、庭院，内置前后天井的三进两天井硬山式建筑，四周墙体采用二斗一眠砌法。祠堂坐西朝东，平面呈纵向长方形，面阔17.6米，进深55.6米，建筑面积千余平方米。由于分三个建筑年代，建筑风格相近又有所不同。一进立柱为抹角方形砖柱，用方砖错缝垒迭，表层抹砂浆刷成青色；二进前檐柱为圆形木柱，而厅堂前、后金柱下部为抹角方形石柱，上部则为立方形木质童柱；石础既有圆鼓式，也有六角形、八边状。“一”字式门廊，面阔3间，上部构架双步梁。三进用砖墙替代，立面分两层. 各进地面用条砖横向错缝铺地。

邓氏大宗祠最精华部分在前天井。天井呈方形，条石抱框填底，两侧建钟楼、鼓楼。钟鼓楼为重檐四坡攒尖顶，内置草架梁，楼底层平面呈纵向长方形，面对天井开瓶形门，右侧下层门楣上方凹入面墨书“金和”，上层凹入面墨书“钟楼”，左侧下层门楣上方墨书“玉节”，上层书“鼓楼”，砖构梅花形透窗，墙体四角伸出角梁、抱头梁与硬挑共同承托檐顶，上铺圆椽、望板，覆盖青灰四角发戗起翘形成反宇飘檐。后天井横向长方形，中间置步桥，两侧建泮池。

邓氏大宗祠装饰较为简朴，祠堂内的石础分层，都是素面无纹。二进明间上部和三进的前檐上方设置八角形覆斗，也没有纹饰；斜撑镂空成花鸟状，硬挑刻成鱼尾形。

村民介绍：民国期间，村民还保持着每年清明、春节两次在祠堂里敲钟击鼓、合族而聚食百家宴的习俗。村中老人至今仍能讲述祠堂内“击钟鼎食，连骑相过”的故事。该祠气势锥伟，现还保存完整的“钟楼”和“鼓楼”。

2011年，上罗村申报第六批江西省文物保护单位。

第十一节　汤山古村

汤山古村位于乐安县东南部的谷岗乡，距县城约34千米。村庄由上门和下门两个自然村三个村小组组成，2016年共有192户，940人，为陈姓聚居的古村落。村落产业主要以竹木贸易和农业种植为主，大部分青壮年村民外出务工。

汤山古村位于一个南北狭长的山谷里，四面

汤山村

环山，四周是郁郁葱葱的青山，村落与外界唯一的交通联系则是村落北面沿汤溪的古道，地形险峻。发源于山谷南面的汤溪，沿谷地顺流而下，经村口由南向北穿村而过，溪水潺潺，清渠绕户。古村北面的狭长山口，为全村的总出口，与汤溪、古树林等形成村落水口，在水口狭隘处建有新兴阁把住水口，提高村庄的防御能力。土地庙、陈氏宗祠等重要历史建筑环绕水口周围，布局严谨。在村庄北面的水口位置，有一片静谧的古树林，一棵棵古树耸立于陡峭的山谷两侧，错落有致，遮天蔽日。古树林是汤山村的龙脉地，历经数百年，根深叶茂。林中树种繁多，形成林地中高耸开阔又鳞次栉比的绿色穹顶。村中一口口池塘分布在房前屋后，倒映着灰墙黛瓦的祠堂宅第，炊烟袅袅，风景如画。汤山古村的山和水、人和景交融为一体，宛如世外桃源般清幽恬静。

据汤山陈氏谱牒记载，汤山村周边有众多名胜风景，东有文杏之芬芳，西有灵株之挺秀，南有马岭之超骧，北有龙化之芳踪，有仙石之胜迹、佛阁之凌霄矗矗，村头则文笔耸拔，关口则两嶂回顾，更有狮象虎形之卫护，村周边有八处景观，分别为：东山古杏、西坞灵株、南骧马岭、北化龙坪、巨石仙踪、凌霄佛阁、一峰文笔、两嶂捍门。

汤山村由陈仕昌于宋隆兴二年（1164）肇基，发脉于义门陈，经历由泉州至庐山、至德安、至抚州赤栏、至乐安天田、至乐安汤山的迁徙过程；汤山陈氏后裔又分徙至港下、深溪（深坑）等地；与陈仕昌同辈的陈仕荣后裔又分徙到漠源、仁蛟塘、鄢坑（烟坑）、小田、前团等地。

汤山陈氏人才辈出，世代有不少达官显贵和儒士、杰士、学士等。《汤山陈氏十二修族谱》记载汤山陈氏人物有：陈文益，宋嘉祐三年（1058）乡举勅授吉州教授，以子陈世瑛贵，赠资政大夫。陈世瑛，少年博学经史，师事程颐，宋宣和元年（1119）任秘书郎，进徽猷阁侍制兼右谏议大夫。陈永兴，宋绍兴年间（1131—1162），由抚州赤栏迁乐安忠义乡天田，开扩世业，以义闻于乡。陈希舜，以孙贵赠朝议大夫。

汤山村古建筑类型多样，保存较好，有民宅、祠堂、庙宇、街巷、石桥、古井、旗杆石等，是研究抚河流域和赣江流域文化交融极为珍贵的实物材料。街巷以石板或卵石铺就，宽 1~1.5 米，总长约 688 米。纵观全村古建筑，布局严谨，构筑精美。这些建筑形制多样，雕刻精美，集中布置在山谷中成片发展，与山清水秀的田园巧妙融合，相得益彰。村中现有清代建筑 30 余栋，其中已登记尚未核定公布为文物保护单位不可移动文物 10 栋，历史建筑 20 栋，古井 4 口，历史街巷 7 条。

太平市陈氏祠堂　为纪念宋绍兴年间由抚州赤栏庄迁乐安忠义乡天田开基祖的陈永兴而建。太平市是永兴公庄田，为汤山、前团两族共有祠堂，明清之交遭毁坏，清嘉庆六年（1801）重建。

新兴阁　建于明代嘉靖年间（1522—1566），坐北朝南，共 3 层，占地面积 174 平方米，建筑面积 375 平方米。一楼正殿供奉关公，二楼供奉观音，三楼供奉众多神位。新兴阁为砖木结构，雕梁画栋、石板墙脚整齐美观。阁前有一池塘，倒映在水面，犹如两阁对峙，气势宏伟。四周古树参天，汤溪蜿蜒而过，选址讲究，布局严谨，镇守于汤山村的水口。1933 年 2 月，中央红军部署黄陂战役前夕，红 21 军在参加登仙桥伏击战之

新兴阁

前，到汤山村一带宣传革命真理，动员贫苦农民参加红军。在新兴阁东面外墙上至今仍保留“反对国民党出卖民族的利益”红军标语。新兴阁历经岁月侵蚀，却无大的破损，村民将其视为老天赐福的楼阁。

2016年，汤山村申报中国传统村落。

罗阳陈氏大宗祠

第十二节　古塘古村

古塘村位于乐安县西南部的罗陂乡罗陂村，距县城约50公里，村庄沿罗溪而建，地势平坦，土地肥沃。村庄房屋大多东西朝向，有数十栋建于明代的公祠以及大量清代建筑。古建民居环绕在宗祠群四周，层层相套，坐落有序，布局严谨，整体村落风貌质朴沧桑，古风浓郁。2016年有165户818人。

古塘村民以陈氏为主。据陈氏族谱记载，古塘村开基祖为陈孟章。陈孟章因孙陈拱伯为官，勅赠奉政大夫。其饱腹诗书，却不愿出仕，历游各地山水名胜，游至罗阳枧（今罗陂乡古塘村），察其地，观其形，南西北面青山环绕，东面丘陵起伏，土地平坦肥沃，笃信是块可耕可读之腴壤地。于是携家眷于唐代弘道元年（683），由崇仁槿坑迁居于当时的庐陵县大平乡罗阳枧，迄今1300多年。古塘村古代建筑有祠堂、牌坊和宅第、古井等。

陈氏大宗祠　始建于明成化十八年（1482），为纪念罗阳枧开基始祖陈孟章而建。祠堂坐南朝北，占地1200多平方米，是一栋内置前后天井三进硬山式建筑。祠堂正面前辟门廊，三扇大门一字排开，正中大门上悬挂“罗阳陈氏大宗祠”匾，门两侧书有“天运四时地灵育人推陈氏，地冠群乡天宝厚物溢罗陂”联。正堂悬挂“彝伦攸叙”匾，有楹联“世泰光昌睦族敦亲皆一本，庸和大度成人达己自千年”。上堂悬挂“享诚堂”匾，设有神龛，存放历代罗阳陈氏先祖之灵位。1930年8月，罗陂农民协会在罗阳陈氏大宗祠成立。1941年该祠堂重新维修。2015年，国家拨专款265万元进行维修，定为乐安县文物保护单位。

陈兆富先生祠

桂崖先生祠　建于清代，坐西朝东，砖木结构，硬山顶，中置天井二进式。墙体为青砖，墙内空斗处以黄泥等物填充。建筑外观呈青灰色，建筑高度一层。屋顶屋面为阴阳瓦，盖小青瓦，屋脊为小青瓦垒瓦脊。祠堂正门上书“桂崖先生祠”，红底石刻十分清晰，马头墙与门头上有精细的石雕。该祠原为书院，后作为祠堂使用。

陈兆富先生祠　建于清乾隆年间（1736—1795），坐北朝南，砖木结构，硬山顶，中置天井二进式。建筑高一层，平面呈纵向长方形，通面阔11.5米，通进深21.8米，占地面积约250平方米。墙体为青砖，墙内空斗处以黄泥等物填充，建筑外观呈青灰色。牌楼式门面四柱三间二楼，砖雕图案精美细腻。大门上方砖雕阳文“陈兆富先生祠”，左右两侧有砖刻“石濑潆洄环庙亲，蓉峰矗箨启文人”对联。

拱伯公祠　建于清代，为纪念奉政大夫陈拱伯建造，坐北朝南，砖木结构，硬山顶。建筑高一层，平面呈纵向长方形，占地面积410平方米。青砖墙体，墙内空斗处以黄泥等物填充，建筑外观呈青灰色。屋顶屋面为阴阳瓦，盖小青瓦，屋脊为小青瓦垒瓦脊。该祠规模较大，祠内构件木雕精美，栩栩如生。现保存状况一般，被村民作为木材加工作坊。

宣伯公祠　建于清代，坐南朝北，砖木结构，硬山顶，中置天井二进式。青砖墙体，建筑外观呈青灰色，屋顶屋面为阴阳瓦，盖小青瓦，屋脊为小青瓦垒瓦脊，屋内外木雕构件细致精美，外立面部分经过粉刷。

颐甫公祠　建于清代，坐南朝北，砖木结构，硬山顶，中置天井二进式。青砖墙体，外观呈青灰色，建筑高度一层。屋顶屋面为阴阳瓦，盖小青瓦，屋脊为小青瓦垒瓦脊。正门上方有石刻书“颐甫公祠”字样，红底黑字，十分清晰。外墙上有石刻漏窗，内有木雕栏板和各种木雕构件，工艺精细，十分美观。

元振公祠　建于清代，坐南朝北，砖木结构，硬山顶，中置天井二进式。青砖墙体，外观呈青灰色，屋顶屋面为阴阳瓦，盖小青瓦，屋脊为小青瓦垒瓦脊。正门上方书“元振公祠”字样，门头有彩绘花纹及人物画像，栩栩如生，十分精致。

沄墀公祠　建于清代，坐南朝北，砖木结构，硬山顶，中置天井二进式，青砖砌结，外观呈青灰色，顶屋面为阴阳瓦，盖小青瓦，屋脊为小青瓦垒瓦脊。正门上方书“沄墀公祠”字样，木构件保存完整，部分内墙经过粉刷。

子怡公祠　建于清代，坐南朝北，砖木结构，硬山顶，中置天井二进式，前置庭院。青砖墙体，外观呈青灰色，屋顶屋面为阴阳瓦，盖小青瓦，屋脊为小青瓦垒瓦脊。祠内细节保存完整，窗花及木构件雕刻精细，墙上留有多处红军驻扎期间写下的标语。

昭伯公祠　始建于唐代，为纪念陈昭伯而建，现存建筑为清代光绪十四年（1888）建造，坐南朝北，砖木结构，硬山顶，中置天井二进式。青砖墙体，外观呈青灰色，祠内结构保存完整，木构件雕刻精细，有一处大型天井。

云峰挹秀宅　建于清代，坐南朝北，砖木结构，硬山顶，中置天井二进式。青砖墙体，外观呈青灰色，屋顶屋面为阴阳瓦，盖小青瓦，屋脊为小青瓦垒瓦脊。宅内细节保存完整，窗花及木构件雕刻精细，墙上留有多处红军驻扎期间写下的标语。

西南拱秀宅　建于清代，坐南朝北，砖木结构，硬山顶。青砖墙体，外观呈青灰色，屋顶屋面为阴阳瓦，盖小青瓦，屋脊为小青瓦垒瓦脊。宅内细节保存完整，木构件雕刻精细，正门上方书“西南拱秀”字样，白底黑字已模糊不清。

古塘村内保存许多古树、古池塘、古井、古桥等古代遗存。其中，古牌坊2座，“冠裳世第”牌坊位于古塘村中心，始建于宋代，坐北朝南，为纪念古塘陈氏二世祖而建，其后几经重修，现存建筑呈“八”字形，为砖石结构的冲天式牌坊，坊前有一平地，旁边有一口池塘，是村民的重要活动场所。“胡刘二孺人双节坊”位于古塘村口，建于清道光九年（1829），为旌表胡氏刘氏两孺人而建。古村门楼位于宣伯公祠东面，双节坊的北面，是村民进出村庄的必经地之一，门楼上石刻字迹模糊难辨。

2016年，古塘村申报中国传统村落。

第十三节　万坊古村

万坊古村位于乐安县西南部的万崇镇丰林村，距县城44千米，村庄南面靠山，北面与西面邻水，东连毛洲村，南靠万应山，西毗邻罗陂河，北接湖坪河，是一个万氏聚居的自然村。2016 年，万坊村设 3 个村小组，共有 356 户，户籍人口 1500 人。

据万氏族谱记载，万坊开基祖为万志远，生于隋大业十二年（616），唐初自洪都徙居吉安庐陵，即今乐安枫林万坊村，在此兴基立业，繁衍生息。1400 多年中，万坊万氏人才辈出，有进士 6 人，获功名者数十名，如万鹏程，宋皇祐四年（1052）科选，知泗州事。万尚仁，宋熙宁年间（1068—1077），以书经中选授镇江御史。万立乾，宋元祐二年（1087），由进举授卢川令，升海州刺史。万允证，授监司郎，升河南兵马都监。万仕宣，宋徽宗皇帝亲策贤良方正之士，荐第一，奉旨平定太原，升山东节度使。万立宁，宋绍熙元年（1190）授河南中显大夫。万君义，宋端平二年（1235）以诗经中榜，授袁州府学正。万君正，任南昌府教谕，诏钦选户部主事。万宗学，任陕西道监察御史。万国辅，明洪武十八（1385）赴京中春选进士，授应天府上元县知县。万谷辅，授嘉兴县知县。万宗程任松江府训导，钦取提刑御史，后授南京国子监。万志良，明永乐十年（1412），为皇宫御医，任太医院官。万国重，明嘉靖五年（1526），由贡监授云南滕越州州幕，后任广东奉化州判，奉勅钦差广西封王，明嘉靖十九年（1540）朝觐回乡。万世美，明嘉靖三十九年（1560），由贡举授湖广武昌府通山县令，再任北京裕陵卫经历。万恩甫（1914—1991）原名恩福。1929 年 9 月，江西红军独立二团驻扎万坊村，万恩甫参加打土豪、分田地，开始走向革命道路。1930 年参加红军，1933 年加入中国共产党，1955 年被授予大校军衔。荣获三级八一勋章、二级独立自由勋章、二级解放勋章。历任浙江军区供给部政委、后勤部政委，第五军医大学政委、南京军区后勤部政治部副主任、南京军区后勤部皖南工区政委等职；正军职待遇。

万坊村保存有众多明清传统建筑，主要包括宗祠、书院、楼阁、庙宇等，此外还有数十栋古建民居穿插于宗祠四周，整齐有致，坐落有序，布局严谨。纵观全村的古建筑，设计精巧，雄浑庄重，精雕细刻，构筑精美。祠堂和民居等老房子造型典雅，风格独特，屋内外的石雕、木雕工艺十分精湛，斜撑、雀替、门窗格扇这些构件都经过精雕细琢，题材丰富，手法多样。这些建筑细节与古建筑一起和山清水秀的村庄环境巧妙地融合在一起，水乳交融，相得益彰。

万氏大祠　始建于宋代，坐北朝南，为纪念万坊村一世祖万志远所建。建筑高一层，平面呈纵向长方形，通面阔 14.6 米，通进深 43.5 米，占地面积 635 平方米。祠堂为前带庭院，内置前后天井，三进硬山式砖木混构建筑，外观呈青灰色。一进山墙三花烽火式，二进人字形（前端搏风头起屏护檐），三进人字状。门廊三开间，前墙辟 3 道大门，檐柱为砖构。一进明间梁架为抬梁穿斗式；二进为抬梁式（包镶式），后金柱间木板门装修形成隔断；三进用墙代替梁架。装饰简洁、大方，仅是外伸的梁头、枋头雕成鱼尾状，各进石础上层圆鼓式，下层八边形。自宋代建成至今经历过多次维修，清乾隆三十五年（1770）邱尚高曾写《万坊万氏大祠记》，但没有修造年代的记载和建筑物描述的内容，只有关于世系和称颂族人的内容。

万氏大祠

元猷书院　始建于清代。坐北朝南，主体建筑早年倒塌，现仅残剩四柱三间二楼门坊，明间花枋刻“元猷书院”。石质门楣上浮雕菊花纹、双龙戏珠，人物花鸟跃然其上，精美的石雕与彩绘令人惊叹。

元猷书院

昌一公祠　建于清代，坐北朝南，砖木结构，硬山顶，中置天井二进式。青砖墙体，外观呈青灰色，建筑高度一层。屋顶屋面为阴阳瓦，盖小青瓦，屋脊为小青瓦垒瓦脊。正门上书“昌一公祠”字样因日久失修模糊不清。

万立二祠　建于清代，坐北朝南，砖木结构，硬山顶，封火墙，一井一厅，抬梁式梁架。青砖墙体，外观呈青灰色，建筑高度一层。屋顶屋面阴阳瓦，盖小青瓦，屋脊为小青瓦垒瓦脊，正门一侧有附属小门便于进出。

平八公宅　建于清代，是一栋坐北朝南，硬山顶，封火墙，前置天井的大宅，宅内细节保存完整，窗花雕刻精细，墙上留有红军驻扎期间写下的标语。青砖墙体，墙上有雕花精美的插栱。建筑外观呈青灰色，建筑高度一层。屋顶屋面阴阳瓦，盖小青瓦，屋脊为小青瓦垒瓦脊。宅前有一前院，院门保存状况良好。

万传宗宅　建于清代，坐北朝南，硬山顶，封火墙，侧置庭园的古建筑，占地约160平方米。青砖墙体，外观呈青灰色，建筑高度一层。屋顶屋面为阴阳瓦，盖小青瓦，屋脊为小青瓦垒瓦脊。马头墙上雕有精美的人物石雕，四周墙体下平铺垒迭，上层二眠一斗。整建筑保存状况较差。

万坊村古民宅

万坊村内有多处古塘，古井、古庙，大多挖掘或建造于明清时期，见证万坊村的发展历史。

2016年，万坊村申报中国传统村落。

第十四节　峡源古村

峡源村位于乐安县西南部的罗陂乡佑元村，距县城56千米。2016年，有人口700人145户，是一个以阙姓为主的自然村落。村落建于群山环绕之中，周边群山起伏，村内古木绿树成荫，有众多池塘，气候宜人，环境优美。

据峡源阙氏族谱记载，梁天监年间（503—519），阙孟求从吉州永丰云盖乡铜壶（今属乐安县湖坪乡）徙居咸源（今乐安县罗陂乡峡源和佑元）开基立业，繁衍生息，使族群发展壮大。村内传统建筑保存较好，连绵成片，以明清传统建筑为主，建筑布置因地形坡度显得错落有致，有其独有的朴素、典雅，整体村落风貌质朴沧桑，古风浓郁。村落选址布局吸收中国传统建筑布局的“风水”理念，村口的阙氏大祠与风水林相互映衬，是峡源村的重要空间节点和村民公共活动空间，常在此举办各种活动。

建筑群主要包括公祠、书院、门楼和庙宇等，此外还有数十栋古建民居环绕在宗祠群四周，层层递进，坐落有序，布局严谨。纵观全村的古建筑，设计精巧，雄浑庄重，精雕细刻，构筑精美。祠堂和民居等老房子造型典雅，风格独特，屋内外的木雕、石雕、砖雕图案，工艺十分精湛。建筑细节与古建筑一起和山清水秀的村庄环境巧妙地融合在一起，水乳交融，相得益彰，呈现出一派优美的田园风光。

阙氏大祠（惇叙堂） 原先叫“奉先楼”，始建于后唐长兴三年（932），为后裔祭祖集会议事场所，后周遭火灾，宋代重建，元代遭燹毁，明永乐十二年（1414）扩地重建，遂成现在规模。建筑坐西北向东南，青砖墙体，外观呈青灰色，硬山顶，屋顶屋面为阴阳瓦，盖小青瓦，屋脊为小青瓦垒瓦脊，两侧以两叠式马头墙收束天际线，封火墙，抬梁式梁架，为一层三进三开间，砖木结构。祠堂分为锦堂、拜堂、祖堂，锦堂上方有天花六角藻井，拜堂正上方悬挂“惇叙堂”匾额，祖堂安放祖先灵位，设东西两厢房。祠堂正面三扇大门一字排列，正中大门上方悬挂“阙氏大祠”木匾。祠堂前开辟有前院，前院两侧各开有一门楼，前堂有6根用砖垒成的柱子，中间有一大天井，柱础石硕大，体现出时代较早的特征。该祠占地面积约400平方米。清代曾多次维修。土地革命战争时期，阙氏大祠曾为农民协会办公场所，祠堂内有3条红军标语清晰可辨。“不嫖不赌不吃烟酒”“有礼守法处处便宜”“宝贵时间遵守信约”。2005年，对阙氏大宗祠进行修缮。

茂公祠 建于清代，坐北向南，青砖墙体，外观呈青灰色，一天井两厅，硬山顶，屋顶屋面为阴阳瓦，屋脊为小青瓦垒瓦脊，穿斗式梁架，砖木结构。正门为一间三楼式门楼，厅分上下厅，中间有一天井，上厅左右为厢房，占地面积约300平方米。

培一公祠 建于清代，坐北向南，占地面积约380平方米。青砖墙体，外观呈青灰色，两进一天井，硬山顶，屋顶屋面为阴阳瓦，盖小青瓦，屋脊为小青瓦垒瓦脊，两侧以三叠式马头墙收束天际线。封火墙，穿斗式梁架，砖木结构。祠堂前开辟有一前院，前院两侧为门楼，下堂正门为攒边门，正堂左右为厢房，宅内有拱圆形门洞及精美的木雕装饰。

功臣阙先生书院 建于清代乾隆年间，坐北朝南，书院内还有牌坊、凉亭，中间用鹅卵石铺成的正方形文化活动场所，为清代佑元财主阙国栋所建。青砖墙体，外观呈青灰色，门厅为石质，上下均有门当、户对的石当。主体为二进一天井，硬山顶，屋顶屋面阴阳瓦，盖小青瓦，屋脊为小青瓦垒瓦脊，两侧以两叠式马头墙收束天际线，封火墙，抬梁式梁架，砖木结构。书院正门为一门廊，前堂上挂有“经元”木匾，后堂两侧为厢房，地面铺有方砖，保留十分完整，并悬挂“继绪堂”“法政毕业”木匾。后堂对面有一雕刻精美的石牌坊，斗拱边纹价值较高。后一凉亭，有拱门进出，并有假山、池塘、花圃，可惜“文化大革命”时被毁坏。

新屋 建于清代，坐北向南，青砖墙体，外

阙氏大祠

民宅

观呈青灰色，两进一天井，硬山顶，屋顶屋面阴阳瓦屋面，盖瓦为小青瓦，屋脊为小青瓦垒瓦脊，穿斗式梁架，砖木结构。宅子正门为一门楼，内有一天井，占地约200平方米。

贞五公祠　建于清代，坐北向南，占地约160平方米。青砖墙体，外观呈青灰色，建筑高度一层，两进一天井，硬山顶，屋顶屋面阴阳瓦，盖小青瓦，屋脊为小青瓦垒瓦脊，封火墙，穿斗式梁架，砖木结构。祠堂正门为一门楼，内有槅扇等装饰。

峡源村有一古门楼，位于村口，清代所建，是峡源村的重要门户以及重要景观。

2016年，峡源村申报中国传统村落。

第三章　红军标语县

第二次国内革命战争时期，毛泽东、周恩来、朱德、彭德怀、邓小平等共和国开国领袖和将帅都曾到乐安从事革命活动；中央红军在这块红土地上浴血奋战，打赢一场场惨烈的反“围剿”战争。乐安是中央苏区的重要组成部分，为中央苏区的巩固和发展做出重大贡献，成为“抚河以西革命斗争的中心”。

1928—1934年，工农红军在乐安有过大量的活动。红军所到之处，广泛宣传发动群众，在交通要道、圩镇、民宅墙壁上张贴或书写标语漫画，宣传党的纲领，唤醒民众。尤其是第四次反“围剿”的黄陂、东陂战役胜利后和大湖坪整编期间，中央红军在乐安城乡留下大量的红军标语。数以千计的红军标语遗存至今，见证当年乐安苏区的峥嵘岁月，是乐安弥足珍贵的文化遗产，是全国遗存红军标语数量最多，保存最为完好的县之一，是红色文化宝库中的瑰宝。

第一节　普　查

20世纪50年代和20世纪80年代，在征集乐安苏区革命斗争史资料工作中，乐安县注意发现散见于全县城乡遗存的红军标语，要求有关部门注意保护。如20世纪80年代初，在谷岗公社路南村发现中国工农红军21军政治部的“留志”：“一九三三年二月二十七日，我军与敌激战数小时，即活捉白军师长、参谋长、旅长各一名，缴获无线电机一架，机枪步枪数千支，大洋百余万元，其他军用品无算。此志，中国工农红军二十一军政治部，一九三三年二月二十八日。”“留志”真实记载主力红军在登仙桥大捷中取得的辉煌战果，为研究中央苏区第四次反“围剿”战争史提供重要依据。

2012—2013年，县委党史办会同文化、档案部门，抽调专人对全县民居等建筑物上保存的苏区时期的标语与漫画进行普查、登记、拍照，在金竹、招携、增田、湖坪、罗陂、牛田、万崇等13个乡镇，共发现1800余条（幅）标语或漫画。县委党史办经过认真筛选整理，编成《红色印记——乐安苏区红军标语漫画选》一书，作为珍贵资料保存。

2016年，中共江西省委、省人民政府为贯彻落实习近平总书记春节期间视察井冈山的指示精神，把对红军标语的保护利用作为传承红色基因，教育后人不忘初心的一项重要工作进行部署。为贯彻落实省委、省政府指示精神和工作部署，乐安县委、县政府下发文件，要求各乡镇认真做好红军标语漫画的保护利用工作，抽调人员重新勘察普查全县现存的红军标语漫画。在全县13个乡镇43个行政村60个村小组普查发现至今遗存的红军标语2056条，聘请省、市专家现场考证和指导，取得重要的普查成果。

乐安县各乡镇红军标语分布情况表

表24-3-1　　单位：条

乡镇	行政村	村标语数	乡镇标语数
鳌溪镇	罗山	70	70
戴坊镇	戴坊	1	1
公溪镇	陈家	1	1
龚坊镇	大坻（下石）	39	39
谷岗乡	凹下	2	87
	火嵊	81	
	水口（坪头）	2	
	汤山	2	
湖坪乡	东山	2	553
	汉上	86	
	街上	40	
	西头	10	
	坊塘	64	
	贺立	22	
	善和	196	
	中村	133	
罗陂乡	罗陂（古村）	31	149
	罗陂（汉上）	3	
	罗陂（龙江）	6	
	右源	12	
	罗田	48	
	水溪	4	
	杏园	43	
	棠溪（上洋）	2	
南村乡	南村（张家）	3	107
	山心	28	
	樟坑	74	
	管坊	2	
牛田镇	流坑	65	293
	水南	150	
	峡圳	78	
万崇镇	池头	264	533
	丰林	115	
	上罗	154	

续表 24-3-1

乡镇	行政村	村标语数	乡镇标语数	乡镇	行政村	村标语数	乡镇标语数
金竹乡	大通	21	116	增田镇	石陂（折元）	1	1
	金竹	2		招携镇	坪头（奁田）	1	85
	金竹（小金竹）	1			坪上	51	
	坪溪（炉元）	45			山湾	20	
	流舍	21			午田	2	
	严杭	26			望仙（京田）	11	

第二节　主要特点

通过对全县数以千计的红军遗存标语进行分析，发现其内涵非常丰富。

一、内容广泛

有宣传党的纲领政策，动员建立苏维埃政权的：如“共产党十大政纲”“拥护中国革命的唯一领导者——中国共产党”“打倒国民党政府，建立工农兵政府”“推翻国民党统治，建立苏维埃政权”“允许商业自由”“取消苛捐杂税”“农民打土豪分田地”“工人加工钱，穷人不打穷人”“实行男女平等，实行土地革命”等。有建设苏区、倡导文明生活的：如“在查田运动中肃清反革命”“实现劳动保护所规定的青工特殊利益”“青年工人不做有害身体及额外的工作”“男女平等，婚姻自由”“公买公卖”“反对老公打老婆，男女老幼平等”“讲究卫生，注意清洁，生果不可吃”“健全我们身体，粉碎敌人进攻”“辣椒粉会害肠胃病”“全苏区的卫生是保障健康的第一良药”“健全列宁室的工作”“识字学习”“我们是铁的红军，不识字好苦”“出操上课学军事、学政治、学识字”等。有唤起民众、投身革命的：如“打倒阻碍红军与帝国主义作战的国民党军”“工农群众的红军到，赶快暴动起来建立自己的苏维埃政权！”“勇敢坚决的工农当红军去”“农民组织游击队夺取地主武装”“青年妇女送郎当红军”；在罗陂乡杏园村民宅上书写着《反对开小差歌》全文。有宣传粉碎敌人“围剿”的：如“粉碎敌人四次围剿”“活捉陈诚罗卓英”“消灭蒋介石，活捉陈诚”“粉碎敌人五次围剿”“准备长期作战，争取全部胜利”“争取五次革命战争全部胜利”。有揭露、瓦解敌军的：如“国民党十大罪状”“打倒出卖中国、投降帝国主义的国民党”“国民党压迫士兵，共产党解放士兵”“欢迎白军士兵拖枪来当红军”“红军中官兵夫薪饷吃穿一样”“军阀打仗升官发财，白军弟兄打仗白送死，红军打仗分得田地”“医治白军伤兵，优待白军俘虏”等。还有大量宣传反帝拥苏、抗日救亡的：“纪念十月革命”“纪念‘六二三’”“纪念‘九一八’打倒国民党卖国”等。

二、简洁生动

既有书写的文字标语，还有夸张形象的漫画。如令人震撼的一幅漫画是反映第四次反“围剿”黄陂战役中登仙桥伏击战的场景图。

国民党军队虽然天上有飞机，地上有大炮，但装备精良的国民党精锐 52 师被红军歼灭，师长李明被俘后毙命。此画引起党史、军史专家关注，认为此漫画与当年真实的战斗场景相吻合，只有当年参加战斗的部队才能如此逼真地展现出来，具有很高的史料价值。

在普查中，收集到当年赤卫队员后代保留下来的 20 首红色歌谣：《送郎当红军歌》《当兵就要当红军》《红军纪律歌》《自动报名当红军歌》《戒洋烟歌》《苏区妇女剪发歌》《苏区万众一条心》《苏区打乌龟壳歌》《苏区上前线歌》《苏区欢送战士上前线歌》《苏联十月革命歌》《苏区送郎参军歌》《可怜白军士兵歌》《打倒蒋介石歌》《胜利的旗帜歌》《苏区农民歌》《苏区教育歌》《长工歌》《幸福不忘共产党》《民国民谚》。上述歌谣，生动有趣，朗朗上口，弥足珍贵。

三、时间跨度长

1929年2月27日，毛泽东、朱德率领红四军到乐安招携，红军宣传员用石灰水在墙壁上刷出“打土豪、分田地”“取消一切苛捐杂税，焚烧田契债约”“组织农民协会”等标语，张贴《共产党十大政纲》《红军第四军司令部布告》《告商人及知识分子书》。普查发现，在招携镇坪头村曾文才宅墙壁上保留有《共产党十大政纲》。1930年年底到1931年年初，中央苏区开展反“AB团”斗争，乐安苏区发生肃反扩大化的“乐安事件”，还出现脱离革命队伍，成立“独立勇敢队”的恶性后果。在遗存的红军标语中，有不少是反“AB团”、反“独立勇敢队”等内容的。1933年，第四次反“围剿”的黄陂、东陂战役胜利后，主力红军紧接着再攻乐安县城，转移到乐安苏区西南部参加红一方面军整编。普查发现，红军遗存标语的大部分是这一时期书写的。1934年10月，中央红军长征后，乐安苏区根据地日益缩小，乐安中心县委，乐安、宜黄、崇仁三县联合苏维埃政府转移至三县交界的谷岗乡火嵊山区。1934年年底至1935年年初，三县党政机关干部和地方武装共2000多人开始突围。普查发现，在谷岗乡火嵊、小金竹等村庄有大量的红军遗存标语，其中在火嵊村管氏祠堂楼上写着红军女战士宿营的“妇女住宿”和“花木兰排”“巧姐妹排”等醒目标记；令人震撼的是在下楼梯处写有“人总是要死”的标语，印证当年红军女战士和苏区军民突围时视死如归的豪迈气概。

四、“红”“白”迭盖

乐安苏区的星火发源于西南部，鼎盛时期全县80%以上的地域建立苏维埃政权。普查发现一个有趣的现象，就是“红”“白”标语相互迭盖。如：在乐安北部白区乡镇，既有红军书写的标语，也有国民党军书写的标语。北部公溪镇有一条“消灭白匪”的标语，国民党军队将“白”字改成“赤”字；不久，红军来，又将“赤”字改为“白”字，涂抹的痕迹至今清晰可见，映衬出当年北部赤白交织的拉锯状态。湖溪乡东堆村保留一条“若要避免玉石俱焚，请携械来投诚国军”的国民党军书写的标语。金竹畲族乡流舍村蓝科进公祠留有数条较为罕见的、以反蓝衣社为主题的红军标语：“蓝衣社是帝国主义的忠实走狗”。蓝衣社是蒋介石的别动队，第三大队大队长公秉藩曾奉命进入乐安苏区，执行刺探苏区情报，破坏苏区的特务活动。当时红军的反特机关——江西省政治保卫局也深入到乐安苏区与之斗争。这条标语的落款为“口西保卫队”，说明蓝衣社别动队和红军的反特机关“江西保卫队”均已深入到乐安苏区的核心区——大金竹。

第四章　中国铀都

中华人民共和国成立，尤其是朝鲜战争胜利后，为打破美国为首的西方大国对新中国的全面封锁和核讹诈，中共中央作出自力更生发展核武器的决策，并成立“中央专委会”。但严峻的现实是：要自行研制原子弹，不但缺人才、缺技术，而且缺原料。因此，首要的是必须在全国开展大规模地质勘探、普查和找矿。

1957年秋，当中南309地质航测队在江西乐安县与崇仁县交界的相山山区发现大型铀矿床后，受到中央高层的高度重视，迅速从全国各地调集精兵强将，全力以赴、快马加鞭地建设国家铀原料基地。短短几年，就为中国第一颗原子弹爆炸提供铀原料。通过几十年努力，相山铀矿基地建设成为世界第二、亚洲第一的“中国铀都”。

第一节　二六一大队

一、发现异常

1957年8月6日，国家第二机械工业部中南地质局309队第四航空普查队的一架飞机，从吉安机场起飞，飞抵乐安县与崇仁县交界的相山石马山地区上空时，飞机上的伽玛辐射仪显示该坐标点放射性剂量高于其他坐标点的异常现象。次日重查发现该异常在历次航测异常中为最高的一个。

为加强石马山地区的普查勘探工作，中南309地质队当即抽调400余人，4台300米钻机，2台50米手摇钻及2个机掘队，成立903地区揭露勘探工区，开始对903地区的揭露勘探工作。到1957年12月底，共完成平巷301米，钻探858米，深井27米，浅井68米，探槽6280立方米，取样731个，12000米地形测量45平方千米，1∶2000地质测量1.6平方千米，水文测量160平方千米，1∶10000物探测量4.5平方千米，1∶2000物探测量4.5平方千米。

12月下旬，中南309队第5队副队长鹿子恒奉命到903工区正式筹备组建铀矿勘探队伍。

二、普查勘探和机构人员

1958年2月17日，中南309队第17队在乐安县公陂乡（今公溪镇）横涧村正式成立。高玉任队长兼党委书记、朱质彬任党委副书记、鹿子恒任副队长；职工人数约400人。上级还派来苏联地质专家阿·克拉契可夫、物理专家别列捷夫。由此拉开“石马山特大型铀矿床”普查勘探工作的序幕。

2月，江西省政府省长邵式平在乐安县委书

261大队办公楼

记王镜明陪同下，专程到903工地视察，听取地质情况和队伍组建的汇报，对勘探工作提出希望和要求，并为勘察队解决劳力紧张和肉食不足的困难。

9月，二机部部长宋任穷在抚州地委副书记王泽民的陪同下，专程到地质队视察，听取队伍组建情况和地质情况汇报，察看地表矿带和钻机、坑道等施工现场，与职工一道排队买饭，促膝谈心，并向全体职工作报告。指出："这个地区是我部事业的掌上明珠，世界少有，全国第一。"

建第17队当年，建立3个工区，开动钻机10台，全年完成钻硐探工作量2157米。主要在横涧地区进行深部揭露和勘探，同时对岗上鹦、源头、沙洲、甘晗和巴泉进行深部揭露评价。

1959年2月，驻第17队的2名苏联专家被撤走。勘探工作立足自力更生，全年完成钻硐探工作量31025米，提交"611"（横涧）地段中间性储量报告；土法炼铀成功，从铀矿石中提炼出重铀酸铵。

到1960年5月，提交"611"（横涧）地段最终性储量报告，勘探表明：在花岗斑岩体内外接触带见到好矿，发育成为大型矿床。

随着勘探工作的全面展开，勘探队伍不断扩大。1962年，勘探大队队部由横涧迁往游家；1970年再迁公溪镇新居（刘家排）。到1990年代初，相山地区地质普查勘探工作基本完成，全国铀矿勘探的重点转向西北，261大队的勘探任务逐年减少。为适应改革开放和市场转型的需要，经上级批准，1997年10月迁入江西省鹰潭市月湖区梅枫路。在原乐安县公溪镇新居（刘家排）261大队部设立乐安基地管理处。

地质勘探队1958年称中南309队第17队，1959年更名为第二机械工业部华东608大队第1队，1972年改称第二机械工业部江西261大队，1980年又改称为第二机械工业部华东地勘局261大队，1983年更名为核工业部华东地勘局261大队，2000年更名为江西省核工业地质局261大队。

261大队肩负着为国家发展原子能事业的神圣使命，地勘队员立足深山，无私奉献，用科学的智慧、集体主义的力量和艰苦创业的精神，战胜各种艰难险阻，地跨乐安、崇仁两县，为国家探明大、中、小型铀矿床29个，储量为亚洲第一、世界第二。

为加强地质科研工作，261大队成立专业科研队，其任务是对"610"（相山）矿田开展1∶10000构造填图，研究成矿规律，进行成矿预测，突破传统找矿理论，探索"三盲"（盲岩体、盲矿体、盲构造）规律，在深部找到花岗岩岩体，在岩体内外接触带找到大型矿床，打破苏联专家认为花岗岩岩体不能形成大型矿床的结论。1985年7月，编写完成《江西乐安、崇仁相山矿田岩性岩相填图总结报告》，结束历时8年的岩性岩相填图工作。1987年11月14日，261大队6115号钻机创小口径机械岩心钻进年进尺8498米的全国历史最高纪录，核工业部地质局发电报祝贺。1992年10月，261大队提交的《相山矿田邹家山铀矿床47—61线地段勘探地质报告》表明：邹家山铀矿床成为中国第一个超万吨的富铀矿床。

261大队职工队伍最多时发展到3000多人，先后取得各类科研成果

261大队获"铀矿地质勘查功勋队"纪念碑

100余项，70余人次受到国家和省、部级嘉奖、表彰，涌现出全国（省）劳模、全国（省）“五一”劳动奖章、全国新长征突击手等10多名，有6名专业技术人员荣获国务院特殊津贴。261大队还先后接待美国、日本、俄罗斯、西德、法国、加拿大、澳大利亚、巴基斯坦、阿尔及利亚、朝鲜、埃及等国专家学者的考察、交流。

1992年1月，中国核工业总公司授予261大队“铀矿地质勘查功勋队”称号。

1958—2016年，历任261大队大队长：高玉、鹿子恒、贾良明（“文化大革命”时期军代表、核心小组组长）、李正方、刘克检、林钧臣、杨烈佳、孙勤、刘涤非、程祖杰、曹福生、何观生、朱永刚、刘小平；历任党委书记：高玉、李吉庆、李正方、刘克俭、张振国、姚永恒、杨烈佳、徐大尤、毛传家、何观生、陈乐安、吕勇。

三、科研成果

261大队地质科研成果及获奖情况表

表24-4-1

序号	获奖项目名称	获奖时间	发奖单位	获奖等级
1	小口径金刚石涡轮钻具	1978.12	国防科委	重大科技成果三等奖
2	6124矿床构造和矿化特点的初步认识	1983.01	国防科工委	重大科技成果三等奖
3	610矿田花岗质侵入体中副矿物研究及其对岩体的含铀性评价	1983.01	国防科工委	四等奖
4	蒟蒻无固相冲洗液的应用技术研究	1983.01	国防科工委	四等奖
5	相山塌陷式火山盆地（破火山口）和相山铀矿田的地质发展史、成矿规律和远景预测	1983.01	国防科委	科技进步二等奖
6	小口径复杂地层钻进的综合治理	1984.01	国防科工委	科技成果四等奖
7	相山铀矿田岩石矿石结构构造图册	1984.01	国防科工委	科技成果四等奖
8	55型小口径射流泵	1984.01	国防科工委	科技成果四等奖
9	SN43-71型绳索取芯液压拧管机	1985.05	江西省科委	四等奖
10	小口径（d=56.5毫米）钻孔抽水工具新工艺的研究	1986.12	核工业部	科技进步三等奖
11	d57／28.5钻孔抽水试验参数对比模拟实验	1986.12	核工业部	科技进步三等奖
12	江西省丰城县玉华山地区地质特征和铀矿成矿预测	1986.12	核工业部	科技进步三等奖
13	赣杭构造火山岩成矿带铀成矿规律及成矿预测	1987.11	核工业部	科技进步一等奖
14	相山矿田铀矿资源总量预测报告	1988.12	中国核工业总公司	科技进步三等奖

续表 24-4-1

序号	获奖项目名称	获奖时间	发奖单位	获奖等级
15	钻机电机就地无功补偿	1988.12	中国核工业总公司	科技进步三等奖
16	相山矿田受控制定向钻进技术及其应用效果	1989.01	中国核工业总公司	科技进步二等奖
17	赣杭构造火山岩成矿带铀成矿规律及成矿预测	1989.07	国家科委	科技进步一等奖
18	FD-3019 测井数据采集处理系统	1990.08	中国核工业总公司	科技进步三等奖
19	铀矿床伽玛测井分层解释方法研究报告	1991.01	中国核工业总公司	二等奖
20	负载泡塑吸附、发射光谱、原子吸收法测定金	1992.01	中国核工业总公司	科技进步三等奖
21	微机铀矿床技术经济评价方法及其应用	1993.01	中国核工业总公司	科技进步三等奖
22	EDM 平高并进三维导线研究	1993.1	中国核工业总公司	科技进步三等奖
23	铀矿地质作业人员血清甲胎蛋白流行病学调查	1993.12	中国核工业总公司	三等奖
24	江西省乐安县邹家山铀矿床 47 — 61 线地段勘 199 探地质报告	1994.11	中国核工业总公司	一等奖
25	江西省乐安、崇仁县相山矿田第二轮铀资总量预测	1994.11	中国核工业总公司	三等奖
26	相山火山岩型铀矿田富矿床形成条件	1994.11	中国核工业总公司	三等奖
27	江西抚州地区航空伽玛能谱测量铀、钍、钾含量相对等值图的编制	1995.11	中国核工业总公司	三等奖
28	邹家山铀矿床地温、温热水及其与铀矿化的关系	1995.11	中国核工业总公司	三等奖
29	邹家山富大铀矿床成矿条件及富集因素	1996.01	中国核工业总公司	三等奖
30	相山火山岩型富大铀矿找矿模式及攻深方法技术研究	1997.01	中国核工业总公司	二等奖
31	江西省相山地区 125 万地面高精度磁法测量报告	1998.12	中国核工业总公司	二等奖
32	临川县扩建酒厂生产水源地勘探报告	1998	中国核工业总公司	优秀工程勘察三等奖
33	江西省乐安县李家岭铀矿床普查地质报告	2002.06	中国核工业总公司	优秀铀矿地质报告二等奖
34	江西省乐安县居隆庵铀矿床七号带普查	2007.01	国土资源部	优秀铀矿地质找矿项目一等奖

第二节　七二一矿

一、建矿

1957年秋，中南309地质航测队在乐安、崇仁交界的相山地区发现铀矿资源后，引起中央高层的高度重视。党中央、国务院、中央军委提出“早拿、快拿、多拿”核原料的目标，中央专委会作出一边勘查一边生产的决策。1958年9月，江西省委成立中共江西省原子能委员会，加强对相山铀矿开发工作的领导；12月，第二机械工业部任命刘兴涛为421矿（721矿前身）矿长，负责筹建工作。1959年2月正式宣布成立421矿，由二机部设立在湖南衡阳的中南矿冶公司管理；10月改由二机部江西矿冶局领导。

1960年2月，开始在石马山东部矿点施工；接着，横涧井下矿点、岗上鹦上部矿点相继上马。同时，421矿更名为江西一矿。1964年，江西一矿更名为721矿，此后一直沿用40多年。

二、投产

20世纪60年代初，来自全国各地的创业者汇集石马山下，自力更生，艰苦奋斗，风餐露宿，披荆斩棘，按照“先生产、后生活”的原则，一手抓生产，一手抓生活，边勘探，边设计，边施工，拉开矿山建设的序幕。在崇山峻岭中，修建矿山第一条公路，架起第一座桥梁，竖起第一根电杆，盖起第一栋住房，建起第一个电厂……以手工作业，人力推车，手工打眼，辘轳提升的方法，建成石马山下东部、岗上鹦上部、横涧露天等4个矿点。

1963年，经周恩来总理特批，为江西一矿修建由南昌向塘至矿区江边村的铁路专线——向乐铁路，全长123千米，于1965年5月建成，1966年1月1日正式通车，大大加快矿山建设的步伐。

1966年，在第一批矿点开采投产的基础上，云际、沙洲、白云、何元背、巴泉上部、邹家山等8个矿点开始建设，1973年全部建成投产。

1967年、1972年，相继建成预选厂、水冶厂；建成以莲塘、山南、水冶厂、古城为中心的生活区，形成一个采、选、冶、生产配套，管理科学，生活设施初具规模的大型铀矿联合企业。矿区坐落于乐安与崇仁两县交界处，东西距离28千米，南北距离22千米，占地面积400平方千米。1977—1983年，721矿处于鼎盛时期，职工队伍最多时达9800多人，号称“万人大矿”，是中国核工业集团公司天然铀生产骨干企业，为国家提供大量的铀矿石“101”金属和“131”产品，年平均利润达1000万元以上，最高年份达1400万元，成为中国原子能事业的“掌上明珠”。

铀矿基地的建设，牵动着中央和有关部委领导的心。1958年9月、1966年4月，时任二机部部长宋任穷和时任中国人民解放军总参谋长罗瑞卿，先后专程到矿区视察工作。

721矿先后有30多项科技成果获部级以上奖励，其中3项荣获全国科技大会奖。还先后多次派人员到国外考察学习，并接待法国、日本、瑞典等国科技人员到矿区进行技术交流。

到2000年，721矿共建有竖井8个、斜井4个、露天矿2个，以及预选厂、水冶厂、机修厂等，累计完成投资2.58亿元，拥有固定资产2.06亿元，为国之重器作出突出贡献，成为国家重要的铀原

金安铀业有限公司办公楼

料基地——中国铀都。

三、转型

1984 年，国家对 721 矿实施“保军转民”战略调整，铀矿生产实行限产。为适应核工业战略转移的需要，721 矿提出“以铀为主，多种经营，军品必保，民品快上，发挥优势，搞活企业”的方针，在军品生产上，迅速调整生产部署，制定“择优方案”，并对产量低、成本高、消耗大的矿点实行限产、缓建、停产的原则，促其迅速转民。对于富矿则加快建设步伐和采掘，形成“以军促民，以民养军”多种经营的新型企业和“收缩云际、湖港两翼”，以山南、邹家山、沙洲为主的“三足鼎立”新格局。在民品生产上，充分发挥现有设备和技术优势，因地制宜，就地取材，广开门路，多种经营，不断开拓新领域，开发新产品，建立新项目等。

2002 年，国家对相山铀矿资源实行保护性封存。721 矿列入国家军工企业破产计划，实施关闭破产，重组改制；从事铀矿采冶人员从 721 矿母体剥离，组建“中核抚州金安铀业有限公司”。2016 年 2 月，金安铀业公司全面停产，实施结构调整改革，保留维持维护人员 183 人。

1958—2016 年，历任 721 矿（421 矿、江西一矿）矿长、金安铀业有限公司总经理：刘兴涛、李伟民、赵栓英、杜长田（“文化大革命”期间主持矿革委会工作）、尚守和（“文化大革命”时期军代表、主持工作）、穆先、杨喜荣、刘清林、洪淳康、徐世年、吴三伟、崔满生、王振军、秦德恩；历任党委书记：刘兴涛（代理）、王敬民（抚州地委书记兼）、张全智、胡传孝、韩礼和、魏福荣、顾鹤云、孙永久、熊覆瑞、张其傥、李华建、王光熙、何勇、鲜和平、李符斌。

第二十五卷　艺　文

本卷目录

第一章　文学作品选录

1986—2016年，乐安县文学艺术创作较为繁荣，涌现不少佳作。本章收录部分乐安人士发表及与乐安相关的作品，有诗词、散文、小说、戏剧等，有些作品在全国征文竞赛中获奖，林长生的《千古浩劫》有较大的影响。

第一节　诗　词

一、诗

登大华山有感

何建辉

久闻华盖冠千峰，今临此境胜莱蓬；
举目霄汉碧云近，香炉浮邱紫穹中；
真人已去迹犹在，方客长留仰仙踪；
我欲握手邱王郭，且迎今朝三国风。

注：“三国”指国贫县——乐安县列入国家重点扶贫开发县；国宝——流坑村列入国家重点文物保护单位；国道——南宁至泉州高速公路经过乐安境内。

2002年春

登大龙山有感

黄赛荣

（一）

大龙腾跃诸峰间，顶平如台琼瑶还。
古杏参天苍松翠，竹杉紧伴流水潺。

（二）

浓云薄雾浮紫气，嘉祐八年建古寺。
十年浩劫一夕毁，盛世太平重塑身。

（三）

三县川峻旷秀丽，乐安茶绿景最美。
唐王化险呈祥吉，淳朴民风传后人。

（四）

逶迤羊道虽崎岖，奋力攀登争竞取。
贫困艰难成砥砺，雨过天晴万物新。

吓通瀑布

陈绍平

双峰翠色入云海，白浪翻腾洗面来。
瀑布层峦玉龙跃，沟壑横流仙人台。
悬崖水纵高千尺，峭壁风断百川开。
气谷山河英雄志，雾沉清宇洞君怀。
（刊载于2013年8月12日《抚州日报》）

大华山赞

银光灿

莲花宝盖气势雄，仙人真迹缥缈中。
峰洞井谷今犹在，亭坛轩阁已成空。
靴鼓石奇唧神话，玉带盘结巧天工。
登临大华情无限，徙倚疑到小莱蓬。

七律·咏乐安稠溪古村

罗崇辉

荆公嫡裔脉相传，石寨风流千百年
错落楼墙清韵古，氤氲岚气翠微鲜。
云峰烟水蕴灵秀，书院宗祠育俊贤。
倩取众生抛俗务，悠游半日试为仙。
（刊载于江西人民出版社《抚州古村古镇》）

从明天开始

林　辉

从明天开始
扔掉闹钟
让雄鸡的啼鸣
将我唤醒
喝着清冽的泉水
聆听大自然的福音

从明天开始
赤脚走在田埂上
任双脚沾满厚厚的泥土
扔掉锃亮的皮鞋
告别西装革履的岁月
不再忍受都市的快节奏

一间茅屋
隐入山中
门前流淌着弯弯的小溪
我将悉心照料那一亩三分地
在希望的田野上
早上喂鸡、鱼，下午摘毛豆
那是我们的孩子……

从明天开始
我要做个自由的人
和父亲辗稻草
陪伴母亲生火
与星星交朋友，邀月亮做情人
从明天开始
我做自己的主人

（选自《夜郎诗集》）

秋游胜境

邹永信

秋光旖旎大华山，欲上蓬莱数百旋。
千岭襟连翻碧浪，三峰鼎立入青天。
朝华信士摩肩至，祈福虔心盼梦圆。
且趁今生多积善，莫愁来世不成仙。

（选自《抚州韵坛》）

二、词

仿采桑子·中秋

姚飞翔

物换星移世事幽，岁岁中秋，今又中秋。长空归雁影悠悠。

乌江古樟秋水长，月晖朗朗，波声朗朗。不负快乐平安乡。

教师赞

黄启达

说你是春蚕　因为你慷慨
说你是蜡烛　因为你光彩
说你是人梯　因为你爽快
说你是沙石　因为你实在
尊敬的人民教师
谁比你明白
人类灵魂的工程师
谁比你能耐
一支粉笔　两块黑板　三尺讲台
造就亿万栋梁材
昂首向未来

说你是先生　因为你有才
说你是君子　因为你正派
说你是父母　因为你关怀
说你是园丁　因为你钟爱
光荣的人民教师
谁比你清白
人类灵魂的工程师
谁比你豪迈
一腔热血　两袖清风　四季辛劳
培育桃李花盛开
有你春常在

（在“感动中国”2008全国首届新创歌曲、歌词大赛中获一等奖，并入选感动中国全国百位词曲创作精英人物邮票典藏）

沁园春·乐安金竹瀑群

罗崇辉

江右乐安，金竹畲乡，绮丽画廊。蕴崇峦叠嶂，葱葱郁郁；飚波激水，浩浩汤汤。悬练千寻，泻泉万象，虎啸龙吟舞戟枪。天花坠，有仙姝驻足，龟祖坐堂。

玉湍柔媚恣狂，令天下风流黯彩光。纵大河壶口，莫如雪洁；边黔黄果，难匹颀长。尼亚加拉，望梅止渴，试问诸君谁得尝。叹观止，赏吓通群瀑，神采飞扬。

（刊载于2011年4月10日《抚州日报》）

第二节　散　文

解读幸福

陈绍平

幸福是什么？不同的人有不同的看法，让一千个人来回答，就会有一千种答案。幸福一词比较抽象，不具体，尤其是无法用科学语言表述。近年来，社会上出现了用幸福指数对幸福进行科学表述的说法，我认为，这本身就不科学。

幸福指数的概念起源于三十多年前，最早是由不丹国王提出并付诸实践的。《辞海》给“幸福”下的定义是：心情舒畅的境遇和生活。“指数”在辞典解释为：某一经济现象在某时期内的数值和同一现象在另一个作为比较标准的时期内的数值的比数。指数表明经济现象变动的程度。幸福不是经济现象，如果非拿指数去套，显然有点牵强附会。

人类的幸福最初来自感官的感受，后来有一部分上升为思维。归纳或演绎让回忆和憧憬也有可能变得幸福。幸福没有一个固定的尺度与衡量标准，不同的人对幸福的理解不同，感知不同，所体会到的幸福感也不一样。

幸福的对比是苦难。没有经历过饥饿，就不会认为饱餐一顿是幸福；当在太阳下曝晒时，有一丝阴凉或有一顶草帽就是最幸福的。幸福其实就是一种心境；不羡慕他人拥有的，只珍惜自己拥有的，正所谓知足常乐。

平淡是福。幸福是自己内心的感受，不需要别人认同。病床前的一束鲜花，口渴时递来的一瓶矿泉水，疲惫时朋友的一声问候，都能让你欢喜。我认为，这就是幸福。真正的幸福是来自内心的温暖，不是以财富，权力，荣誉和征服来衡量的。

平凡是福。生活中到处都是幸福的颗粒，我们需要的是一双寻找幸福的眼睛和快乐的心灵。有时，幸福也许就是一杯淡茶，一碗热汤，或者是一轮美丽的落日。也就是这些小小的幸福，让我们的生活充满乐趣，活得有滋有味，让我们对生命更珍惜，更眷恋。当然历史的经验也告诉我们，普通人容易感到幸福，而富人却不太容易做到，原因是富人在不知不觉中提高了幸福的标准。

平安是福。人生，总有大起大落，你也许家财万贯，也可能一贫如洗，但平安的我们，才是人生中最幸福的。作为平常人，不奢望大红大紫，不祈求大富大贵，只求心安、体安、理安。只有平安之路越走越宽、越走越敞亮，多彩的梦才会化作绚烂的现实。

其实寻找幸福的方法很简单，你只要找个地方静静坐下，闭上眼睛，慢慢做轻松的深呼吸，任凭大脑开始想象“幸福”的地方。那里或者山清水秀，鸟语花香；或者月光如水，星辰灿烂。然后，你仿佛置身在美丽的风景中，享受到一种无欲无望的安宁，这就是幸福。生活中我们不是缺少幸福，而是缺少一颗能感受和解读幸福的心。幸福就在你的身边，幸福就在你的脚下，不必舍近求远，而是俯拾即得。你找到了吗？

（入选江西省杂文学会编的2009—2011年江西杂文随笔选《守望者书》）

家里的老屋

黄更昌

在古村流坑乌江下游约五华里处的东岸，有一片古老的护河林，古木参天，秀竹摇翠，掩映着澄清的乌江之水在这里自南向北而流。在护河林的东侧，坐落着一个仅有六、七户人家的小村庄，原只有三、四栋老式住宅和一座庙宇（名曰："萧公庙"），我家的老屋就在这个村子的南端。

老屋为我上五代祖所建，是一座砖木结构，前置门院，有前堂、后厅、正房和两侧厢房的晚清建筑。其檐宇处墨绘墨书，四排封火墙昂扬高山屋面，青砖灰瓦，古旧素雅。其院门辟于东侧，牌坊式，上书"奎光长聚"四个行楷大字，据说出自我祖上一个晚清秀才之手。门院的前面是一个晒场。其东南面是一片宽广的稻田和菜地。在二十多年前，居住有同房亲四大户人家，共四十多个人的老屋。

在今年初秋的一天，我因事去古村流坑，顺便回到了老家，住在大哥的新宅。是夜，高天薄云，月朗星稀，受情之遣，我独自走去探视我家的老屋。一进老屋，举目生情，使我眷顾于老屋的每一处。可老屋显得脏乱，更觉得古老破旧，斑驳的墙面，纹理凸露的木壁，记载着它所经历的岁月沧桑；凹凸不平的台石和地面，其一石一砖曾磨印了多少家人的足迹……。我边环视厅堂边推开半掩的大门，几只蝙蝠惊飞而出，悬于堂上的电灯一时摇动起来，灯光下晃动着我一个人的身影，我不由得一阵寒战，心里感到一种从未有过的孤独和凄凉。看着挂在宝壁上的上辈人画像，想着过去那满屋人热热闹闹的景象，恍如隔世。我徐步走出老屋，站在院外的晒场之上，远对默立的山峦，近临寂静的田野，仰望明月浮云，脑海中浮现出曾于此生活的一幕一幕。岁月悠悠，时空消解了多少人和事，可消解不了我心中的记忆。最令我思恋的是，每于夏末秋初，辛勤劳作的家人们，每夜围坐一场，谈笑风生，充满天伦之乐，这美好的休闲时光。

爷爷喜欢谈人生经历；爸爸喜欢谈为人处事，叔叔喜欢讲人间趣闻、历史故事；奶奶和母亲、婶婶则多议日常家务、来往人情。房亲们每插话题，兄弟姐妹们耸耳细听。每有月光倍增情趣，家人有时还拉起二胡，吹响笛子，免不了哼上几句。其情融融、其乐陶陶。舒心爽意清风里，笑语欢声明月中。碧空淡云诱望眼，月色星光沁人心。试与明月相对语，仰对银河数星星。清露沾发不知时，凉风袭人仍痴迷。啊！二十多年过去，天还是这片天，月还是这轮月，可人物咸非。祖、父辈们已相继去世，兄弟们大多岁越"不惑"之龄，皆另辟新居，不少已工作安居于他乡异地。人富了，貌变了，人却散了，留得这空空晒场，老屋孤怜。我徘徊月下，久久追忆那令人神往魂牵的往事，心中怅然若失。唉！若现在这里仍能家人们围坐一场该有多好，畅谈时代飞速发展的无数话题。我不由地向老屋前方望去，一栋栋新屋拔地而起，周围的桔林一片碧绿青翠；仰观老屋，览尽人间春秋的檐宇墙头，仿佛在向我示意：老屋甘守孤独，是上辈人的欣慰，下辈人的幸运。

一九九九年秋

（2006年在"井冈山杯文学艺术大奖赛"中获特别优秀文学创作奖）

山有木兮木有枝

董海花

今夕何夕兮，搴舟中流。
今日何日兮，得与王子同舟。
蒙羞被好兮，不訾诟耻。
心几烦而不绝兮，得知王子。
山有木兮木有枝，心悦君兮君不知。

一直以来，我觉得最美的情诗，莫过于最早记载在西汉刘向《说苑》，鄂君子皙乘青翰之舟，下鄂渚，泛洞庭。摇桨的越女在鄂君面前唱出的这句：山有木兮木有枝，心悦君兮君不知。

这首《越人歌》，是我国历史上现存的第一首译诗，缠绵悱恻，艺术水平很高，和楚国的其他民间诗歌一起成为《楚辞》的艺术源头。

关于这《越人歌》有两种传说，但我更倾向于相信它是出自那个美丽而浪漫的传说：大概在公元前540年前后，当时楚越虽是邻国，但方言不通，交往需要借助翻译的帮助。鄂君子皙泛舟河中，摇桨的越女遇上了气宇轩昂、风骨俊雅且礼仪风范的鄂君子皙，不禁怦然心动，喜欢不尽！她欣喜若狂又战战兢兢，无法控制自己，又不敢表白怕拒绝被耻笑。突然她想起鄂君是鄂国王子，不一定听懂越语。于是，她对着鄂君小心翼翼唱出自己婉转隐秘的心事。鄂君一定隐约地感受到了她的爱慕之情，于是，他有心请人用楚语译出，就是这一首美丽的情诗。

一首《越人歌》，穿越春秋，清音飘掠了烟波浩渺的江面，在楚国的山水间缭绕，那摇桨的越女在水中摇出了一朵朵涟漪，心中所慕，欲说不能，那种焦灼与怅然，还有心存的那种卑微，使得歌声显得清灵婉美，忧伤缥缈。

我能想象出那首《越人歌》一定是清幽的，还带着怅怅的忧伤，似有若无的羞怯，越女的心扉真诚敞开的那种洁净和卑微。这卑微不但是因为那乘着青翰之舟的王子与自己一介布衣本就是两个不同世界里的人，而她自己在遇到王子之前，一直就是在这林木葱翠、花草芳美的山里生活的女子，与山河为伴，与鸟雀同憩，没有谁打破她内心的宁静。可是，当偶遇心仪中的王子，她才觉得自己是那么地渺小，渺小到仅是沧海一粟。

她是地位低下的越女啊，而他却是尊贵的鄂君。心生爱慕，却沧海难渡……

世界上最远的距离，是鱼与飞鸟的距离，一个在天，一个却深潜海底。这其中的失落是多么的伤感！

越女与鄂君能有这一场相遇就够了。这世间繁花万种，暗恋也算一种凄美的花，能够开花，越女何其有幸！花开花落，又要在意什么结果呢？爱的焦灼与怅然，爱的清醉与痛楚，只有一一地把它深藏进心底……她从未奢望它能抵达君心的彼岸。能遇到让自己仰视之人，已是不易。还能奢求更多什么呢？

我想起有一种花叫彼岸花，它很美。花开时如火如荼。又听人说它有毒，亦是药，是接近安息途中的最后一场盛宴。叶存时，花未开；花开时，叶已逝。如此凄美。人们说，它开在遗忘生前的彼岸。却不知，它从未忘过，只是一世又一世被错开，然后一世又一世在等待。一切都是命中注定！

“山有木兮木有枝，心悦君兮君不知。”鄂君，已经走远。留下身后的是葳蕤的草木，茫茫江水，一片摇曳的芦苇花……

那是一种命中注定的寂寞孤苦的爱慕，在无数个清晨或是傍晚，在无人渡口或是寂寂的林间，越女独自地唱着，唱给自己听，唱给山鸟听，唱给江河听，无人附和的歌声，应着一波一波的心事，渐渐散落破碎……

（2016年选入《作家在线作品选集》。被《美到心碎的散文》《现代散文网》等媒体转载）

独行向乐线

邹振忠

我是个特爱怀旧的人。

这个如火的夏天，我坐向乐线火车去了一次南昌，一个人去，不是办事，也不是去昌旅游，只去看看向乐线的铁轨、站台和火车。我这样说，别人会说我太矫情，甚至不可理喻，我也知道自己其实没有资本和时间来怡养这种浪漫的旅行，在南昌的脚步也几乎没离开过我所投宿的那家旅馆。可事实上，这趟只花费100元和一天半时间的旅行，却让我收获了许多的记忆和感慨，就像与一位久别旧友的重逢。

清晨六点，从乐安开出的班车到达江边村，当我穿过狭长的台阶，久违而熟悉的小站出现在眼前时，那些躲在时光背后的如烟往事，像接到指令密码似的，刹那间纷至沓来。

向乐线，北起南昌县向塘镇，南到乐安县江边村，全长122千米。对于沿途的人们（特别是乐安人）来说，她曾是记忆中的一条圣道。当我还不知江边村位于何方时，就常听到大人们炫耀说：我坐过江边村的火车呐；十里八乡的小商小贩，披红挂彩的专业户，县上乡里的国家干部，大凡见过一点世面的人，江边村的火车似乎都是他们经见世面的口头佐证；特别是文凭压倒一切的八十年代，向乐线在我青春的视野里，似乎就是通往象牙塔的金光大道，我那时又羡慕又妒忌的那些天之骄子们，无一不是抬起刚洗净泥巴的脚，坐上江边村的火车赴向了遥远而灿烂的前程。

我读小学时，舅舅村里有个参加过向乐线修建的老头，就住在舅舅隔壁，在我整天为一个鸡蛋而垂涎三尺时，每次去舅舅家都能闻到隔壁飘来的诱人的肉味鱼香，关于向乐线的一些事情，我也是从他与泥腿子们的聊天中得来的：1957 年核工业 261 大队在赣东相山一带发现铀矿床，喜讯传到北京，中央领导高度重视，经周总理批示，决定在此建立铀矿基地，并铺设我国第一条铀矿铁路专线——向乐线，由铁道兵第八师承担施工任务，并于六十年代初全线建成通车。铁路建成后，他因修路有功被分配到 721 矿工作，后从矿上退休还乡，每月按期领着一笔可观的退休金，吃香喝辣，衣食无忧，以至他一说起向乐铁路，泥腿子们都心驰神往。

我与向乐线亲密接触是从 87 年 9 月开始，到 90 年 7 月间，那时我在崇仁师范读书，经常乘坐这列火车。江边到崇仁其实只有两站路程，坐抚八线的班车只需一元钱，但我们当时就是那么痴迷于火车。因为那时向乐线的每一趟火车都像一个小社会，汇聚着天南地北形形色色的人：到南昌打货的商贩，出门学技术的农村青年，外出参观的国家干部，操着标准普通话谈情说爱的矿工子弟，满脸阳光和傲慢的天之骄子……他们怀揣着不同的理想，奔向各自的远方。每一个假日，我们都怀着那个年代中师生特有的自恋情结，在江边村或崇仁站奔跑着抢占座位，晃着齐秦的爆炸式发型，穿着费翔式蝙蝠衫和健美裤，背一把红棉吉他，带着被暗恋刺伤的愁绪，哼弹着《外面的世界》，在杂乱的旅客中，伤感而抒情地充当天之骄子的模样……那真是一段如诗般青涩而美好的岁月啊。

如今，江边小站还是从前的小站，只是没有了那种排着长队买票的热闹场面，反之，寥寥无几的旅客，破旧的门窗和清寂的站台，让人感觉昨日东流水的沧桑。6 点 40 分，停候多时的列车鸣着长笛徐徐开动，车厢内稀疏的旅客，或打着瞌睡，或小声地聊天，我找了个四周无人的靠窗位子，看着车外飞速后退的景物，思绪万千：除了看不到车头直冲云霄的白色蒸汽外，道路两旁依旧是从前的丘陵、山冈、稻田、农舍，遍地的蒹葭葳蕤丛生；沿途的吕坊、罗陂岗等熟悉的小站，均会停靠三两分钟，只有少数的几位旅客上下车，而小站的门关锁着，灰黄的石灰墙痕迹斑驳，秋意蔫然的样子，透过残破不堪的窗玻璃，可见室内桌椅布满厚厚的灰尘，积满时光的重量……

是的，在蛛网般纵横交错的中国交通图上，向乐线一度是寂寞的。如今，沿途的乐安、崇仁、临川、抚州人去南昌，可以选择 N 种快捷、便利、舒适且直达的途径，如果不是时间多得无法打发的话，很少有人会选择乘坐向乐线缓慢且一天只有一趟的硬座火车；而日益发达的公路网和吞吐量越来越大的卡车，也渐渐将向乐线火车皮原有的货运优势掩盖了，走过五十年风雨征程的向乐线，就像一个过时的芭蕾舞演员，经历过青春短暂的辉煌后，渐渐暗淡在时代的脚步与岁月的烟尘中，这使我的旅途有一种孤独的落寞与伤感。

烈日当空，火车像一条巨蟒，在赣抚平原破浪前行。车到抚州北站后，不断增多的旅客渐渐给我萎靡的神经注入了活力。我对面坐着一个笑声爽朗的中年汉子，操临川口音，外向的性格使我们很快成了无话不谈的旅友。他说他是抚北镇人，多年往返于南昌等地做买卖，谈到向乐线时，他滔滔不绝：在这条线上，他度过了少年、青年、壮年时期，也见证了她的冷热兴衰，如今步入中年，总算看到了她的新生：20 世纪 90 年代，江家至三江镇段被纳入京九铁路，沿途人们的兴奋笑脸至今还萦留在他脑际。而今天，国家为加快赣东南及福建中部地区老区经济发展和社会进步，决定修建向莆高速铁路。由向乐线抚州北站引出，经临川、南城、南丰进入福建三明，将三江镇到抚州北站一段纳入其中，列入了国家“十一五”计划。这样一来，向乐线行将闲置的国有资产，将大部分得到盘活和利用……他的朗朗笑声使我这个孤独的旅行者有了同盟的力量。

（刊载于2006年7月21日《江西日报》）

乐安赋

王春元

居赣鄱之源涘，接罗霄之气脉；地控赣腹之要，天联斗牛之辉。钟庐陵之灵气，毓临川之文彩。三山环峙，四水通衢，秀聚东南，声誉华夏。当年为中央苏区县，如今成秀美生态县。黎民欢乐，国体稳安，是谓乐安也。

斯维乐安，溯源绵长。赖村之松山遗址，龚坊之浯塘遗存，远追新石器历史；肖坊坑出土文物，湖坪天子岭乌米，乃春秋战国遗珍。古为吴越之地，汉置豫章郡辖。南宋绍兴十九年，始设县邑治于此。龙图坊、钟鼓楼，呈当年阀阅；装故事、花鼓戏，传续至今朝。影宋壶、枢府瓷，欧亚巡展；东湖傩、流坑傩，非遗珍宝。出土石锛石镞，诉说氏族风雨；馆藏陶瓷铜镜，映显历史辉煌。

璀璨乐安，人杰叠递，星焕彩耀。上溯南北朝，黄法氍封爵；迨至两宋后，群星更灿烂。黄昭为兵部尚书，谢绶赠太子少保；董敦逸平“瑶华秘狱”，救孟太后于水火；董德元殿试夺魁，建状元楼以彰荣。曾丰治学，引德秀西山立雪；吴澄筵讲，招贤士四方负笈。王晋“青宫侍讲”，爵荫三代；董裕惩恶济贫，民祭生祠。詹事讲“批麟直柱史”，袁国栋“钦点画状元”。“百里弦歌，疑似邹鲁”，人文蔚起，科甲连芳。千古流坑，一门五进士；湖坪王氏，“文献世族”家。文以兴邦，武堪卫国。何见山助文天祥抗元守土，王长贵随左宗棠征辟新疆。易耕梅投笔从戎，追随孙总理；张田民留学东瀛，首入同盟会。

文萃乐安，群贤踵至，珠璧相映。颜真卿题碑华盖山，文天祥读书石仙桥。欧阳修、苏轼、吴道南、危素遍序谱牒；徐霞客、乐史、汤显祖、解缙诗文高标。邱王郭三仙声播东南，白玉蟾驾云升遁九霄。真堪谓鸿文吐艳，芹藻长新，龙光剑气，胜迹鹤翱。

英雄乐安，星火传薪，戟舞旗飘。毛泽东三临乐安，播撒革命火种；共产党揭竿而起，终成一代天骄。登仙桥大战，威震敌胆；大湖坪整编，军史垂昭。周恩来，朱德、邓小平旧居依然；康克清、肖克、杨成武、张爱萍题词赋豪。张震老、甘渭汉耄耋旧地重访；胡耀邦、董必武后裔觅祖根苗。二千三烈士丹青汗史，黄火星将军干城堪表。芙蓉山五女苌弘化碧，大金竹英杰风流永曜。

秀美乐安，赣东翡翠，江山多娇。五华挹秀，九峰叠翠。南蕴晴岚岭树，北展沃野菽稻。华盖独秀，冠江南一绝；虎啸群瀑，引游客滔滔。芙蓉削翠于云中，荷树标奇于天表。千年古樟，绵延十里；天然石桥，神工巧造。竹海绵延，清风拂晓露；林遮重嶂，白云绕山峤。中华铀都称乐安，“千古一村”赞流坑。花猪、茶叶、毛边纸饮誉中外，烟叶、油茶、蚕桑业喜成支柱。高速公路四方畅通，工业园区气势宏浩。城镇面貌日新月异，新村建设你赶我超。文明和谐，惠风荡域内；实干兴邦，兆民更富饶。勤劳勤奋，竞创小康伟业；大气大度，同奔灿烂明朝。风帆正张，乘浩荡东风；百业振兴，涌诗意如涛。

抚今追昔，赋情不已；仰天浩歌，心逐浪高。

歌曰：汉唐以还鱼凫境，绍兴而后熊绎邦。

干群齐心创伟业，喜看明朝更繁昌。

二〇一三年九月

（篆刻于乐安县城四九广场景观墙）

第三节　小　说

一、长篇小说

《千古浩劫》（节选）

林长生

谷寿夫按预定的计划和川泽、河野、高冠吾等人分乘小汽车，不一会便来到了燕子矶街头的江边上，看看处理难民和战俘的准备工作。

鬼子的步兵早已占领了江边上中国部队撤出

的阵地，架起了机枪，步枪亦伸出了壕沿，把江滩上十多万待渡的难民和几千名战俘，紧逼在平坦的江滩上，只等命令，便开枪向人群射击。

几十门大炮的炮口一律向下倾斜，直接对准了难民和战俘。射手们通过炮膛在瞄准江滩上人山人海的中国人。

飘着太阳旗的日本的坦克群，依照江滩的地形，展开了包围的队形，防止难民和战俘们冲出重围。它们还奉命起着“活碉堡”的作用，随时准备堵死难民和战俘冲破的“缺口”。

站在江滩上的十多万待渡的难民和几千名徒手的战俘，看到鬼子紧紧地包围起他们，展开了围歼的队形，已经枪炮待发，个个惶恐不安，心惊胆战，胆小的只往后退，一心想溜出险地，逃出生命。但是，他们的背后便是大江，江水奔腾，大浪象小山头一样一起一伏，无法飞渡。

站在徒手战俘中的吴道看到眼前的情况与自己的想象完全相反，心里又怀疑又后悔。他在江宁县获释后，不知道川泽使用的“欲擒故纵”的奸计，利用他这个“活材料”到处现身说法，先后主动地找到余存材和他的哥哥吴知，宣传鬼子的“人道”。他的话在他们的思想上起到了“催化剂”的作用；在高冠吾的诱降过程中又起到了促进作用。现在他看到鬼子气势汹汹，在江边上居高临下的把枪炮对准了难民和徒手的战俘，感到情况不妙，心里慌慌张张，害怕起来了。

站在难民群中的万家何看到鬼子对准他们架起了枪炮，心里特别害怕，被吓得心惊肉跳，上牙碰得下牙格格的价响。

前天过午，万家何牵着小哑巴孙子，眼看成千上万的难民，在下关的江边上等船。他日晒夜露，忍饥挨饿，盼望能渡过滔滔的大江，以便起早去扬州催运酱油酱菜，或者讨回预付的货款。

江边的马路上人山人海，各个码头上挤满了难民，拥来挤去，盼望渡船。外地逃来的难民有增无减。

江边的码头上和马路两边待运的行李、家具，堆积如山。

少量的船只，政府明文公告：先军后民。为数不多的船只全被撤退的部队占用了。难民们望眼欲穿，叹息不已，无可奈何，滔滔的大江无翅难以飞渡。

突然，热河路和火车站上响起了剧烈的枪声，紧接着整个热河路和鲜鱼巷都大火冲天，浓烟翻滚，不一会，便把狮子山遮住了。

难民们见此情形，感到危险临近了身边，他们正想通过中山码头与中山北路的接头处，沿着江边向西逃命时，河野指挥的一队鬼子，凶如虎狼，沿着中山北路，残忍的向江边上杀将过来了。

剧烈的枪声淹没了大江中的浪潮声，弹头如狂风暴雨一样击在难民们的身上。中弹的难民象倒墙一样，一排一排的倒在血泊中，死者的尸体层层堆起，伤者痛苦的惨叫；没有被打死的人群像潮水一样争相逃命，跌跌碰碰，拥拥挤挤，呼爹叫娘，哭声震撼九霄。

一队鬼子跨过一具一具尸体，绕过尸堆，跟在奔跑中的难民群之后，继续向前追杀过去了。

河野像疯狗一样，指挥后队的鬼子，沿着江边马路上的尸山血海，见尸补枪过刀，枪击刀刺，不漏一具尸体。

……

（《千古浩劫》1989—1990年先后获江西省谷雨文学“古汉酒杯”奖、华东六省一市文艺图书一等奖、全国优秀图书奖）

《人间世》（节选）

黄孝阳

母亲出身贫民，吃的是腌菜萝卜，长得却好。眉清目秀五官端庄等词儿搁在还是少女的她身上就太平庸了。反正我生父，那位见惯美女的公子哥儿立刻爱上她。我母亲大义凛然地拒绝。姑娘们爱的是从抗美援朝战场上下来经过铁与火考验的军人。母亲其时在与一位退伍军人谈恋爱，每天从厂里下班后，与那位英俊的他各自走在马路两端，心里充满对生活美好的憧憬，又怎么可能被这些没“人生理想”的甜言蜜语所欺骗？生父不死心，整日跟在母亲身后，终于等来机会。一个雨后黄昏，明眸皓齿的母亲撑着伞去外面散步，很不合时宜地搞了一次小布尔乔亚情调，结果搞出祸事。在过一座偏僻的桥时，被小流氓拦住调戏（我对母亲的措辞深表怀疑。那可能只是一个马路求爱者。他的行为，若是搁置于现在的语境，恐怕只能定性为登徒子式的性骚扰）。中间发生了什么，母亲没说。可能是雨天湿滑小流氓不小心掉下桥，可能是小流氓一时激动要跳桥表决心，还可能是母亲在激烈的反抗中把小流氓搡下桥。母亲在这里用的是春秋笔法，笔下并无憾意，只依稀残存有昔日的惊慌。大水淹没了那个年轻人。母亲失魂落魄地回了家。跟在后面的生父看到这一幕，便以不容分说的强硬姿态，走入母亲的生活。因为生父的要挟，母亲不得不忍辱屈从，与最可爱的人分了手。母亲写到这里的笔迹发了抖，纸上还洇有一摊摊泪痕。日记里夹有母亲年轻时的一张相片。母亲美得像丝绸一样。

一个得意猖狂的精子与一个郁闷悲伤的卵子结合了。我来到人世。母亲当然不会给我好脸色。母亲给我哺乳时，恶狠狠地把乳房塞入我嘴里。若我咬痛她，她便一个耳光打过来。我若是呛了，她宁愿把乳汁挤在地上，也不愿意用它们来喂饱我，任凭我饿得在地上翻跟斗。三个月后，母亲拒绝再给我哺乳。邻居看不过眼，说没见过做妈的有这样心狠的。我才得以有一口稀饭吃。那是什么样的稀饭啊！不要说插一根筷子不倒，拿来当镜子也嫌光亮。我懵懵懂懂地生活在这个不欢迎我的世界里，体重不比一只猫重多少。因为捡到一粒用糖纸包裹的石子儿，便急不可待地把它塞入嗓子眼，哽住了，两眼翻白。母亲看了我一眼，当没看见，径直进屋。醉醺醺的生父跟进门，大怒，拽住母亲的头发，提起膝盖猛撞。我都上气不接下气了，他们还打得欢。我把手指伸入嘴里胡乱地抠，哪抠得出来？手指太短了。我摸起地上的一根细树杈，往喉咙里戳。老天垂怜。那粒石子儿竟然被我这样撬出嘴。我吐出满口的血。被生父打得鼻青脸肿的母亲飞来一脚，说我这个畜生，为什么还要活在世上丢人现眼？母亲号啕大哭。我手足无措，心里像被猫抓了一样难受。那时的我又怎么能理解这些大人的恩怨？更不明白自己为什么就成了畜生。

我离家出走了。也谈不上离家出走，不过是想找一个看不到他们的地方。我去了县汽车站，在破烂的长条椅上躺了一晚，等天色蒙蒙亮，睁开眼，看见一张短头发女人嫣然的脸。女人问我爸妈在哪。我说他们在家里打架。几个大人嗤嗤发笑。好像我说的是笑话。一个王八蛋还插上一句：“是不是你妈在下面，你爸在上面？”我扑过去，试图从王八蛋手臂上咬下一块肉。女人拦住我，把我送回家。她是好人。可好人没好报。这怨我。我不该再去找她。我知道她是县医院的医生，就找到她的集体宿舍，没事坐在门口用苍蝇喂蚂蚁，用树枝拨蚯蚓，或者拿块瓦片在地上勾勒各种疯癫癫的图案。我也画她的大眼睛与短头发。

我喜欢女医生。她住的小屋墙壁上有一幅非常大的地图。

她的手指头在地图上移动。我跟着她细细长长的指头在中国旅游。

南方的天空飘着吴侬软语，戴斗笠的农人牵着牛赤足行走在田埂上，河流在碧绿的田野上打出蝴蝶结，银子一样闪闪发光。林子里盛满鸟叫。鸟叫声让性格最急躁的人也心平气和。

东方的大海澄清剔透，海面飘满肥美透明的海蜇。岩石罅隙里的螃蟹挥舞大钳。大小黄鱼在水底悠然来往，闲谈着龙宫太子与哪吒的那场争斗。有福气的人能看见海天一线间的海市蜃楼，那是天上的街市，那里没有谎言、欺骗、烦恼。

西方的山峰比天空还要高，山巅终年积雪，连鹰隼的翅膀也没法抵达，却有一只豹子风化的神秘尸体。有的山不停地吐出浓烟与岩浆，那是唐僧取经时路过的火焰山。孙行者手中的芭蕉扇并未彻底熄灭大地深处的火种。沙漠里虽没有一丁点绿色，但出产最耐苦寒的马。它们扬鬃奋蹄，与地平线一起消失在远方。

至于北方，那更让人心驰神往。雪花比席子还要大。河面结了厚厚的冰。在冰上凿洞，鱼会从洞里一只只跃出来。河边的树上挂满冰霜。幸福的人们坐在热炕头上，讲故事、剪窗花、纳鞋底，边做游戏，边在火盆里烧烤着土豆、地瓜、黄豆粒、苞米粒。一股股的香味在屋子里飘荡，整个世界又甜又香。

女医生让我对拥有九百六十万平方公里土地的中国充满好奇。我迷恋上这张地图，去她那里的次数越来越多，根本不怕父母亲的打骂。我不想回家。她那间弥漫着福尔马林味的小房子是我的天堂。只要看见它，哪怕是坐在医院后边的山坡上，我的身体里也会出现燃烧的火把。母亲找来了，在医院门口破口大骂，言词很有点不堪，还动手扯落她几绺头发。我很伤心，不明白母亲为什么要这样。她不是希望我早死吗？为何还要管我？也许我只是一件归母亲所有的东西。自己的东西想怎么砸，就怎么砸，哪怕砸烂了，也没关系，但让别人拿走了，就不对，得弄回来——过去，我是这样理解的；现在，我还是这样理解的。

有一天，女人吃药死掉了。我想了很久，在母亲做的稀粥里拌入一袋老鼠药。这是我捡来的。当我掌心捏出汗时，一只该死的猫跑过来，打翻桌上的碗，舔过几口粥，伸直腿，身子比铁都硬了。生父瞟了母亲一眼，变了脸色；母亲瞄了生父一眼，眉毛跳起来。那天晚上，他们没打架。这让习惯在他们摔锅砸盆声中睡去的我失眠了。我非常沮丧，听见生父在屋子里长吁短叹，母亲坐在门外的矮凳上痴痴呆呆。月光照着他们。他们的体内迸出一道道光线。生父身体里跳出来的光线是棍子，母亲身体里跳出来的光线是匕首。棍子打在母亲身上，匕首插入生父的胸膛。几天后，生父死了。又过了半年，母亲改嫁了。

（诺贝尔文学奖获得者莫言评价该书：“犹如万花筒般丰富多彩的江南才子书”）

《不管你是啥人物》（节选）

董金声

开始补课的那一天，方铁石仍然坐进了教室。班主任唐老师很感意外，同学们也很感意外，大家都看着他。唐老师说：“方铁石，今天是补课的日子，你晓得吗？”方铁石坦然地说：“我晓得。”唐老师略带讥讽地问：“你不是口口声声说不补课吗？你现在同意补啦？”方铁石振振有词地说：“所谓补课就是重新上以前上过的内容。你们如果上新课，那就不叫补课。我已交了学费，你们也得了工资，我理所当然有资格坐在这里听课。如果你们确实是补旧课，我作为这个班的学生，坐在这间教室里读书是我的权利，您如果怕我听了，就搬到其他地方去补吧。该走的不是我，而是你们。”

同学们听了，觉得新鲜又有道理，都偷偷地笑。唐老师觉得自己的权威受到了挑战，他知道绝不能让方铁石占了便宜，否则同学们是会学样的、造反的，那无论是补旧课还是上新课，同学们都可以不交钱而堂而皇之地像他这样坐在这里听课。于是唐老师恼怒地说：“方铁石，你故意捣蛋是不是？你这是强词夺理，成心跟老师作对！你如果实在交不起钱就明说，我们几个老师可以考虑少收或免收你的，我们甚至可以号召全班同学为你捐款。你如果有钱想抗拒不交，那也明说，让大家来看看你的德性！”方铁石沉着冷静地说：“唐老师，我这不是强词夺理，不是要跟您作对，更不是要赖不交。我的态度是该交的一分钱也不会少，不该交的我一分钱也不会交。”

唐老师勃然大怒，拍着桌子说：“方铁石，这学校不是你要赖的地方！不是你想不交钱就可以不交钱！大家都像你这样，那老师就不要过日子，都喝西北风去！老师又不是神仙，也没有做雷锋的义务！我们利用休息时间劳动，为什么不可以得到报酬？老师同样是人，我们的劳动同样应该得到全社会的尊重，你为什么不尊重？就以你为例，别人坐了你的三轮不给钱，你肯吗？难道也有应该给予不应该给之分吗？你不想补课，我们也没有强迫你，可你现在又来胡搅蛮缠，你也太不自尊自爱了吧？”方铁石用纸塞上两个耳朵，说：“我坐在这里看书，不听您的课，总可以吧？”

唐老师铁青着脸，走到坐在最后一排的方铁石的面前，说：“你坐在这里就是在补课，就影响我工作。我们不欢迎你在这里，请你离开。”方铁石没理睬他。唐老师看到他不动，厉声质问一句：“听到没有？请你自觉一点！”方铁石仍不理他。唐老师就上去搬方铁石的桌子，将桌子搬到了教室外去。可等唐老师走到讲台上后，方铁石出去把桌子搬回了原处。唐老师气得脸部肌肉在颤动，他又过去搬方铁石的课桌。方铁石用手按着桌子，唐老师怎么也拖不动。全班同学都在看着他们的冲突，有人发出吃吃的笑声。唐老师感到自己的威严受到了极大的损害，真想扇几个巴掌过去，可又不敢，他恼火之下，将桌子一推。桌子虽然没有倒，可一抽屉的书籍和文具全倒在了地上。唐老师气愤地将地上的东西一脚接一脚地踢出去。方铁石上去用身体挡住唐老师，说：“唐老师，您必须赔我的东西。”唐老师更是气急败坏地用脚狠狠地踩地上的笔和文具盒，边踩边声嘶力竭地说：“看我怎么赔你！看我怎么赔你！”方铁石心疼地将他推开，推得他差点倒下。唐老师眼冒火星，打了方铁石一巴掌。方铁石想还手，但还是忍住了。唐老师又要打他，被同学们拉住。

教室里乱糟糟的，课是上不下去了。唐老师夹起课本，喘着粗气说：“方铁石，你就是不离开这个学校，也得离开这个班级！这个班有你没我，有我没你！看你的本事！”说完气冲冲地离开了教室。教室里像炸开了锅，有的同学帮方铁石捡起东西。

高一年级组组长来了，把方铁石叫去，说：“唐老师班上不要你了，你自己找一个班吧，看哪个要你。”方铁石说：“难道班主任有权力要哪个学生就要哪个学生，不要哪个学生就可以不要哪个学生吗？这是国家的学校还是哪个私人的学校？既然要我自己找班级，那就干脆让全年级的学生都自愿挑选班级，看看结果怎么样！”

年级组组长嘿嘿一笑，说：“方铁石，看来你这个人是难对付，怪不得人家这么讨厌你。这样吧，我来做个中，你向唐老师写份检讨，赔个礼，我再做唐老师的工作，让他还是留下你。考虑到你家里确实很困难，补课费的事我们再商量，怎么样？”年级组组长满以为方铁石会答应，可方铁石却说：“我不写检讨，不赔礼道歉，也不交补课费，因为上面规定高一年级不可以补课，我没有错。就是你们全免了我的，我也不会感谢您。我家里困难不困难是一回事，这个钱该不该交又是另外一回事。”

年级组组长不客气地说：“看来你这个人是很难说话，固执得很。方铁石，我作为一个老师劝劝你，做人不要这样太倔了，有理都要让三分，无理就更应让让人，太倔太计较了不好，是要吃亏的，晓得吗？”方铁石说：“这些道理早就有好多人跟我说了，但我做不到。”年级组组长说：“那你自己处理吧，反正工作我已经做了，你不听是你的事，你好自为之吧。”

方铁石回到教室，发现自己的课桌已经不见了，自己的东西被搁在旁边同学的桌上。他知道这是唐老师干的，站在那里发呆。同学们都同情地看着他，几个同学争着拉他去自己的座位上挤。

数学老师来上课了。她姓宁，是位中年妇女，戴着一副眼镜，目光中透着慈祥，平时不苟言笑。她显然已经知道班上发生的事。她看到后面的方铁石挤坐在人家的位置上，表情很复杂。她突然把讲台吃力地往教室后面搬，摆好后，又把前面老师坐的凳子也搬过去。接着她又把方铁石的书往这张桌子上放。一切妥当后，她温和地说：“方同学，你坐过去吧。老师可以不用讲台，学生怎么可以没有课桌呢？别人不让你上课，我无能为力，但我的课，你尽可以来上，也必须来上。上别人的课你有没有桌凳我管不了，但上我的课，我要保证每一个学生都有桌凳，否则我就不配站在这个讲台上，我也情愿不上这个课。”宁老师的此举此言深深地感动了同学们，更感动了方铁石，教室里顿时爆发出暴风骤雨般的掌声，久久不息。

宁老师推了推眼镜，又说："现在我可以郑重地向同学们宣布，别人补课拿不拿补课费我不管，但我是不拿的，一分也不要，你们尽可以不交我这门课的补课费，而且我还在考虑，我这门课补不补的问题。"教室里又响起雷鸣般的掌声。方铁石把巴掌都拍红了，眼睛也拍红了，眼泪也拍出来了。

（选自董全声长篇小说集）

二、中篇小说

残垣夜雨（节选）

黄更昌

一九五〇年农历正月之初，人们迎来了新中国成立后的第一个春节。流坑古老沧桑的各条巷道中，来往人群如织；各家各户贴春联，挂灯笼，打麻糍，办年宴……欢喜而繁忙。晚饭后，各处巷头、祠前，村民聚集在一起，听"小吹"，观"滚龙"，看演戏，热闹非凡，使沉寂已久的流坑充满生机。活动结束后，村民们围坐在一起，谈古论今，憧憬美好的新生活，并商定：为庆祝这美好的年景，要在正月初九日举办规模盛大的"玩喜"（傩舞）活动，意在驱邪迎祥，祝福新中国长治久安。村民们奔走相告，消息很快就传开了。

傩舞开演之日，流坑村北董氏大宗祠遗址五根石柱之前围着一大群人，个个兴高采烈，人声鼎沸，惟有一中年尼姑静立于人群的一边，眼睛总盯着那几根石柱，在怆然流泪。她的弟子静云莫名地上前扶着她，心想：她来时是多么有兴致，可到场后却为何如此忧伤?

那尼姑是从吉安永丰县碧云寺特意前来，她为地地道道的流坑人，可当时的流坑没有人认识她，她也举目皆为生面孔。而此地即使她伤心害怕，又使她魂缠梦绕。二十多年过去，人易事迁，流坑一带有谁会认识她、知道她的苦难经历？更难明白她心中的痛楚。

她叫董春女，其家原为晚清流坑的一个商宦之家，父亲董聪三为清末秀才，可又体弱多病，娶本县南村前团陈氏为妻。初靠祖上的积蓄过了段较宽裕的日子，后因清末与民国社会的动乱，家境随之而衰落。春女出生于清末与民国之交，其成长深受家庭的教养和宗族礼教的影响。令人称慕的是：长得一副好身材和漂亮的脸蛋，举止文雅，生性善良。然而，因身处民国乱世，红颜薄命，惨遭不幸，而且与流坑最宏丽的古建筑（董氏大宗祠）被焚毁紧密相关，使她屡遭劫难，被迫背井离乡，伴着青灯古刹，凄苦度日。她原本有安逸的生活、温馨的亲情和甜蜜的爱情，可天生丽质却累遭摧残；芳华妙龄却成残花败柳；生性善良却久负骂名；有家有亲却无处容身。

正当春女凝视着那几根石柱之时，早已"死"去，曾与她相依如命，并互托终生的浩哥带着妻子站在她面前，使她惊喜交集，却又窘困苦楚，脑际中幕幕往事涌现，不堪回首。

……

等董浩赶至流坑，夜已降临。聚集在文馆的农会干部，针对目前的形势和他们所处的环境，你一言我一语展开讨论。不到半个时辰，在外放哨的人急促入内报告，说："南西两面发现大群人正向文馆悄然逼近。"董浩与大家急议：要大家尽快往村中分散躲避，于是，吹灭灯火，向文馆大门拥去。可是，这时大门已被白狗子堵上，他们就往东侧的腰门外逃。顿时，枪声大作，几位农会干部栽倒在地。董浩跃出文馆，急躲在大宗祠遗址一石柱之后，看见一白狗子正靠着西侧的前石柱朝两位农会干部瞄准，他猛然扑了上去，用匕首狠狠刺进那白狗子的后胸。那两位农会干部有幸逃脱，可他自己却被后面赶上的白狗子用枪砸翻在地，头部鲜血涌流，染红了石础。

枪声回荡在流坑的夜空，村民畏缩在家中都不敢出门；参加开会的农会干部殉难者过半，幸免于难的几位逃避于洲林与村庄之中，夜色茫茫，白狗子们知道难以追杀，便散退了去。

且说春女，寻思着送别董浩时的情形，甚感董浩此去凶多吉少，心情忐忑不安，毅然挺身而出，不顾自己是否会撞见流坑人，深一足浅一足向着流坑摸行。来到文馆，已是一片寂静，文馆窗破门开，无半个人影。她便从文馆东侧腰门窥望：只见大宗祠残垣之上的石柱之间横七竖八瘫放着一堆堆什么东西，走进一看，原来是人的尸体。她惊恐地翻动查看一具具尸体，多么希望都不是董浩，可是，在西侧石柱前躺着的正是董浩。她失神地坐在地上抱起董浩，凝视着董浩的脸，泪如涌泉，泪水洗涤着董浩满脸的血迹……。春女边悲泣边摆放好董浩的身躯，然而对着董浩跪下，双手捧头贴在地上，放声悲号。骤然间，这深秋之夜竟电闪雷鸣，风雨卷夹着春女的哭声回荡在残柱林立的上空，一巨大的雷声过后，大雨滂沱，董浩身边的那根石柱轰然倒下，震撼残垣。春女慢慢抬起头，仰对漆黑的夜空，任凭风雨吹打着她的哀容，心中唯一的期盼在这夜雨之中骤然扑灭。

最为思念最心痛，
越是期盼越成空。
失魂孤影任飘泊，
夜雨幽咽泣残红。

电闪雷鸣，春女孤身单影在风雨中摇晃着，何处是她的归宿？

（2016年9月，北京唐亚影业公司改编成电影）

三、短篇小说

摘去心灵唱盘上的“唱针套”

詹平相

面对困境和不顺，所有的牢骚和愤懑都是那唱盘上的“唱针套”，要想让人生的唱片发出悦耳的声音。千万别忘了——

师范毕业那年，我因为各科成绩不错，班主任向学校推荐保送我进师专深造。遗憾的是节骨眼上仅有的两个名额被另外两个有背景的人夺去了。而我到县教育局注册时，命运再一次跟我开了个玩笑，有关领导置学校指定分配的一所城郊小学于不顾，硬是把我塞进了一所山旮旯学校，而另外两位分配到乡村学校的同学却堂而皇之地进了那所城郊学校。那时候的人际关系已经开始染上一股浓浓的官本位和铜臭味了。我是个既无背景且一穷二白的农家子弟，只能眼睁睁地看着别人顶了我的位置，病恹恹地夹着行李来到那所山村小学。

校长是位40来岁的矮个子，民师转正后不久，脸上洋溢着一股掩饰不住的喜气。他老远地见我来了，迈着大步迎了上来，朗声道：“来了就好，来了就好，你可是我们学校第一个正儿八经的师范生，看来今年我们学校有希望在全乡排名靠前了。”他领我同其他老师见过面后把我安顿在一间光线不错的房间里。我推开窗户，一棵小叶杨迎风而立，似乎在等我和它相依相伴。

接下来的日子紧张而单调。尽管校长在每周的例会上都要大谈特谈学校的前景，尽管众教师摩拳擦掌并且对我寄予厚望，但我心里却并不把这当回事。我压根儿不想和他们抢时间争名次。我变得异常懒散，备课敷衍了事，上课照本宣科，下课后不是捏本杂志听音乐，就是关门闭窗蒙头大睡。休息日我也不屑和其他老师交流什么。有一段时间我甚至迷上了玩气枪，特意花了一个月的工资从城里买回一把气枪，一有空闲便带着枪四处游逛。几个月下来，鸟没打着几只，一颗失意的心却被击得千疮百孔。

一年时间很快就过去了，我所教科目的成绩在全乡排名倒数第二。校长叫我的口气不那么热情了，甚至我从村口小卖部买完东西离开后都能感觉到背后一束束异样的目光。当时，近乎麻木的我开始为自己寻找退却的理由。我请求校长向上边反映把我调走。他说他没有这个权利。我激他说就说你讨厌我不要我总可以吧？谁知他不吃这一套，而是推心置腹地和我作了一次长谈。他说：“你的分配情况我都知道了，但谁没个不顺心的时候。我那年差点连民办教师都当不成……这样吧，这个学期我们准备购买一套音响设备，你兼放广播，少上几节课，多看些书充实充实自己，以后有机会多留个心眼再图发展。”

一套在当时还算高档的音响在开学后不久终于在山村露面了。调试时，放磁带、录音扩音都很顺利，就是放唱片时唱片在转，唱针也放上去了，却怎么也不出声儿。反复几次，都是如此。一屋子的人没见过这种带唱片的录音机，你按一下他捏一下，最后都把目光投到我这个“文化最高的人”身上。我这人平时眼高手低的，刚才已经很没面子了，便想找说明书看一下，不巧的是说明书又不知放哪儿去了。我心里开始发怵，又不愿当众现丑，便对大家说：“你们先回去，我一个人再调试调试。”可大伙正在兴头上，并没有要走的意思。这时从外面挤进一个中年人，我认出是村里经常外出揽活的王木匠。他仔细看了一下唱片的转动情况后，很快找出了问题的症结所在。只见他把唱针头上那个薄薄的塑料套子摘去后再放到唱片上去，唱片立即发出一阵悦耳的乐声。王木匠在众人惊羡的目光中丢下一句“都是外行”后兀自离去。我像是当众被人猛抽了一个耳光，恨不得在地上找个裂缝钻下去。

那天晚上，我彻底失眠了。这绝不仅仅因为王木匠的举手之劳使我当众丢了丑，更主要的是我为自己一年来的迷惘和消沉感到万分愧疚。我算什么呢？充其量是一只笨拙的鸵鸟罢了。我想起了一篇文章的几句话：“……它（鸵鸟）以为跑得很快，却没有很好的自卫手段。当情况紧急再也跑不脱时，便把头钻进沙堆，自以为很安全，其实已是苟延残喘了。”看来，我的这种鸵鸟心态非改不可了。

第二天，我主动要求校长不要减我的课，并兼做校广播员工作。我要以实际行动证明我不是一只步履蹒跚、自以为是的鸵鸟。

此后，我把气枪藏了起来。更多的时候，我会出现在学生的课桌旁，端坐在深夜的台灯下。第二年，我所教的班级成绩在全乡统考中名列第二。紧接着，我又多了一个目标，3 年拿下了中文大专的自学考试文凭。调入一所中学后，我更加努力工作，并潜心写作，在教学受到老师和学生好评之余，我终于凭着近百篇报刊作品跻身县委宣传部。

几年来，我从一只自甘沉沦的“鸵鸟”，变成一只勤奋的“叫天子”，无不得益于那个薄薄的唱针套。是的，要想让人生的唱片发出悦耳的声响，千万不要忘了摘去那个套住心灵的薄薄的“唱针套”。

（入选北京师范大学出版社的九年义务教育初中语文补充教材，初中三年级《阅读》和延边大学出版社出版的《初中现代文课外阅读指导与训练》）

秀　云

王春元

看着别的孩子背着书包上学，七岁的我也闹着要读书。

奶奶把我领到学校的老师面前，一问年龄，老师就挥手让我回去，说不到八岁的孩儿不收。一回来，我就大哭一场。

我隔壁住着一位李老师，他的女儿叫秀云，正读小学四年级。第二天，她主动地找到我说：“以后你每逢星期天就到我家来，我教你读书。”

每个星期天，秀云做完了家务，就师态俨然地教我认字、算数，后来又教我学珠算。每次教了一会儿，就给我讲故事：《邱少云》《罗盛教》《黄继光》《半夜鸡叫》……一个接一个。我常常望着她那张稚嫩秀气的脸，那两根齐肩的小辫子，那明亮柔静的眼睛，总想：她脑子里怎么能装下那么多的东西啊！

不久，在我们村里，我也颇有点“小神童”的名气，在大人面前，不仅能认一百来个字，还能在算盘上一口气从一加到一百，每当别人称赞我，我得意之余，心里暗暗地使劲：我一定要超过我的“老师”——秀云姐。

转眼我要上学了，不知怎的，秀云的父亲偏偏要调走。临走前，秀云把她一年级的语文、算术课本全部送给了我。我虽然上了学，有了正规的老师，但我心里还总是想着秀云姐，但她就是“黄鹤一去”无消息。

我于一九六六年高中毕业后，就到广阔天地里炼红心去了。尽管十几年的风风雨雨，但总不敢放弃读书学习。我发誓要跟秀云姐比呀！恢复高考后的一九七八年，我以全县文科第一名的成绩考上了大学，毕业后又分到了县一中当教师。

一九八三年九月开学的第二天，一个中年农村妇女送孩子来报名。她一见我就直喊我的乳名：“小原，你还认得我么？”一双惶惑的眼睛紧盯着我。她头上花白的头发，标志着她过早地衰老，生活的风风雨雨写在她那满是太阳斑的脸上，尽管衣服穿得还整洁，但脚下那双破凉鞋，透出了她生活的艰辛。

我摇了摇头。

“我就是秀云！”

“啊！”这一下倒使我惊愕了，“怎么会是秀云呢”我满脸的疑恐。说心里话，我心中的秀云应该是另一个样子。我赶紧拉她到我家喝茶，拿出她送给我的小学一年级的课本（我一直珍藏着它），她顺手翻了翻又递给我说：“我早忘了，连一年级的书也认不全了！”

原来她父亲被打成右派，被遣送回老家。迫于生计，她嫁给了邻村一个农民，生了五个孩子，几年前死了丈夫。前面两个大孩子没有读上书。她抹干眼泪说：“现在好了，孩子们又有书读了。我哪怕把自己熬干了，也要让后面几个孩子读上书，你不知道，没有读书的人有多苦啊！”

我怔怔地盯着她：这瘦弱的双肩承受着多重的担子啊！然而生活的重压并没有让她屈服，她心里充满了对读书的渴望与追求，她要让孩子们续完她未圆的梦。

真的，她后面的三个孩子都先后进了县第一中学读书，每个孩子第一次上学时她都要亲自送来。我每见她一次，都发现她比以前苍老了许多。终于她把三个孩子都送进了大学。第五个孩子上大学后，她就再也没有来找过我。

前年，她病逝了，很久后我才知道。我特意到她墓前祭奠。尽管我当了老师，当了校长，也已到了霜染双鬓的年岁。但她仍然是我的老师，而且是一个值得我敬佩爱戴的老师！

（入选中国文艺出版社出版的《我爱戴的老师》）

第四节 戏 剧

锦囊妙计

黄启达

时间：1928—1929 年间。

地点：江西某苏区根据地。

人物：警卫员——男，18 岁。

刘二婶——38 岁。

〔幕启。农家庭院。厅堂上的四方桌上有茶壶、泥碗等物，两边有椅子，各种摆设井然有序。

〔欢乐的歌声嘹亮悦耳。

〔幕后合唱：

“毛委员，到江西，
革命风暴如卷席。
打土豪，分田地，
苏区人民好欢喜。
人民热爱毛委员，
颂歌如潮满苏区。
支援红军闹革命，
祖国江山飘红旗。”

〔刘二婶在乐声中手执一根短竹竿赶鸡上场。

刘二婶　呜——嘘，呜——嘘！刘二婶就是我，嘴巴管不住，见人话就多，遇上高兴事，走路还唱歌。啊，问我赶鸡做什么呀？嗨，不是我啰嗦，自从毛委员带领红军到这里，我们老表心里头啊，真是蜜糖罐里插桂花——又香又甜啊。为了感谢毛委员的救命之恩，我曾几次送鸡给毛委员补身体。谁知都给退了回来，说是红军要遵守《三大纪律，八项注意》。昨天我又杀了一只乌肉鸡，足有三斤八两啊，炖得末烂扑香，要我家刘二呀，给毛委员送去，听说任务完成得不错。你别看他平时不吭声，办起事来呀，还蛮有心计吔。不过我还是有点儿放心不下哟。（唱）

昨天刘二去送鸡
“过关斩将”挺顺利。
村民夸他有办法，
我却心里不踏实。
为什么村里人纷纷扬扬都议论，
为什么警卫员今天一早来查鸡。
说不定有老乡走漏消息，
我还得早准备以防万一。
（赶鸡）呜——嘘，呜——嘘！

〔内声：“二婶——”

刘二婶　哟，是毛委员的警卫员在叫我？真是说曹操曹操到呀，如果没猜错的话，这警卫员准是为鸡而来。我呀，赶紧把鸡关起来，让他找不着。（急下）

〔警卫员又急又懊丧地喊着：“二婶！”大步流星地踩着音乐上。

警卫员（唱）
有个老乡去送鸡，
不留姓名和地址。
毛委员派我来查访，
真给我出了道大难题。
从村头，到村尾，
从老张，到老李。
我脚板走起了泡，
嘴唇磨破了皮。
问谁谁也不认账，
就是不知谁送的鸡。
乌肉鸡呀乌肉鸡，
你家主人住哪里，住哪里？

这可教我如何是好啊……不过，临走时，毛委员给了我这东西，（从挎包里取出一信封）说是有了它，准能找到送鸡的人。可他又吩咐“不到万不得已，不许拆开看”，说是要考一考我的独立工作的能力。咳！（唱）

毛委员，考验人，
关键时刻要过硬。
我要一鼓作气不灰心，
好好查访刘二婶。
万一不行，我就只好借助这“锦囊妙计”啰！
（喊）二婶！

〔刘二婶应声上。

刘二婶　上回我去送鸡，就是警卫员不让进，这回呀，看我怎么对他！（对警卫员）　你是谁呀，你怎么认得我呀？

警卫员　二婶，我能不认识您吗？您是村里有名的支前模范呀！

刘二婶　哟，什么时候红军战士也学会了拍马屁呀！什么模范、麻烦的，不就是为咱们老百姓自己的事多跑了几趟腿嘛！

警卫员　就是嘛，我叫您二婶没错吧？

刘二婶　那——（明知故问地）你是谁呀？

警卫员　我是毛委员的警卫员呀！

刘二婶　不会是冒充的吧？

警卫员　二婶，您看这军衣、这军帽、这红五星。就是吃豹子胆也不敢冒充啊！

刘二婶　那为什么不进屋呀？

警卫员　（顺水推舟地）不是还没得到您的允许嘛！〔二人进屋，刘二婶招呼警卫员喝水，警卫员四处张望。

刘二婶　（对观众）他这一进屋，我可得小心点儿，千万别让他打听出我家刘二送鸡的事来。（转对警卫员）这么说你真的是毛委员的警卫员？

警卫员　这还能有假？（继续用目光四处搜索）

刘二婶　既然你真是毛委员的警卫员，那我问你……

警卫员　随便问吧。（似乎发现鸡的踪迹）

刘二婶　你老东张西望干什么？（唱）
毛委员他怎么样，
身体健康不健康？
吃饭吃得多不多，
睡觉睡得香不香？
冬天里，暖不暖，
夏天里，凉不凉？
一日三餐吃些啥，
每餐可有啥营养？

警卫员　二婶呀！（边唱边察言观色并注意着屋内各方向的动静）

毛委员他工作忙，
乐观主义永健康。
为了百姓闹翻身，
革命何惧冷和凉。
红米饭，南瓜汤，
一日三餐味道香。
他和战士同甘苦，
官兵团结打胜仗。

刘二婶　（对观众）这么说来，那只鸡就肯定没吃啰！（转对警卫员）难道就没吃一点儿别的有营养的东西？

警卫员　二婶，我不明白您指的是哪方面。

刘二婶　譬如鱼呀、肉呀、鸡呀什么的。

警卫员　毛委员说了，现在全国人民都很贫困，我们有什么理由贪图享受呀！

刘二婶　（对观众）糟了，准没吃那只鸡。我家刘二呀尽吹牛！（转对警卫员）（唱）

小同志，你听我说，
作为警卫员，这是你的错。
毛委员，是领袖，
革命全靠他掌舵。
只要毛委员身体好，
革命成功有把握。
你有责任照顾他，
吃点营养算什么？

警卫员（唱）

二婶说话说得对，
条条意见都宝贵。
我没照顾好毛委员，
自然心里很惭愧。
可我是他的警卫员，
要服从命令听指挥。
左右为难难处理，
红军纪律怎违背？

刘二婶（唱）

看你脑瓜挺灵活，
能说会道办法多。
碰上实际问题傻了眼，
以后不行你来请教我。

警卫员　那好哇！就说昨天吧，不知谁又送来一只鸡。

刘二婶　一只鸡？

警卫员　一只炖熟了的香喷喷的乌肉鸡！

刘二婶　（喜出望外地）那赶紧给毛委员趁热的吃呀，乌肉鸡，补呀！

警卫员　找不到送鸡的人，毛委员是决不会吃这只鸡的！

刘二婶　这……（十分着急）这炖好的鸡不吃，难道要倒掉不成？

警卫员　是呀，这位老乡真费心啊，把炖好的鸡放到炊事班还不算，还在上面写了字条："感谢毛委员，送鸡表心愿；军民鱼水情，革命永向前！"

刘二婶　这秀才有水平啊！

警卫员　毛委员看了这字条，十分感动。

刘二婶　哎，那……毛委员吃了这只鸡没有啊？

警卫员　依您看呢？

刘二婶　我——我也说不好，估计毛委员是不肯吃这只鸡哟。

警卫员　二婶，我有一个办法，如果您承认这只鸡是您送的，毛委员准会吃这只鸡。

刘二婶　不不不，这可不行！就是我送的，我也不会承认呀，对吧？

警卫员　那可怎么办哪！

刘二婶　赶紧想个办法呀，不然这鸡过了二十四小时就不那么好吃了。

警卫员　那可不见得。

刘二婶　什么不见得？对这种鸡，我是最了解不过了！（知道自己说漏了嘴，赶紧用手捂住嘴）〔警卫员偷着笑。

刘二婶　笑什么，这鸡可不是我送的啊！

警卫员　我是笑那个送鸡的人哪，对毛委员太不了解了。毛委员是湖南人，湖南人最爱吃辣叔，要是用辣椒炒鸡，那种味道不是更好了吗？

刘二婶　对呀，我怎么就没想到呀！刘二他也没想到呀！下次——

警卫员　下次您再把家里那只杀了，用鲜红的辣椒一炒又给毛委员送去，对不对？

刘二婶　（喜出望外地）对！——哎，不对，你怎么知道我家还有一只乌肉鸡呀？

警卫员　我这不是瞎猜嘛。

刘二婶　我看你也没那么聪明。哎，那……毛委员吃了那只鸡没有哇？

警卫员　那是肯定——

刘二婶　吃了？

警卫员　啊——

刘二婶　吃了就好，吃了就好！

警卫员　哎，莫非这只鸡就是您的？

刘二婶　不可能，是别人送的。

警卫员　不可能是别人送的！就是您的，不然一会“吃了就好，吃了就好”一会儿“下次——”

刘二婶　你可别冤枉人啊。我昨天可是连门槛也没跨出一步呀！（唱）

昨天天气刚转好，

刘二他去卖辣椒。

我厨前灶后忙不停，

哪有工夫来回跑？

警卫员（唱）

二婶说话挺好笑，

鸡是刘叔他送到。

此地无银三百两，

不用打骂全自招。

昨天就是一个卖辣椒的中年男子蹑手蹑脚、探头探脑，走到我们炊事班问：“喂，你们要买辣椒吗？”

刘二婶　（一个劲儿地笑）我也没叫他去你们那儿卖辣椒呀！

警卫员（唱）　二婶二婶您别打岔，送鸡一准是您家。

刘二婶（接唱）　我家没养乌肉鸡，不信你可四处查。

警卫员（唱）　如果查出怎么办？

刘二婶（唱）　你能查出我认罚。

警卫员（唱）　鸡已杀了怎么查？对呀！（唱）杀鸡还有毛在家。

刘二婶（唱）　要查你就赶快查，不然我要回娘家。

警卫员　查？

刘二婶　查！

〔舞台调度在打击乐中进行。

〔警卫员下，得意扬扬地提鸡笼复上场，向观众示意。

警卫员　二婶，这只鸡，您怎么解释？

刘二婶　这……这鸡……（破釜沉舟地）一只公鸡能说明什么问题呀？

警卫员　有道是“公不离婆，秤不离砣”，一只母鸡杀了，一只公鸡还留着，这不是情理之中的事嘛！（唱）

二婶曾去买鸡种，

一只母来一只公。

为给毛委员补身体，

杀了母鸡送军营。

刘二婶　（唱）

你这推理理不通，

强加于人很不公。

难道你——

左眼见我去杀鸡，

右眼见我送军营。

警卫员　（无可奈何地）这个二婶哪，真够厉害的，难怪人家说她能言善辩。

刘二婶　（得意地）按你们的说法，这就叫“水来土掩，兵来将挡。”

警卫员　（不甘心地）继续查！

刘二婶　请便！

警卫员　（惊喜地）哈哈，鸡脚皮，乌肉鸡的鸡脚皮！二婶哪！（唱）

刚才算我瞎推理，

这回可是鸡脚皮。

铁证如山在眼前，

二婶还有啥说的？

刘二婶 这皮？这鸡脚皮？（搓手心来回踱步，突然急中生计）这皮确实是乌肉鸡的鸡脚皮。

警卫员 那当然啰！

刘二婶 你是在什么地方发现的？

警卫员 您家门口地灰窖里发现的。

刘二婶 你知道这地灰窖是谁家的吗？

警卫员 难道不是二婶您家的吗？

刘二婶 小同志，你又错了！（唱）

窖里地灰一大堆，

家家户户有地灰。

我家地灰还在家，

乱下结论可不对。

警卫员 二婶，还有呢，请看这儿！（指地上的血）

刘二婶 血？

警卫员 对，血，是一摊鸡血！

刘二婶 这……

警卫员 二婶呀！（唱）

杀鸡难免有血滴，

这点您可没防备。

刚才鸡皮您能辩，

眼前鸡血怎解释？

刘二婶 这……这……这这这！（突然地）有了！（唱）

我家老鼠到处是，

吃饭吃菜吃大米。

刘二昨晚功劳大，

打死老鼠两三只。

警卫员 您是说，这是老鼠血？

刘二婶 这还能有假？

警卫员 二婶呀！（唱）

既有老鼠两三只，

请问尸体在哪里？

刘二婶（唱）

打死老鼠往外扔

不在南北在西东。

你自个儿找去吧！

警卫员 嘿，真拿她没办法！

刘二婶 （对观众）他呀，初出茅庐——嫩点儿！

警卫员 看来，我只好请出毛委员的锦囊锦妙计了。（从挎包里取信封，自言自语地边念边琢磨）“吃了这只鸡，心里不舒服。”吃了这只鸡，心里——不舒服？（醒悟）对呀！

刘二婶 什么对呀错的，今天你的功夫算是白费啰！

警卫员 二婶，我们先别说这个。我问您，您说毛委员制定的《三大纪律，八项注意》好不好呀？

刘二婶 这还用问，当然好啰。

警卫员 那依您看，军队得了老百姓的东西该不该按价付钱呢？

刘二婶 （迟疑了一阵子，不吭声，对观众）不知道他布的什么阵，咳，布阵我也不怕！

警卫员 二婶，您说话呀！

刘二婶 说就说，该！

警卫员 如果真的查到是您家送的鸡，您会不会收下这鸡钱呀？

刘二婶 肯定收。可惜，不是我家送的。

警卫员 就是嘛，总不能强人所难吧。（得意，一本正经地取出“妙计”来看）

刘二婶 你看的是什么呀？是不是对上象啦？

警卫员 哪能啊，一个连送鸡的人都查不出，还能对上象？

刘二婶 可不可以给我看看？

警卫员 完全可以，给！（递过“妙计”）

刘二婶 你知道我不认得字，尽卖乖！（回递“妙计”）

警卫员 这是毛委员写的，让我读给您听吧。您听了可别介意哟！

刘二婶 我洗耳恭听还来不及呢，我怎么会介意呢？念吧！

警卫员 （有板有眼地）毛委员说：“吃了这只鸡，心里不舒服”！

刘二婶　（如雷贯耳，拍案而起）不可能！

警卫员　您怎么知道不可能？毛委员说话还能有假？我看哪，那个人送的鸡呀，八成是只抱鸡婆！

刘二婶　（急得快要哭）瞎说，昨天早上还下了蛋呢！

警卫员　（故意激刘二婶）您撒谎！

刘二婶　我撒谎？我什么时候对红军撒过谎？我什么时候对毛委员撒过谎？（越说越激动，就要拉警卫员进里屋）不信，我把那个蛋给你看，还是个双黄蛋呢！

警卫员　不可能，您家没养过乌肉鸡！

刘二婶　怎么没养？一只公、一只母，杀了一只母的还剩一只公的。

警卫员　更不可能！母的没见，一只公鸡能说明什么问题？再说了，您厨前灶后忙不停，哪有工夫去军营呀？

刘二婶　实话告诉你吧，是我让我家刘二假装卖辣椒给送去的。

警卫员　那——那个字条……

刘二婶　也是我请我们村的老秀才给写的。毛委员呀毛委员，我怎么也没有想到是这样啊，我有罪，我该死！我对不起毛委员。

警卫员　（哈哈大笑，唱）

毛委员呀真英明，
神机妙算胜孔明。
平平常常一句话，
牵动国民万众心。
支前模范刘二婶，
件件小事见真情。
可歌可泣人人敬，
苏区人民的好典型。

刘二婶　这么说毛委员吃这只鸡没事啦？

警卫员　二婶，实话告诉您吧，那只鸡其实不是毛委员吃了，而是送给重伤员同志吃了。

刘二婶　原来是我中了你们的计呀！

警卫员　二婶，为了毛委员，为了红军的铁的纪律，现在您该收下这鸡钱了吧！（说完把事先用红纸包好的钱塞到刘二婶手中）敬礼！再见！（急下）

刘二婶　（双手托着红包，热泪盈眶，望着警卫员回去的方向）毛委员呀毛委员，您真是伟大的毛委员啊！

〔《井冈山上太阳红》歌声响起。

——剧终

（刊载于2005年《剧本》杂志第一期，并获江西省第三届艺术节三等奖）

第五节　新　闻

江西乐安县创新思想理论普及

——先进课堂　后上讲堂

游国珍　曾文才

“先进课堂、后上讲堂”是他们的工作常态；一台电视、几条电缆，是他们的学习平台；田间地头、村口巷尾，是他们的宣讲舞台。

近些年来，江西乐安县利用覆盖全县所有村镇的农村党员干部现代远程教育网络，让农村党员“先学后议，先进课堂，后上讲堂”，把2000余名农村党员培养成了党的思想理论的坚定实践者和义务宣讲员。

这项充满泥土气息的理论普及创新举措，最早发端于鳌溪镇石塘村。村支书武洪回忆，石塘村农村党员干部远程教育网络开通之初，远程教育网络作为一个新事物，每次组织理论学习，村里党员干部的积极性都很高，但时间一长，却发现有些党员干部只把远程教育的理论学习当作电视剧来看，只入眼不入耳，更谈不上入心入脑。

为改变这一状况，在一次党员干部理论学习前，武洪结合村里的新农村建设工作，拟定了“石塘村为什么要建设新农村”“党员干部能起什么作用”等几个议题，让大家在学习结束后展开讨论。

“那次讨论之后，我发现党员干部的思想一

下子就通了，在推进新村建设时，不少党员干部还利用与村民闲谈的机会，主动宣讲起了党的政策，做起了村民的思想工作。”变化让武洪很兴奋。

目前，“先学后议，先进课堂，后上讲堂”的做法如燎原烈火，遍地生根，全县16个乡（镇、场）、175个行政村全面推广。同时，乐安县组织部门配套推出了农村党员干部现代远程教育“选学积分制”，以加强对农村党员干部群众利用远程教育网络学习理论、实践理论、宣传理论的制度考核。

“‘两先两后’的做法，加上有‘选学积分制’考核机制做保障，全县农村党员干部学习、实践和宣传党的思想理论的积极性空前高涨。仅今年前9个月，全县农村党员干部现代远程教育网络累计在线学习时间达到18000多小时，组织党员讨论1700多场，义务开展理论宣讲10万多次。”乐安县组织部电教科长武金勇说。

“其实，无论是学习后的讨论还是宣讲，自己的观点可以与其他党员群众的观点、看法进行碰撞、融合，加深了我对党的思想理论的理解，‘1+1 > 2’，做群众的思想工作时，农村党员的底气更足了，办法也更多了。”石塘村党员黄友生对此深有感触。

武金勇介绍，“两先两后”不仅促进了理论与实践的结合，党的政策和思想理论，通过这些“泥腿子”党员结合实际“加工”，成了一部部工作中实用、群众好懂乐听的“乡土教材”。

（刊载于2012年10月26日《人民日报》）

农机“创客”的致富梦

吴齐强

“什么时候市场上可以买啊？我肯定买一台！”江西省乐安县鳌溪镇大元村村民廖明祥很期待曾书良的“收谷机”。

拥有一项国家发明专利、三项国家实用新型专利，初中毕业的曾书良成了乐安县的名人。

4月27日，记者在乐安县工业园厂房里见到了曾书良。不到一米六，很精干。

“收谷机专利名叫颗粒物收集机”，曾书良介绍，农民晾晒稻谷，基本上还在沿用传统的手工晾收，遇上天气突变，来不及收。加上现在农村种粮大户增多，晾晒和收装稻谷都要雇人。如果有了收谷机，不仅速度快，还可以节省费用。

曾书良现场演示，10秒左右，五六十斤稻谷就被完全吸入机器中。

出生于招携镇坪上村的曾书良，初中毕业后学无线电修理，先后在镇里和县城开过修理店。2000年，曾书良看准农机具逐渐普及的趋势，转行在县城开了一家农机销售店。曾书良爱琢磨事，新型号、新款式的微耕机或拖拉机到了，他都要开着去田里试机。“了解性能才好卖，自己售后维修也方便。”

在试机过程中，曾书良发现用机器虽然速度快了，但人还得跟在机器后面，又脏又累，还不安全。“农村都是赤脚下田，水凉啊，踩到玻璃啥的，受伤就影响种田，要是能发明一种遥控的耕田机，站在田埂上就能完成机耕作业，那多好啊？”曾书良告诉记者，“我父母种了五六亩田，很辛苦。”

善思者远行。“草根”出身的曾书良注册成立了旺农公司，一边生产小型脱粒机，一边开始捣鼓起遥控耕作机。“让世代种田的老表减轻点劳动强度，如果发明有市场，还可以赚钱。”

一个遥控器，操作六个按键，就能让机器在田间灵活耕作。

发明之路并不平坦。“你个初中文化的也想当发明家？”有人质疑甚至嘲笑，但这没有动摇曾书良的决心，“农村市场这么大，农机发明一定有前途。”

妻子张利也想不通，备耕春耕时节，购机的、维修的，自家的商铺忙不过来，曾书良却一门心思钻研遥控耕作机。架也吵了，话也说了，气也怄了，无奈之下，张利独自承担起家庭重担，“由他去吧”。

湖南、湖北、广东、福建等地，不知道跑了多少趟。曾书良每年都去参观全国性的农业机械展，与农机生产企业交流，拓宽视野。生产出样品，马上联系农户试用，听取反馈。

曾书良认为，接地气的梦想一定可以实现。初期投入，大多是从家里拿，多年做生意，信誉好、人缘不错，从朋友处也借了不少。“最惨的一次，口袋里不到一百块钱，让朋友汇钱到卡上，才渡过难关。”

投入十来万，经过无数次失败，一年多后，曾书良研发的第一台智能遥控耕作机终于亮相了，农用机械智能遥控系统也于今年1月获得了国家发明专利。

万崇镇池头村村民邱海辉，家有5亩地，去年试用了智能遥控耕作机，“人轻松多了，在不深的水田，操作也算灵活。”不少农民笑着说，以后咱也可以像玩游戏机一样，就把田给整好了。

去年，曾书良研发的智能遥控耕作机成功通过了省农业机械鉴定站的鉴定，并作为农机新产品进行推广。今年年初，曾书良在前坪工业区重新租赁了一栋厂房，专门生产“收谷机”和农用机械智能遥控系统等专利产品。湖南湘潭的一家农机生产企业还与他合作，共同培育和拓展遥控耕整机市场。

说起脑袋里的发明设想，曾书良滔滔不绝。“现在农村对稻谷烘干机的需求强烈，但市场上的烘干机日处理稻谷的能力大多都在100吨以上，难以普及。下一步，我将重点研发日处理500—1000公斤稻谷的烘干机，更好地满足种粮农民的需要。”

“现在就是缺钱啊，研发团队、技术人才、引进生产线等，我也在筹划中。”在简陋的厂房里，曾书良豪气冲天，“烘干机上市之时，收谷机就会退出市场，只有3到5年时间，我必须早点实现工业化生产，手里有钱就好办，农业的天地很广阔咧！”乐安县农机局局长杨建平认为，农机具从发明到投入市场有一段距离，下一步会帮着曾书良实现他的“上市”梦想。

（刊载于2015年4月28日《人民日报》）

第二章　著述目录

1986—2016年，乐安县的作者和在外工作的乐安籍作者在31年间发表各类作品上千件，本章收录部分诗词、小说、散文、戏剧、歌曲、美术、书法、论文、新闻等作品目录。

第一节　文学作品

本节收录1986—2016年乐安县籍和县内部分作者公开发表和出版的小说、散文、诗词、人物传记、报告文学、戏剧作品。

一、小说、散文、传记、报告文学

1986—2016 年乐安县发表的小说、散文、传记、报告文学情况表

表 25-2-1

作者	体裁	作品名称	发表时间	发表媒体	获奖情况
林长生	长篇小说	千古浩劫	1986	江西人民出版社	荣获江西省谷雨文学“古汉酒杯”长篇小说奖
	长篇小说	为愿春华美	2000	北京人民出版社	—
	长篇小说	南京大屠杀之铁证	2005	中央编译出版社	—
张　和	短篇小说	婚礼和葬礼同时举行	1986	《鹃花》	二等奖
缪凤翔	人物传记	黄火星	1987	陕西人民出版社《中共党史人物传》第 33 卷	—
	散文	较量	1993	《光华时报》	征文二等奖
黄寿祥	短篇小说	神秘的信件	1987	《鹃花》	—
方国灿	散文	山间小路	1990	《百花洲》	—
	散文	孟太后江西迁难记 火红的山村	1991	《老区建设》	—
银光灿 刘一中	散文	心血浇铸凝聚力	1991	《江西教育》	—
董海花	短篇小说	顽石	1992	中央办公厅《机要工作》	—
	散文	你在我心中	1993	中央办公厅《机要工作》	—
	小小说	提拔	2002	《江西人事》	—
	散文	火红的八月 玉骨冰肌话寒梅	2002	《秘书工作》	—
	散文	半块馒头	2014	中国“清风苑杯”廉政诗歌散文大奖赛	优胜奖
	散文	冯骥才来乐安 感谢一路有您	2015	《玉茗风雅》 中国电影出版社	—
	散文	山有木兮木有枝	2016	编入《作家在线作品选集》	—
牛才智 王大勇	报告文学	“奇人”和“神草”的故事	1993	《热土乡魂》	—
银光灿 袁友发	散文	专家千里访流坑	1997	《江西画报》 《文史大观》	—

续表 25-2-1

作者	体裁	作品名称	发表时间	发表媒体	获奖情况
银光灿 董贵明 袁友发	散文	千载流坑话辉煌	1997	《心桥》	—
董金声	短篇小说	父亲背出来的歌手	1998	《江西日报》	江西省报纸副刊好作品三等奖、江西省广播电视奖二等奖
	长篇小说	小山村出了个大人物	2003	中国文联出版社	—
	长篇小说	好想当个大人物	2004	中国工人出版社	—
	长篇小说	我又不怕你	2005	中国戏剧出版社	—
	长篇小说	《董金声长篇小说集》（上、下册）	2016	中国文联出版社	—
银光灿	散文	流坑文化源远流长	1998	《中国文物报》	—
	散文	湖北麻城董氏源于乐安流坑	1998	《光华时报》	—
	散文	江西“瓷园”	1999	《中国花卉报》	—
	散文	“瓷园”印象	1999	《光华时报》	—
	散文	千古第一村——流坑	1999	《人民摄影》	—
	散文	风车国里话风车	1999	《江西画报》	—
	散文	蟳埔女的“簪花围”	2000	《江西画报》	—
	散文	深、广、大、特、奇、美——流坑古村旅游印象	2000	《理论导报》	—
	散文	高桥亚弥子的流坑情缘	2002	《江西画报》	—
	散文	流坑——隐藏万古风情	2002	《东方》文化周刊	—
	散文	董建华心系流坑古村，委托董建成会见乐安代表	2002	《江西画报》	—
	散文	赣东流坑——“千古第一村”	2003	《人民政协报》	—
	散文	崇文重教的“千古第一村”——流坑	2004	《江西教育》	优秀作品三等奖
	散文	董氏大宗祠残骸再现，流坑千古村文明添辉	2004	《江西画报》	—
	散文	流坑——金竹风景名胜区	2005	《江西画报》	—
詹平相	短篇小说	摘去心灵唱盘上的“唱针套”	2000	《青年文摘》 《阅读》课本	入选初中三年级
	散文	袁隆平与小提琴	2001	《江西日报》	获江西省报纸副刊好作品二等奖

续表 25-2-1

作者	体裁	作品名称	发表时间	发表媒体	获奖情况
詹平相	散文	蓝太阳	2002	《江西日报》	江西日报文体部和《江西教育》“情洒杏坛写春秋”征文大赛三等奖
	散文	父亲背上的蹉跎岁月	2004	《江西日报》	江西省广电局主办的江西广播电视奖（报刊类）一等奖
詹平相	散文	陌路	2008	《港台文学选刊》	该刊征文活动三等奖
王春元	小说	秀云	2001	中国文史出版社	—
	散文	乐安赋	2015	《玉敬风雅》 中国电影出版社	—
邹振忠	散文	心雨黄昏	2003	《人民公安报》	—
	散文	卖柴的夏天	2003	《光华时报》	—
	短篇小说	品妻	2004	《人民公安报》	—
	散文	笑对华发早生	2004	《人民公安报》	—
	散文	相守鳌河	2005	《光华时报》	—
	散文	独夜；有个女警叫小芳； 我与岳父老大人； 对不起，老刘	2005	《人民公安报》	—
	散文	独行向乐线； 小城公交车	2005	《江西日报》	—
	散文	谁掳掠了你的离情别绪	2007	《江西日报》	
黄孝阳	长篇小说	时代三部曲	2004	中国工人出版社	—
	长篇小说	遗失在光阴之外	2008	花城出版社	—
	长篇小说	人间世	2010	青岛出版社	—
	长篇小说	乱世	2013	北京燕山出版社	入围“凤凰网网友票选2010年度十大好书”
	长篇小说集	是谁杀了我	2014	河南文艺出版社	—
	长篇小说	从生：设计师	2016	作家出版社	—
悠哉（杨秋荣）	长篇小说	燕园梦	2005	经济日报出版社	—
黄更昌	散文	家里的老屋	2006	“井冈山杯”文学艺术大奖赛	优秀奖
	散文集	中国历史文化名村流坑	2011	江西人民出版社	—
	中篇小说	残垣夜雨	2016	中国视觉艺术出版社	改编成电影
余　箫	散文	雨后的向日葵	2007	《江西教育》	—
	散文	他用真情书写 人间爱的篇章	2009	《江西教育》	—

续表 25-2-1

作者	体裁	作品名称	发表时间	发表媒体	获奖情况
戴培德 余　箫	散文	樟在水南	2010	《江西日报》	—
王小林 陈绍平 黄更昌	散文集	诗意的流坑	2011	新华出版社	—
黄更昌 张泽群	散文集	秀美乐安	2012	中国国际图书出版社	—
江仁生	散文	今又重阳	2012	《晚晴》第 4 期	—
	散文	我那故乡的路	2014	《晚晴》第 44 期	—
	散文	回忆邵式平同志关心、重视江西教育的几件事	2014	《当代江西史研究》第二期	—
黄更昌 王友祥	散文集	中国传统村落湖坪	2015	中国视觉艺术出版社	—
董海花 董海云	散文集	陌上花开	2016	中国文联出版社	—
		姊妹花	2016	江西人民出版社	—
游德胜	散文	老宅深情	2016	江西工人报	—

说明：资料不全，或者遗漏

二、诗词

1991—2016 年乐安县发表和出版的诗词作品情况表

表 25-2-2

作者	作品	发表时间	报刊（展赛）名称	获奖情况
董海花	小诗一束；爱的私语	1991	中央办公厅《机要工作》	《爱的私语》被该刊评为年度优秀作品
	致机要圣地；心声向着太阳放声歌唱；海之恋	1992—1994	中央办公厅《机要工作》	—
	浅浅的笑	1993	编入英汉对照版《当代诗人诗历》	—
	春	1996	中央办公厅《机要工作》	—
	心迹；五月	2000—2002	中央办公厅《机要工作》	—
贺荣真	唱首好歌叫厮守；女孩的初恋	1995	《福建日报》	—
	小巷；流星；家；漂泊·回归	1997—1998	《福建日报》	—
	鼓浪屿；惠安女	1999	《中国旅游报》	—
	相聚红茶馆；打工仔之歌 I	2000	《工人日报》	—

续表 25-2-2

作者	作品	发表时间	报刊（展赛）名称	获奖情况
贺荣真	北京申奥	2001	《中国体育报》	—
	教师	2003	《中国教师报》	—
	忆赵丽蓉老师	2003	《中国新闻出版报》	—
	爱心、流星；独生儿的心声	2003	《中国诗歌报》	—
	第三者	2003	《法制日报》	—
	球迷的落泪	2003	《中国体育报》	—
董国平	耀邦墓前抒怀	1996	江西人民出版社《春天的探索与追求》	—
江仁生	奥运赞歌	2008	中国文史出版社	—
黄荣昌	《枫叶，黄了》诗集	2013	北京燕山出版社	—
林 辉	夜郎诗词集	2014	团结出版社	北京大学、清华大学、国家图书馆认证收藏
	我的母亲、少年说	2015	《江山文学》	—
罗崇辉	且听风吟	2015	中国电影出版社	—
主编 王春元	鳌河荇藻	2015	中国电影出版社	—
张森阳	中国名胜联选	2015	四季出版社	—

说明：资料不全，或者遗漏

三、戏剧

1986—2016 年乐安县发表或参加省市表演的戏剧节目表

表 25-2-3

作者	作品名称	表演时间	展示场所	获奖情况
何环珠 卢学军 孔萌芽	鸡逗	1986	“庐山之夏”文艺博览会和文化部民间舞蹈录像比赛	丰收奖
卢学军	警徽在林区闪光	1988	全国林业公安专题片展播	—
	留得青山在	1988	江西省林业公安专题片展播	—
	参天大树	1989	入选抚州地区党建专题片	二等奖
	光明之旅	2000	江西省供电系统专题片展播	—
黄启达	让座	2003	中国戏剧家协会	百优小品大赛入闱奖
	锦囊妙计	2005	中国戏剧家协会《剧本》第 1 期	江西省第三届艺术节三等奖
	喜看桃花今又开	2013	文化部主办的第十六届“群星奖”评选	江西省首届赣鄱群星奖

说明：资料不全，或者遗漏

第二节　艺术作品

本节收录1986—2016年乐安县籍和县内部分作者发表、出版或参赛、参展的书法、美术、摄影、音乐、舞蹈作品。

一、书法

1987—2016年乐安县书法获奖作品情况表

表25-2-4

作者	作品	发表时间	报刊（展赛）名称	获奖情况
邹永信	诗一首	1987	全国“文明杯”钢笔书法大赛	优胜奖
	对联行草书	1988	全国“东峰碑林”书法大赛	佳作奖
	对联行书	1990	全国对联书法大赛	优秀奖
	登鹳雀楼	2006	台湾桃园书法展	银奖
	行书	2007	中国首届“八一杯”诗书大赛	一等奖
	塞下曲草书	2009	首届“和平杯”全国书画大赛	一等奖
	浣溪沙行草	2009	加拿大国际书法大赛	二等奖
	开国开篇词隶书	2010	第三届中华杯全国书法赛	一等奖
	万岁图12张	2011	中央党校展出	获奖匾
	小平赞隶书	2013	中国国学研究会（纪念改革开放35周年）	金奖
詹德昌	宋词一首隶书	1989	重庆“苏东坡杯”中国诗书画大赛	佳作奖
	风景联一幅隶书	1989	河南“牧野杯”国际书法大赛	优秀奖
	古迹名联一幅隶书	1992	国际现代书法赛	优秀奖
	唐伯虎诗词12首	2001	入选“中国书法”选集	纪念奖
罗育才	行草书	1991	“峨眉山杯”全国群众书画大赛	优秀奖
黄更昌	毛公鼎文书法	1994	“王羲之”奖中国书法赛	二等奖
	杜甫绝句行草书	1996	海峡两岸书画赛	金奖
	古对联行书	1998	纪念《中原书画报》创刊4周年书画展	银奖
	宋词一首行草书	1999	全国民间工艺美术书法大展	金奖
	唐诗一首行草书	2007	“八一杯”文学艺术大奖赛	二等奖
	金文集句	2010	中国书画艺术展在南京展出	金奖
艾文新	腾飞	1995	国际书法大赛	三等奖
	回韶山	2003	“东方红杯”全国书赛	优秀奖
	沁园春·雪	2006	全国书展	金奖
	对联	2015	江西省楹联学会	优秀奖
游解放	对联行书	2004	纪念邓小平诞辰100周年	铜奖
	对联行书	2008	江西省第二届楹联展	优秀奖

续表 25-2-4

作者	作品	发表时间	报刊（展赛）名称	获奖情况
游解放	榜王	2008	第二届中国榜王展	优秀奖
	行书	2009	江西省第八届书法篆刻艺术大展	优秀奖
	对联行书	2015	江西省“中行杯”联赛展	二等奖
孔德衡	对联隶书	2008	中国教育学会书法赛	二等奖
黄子腾	三字经节选	2009	中国教育学会书法赛	二等奖
陈　婧	隶书对联四面湖山	2009	中国教育学会书法赛	三等奖
	张旭诗	2012	江西教育厅书法现场赛	三等奖
戴螺英	对联	2009	中国教育学会书法赛	三等奖
周才生	春江行书	2010	江西省第四届书法临帖展	优秀奖

说明：资料不全，或者遗漏

二、美术

1986—2016 年乐安县美术作品发表或获奖情况表

表 25-2-5

作者	作品名称	发表时间	报刊（展赛）名称	获奖情况
乐龙耀	拿破仑与玛丽（连环画）	1986	阿凡提画报	—
	金线箩（连环画）	1987	江西法制报	—
	流向远方（国画）	1988	闽浙皖赣四省九地市美展	优秀作品奖
	故乡情（速写） 江西风情	1989	江西青年报	—
	滚傩神（剪纸）	1990	江西省“傩乡杯”大赛	优秀作品奖
	阿春	2007	时代与精神，全国肖像画	优秀作品奖
	田子坊	2012	江南之春油画展	三等奖
	一带一路	2016	海峡两岸艺术精品展	—
陈祖葵	恭贺新禧（剪纸）	1987	兰州晚报	—
	开卷有益（剪纸）	1988	河南新乡晚报	—
	龙舟竞渡（剪纸）	1990	四川农村报	—
袁明贵 黄清华	组合傩舞（木雕）	1990	江西省“傩乡杯”大赛	优秀作品奖
乐龙耀 卢学军	萌发的新芽	1991	连环画报	—
	强者（连环画）	1991	中国连环画	—
丁晨新 丁虎新	古城印象	2000	首届江西农民艺术节	三等奖
聂沐文	小桥流水	2007	第六届“四方杯”展	银奖
	花好月圆	2014	最美夕阳红全国展	金奖

续表 25-2-5

作者	作品名称	发表时间	报刊（展赛）名称	获奖情况
邹兆庆	十二生肖	2009	全国教师美术书法摄影作品竞赛	一等奖
	蛋雕作品	2011	上海世博馆捐赠证书	—
	蛋雕作品	2011	江西省首届非遗进商场公益活动展	荣誉证书
	诗意山水	2013	首届工艺美术展活动	银奖
	十大元帅	2014	第三届江西省工艺美术“杜鹃奖”评比活动	银奖
	民族魂	2015	中国工艺美术百花奖	铜奖
胡乐根	山水	2011	江西省第三届教师优秀美术大赛	三等奖
	国画	2012	江西省第四届师生设计大赛	三等奖
	溪水	2013	第八届全国中小学美术展教师特邀作品	金奖
	静物	2014	江西省素描大赛	三等奖
詹德昌	仙童送福寿	2013	美术作品入选“中国国粹年鉴”	—
	孔子像	2014	纪念孔子诞辰 2565 年大赛	金奖

说明：资料不全，或者遗漏

三、摄影

1986—2016 年乐安县摄影专著和获奖作品情况表

表 25-2-6

作者	作品名称	发表时间	报刊（展赛）名称	获奖情况
黄清华	龙腾虎跃	1988	全省“龙灯”专题摄影大赛	三等奖
	基础	1995	全国第二届“民百杯”摄影季赛	优秀作品奖
	母子情	1999	全国民俗摄影“千年古村流坑”摄影创作	一等奖
	婆孙俩	2000	首届江西农民艺术节	三等奖
	相依成友	2000	首届江西农民艺术节	优秀奖
	老宅新生	2001	“爱我中华、照我大地”全国摄影大赛	优秀奖
	乐在其中	2002	全国艺术摄影大赛	优秀奖
	新生	2002	全省第二届艺术节群文美术书法摄影比赛	二等奖
	清华摄影	2006	当代中国出版社	—
	和睦童年	2010	全省国防教育文化节“情系国防”摄影大赛	优秀奖
	可爱的家乡——乐安	2010	中国摄影文化出版社	—
	美丽的家乡——乐安	2012	中国艺术摄影出版社	—
	天地人缘	2013	中国艺术摄影出版社	—
	古巷情雨	2013	第五届江西艺术“美丽江西”摄影大赛	一等奖
	天生情	2013	全省审计机关成立 30 周年摄影比赛	一等奖

续表 25-2-6

作者	作品名称	发表时间	报刊（展赛）名称	获奖情况
黄清华	古巷光明	2014	中国艺术摄影学会第四“金鹤奖”摄影大赛	优秀奖
	山村秋色	2014	2014 第六届 PSA China 主题国际摄影大赛	优秀奖
	成双成对	2015	中国艺术摄影学会第四届“金鹤奖”摄影大赛	铜奖
	山村秋色	2016	纪念建党 95 周年全省机关干部摄影大赛	金奖
	千年的呵护	2016	纪念建党 95 周年全省机关干部摄影大赛	优秀奖
贺荣真	傩乡风光	1990	江西省“傩乡杯”摄影大奖赛	三等奖
	装故事	1990	闽浙皖赣四省九地市影展	最佳作品奖
	渔歌唱晚	2009	福建省摄影年赛	二等奖
	赶海归来	2011	福建省海峡两岸摄影赛	三等奖
黄清文	古锣声声舞翩跹	1990	江西省“傩乡杯”摄影大奖赛	二等奖
詹楚强	为了一分钱的差错舞傩人	1990	闽浙皖赣四省九地市影展	二等奖
	山村女工	1990	闽浙皖赣四省九地市影展	三等奖
	傩面具（一组）；傩面具“猪八戒”“蔡阳”	1990	江西省“傩乡杯”摄影大奖赛	二等奖
	梆梆、笃笃、锵！	1990	江西省“傩乡杯”摄影大奖赛	三等奖
	嬉戏	1991	江西省十二届艺术作品展	优秀作品奖
	西海秀色	1991	江西省摄影协会会员作品展	优秀作品奖
张泽群	中国历史文化名村——流坑	2011	江西人民出版社	—
	梦荷	2012	江西省摄影协会月赛	一等奖
	秀美乐安	2013	中国国际图书馆出版社	—
	流坑历史文化资料集萃	2014	江西人民出版社	—
	中国传统村落湖坪	2015	中国视觉艺术出版社	—
	残垣夜雨	2016	中国视觉艺术出版社	—
赖大益	晚清民国瓷器	2012	江西美术出版社	—
游解放	春晓、山村秀色	2012	江西省第二届摄影艺术节	优秀奖
	春风拂柳	2012	江西省摄影家协会第 152 次月赛	优秀奖
	乐山乐水乐安	2013	中国艺术摄影出版社	—
张荣生	大地雕塑	2013	“煌上煌杯”江西农业大学摄影大赛	优秀奖
	淡云过千山	2013	第五届江西艺术节“美丽江西”摄影大赛抚州赛区	一等奖
	早春映画	2016	“美丽家园”建党 95 周年全省机关党员干部摄影大赛	优秀奖

续表 25-2-6

作者	作品名称	发表时间	报刊（展赛）名称	获奖情况
陈　庚	暑假里的村娃	2013	江西省摄协月赛	二等奖
	珠莲碧荷；好孙女	2013	江西省摄协月赛	优胜奖
	中国传统村落——湖坪部分图照	2015	中国视觉艺术出版社	—
王国华	美丽的小山村	2013	全国林业系统摄影大赛	优秀奖
	我快乐因为我是警察	2015	全国公安森林公安感动中国摄影大赛	三等奖
	唱晚；姐妹情深；学草编	2015	江西省摄影家协会月赛	优秀奖
	老夫妻；夫妻铁铺；庆佳节	2015	江西省摄影家协会月赛	三等奖
	下辈子还牵你的手	2016	爱老敬老全国摄影大赛	优秀奖
	童趣	2016	江西省幸福数码摄影总结赛	金奖
	火树银花	2016	江西省摄影家协会月赛	优秀奖
	我快乐，因为是警察	2016	江西省公安系统摄影大赛	三等奖
王庆华	泡米粉	2014	江西省摄影家协会第 170 次月赛	一等奖
	缠绵	2014	江西省摄影家协会第 166 次月赛	三等奖
	嘱咐	2014	江西省摄影家协会第 168 次月赛	三等奖
	温馨一家	2014	赣风鄱韵全省春季赛	三等奖
	古村庆丰年	2015	江西省摄影家协会月赛	三等奖
	新年傩人	2016	中国摄影家艺术协会又是一年新年时摄影比赛	二等奖
	古村雪韵	2016	赣风鄱韵 2015 年全省冬季赛	一等奖
	恩爱小夫妻	2016	首届江西最美企业摄大赛	三等奖
邹志刚	老姐俩；荷别莲；喜悦烟农	2014	江西省摄协月赛	优秀奖
	礼花；舞动人生	2015	江西省摄协月赛	三等奖
	晚霞映角楼	2015	江西省摄协月赛	优秀奖
	渔家情	2015	江西省摄协月赛	二等奖
	铲剪子啰；磨菜刀	2015	江西省摄协月赛	三等奖
李华东	大华山眺望	2016	纪念汤显祖逝世 400 周年全国摄影作品征集中入展	—

说明：资料不全，或者遗漏

四、音乐、舞蹈

1986—2016 年乐安县作者音乐或舞蹈作品情况表

表 25-2-7

作者	作品	发表时间	报刊（展赛）名称	获奖情况
李　丛（词） 谢隆基（曲）	手拿锄头开荒田； 我唱山歌心欢喜； 南风吹来禾叶青； 乐安唱山歌心欢喜； 排工歌；卖蛋歌	1986	江西省人民广播电台录制播放	—
卢学军 李　丛 陈富安	麦笠歌；卖酒歌	1986	江西省人民广播电台录制播放	—
丁国祥 石　群 谢广德（曲）	三月流水	1986	江西省人民广播电台录制播放	—
周悦文（词） 李春阳（曲）	人人说妹会做鞋	1986	江西省人民广播电台录制播放	—
方小华	山里妹子一朵花（词曲）	1986	江西省人民广播电台录制播放	创作奖优秀节目奖
	竹乡放排（词曲）	1993	江西音乐舞蹈节	二等奖
黄启达	感恩（歌词）	2008	全国首届新创歌曲歌词大赛	三等奖
	不要打听我是谁（词曲）	2008	中国大众音乐协会感动中国 —2008 全国首届新创歌曲	一等奖
	当街歌（词曲）	2009	中国大众音协“感动中国”2009 全国第三届新创歌曲、歌词大赛	三等奖
王绍盛	正月十五闹雪灯（曲）	2009	全国第二届大学生艺术展演、 教育部	三等奖
	观杜鹃红（曲）	2014	全国第八届大学生艺术展演、 江西省教育厅	三等奖
	老支书（曲）	2016	贵州省音乐家协会	三等奖
	森林是我家（曲）	2016	国家林业局	三等奖
	在路上	2011	全国大学生艺术节舞蹈专业组	二等奖
	琴之舞	2012	四川省舞蹈五项技能大赛表演	一等奖
黄启达	教师赞（歌词）	2011	入选感动中国全国百位词曲 创作精英人物邮票典藏	—
李　慧	韵；芦花	2016	江西省第四届 “小白鹭”舞蹈大赛	优秀指导教师 和最佳指导教师
	请茶歌	2016	第十七届国际艺术大赛舞蹈类	优秀编导

说明：资料不全，或者遗漏

第三节　论　文

本节收录部分1986—2016年乐安县作者发表的自然科学和社会科学论文。

一、自然科学论文

1986—2016年乐安县发表的部分自然科学论文情况表

表25-2-8

作者	作品	发表时间	报刊名称	获奖情况
张之千	从痰治痫	1986	《北京中医》杂志第9卷第1期	—
董春发	治久损宜先攻后补论	1987	入选江西省卫生厅编纂的《杏林医选》	—
董春发	“素问”反治法“四”因质疑	1993	入选中国古籍出版社出版的《中国医论荟萃》	—
邓超新	老年人外科急腹症63例临床分析	1989	《临床诊断经验荟萃》	—
郭林根	家庭中药外治疗方	1992	江西科技出版社	—
陈国树 郭　岚	动力学光度法测定痕量镉的研究	1994	《分析化学》	—
谌润芝	谈护士长素质	1996	《全国现代基础护理和临床护理新业务新技术》	—
陈　勇	单片微机应用系统的抗干扰技术	1996	《南昌大学学报》	—
邹贵生 张相权	10CrMo910钢厚壁管接头取消焊后热处理的研究	1996	《焊接技术》	—
陈水生 杜正国	铁路道床截面形状优化分析	1997	《华东交通大学学报》	—
元如林	晶体生长基元稳定能与闪锌矿的结晶形态	1997	《岩石矿物学》杂志	—
元如林	格序群的极扭类、准素扭类和极小扭类	1997	《数学》杂志	江西省数学会1997年优秀论著二等奖
元如林	金融风险管理定量模型及其分布式并行计算	2004	第八届全国并行计算大会论文集	—
元如林	试论计算金融学与实验金融学的区别和联系	2010	第三届“管理学在中国”学术研讨会论文集	—
元如林	大数据时代的计算思维与数据建模	2013	《金融信息技术专业建设与银行管理》	—
詹义芳	肝叶切除治疗肝胆疾病在基层医院的应用	1997	《江西医学院学报》第1期	—
阮国平 余小明	甲亢并发阿斯综合征一例报告	1998	《南昌大学学报》第2期	—

续表 25-2-8

作者	作品	发表时间	报刊名称	获奖情况
邹敖平	寿胎丸治疗肾虚型先兆流产经验	1998	《中国民间疗法》8 月第 6 卷	—
邹敖平	中西医结合治疗闭经—溢乳综合征 7 例	2003	《实用中西医结合临床》第 3 卷	—
董瑞斌 许东风	多环芳烃在环境中的行为	1999	《环境与开发》	—
董瑞斌 张卫国 卢升高	土壤和沉积物的磁参数及其在环境科学中的应用	2000	《科技通报》	—
王晓明	细菌性肝脓肿切开引流术的改进	2000	《乡村医生》第 11 期	—
	三种单层吻合法行腹部空腔脏器吻合 302 例体会	2012	《中外健康文摘》第 30 期	—
何　强	中西医结合治疗小儿喘憋性肺炎的体会	2000	《中国临床医药研究》10 月第 12 卷	—
袁冬生	论方剂教学中的方证对应关系	2000	《江西中医药》第 3 期	—
邹贵生 吴爱萍 任家烈	用 Al–Zr 和 Al–V 合金加压钎焊 Si3N4 陶瓷	2000	《焊接技术》	—
邹贵生 等人	热核聚变关键结构件的连接技术	2001	《焊接技术》	—
	含金属间化合物的 Al 基合金	2002	《清华大学学报》	—
袁明华	活血素注射液配合化疗恶性肿瘤临床观察	2001	《江西中医药》	—
	心脏病的肺部表现	2005	《江西中医药》	—
黄树才	经胸入路行胸椎结核病灶清除术临床应用	2001	《中国煤炭工业医学》12 月第 4 卷	—
	海富康皮膜指套治疗手指中远节开放粉碎骨折并皮缺损 200 列应用体会	2006	《中国骨与关节损伤》4 月第 21 卷	—
陈华章	《千金方》制方中寒温并用的探讨	2001	《中医研究》	—
	《千金方》麻黄与桂枝相伍探析	2006	《中医药通报》	—
	寒温天一：《千金方》的运用与研究	2013	中医古籍出版社	—
胡群英	奥美拉唑治疗消化性溃疡并出血的临床观察	2002	《中华腹部疾病》2 月第 2 卷	—
曾国华	颈牵引结合手法治疗颈椎病 52 例	2002	《中华特色医药论坛》2 月第 1 卷	—
喻乐华 等人	活性粉末混凝土技术	2002	《华东交通大学学报》	—
周桃庚 编著	贝叶斯方法在光电系统可靠性中的应用研究	2002	《光学技术》	—
	用蒙特卡洛法评定测量不确定度	2013	中国计量出版社	—

续表 25-2-8

作者	作品	发表时间	报刊名称	获奖情况
周桃庚等人	U- 卡尔曼滤波在状态估计中的应用	2003	《仪器仪表学报》	—
	数字图像噪声估计的方法及数学模型	2005	《光学技术》	—
	数码相机综合评测系统	2012	《应用光学》	—
戴洪兴等人	稀土钙钛矿型氧化物催化剂的研究进展	2003	《中国稀土学报》第 2 期	—
邱云桥等人	荔枝核田七泡服治疗前列腺痛	2003	《中国民间疗法》第 9 期	—
谢小青	丝裂霉素 C 在翼状胬肉手术中的应用	2003	《中国实用医药》第 17 期	—
胡少林	以腹痛为主症阵发性室上性心动过速 1 例	2003	《江西中医药》第 9 期	—
邱秀英	卧床患者身高体重测量器的设计与应用前景	2004	《健康大视野》9 月第 25 卷	—
陈晔光 孟安明	斑马鱼 Dpr2 通过促进 Nodal 受体的降解抑制中胚层诱导作用	2004	《科学》	—
龚丽萍	益气养阴、健脾活血法治疗	2004	《实用中西医结合临床》	—
总主编元如林	概率论与数理统计	2004	上海财经大学出版社	—
	微积分	2004	上海财经大学出版社	—
	线性代数	2004	上海财经大学出版社	—
主编邹贵生	材料加工系列实验	2005	清华大学出版社	—
戴乐阳等人	基于外场辅助的机械合金化研究	2005	《功能材料》	—
元美玲 汪庆年 张晓峰	稀土掺杂硅基薄膜的高效发光特性	2005	《发光学报》	—
彭高农	中西医结合治疗化脓性阑尾炎 30 例	2005	《中华实用医药卫生》1 月第 3 卷	—
	小承气汤治疗重症肝炎 24 例疗效观察	2005	《中国中医药》3 月第 3 卷	—
徐小平	胃造管术在门脉高压伴上消化道出血病人行门奇断流术中的临床应用分析	2005	《中国医药指南》	—
肖劲松等人	微型薄膜瞬态热流计的研究与开发	2006	《北京工业大学学报》	—
陈传盛	有机小分子修饰碳纳米管及复合镀层的研究	2006	《湖南大学学报》	—
邹永胜	提高中医降酶疗效的思路	2006	《中医杂志》12 月第 47 卷	—
	中药保留灌肠治疗慢性肾衰竭的临床观察	2008	《现代诊断与治疗》3 月第 19 卷	—

续表 25-2-8

作者	作品	发表时间	报刊名称	获奖情况
邹振清	石膏固定治疗儿童伸直型肱骨髁上骨折 58 例	2006	《实用中西医结合临床》12 月第 6 卷	—
陈文红	湿润烧伤膏治疗褥疮的疗效观察	2008	《护士进修》杂志	—
陈旭煌	Dapper 在胚胎发育和信号调控中的作用	2007	《生命科学》10 月	—
	应用依达拉奉联合尼莫地平治疗脑挫裂伤的效果分析	2014	《当代医药论丛》	—
刘梅莲	硝苯地平用于胃镜术前准备 300 例	2007	《中外健康医药月刊》第 2 期	—
	慢性萎缩性胃炎 48 例临床分析	2007	《中国当代医药》第 12 期	—
游益民	超声诊断眼外伤 71 例分析	2007	《实用临床医学》第 8 卷	—
聂保华	复杂性肾结石的手术治疗	2007	《医药月刊》10 月第 4 卷	—
王菊英	颅脑损伤 332 例病情观察与分析	2007	《临床和实验医学》12 月第 6 卷	—
肖维林 董瑞斌	农药废水处理方法研究进展	2007	《农业环境科学学报》	—
戴立辉 王兵贤	关于酉矩阵的若干结果	2007	《东华理工学院学报》	—
戴华生 李和娜	流行性出血热 30 例的血清学检测	2008	《中华传染病》	—
黄荣昌 黄日亮	黄氏五代妇科临证心悟（医学著）	2008	江西科技出版社	—
毛翥翔	不行粘膜下缝扎止血的胃部分切除术	2008	《中国现代医生》第 46 卷 31 期	—
	38 例外伤性脾破裂保守治疗的临床分析	2012	《当代医学》第 18 卷第 26 期	—
邓明才	自制子宫复位器在女性结扎术中的应用	2008	《中国农村医学》	—
艾志东	中药生化汤用于药物流产后阴道流血观察	2008	《中国妇幼保健》12 月	—
刘桂花	术前干预对甲状腺瘤手术病人焦虑影响的观察	2008	《医药月刊》7 月第 5 卷	—
陈筱兰	培养新生儿科护士观察病情能力的体会	2008	《家庭医生》	—
袁丽菊	小儿疝气手术前的心理护理	2008	《家庭护士》	—
陈雅琴	梁结构分析的广义变分原理—Daubechies 条件小波法研究	2008	《长安大学学报》	—
朱星华 等人	检测仪表中的数据融合方法	2008	《东华理工大学学报》	—
曾接贤 龚 勇	固体推进剂药柱图像的自适应阈值分割方法	2008	《计算机工程与应用》	—

续表 25-2-8

作者	作品	发表时间	报刊名称	获奖情况
郭华明 陈　思 任　燕	反硝化菌的耐砷驯化及其对水铁矿吸附态砷迁移转化的影响	2008	《地学前缘》	—
郭华明 刘　琼	改性铁锰结核对水中氟离子的吸附作用研究	2008	《安全与环境学报》	—
李　媛 郭华明	应用微生物除砷的研究现状及前景	2009	《环境科学与技术》	—
吴敏萍 殷光强	公安信息资源综合数据集市建设的架构设计自然科学版	2009	《中国人民公安大学学报》	—
万树平	基于 Vague 集的多传感器目标识别方法	2009	《控制与决策》	—
万树平	一种具有区间数信息的多属性大群体决策方法	2011	《模式识别与人工智能》	—
万树平	运用 Vague 集进行多传感器目标识别	2011	《传感器与微系统》	—
万树平	基于区间直觉梯形模糊数的多属性决策方法	2011	《控制与决策》	—
邹同华 等人	真空冷冻干燥机中冷阱结霜特性的研究	2009	《流体机械》	—
曾国平	微波治疗宫颈糜烂 156 例临床分析	2009	《现代诊断与治疗》9 月第 20 卷	—
柳娟子	血塞通注射液治疗椎—基底动脉供血不足的疗效观察	2009	《中国现代医生》9 月	—
戴四花	对老年住院病人的心理干预与护理	2009	《中国保健》5 月第 17 卷	—
屈国雄	肺结核免疫治疗的研究进展	2009	《中国现代医生》	—
董丽娜	常见护理缺陷的分析与管理对策	2009	《中国保健》	—
杨继明	乙肝抗原、抗体免疫测定室内质控品的制备与使用	2009	《实验与检验医学》第 27 卷 2 期	—
曾文英 赵跃龙	基于移动计算的移动 agent 技术研究	2009	《微电子学与计算机》	—
龚　翔	腰—硬联合麻醉在直肠癌手术中的应用	2010	《中国健康》月刊	—
杨德辉	细菌性肝脓肿不同治疗方法疗效比较	2010	《中国煤炭工业医学》2 月	—
万　翊	回盲部末端回肠端一端吻合 5 例报告	2010	《中国健康月刊》6 月第 29 卷	—
黄龙彪	中心静脉留置导管在治疗胸腔积液中的应用	2010	《大众健康》9 月第 9 期	—
陈乐民	丝裂霉素 C 在抗青光眼滤过手术失败病例中的应用	2010	《实用临床医学》	—
卢小英	冠心病患者的给药护理和饮食措施	2010	《中国社区医生》4 月第 235 期	—

续表 25-2-8

作者	作品	发表时间	报刊名称	获奖情况
何小芳	循证护理在提高小儿股静脉穿刺采血成功率中的应用	2010	《中外健康文摘》6 月第 7 卷	—
邓皎如	“健康快车”1531 例白内障手术室护理配合及体会	2010	《实用临床医学》7 月	—
戴立辉	积分第一中值定理中间点的渐近性	2011	《闽江学院学报》	—
蔡建信	碳纳米管改性对 Au/CeO2 催化剂乙醇部分氧化制氢的影响	2011	《化工学报》	—
袁平新 曾志勇	黄栀子栽培	2011	《中国林业》杂志	—
唐帅莲	中药内服外用治疗慢性盆腔炎临床观察	2011	《北方药学》9 月第 8 卷	—
罗春花	心理—行为干预对母乳喂养的效果观察	2011	《心理医生》10 月	—
曾建东	辩证分型治疗中风病 22 例	2011	《光明中医》10 月第 26 卷	—
谢建明	体外冲击波碎石结合石韦散治疗输尿管结石的疗效观察	2011	《中医临床研究》第三卷第 11 期	—
	腹部手术后早期炎性怕梗阻的中医结合治疗	2011	《中外健康文摘》第 8 卷第 47 期	—
余小明	雷贝拉唑与法莫替丁对十二指肠溃疡疗效的临床对比研究	2011	《健康必读》12 期	—
	芪参益气滴丸联合美托洛尔治疗室性期前收缩的疗效	2012	《实用临床医学》2 月第 13 卷	—
曾志荣	幽门螺杆菌感染与胃肠外疾病	2012	中国消化系疾病学术大会宣读论文	—
	青壮年时常腹泻便血警惕炎症性肠病	2014	《广州日报》	—
肖海平	中西医结合治疗冠心病 20 例疗效观察	2012	《中国中医药现代远程教育》第 15 期	—
肖中华	酶联免疫反应加速仪在 HIV 抗体筛查实验 ELISA 法中的应用于探讨	2012	《实验与检验医学》第 30 卷 6 期	—
郭四英	整体护理干预在脑外伤昏迷患者中的临床研究	2012	《中国医药指南》7 月	—
胡耀民 陈正春	樟树常见的几种虫害及防治	2012	《江西林业科技》	—
谭布珍等人	特殊部位的宫内节育器异位 3 例分析	2012	《中华医学会第八次全国计划生育学术会议论文汇编》	—
元美玲 唐　鹿 吴真琦	阴极还原和酸处理对多孔硅稳定性和发光特性的改善	2012	《发光学报》	—

续表 25-2-8

作者	作品	发表时间	报刊名称	获奖情况
郭华明 刘春华	简易阴离子交换柱分离不同形态砷的研究及其在除砷实验中的应用	2012	《化学分析》	—
杨利锦 郭华明	化学沉淀法处理除氟吸附剂再生尾液的实验研究	2012	《安全与环境工程》	—
彭华勤等人	一类有迁移的传染病模型的研究	2012	《佛山科学技术学院学报》	—
龚智翔	上海地区儿童A组轮状病毒腹泻的分子流行病学	2010	《中华传染病》杂志	优秀论文三等奖
	欧美肝病诊疗实用手册	2012	化学工业出版社	—
	巨大肝癌误诊为乙型肝炎肝硬化	2012	《临床误诊误治》	—
	常见胃肠炎病毒的PCR诊断	2012	《长缨国防医学》杂志	—
	实验技术中的“惑”与“获”	2013	人民卫生出版社	—
	诺如病毒基因测序的反转录聚合酶链反应的改良	2014	《中华传染病》杂志	—
游科友	网络控制系统发展研究	2012	《控制科学与工程学科发展报告》	—
	复杂系统的建模、控制与估计	2015	《系统科学与数学》	—
游科友 谢立华	网络控制系统的最新研究综述	2013	《自动化学报》	—
	镇定网络化线性系统的数据率定理	2014	《控制理论与应用》	—
陈念东	农业产业化生产经营模式中利益主体的行为博弈及优化策略	2013	《理论探讨》	—
刘晓峰	《复元活血汤加味治疗胸腰椎骨折80例》 《益气活血方治疗老年椎动脉型颈椎病50例》	2013	《中国中医药现代远程教育》 第11卷21期、23期	—
毛艳琴	两种不同类别的镇痛药复合丙泊酚用于无痛人流的临床观察	2013	《现代诊断与治疗》8月	—
龚海龙	黄芪建中丸粘膜保护作用的现代医学配伍特点分析	2013	《江西中医药》9月	—
王志诚	顺尔宁治疗及预防支气管哮喘的疗效观察	2013	《中国现代医生》10月	—
戴华英	1.5%氯普鲁卡因联合曲马多用于剖产的临床观察	2013	《现代诊断与治疗》8月	—
陈海民	呼吸道异物的×线表现及异物特征分析	2013	《现代诊断与治疗》12月	—
杨水娇	重度有机磷农药中毒患者的护理	2013	《医学信息》10月	—
邹国花	炉甘石联合林可霉素治疗小儿脓包疮的疗效及护理	2013	《实用临床医学》12月	—

续表 25-2-8

作者	作品	发表时间	报刊名称	获奖情况
邹卫华 汤良富	秃杉引种育苗技术记录	2013	《江西林业科技》	—
殷光强	生物特征识别技术及应用	2013		四川省 科技进步 二等奖
	×××× 成像技术	2014		国家 技术发明 二等奖
	×××× 网络关键技术及应用	2015		国家发明 二等奖
曾萍萍	一种基于圆直方图的迭代阈值分割方法及在细胞图像分割中的应用	2014	《计算机光盘软件与应用》	—
郑海明 等人	基于频谱校正的傅里叶变换滤波差分吸收光谱监测实验研究	2014	《动力工程学报》	—
谭布珍	妇科肿瘤与激素补充治疗	2014	《全国中西医结合卵巢功能调控专题学术会议及摘要集》	—
邱发宗	川芎嗪注射液治疗新生儿缺氧缺血性脑病的临床疗效	2014	《国外医药抗生素分册》1 月	—
李拯民	流坑小学龋齿发病的调查与防治	2014	《基层医学论坛》7 月	—
黄洁宁	利用煤矿废弃物页岩制备泡沫隔热陶瓷研究	2014	《中国陶瓷学报》	—
	钒铁渣水泥基材料的性能影响	2014	《中国硅酸盐通报》	—
	泡沫陶瓷的控制备和应用	2016	中国工程建设标准化	—
陈晔光	Smad7 Interacts with R-Smads to Inhibit TGF-beta/Smad Signaling.November	2015	《生物化学杂志》（JBC）	—
	Activin Regulates Self-renewal and Differentiation of Trophoblast Stem Cells by Down-regulating the X Chromosome Gene Bcor*.September 4， 2015 The Journal of Biological Chemistry	2015	《生物化学杂志》（JBC）	—

说明：资料不全，或者遗漏

二、社会科学论文

1986—2016 年乐安县发表的部分社会科学论文情况表

表 25-2-9

作者	作品	发表时间	报刊名称	获奖情况
邹力行	寻找最佳决策	1985	中国建筑工业出版社	—
	实用经济学原理	1993	华文出版社	—

续表 25-2-9

作者	作品	发表时间	报刊名称	获奖情况
邹力行	社会主义市场经济条件下的科技体制	1995	青岛出版社	—
	金融开发与机制建设	2006	湖南出版社	—
	金融帝国：美国的发展与启示	2009	湖南出版社	—
	开发性金融与可持续发展	2013	湖南出版社	—
	县域经济与社会	2014	中国金融出版社	—
梅绍裘	乐安状元楼始建年代考	1986	《江西历史文物》第二期	—
	浅谈王安石“兴农观”	1986	《王安石研讨论文集》（一）	—
	乐安县贝质驮碑	1986	《赣东日报》	—
	中革军委在招携的训令	1986	《江西革命文物》第四期	—
	乐安状元楼始建年代考	1986	《南方文物》	—
	第五次反“围剿”若干历史考辩	1987	《江西革命文物》	—
	元代理学大师吴澄	1987	《抚州社会科学》第三期	—
	美国名流研究吴澄	1987	《抚州社会科学》第一期	—
梅绍裘 冯　都	第四次“围剿”与反“围剿”大事记	1987	《江西党史通讯》第一期	—
彭适凡	中国南方古代印纹陶	1987	文物出版社	—
	江西新干商代青铜器礼器的造型与装饰艺术	1993	《南方文物》	—
	新干青铜器群研究中的几个问题——为纪念新干商代大墓发掘十周年而作	2000	《文物世界》	—
	江西通史 1—先秦卷	2008	江西人民出版社	—
陈　庚	理论学习心态录	1986	《工人日报》	—
	为什么劳模中这么多带“长”的	1989	《中国青年报》	—
	图书在流泪	1991	《工人日报》《文摘报》	—
	中国历代经济思想今鉴（部分章节）	1995	江西高校出版社	社会科学优秀成果三等奖
	现代市场经济常用名词解说（部分章节）	1996	江西高校出版社	—
	中国历代道德思想今鉴（部分章节）	1997	江西高校出版社	优秀科研成果二等奖
	村民自治是体现民主的大实现	1998	《祖国在我心中》	—
	关于邓小平消灭贫困思想的思考	1999	《南昌大学学报》	—
方国灿	孟皇后在江西	1987	《飞鹰》	—
	吴澄与理学	1990	《争鸣》	—
	宋元之际的吴澄	1991	《社会科学》	—
易登明	试论商品经济条件下的党风建设	1988	江西党风建设研讨会论文集	—

续表 25-2-9

作者	作品	发表时间	报刊名称	获奖情况
李盛光	方向要坚持，问题要重视	1989	《教育与现代化》	
曾胜春	试论“对农村广播节目的主体意识”	1989	全省广播电视学术论著	三等奖
刁振华	抓廉政建设非动“真格的”不可	1989	《中国人事》	—
	给农村人才以公平的竞争机会	1989	《农村未来》	—
	值得引起重视的一个社会问题	1990	《中国民政》	—
梁惠民	谈乐安出土的窖藏钱	1991	《钱币研究》第一期	—
	中格田出土文物看乐安青瓷来源	1991	1991 年考古学会论文	—
	乐安战役的光辉	1993	《党史文苑》第二期	—
曾球民	中共江西省乐安县组织史资料	1990	南海出版社	—
	苏区乐安中心县委斗争史	1992	亚洲出版社	—
银光灿	返贫“怪圈”的思考	1992	《老区建设》	—
	双向思维在同干部谈话中的实际运用	1997	《政策广角》	—
	新时期加强基础党委民主集中制建设的思考	1997	《理论导报》	—
	流坑村钱币集锦	1998	上海王马工艺礼品有限公司	—
	千古流坑邮票纪念册	1999	上海忠梁艺术设计有限公司	—
	流坑古村的特色与价值	2000	《江西社会科学》	—
	流坑文化旅游业可持续发展初探	2001	《江西社会科学》	获 2002 年度中国改革实践与社会经济形势社科优秀成果一等奖
	流坑古村保护的实践与思考	2006	人民日报《大地》版	—
主编 周銮书	千古一村流坑历史文化的考察	1997	江西人民出版社	—
	千古第一村——流坑	1999	江西教育出版社	—
总编 钟健华	千古流坑	1998	江西画报社	—
卢学军	乐安傩舞概论	1997	日本东京木耳社出版社 《中国汉民族之假面戏》	—
	浅析乐安东湖傩舞“滚傩神”的艺术特色	2009	《青年文学家》	—
	乐安傩舞传承衍变的探讨	2009	《文学教育》	—
黄更昌	流坑建筑雕塑艺术、流坑书法艺术	1996—1997	《江西日报》	—
	崇文重教　科宦兴盛	1998	《中国文物报》	—
	流坑古代文人墨迹	1999	《世界学术文库·华人卷》	—
	流坑的圆明园	1999	《赣东文学作品集》	—

续表 25-2-9

作者	作品	发表时间	报刊名称	获奖情况
黄更昌	流坑董氏大宗祠的焚毁	2000	《中国文物报》	—
	探古览胜话流坑	2003	江西人民出版社	抚州市社会科学优秀成果二等奖
陈建华 谢华智	依法治警、切实加强公安队伍建设	1998	江西省公安厅《实践与探索》	优秀奖
张梅生	流坑古村落的保护利用和可持续发展战略	2000	《江西社会科学》	—
缪凤翔	关于贫困地区人才资源开发的思考	2001	人选人民日报出版社出版的《新时期干部人事制度改革理论与实践》一书	—
詹楚强	弘扬流坑文化再现历史辉煌	2000	《江西社会科学》	—
	浅析流坑傩舞赖以生存的条件	2005	国际傩舞艺术节 傩文化学术研讨会	优秀论文奖
阙生平	加快县级政府职能转变的几点思考 服务改革研讨会	2004	江西省社会管理和公共	优秀论文奖
	按照科学发展观的要求， 加强县级政府法制队伍建设	2012	科学发展与全面建设小康社会学术研讨会	特等奖
王湖广	初中文言文教学初撰	2005	《江西教育》	—
	八一精神与校园文化建设	2010	《江西科技师范学院学报》	—
董建辉	列维——斯特劳斯结构主义神话理论	1992	《厦门大学学报》第 1 期	—
	“咸水腔”探源	1997	《华侨大学学报》第 4 期	—
	清代高山族的‘野番’辨析	1998	《福建民族》第 4 期	—
	澳门地名考述	1999	《光明日报》理论版	新华文摘第 12 期全文转载
	政治人类学	1999	厦门大学出版社	福建省优秀成果三等奖
	西方法律人类学的产生、发展及演变	2007	《国外社会科学》第 6 期	—
	明清乡约：理论演进与实践发展	2008	厦门大学出版社	—
王宏生	“芝兰玉树”及其家庭环境	1997	《古典文学知识》第 4 期	—
	《集古录》成书考	2006	《史学史研究》第 2 期	—
	北宋书学文献考论	2008	上海三联书店	优秀成果三等奖
	古代书学著作著录述论	2008	《古籍整理研究学刊》第 2 期	—
	《笔意赞》辨伪	2016	《古典文献研究》第 19 辑上卷	—
	《笔意赞》辨伪	2016	《古典文献研究》第 19 辑上卷	—
王省民	勇于创新，独树一帜—古人创新意识探新	2000	《江西社会科学》第 12 期	—

续表 25-2-9

作者	作品	发表时间	报刊名称	获奖情况
王省民	《飘然集》点校	2004	江西教育出版社	—
	从《申报》香烟广告看中西方文化的融合	2006	《东南文化》第 3 期	—
	试论明清戏剧的传播模式	2007	《戏剧文学》第 1 期	—
	浅探“临川四梦”演出传播中的不均衡现象	2010	《当代戏剧》第 6 期	—
	现代传媒视野下的戏曲传播与产业化研究	2014	江西高校出版社	—
罗国基	略论“三个代表”与中华民族凝聚力	2001	《理论探讨》	—
	论中国共产党在民族凝聚力系统中的核心地位	2002	《东华理工学报》	优秀论文三等奖
	试论江泽民对党的民族凝聚力思想的历史贡献	2005	《党史文苑》	—
	从公共产品的供给看新农村建设	2007	《求实》	—
何华珍	也说“贰”字	2002	《中国语文》第 2 期	—
	“银行”探源	2003	《中国语文》第 3 期	—
	日本汉字和汉字词研究	2004	中国社会科学出版社	优秀成果三等奖
	“退婴”探源	2006	《语言研究》第 1 期	—
	俗字在日本的传播研究	2011	《宁波大学学报》社科版	—
董洪斌等人	2002 年度世界经济回顾与发展展望	2003	《管理评论》	—
王献军	元代“黎兵万户府”设立时间考	2003	《中南民族大学学报》	—
	元代入居内地的藏族人	2003	《海南师范学院学报》	—
林　新	视觉形象与性别歧视	2004	《江西财经大学学报》	—
余式高 曾球民 姜文吕	华盖山志	2004	长春出版社	—
	千古第一村——流坑古楹联诗词欣赏	2005	长春出版社	—
丁德良	积极发挥审美在增强未成年人爱国情感中的作用	2005	《党史文苑》	—
丁德良 汪伟宏	欠发达地区的新农村建设与农业产业化	2006	《求实》	—
邓小云	山区贫困县农村医疗现状及对策	2006	《中国人大年鉴》	—
李晓静	论我国妇女平等权及其立法保障	2006	《江西社会科学》	—
阙　镭	特形与象征图案在企业形象设计中的意义	2007	《广州大学学报》	—
刘　峰 董洪斌	一类非线性时变随机系统的能控性	2008	第 27 届中国控制会议论文集	—
邹卫华 邹金荣	国有林场护林防火措施之我见	2008	《江西林业科技》	—
	浅析森林防火与防火带建设	2008	《中国林业》杂志	—

续表 25-2-9

作者	作品	发表时间	报刊名称	获奖情况
胡会安	新事物、新问题、新对策；坚持林改，走可持续发展之路	2008	《中国林业》杂志	—
陈晓平	加大产业结构调整，促进经济和谐发展	2008	《中国人大年鉴》	—
王绍辉	贫困山区县失业保险深层问题分析及实践思考	2008	《中国人大年鉴》	—
王绍辉 詹　平	强抓扩面清欠，破解征缴难题，全力推进失业保险工作上台阶	2009	《创新发展劳动保障事业，全面推进和谐社会建设》	—
杨德敏	经济法在防范金融风险中的价值功能	2009	《政法论丛》第 4 期	—
	就业援助：社会救助立法的基本取向	2012	《江西社会科学》	—
邹卫华 罗凤梅 廖爱萍	乐安县生态公益林管理机制的建立与完善	2009	《江西林业科技》	—
吴　平 陈建辉	公安机关执法为民的思考	2009	《江西警学论坛》	优秀奖
杨建忠 陈建辉	浅谈基层公安机关公共关系建设瓶颈与对策	2010	《江西警学论坛》	优秀奖
邓国庆	浅谈当前社会矛盾纠纷成因及排查化解对策	2010	《江西警学论坛》	优秀奖
李芳纪	关于当前农村中小学安全现状的调查与思考	2010	《江西警学论坛》	优秀奖
元小兰	搞好森林病虫害防治，保护林业发展成果	2010	《中国林业》杂志	—
董新春 肖忠优	鄱阳湖生态经济区建设与高等职业院校人才培养理念和模式创新	2011	第三次全国林业职业教育	优秀论文一等奖
陈正春	湿地生态保护及开发利用初探	2011	《中国科技博览》	—
袁平新 桂美荣 黄建平	龙潭湿地公园建设的多重意义	2011	《中国林业》	—
彭才福	新农村建设是今后 30 年工作的重中之重	2011	人民出版社的《共绘蓝图“十二五”规划建言献策选编》	三等奖
熊杰平	戴枷起舞——论机趣在中国戏曲改编莎剧中的得与失	2012	《写作》	—
王乐农	乐安古樟资源保护和樟树产业发展的几点建议	2012	《黑龙江林业科技情报》	—
王乐农 元小兰	生态型国有林场森林资源可持续经营探讨	2012	《江西现代园艺》	—
元小兰	乐安县油茶产业建设现状和发展对策	2012	《林业科技情报》	—
袁平新 徐乐红	加强保护区建设，保护生物多样性	2012	《中国林业》	—
王化玲 吴进平	完善管理，提高乐安可持续发展能力	2012	《中国林业》	—
吴进平	以油茶为依托，实现乐安林业新跨越	2012	《中国林业》	—

续表 25-2-9

作者	作品	发表时间	报刊名称	获奖情况
蔡乐明	对进一步深化乐安县农村道路，交通社会化管理的探索与思考	2012.12	《鄱阳湖生态经济区公共安全研究论文集》	优秀奖
艾　杏	刑讯逼供罪研究	2013	《江西警学论坛》	优秀奖
	论精神损害赔偿范围界定	2014	《江西警学论坛》	三等奖
王　强	提升公安基层民警群众工作能力构建新时期和谐警民关系	2013	《江西警学论坛》	优秀奖
黄爱东	虚拟社会管理难点研究	2013	《江西警学论坛》	优秀奖
胡俊俊	涉众型经济犯罪案件的特点和侦查难点	2013	《江西警学论坛》	优秀奖
艾　科	对犯罪现场重现的探讨	2014	《江西警学论坛》	二等奖
温志龙	初探公安机关执法公信力的提升	2014	《江西警学论坛》	三等奖
	试论提升公安情报信息化能力	2015	《江西警学论坛》	优秀奖
徐龙武	试论群体性事件的特点与对策	2014	《江西警学论坛》	优秀奖
陈俊波 刘乐勇 刘秋华 陈　箭	构建税收风险管理机制的思考	2015	《经营者》6 月刊	—
	新形势下健全社会综合治税的思考	2015	《财经界》9 月刊	—
夏成华	基于信息平台的消防安全网格化管理系统的构建	2015	中国消防协会科学技术年会	一等奖
艾小刚	对提高 90 后民警治安调解能力的思考	2015	《江西警学论坛》	三等奖
	试论《治安管理处罚法》的不足及完善	2016	《江西警学论坛》	三等奖
陈　兵 陈建辉	新时期基层公安工作改革创发展的困境与出路初探	2015	《江西警学论坛》	三等奖
李　涛	浅析农村地区盗窃案的特点、成因及防控策略	2015	《江西警学论坛》	优秀奖
	浅谈基层公安派出所工作存在的主要问题及对策	2016	《江西警学论坛》	优秀奖
王华平	新形势下保险诈骗犯罪案件的特点及侦防对策	2015	《江西警学论坛》	优秀奖
	试论生产销售伪劣产品犯罪案件现状、特点及侦查对策	2016	《江西警学论坛》	优秀奖
吴怡心	浅析单警装备配备使用和管理	2015	《江西警学论坛》	优秀奖
盛　国	解开“光棍的焦虑”和社会管理之间的怪圈	2016	《江西警学论坛》	三等奖
熊迎春 温志龙	初探公安改革新形势下的社会矛盾监测预警体系建设	2016	《江西警学论坛》	优秀奖
丁宏卿	论隐私权的民法保护	2016	《江西警学论坛》	优秀奖
叶　徽	浅析青少年涉毒违法犯罪的现状及预防对策研究	2016	《江西警学论坛》	优秀奖

续表 25-2-9

作者	作品	发表时间	报刊名称	获奖情况
袁忠华	浅谈县级公安机关内部枪支弹药的管理	2016	《江西警学论坛》	优秀奖
王同福	试论公安改革创新在“四个全面”格局下的路径判断	2016	《江西警学论坛》	优秀奖
陈星星	浅析基层民警心理健康问题与释压对策	2016	《江西警学论坛》	优秀奖
主编 何华珍	大学语文	2016	高等教育出版社	—
戴智华	大学基础科研投入产出与教师背景特征关系实证研究	2016	科技进步与对策	—
谢　艺	乐安林下经济重在创新和带动	2016	《中国绿色时报》	—
徐菊兰	完善税收风险管理运行机制的对策	2016	《税务研究》第 7 期	—
杨员秀 戴勇平	行政单位领导干部离任经济审计及经济事项交接研究	2016	《财经界》第 20 期	—
陈俊波 蔡康刘	浅谈营该增对我国现代服务业的影响	2016	《全国商情》第 16 期	—
陈俊波 刘康刘	探索案例教学在地税业务培训中的运用	2016	《课程教育研究》第 12 期	—
陈俊波 刘乐勇 刘秋华	我国县级地税征管审计的特征及方式探索	2016	《财经界》第 17 期	—

说明：资料不全，或者遗漏

第四节　新　闻

一、电视新闻

1997—2016 年乐安县在地区（市）以上电视获奖作品情况表

表 25-2-10

年份	作品	作者	类别	获奖等级
1997	依旧好流坑	陈立新等	电视社教类	江西省广播电视三等奖
1998	舒省长与老农	黄理华 陈立新	电视短消息	抚州广播电视一等奖
1999	王长海和他的路灯	胡　江 黄理华	电视专题	建国 50 周年抚州电视专题展播一等奖
2001	民宅失火警民协力救援		电视长消息	抚州广播电视二等奖
2003	铮铮铁骨傲然青松		电视专题	抚州广播电视三等奖
2005	神奇的流坑——金竹风光		电视专题	抚州广播电视三等奖
2005	个体医生董国良在海内外杂志上发表论文一百多篇	黄理华 黄　佳	电视短消息	抚州广播电视三等奖

续表 25-2-10

年份	作品	作者	类别	获奖等级
2000	高产优质烤烟栽培技术	胡　江 黄理华 邓海波 黄　佳	电视科教节目	抚州广播电视三等奖
2002	流坑村民居被批准为第五批全国重点文物保护单位	胡　江 陈立新	电视短消息	抚州广播电视三等奖
2003	乐安人口	胡　江 魏维敏	电视栏目	江西省计生委电视宣传栏目三等奖
2003	流坑入选全国首批历史文化名村	胡　江 龙乐水	电视短消息	江西广播电视三等奖 抚州广播电视一等奖
2003	乌江何以成污江	邱武章 黄　佳	电视短消息	抚州广播电视三等奖
2004	猫儿山探幽	胡　江 陈立新 邹　娟	电视专题	抚州电视电影家协会采风行风光片优秀奖
2005	疯狂歹徒街头引爆，机智干警瓮中捉鳖	龙乐水 黄　佳 魏维敏	电视专题	抚州广播电视三等奖
2006	水鹿误入民宅众人合力驯服	龙乐水 魏维敏	电视短消息	抚州广播电视三等奖
2010	乐安蛋雕亮相上海世博会	龙乐水 魏维敏	电视短消息	抚州广播电视三等奖
2006	乐安风光	胡　江 黄　佳	电视专题	抚州电视风光片评选一等奖
2008	乡村医生聂伟才二度赴川救灾	胡　江 黄　佳	广播长消息	抚州广播电视二等奖
2007	乐安有望成为华南虎新家	龙乐水	电视短消息	抚州广播电视三等奖
2008	农民党员聂伟才二度赴川救灾	龙乐水 黄　佳	电视长消息	抚州广播电视一等奖
2009	妙笔匠心绘新城	龙乐水 黄　佳	电视专题	抚州广播电视三等奖
2008	冰战	龙乐水 稽　鸣 欧阳小明 魏维敏 黄　佳	电视专题	抚州广播电视三等奖
2009	“健康快车”首次开进乐安县边远山区	欧阳小明 黄　佳 魏维敏	电视长消息	江西广播电视三等奖 抚州广播电视二等奖
2011	农事钟点工走俏乡村	龙乐水 黄　佳 稽　鸣	电视短消息	抚州广播电视三等奖
2011	新农保乐安模式	龙乐水 魏维敏 曾晓琴	电视长消息	江西广播电视三等奖 抚州广播电视二等奖

续表 25-2-10

年份	作品	作者	类别	获奖等级
2013	乐安县 1570 名贫困生享受“雨露计划”职业教育	欧阳小明	电视短消息	抚州广播电视三等奖
2013	最美丈夫熊海明	曾水英	电视长消息	抚州广播电视三等奖
2016	全国网媒江西游首站走进乐安县	黄　佳	电视播音	抚州广播电视三等奖
2016	乐安县为近 3 万贫困对象购买返贫责任保险	欧阳小明 王丽平 刘　慧 陈　萌	电视长消息	抚州广播电视三等奖
2016	昔日上访专业户今成脱贫领头人	龙乐水 王丽平 陈建文 陈　萌	电视长消息	抚州广播电视三等奖
2016	罗山傩舞	胡　江	电视专题	抚州广播电视二等奖

说明：资料不全，或者遗漏

二、广播新闻

1988—2006 年乐安县在地区（市）以上广播获奖作品情况

表 25-2-11

时间	作品	作者	类别	获奖等级
1988	农村广播节目要突出一个“农”字	曾胜春	论文	江西视听
1989	反思不是走回头路		新闻评论	江西广播电视一等奖
1990	农村广播宣传同步管理构想	曾胜春	论文	江西广电系统三等奖
1991	论对农村广播节目的主体意识		论文	江西省广播电视二等奖
1995	国家文物局专家考察流坑村		广播新闻	江西广播电视一等奖
1995	农村天地	黄明广 王丽平	广播栏目	江西广播电视三等奖
2003	流坑首批入选全国历史文化名村		广播消息	江西广播电视二等奖
2004	八旬老人十年写铁证		广播专题	江西广播电视三等奖
2004	乐安县二中老师刘小华北京获大奖		广播消息	江西广播电视二等奖
1997	引进外资莫忘留住内资	董全声 曾胜春 王丽平	广播评论	江西广播电视三等奖
1998	父亲背出来的歌手	曾胜春 黄明广 王丽平	广播新闻	江西广播电视二等奖
2000	硕士陈国亮回乡开发有机食品获得成功		广播新闻	江西广播电视三等奖
2006	千年的守护	詹平相 黄明广 王丽平	广播新闻	江西新闻三等奖 江西广播电视三等奖

说明：资料不全，或者遗漏

三、报刊新闻

1989—2016年乐安县在重点党报党刊上稿情况表

表 25-2-12

时间	作品	作者	报刊	获奖等级
1989	养猪专业户万龙发的遭遇发人深思	树　青 雪　志 一　中	江西日报	全省好新闻一等奖
1989	正当运销的农民不是“倒爷”	刘一中	江西日报	全省好新闻二等奖
1989	养猪专业户万发龙给记者发奖	刘一中	江西日报	全省好新闻三等奖
1993.6.20	乐安生态农业工程惠及千家万户	袁友发	江西日报头版头条	—
1994.2.26	农村文盲致富难	董金声	光明日报	—
1998.11.3	“以猪换水”告诉我们什么	董金声	人民日报	—
1995.5.30	保粮　增值　富民 乐安推广粮经高产种植模式	傅行忠 袁友发	江西日报头版头条	—
1996.2.22	一心惠农，真心促农，专心抓农 乐安实施（兴农富县富民）工程	袁友发 宋海峰	江西日报头版头条	—
199611.19	江西千年古村流坑 中国古代文明缩影	王绍雄	光明日报头版头条	—
1998.11.11	咬定目标不放松千方百计抓收 乐安大灾之年农民安乐	张　志 卓　凡 友　发	江西日报头版头条	—
1999.12.13	挥起神来笔，描绘锦绣图 乐安科技兴林林茂年丰	熊文清 张袁董	江西日报头版头条	—
2004.9.6	拆灶建池，限伐造林 乐安靠山养山发展生态经济	陈青峰 詹平相	江西日报头版头条	—
2006.8.29	龙头企业带动，致富能人示范 乐安特色产业扶贫兴县	平　相 春　林 国　珍	江西日报头版头条	—
2007.3.25	完善机制，帮困解难 乐安社会救助多层次广覆盖	陈青峰 邹春林	江西日报头版头条	—
2014.4.26	以工促农，以城带乡 乐安城乡一体拓宽农民增收渠道	陈青峰 邹春林	江西日报头版头条	—

续表 25-2-12

时间	作品	作者	报刊	获奖等级
2008.4.6	村更美，山更绿，人更富 乐安移民扶贫带来三大变化	春　林 国　珍 晓　平	江西日报头版头条	—
2009.3.30	擦亮生态品牌，发展朝阳产业 乐安百个项目打造生态旅游强县	陈青峰 梅　勇 游　曾	江西日报头版头条	—
2011.2.7	构建养老医疗住房保障体系 乐安着力提升百姓幸福指数	青　峰 伍　珊 文　才	江西日报头版头条	—
2012.1.21	新春走基层：春运火车通到村口	吴齐强	人民日报	—
2015.4.28	农机“创客”的致富梦		人民日报	—
2012.4.4	以工业化理念发展现代化农业 乐安产业项目扎根田野	陈青峰 罗禄高	江西日报头版头条	—
2012.10.26	乐安县创新思想理论普及	游国珍 曾文才	人民日报	—
2014.1.5	民事代办员·吴小宁一人解了百家忧	曾文才 游国珍	人民日报	—
2013.4.21	保护生态巧做（加减法） 乐安擦亮生态名片引领绿色发展	邹春林 周　琼 罗　浩	江西日报头版头条	—
2015.3.12	资源产业化，生态资本化 乐安把生态优势转变为发展优势	赵　巧 曾文才 吴　衍	江西日报头版头条	—
2015.8.9	全民健身，期盼冬奥	曾文才	人民日报	—
2016.5.16	落实第一责任，做好第一民 生乐安构建大扶贫格局	赵　巧 吴　衍	江西日报头版头条	—

说明：资料不全，或者遗漏

第二十六卷　人物　荣誉

本卷目录

第一章　人物传记

本章收录已故人员中曾获省级以上劳动模范、先进工作者、优秀共产党员等称号的部分人员；在各行各业中有突出贡献、并获省级以上科研成果表彰的优秀人才；在乐安有较大影响的外籍人士；对乐安社会建设有较大成就的客籍人士；本籍民国时期有较大影响的人物，以存史。以殁年先后排列。

第一节　军政人物

张禅林（1902—1967）

张禅林，男，1902年出生，大金竹村人。年少时受哥哥张田民进步思想的熏陶，离家到南昌等地读书，与方志敏同为南昌心远中学校友。后到上海文生氏英文学校学习世界语，师从俄国盲诗人爱罗先珂，是其得意门生，号称“三大弟子”之一。爱罗先珂与鲁迅交往甚密。五四运动后，鲁迅介绍爱罗先珂到北京大学讲授世界语，张禅林随同前往北京，担任北京大学助教和爱罗先珂的随身翻译。

1922年，张禅林返回南昌与兄张田民一起打理“一平印刷所”。方志敏借住在“一平印刷所”内，与张禅林同住一室，成为无话不谈的好朋友。张田民、张禅林曾出资资助方志敏创办“南昌文化书社”。

1924年，张禅林考入广东黄埔军校第一期。在校期间，因信奉无政府主义，蒋介石曾亲自找张谈话，劝其改变，张仍坚持，被黄埔军校开除。1926年冬，张禅林被国民党江西省党部以政治监察员身份派回乐安，改组县党部，建立国共合作的县党部，张禅林代理县知事。1927年初，创办“乐安县农民运动讲习所”，张禅林兼任所长。身为国共合作的江西省党部农民部长的方志敏前来乐安视察。1927年八一南昌起义后，张田民、张禅林安置李硕勋夫人赵君陶（国务院前总理李鹏母亲）和阳翰笙夫人唐棣华在自己的南昌寓所避难。同年秋，张禅林因蒋介石“四一二”反革命改变而受排挤，回到老家大金竹村，时值中共永丰县党组织派员前来大金竹开展革命活动，张禅林安排其以小学教员身份在大金竹小学开办农民“夜校班”，培养发展中共党员。

1944年12月，张禅林受聘担任乐安县立初级中学校长。上任后，他聘请各地教育人才，革除旧弊，励精图治，1945年应届毕业生全部考取省立高中、医专、工专或农专。是年冬，县长林鸿麟以有人举报张禅林为由，将其撤职、关押拘留。张禅林绝食抗争一周后，被释放。张禅林举报林鸿麟贪污，林被撤职判刑时跳楼身亡。

1948年，张禅林迫于生活压力，前往武汉找到当年黄埔军校同窗好友黄维。念及同学情谊，黄维安排张禅林担任其下属军校印刷所所长。淮海战役前夕，张禅林随同印刷所先行撤往台湾。张禅林在台湾一直从事台军印刷工作，官至台军印刷局局长。1967年11月5日在台北逝世。

曾传芳（1915—1982）

曾传芳，男，1915年生于江西省永丰县石马镇阳固山村，幼年时为乐安县湖坪乡善和村曾姓人家收养。1929年，春参加赤卫军，同年加入中国共产主义青年团。1930年8月，参加中国工农红军，任团政治部警卫员。1931 年加入中国共产党，先后担任红 31 师第 93 团政治处干事、连指导员、师政治部科长、红军大学步兵学校教员等职。1934 年 10 月，参加长征。到达陕北后，先后任军委第 5 局供给员、2 局司务长、陕北留守兵团某部政治部主任、红军大学 3 科政治委员、教导师团总支书记等职。后调任中共陇东特委青委会主任。1938 年，参加中央党校学习，同年 11 月，前往苏联养病。1940 年回国，在新疆迪化工作。1942 年，被军阀盛世才关押监狱 4 年。1946 年出狱后，回到延安，被分配到山东工作，先后任渤海军区第 1 军分区津南支队政治委员、华东野战军渤海纵队第 11 师 18 团政治委员、桐柏军区后勤部供给部政委、第三野战军 33 军 98 师政治部主任、副政治委员等职。解放战争时期参加潍县、济南、淮海、渡江、上海等战役。中华人民共和国成立后，先后任华东军区公安部队师政治委员，军政治部副主任、主任，上海警备区政治部副主任、主任、副政治委员等职，先后被授予中华人民共和国二级八一勋章、二级独立自由勋章、二级解放勋章各一枚。1964 年 4 月授予少将军衔。1982 年，经中共中央批准曾传芳享受正军级待遇。1982 年 9 月 7 日，在北京病逝。

2015 年 2 月，抗日战争胜利 70 周年，其善和家庭被江西省军区授予“共和国将军之家”。

胡嘉宾（1908—1985）

胡嘉宾，男，又名承亨，1908 年出生，兴国县东村乡大塘坑村人。1928 年 7 月，加入中国共产党，曾组织和领导过农民暴动，先后担任兴国县第 9 区苏维埃政府主席、少共杰村区委书记。1930 年 1 月，任兴国县苏维埃政府主席；夏，任少共兴国县委书记，中共兴国、万安县委书记，万泰县委组织部长，胜利县委书记。1932 年 11 月，任乐安中心县委书记兼第 2 分区、独立第 5 师政委。中心县委的主要任务是贯彻苏区中央局“向北发展”的方针，开辟新苏区，为第四次反“围剿”胜利创造有利条件。胡嘉宾首先开展打击邱汉七“独立勇敢队”的斗争，拔除夹杂在苏区的白色据点；接着组织白区工作团，开辟谷岗等新苏区，攻克崇仁县城，为中央红军在登仙桥一带取得第四次反“围剿”决战胜利，创造十分有利的条件。在第四次反“围剿”战争期间，胡嘉宾全力以赴做好参战前工作，受到上级嘉奖。第四次反“围剿”的登仙桥大捷后，中心县委由招携迁入南村。在 1933 年的“反江西罗明路线”斗争中，邓小平被撤职，下放乐安南村任区巡视员。5 月中旬，邓小平从宁都来到南村，第一个接待邓小平的正是时任中心县委书记的胡嘉宾。9 月，胡嘉宾被批判为“右倾机会主义分子”而被撤职，调离乐安。1934 年 2 月，胡嘉宾任中共瑞金县委书记。1934 年 10 月，参加长征，任总政地方工作部代部长、红 1 军团地方工作部长等职，1945 年 4 月，被选为中国共产党第七次全国代表大会候补代表。

中华人民共和国成立后，任国家民族事务委员会党组成员、副主任等职。1983 年当选为全国人大代表。20 世纪 80 年代初至逝世前，接待乐安、宜黄、崇仁、抚州地区征集中心县委史料的来访人员，回忆斗争岁月，撰写回忆文章，核实有关史料。1985 年 2 月 12 日在北京病逝。

万恩甫（1914—1991）

万恩甫，男，原名恩福，万崇镇丰林村人，1914 年 8 月出生于一个贫苦农民家庭。8 岁起，就在地主家里放牛、做小长工。1929 年 9 月，江西工农红军独立第 2 团，游击到万崇湖坪一带，发动贫苦农民打土豪，除劣绅，开展抗租抗债抗粮斗争。万恩甫在红军影响下，到善和（南二区）参加游击队，投入到打土豪救穷人的斗争。1930 年 6 月，中共乐安县委在招携正式成立。县委通知万恩甫参加训练班学习至 8 月，学习期满，成为中国工农红军第 20 军独立第 3 团（又称 4 县独立团）战士。1933 年 8 月，由共青团员转为中共党员。

第二次国内革命战争时期，先后担任红 20

军独立团司号员，红三军团司令部警卫营号目，红三军团司令部司号长兼收发，红三军团第13团司号长，红1军团第4师教导队排长，第4师10团2连指导员，第4师教导队排长，第4师教导队指导员等职。参加了中央苏区第一次至第五次反“围剿”战斗。1934年10月参加长征，在长征途中，作战勇猛，先后2次身负重伤，右眼失明。

抗日战争时期，万恩甫先后担任115师686团1营指导员，2营分总支部书记，3旅补充团3营教导员，教2旅4团1营营长、教导员，教2旅5团政治处副主任，山东鲁南区后勤处政委，山东警8旅14团政治委员等职。参加平型关、广阳、井沟、武安卞桥、福集、山东讨刘、津浦路破袭战等战役战斗。1939年，在山西临县大革塔战斗中，他带领一个营打垮敌人三个团。1940年2月，在山东郯城胡集战斗中，指挥部队消灭了两倍于我的敌人，又一次身负重伤。

解放战争时期，历任山东第三纵队第7师20团团长，华东第三纵队新兵2团团长，第三纵队第9师副政委，22军后勤部政委，浙江军区警备1旅副政委等职。参加鲁南、泰安、苏北“七战七捷”、开封、济南、淮海、渡江等战役战斗。

中华人民共和国成立后，历任浙江军区供给部政委，浙江军区后勤部政委，第五军医大学政委，南京军区后勤部政治部副主任，南京军区后勤部皖南工区政委、基地副政委等职，为加强部队的后勤建设工作。1955年9月被授予大校军衔，荣获三级八一勋章，二级独立自由勋章，二级解放勋章。1988年授予二级红星功勋荣誉章。

1991年10月19日，在南京病逝。部分骨灰安葬在故土丰林村。

第二节　科技文化人物

张秀豪（1914—1994）

张秀豪，男，1914年9月9日出生，大金竹村人，张田民之子。少时在南昌实验小学读书，1933年6月南昌心远中学高中毕业。1933—1935年，在河南开封《河南明报》社任编辑部编辑。1935年4月，日本留学，先后在东京日本东亚学校日文初级班、中级班、东京高等工科学校机械科读书。1936年，在亚细亚航空机械学校内燃机专业学习，9月，转入横滨工学院造船轮机系读书。1937年8月回到上海。1938年6月至1939年9月在江西省第8行政专区宁都防空指挥部工作，并兼任《宁都新闻时报》副刊主编和国际新闻编辑。1939年9月至1940年2月，在泰和江西保安司令部政治训练处任宣传科编辑。1940年2月至1943年上半年，在江西机械厂（泰和县）当工务员，后升任助理工程师。1943年春，到赣州筹建赣县机械厂，任工程师和工务主任，主持基建和生产工作。1945年5月因病辞职，回老家受聘任乐安县立初级中学数学教师，是年7月在江西省立工业专科学校机械科工作。1947年6—12月，在上海接舰处工作，参加接收日本投降后的接舰工作，在上海港、青岛港接舰2批共30多艘。1948年1月，在上海江南造船所任海军中校工程师兼轮机车间主任。1949年参加共产党组织的护厂活动，多次拒绝迁往台湾，并经中共地下党员方平斌介绍参加上海工人协会和护厂工作队工作。

中华人民共和国成立初期，因突击完成华东海军舰艇和扫雷舰、登陆舰等任务，对支援吴淞口沿海扫雷、解放江浙沿海岛屿等战斗任务，1950年被评为上海市劳动模范。1951年10月参加华东军区海军第二届英模代表大会，获英模勋章。1955年任江南造船厂生产处工程师；11月调任国家船舶工业局在上海的第二产品设计室，任处长、主任工程师，主持日本赔偿军舰和其他船舶的修理安装工作。其间，为更好地与苏联专家合作共事，自学俄语，为上海市中苏友好协会的会员。

1957年4月，奉调广州433厂任总工程师。1958年，任广州造船厂（由433厂与广州船舶修造厂合并）副总工程师，负责军工生产。1963年，任华南造船指挥部总工程师。“文化大革命”期间，被打成“反动技术权威”，遭受批斗和下放农场劳动。1972年8月，调任广州市航运局总工程师。1978年3月，参加第一次全国科学技术大会。1979年，调任广州市文冲船舶修造厂任副厂长、总工程师。1988年4月，回到大金竹村探亲并参观县博物馆。1988年12月退休。

张秀豪建国初在江南造船厂工作时，作为科技界代表任上海市第一届政协委员；调入广州工作后，任广州市政协第二届至第六届委员。广东造船工程学会创建人之一，长期担任广东造船工程学会理事长、中国造船工程学会常务理事；中华人民共和国高级工程师审查委员会常委。

1994年11月24在广州市协和医院病逝。

黄春德（1925—2005）

黄春德，男，1925年12月出生，丰城市淘沙乡罗家村人，高级农艺师。1953年就读于樟树农业学校，1956年毕业后，分配到江西省农业厅工作，是年调至抚州专署植保站，1958年，调至乐安县农业局，先后在测报站、农技站工作。

黄春德致力于农作物病虫害防治与测报工作，特别是在褐稻飞虱、白脊飞虱研究方面取得突出成果。20世纪70年代，在乐安县病虫测报站工作期间，完成《白脊飞虱迁飞规律及测报研究》《褐稻飞虱初次虫源性质研究》《褐稻飞虱迁飞规律及测报研究》。研究发现，白脊飞虱、褐稻飞虱冬季在有水稻过冬的泰国、老挝等东南亚地区越冬。次年，随着雨季向北推移迁入中国各地；褐稻飞虱初次虫源由东南亚的泰国、老挝等国家在夏季迁入中国各地。该项研究成果为测报和防治褐稻飞虱、白脊飞虱提供科学依据，取得突出成效，为此当选为江西省植保学会理事。1980年获江西省劳动模范称号。1981年，《白脊飞虱迁飞规律及异地测报研究》获农业部科技成果二等奖，1982年，《褐稻飞虱初次虫源性质研究》获江西省人民政府科技成果三等奖，1985年，《褐稻飞虱迁飞规律及测报中的应用》获国家科技进步四等奖。1984年、1987年分别当选为第五、第六届县政协副主席。

2005年5月在乐安病逝。

梅绍裘（1930—2009）

梅绍裘，男，1930年4月12日出生，南城县人。1936—1947年，先后在家乡小学、中学就读，1948年6月毕业于省立南城师范学校。1949年9月考入抚州分区地方干部学校，1950年2月在金溪县第二区公所工作，1951年6月任团区委副书记，1952年8月任团金溪县工委宣传部副部长，1952年10月任抚州农民报社编辑，1955年5月任乐安县委农工部干事，1956年8月任乐安县油脂公司负责人，在1957年的反右派斗争中错划为右派，1958年7月开除工作，下放乐安县大马头垦殖场劳动。

中共十一届三中全会后，予以平反，恢复工作。1979年3月，任乐安县博物馆馆长，开展文物普查、抢救、保护、发掘工作。1983年，发掘原县物资局建设工地出土的元代枢府瓷和龙泉瓷，被选送到北京及罗马尼亚首都等地参展，被誉为稀世瑰宝，成为县博物馆镇馆之宝。研究、发掘、考证巴山郡——古城遗址等一批有价值的历史资料，先后在全国、省级报刊发表有关文博论文数十篇，其中《江西乐安发现元代瓷器窖藏》《江西乐安县发现古墓》《乐安状元楼始建年代考》《乐安收集两枚永镇万年古币》分别刊载于《南方文物》和《考古》等刊物上，有较高的考古学术价值。研究乐安史料，先后在全国、省级报刊发表《红一方面军攻克乐安五十周年》《第四次反“围剿”纪事》《红二十一军指挥部旧址及“留志”》《有关第四次反“围剿”历史的探讨》《第五次“围剿”若干史实考辨》《第四次“围剿”与反“围剿”大事记》等论文50多万字。离休后，带病将自己十余年在县博物馆工作的文稿、资料、采访、笔记等资料整理成卷宗，留存在县博物馆。

1981年当选为抚州地区历史学会理事，

1983年当选为中国博物馆学会会员，1985年当选为江西省博物学会理事。同时还担任江西省历史学会、党史学会会员，县政协委员，县文联民间文学会会长、县社联理事兼副秘书长、历史学会会长。1983年被评为抚州地区文物普查先进工作者；县博物馆被授予全省文博系统先进单位。1985年被评为全省、全国文博系统先进工作者，赴京出席表彰大会，荣获文化部颁发的先进个人金质奖章。1986年出席省政协表彰会；1987年被评为抚州地区优秀论文作者、优秀社会科学工作者。

1989年9月离休。1990年批准享受县级政治生活待遇。2009年4月6日在乐安病逝。

林长生（1924—2012）

林长生，男，汉族，1924年12月出生于江苏省南京市六合县。1937年，他在南京市淮海中路的“许记食品厂”做学徒，12月上旬，日本侵略者进攻南京时，翻越围墙脱险。他亲历了南京大屠杀这场浩劫，目睹了日本侵略者对南京人民的杀戮、抢掠、强暴的罪行。

1948年8月参加中国人民解放军483团9连，1949年在担任尖刀班班长期间参与解放乐安县的战斗，先后参与金竹、坪溪、招携一带剿匪。1950年4月加入中国共产党。1951年6月，转业至抚州分区专员公署粮食局工作，1951年9月至1955年7月，在江西省工农干校和速成中学学习。1955年8月，调乐安粮食局工作任股长、副局长，1959年4月至1981年2月，先后任乐安县医药公司经理、乐安县采茶剧团团长、招携公社“五七大军”连长。1981年3月，调乐安县文化馆任馆长。1984年9月任调研员。1987年，被江西省人民政府授予优秀知识分子称号。1989年8月离休。曾荣立一大功、两小功。

1986年，创作了以南京大屠杀为主要背景和内容的长篇小说《千古浩劫》。该书由江西人民出版社出版后，很快引起中外读者的强烈反响，《解放军报》《中国青年报》《江西日报》以及中央电视台等16家新闻媒体对该书相继作了介绍和评论，香港《华侨报》《文汇报》《明报》也同时作了消息报道。《千古浩劫》的出版还引起了日本方面的特别关注，日本大使馆和日本学者纷纷投信出版社要求购书，日本东京青年出版社总经理福井肇来函申请翻译《千古浩劫》一书。1987年1月，《千古浩劫》再版，先后获江西省谷雨文学“古汉酒杯”中长篇小说奖，华东六省一市文艺图书一等奖和全国优秀图书奖。被吸收为江西省作家协会会员。

继《千古浩劫》之后，连续创作了长篇小说《为愿春华美》《南京大屠杀之铁证——向全世界人民鸣冤的诉讼状》等3部长篇小说和30多篇短篇小说，计160余万字。尤其是《南京大屠杀之铁证——向全世界人民鸣冤的诉讼状》由中央文献编译局出版，具有极高的史料价值。

2012年2月12日在乐安病逝。

廖世义（1936—2012）

廖世义，男，汉族，1936年5月出生，临川孝桥人，高中文化。1958年9月参加工作，在南昌县莲塘小学教书；1962年9月，调南昌县斗门小学教书；1963年2月，调乐安县鳌溪小学教语文、数学课。1974年，任乐安县城关一小副校长。1978年7月加入中国共产党。1979年，调任刚建校不久、基础较差的城关二小主持工作，二小教学质量在全县名列前茅。1981年，调任城关一小（1986年更名县实验小学）校长兼党支部书记，坚守岗位，寒暑假和周末也常扎在学校。1989年，任县教研室副主任，撰写的《加强领导切实抓好思想品德教学》论文发表在省级教学刊物上。1990年，任县实验小学任校长，主动多任毕业班的语文、数学、思想品德等课。撰写的《提高教学质量必须在领会、巩固、应用上下功夫》论文，入选江西省小学特级教师优秀教学论文《教坛集萃》。指导的科技兴趣小组制作的风的形成演示器、圆周率演示器，获地区二等奖。

1983年4月获全省少儿先进工作者、全国模范教师称号；1985年5月获全省模范教师称号、教育部和中华全国总工会优秀教师金质奖章；1987年7月获全省优秀共产党员称号；1990年9月，他当选江西省第九次党代会代表和大会主席团成员；1991年被评为全省特级教师。多次当选为县党代会和人代会代表。1996年6月退休。2012年9月在乐安病逝。

第三节　道德模范人物

曾书明（1963—1986）

曾书明，男，招携镇坪上村人，1963年12月6日出生。1984年8月，村委会决定成立护林队，曾书明作为一名民兵，报名参加护林工作，在护林队近2年时间里，白天轮流执勤，晚上设关守卡，守护山林。1986年3月31日，为保护集体林木、追截被盗木材，在与罪犯搏斗中英勇牺牲，年仅23岁。

1986年7月25日，中共乐安县委、乐安县人民政府追授曾书明为优秀民兵、护林模范荣誉称号，并号召全县人民向他学习。1990年5月7日，江西省人民政府追授其为革命烈士。

符爱起（1962—2007）

符爱起，男，1962年7月22日出生，金竹畲族乡竹员村人。1979年考入崇仁师范学校，1981年在金竹中学工作，1982年考入江西电大物理系学习，1997年选调到乐安县第二中学任教，2004年被评为全县优秀教师，2005年获东北师范大学本科文凭。中学高级物理教师，历任初中物理教研组组长，高中物理备课组组长、实验室副主任。

符爱起在平凡的岗位上做出不平凡的业绩。2007年1月9日下午，在教室上课时，突发心脏病，昏倒在讲台上，经抢救无效不幸去世，时年45岁。符爱起殉职讲台的事迹在社会各界引起强烈反响，中宣部将其列为全国重大先进典型，并组织中央各大媒体进行集中宣传报道。2007年1月21日，中共乐安县委作出《关于在全县开展向符爱起同志学习的决定》，号召全县党员、干部、中小学教师广泛开展向符爱起同志学习活动；24日，抚州市政府追授符爱起为全市优秀教师；27日，中共江西省委教育工作委员会印发《在全省教育系统开展向符爱起同志学习活动》的通知；9月10日，江西省教育系统表彰大会上，追认符爱起为全省模范教师。

第二章　人物表

本章辑录县籍在外副县级（处、团）以上人员、县籍在外博士和副高以上专业技术人员、县内副高以上专业技术人员、县内享受副县以上政治生活待遇人员、输出少年大学生，共辑录1602人。

第一节　县籍在外副县（处、团）级以上人员

本节辑录人员按姓氏音序排列，共232人。

表26-2-1

姓名	性别	籍贯（出生地）	工作单位	（曾任）职务
艾　玮	女	鳌溪镇	江西经济管理干部学院招生就业处	处长
蔡招生	男	湖溪乡	高安矿务局基建处	处长
陈　斌	男	罗陂乡	湖北省戒毒管理局政治部	副处级
陈　峰	男	谷岗乡	抚州市交通局	副局长
陈　锋	男	招携镇	抚州市司法局	副局长
陈　辉	男	谷岗乡	江西省人寿财保公司	处长
陈　建	男	—	华南农业大学团委	副书记
陈　林	男	谷岗乡	中国邮政储蓄银行萍乡分行	行长
陈　林	男	湖溪乡	宁波市房产交易中心	主任
陈　明	男	龚坊镇	江西省交通运输厅规划处	副处长
陈　霞	女	谷岗乡	抚州市廖坊水利枢纽管理局	副局长
陈　新	男	谷岗乡	东乡县人大常委会	主任
陈　瑛	女	谷岗乡	抚州市政府办公室	副秘书长、浙闽办事处主任
陈芳财	男	公溪镇	福建省厦门市城市管理局	副局长
陈贵发	男	鳌溪镇	湖北广水95816部队	副团
陈贵发	男	罗陂乡	空军某团	政委
陈贵生	男	谷岗乡	抚州市化学建材工业局	局长
陈辉龙	男	谷岗乡	抚州造纸厂	厂长
陈龙祥	男	湖坪乡	江西省农村社会事业发展局	局长
陈洛平	男	谷岗乡	江西省公安厅法制总队	副调研员
陈萍珍	女	增田镇	中青旅股份有限公司	处长
陈秋根	男	罗陂乡	广东省中山市水利局	副局长
陈绍明	男	牛田镇	抚州市公安局	调研员
陈世忠	男	罗陂乡	中国工商银行江西分行人事处	副处长
陈桃芳	男	罗陂乡	江西法制报社	社长
陈桃芳	男	牛田镇	抚州市粮食局	局长

续表 26-2-1

姓名	性别	籍贯（出生地）	工作单位	（曾任）职务
陈图真	男	鳌溪镇	抚州市公路局	调研员
陈文辉	男	公溪镇	财政部信息中心	副处长
陈小武	男	罗陂乡	苏州市人力资源和社会保障局	副局长
陈晓峰	男	鳌溪镇	团中央青年志愿者服务部	处长
陈新根	男	鳌溪镇	江西省新余市消防支队	参谋长
陈新明	男	公溪镇	抚州市监察局	副县级
陈燕琼	女	鳌溪镇	江西知识产权局机关党委	副书记
陈志平	男	罗陂乡	福建省福州市司法局	副局长
陈志平	男	招携镇	抚州市党史办	副调研员
程　荣	男	—	景德镇昌河飞机工业集团公司采购中心	主任
戴金生	男	鳌溪镇	抚州财产保险有限公司	副总经理
戴乐生	男	戴坊镇	厦门市商务局	副局长
戴培根	男	戴坊镇	江西省人力资源和社会保障厅	副处长
邓国礼	男	金竹畲族乡	广西柳州 96215 部队	正团
邓维荣	男	鳌溪镇	清华大学美术学院保卫处	处长
邓小荣	男	鳌溪镇	安徽芜湖市民政局社会救助管理中心	副团级
邓宇辉	男	万崇镇	天津警备区第四干休所	政委
邓振军	男	鳌溪镇	北京石景山区法制处	副处长
邓志昌	男	金竹畲族乡	赣南科学院	副调研员
邓志康	男	—	温州市财政局	副局长
丁海兵	男	牛田镇	浙江大学金华技术转移中心	主任
董　蕾	女	招携镇	抚州市农业局	副局长
董东明	男	牛田镇	临川区委、区政府	副书记、区长
董俊华	男	招携镇	中央宣传部	处长
董乐华	男	牛田镇	江西省国家税务局	副调研员
董卫平	男	牛田镇	国家统计局抚州调查队	副队长
董运华	男	牛田镇	崇仁县委	副书记
杜建国	男	山砀镇	中国民航信息股份有限公司	处长
冯　乐	男	鳌溪镇	资溪县委组织部	部长

续表 26-2-1

姓名	性别	籍贯（出生地）	工作单位	（曾任）职务
付友华	男	龚坊镇	江西省交通运输管理局	副局长
甘金莲	女	湖坪乡	崇仁县人民法院	院长
葛晓玲	女	万崇镇	南京市白下区政协	副县
龚　健	男	龚坊镇	江西省国土资源厅地勘处	处长
龚　强	男	龚坊镇	江西省勘察设计院	副院长
龚贵生	男	龚坊镇	浙江省湖州市交通局	副局长
龚建平	男	龚坊镇	南方电网公司广东分公司安监部	副主任
龚敏春	男	龚坊镇	南昌市政府地名处	副处长
龚先高	男	龚坊镇	浙江省萧山区人武部	区委常委、部长
龚小华	男	龚坊镇	福建省厦门市集美区工商局	副局长
龚勇辉	男	龚坊镇	甘肃酒泉卫星发射中心指挥中心办公室	主任、上校
桂学荣	男	鳌溪镇	福建省三明市火箭部队	副团级
郭　震	男	鳌溪镇	江西省工业和信息化委员会机电设备工业处	副处长
郭林香	女	山砀镇	江西省残疾人联合会后勤中心	主任
郭增华	男	山砀镇	抚州市中级人民法院	纪检书记
郝　琳	女	山砀镇	江西省人力资源和社会保障厅劳动监察总队	副总队长
何安琼	女	鳌溪镇	广东省河源市政协	秘书长
胡德勇	男	龚坊镇	抚州市文化局	副局长
胡华林	男	南村乡	广东省河源市林业局	副局长
黄　诚	男	牛田镇	江西机电职业技术学院学工处	处长
黄　浦	男	牛田镇	苏州工业区海关	关长
黄　宪	男	鳌溪镇	深圳市龙岗区财政局	副调研员
黄德才	男	鳌溪镇	福建省龙岩市工商局	副调研员
黄凤珍	女	公溪镇	抚州市财政局	调研员
黄光荣	男	公溪镇	新余市有线电视台	正县级
黄国龙	男	山砀镇	空军西安飞行学院三旅机务大队	大队长
黄国明	男	戴坊镇	赣州市开发银行	副行长

续表 26-2-1

姓名	性别	籍贯（出生地）	工作单位	（曾任）职务
黄国庆	男	公溪镇	厦门市海沧区嵩屿街道办事处	调研员
黄海浪	男	增田镇	中国航空规划建设发展有限公司战略部	部长
黄乐程	男	公溪镇	抚州日报社	副总编辑
黄丽勇	男	牛田镇	宜春武警消防支队	参谋长
黄美华	男	增田镇	崇仁县政协	副主席
黄平香	男	戴坊镇	江西省政府办公厅	调研员
黄荣辉	男	公溪镇	抚州市林业局	党委书记
黄文和	男	戴坊镇	南京空军司令部保卫处	副处长
黄文英	女	公溪镇	宜黄县政协	副主席
黄伍金	女	鳌溪镇	福建省龙岩市人大常委会	副主任
黄武平	男	鳌溪镇	抚州市人民政府	副秘书长
黄武贤	男	山砀镇	抚州市林业局	副局长
黄小明	男	南村乡	抚州日报社	社长、党委书记
黄昕明	男	公溪镇	江西省人大抚州地区工作委员会	主任
姜桂香	男	鳌溪镇	河北省沧州 95927 部队政治部	主任
康　健	男	山砀镇	人力资源和社会保障部办公厅	处长
匡　鑫	男	鳌溪镇	厦门市思明区园林公园管理中心	书记
雷立仁	男	—	中国农业银行江西分行巡视组	副组长
李　东	男	鳌溪镇	中央军委机关参谋	副团职
李　琳	女	鳌溪镇	北京知识产权出版社	主任
李　鸣	男	鳌溪镇	空军指挥学院	大校
李　旭	男	公溪镇	抚州市纪委第一监察室	主任
李好生	男	戴坊镇	宜黄县人民法院	院长
李乐平	男	增田镇	南昌铁路局工程处	处长
李敏成	男	大马头乡	河北省沧州机场政治部	主任
李盛光	男	山砀镇	临川县（市）人大常委会	副主任
李晓波	男	鳌溪镇	自然资源部信息中心	副主任
廖龙生	男	牛田镇	天津铁路十六局二段	指挥长

续表 26-2-1

姓名	性别	籍贯（出生地）	工作单位	（曾任）职务
廖志坚	男	湖溪乡	江西省高级人民法院	正处级审判员
林　华	男	牛田镇	江西省粮食局人事教育处	处长
凌晓光	男	牛田镇	抚州地区医药公司	调研员
刘　浩	男	公溪镇	厦门市体育局赛事处	处长
刘冬贵	男	谷岗乡	中国书画艺术研究院（深圳）	副院长
刘发祥	男	戴坊镇	抚州市纪委党风政风监督室	副主任
刘林平	男	招携镇	抚州市公路局	副调研员
刘龙飞	男	湖坪乡	抚州市政府金融办公室	主任
刘伟斌	男	全竹畲族乡	解放军海军 91730 部队	舰长
刘小玲	女	鳌溪镇	江西省文化厅产业处	处长
罗凤灵	男	万崇镇	江西省国家税务局机关服务中心	副主任
罗农平	男	万崇镇	北京华融证券股份有限公司	副总裁
缪　敏	女	湖溪乡	中航科技工业集团海鹰集团人力资源部	部长
聂临川	男	鳌溪镇	济南军区医院	正师
潘　泳	男	南村乡	广东省委政策研究室	副处长
潘鹏飞	男	南村乡	广东省河源市连平县委	常委、政法委书记
彭　峰	男	罗陂乡	东部战区舟桥旅政治部	副主任
彭群来	男	罗陂乡	山东省济南市土管局	副处长
彭哨农	男	罗陂乡	天津市规划局执法监察总队	总队长
彭元德	男	鳌溪镇	福建省泉州市公安局纪委	书记
邱德贤	男	湖坪乡	江西省省直机关工委	副书记、纪检书记
邱俊峰	男	万崇镇	抚州市水利局	局长
邱小辉	男	戴坊镇	抚州市纪委第二纪工委	副书记
邱秀兰	女	招携镇	抚州市卫生和计划生育委员会	副主任
饶冬梅	女	万崇镇	江西省妇女联合会	副主席
饶淑琴	女	鳌溪镇	江西省发展和改革委员会商品价格处	副调研员
帅蓉晖	女	鳌溪镇	临川区委、区政府	常委、副区长
唐国香	男	湖溪乡	抚州公路设计院	书记

续表 26-2-1

姓名	性别	籍贯（出生地）	工作单位	（曾任）职务
涂龙平	男	湖坪乡	贵州省政协	副处长
万冬华	男	招携镇	福州部队	副团级
王　晖	男	鳌溪镇	中国银行抚州支行	副行长
王　文	男	湖坪乡	福建省委组织部领导人才考试中心	主任
王　勇	男	湖坪乡	福建省厦门市人社局军转处	处长
王乐栋	男	湖溪乡	江西省青年联合会	副主席
王龙发	男	湖坪乡	新疆解放军第十二医院	正团职
王年香	男	湖坪乡	江西省煤矿安全监察局机关服务中心	主任
王文清	男	招携镇	江西科技学院蓝天驾校	副校长
王小荣	男	湖坪乡	中国邮政储蓄银行江西分行	副行长
王云生	男	湖坪乡	福建省委办公厅	副处长
王志刚	男	招携镇	农业部畜牧兽医局人事处	副处长
吴　强	男	鳌溪镇	抚州市农业局	调研员
吴大德	男	鳌溪镇	江西省武警总队	参谋长
吴福才	男	招携镇	江西省总工会	副主席
吴礼乐	男	鳌溪镇	中国石油大学（北京）	副处长
武建强	男	—	厦门市机关事务管理局管理处	处长
夏　俊	男	鳌溪镇	抚州市委宣传部	副部长
肖四生	男	戴坊镇	湖北省安全生产监督管理局政策法规处	副处长
谢　军	男	增田镇	南昌工程学院研究生处	党总支书记
谢国辉	男	牛田镇	抚州市委党校	校务委员
谢金生	男	鳌溪镇	抚州市人寿保险公司	纪委书记
谢小连	女	牛田镇	南昌大学医学部研究生办公室	主任
熊秀启	男	山砀镇	抚州地区交通局	副局长
徐庆生	男	鳌溪镇	厦门海洋职业技术学院	党委副书记、纪委书记
徐文春	男	招携镇	广东省人力资源和社会保障厅鉴定中心办公室	主任
徐小明	男	湖溪乡	南昌电信局	处长

续表 26-2-1

姓名	性别	籍贯（出生地）	工作单位	（曾任）职务
徐友洪	男	戴坊镇	江西省台联	副会长
颜玉华	男	湖坪乡	福建省委宣传部	副处长
杨　军	男	万崇镇	中国工商银行江西分行	处长
杨　铮	男	戴坊镇	江西省商务厅空港口岸管理处	处长
杨明华	男	鳌溪镇	中国铁道科学研究院	副总监
杨明华	男	湖溪乡	南城县人民法院	院长
杨小平	男	龚坊镇	抚州市规划局	副调研员
杨耀平	男	金竹畲族乡	江西省财政厅农业处	副处长
杨忠东	男	湖溪乡	宜黄县人民检察院	检察长
易佳兴	男	山砀镇	福建省警备区	副团
易林生	男	山砀镇	解放军西安政治学院政治部	主任、大校
易美成	男	山砀镇	解放军 32380 部队	正团
易忠翔	男	山砀镇	江西省计委培训中心	主任
游仕庆	男	鳌溪镇	南昌大学纪律检查委员会	副书记
游迅飞	男	鳌溪镇	江西省武警第二支队	参谋长
游永平	男	鳌溪镇	新余冶金职业技术学院	副处长
余明安	男	谷岗乡	中国工商银行鹰潭分行	行长
元存新	男	鳌溪镇	抚州市农村工作办公室	副主任
元国义	男	鳌溪镇	浙江省军区营房处	处长
元晓宾	男	鳌溪镇	江西省工商行政管理学校	副校长
曾广华	男	招携镇	广东省东莞市人民检察院	副检察长
曾九明	男	招携镇	浙江省财政厅	处长
曾军荣	男	鳌溪镇	全国人大常委会港澳基本法委员会	处长
曾明福	男	鳌溪镇	昆明垦马县（部队）	团长
曾四良	男	万崇镇	中国建设银行珠海分行	副行长
曾文生	男	龚坊镇	福建省厦门市人民检察院	副检察长
曾喜龙	男	龚坊镇	抚州市人大常委会选任联工委	副主任

续表 26-2-1

姓名	性别	籍贯（出生地）	工作单位	（曾任）职务
曾友生	男	—	厦门市贸易发展委员会政策法规处	副处长
曾志杰	男	增田镇	江西林业有害生物防治检疫局办公室	副主任
元仉才	男	鳌溪镇	抚州市公安局	调研员
袁福和	男	谷岗乡	解放军 93500 部队	副师
袁禄生	男	戴坊镇	无锡市科学技术协会	副主席
袁卫明	男	鳌溪镇	抚州市公安局政治部	主任
袁小华	男	增田镇	团中央中国青年出版总社	副社长
袁友明	男	鳌溪镇	解放军 95927 部队	副团长
袁志平	男	公溪镇	天津市红十字会办公室	主任
袁志清	男	鳌溪镇	上海市闵行区人大莘庄工业区工作委员会	副主任
詹发明	男	戴坊镇	抚州地区检察分院	副县级检察员
詹求仁	男	戴坊镇	海南省住房和城乡建设厅定额站	书记
詹素平	男	鳌溪镇	井冈山大学审计处	处长
詹志明	男	鳌溪镇	环境保护部办公厅	处长
张贵才	男	金竹畲族乡	南昌铁路局南昌机务段	副段长
张绍义	男	戴坊镇	抚州市粮食局	调研员
张小平	男	鳌溪镇	石河子大学国际交流与合作处	副处长
张兆宏	男	鳌溪镇	江苏省地震局	主任
张兆洪	男	龚坊镇	南京 73096 部队	副团级
郑　涛	男	湖溪乡	中国联通总公司	处长
郑振华	男	戴坊镇	武汉市城市规划局	处长
钟生根	男	龚坊镇	福建省龙岩市政府	副秘书长
周复成	男	公溪镇	临川区人武部	政委、区委常委
周国繁	男	鳌溪镇	南昌市人大常委会教科文卫委员会	主任
周军海	男	山砀镇	江西省南昌市消防支队	参谋长
周卫国	男	鳌溪镇	抚州市食品药品监督管理局	局长
周早生	男	公溪镇	山东省民航局空中交通管理中心办公室	主任（正团副师级）
资　媛	女	万崇镇	江西省委党校办公室	副主任

续表 26-2-1

姓名	性别	籍贯（出生地）	工作单位	（曾任）职务
邹东宇	男	戴坊镇	江西省工业和信息化委员会航空船舶工业管理处	副处长
邹贵章	男	戴坊镇	抚州市审计局	副调研员
邹辉东	男	鳌溪镇	中国地图出版社资料室	副主任
邹永贵	男	戴坊镇	中国国际贸易委员会人事干部处	处长

说明：资料不全，或有遗漏

第二节　县籍在外博士和副高以上专业技术人员

本节辑录人员按姓氏音序排列，共 365 人。其中，博士 161 人；教授 62 人，副教授 59 人，研究员 15 人，副研究员 7 人，主任医师 19 人，副主任医师 20 人，高级工程师 44 人，中小学副高级教师 39 人，其他若干。

表 26-2-2

姓名	性别	籍贯（出生地）	博士学位授予院校	工作单位	学位	职称	职务
艾冬生	男	鳌溪镇	—	江西航运管理局运输管理处	—	高级工程师	处长
蔡　萌	女	鳌溪镇	—	临川四中	—	中小学副高级教师	—
蔡爱琴	女	鳌溪镇	—	江西师范大学附属中学	—	中小学副高级教师	—
蔡复波	男	—	—	江西省纺织公司	—	高级会计师	—
蔡建红	女	鳌溪镇	—	江西科技师范学院	—	副教授	—
蔡建信	男	鳌溪镇	—	南昌大学	—	教授	—
车建国	男	鳌溪镇	—	湖南省醴陵广慈门诊部	—	主任医师	—
陈　洪	男	鳌溪镇	北京科技大学	中南林业科技大学	博士	教授、博导	副校长
陈　勇	男	谷岗乡	—	中铁十六局第六公司	—	高级工程师	—
陈　勇	男	罗陂乡	美国伊利诺大学	南昌大学高等研究院	博士	研究员、博导	—
陈　政	男	谷岗乡	—	上海宝信软件股份有限公司	—	高级工程师	—
陈传国	男	罗陂乡	—	广东省林业调查规划院	—	高级工程师	—
陈传红	男	罗陂乡	—	东华理工大学	博士	副教授	—
陈传生	男	罗陂乡	—	广东省汕头市澄海电力公司	—	高级工程师	—

续表 26-2-2

姓名	性别	籍贯（出生地）	博士学位授予院校	工作单位	学位	职称	职务
陈传盛	男	湖坪乡	湖南大学	长沙理工大学	博士	副教授	—
陈春生	男	—	—	江西省高安英岗岭矿务局	—	高级工程师	—
陈冬香	男	罗陂乡	—	江西师范大学	—	副教授	—
陈方良	男	谷岗乡	美国哥伦比亚大学	—	博士	—	—
陈国树	男	谷岗乡	—	南昌大学	—	教授	—
陈国祥	男	湖坪乡	美国俄亥俄州州立大学	美国诺华制药有限公司	博士	—	技术总监
陈海斌	男	鳌溪镇	—	华东师范大学	—	教授	—
陈海平	男	招携镇	—	抚州市环境保护局	—	高级工程师	—
陈和顺	男	鳌溪镇	美国爱荷华大学	美国堪萨斯州牙科诊所	博士	—	—
陈建平	男	罗陂乡	—	江西省博物馆	—	研究馆员	—
陈剑锋	男	罗陂乡	—	临川一中	—	中小学副高级教师	—
陈明华	男	罗陂乡	—	东华理工大学马列主义学院	—	副教授	—
陈念东	男	南村乡	福建农林大学	闽江学院财务处	博士	教授	处长
陈千祥	男	鳌溪镇	—	厦门湖里区中航地产服务有限公司	—	高级工程师	—
陈水生	男	戴坊镇	浙江大学	华东交通大学土木建筑学院	博士	教授	副院长
陈图刚	男	罗陂乡	浙江大学	南昌大学第四附属医院心血管内科	博士	主任医师	—
陈卫华	男	湖坪乡	—	广东省江门市怡福中学	—	中小学副高级教师	—
陈卫华	男	罗陂乡	—	南昌航空大学	博士	—	—
陈向阳	男	谷岗乡	—	中铁十六局企业管理部	—	高级工程师	—
陈小丽	女	罗陂乡	江西师范大学	—	博士	—	—
陈旭耀	男	谷岗乡	中山大学	井冈山大学人文学院	博士	副教授	—
陈雪琴	女	罗陂乡	同济大学	—	博士	—	—
陈雅琴	女	鳌溪镇	长安大学	西安理工大学	博士	副教授	—
陈晔光	男	谷岗乡	—	清华大学	博士	教授、博导	—
陈勇军	男	罗陂乡	北京大学	—	博士	—	—

续表 26-2-2

姓名	性别	籍贯（出生地）	博士学位授予院校	工作单位	学位	职称	职务
陈友根	男	湖溪乡	瑞士国际联邦理工学院	深圳大学	博士	—	—
陈幼祥	男	龚坊镇	—	南昌大学第一附属医院消化内科	—	主任医师	主任
陈育文	男	南村乡	—	临川二中	—	中小学副高级教师	—
陈志亮	男	牛田镇	—	江西现代职业技术学院	—	副教授	—
陈志明	男	牛田镇	—	临川二中	—	中小学副高级教师	—
陈志荣	男	罗陂乡	—	浙江省宁波市台塑集团公司	—	高级工程师	—
陈祖华	男	牛田镇	—	佛山市中医院禅城高新分院	—	副主任医师	—
戴　海	男	戴坊镇	—	南昌工程学院		副教授	—
戴洪兴	男	戴坊镇	香港浸会大学	北京工业大学环境能源工程学院	博士	教授、博导	系主任
戴华生	男	戴坊镇	—	江西省中医药研究所	—	教授	—
戴乐阳	男	鳌溪镇	华南理工大学	集美大学轮机工程学院	博士	教授	—
戴立辉	男	戴坊镇	—	闽江学院	—	教授	—
戴年生	男	—	—	江西中医药大学	—	副教授	—
戴伟铭	男	鳌溪镇	吉林大学		博士	—	—
戴一辉	男	戴坊镇	—	北京核工业第二研究设计院	—	高级工程师	—
戴宇平	男	戴坊镇	中山大学	中山大学附属第一医院	博士	主任医师	—
戴运祥	男	—	同济大学	深圳市建设局	博士	—	—
戴志刚	男	戴坊镇	—	广东省江门市第一中学	—	中小学副高级教师	—
戴智华	男	戴坊镇	上海交通大学	上海交通大学	博士	副教授	—
邓黎明	男	大马头乡	香港城市大学	—	博士	—	—
邓升华	男	金竹畲族乡	—	华东师范大学第三附属中学	—	中小学副高级教师	—
邓师谨	女	金竹畲族乡	上海交通大学	上海交通大学	博士	—	—
邓为彬	男	金竹畲族乡	—	深圳市妇幼保健院	—	副主任医师	—
邓为科	男	金竹畲族乡	—	南昌大学食品工程与生命科学院	—	副教授	—

续表 26-2-2

姓名	性别	籍贯（出生地）	博士学位授予院校	工作单位	学位	职称	职务
邓晓东	男	万崇镇	复旦大学医学院	四川出入境检验检疫局	博士	—	—
邓振龙	男	鳌溪镇	—	南京电子技术研究所	—	中小学副高级教师	副主任
邓志锋	男	山砀镇	华东师范大学	东华大学人文学院	博士	副教授	—
邓志勇	男	山砀镇	—	江苏省昆山市第一人民医院	—	主任医师	—
丁德福	男	牛田镇	—	上海有机氟材料研究所	—	高级工程师	—
丁德良	男	牛田镇	—	抚州市委党校教研室	—	教授	主任
丁慧萃	女	鳌溪镇	—	解放军301总医院	—	副主任医师	—
丁素玲	女	牛田镇	中国科学院	—	博士	—	—
丁文斗	男	牛田镇	—	中国工商银行抚州分行	—	高级经济师	行长
丁之赣	男	牛田镇	—	浙江理工大学	—	副教授	—
丁知平	男	牛田镇	—	广东省清远职业学校	—	中小学副高级教师	—
董凤群	男	招携镇	—	中国建设银行江西分行	—	高级会计师	处长
董国龙	男	牛田镇	—	中国南玻集团有限公司	—	高级工程师	—
董洪斌	男	牛田镇	中央财经大学	中国精算研究院	博士	副研究员	—
董继斌	男	牛田镇	—	浙江省宁海县第一医院	—	主任医师	—
董建辉	男	牛田镇	厦门大学	厦门大学	博士	教授	—
董九生	男	牛田镇	—	江西省肿瘤医院工会	—	主任医师	主席
董林军	男	湖坪乡	—	深圳赛格股份有限公司财务部	—	高级工程师	经理
董新春	男	招携镇	—	江西环境工程职业学院	—	教授	副院长
董禹然	女	鳌溪镇	南京大学	—	博士	—	—
董玉凤	女	牛田镇	—	浙江理工大学	博士	—	—
董志超	男	牛田镇	—	中投国际	—	高级工程师	—
董志强	男	牛田镇	西安交通大学	—	博士	—	—
董志武	男	牛田镇	—	集美大学		副教授	—
范宝平	男	鳌溪镇	—	浙江省平湖市第一医院骨科	—	副主任医师	—
冯　平	男	鳌溪镇	—	江苏法尔胜泓升特钢和线材制品有限公司	—	高级工程师	技术总监
付燕珍	女	金竹畲族乡	—	华东师范大学第三附属中学	—	中小学副高级教师	—

续表 26-2-2

姓名	性别	籍贯（出生地）	博士学位授予院校	工作单位	学位	职称	职务
傅保群	男	—	美国某大学	美国	博士	—	—
甘金花	女	谷岗乡	—	南昌大学办公室	—	教授	主任
高　军	男	湖溪乡	南昌大学	江西省人民医院妇产科	博士	主任医师	—
高仉生	男	鳌溪镇	—	国防科工局	—	高级工程师	—
龚　鹏	男	龚坊镇	—	广州网易公司	—	高级工程师	—
龚斌孙	男	龚坊镇	—	广州市第十七中学	—	中小学副高级教师	—
龚朝晖	男	龚坊镇	—	空军总医院激光治疗中心	—	高级工程师	—
龚军平	男	龚坊镇	美国俄亥俄州州立大学	美国西雅图	博士	—	—
龚丽萍	女	龚坊镇	—	江西中医药大学附属医院皮肤科	—	教授	主任
龚文俊	男	龚坊镇	北京航空航天大学	—	博士	—	—
龚友高	男	龚坊镇	—	江西电子仪器厂	—	高级工程师	—
龚智翔	男	鳌溪镇	解放军第二军医大学	解放军 532 医院	博士	副主任医师	上校
管必才	男	谷岗乡	—	南昌大学	—	教授	—
桂成农	男	大马头乡	—	中交第三航务工程局南京分公司	—	高级工程师	—
郭华明	男	湖溪乡	—	中国地质大学水资源与环境学院	—	教授	—
郭玉梅	女	牛田镇	—	南昌工程学院计划财务处	—	高级会计师	副处长
何华珍	男	罗陂乡	浙江大学	浙江财经大学人文学院	博士	教授、博导	院长
贺　磊	男	鳌溪镇	南京林业大学	江西省林业科学院	博士	副研究员	—
贺　泉	男	鳌溪镇	北京航空航天大学	北京	博士	—	—
胡军辉	男	龚坊镇	—	信息产业电子第十一设计研究院	—	高级工程师	—
黄　波	男	—	美国某大学	—	博士	—	—
黄　超	男	山砀镇	中山大学	广东技术师范大学	博士	副教授	—
黄　健	男	牛田镇	中国农业科学院	武汉	博士	—	—
黄　旭	男	山砀镇	—	江西青年职业学院	—	副教授	—
黄福建	男	—	中国科学技术大学	中国地质大学	博士	教授	—

续表 26-2-2

姓名	性别	籍贯（出生地）	博士学位授予院校	工作单位	学位	职称	职务
黄根生	男	—	新加坡某大学	中科院上海技术物理研究所	博士	—	—
黄华里	男	戴坊镇	—	临川二中	—	中小学副高级教师	—
黄建平	男	戴坊镇	—	深圳友联会计师事务所	—	高级会计师	—
黄洁宁	女	增田镇	南昌大学	—	博士	—	—
黄莉萍	女	鳌溪镇	—	江西农业大学财务处	—	副教授	副处长
黄晓华	男	牛田镇	—	复旦规划建筑设计院建筑一所	—	高级工程师	所长
黄亚灵	男	鳌溪镇	—	江苏省连云港东方医院	—	主任医师	—
董燕平	男	山砀镇	—	上海仁济医院	博士	—	—
江敬红	女	鳌溪镇	—	北京大学人民医院妇产科	博士	—	—
江仁生	男	戴坊镇	—	江西教育出版社	—	副编审	—
江野峰	男	戴坊镇	—	广东省佛山中医院	—	主任医师	—
康柏赓	男	公溪镇	浙江大学	—	博士	—	—
孔凡盛	男	—	日本某大学	上海	博士	—	—
孔繁迅	女	鳌溪镇	—	抚州一中	—	中小学副高级教师	副校长
邝许平	男	金竹畲族乡	—	哈尔滨工业大学深圳研究生院	—	副教授	—
雷鹏正	男	公溪镇	国防科技大学	国防科技大学	博士	—	中校
雷罗娇	女	湖坪乡	—	广东省东莞市虎门中医院	—	主任护师	—
李　慧	女	龚坊镇	—	暨南大学	—	副教授	—
李　娜	女	湖坪乡	苏州大学	淮海工学院工程学院	博士	副教授	—
李　强	男	鳌溪镇	—	北京大学	博士	教授、博导	—
李承俊	男	牛田镇	上海交通大学	—	博士	—	—
李承平	男	牛田镇	—	临川一中	—	中小学副高级教师	—
李明海	男	湖溪乡	—	广东理工职业学院	博士	教授	—
李盛光	男	山砀镇	—	临川二中	—	特级教师	校长
李晓波	男	鳌溪镇	—	国土资源部信息中心	—	研究员	副主任
李晓静	女	公溪镇	—	江西师范大学政法学院	—	教授	—
李银生	男	—	—	南昌大学	—	副教授	—

续表 26-2-2

姓名	性别	籍贯（出生地）	博士学位授予院校	工作单位	学位	职称	职务
李仉辉	男	公溪镇	—	上海商学院流通经济学院	—	副教授	—
梁应平	男	招携镇	—	南昌大学第二附属医院麻醉科	—	副主任医师	—
廖英华	女	湖溪乡	—	广东省江门市第一职业中学	—	中小学副高级教师	—
林　新	男	鳌溪镇	—	江西财经大学	—	教授	—
林良武	男	湖坪乡	湖南大学	中南大学	博士	副教授	—
刘华云	男	罗陂乡	中国科学院大学	中国科学院新疆理化研究所	博士	研究员	—
刘　芹	女	罗陂乡	中国艺术研究院	天津外国语大学	博士	—	—
刘　芹	女	湖溪乡	—	上海工程技术大学	—	副教授	—
刘　权	男	鳌溪镇	加拿大某大学	—	博士	—	—
刘　微	女	谷岗乡	美国约翰霍普金斯大学	美国旧金山市硅谷 KLA-tencor 公司	博士	—	—
刘　勇	男	鳌溪镇	—	江西消防总队医院	—	主任医师	—
刘保生	男	鳌溪镇	—	抚州市实验学校	—	中小学副高级教师	—
刘春华	男	鳌溪镇	—	长沙理工大学	—	副教授	—
刘德鸿	男	增田镇	上海医科大学	复旦大学附属瑞金医院	博士	主任医师	—
刘国标	男	牛田镇	—	江铜集团四川江铜稀土有限公司	—	高级会计师	财务总监
刘国元	男	戴坊镇	—	汕头市中心医院泌尿外科	—	副主任医师	—
刘龙生	男	湖坪乡	清华大学	中国电子科技集团第 14 研究所	博士	高级工程师	—
刘永桢	男	罗陂乡	—	广东省江门市陈白沙中学	—	中小学副高级教师	—
卢　超	男	鳌溪镇	中国铁道科学研究院	上饶师范学院	博士	教授	副院长
罗春明	男	牛田镇	中国科学院	中国科学院心理研究所	博士	副研究员	—
罗华香	男	鳌溪镇	—	江苏省横林高级中学	—	中小学副高级教师	—
罗金华	男	戴坊镇	—	广东省鹤山市鹤华中学	—	中小学副高级教师	—
罗金辉	男	万崇镇	同济大学	同济大学	博士	副教授	—
罗康平	男	湖溪乡	—	北京大学第三人民医院	—	主任医师	—

续表 26-2-2

姓名	性别	籍贯（出生地）	博士学位授予院校	工作单位	学位	职称	职务
罗仁福	男	湖坪乡	中国科学院	北京大学	博士	副教授	—
罗荣荣	男	万崇镇	—	江西师范大学附属中学	—	中小学副高级教师	—
罗云辉	男	鳌溪镇	—	广东省珠海市人民医院CT室	—	主任医师	—
毛辉荣	男	龚坊镇	江西农业大学	江西农业大学科研处	博士	—	—
聂俊芳	男	龚坊镇	—	上海壳牌有限公司润滑油研究室	博士	—	—
裴振中	男	—	美国某大学	美国	博士	—	—
彭　娟	女	罗陂乡	—	中铁上海设计院集团有限公司	—	高级工程师	—
彭　伟	男	罗陂乡	武汉大学	中南财经政法大学	博士	—	—
彭冬迪	男	罗陂乡	—	抚州市第一人民医院	—	主任医师	—
彭华勤	男	罗陂乡	广州大学	广西师范大学	博士	教授	—
彭年发	男	罗陂乡	—	东华理工大学	—	副教授	宣传部长
彭适凡	男	罗陂乡	—	江西省博物馆	—	教授	馆长
彭小伟	男	罗陂乡	中国科学院	中国科学院过程工程研究所	博士	研究员	—
邱　明	男	万崇镇	—	临川二中	—	中小学副高级教师	—
邱云桥	男	鳌溪镇	广州中医药大学	广州中医药大学附属一院泌尿男科	博士	教授	—
裘志坚	男	万崇镇	—	广州市海珠中学	—	中小学副高级教师	校长
阙　镭	男	万崇镇	—	广州大学美术与设计学院动画系	—	教授	主任
阙禄生	男	湖坪乡	—	临川一中	—	中小学副高级教师	—
阙美丹	女	万崇镇	西安交通大学	西安建筑科技大学	博士	—	—
荣　莉	女	鳌溪镇	—	江西财经大学会计学学院	博士	副教授	副院长
谭布珍	女	招携镇	—	南昌大学第二附属医院妇产科	—	教授	主任
万柏建	女	万崇镇	—	南京八一医院同位素室	—	副主任技师	正团
万柏珍	女	万崇镇	—	南京军区总医院输血科	—	主任技师	正师
万九生	男	招携镇	—	公安部昆明警犬基地	—	副研究员	—

续表 26-2-2

姓名	性别	籍贯（出生地）	博士学位授予院校	工作单位	学位	职称	职务
万树平	男	牛田镇	—	江西财经大学管理决策研究所	—	教授、博导	所长
王　斌	男	万崇镇	华南理工大学	韶关学院	博士	副教授	系主任
王　丹	女	湖坪乡	—	国家电网辽宁物资供应公司	—	高级工程师	—
王　骏	男	湖坪乡	—	广东省中山市人民医院开发区医院	—	副主任医师	—
王　明	男	湖坪乡	南昌大学	南昌大学	博士	—	—
王　艳	女	湖坪乡	英国博尔顿大学	英国	博士	—	—
王　娱	女	鳌溪镇	—	漳州市人民医院	—	副主任医师	—
王　忠	男	招携镇	—	佛山科学技术学院	博士	副教授	—
王彩华	男	—	美国	美国洛克威尔科林斯	博士	高级工程师	—
王达辉	男	南村乡	复旦大学	复旦大学附属儿科医院骨科	博士	副主任医师	主任
王冬梅	女	湖坪乡	武汉大学	仲恺农业工程学院	博士	副教授	—
王海涛	男	湖坪乡	—	交通部第四航务工程勘察设计院	—	高级工程师	—
王宏生	男	湖坪乡	南京大学	福建师范大学文学院	博士	副教授	—
王慧英	女	湖坪乡	—	广东省江门市港口中学	—	中小学副高级教师	—
王建华	男	湖坪乡	—	江西警察学院	—	副教授	—
王劼斐	男	湖坪乡	—	科隆测量技术（上海）有限公司	—	高级工程师	—
王龙生	男	湖坪乡	—	江苏联合职业技术学院（无锡交通）	—	副教授	—
王启云	男	湖坪乡	—	淮海工学院图书馆	—	副研究馆员	—
王荣斌	男	湖坪乡	—	闽南师范大学商学院	—	副教授	—
王荣全	男	增田镇	北京某研究所	—	博士	—	—
王省明	男	湖坪乡	—	东华理工大学人文学院	—	副教授	—
王文华	男	湖坪乡	—	广东省江门市蓬江区里村小学	—	中小学副高级教师	—
王献军	男	鳌溪镇	南京大学	海南师范大学文学院	博士	教授	副院长
王小浪	男	牛田镇	—	江西瑞林建设监理有限公司	—	高级工程师	—

续表 26-2-2

姓名	性别	籍贯（出生地）	博士学位授予院校	工作单位	学位	职称	职务
王艳芳	女	湖坪乡	—	嘉兴市长水街道卫生服务中心	—	副主任技师	—
王仉发	男	湖坪乡	—	甘肃武威解放军第10医院	—	主任医师	大校
王志斌	男	湖坪乡	—	广东省东莞市虎门中医院	—	副主任医师	—
王志斌	男	湖坪乡	—	国家电网辽宁省电力公司	—	教授级高工	—
王志辉	男	湖坪乡	中山大学	中山大学附属第五医院（珠海）	博士	副主任医师	—
王志利	男	湖坪乡	上海理工大学	特灵空调系统（中国）有限公司	博士	高级工程师	—
王志勇	男	湖坪乡	—	嘉兴市第一人民医院	—	副主任医师	—
王志勇	男	湖坪乡	—	中国有色四建公司职工总医院	—	主任医师	院长
王子明	男	湖坪乡	南京大学	江苏省交通工程建设局综合处	博士	—	副处长
王祖祥	男	湖坪乡	—	宁波市镇海区人民医院	—	副主任医师	—
邬汉东	男	鳌溪镇	—	广东省人民医院心内科	—	主任医师、博导	—
吴春英	女	南村乡	—	江西财经大学外国语学院	—	副教授	—
吴光辉	男	鳌溪镇	—	集美大学	—	副教授	—
吴礼乐	男	—	南京农业大学	中国石油大学（克拉玛依校区）	博士	—	—
吴瑞芬	女	牛田镇	清华大学	日本大阪三菱重工高砂研究所	博士	—	—
吴小静	女	鳌溪镇	—	临川二中	—	中小学副高级教师	—
吴亚琴	女	鳌溪镇	—	临川二中	—	中小学副高级教师	—
吴友根	男	万崇镇	—	海南大学	—	教授、博导	—
吴镇华	男	鳌溪镇	—	浙江电子工程学校	—	高级讲师	—
武才贵	男	鳌溪镇	—	临川一中	—	中小学副高级教师	—
夏少荣	男	增田镇	—	广州市东风日产有限公司、研发中心技术部	—	高级工程师	主任兼部长
肖　翔	男	湖坪乡	英国伦敦大学	英国伦敦大学	博士	教授、博导	—
肖记平	男	增田镇	—	浙江省宁波市东柳医院内科	—	副主任医师	—

续表 26-2-2

姓名	性别	籍贯（出生地）	博士学位授予院校	工作单位	学位	职称	职务
肖劲松	男	增田镇	清华大学	北京华锐风电科技股份有限公司	博士	教授	研发总监
谢　东	男	鳌溪镇	美国南卡罗来纳州立大学	中国科学院上海营养科学研究所	博士	研究员 博导	副所长
谢贵明	男	湖溪乡	—	上海群益职业技术学院	—	教授	—
谢兴盛	男	万崇镇	—	深圳市招商证券	—	高级会计师	—
谢永江	男	鳌溪镇	中国政法大学	北京邮电大学文法学院	博士	副教授	—
熊　英	女	山砀镇	—	汕头市金平区第三人民医院	—	—	—
熊杰平	男	谷岗乡	—	武汉大学	—	教授	—
徐秉睿	男	鳌溪镇	复旦大学	—	博士	—	—
叙　毅	男	公溪镇	—	广东省江门市蓬江区教育局	—	中小学 副高级教师	—
杨　钢	男	湖溪乡	—	中国航空工业集团有限公司	—	博导	—
杨　梅	男	鳌溪镇	—	北京航空航天大学经济管理学院	—	副教授	—
杨　敏	男	招携镇	北京航空航天大学	北京航空航天大学经济管理学院	博士	—	—
杨　敏	男	湖溪乡	同济大学	同济大学	博士	教授、博导	—
杨德敏	男	南村乡	中国人民大学	江西财经大学法学院	博士	教授、博导	院长
杨国华	男	戴坊镇	—	江苏省无锡市人民医院血液科	—	副主任医师	—
杨继亮	男	龚坊镇	—	江西省国防工业设计院	—	高级工程师	—
杨明华	男	鳌溪镇	—	铁科院（北京）工程咨询有限公司	—	高级工程师	副总监
杨秋荣	男	戴坊镇	—	北京教育学院中文系	—	教授	—
杨韶平	男	龚坊镇	南京林业大学	梧州学院化学工程与资源再利用学院	博士	副教授	副院长
杨士敏	男	湖溪乡	—	南昌工程学院	—	教授	—
杨文胜	男	—	美国某大学	—	博士	—	—
杨仉生	男	鳌溪镇	中国科学院	中国科学院生物物理研究所	博士	—	—
叶夏明	男	鳌溪镇	—	重庆宗申集团研发部	—	高级工程师	—
易　斌	男	山砀镇	—	中国东方航空集团有限公司	博士	—	—

续表 26-2-2

姓名	性别	籍贯（出生地）	博士学位授予院校	工作单位	学位	职称	职务
易爱红	女	山砀镇	—	江铜集团四川康西铜业有限公司	—	高级工程师	党委书记
易流平	男	山砀镇	北京大学	中国电子科技集团第28研究所	博士	—	—
易小云	女	山砀镇	—	南昌航空大学审计处	—	副教授	处长
殷光强	男	龚坊镇	—	电子科技大学	—	教授、博导	—
游　辉	男	湖坪乡	—	中铁二十四局集团有限公司	—	高级工程师	—
游德福	男	牛田镇	—	浙江理工大学经济管理学院	—	副教授	—
游德龙	男	湖坪乡	—	抚州市第一人民医院	—	副主任医师	—
游冬琴	女	鳌溪镇	中国科学院	中国科学院遥感所	博士	—	—
游高林	男	牛田镇	—	浙江省奉化市莼湖中学	—	中小学副高级教师	—
游海波	男	公溪镇	—	中国工程物理研究院	—	副研究员	—
游欢孙	男	鳌溪镇	—	江西师范大学历史文化与旅游学院	博士	副教授	—
游金宗	男	鳌溪镇	浙江外国语学院	—	博士	—	—
游科友	男	戴坊镇	新加坡南洋理工大学	清华大学自动化系	博士	副教授	—
游立新	男	公溪镇	浙江大学	上海陶氏（中国）化学有限公司	博士	—	—
游凌辉	男	鳌溪镇	—	北京现代通讯信号工程咨询公司	—	高级工程师	—
游新茂	男	公溪镇	—	浙江省余姚市人民医院	—	主任医师	—
游中华	男	鳌溪镇	—	浙江师范大学附属中学	—	中小学副高级教师	—
余　健	男	谷岗乡	武汉理工大学	—	博士	—	—
余　臻	男	谷岗乡	中山大学	深圳前海金融控股有限公司	博士	—	—
余蓝涛	男	牛田镇	美国莱斯大学	美国 Face book 公司	博士	—	—
喻乐华	男	鳌溪镇	—	华东交通大学土木建筑学院	—	教授	—
元存贤	男	鳌溪镇	波兰某大学	上海造船厂	博士	高级工程师	—
元美玲	女	鳌溪镇	—	南昌大学理学院	—	教授	—

续表 26-2-2

姓名	性别	籍贯（出生地）	博士学位授予院校	工作单位	学位	职称	职务
元如林	男	鳌溪镇	—	上海立信会计金融学院信息管理学院	—	教授	院长
元小勇	男	鳌溪镇	—	江西省委党校法学教研部	—	副教授	副主任
元云辉	男	鳌溪镇	美国休斯顿县纳医科大学	中山大学附属肿瘤医院肝胆科	博士	主任医师、教授	—
曾　玲	女	公溪镇	—	集美大学	—	副教授	—
曾　云	女	鳌溪镇	美国特拉华大学	美国第一资本金融公司	博士	—	—
曾　舟	女	鳌溪镇	—	华图教育江西分校	博士	—	副校长
曾步辉	男	招携镇	—	集美大学	—	副教授	—
曾贵明	男	招携镇	—	中国航空集团第一研究院	—	高级工程师	副总设计师
曾国辉	男	招携镇	—	上海工程技术大学电子电气工程学院	博士	副教授	副院长
曾洪云	男	招携镇	云南大学	云南大学资源环境与地球科学学院	博士	—	—
曾华荣	男	鳌溪镇	中国科学院	中国科学院上海硅酸盐研究所	博士	研究员	—
曾接贤	男	戴坊镇		南昌航空大学	—	教授	—
曾俊德	男	龚坊镇	国防科技大学	—	博士	—	—
曾萍萍	女	谷岗乡	—	南昌大学	博士	教授	—
曾思新	男	鳌溪镇	美国堪萨斯大学	美国堪萨斯大学	博士	研究员	—
曾思育	男	鳌溪镇	清华大学	清华大学	博士	—	—
曾卫东	男	招携镇	—	中航工业昌河飞机工业集团工程技术部	—	研究员	副部长
曾卫国	男	鳌溪镇	—	温州市黎明医院	—	副主任医师	—
曾文英	女	鳌溪镇	华南理工大学	广东科学技术职业学院	博士	教授	—
曾伍兰	女	鳌溪镇	—	潍坊学院	—	副教授	—
曾小雯	女	湖坪乡	—	临川一中	—	中小学副高级教师	—
曾学森	男	鳌溪镇	英国诺丁汉大学	英国诺丁汉大学	博士	研究员	—
曾永辉	男	公溪镇	厦门大学	南丹麦大学	博士	教授	—
曾志荣	男	南村乡	中山大学	中山大学附属第一医院	博士	教授、博导	—
曾智洪	男	万崇镇	美国麻省理工学院	美国艾弗里设计系统股份有限公司	博士	—	董事、技术总监

续表 26-2-2

姓名	性别	籍贯（出生地）	博士学位授予院校	工作单位	学位	职称	职务
曾智辉	男	增田镇	—	深圳市福田医院肛肠科	—	副主任医师	—
曾智江	男	万崇镇	中国科学院	中科院上海技术物理研究所	博士	副研究员	—
袁　兵	男	南村乡	武汉交通科技大学	武汉理工大学	博士	副教授	—
袁冬生	男	万崇镇	广州中医药大学	广州中医药大学热带医学研究所	博士	教授	—
袁陆生	男	谷岗乡	—	中钢集团资产财务部	—	高级会计师	经理
袁维民	男	戴坊镇	—	福建省龙海二中	—	中小学副高级教师	—
袁小平	男	鳌溪镇	—	临川一中	—	中小学副高级教师	—
袁小平	男	罗陂乡	—	临川一中	—	中小学副高级教师	—
袁昕晖	男	湖坪乡	复旦大学	—	博士	—	—
袁友明	男	公溪镇		江西省旅游发展委员会	—	副研究员	—
詹　静	女	鳌溪镇	新加坡南洋理工大学	—	博士	—	—
詹慧民	男	鳌溪镇	—	抚州市实验学校	—	中小学副高级教师	—
詹纪文	男	鳌溪镇	—	福建农林大学经济学院	博士	—	—
詹济舟	女	鳌溪镇	复旦大学	南京审计大学	博士	教授	—
詹勤元	男	戴坊镇	—	江西省肿瘤医院	—	副主任医师	—
詹水坚	男	—	中国科学院	中国科学院	博士	研究员	—
詹伟华	男	鳌溪镇	—	南昌大学生物研究所	博士	—	—
詹小洪	男	戴坊镇	—	中国社会科学院经济研究所	—	研究员	—
詹晓敏	女	鳌溪镇	—	上海市青浦区中医院	—	副主任护师	—
詹至明	男	鳌溪镇	兰州大学		博士	—	—
詹志华	男	鳌溪镇	—	中国电力科学研究院	—	高级工程师	—
詹作泰	男	鳌溪镇	—	江西省核工业地质局	—	高级工程师	副处长
张秋爽	女	万崇镇	美国麻省理工学院	美国神思系统有限公司	博士	—	—
张少科	男	湖溪乡	美国宾夕法尼亚州立大学	中山大学	博士	—	—

续表 26-2-2

姓名	性别	籍贯（出生地）	博士学位授予院校	工作单位	学位	职称	职务
张文斌	男	山砀镇	上海交通大学	上海船舶设计研究院	博士	研究员	—
张秀豪	男	全竹畲族乡	—	广州文冲船舶修造厂	—	高级工程师	副厂长
张长生	男	全竹畲族乡	—	广东省委党校经济学教研部	—	教授	主任
赵有兴	男	公溪镇	—	中国科学院南海植物研究所	博士	研究员	—
郑海明	男	戴坊镇	上海理工大学	华北电力大学能源与动力学院	博士	教授	—
钟三保	男	增田镇	美国某大学	美国新泽西州奥思达公司	博士	博导	总经理
周方辉	男	湖溪乡	—	上海	—	高级工程师	—
周贵文	男	鳌溪镇	—	江西财经大学会计学院	—	副教授	—
周基平	男	山砀镇	—	南昌航空大学	—	教授	—
周桃庚	男	鳌溪镇	北京理工大学	北京理工大学信息科学技术学院	博士	教授	—
周　强	男	龚坊镇	同济大学	西南交通大学	博士	副教授	—
周之平	男	鳌溪镇	东南大学	南昌航空大学	博士		—
周志上	男	增田镇	英国剑桥大学	美国华盛顿某研究所	博士	研究员	—
朱成华	男	戴坊镇	—	渭南师范学院中文系	—	副教授	主任
朱继毅	男	湖溪乡	—	深圳大学建筑与城市规划学院	—	副教授	—
朱明海	男	湖溪乡	上海外国语大学	广东理工职业学院	博士	教授	—
朱星华	男	湖溪乡	—	东华理工大学	—	教授	—
邹　斌	男	—	—	中科院有机化学研究所	博士	—	—
邹安乐	男	戴坊镇	解放军南京政治学院	解放军南京政治学院上海分院	博士	副教授	—
邹发生	男	增田镇	中山大学	广东省昆虫研究所	博士	研究员	副所长
邹贵生	男	戴坊镇	清华大学	清华大学	博士	教授、博导	副所长
邹技玲	女	戴坊镇	西南大学	西南大学	博士	副教授	—
邹力化	男	戴坊镇	美国哥伦比亚大学	美国哥伦比亚大学	博士	教授	—
邹茂卿	男	戴坊镇	—	中国铀业有限公司	—	研究员	副总经理
邹清华	男	戴坊镇	美国某大学	美国微软公司	博士	—	—

续表 26-2-2

姓名	性别	籍贯（出生地）	博士学位授予院校	工作单位	学位	职称	职务
邹睿智	男	增田镇	美国佛罗里达大学	美国某公司	博士	—	—
邹松刚	男	戴坊镇	—	临川一中	—	中小学副高级教师	—
邹同华	男	戴坊镇	天津大学	天津商业大学热能与动力工程学院	博士	教授	副院长
邹文政	男	山砀镇	—	集美大学	—	副教授	—
邹永攀	男	—	香港科技大学	深圳大学计算机和软件学院	博士	—	—
邹永毅	男	戴坊镇	中南大学	—	博士	—	—
邹友林	男	戴坊镇	华南理工大学	广州市重点公共建设项目办公室	博士	高级工程师	—
邹欣悦	女	戴坊镇	上海财经大学	上海对外贸易大学	博士	—	—
邹志明	男	戴坊镇	—	临川二中	—	中小学副高级教师	—

说明：资料不全，或有遗漏

第三节　县内副高以上专业技术人员

1987年起，县内在专业技术人员中评定高级专业技术职称。本节辑录人员按单位分列，同一单位以评定时间为序，共892人。其中，高级讲师3人，副教授1人，中小学副高级教师711人，主任医师15人，主任中医师6人，主任药师1人，副主任医师55人，副主任中医师22人，副主任护师25人，副主任技师4人，副主任药师3人，高级畜牧兽医师4人，高级农艺师15人，高级工程师23人，主任编辑1人，主任舞台技师1人，副研究馆员2人。2016年12月始，中小学教师职称评定改革，原中学高级教师和小学特高级教师统称为中小学副高级教师。

表 26-2-3

姓名	性别	出生年月	籍贯（出生地）	工作单位	职称类别	评定时间
陈　庚	男	1959.04	南昌县	县委党校	高级讲师	2000.11
王呈生	男	1952.04	湖坪乡	县委党校	副教授	2003.11
胡　坚	男	1961	增田镇	县委党校	高级讲师	2004.01
罗康立	男	1969.09	湖溪乡	县委党校	高级讲师	2008.12
陈福华	男	1939.06	南村乡	县教研室	中小学副高级教师	1988.06
施德范	男	1936.03	江西信丰	县教研室	中小学副高级教师	1988.06

续表 26-2-3

姓名	性别	出生年月	籍贯(出生地)	工作单位	职称类别	评定时间
袁春祥	男	1935.10	湖坪乡	县教研室	中小学副高级教师	1993.07
饶文勇	男	1938.02	江西临川	县教研室	中小学副高级教师	1995.05
曾国荷	男	1954.11	增田镇	县教研室	中小学副高级教师	1997.06
詹绍斌	男	1955.11	鳌溪镇	县教研室	中小学副高级教师	1997.06
符爱友	男	1942.07	增田镇	县教研室	中小学副高级教师	1997.08
邹克寿	男	1943.11	戴坊镇	县教研室	中小学副高级教师	1998.10
陈绍平	男	1960.02	牛田镇	县教研室	中小学副高级教师	2002.08
郭时生	男	1964.12	山砀镇	县教研室	中小学副高级教师	2002.11
王良元	男	1962.10	湖坪乡	县教研室	中小学副高级教师	2002.11
杨兴华	男	1962.09	戴坊镇	县教研室	中小学副高级教师	2002.11
蔡子平	男	1966.03	谷岗乡	县教研室	中小学副高级教师	2003.11
邹小华	男	1961.08	戴坊镇	县教研室	中小学副高级教师	2003.11
李贵德	男	1966.04	南村乡	县教研室	中小学副高级教师	2004.10
刘进文	男	1962.08	江西临川	县教研室	中小学副高级教师	2004.11
聂乐花	女	1965.03	鳌溪镇	县教研室	中小学副高级教师	2004.11
吴朝阳	男	1962.05	南村乡	县教研室	中小学副高级教师	2005.11
陈海保	男	1960.01	鳌溪镇	县教研室	中小学副高级教师	2005.12
黄协文	男	1962.07	龚坊镇	县教研室	中小学副高级教师	2006.12
郭增锐	男	1971.10	山砀镇	县教研室	中小学副高级教师	2007.10
董圣辉	男	1973.05	招携镇	县教研室	中小学副高级教师	2007.11
巫小明	男	1963.08	江西永丰	县教研室	中小学副高级教师	2007.11
吴冬生	男	1961.12	湖溪乡	县教研室	中小学副高级教师	2007.11
刘乐英	女	1972.01	招携镇	县教研室	中小学副高级教师	2009.11
龙四清	男	1966.10	江西吉安	县教研室	中小学副高级教师	2009.11
姜才龙	男	1963.06	鳌溪镇	县教研室	中小学副高级教师	2010.11
顾冬兰	女	1960.01	江西临川	县教研室	中小学副高级教师	2011.01
陈春兰	女	1976.02	牛田镇	县教研室	中小学副高级教师	2011.11
潘华平	男	1968.07	江西临川	县教研室	中小学副高级教师	2011.11
龚万根	男	1971.06	龚坊镇	县教研室	中小学副高级教师	2013.12
李忠贵	男	1972.09	增田镇	县教研室	中小学副高级教师	2015.11
陈盛党	男	1937.06	江西赣县	县第一中学	中小学副高级教师	1987.01
傅茂臣	男	1936.06	江西临川	县第一中学	中小学副高级教师	1987.01

续表 26-2-3

姓名	性别	出生年月	籍贯（出生地）	工作单位	职称类别	评定时间
胡龙昌	男	1941.12	江西临川	县第一中学	中小学副高级教师	1987.01
吴照明	男	1929.11	河南新蔡	县第一中学	中小学副高级教师	1987.01
叶书燕	男	1938.09	江西南康	县第一中学	中小学副高级教师	1987.01
元新泰	男	1938.01	鳌溪镇	县第一中学	中小学副高级教师	1987.01
詹丕成	男	1935.12	鳌溪镇	县第一中学	中小学副高级教师	1987.01
元家训	男	1937.04	鳌溪镇	县第一中学	中小学副高级教师	1988.06
黄友鹏	男	1938.06	南村乡	县第一中学	中小学副高级教师	1989.02
游任文	男	1936.01	公溪镇	县第一中学	中小学副高级教师	1989.02
游高峰	男	1939.09	鳌溪镇	县第一中学	中小学副高级教师	1989.12
曾顺昌	男	1937.01	江西临川	县第一中学	中小学副高级教师	1989.12
詹世雄	男	1939.11	鳌溪镇	县第一中学	中小学副高级教师	1989.12
傅雪英	女	1944.09	江西临川	县第一中学	中小学副高级教师	1992.06
陈新平	男	1945.01	湖北	县第一中学	中小学副高级教师	1995.01
邹振球	男	1948.08	戴坊镇	县第一中学	中小学副高级教师	1995.01
杨欣文	男	1956.07	金竹畲族乡	县第一中学	中小学副高级教师	1996.01
何水蓉	女	1951.05	江西广昌	县第一中学	中小学副高级教师	1996.06
谢传东	男	1956.02	鳌溪镇	县第一中学	中小学副高级教师	1997.01
邓荣海	男	1962.08	万崇镇	县第一中学	中小学副高级教师	1997.07
龚筱兰	女	1955.01	龚坊镇	县第一中学	中小学副高级教师	1997.07
乐呈文	男	1945.11	鳌溪镇	县第一中学	中小学副高级教师	1997.07
刘和元	男	1962.08	戴坊镇	县第一中学	中小学副高级教师	1998.01
余平安	男	1956.12	万崇镇	县第一中学	中小学副高级教师	1998.01
戴乐梅	女	1965.01	戴坊镇	县第一中学	中小学副高级教师	1998.02
董晓忠	男	1965.08	牛田镇	县第一中学	中小学副高级教师	1998.12
陈林保	男	1962.04	鳌溪镇	县第一中学	中小学副高级教师	1999.01
邓冬发	男	1957.09	万崇镇	县第一中学	中小学副高级教师	1999.01
罗　明	男	1963.07	戴坊镇	县第一中学	中小学副高级教师	1999.01
彭国成	男	1949.06	湖坪乡	县第一中学	中小学副高级教师	1999.01
唐香莲	女	1947.01	江西临川	县第一中学	中小学副高级教师	1999.01
王正英	女	1947.03	江苏宜兴	县第一中学	中小学副高级教师	1999.01
詹华山	男	1948.09	鳌溪镇	县第一中学	中小学副高级教师	1999.01
刘海明	男	1963.07	鳌溪镇	县第一中学	中小学副高级教师	1999.07

续表 26-2-3

姓名	性别	出生年月	籍贯(出生地)	工作单位	职称类别	评定时间
陈和平	男	1963.12	江西崇仁	县第一中学	中小学副高级教师	2000.01
易耀明	男	1958.08	山砀镇	县第一中学	中小学副高级教师	2000.01
彭龙估	男	1953.01	万崇镇	县第一中学	中小学副高级教师	2000.09
邓春喜	男	1962.03	江西临川	县第一中学	中小学副高级教师	2000.11
黄光宇	男	1952.11	鳌溪镇	县第一中学	中小学副高级教师	2000.11
杨晓良	男	1963.03	湖溪乡	县第一中学	中小学副高级教师	2000.11
赵晓凤	女	1954.01	辽宁	县第一中学	中小学副高级教师	2000.11
王君安	男	1962.12	湖坪乡	县第一中学	中小学副高级教师	2000.12
丁德义	男	1949.11	牛田镇	县第一中学	中小学副高级教师	2001.09
黄才顺	男	1952.11	增田镇	县第一中学	中小学副高级教师	2001.09
乐友娥	女	1958.07	龚坊镇	县第一中学	中小学副高级教师	2001.09
徐发丽	女	1962.09	江西临川	县第一中学	中小学副高级教师	2001.09
袁乐红	女	1965.03	戴坊镇	县第一中学	中小学副高级教师	2001.09
邓子萍	女	1968.03	招携镇	县第一中学	中小学副高级教师	2002.01
胡通香	男	1963.08	鳌溪镇	县第一中学	中小学副高级教师	2002.01
卢大宗	男	1957.09	鳌溪镇	县第一中学	中小学副高级教师	2002.01
熊　艳	女	1959.09	山砀镇	县第一中学	中小学副高级教师	2002.01
张泽群	男	1963.01	牛田镇	县第一中学	中小学副高级教师	2002.01
周和平	男	1954.01	江西崇仁	县第一中学	中小学副高级教师	2002.01
周辉保	男	1963.11	山砀镇	县第一中学	中小学副高级教师	2002.01
邹建民	男	1963.01	鳌溪镇	县第一中学	中小学副高级教师	2002.01
夏少洪	男	1963.02	增田镇	县第一中学	中小学副高级教师	2002.09
黄福龙	男	1962.01	龚坊镇	县第一中学	中小学副高级教师	2003.01
黄铁辉	男	1967.07	南村乡	县第一中学	中小学副高级教师	2003.01
戴杨涛	男	1965.12	戴坊镇	县第一中学	中小学副高级教师	2003.11
邓明华	男	1967.08	万崇镇	县第一中学	中小学副高级教师	2003.11
孙海风	女	1960.12	山东枣庄	县第一中学	中小学副高级教师	2003.11
万仉祥	男	1957.09	牛田镇	县第一中学	中小学副高级教师	2003.11
熊建辉	男	1965.01	山砀镇	县第一中学	中小学副高级教师	2003.11
杨中平	男	1978.08	山砀镇	县第一中学	中小学副高级教师	2003.11
张　明	男	1959.01	鳌溪镇	县第一中学	中小学副高级教师	2003.11
王　英	女	1963.12	江西南昌	县第一中学	中小学副高级教师	2003.12

续表 26-2-3

姓名	性别	出生年月	籍贯（出生地）	工作单位	职称类别	评定时间
陈传宝	男	1965.01	罗陂乡	县第一中学	中小学副高级教师	2004.01
董乐琴	女	1967.09	牛田镇	县第一中学	中小学副高级教师	2004.01
黄红英	女	1966.12	鳌溪镇	县第一中学	中小学副高级教师	2004.01
杨晓凤	女	1969.03	鳌溪镇	县第一中学	中小学副高级教师	2004.01
周蓉萍	女	1967.11	鳌溪镇	县第一中学	中小学副高级教师	2004.01
刘华忠	男	1968.01	罗陂乡	县第一中学	中小学副高级教师	2004.11
杨长春	男	1966.03	戴坊镇	县第一中学	中小学副高级教师	2004.11
曾文清	男	1967.02	山砀镇	县第一中学	中小学副高级教师	2004.11
邹克和	男	1965.05	戴坊镇	县第一中学	中小学副高级教师	2004.11
董圣龙	男	1966.08	招携镇	县第一中学	中小学副高级教师	2005.11
黄春和	男	1964.01	戴坊镇	县第一中学	中小学副高级教师	2005.11
乐龙腾	男	1947.03	鳌溪镇	县第一中学	中小学副高级教师	2005.11
罗友华	男	1965.03	湖坪乡	县第一中学	中小学副高级教师	2005.11
饶仉辉	男	1963.01	湖坪乡	县第一中学	中小学副高级教师	2005.11
阮光辉	男	1970.01	江西临川	县第一中学	中小学副高级教师	2005.11
万小明	男	1963.09	万崇镇	县第一中学	中小学副高级教师	2005.11
曾国亮	男	1960.07	鳌溪镇	县第一中学	中小学副高级教师	2005.11
康启仁	男	1964.09	山砀镇	县第一中学	中小学副高级教师	2006.11
邹　勇	男	1970.05	增田镇	县第一中学	中小学副高级教师	2006.12
杨平华	男	1967.09	戴坊镇	县第一中学	中小学副高级教师	2007.09
龚清华	男	1970.07	龚坊镇	县第一中学	中小学副高级教师	2007.11
李　庆	女	1972.01	鳌溪镇	县第一中学	中小学副高级教师	2007.11
曾焕文	男	1966.08	罗陂乡	县第一中学	中小学副高级教师	2007.11
张华东	男	1962.08	戴坊镇	县第一中学	中小学副高级教师	2007.11
朱明生	男	1968.04	戴坊镇	县第一中学	中小学副高级教师	2007.11
邹　艳	女	1970.12	戴坊镇	县第一中学	中小学副高级教师	2007.11
陈志平	男	1970.01	罗陂乡	县第一中学	中小学副高级教师	2007.12
陈志远	男	1972.06	龚坊镇	县第一中学	中小学副高级教师	2007.12
陈中华	男	1964.12	湖坪乡	县第一中学	中小学副高级教师	2007.12
欧阳奉辉	女	1965.08	鳌溪镇	县第一中学	中小学副高级教师	2007.12
邱志乐	男	1964.11	江西丰城	县第一中学	中小学副高级教师	2007.12

续表 26-2-3

姓名	性别	出生年月	籍贯(出生地)	工作单位	职称类别	评定时间
王康平	男	1968.01	湖坪乡	县第一中学	中小学副高级教师	2007.12
游永康	男	1969.11	鳌溪镇	县第一中学	中小学副高级教师	2007.12
詹建南	男	1963.09	鳌溪镇	县第一中学	中小学副高级教师	2007.12
郝友文	男	1971.01	山砀镇	县第一中学	中小学副高级教师	2008.01
黄　鹏	男	1973.02	牛田镇	县第一中学	中小学副高级教师	2008.01
夏　康	男	1968.06	牛田镇	县第一中学	中小学副高级教师	2008.01
于　飞	男	1969.08	鳌溪镇	县第一中学	中小学副高级教师	2008.01
元翠明	女	1969.12	鳌溪镇	县第一中学	中小学副高级教师	2008.01
詹南平	男	1971.12	鳌溪镇	县第一中学	中小学副高级教师	2008.01
陈寿春	男	1967.08	罗陂乡	县第一中学	中小学副高级教师	2008.11
陈新生	男	1965.03	增田镇	县第一中学	中小学副高级教师	2008.11
戴必胜	男	1972.08	戴坊镇	县第一中学	中小学副高级教师	2008.11
梁小金	女	1969.06	江西临川	县第一中学	中小学副高级教师	2008.11
王朝华	男	1965.12	湖坪乡	县第一中学	中小学副高级教师	2008.11
谢晓明	男	1968.08	鳌溪镇	县第一中学	中小学副高级教师	2008.11
周大平	男	1969.01	金竹畲族乡	县第一中学	中小学副高级教师	2008.11
董德平	男	1971.05	牛田镇	县第一中学	中小学副高级教师	2008.12
陈合辉	男	1974.12	罗陂乡	县第一中学	中小学副高级教师	2009.01
李发生	男	1973.02	牛田镇	县第一中学	中小学副高级教师	2009.01
杨乐根	男	1971.02	江西临川	县第一中学	中小学副高级教师	2009.01
袁乐平	男	1971.08	湖坪乡	县第一中学	中小学副高级教师	2009.01
詹利珍	女	1968.01	鳌溪镇	县第一中学	中小学副高级教师	2009.01
张淑贞	女	1974.05	戴坊镇	县第一中学	中小学副高级教师	2009.01
赵　强	男	1970.07	江西南昌	县第一中学	中小学副高级教师	2009.01
邹爱华	男	1969.01	江西进贤	县第一中学	中小学副高级教师	2009.01
陈育文	男	1971.02	南村乡	县第一中学	中小学副高级教师	2009.11
戴敏霞	女	1972.08	戴坊镇	县第一中学	中小学副高级教师	2009.11
黄向荣	男	1971.12	牛田镇	县第一中学	中小学副高级教师	2009.11
黄永刚	男	1963.12	江西南昌	县第一中学	中小学副高级教师	2009.11
乐舒融	女	1973.11	鳌溪镇	县第一中学	中小学副高级教师	2009.11
乐中平	男	1962.01	江西南昌	县第一中学	中小学副高级教师	2009.11
詹震亚	男	1957.03	鳌溪镇	县第一中学	中小学副高级教师	2009.11

续表 26-2-3

姓名	性别	出生年月	籍贯（出生地）	工作单位	职称类别	评定时间
方乐强	男	1968.11	鳌溪镇	县第一中学	中小学副高级教师	2009.12
王赛英	女	1976.03	湖坪乡	县第一中学	中小学副高级教师	2009.12
陈明珠	女	1976.04	罗陂乡	县第一中学	中小学副高级教师	2010.01
黄绍荣	男	1975.05	山砀镇	县第一中学	中小学副高级教师	2010.01
曾瑞群	女	1975.07	鳌溪镇	县第一中学	中小学副高级教师	2010.01
詹云华	男	1973.01	鳌溪镇	县第一中学	中小学副高级教师	2010.01
张小兰	女	1968.11	江西大余	县第一中学	中小学副高级教师	2010.01
彭二英	女	1959.02	罗陂乡	县第一中学	中小学副高级教师	2010.11
裘志燃	男	1973.01	万崇镇	县第一中学	中小学副高级教师	2010.11
万小红	女	1974.01	万崇镇	县第一中学	中小学副高级教师	2010.11
吴平生	男	1973.11	湖溪乡	县第一中学	中小学副高级教师	2010.11
肖　红	女	1968.06	江西临川	县第一中学	中小学副高级教师	2010.11
张龙和	男	1971.01	戴坊镇	县第一中学	中小学副高级教师	2010.11
邹美花	女	1973.05	戴坊镇	县第一中学	中小学副高级教师	2010.11
邹晓东	男	1971.12	戴坊镇	县第一中学	中小学副高级教师	2010.11
黄金生	男	1975.08	公溪镇	县第一中学	中小学副高级教师	2011.01
陈广明	男	1973.03	公溪镇	县第一中学	中小学副高级教师	2011.11
陈建发	男	1975.04	罗陂乡	县第一中学	中小学副高级教师	2011.11
黄　颖	女	1977.08	鳌溪镇	县第一中学	中小学副高级教师	2011.11
郑庆文	男	1969.01	罗陂乡	县第一中学	中小学副高级教师	2011.11
袁希媛	女	1976.04	鳌溪镇	县第一中学	中小学副高级教师	2011.11
游春花	女	1976.01	江西南城	县第一中学	中小学副高级教师	2012.01
戴赛荣	男	1975.02	戴坊镇	县第一中学	中小学副高级教师	2012.11
黄丽萍	女	1977.01	大马头乡	县第一中学	中小学副高级教师	2012.11
彭高英	女	1970.09	罗陂乡	县第一中学	中小学副高级教师	2012.11
曾国明	男	1976.07	鳌溪镇	县第一中学	中小学副高级教师	2012.12
江海燕	女	1980.11	大马头乡	县第一中学	中小学副高级教师	2013.01
武礼生	男	1969.01	龚坊镇	县第一中学	中小学副高级教师	2013.12
刘艳玲	女	1976.02	江西临川	县第一中学	中小学副高级教师	2015.01
陈德华	男	1979.01	罗陂乡	县第一中学	中小学副高级教师	2015.11
高玉龙	男	1981.08	江西丰城	县第一中学	中小学副高级教师	2015.11
刘华龙	男	1977.11	罗陂乡	县第一中学	中小学副高级教师	2015.11

续表 26-2-3

姓名	性别	出生年月	籍贯（出生地）	工作单位	职称类别	评定时间
王志坚	男	1982.01	湖坪乡	县第一中学	中小学副高级教师	2015.11
杨菊英	女	1982.09	金竹畲族乡	县第一中学	中小学副高级教师	2015.11
余　珊	女	1985.04	谷岗乡	县第一中学	中小学副高级教师	2015.11
楼雪萍	女	1965.01	浙江缙云	县第一中学	中小学副高级教师	2015.12
阙　滨	男	1967.07	罗陂乡	县第一中学	中小学副高级教师	2015.12
李先伟	男	1972.06	江西进贤	县第一中学	中小学副高级教师	2016.09
罗桂金	女	1981.01	戴坊镇	县第一中学	中小学副高级教师	2016.09
王爱民	女	1970.04	南村乡	县第一中学	中小学副高级教师	2016.09
邹丽玲	女	1973.04	戴坊镇	县第一中学	中小学副高级教师	2016.09
左海芳	女	1981.04	江西金溪	县第一中学	中小学副高级教师	2016.09
陈才忠	男	1977.09	罗陂乡	县第一中学	中小学副高级教师	2016.12
戴　斌	男	1983.09	戴坊镇	县第一中学	中小学副高级教师	2016.12
黄建明	男	1980.01	山砀镇	县第一中学	中小学副高级教师	2016.12
朱小平	男	1977.08	湖溪乡	县第一中学	中小学副高级教师	2016.12
刘旺章	男	1980.12	戴坊镇	县第一中学	中小学副高级教师	2016.12
陈德周	男	1940.11	江西上饶	县第二中学	中小学副高级教师	1987.11
凌义仁	男	1942.11	江西丰城	县第二中学	中小学副高级教师	1987.11
熊光哲	男	1941.07	江西南昌	县第二中学	中小学副高级教师	1987.11
邱炳生	男	1953.12	招携镇	县第二中学	中小学副高级教师	1989.09
李木莲	女	1939.10	江西临川	县第二中学	中小学副高级教师	1995.05
熊科群	男	1943.03	山砀镇	县第二中学	中小学副高级教师	1996.06
黄贵龙	男	1962.07	龚坊镇	县第二中学	中小学副高级教师	1997.06
邓升华	男	1959.11	金竹畲族乡	县第二中学	中小学副高级教师	1999.07
裘志坚	男	1964.04	万崇镇	县第二中学	中小学副高级教师	1999.07
董正桂	女	1952.01	牛田镇	县第二中学	中小学副高级教师	1999.10
詹震球	女	1954.06	鳌溪镇	县第二中学	中小学副高级教师	2000.10
董德珍	男	1960.11	牛田镇	县第二中学	中小学副高级教师	2000.11
董雪梅	女	1964.02	牛田镇	县第二中学	中小学副高级教师	2000.11
范同其	男	1962.07	牛田镇	县第二中学	中小学副高级教师	2000.11
付燕珍	女	1962.04	鳌溪镇	县第二中学	中小学副高级教师	2000.11
戴乐祥	男	1963.04	戴坊镇	县第二中学	中小学副高级教师	2001.09
龚斌孙	男	—	龚坊镇	县第二中学	中小学副高级教师	2001.09

续表 26-2-3

姓名	性别	出生年月	籍贯（出生地）	工作单位	职称类别	评定时间
龚成联	男	1956.05	龚坊镇	县第二中学	中小学副高级教师	2001.09
杨继清	男	1962.09	龚坊镇	县第二中学	中小学副高级教师	2001.09
游自宗	男	1962.11	山砀镇	县第二中学	中小学副高级教师	2001.09
曾雅琴	女	1963.03	招携镇	县第二中学	中小学副高级教师	2001.09
陈　亮	男	1965.03	谷岗乡	县第二中学	中小学副高级教师	2002.10
戴乐兴	男	1959.02	戴坊镇	县第二中学	中小学副高级教师	2002.10
戴培刚	男	1963.09	戴坊镇	县第二中学	中小学副高级教师	2002.10
黄明和	男	1961.12	江西宜黄	县第二中学	中小学副高级教师	2002.10
凌晓明	男	1954.12	牛田镇	县第二中学	中小学副高级教师	2002.10
喻建华	男	1960.08	江西临川	县第二中学	中小学副高级教师	2002.10
张建华	男	1965.02	戴坊镇	县第二中学	中小学副高级教师	2002.10
元生发	男	1962.04	鳌溪镇	县第二中学	中小学副高级教师	2002.11
黄金才	男	1964.12	牛田镇	县第二中学	中小学副高级教师	2003.10
陈柳毅	男	1968.12	江西进贤	县第二中学	中小学副高级教师	2003.11
邓进明	男	1959.10	山砀镇	县第二中学	中小学副高级教师	2003.11
李金秀	女	1959.10	江西宜黄	县第二中学	中小学副高级教师	2003.11
张志刚	男	1961.11	罗陂乡	县第二中学	中小学副高级教师	2003.11
周长华	女	1956.08	鳌溪镇	县第二中学	中小学副高级教师	2003.11
董广忠	男	1964.04	牛田镇	县第二中学	中小学副高级教师	2004.10
郑生才	男	1963.02	戴坊镇	县第二中学	中小学副高级教师	2004.10
朱卫明	男	1962.11	江西临川	县第二中学	中小学副高级教师	2004.10
李　莉	女	1965.08	戴坊镇	县第二中学	中小学副高级教师	2004.11
杨建辉	男	1965.11	牛田镇	县第二中学	中小学副高级教师	2004.11
张发平	男	1965.12	戴坊镇	县第二中学	中小学副高级教师	2004.11
邹克凌	男	1973.11	戴坊镇	县第二中学	中小学副高级教师	2004.12
陈乐刚	男	1957.11	罗陂乡	县第二中学	中小学副高级教师	2005.10
丁龙庄	男	1963.08	牛田镇	县第二中学	中小学副高级教师	2005.10
董建华	男	1966.12	招携镇	县第二中学	中小学副高级教师	2005.10
康乐和	男	1966.05	山砀镇	县第二中学	中小学副高级教师	2005.10
杨晓华	男	1970.12	南村乡	县第二中学	中小学副高级教师	2005.10
郑积敏	男	1955.02	江西临川	县第二中学	中小学副高级教师	2005.11
罗仁福	男	1965.04	罗陂乡	县第二中学	中小学副高级教师	2006.09

续表 26-2-3

姓名	性别	出生年月	籍贯（出生地）	工作单位	职称类别	评定时间
熊小平	男	1969.10	山砀镇	县第二中学	中小学副高级教师	2006.10
姜胜明	男	1965.05	湖溪乡	县第二中学	中小学副高级教师	2006.11
杨红卫	男	1966.07	招携镇	县第二中学	中小学副高级教师	2006.11
元喜欣	男	1967.06	增田镇	县第二中学	中小学副高级教师	2006.11
曾慧莲	女	1967.10	龚坊镇	县第二中学	中小学副高级教师	2006.11
陈晓峰	男	1967.11	增田镇	县第二中学	中小学副高级教师	2006.12
罗西安	男	1957.11	江西临川	县第二中学	中小学副高级教师	2006.12
陈晓竹	女	1968.08	江西崇仁	县第二中学	中小学副高级教师	2007.10
戴　扬	男	1966.06	戴坊镇	县第二中学	中小学副高级教师	2007.10
丁晓华	男	1966.03	牛田镇	县第二中学	中小学副高级教师	2007.10
董伟信	男	1965.12	牛田镇	县第二中学	中小学副高级教师	2007.10
何玲娥	女	1967.09	鳌溪镇	县第二中学	中小学副高级教师	2007.10
刘乐丰	男	1968.10	湖溪乡	县第二中学	中小学副高级教师	2007.10
聂冬兰	女	1966.11	公溪镇	县第二中学	中小学副高级教师	2007.10
彭才生	男	1965.10	万崇镇	县第二中学	中小学副高级教师	2007.10
陈菊英	女	1972.09	山砀镇	县第二中学	中小学副高级教师	2007.11
冯康勇	男	1968.01	牛田镇	县第二中学	中小学副高级教师	2007.11
龚　力	男	1965.10	龚坊镇	县第二中学	中小学副高级教师	2007.11
龚汉成	男	1963.07	龚坊镇	县第二中学	中小学副高级教师	2007.11
黄晓霞	女	1966.09	龚坊镇	县第二中学	中小学副高级教师	2007.11
刘喜华	男	1968.08	罗陂乡	县第二中学	中小学副高级教师	2007.11
毛淑琴	女	1967.09	龚坊镇	县第二中学	中小学副高级教师	2007.11
王兴增	男	1967.08	湖坪乡	县第二中学	中小学副高级教师	2007.11
易竹英	女	1966.10	公溪镇	县第二中学	中小学副高级教师	2007.11
游树林	男	1971.11	鳌溪镇	县第二中学	中小学副高级教师	2007.11
詹利红	女	1968.11	戴坊镇	县第二中学	中小学副高级教师	2007.11
张乐明	男	1972.07	鳌溪镇	县第二中学	中小学副高级教师	2007.11
张小红	女	1971.10	鳌溪镇	县第二中学	中小学副高级教师	2007.11
邹正明	男	1970.08	戴坊镇	县第二中学	中小学副高级教师	2007.11
董东民	男	1969.01	牛田镇	县第二中学	中小学副高级教师	2008.10
廖永丰	男	1967.04	金竹畲族乡	县第二中学	中小学副高级教师	2008.10
许有洪	男	1968.09	增田镇	县第二中学	中小学副高级教师	2008.10

续表 26-2-3

姓名	性别	出生年月	籍贯（出生地）	工作单位	职称类别	评定时间
曾广明	男	1967.12	鳌溪镇	县第二中学	中小学副高级教师	2008.10
占富荣	男	1966.12	鳌溪镇	县第二中学	中小学副高级教师	2008.10
张泽民	男	1969.12	牛田镇	县第二中学	中小学副高级教师	2008.10
胡菊花	女	1968.10	湖溪乡	县第二中学	中小学副高级教师	2008.11
黄世恩	男	1968.09	戴坊镇	县第二中学	中小学副高级教师	2008.11
沈永红	女	1972.10	山砀镇	县第二中学	中小学副高级教师	2008.11
肖龙香	男	1966.08	戴坊镇	县第二中学	中小学副高级教师	2008.11
杨冬生	男	1970.11	戴坊镇	县第二中学	中小学副高级教师	2008.11
曾建平	男	1972.10	戴坊镇	县第二中学	中小学副高级教师	2008.11
曾礼发	男	1973.02	戴坊镇	县第二中学	中小学副高级教师	2008.11
詹莉梅	女	1971.08	鳌溪镇	县第二中学	中小学副高级教师	2008.11
钟　雪	女	1967.02	江西临川	县第二中学	中小学副高级教师	2008.11
邹乐春	男	1968.01	江西进贤	县第二中学	中小学副高级教师	2008.11
陈霖琳	女	1973.02	江西上饶	县第二中学	中小学副高级教师	2009.09
蔡才良	男	1969.07	龚坊镇	县第二中学	中小学副高级教师	2009.10
蔡杏英	女	1976.01	公溪镇	县第二中学	中小学副高级教师	2009.10
乐　琴	女	1968.11	鳌溪镇	县第二中学	中小学副高级教师	2009.10
李友发	男	1970.09	湖溪乡	县第二中学	中小学副高级教师	2009.10
刘俊红	女	1968.05	辽宁本溪	县第二中学	中小学副高级教师	2009.10
饶文兴	男	1968.04	江西临川	县第二中学	中小学副高级教师	2009.10
王赣波	男	1968.11	湖坪乡	县第二中学	中小学副高级教师	2009.10
王洪魁	男	1966.08	湖坪乡	县第二中学	中小学副高级教师	2009.10
夏玉林	男	1966.08	增田镇	县第二中学	中小学副高级教师	2009.10
徐年平	男	1966.12	江西临川	县第二中学	中小学副高级教师	2009.10
严云飞	男	1971.04	鳌溪镇	县第二中学	中小学副高级教师	2009.10
杨凤英	女	1975.09	戴坊镇	县第二中学	中小学副高级教师	2009.10
曾　谨	男	1972.08	龚坊镇	县第二中学	中小学副高级教师	2009.10
曾慧英	女	1966.08	招携镇	县第二中学	中小学副高级教师	2009.10
曾莲花	女	1965.06	南村乡	县第二中学	中小学副高级教师	2009.10
詹莉萍	女	1969.10	鳌溪镇	县第二中学	中小学副高级教师	2009.10
邹贵荣	男	1967.06	增田镇	县第二中学	中小学副高级教师	2009.10
邓友祥	男	1958.02	戴坊镇	县第二中学	中小学副高级教师	2009.11

续表 26-2-3

姓名	性别	出生年月	籍贯（出生地）	工作单位	职称类别	评定时间
杨红红	女	1970.10	鳌溪镇	县第二中学	中小学副高级教师	2009.11
姚国亮	男	1971.07	南村乡	县第二中学	中小学副高级教师	2009.11
陈传荣	男	1973.01	罗陂乡	县第二中学	中小学副高级教师	2010.10
陈俊浪	男	1973.06	山砀镇	县第二中学	中小学副高级教师	2010.10
黄　熹	男	1969.12	鳌溪镇	县第二中学	中小学副高级教师	2010.10
李仁贤	男	1975.01	万崇镇	县第二中学	中小学副高级教师	2010.10
曾　强	男	1971.10	鳌溪镇	县第二中学	中小学副高级教师	2010.10
曾友春	男	1969.01	万崇镇	县第二中学	中小学副高级教师	2010.10
陈传华	男	1966.08	南村乡	县第二中学	中小学副高级教师	2010.11
戴发茂	男	1972.04	南村乡	县第二中学	中小学副高级教师	2010.11
董敏玲	女	1967.10	牛田镇	县第二中学	中小学副高级教师	2010.11
龚　鹏	男	1966.07	龚坊镇	县第二中学	中小学副高级教师	2010.11
何小英	女	1977.09	江西峡江	县第二中学	中小学副高级教师	2010.11
黄卫生	男	1969.12	鳌溪镇	县第二中学	中小学副高级教师	2010.11
刘建华	男	1970.06	金竹畲族乡	县第二中学	中小学副高级教师	2010.11
杨欣义	男	1971.04	金竹畲族乡	县第二中学	中小学副高级教师	2010.11
易新江	男	1976.10	山砀镇	县第二中学	中小学副高级教师	2010.11
游红爱	女	1977.05	鳌溪镇	县第二中学	中小学副高级教师	2010.11
董庆平	男	1968.05	招携镇	县第二中学	中小学副高级教师	2010.12
陈　敏	女	1970.06	牛田镇	县第二中学	中小学副高级教师	2011.11
丁伟民	男	1979.09	牛田镇	县第二中学	中小学副高级教师	2011.11
董仉连	女	1975.03	牛田镇	县第二中学	中小学副高级教师	2011.11
郭爱民	男	1969.02	公溪镇	县第二中学	中小学副高级教师	2011.11
金卫琼	女	1977.08	鳌溪镇	县第二中学	中小学副高级教师	2011.11
刘东华	男	1973.11	罗陂乡	县第二中学	中小学副高级教师	2011.11
王启武	男	1969.09	湖坪乡	县第二中学	中小学副高级教师	2011.11
陈吉荣	男	1972.05	谷岗乡	县第二中学	中小学副高级教师	2013.11
曾新莲	女	1969.09	龚坊镇	县第二中学	中小学副高级教师	2013.11
黄小荣	男	1980.03	戴坊镇	县第二中学	中小学副高级教师	2015.11
康求华	男	1979.01	山砀镇	县第二中学	中小学副高级教师	2015.11
邱春兰	女	1977.03	万崇镇	县第二中学	中小学副高级教师	2015.11
陈茂新	男	1972.07	鳌溪镇	县第二中学	中小学副高级教师	2016.12

续表 26-2-3

姓名	性别	出生年月	籍贯（出生地）	工作单位	职称类别	评定时间
杜国辉	男	1974.10	山砀镇	县第二中学	中小学副高级教师	2016.12
李国平	男	1983.10	江西宜黄	县第二中学	中小学副高级教师	2016.12
游建辉	男	1970.08	公溪镇	县第二中学	中小学副高级教师	2016.12
邱盛发	男	1947.06	万崇镇	县教师进修学校	中小学副高级教师	1987.01
曾国胜	男	1946.03	鳌溪镇	县教师进修学校	中小学副高级教师	1995.11
王春元	男	1948.11	湖坪乡	县教师进修学校	中小学副高级教师	1996.06
戴国祥	男	1940.11	戴坊镇	县教师进修学校	中小学副高级教师	1999
王园增	男	1963.09	湖坪乡	县教师进修学校	中小学副高级教师	2002.10
易清元	男	1958.02	山砀镇	县教师进修学校	中小学副高级教师	2004.11
游落生	男	1967.10	鳌溪镇	县教师进修学校	中小学副高级教师	2008.11
袁黎花	女	1966.07	湖坪乡	县教师进修学校	中小学副高级教师	2010.10
刘　江	男	1964.10	谷岗乡	县教师进修学校	中小学副高级教师	2011.11
曾文龙	男	1969.07	湖坪乡	县教师进修学校	中小学副高级教师	2011.11
詹文宝	男	1930.01	鳌溪镇	县职业中学	中小学副高级教师	1987.01
盛跃庭	男	1946.07	江西永新	县职业中学	中小学副高级教师	1992.10
王前鹏	男	1951.01	鳌溪镇	县职业中学	中小学副高级教师	1995.10
元文亮	男	1943.08	鳌溪镇	县职业中学	中小学副高级教师	1998.10
曾书贤	男	1958.04	鳌溪镇	县职业中学	中小学副高级教师	1999.10
陈　东	男	1962.10	鳌溪镇	县职业中学	中小学副高级教师	2000.10
元小林	男	1958.11	鳌溪镇	县职业中学	中小学副高级教师	2004.11
万德洪	男	1962.08	万崇镇	县职业中学	中小学副高级教师	2004.12
黄文华	男	1967.06	鳌溪镇	县职业中学	中小学副高级教师	2005.10
邓莹玲	女	1960.07	鳌溪镇	县职业中学	中小学副高级教师	2005.11
陈文新	男	1967.02	罗陂乡	县职业中学	中小学副高级教师	2007.11
郑爱生	男	1968.06	湖溪乡	县职业中学	中小学副高级教师	2007.11
黄晓兰	女	1963.08	戴坊镇	县职业中学	中小学副高级教师	2009.10
曾小平	男	1959.10	鳌溪镇	县职业中学	中小学副高级教师	2009.10
杨亚洲	男	1956.08	黑龙江哈尔滨	县第四中学	中小学副高级教师	1988.12
闫登科	男	1955.02	河北博野	县第四中学	中小学副高级教师	1989.11
黄邦生	男	1958.11	江西兴国	县第四中学	中小学副高级教师	2000.11
柴建伟	女	1964.12	河南淅川	县第四中学	中小学副高级教师	2001.09

续表 26-2-3

姓名	性别	出生年月	籍贯（出生地）	工作单位	职称类别	评定时间
彭鲜霞	女	1963.06	河南襄城	县第四中学	中小学副高级教师	2001.09
许芙蓉	女	1963.01	河南淮滨	县第四中学	中小学副高级教师	2001.09
曾光辉	男	1958.03	公溪镇	县第四中学	中小学副高级教师	2002.11
游富民	男	1965.09	公溪镇	县第四中学	中小学副高级教师	2003.09
游旺孙	男	1956.12	公溪镇	县第四中学	中小学副高级教师	2003.11
李晓莲	女	1963.01	湖南衡阳	县第四中学	中小学副高级教师	2003.11
李拥军	女	1969.07	江西兴国	县第四中学	中小学副高级教师	2003.11
彭寿根	男	1962.01	江西临川	县第四中学	中小学副高级教师	2003.11
张国林	男	1961.01	江西临川	县第四中学	中小学副高级教师	2003.11
曾国民	男	1957.06	公溪镇	县第四中学	中小学副高级教师	2003.12
黄长升	男	1968.12	公溪镇	县第四中学	中小学副高级教师	2004.11
吴泽龙	男	1964.08	江西临川	县第四中学	中小学副高级教师	2005.10
胡发保	男	1962.02	万崇镇	县第四中学	中小学副高级教师	2005.11
刘　群	女	1968.12	福建龙岩	县第四中学	中小学副高级教师	2006.11
闫玉杰	男	1960.03	河北博野	县第四中学	中小学副高级教师	2006.12
林良贵	男	1967.02	湖坪乡	县第四中学	中小学副高级教师	2007.09
饶爱玲	女	1970.01	江西临川	县第四中学	中小学副高级教师	2007.09
游正孙	男	1967.12	公溪镇	县第四中学	中小学副高级教师	2007.09
游智明	男	1963.11	公溪镇	县第四中学	中小学副高级教师	2007.11
马赵梅	女	1969.05	山东藤县	县第四中学	中小学副高级教师	2008.09
曾海珍	女	1969.08	戴坊镇	县第四中学	中小学副高级教师	2008.09
吴健华	男	1958.01	福建龙岩	县第四中学	中小学副高级教师	2008.10
黄玲芬	女	1962.08	江苏江阴	县第四中学	中小学副高级教师	2009.10
杨　萍	女	1966.09	江西余江	县第四中学	中小学副高级教师	2009.10
郑雅萍	女	1969.03	天津	县第四中学	中小学副高级教师	2009.10
管凤祥	男	1968.01	南村乡乡	县第四中学	中小学副高级教师	2009.11
杨　彬	男	1967.07	江苏南京	县第四中学	中小学副高级教师	2010.10
周玉明	女	1962.11	江西临川	县第四中学	中小学副高级教师	2010.11
罗军保	男	1971.07	公溪镇	县第四中学	中小学副高级教师	2011.11
孙　波	男	1958.04	辽宁大连	县第四中学	中小学副高级教师	2016.12
王乐媛	女	1962.01	江西吉安	县实验小学	中小学副高级教师	2008.11
袁菊花	女	1967.09	江西崇仁	县实验小学	中小学副高级教师	2008.11

续表 26-2-3

姓名	性别	出生年月	籍贯（出生地）	工作单位	职称类别	评定时间
郭良萍	女	1971.01	湖南桃江	县实验小学	中小学副高级教师	2010.10
邱慈卫	男	1965.01	招携镇	县实验小学	中小学副高级教师	2010.11
詹志英	女	1962.11	鳌溪镇	县实验小学	中小学副高级教师	2011.11
陈志刚	男	1967.07	江西赣县	县实验小学	中小学副高级教师	2012.11
刘美兰	女	1970.11	鳌溪镇	县实验小学	中小学副高级教师	2013.11
钟蔚云	女	1971.08	江西信丰	县实验小学	中小学副高级教师	2016.12
吴绍明	男	1963.03	万崇镇	县第二小学	中小学副高级教师	2002.01
管　华	男	1970.09	招携镇	县第二小学	中小学副高级教师	2005.01
方　芳	女	1978.02	江西丰城市	县第二小学	中小学副高级教师	2013.11
邹祎娟	女	1967.05	增田镇	县第三小学	中小学副高级教师	2011.11
欧国平	男	1973.11	谷岗乡	县第三小学	中小学副高级教师	2012.12
吴玲玲	女	1977.12	湖溪乡	县第三小学	中小学副高级教师	2013.11
杨贤福	男	1971.11	戴坊镇	县第三小学	中小学副高级教师	2013.11
陈　玲	女	1968.03	鳌溪镇	县第四小学	中小学副高级教师	2005.10
曾悦清	男	1975.09	戴坊镇	县第四小学	中小学副高级教师	2011.11
詹晓花	女	1979.12	鳌溪镇	县第四小学	中小学副高级教师	2016.12
曾　华	女	1969.06	鳌溪镇	县幼儿园	中小学副高级教师	2010.11
郑　彤	女	1967.04	江西临川	县幼儿园	中小学副高级教师	2015.11
詹光华	男	1968.03	戴坊镇	鳌溪中心小学	中小学副高级教师	2010.12
邹菊红	女	1976.09	鳌溪镇	鳌溪中心小学	中小学副高级教师	2011.12
杜国清	男	1971.05	山砀镇	鳌溪中心小学	中小学副高级教师	2015.11
李芼生	男	1955.01	鳌溪镇	潭港学校	中小学副高级教师	2002.11
张志荣	男	1956.09	戴坊镇	潭港学校	中小学副高级教师	2002.11
刘华明	男	1966.12	增田镇	潭港学校	中小学副高级教师	2005.01
董仉才	男	1970.01	牛田镇	潭港学校	中小学副高级教师	2007.11
刘卫红	女	1971.10	戴坊镇	潭港学校	中小学副高级教师	2007.11
罗福才	男	1971.01	牛田镇	潭港学校	中小学副高级教师	2007.11
周国洪	男	1967	鳌溪镇	潭港学校	中小学副高级教师	2007.11
董求真	女	1969.01	湖坪乡	潭港学校	中小学副高级教师	2007.12
曾　旻	男	1968.01	南村乡	潭港学校	中小学副高级教师	2008.11
邓小鸿	男	1970.01	万崇镇	潭港学校	中小学副高级教师	2009.01
易胜锋	男	1973.05	山砀镇	潭港学校	中小学副高级教师	2009.01

续表 26-2-3

姓名	性别	出生年月	籍贯（出生地）	工作单位	职称类别	评定时间
胡乐琴	女	1977.09	鳌溪镇	潭港学校	中小学副高级教师	2013.01
王　英	女	1974.11	湖坪乡	潭港学校	中小学副高级教师	2015.11
蔡盛生	男	1939.09	公溪镇	公溪中学	中小学副高级教师	1998.09
李志文	男	1962.02	江西新干	公溪中心小学	中小学副高级教师	2003.11
江建忠	男	1968.10	戴坊镇	公溪中心小学	中小学副高级教师	2011.11
邹冬秀	女	1970.11	戴坊镇	公溪中心小学	中小学副高级教师	2013.11
兰奕轩	男	1967.02	增田镇	山砀中心小学	中小学副高级教师	2001.11
郭振岳	男	1938.08	山砀镇	山砀中学	中小学副高级教师	1993.01
杜诚信	男	1954.12	山砀镇	山砀中学	中小学副高级教师	2004.01
武后兴	男	1952.05	山砀镇	山砀中学	中小学副高级教师	2005.01
曾文辉	男	1960.08	山砀镇	山砀中学	中小学副高级教师	2006.01
康主良	男	1971.08	山砀镇	山砀中学	中小学副高级教师	2009.01
郝友根	男	1967.11	山砀镇	山砀中学	中小学副高级教师	2010.01
杨春明	男	1971.02	山砀镇	山砀中学	中小学副高级教师	2010.10
陈栋兵	男	1972.12	戴坊镇	山砀中学	中小学副高级教师	2012.01
郝国称	男	1976.08	山砀镇	山砀中学	中小学副高级教师	2012.01
黄平伟	男	1976.02	湖溪乡	山砀中学	中小学副高级教师	2015.01
易沈阳	男	1958.12	山砀镇	航桥学校	中小学副高级教师	2005.12
易月明	男	1957.08	山砀镇	航桥学校	中小学副高级教师	2007.12
戴东荣	男	1976.01	戴坊镇	航桥学校	中小学副高级教师	2011.11
康军民	男	1976.12	山砀镇	航桥学校	中小学副高级教师	2011.11
胡　粮	男	1968.07	龚坊镇	龚坊镇中心小学	中小学副高级教师	2010.01
黄　瑜	女	1982.02	鳌溪镇	龚坊镇中心小学	中小学副高级教师	2015.12
彭高才	男	1955.10	龚坊镇	龚坊镇中学	中小学副高级教师	2003.11
杨志和	男	1959.03	招携镇	龚坊镇中学	中小学副高级教师	2003.11
龚荣生	男	1957.04	龚坊镇	龚坊镇中学	中小学副高级教师	2004.11
祝大明	男	1964.06	湖溪乡	龚坊镇中学	中小学副高级教师	2005.01
龚希祥	男	1958.11	龚坊镇	龚坊镇中学	中小学副高级教师	2005.11
曾根祥	男	1963.01	龚坊镇	龚坊镇中学	中小学副高级教师	2007.11
龚　力	男	1965.10	龚坊镇	龚坊镇中学	中小学副高级教师	2007.11
陈小祥	男	1967.10	龚坊镇	龚坊镇中学	中小学副高级教师	2008.12
曾贵祥	男	1970.09	龚坊镇	龚坊镇中学	中小学副高级教师	2009.10

续表 26-2-3

姓名	性别	出生年月	籍贯（出生地）	工作单位	职称类别	评定时间
曾庆华	男	1969.05	龚坊镇	龚坊镇中学	中小学副高级教师	2009.10
龚掌坤	男	1959.12	龚坊镇	龚坊镇中学	中小学副高级教师	2009.10
谢明祥	男	1957.09	龚坊镇	龚坊镇中学	中小学副高级教师	2009.10
武福根	男	1968.01	山砀镇	龚坊镇中学	中小学副高级教师	2010.11
杨　强	男	1973.02	戴坊镇	龚坊镇中学	中小学副高级教师	2011.11
胡十生	男	1973.10	龚坊镇	龚坊镇中学	中小学副高级教师	2016.12
陈年保	男	1962.12	鳌溪镇	戴坊镇中心小学	中小学副高级教师	2008.07
戴慧荣	男	1973.07	戴坊镇	戴坊镇中心小学	中小学副高级教师	2004.12
康卫国	男	1968.09	山砀镇	戴坊镇中心小学	中小学副高级教师	2011.11
杨洪祥	男	1934.08	戴坊镇	戴坊镇中学	中小学副高级教师	1994.09
邹恒云	男	1946.04	戴坊镇	戴坊镇中学	中小学副高级教师	1995.07
黄银生	男	1944.10	戴坊镇	戴坊镇中学	中小学副高级教师	1999.01
黄冬英	女	1964.12	牛田镇	戴坊镇中学	中小学副高级教师	2001.12
李冬元	男	1964.01	戴坊镇	戴坊镇中学	中小学副高级教师	2002.01
杨绍明	男	1956.09	戴坊镇	戴坊镇中学	中小学副高级教师	2003.01
邹富章	男	1962.02	戴坊镇	戴坊镇中学	中小学副高级教师	2007.11
康华琳	女	1968.09	戴坊镇	戴坊镇中学	中小学副高级教师	2007.12
李敏灵	女	1967.11	戴坊镇	戴坊镇中学	中小学副高级教师	2007.12
杨机华	男	1967.01	戴坊镇	戴坊镇中学	中小学副高级教师	2007.12
杨志和	男	1967.08	戴坊镇	戴坊镇中学	中小学副高级教师	2007.12
袁立新	男	1968.02	戴坊镇	戴坊镇中学	中小学副高级教师	2007.12
詹小菊	女	1964.09	戴坊镇	戴坊镇中学	中小学副高级教师	2007.12
邹祥来	男	1959.09	戴坊镇	戴坊镇中学	中小学副高级教师	2007.12
邹振勇	男	1970.01	戴坊镇	戴坊镇中学	中小学副高级教师	2007.12
戴文兴	男	1969.04	戴坊镇	戴坊镇中学	中小学副高级教师	2008.12
黄春花	女	1968.02	戴坊镇	戴坊镇中学	中小学副高级教师	2008.12
邹仉根	男	1969.01	戴坊镇	戴坊镇中学	中小学副高级教师	2008.12
邹贵生	男	1970.01	戴坊镇	戴坊镇中学	中小学副高级教师	2009.01
游煌飞	男	1974.07	鳌溪镇	戴坊镇中学	中小学副高级教师	2009.01
喻小梅	女	1973.06	江西临川	戴坊镇中学	中小学副高级教师	2009.01
詹春元	男	19671.02	戴坊镇	戴坊镇中学	中小学副高级教师	2010.01
袁秋华	男	1968.11	戴坊镇	戴坊镇中学	中小学副高级教师	2011.11

续表 26-2-3

姓名	性别	出生年月	籍贯(出生地)	工作单位	职称类别	评定时间
黄卫琴	女	1977.09	鳌溪镇	戴坊镇中学	中小学副高级教师	2013.11
黄清平	男	1965.04	南村乡	鹏洲中学	中小学副高级教师	2002.11
郑高来	男	1964.01	戴坊镇	鹏洲中学	中小学副高级教师	2003.11
黄爱平	男	1965.05	南村乡	鹏洲中学	中小学副高级教师	2007.11
杨和春	男	1967.12	戴坊镇	鹏洲中学	中小学副高级教师	2007.11
饶卫安	男	1970.01	江西临川	鹏洲中学	中小学副高级教师	2009.11
陈荣章	男	1971.07	湖坪乡	鹏洲中学	中小学副高级教师	2010.11
吴　鹏	男	1980.07	湖溪乡	鹏洲中学	中小学副高级教师	2015.11
董进平	男	1970.01	牛田镇	牛田中心小学	中小学副高级教师	2016.12
丁龙彬	男	1937.11	牛田镇	牛田中学	中小学副高级教师	1987.01
董伟宾	男	1958.10	牛田镇	牛田中学	中小学副高级教师	2000.11
丁祖固	男	1947.09	牛田镇	牛田中学	中小学副高级教师	2001.09
杨　敏	男	1963.06	鳌溪镇	牛田中学	中小学副高级教师	2003.11
董盛凡	男	1955.05	牛田镇	牛田中学	中小学副高级教师	2004.10
陈新华	男	1963.01	牛田镇	牛田中学	中小学副高级教师	2005.10
董家福	男	1965.09	牛田镇	牛田中学	中小学副高级教师	2005.10
董金云	男	1966.12	牛田镇	牛田中学	中小学副高级教师	2005.10
董顺华	男	1973.11	牛田镇	牛田中学	中小学副高级教师	2007.11
董文义	男	1964.06	牛田镇	牛田中学	中小学副高级教师	2007.11
李芳华	男	1968.06	牛田镇	牛田中学	中小学副高级教师	2007.11
唐小龙	男	1967.12	湖坪乡	牛田中学	中小学副高级教师	2007.11
丁乃尚	男	1968.01	牛田镇	牛田中学	中小学副高级教师	2008.12
董元和	男	1972.12	牛田镇	牛田中学	中小学副高级教师	2009.10
董伟平	男	1976.04	牛田镇	牛田中学	中小学副高级教师	2009.11
乐　伶	男	1970.10	招携镇	牛田中学	中小学副高级教师	2010.10
刘寿华	男	1974.06	牛田镇	牛田中学	中小学副高级教师	2010.10
罗许生	男	1971.02	牛田镇	牛田中学	中小学副高级教师	2010.10
徐长安	男	1965.03	牛田镇	牛田中学	中小学副高级教师	2010.11
余小春	男	1975.02	牛田镇	牛田中学	中小学副高级教师	2010.12
董国强	男	1968.10	牛田镇	牛田中学	中小学副高级教师	2011.11
王春华	男	1967.01	湖坪乡	牛田中学	中小学副高级教师	2011.11
谢付荣	男	1975.02	牛田镇	牛田中学	中小学副高级教师	2011.11

续表 26-2-3

姓名	性别	出生年月	籍贯（出生地）	工作单位	职称类别	评定时间
丁国奇	男	1973.09	牛田镇	牛田中学	中小学副高级教师	2012.11
丁建春	男	1972.09	牛田镇	牛田中学	中小学副高级教师	2015.11
董文君	男	1966.12	牛田镇	万崇中心小学	中小学副高级教师	2016.12
邓维祥	男	1938.08	万崇镇	万崇中学	中小学副高级教师	1987.11
万卫东	男	1950.12	万崇镇	万崇中学	中小学副高级教师	1999.04
黄　昀	男	1956.04	牛田镇	万崇中学	中小学副高级教师	2003.11
邹华龙	男	1969.12	鳌溪镇	万崇中学	中小学副高级教师	2007.11
邓志明	男	1958.03	万崇镇	万崇中学	中小学副高级教师	2000.12
邱发生	男	1963.08	万崇镇	万崇中学	中小学副高级教师	2003.11
彭国和	男	1968.11	万崇镇	万崇中学	中小学副高级教师	2004.11
陈仉平	男	1968.05	罗陂乡	万崇中学	中小学副高级教师	2007.11
王小祥	男	1963.06	湖坪乡	万崇中学	中小学副高级教师	2007.11
陈贵娇	女	1969.07	湖坪乡	万崇中学	中小学副高级教师	2008.11
邱任保	男	1972.05	万崇镇	万崇中学	中小学副高级教师	2009.10
邓致仲	男	1967.08	万崇镇	万崇中学	中小学副高级教师	2011.11
邱文斌	男	1967.09	万崇镇	万崇中学	中小学副高级教师	2011.11
肖清华	男	1968.04	万崇镇	万崇中学	中小学副高级教师	2011.11
刘小青	男	1968.07	罗陂乡	万崇中学	中小学副高级教师	2013.11
刘玉彬	男	1973.07	江西乐安	万崇中学	中小学副高级教师	2015.11
谢建文	男	1968.09	湖南湘乡	万崇中学	中小学副高级教师	2015.12
游国安	男	1972.07	招携镇	招携中心小学	中小学副高级教师	2011.11
曾向东	男	1944.09	招携镇	招携中学	中小学副高级教师	2002.11
曾大生	男	1964.03	山砀镇	招携中学	中小学副高级教师	2005.11
廖国龙	男	1956.12	金竹畲族乡	招携中学	中小学副高级教师	2005.11
刘晋君	男	1949.02	招携镇	招携中学	中小学副高级教师	2005.11
谢国平	男	1964.07	鳌溪镇	招携中学	中小学副高级教师	2005.11
童定钟	男	1957.07	招携镇	招携中学	中小学副高级教师	2007.11
游国华	男	1967.01	增田镇	招携中学	中小学副高级教师	2007.11
阙洪明	男	1967.09	万崇镇	招携中学	中小学副高级教师	2010.11
王波秋	男	1966.05	湖坪乡	招携中学	中小学副高级教师	2010.11
袁国华	男	1970.07	湖坪乡	招携中学	中小学副高级教师	2010.11
乐　飞	男	1972.05	鳌溪镇	招携中学	中小学副高级教师	2011.11

续表 26-2-3

姓名	性别	出生年月	籍贯(出生地)	工作单位	职称类别	评定时间
许国华	男	1968.02	鳌溪镇	招携中学	中小学副高级教师	2011.11
杨金才	男	1972.02	招携镇	招携中学	中小学副高级教师	2011.11
曾文贵	男	1956.01	招携镇	招携中学	中小学副高级教师	2012.11
吴才华	男	1956.11	招携镇	望仙学校	中小学副高级教师	2003.11
罗关生	男	1964.10	湖坪乡	望仙学校	中小学副高级教师	2005.10
王灵政	男	1966.07	湖坪乡	望仙学校	中小学副高级教师	2005.10
陈　虹	女	1967.10	招携镇	望仙学校	中小学副高级教师	2007.11
黄志高	男	1966.09	增田镇	望仙学校	中小学副高级教师	2007.11
李呈生	男	1965.03	招携镇	望仙学校	中小学副高级教师	2007.11
周贵和	男	1967.11	山砀镇	望仙学校	中小学副高级教师	2007.11
王呈福	男	1968.02	湖坪乡	望仙学校	中小学副高级教师	2009.10
游煌清	男	1971.03	招携镇	望仙学校	中小学副高级教师	2010.11
曾爱生	男	1968.12	鳌溪镇	望仙学校	中小学副高级教师	2011.11
龚华义	男	1962.01	龚坊镇	增田中心小学	中小学副高级教师	2007.11
黄发生	男	1954.09	戴坊镇	增田中学	中小学副高级教师	1997.06
李　莉	女	1965.08	戴坊镇	增田中学	中小学副高级教师	2004.11
邹发兴	男	1969.10	增田镇	增田中学	中小学副高级教师	2005.10
张雪花	女	1967.11	增田镇	增田中学	中小学副高级教师	2005.11
杨律琴	女	1972.05	金竹畲族乡	增田中学	中小学副高级教师	2005.12
詹义军	男	1955.09	增田镇	增田中学	中小学副高级教师	2005.12
陈军才	男	1965.08	增田镇	增田中学	中小学副高级教师	2007.11
董志伟	男	1971.12	牛田镇	增田中学	中小学副高级教师	2007.11
李　忠	男	1968.11	增田镇	增田中学	中小学副高级教师	2007.11
李昌平	男	1971.07	增田镇	增田中学	中小学副高级教师	2007.11
林文明	男	1969.01	湖坪乡	增田中学	中小学副高级教师	2007.11
肖建华	男	1973.12	增田镇	增田中学	中小学副高级教师	2008.10
李国华	男	1968.09	增田镇	增田中学	中小学副高级教师	2008.11
林良发	男	1971.06	湖坪乡	增田中学	中小学副高级教师	2008.11
王德胜	男	1971.12	湖坪乡	增田中学	中小学副高级教师	2008.11
祝赛红	女	1974.08	湖溪乡	增田中学	中小学副高级教师	2008.11
钟剑彬	男	1975.10	增田镇	增田中学	中小学副高级教师	2009.10
曾冬连	女	1966.10	万崇乡	增田中学	中小学副高级教师	2009.11

续表 26-2-3

姓名	性别	出生年月	籍贯（出生地）	工作单位	职称类别	评定时间
聂贵冬	男	1969.09	增田镇	增田中学	中小学副高级教师	2009.11
邹南翔	男	1964.09	增田镇	增田中学	中小学副高级教师	2010.10
桂淑平	女	1975.04	江西东乡	增田中学	中小学副高级教师	2010.11
郭凤英	女	1974.09	鳌溪镇	增田中学	中小学副高级教师	2010.11
郭玉华	女	1973.09	山砀镇	增田中学	中小学副高级教师	2013.11
龚克祥	男	1970.04	龚坊镇	南村中心小学	中小学副高级教师	2013.11
王毕生	男	1962.09	南村乡	南村中心小学	中小学副高级教师	2015.11
万春华	男	1962.03	万崇镇	南村中学	中小学副高级教师	2002.09
周年根	男	1963.01	湖溪乡	南村中学	中小学副高级教师	2001.10
陈纲禄	男	1965.01	南村乡	南村中学	中小学副高级教师	2005.10
刘贵和	男	1957.02	戴坊镇	南村中学	中小学副高级教师	2005.10
张政群	男	1962.07	南村乡	南村中学	中小学副高级教师	2005.10
黄保根	男	1967.05	南村乡	南村中学	中小学副高级教师	2005.09
姚成华	男	1968.01	南村乡	南村中学	中小学副高级教师	2007.10
张卫华	男	1964.03	南村乡	南村中学	中小学副高级教师	2007.11
王　剑	男	1967.09	湖坪乡	南村中学	中小学副高级教师	2007.12
邓香华	男	1972.11	万崇镇	南村中学	中小学副高级教师	2008.11
姚国义	男	1968.09	南村乡	南村中学	中小学副高级教师	2008.11
陈细毛	男	1967.11	南村乡	南村中学	中小学副高级教师	2010.10
李国荣	男	1976.02	湖溪乡	南村中学	中小学副高级教师	2010.11
张敬承	男	1974.02	南村乡	南村中学	中小学副高级教师	2010.11
周乐平	男	1967.07	南村乡	南村中学	中小学副高级教师	2012.03
章小琴	女	1970.04	公溪镇	南村中学	中小学副高级教师	2014.09
董建安	男	1970.08	招携镇	湖坪中心小学	中小学副高级教师	2012.12
王喜生	男	1937.11	湖坪乡	湖坪中学	中小学副高级教师	1989.12
王宜生	男	1935.11	湖坪乡	湖坪中学	中小学副高级教师	1989.12
袁新国	男	1948.07	湖坪乡	湖坪中学	中小学副高级教师	1997.11
王正祥	男	1949.02	湖坪乡	湖坪中学	中小学副高级教师	2000.11
罗呈福	男	1946.08	湖坪乡	湖坪中学	中小学副高级教师	2001.11
王征林	男	1951.10	湖坪乡	湖坪中学	中小学副高级教师	2002.11
董　涛	男	1967.08	湖坪乡	湖坪中学	中小学副高级教师	2005.01
刘浩军	男	1968.03	湖坪乡	湖坪中学	中小学副高级教师	2005.01

续表 26-2-3

姓名	性别	出生年月	籍贯(出生地)	工作单位	职称类别	评定时间
罗国华	男	1966.10	湖坪乡	湖坪中学	中小学副高级教师	2005.11
陈国春	男	1967.08	罗陂乡	湖坪中学	中小学副高级教师	2007.11
饶文龙	男	1968.12	湖坪乡	湖坪中学	中小学副高级教师	2007.11
王冬元	男	1966.11	湖坪乡	湖坪中学	中小学副高级教师	2007.11
王湖广	男	1954.12	湖坪乡	湖坪中学	中小学副高级教师	2007.12
王求真	男	1955.09	湖坪乡	湖坪中学	中小学副高级教师	2008.11
邹　弘	男	1967.10	牛田镇	湖坪中学	中小学副高级教师	2008.11
涂文平	男	1968.04	湖坪乡	湖坪中学	中小学副高级教师	2008.11
王华增	男	1973.10	湖坪乡	湖坪中学	中小学副高级教师	2008.11
罗生根	男	1970.12	戴坊镇	湖坪中学	中小学副高级教师	2009.01
王友生	男	1964.11	湖坪乡	湖坪中学	中小学副高级教师	2010.01
王淑琴	女	1979.08	湖坪乡	湖坪中学	中小学副高级教师	2011.11
张小华	男	1974.10	罗陂乡	湖坪中学	中小学副高级教师	2011.11
王国平	男	1981.11	湖坪乡	湖坪中学	中小学副高级教师	2015.11
董福旺	男	1966.12	牛田镇	湖坪中学	中小学副高级教师	2016.12
丁德勇	男	1968.05	牛田镇	罗陂中心小学	中小学副高级教师	2011.01
刘南昌	男	1953.04	罗陂乡	罗陂中学	中小学副高级教师	2000.11
陈法茂	男	1959.06	罗陂乡	罗陂中学	中小学副高级教师	2004.11
陈芳华	男	1951.02	罗陂乡	罗陂中学	中小学副高级教师	2004.11
刘益春	男	1955.10	罗陂乡	罗陂中学	中小学副高级教师	2004.11
罗春发	男	1951.03	万崇镇	罗陂中学	中小学副高级教师	2004.11
阙清香	男	1955.07	罗陂乡	罗陂中学	中小学副高级教师	2005.11
陈九庚	男	1968.09	罗陂乡	罗陂中学	中小学副高级教师	2007.11
陈棉林	男	1952.02	罗陂乡	罗陂中学	中小学副高级教师	2007.11
董景康	男	1969.03	牛田镇	罗陂中学	中小学副高级教师	2007.11
甘德林	男	1969.06	牛田镇	罗陂中学	中小学副高级教师	2007.11
彭建生	男	1968.07	罗陂乡	罗陂中学	中小学副高级教师	2007.11
董圣华	男	1965.08	招携镇	罗陂中学	中小学副高级教师	2008.11
邓旺生	男	1967.12	万崇镇	罗陂中学	中小学副高级教师	2009.11
刘华荣	男	1968.08	罗陂乡	罗陂中学	中小学副高级教师	2009.11
陈　炜	男	196310	罗陂乡	罗陂中学	中小学副高级教师	2010.11
彭忠兵	男	1966.12	万崇镇	罗陂中学	中小学副高级教师	2010.11

续表 26-2-3

姓名	性别	出生年月	籍贯（出生地）	工作单位	职称类别	评定时间
陈　杰	男	1969.03	罗陂乡	罗陂中学	中小学副高级教师	2011.11
董建辉	男	1977.03	牛田镇	罗陂中学	中小学副高级教师	2011.11
彭　云	男	1968.11	罗陂乡	罗陂中学	中小学副高级教师	2012.11
艾小梅	女	1975.01	罗陂乡	罗陂中学	中小学副高级教师	2016.12
董　耀	男	1971.11	牛田镇	湖溪中心小学	中小学副高级教师	2010.10
蔡福生	男	1944.02	湖溪乡	湖溪中学	中小学副高级教师	1999.07
聂乐华	男	1966.11	罗陂乡	湖溪中学	中小学副高级教师	2004.11
杨兰香	男	1956.11	湖溪乡	湖溪中学	中小学副高级教师	2004.11
戴立生	男	1966.11	戴坊镇	湖溪中学	中小学副高级教师	2005.11
袁记生	男	1966.04.	增田镇	湖溪中学	中小学副高级教师	2005.11
邓仉发	男	1971.03	增田镇	湖溪中学	中小学副高级教师	2007.11
杨崇安	男	1966.03	万崇镇	湖溪中学	中小学副高级教师	2007.11
谭保龙	男	1956.03	湖溪乡	湖溪中学	中小学副高级教师	2008.12
杨海清	男	1969.09	湖溪乡	湖溪中学	中小学副高级教师	2009.11
杨勇生	男	1967.07	湖溪乡	湖溪中学	中小学副高级教师	2010.01
黄银生	男	1964.10	湖溪乡	湖溪中学	中小学副高级教师	2016.12
谢　平	男	1974.05	鳌溪镇	谷岗中心小学	中小学副高级教师	2015.11
管爱武	男	1974.04	谷岗乡	谷岗中心小学	中小学副高级教师	2016.12
李盛华	男	1954.01	谷岗乡	谷岗中学	中小学副高级教师	1999.08
欧阳高洪	男	1947.02	谷岗乡	谷岗中学	中小学副高级教师	2001.09
陈梅菱	男	1956.12	谷岗乡	谷岗中学	中小学副高级教师	2003.11
李冬生	男	1953.12	谷岗乡	谷岗中学	中小学副高级教师	2008.11
陈洪国	男	1964.03	鳌溪镇	谷岗中学	中小学副高级教师	2009.10
邓宗游	男	1972.08	招携镇	谷岗中学	中小学副高级教师	2009.10
陈建平	男	1972.05	谷岗乡	谷岗中学	中小学副高级教师	2010.10
李炳贵	男	1967.09	谷岗乡	谷岗中学	中小学副高级教师	2010.11
袁耀文	男	1968.08	谷岗乡	谷岗中学	中小学副高级教师	2015.11
陈达邦	男	1928.03	招携镇	金竹民族学校	中小学副高级教师	1987.01
廖贵生	男	1959.11	金竹畲族乡	金竹民族学校	中小学副高级教师	2004.11
陈玉平	男	1966.10	增田镇	金竹民族学校	中小学副高级教师	2007.11
万华生	男	1967.05	牛田镇	金竹民族学校	中小学副高级教师	2007.11

续表 26-2-3

姓名	性别	出生年月	籍贯（出生地）	工作单位	职称类别	评定时间
毛辉明	男	1970.12	龚坊镇	金竹民族学校	中小学副高级教师	2009.09
邓学森	男	1957.07	金竹畲族乡	金竹民族学校	中小学副高级教师	2011.10
曾晓兰	女	1973.11	金竹畲族乡	金竹民族学校	中小学副高级教师	2015.11
杨　威	男	1971.05	金竹畲族乡	大金竹民族学校	中小学副高级教师	2008.11
张　凡	男	1978.01	金竹畲族乡	大金竹民族学校	中小学副高级教师	2011.11
邱昱明	男	1975.04	金竹畲族乡	大金竹民族学校	中小学副高级教师	2011.11
陈　凯	男	1966.03	招携镇	大金竹民族学校	中小学副高级教师	2013.11
戴接兴	男	1937.10	戴坊镇	县人民医院	主任医师	1995
王一可	男	1936.04	江西临川	县人民医院	主任医师	1996
吴国旺	男	1937.10	江西丰城	县人民医院	主任医师	1996
刘食珍	女	1939.08	江西进贤	县人民医院	主任医师	1998
邓育贤	男	1937.12	江西临川	县人民医院	主任医师	1999
袁太鹏	男	1949.01	鳌溪镇	县人民医院	主任医师	2002
邹敖平	女	1956.01	戴坊镇	县人民医院	主任医师	2005.11
黄树才	男	1966.11	戴坊镇	县人民医院	主任医师	2007.12
刘梅莲	女	1955.03	鳌溪镇	县人民医院	主任医师	2009.01
余小明	男	1965.03	牛田镇	县人民医院	主任医师	2009.01
詹义芳	男	1960.02	鳌溪镇	县人民医院	主任医师	2009.11
毛翥翔	男	1963.12	江西永丰	县人民医院	主任医师	2015.12
陈旭煌	男	1970.08	谷岗乡	县人民医院	主任医师	2016.12
邹永胜	男	1966.11	戴坊镇	县人民医院	主任中医师	2009.01
刘晓峰	男	1957.09	增田镇	县人民医院	主任中医师	2015.12
王诗贤	男	1940.10	江西修水	县人民医院	副主任医师	1989.12
杨国桢	男	1940.12	江西临川	县人民医院	副主任医师	1989.12
邹新文	男	1947.06	戴坊镇	县人民医院	副主任医师	1995
董福基	男	1947.08	牛田镇	县人民医院	副主任医师	1996.04
肖龙九	男	1945.03	江西赣州	县人民医院	副主任医师	1998
邹华恩	男	1944.11	戴坊镇	县人民医院	副主任医师	1998
邓超新	男	1955.02	金竹畲族乡	县人民医院	副主任医师	1998.08
罗　诚	男	1965.06	戴坊镇	县人民医院	副主任医师	1999.01
阮国平	男	1956.11	江西临川	县人民医院	副主任医师	2000.11
洪春泉	男	1967.12	江西临川	县人民医院	副主任医师	2001.11

续表 26-2-3

姓名	性别	出生年月	籍贯（出生地）	工作单位	职称类别	评定时间
胡群英	女	1966.03	江西临川	县人民医院	副主任医师	2002.01
肖海平	男	1966.09	增田镇	县人民医院	副主任医师	2002.01
刘灿清	男	1963.02	江西临川	县人民医院	副主任医师	2002.11
邹振波	男	1967.11	戴坊镇	县人民医院	副主任医师	2004.01
谢小青	男	1969.07	公溪镇	县人民医院	副主任医师	2004.11
徐小平	男	1969.05	戴坊镇	县人民医院	副主任医师	2008.12
聂保华	男	1967.04	龚坊镇	县人民医院	副主任医师	2009.12
何　强	男	1968.07	戴坊镇	县人民医院	副主任医师	2011.12
王晓明	男	1969.05	江西临川	县人民医院	副主任医师	2011.12
万　翊	男	1966.05	万崇镇	县人民医院	副主任医师	2012.12
陈乐民	男	1970.08	戴坊镇	县人民医院	副主任医师	2013.12
陈明辉	男	1967.10	罗陂乡	县人民医院	副主任医师	2014.12
龚　翔	男	1967.06	谷岗乡	县人民医院	副主任医师	2014.12
艾志东	女	1970.11	江西东乡	县人民医院	副主任医师	2015.12
曾国平	男	1973.12	山砀镇	县人民医院	副主任医师	2015.12
黄龙彪	男	1966.11	谷岗乡	县人民医院	副主任医师	2015.12
柳娟子	女	1974.12	湖南湘乡	县人民医院	副主任医师	2015.12
毛艳琴	女	1974.12	龚坊镇	县人民医院	副主任医师	2015.12
杨德辉	男	1974.06	戴坊镇	县人民医院	副主任医师	2015.12
游益民	男	1971.01	牛田镇	县人民医院	副主任医师	2015.12
陈海民	男	1972.09	罗陂乡	县人民医院	副主任医师	2016.12
戴华英	女	1974.09	戴坊镇	县人民医院	副主任医师	2016.12
邱发宗	男	1976.04	万崇镇	县人民医院	副主任医师	2016.12
王志诚	男	1972.12	湖坪乡	县人民医院	副主任医师	2016.12
杨振昌	男	1966.07	戴坊镇	县人民医院	副主任医师	2016.12
万时俊	男	1929.05	江西南昌县	县人民医院	副主任中医师	1988
袁绍刚	男	1956.10	湖坪乡	县人民医院	副主任中医师	1996
易老生	男	1947.02	山砀镇	县人民医院	副主任中药师	1997.09
曾国华	男	1970.03	鳌溪镇	县人民医院	副主任中医师	2006.11
邹振清	男	1973.04	戴坊镇	县人民医院	副主任中医师	2013.12
龚海龙	男	1974.02	龚坊镇	县人民医院	副主任中医师	2015.12
唐帅莲	女	1974.10	鳌溪镇	县人民医院	副主任中医师	2015.12

续表 26-2-3

姓名	性别	出生年月	籍贯（出生地）	工作单位	职称类别	评定时间
谌润芝	女	1947.07	南昌市	县人民医院	副主任护师	1997.09
陈文红	女	1968.09	江西新干	县人民医院	副主任护师	2008.01
邱秀英	女	1962.05	万崇镇	县人民医院	副主任护师	2008.12
戴四花	女	1961.01	戴坊镇	县人民医院	副主任护师	2009.12
刘桂花	女	1965.09	湖溪乡	县人民医院	副主任护师	2009.12
王菊英	女	1963.09	增田镇	县人民医院	副主任护师	2010.12
董丽娜	女	1968.03	牛田镇	县人民医院	副主任护师	2011.12
陈筱兰	女	1966.12	湖坪乡	县人民医院	副主任护师	2012.12
屈国雄	女	1967.09	湖南湘乡	县人民医院	副主任护师	2012.12
卢小英	女	1966.03	鳌溪镇	县人民医院	副主任护师	2013.12
何小芳	女	1966.09	江西临川	县人民医院	副主任护师	2014.12
邓皎如	女	1968.10	金竹畲族乡	县人民医院	副主任护师	2015.12
郭四英	女	1969.04	山砀镇	县人民医院	副主任护师	2015.12
罗春花	女	1966.01	公溪镇	县人民医院	副主任护师	2015.12
杨水娇	女	1962.11	戴坊镇	县人民医院	副主任护师	2015.12
袁丽菊	女	1965.10	增田镇	县人民医院	副主任护师	2015.12
邹国花	女	1971.10	戴坊镇	县人民医院	副主任护师	2015.12
陈千军	男	1933.04	戴坊镇	县人民医院	副主任技师	1989.12
肖中华	男	1977.09	万崇镇	县人民医院	副主任技师	2015.12
杨继明	男	1964.11	龚坊镇	县人民医院	副主任技师	2015.12
黄湘生	男	1934.06	江西临川	县人民医院	副主任药师	1988.12
黄海波	男	1963.08	增田镇	县人民医院	副主任药师	1996.04
陈华章	男	1955.04	湖溪乡	县中医院	主任中医师	2007.01
袁明华	男	1965.08	戴坊镇	县中医院	主任中医师	2008.01
黄荣昌	男	1955.05	牛田镇	县中医院	主任中医师	2013.06
彭高农	男	1964.03	罗陂乡	县中医院	主任中医师	2013.06
谢建明	男	1970.05	增田镇	县中医院	主任医师	2015.12
张辉光	男	1938	江西南丰	县中医院	副主任医师	1988.05
游煌发	男	1944.09	鳌溪镇	县中医院	副主任医师	1995.05
谢　政	男	1961.02	增田镇	县中医院	副主任医师	1998.09
张少华	男	1965.05	南村乡	县中医院	副主任医师	2008.11
邓明才	男	1973.08	金竹畲族乡	县中医院	副主任医师	2009.01

续表 26-2-3

姓名	性别	出生年月	籍贯（出生地）	工作单位	职称类别	评定时间
李芳纯	男	1968.09	南村乡	县中医院	副主任医师	2009.01
陈建忠	男	1976.12	增田镇	县中医院	副主任医师	2011.11
艾细珍	女	1948.08	江西东乡	县中医院	副主任中医师	1995.05
戴　军	男	1966.03	戴坊镇	县中医院	副主任中医师	2003.11
胡少林	男	1969.08	南村乡	县中医院	副主任中医师	2004.01
李建龙	男	1966.06	公溪镇	县中医院	副主任中医师	2009.11
艾志勤	女	1973.05	鳌溪镇	县中医院	副主任中医师	2010
陈　钙	男	1972.10	招携镇	县中医院	副主任中医师	2010.11
陈丽兰	女	1971.07	江西崇仁	县中医院	副主任中药师	2016.11
康早英	女	1948.12	山砀镇	县中医院	副主任护师	1998.09
陈玉燕	女	1973.02	谷岗乡	县中医院	副主任护师	2013.11
游秋英	女	1970.09	牛田镇	县中医院	副主任护师	2013.11
游煌兰	女	1968.10	鳌溪镇	县中医院	副主任护师	2014.11
张凤梅	女	1981.10	鳌溪镇	县中医院	副主任护师	2015.12
傅集贤	男	1938.05	江西抚州	县计生委	副主任医师	1989.12
丁茂青	男	1937.12	牛田镇	县妇幼保健计划生育服务中心	副主任医师	1989
甘赛蓉	女	1962.09	江西临川	县妇幼保健计划生育服务中心	副主任医师	2002
杨秋生	男	1967.07	增田镇	县妇幼保健计划生育服务中心	副主任医师	2014.11
张之干	男	1943.12	牛田镇	县妇幼保健计划生育服务中心	副主任中医师	1994.09
龚福章	男	1963.03	龚坊镇	县妇幼保健计划生育服务中心	副主任中医师	2010.01
艾政财	男	1955.08	南村乡	县妇幼保健计划生育服务中心	副主任中医师	2013
杨桂梅	女	1963.08	江西抚州	县妇幼保健计划生育服务中心	副主任护师	2009.12
董小英	女	1976.04	招携镇	县妇幼保健计划生育服务中心	副主任护师	2016.12
龚友能	男	1945.07	鳌溪镇	县卫生防疫站	副主任医师	1997.06
欧阳珍源	男	1942.05	鳌溪镇	县卫生防疫站	副主任医师	1998.06

续表 26-2-3

姓名	性别	出生年月	籍贯（出生地）	工作单位	职称类别	评定时间
戴竹梅	女	1977.08	鳌溪镇	县疾控中心	副主任医师	2013.11
曹长恩	男	1952.04	江西余干	县第二人民医院	主任医师	2000
皮寒义	男	1962.10	江西樟树	县第二人民医院	主任药师	2004.12
刘德洪	男	1953.08	江西临川	县第二人民医院	副主任医师	2000.03
邹平平	男	1963.02	江西临川	县第二人民医院	副主任医师	2000.12
詹慧春	男	1969.02	江西广丰	县第二人民医院	副主任医师	2001.12
冯水庆	男	1964.05	江西临川	县第二人民医院	副主任医师	2004.12
杨晓娥	女	1965.07	江西临川	县第二人民医院	副主任护师	2002.12
刘发生	男	1962.10	江西临川	县第二人民医院	副主任检验技师	2003.12
桂志芳	男	1971.05	江西余江	县第二人民医院	副主任药师	2004.12
邱龙祥	男	1946.02	万崇镇	湖坪乡中心卫生院	副主任医师	1988
张斌华	男	1972.08	戴坊镇	鳌溪镇卫生院	副主任医师	2016.11
乐绍宗	男	1943.07	鳌溪镇	招携林场职工医院	副主任中医师	1988
董春发	男	1945.03	牛田镇	牛田镇中心卫生院	副主任中医师	1996.04
曾建东	男	1976.07	鳌溪镇	牛田镇中心卫生院	副主任中医师	2013.12
李拯民	男	1966.01	牛田镇	牛田镇中心卫生院	副主任中医师	2016.12
董锦文	男	1967.01	牛田镇	增田镇卫生院	副主任中医师	2016.12
万双贵	男	1941.06	江西都昌	县农业局	高级畜牧兽医师	1989
胡水莲	女	1946.05	江西南昌	县农业局	高级畜牧兽医师	1997
傅志群	男	1966.04	江西临川	县农业局	高级畜牧兽医师	2001
杨小勇	男	1970.11	公溪镇	县农业局	高级畜牧兽医师	2009
陈国清	男	1925.11	鳌溪镇	县农业局	高级农艺师	—
黄春德	男	1925.12	江西丰城	县农业局	高级农艺师	1988.05
罗香莲	女	1936.07	南昌市	县农业局	高级农艺师	1987.12
毛同科	男	1939.09	井冈山	县农业局	高级农艺师	1998.06
吴安山	男	1937.02	江西樟树	县农业局	高级农艺师	1988.05
曾文达	男	1937.05	鳌溪镇	县农业局	高级农艺师	1989.12
朱启明	男	1938.08	江西余干	县农业局	高级农艺师	—
李慕湘	男	1937.11	南昌市	县农业局	高级农艺师	—
蔡安隽	男	1939.08	江西新建	县农业局	高级农艺师	1988.05
王金女	女	1954.05	江西临川	县农业局	高级农艺师	1999
顾忠怀	男	1943.07	江苏张家港	县农业局	高级农艺师	1999

续表 26-2-3

姓名	性别	出生年月	籍贯（出生地）	工作单位	职称类别	评定时间
黄振辉	男	1964.01	鳌溪镇	县农业局	高级农艺师	2005
朱耀强	男	1966.11	鳌溪镇	县农业局	高级农艺师	2005
陈仁贵	男	1941.07	戴坊镇	县良种场	高级农艺师	1999
陈进跃	男	1940.01	江西南康	县科委	高级农艺师	1988.06
胡耀民	男	1965.12	南村乡	县林业局	高级工程师	2013.11
吴用文	男	1927.12	江西宜黄	县林业局	高级工程师	1988
李木珍	男	1941.01	广东梅州	县林业局	高级工程师	1989.12
龚顺祥	男	1939.04	龚坊镇	县实验林场	高级工程师	1989
陈显明	男	1963.06	江西崇仁	县实验林场	高级工程师	1997
龚华云	男	1945.03	南昌市	县实验林场	高级工程师	1989.12
邹卫华	男	1962.10	戴坊镇	县绿园生态林场	高级工程师	2011
王乐农	男	1964.01	湖坪乡	县绿园生态林场	高级工程师	2014.12
邹金荣	男	1966.08	增田增	县绿园生态林场	高级工程师	2014.12
胡会安	男	1962.11	江西临川	县林权管理服务中心	高级工程师	2011
胡世高	男	1938.07	龚坊镇	县水利局	高级工程师	1998.12
彭华锐	男	1936.06	广东省	县水利局	高级工程师	1995.08
康友良	男	1963.12	山砀镇	县水利局	高级工程师	2001.11
陈芳育	男	1938.09	南村乡	县水利局	高级工程师	2007.01
陈友根	男	1978.08	罗陂乡	县水利局	高级工程师	2015.11
曾小华	男	1978.09	招携镇	县水利局	高级工程师	2003.11
胡星庆	男	1966.02	龚坊镇	县交通运输局	高级工程师	2005.11
戴　勇	男	1979.12	戴坊镇	县交通运输局	高级工程师	2013.11
游金牛	男	1956.12	鳌溪镇	县城乡建设局	高级工程师	1998.11
沈树群	男	1941	浙江仙居	县供电公司	高级工程师	1992.11
陈水生	男	1942.02	罗陂乡	县国土资源局	高级工程师	2003.11
刘国辉	男	1971.09	谷岗乡	县国土资源局	高级工程师	2016.11
曾胜春	男	1945.06	南村乡	县文播电视台	主任编辑	1998
王传宗	男	1952.08	湖坪乡	县电影公司	主任舞台技师	2011
梁惠民	男	1950	武汉市	县博物馆	副研究馆员	1997
林长生	男	1924.12	江苏六合	县文化馆	副研究馆员	1987

第四节　县内享受副县（处）级以上政治生活待遇人员

本节辑录106人，以发文时间、文号为序。

表26-2-4

姓名	性别	出生时间	籍贯	离（退）休时工作单位	县委转发文号	享受级别	离（退）休
曹洪祥	男	1920.09	辽宁盖平	县商业局	乐发〔1984〕95号	县级	离休
陈邦全	男	1927.09	江苏如皋	县商业局	乐发〔1984〕95号	县级	离休
张明郎	男	1922.11	安徽郎溪	县石油公司	乐发〔1984〕95号	县级	离休
陈雄功	男	1921.06	湖北天门	县食品公司	乐发〔1984〕95号	县级	离休
唐留宽	男	1929.07	江苏台东	县粮食局	乐发〔1984〕95号	县级	离休
杨成奎	男	1920.05	山东冠县	县卫生局	乐发〔1984〕95号	县级	离休
张才元	男	1918.06	公溪镇	县五交化公司	乐发〔1984〕95号	县级	离休
赵洪经	男	1926.01	山东黄县	县体委	乐发〔1984〕95号	县级	离休
赵珊琪	男	1927.04	黑龙江鸡西	县供销社	乐发〔1984〕95号	县级	离休
朱仲良	男	1925.12	上海市	县总工会	乐发〔1984〕95号	县级	离休
韩　顺	男	1924.06	河北承德	县盐业公司	江西省轻工业厅党组	副县级	离休
康树清	男	1936.12	河北山海关	县交通局	乐发〔1985〕54号	县级	离休
翁贵友	男	1923.04	河北青龙	县民政局	乐发〔1985〕54号	县级	离休
张继良	男	1926.10	辽宁赤峰	县公安局	乐发〔1985〕54号	县级	离休
邹忠基	男	1930.12	江西临川	县乡企局	乐发〔1985〕54号	县级	离休
孙景佩	男	1931.08	山东泽县	县粮转站	乐发〔1986〕65号	县级	离休
陈国清	男	1925.11	江西崇仁	县农业局	乐发〔1987〕166号	县级	离休
傅其礼	男	1928.11	山东淄博	县供销社	乐发〔1987〕166号	县级	离休
韩文章	男	1931.09	辽宁安东	县第二化工厂	乐发〔1987〕166号	县级	离休
嵇廷臣	男	1929.01	辽宁北票	县人民法院	乐发〔1987〕166号	县级	离休
陆　祥	男	1929.11	辽宁绥中	县农业局	乐发〔1987〕166号	县级	离休
徐玉林	男	1929.11	辽宁锦西	县政府办公室	乐发〔1987〕166号	县级	离休
傅维周	男	1930.12	福建南安	县房地产公司	乐发〔1987〕166号	县级	离休
桂景陆	男	1931.10	江西进贤	县印刷厂	乐发〔1987〕166号	县级	离休
梅绍裘	男	1929.06	江西南城	县博物馆	乐干发〔1990〕92号	县级	离休
赵广成	男	1926.04	山东博兴	县人大常委会	乐干发〔1991〕09号	副地级	离休
吴照明	男	1929.11	河南新蔡	县第二中学	乐干发〔1991〕34号	副县级	离休
李景瑞	男	1927.10	北京平谷	县交通局	乐干发〔1992〕03号	副县级	离休
邹文龙	男	1924.06	江西进贤	县粮食局	乐干发〔1992〕03号	副县级	离休

续表 26-2-4

姓名	性别	出生时间	籍贯	离（退）休时工作单位	县委转发文号	享受级别	离（退）休
梁水临	男	1929.05	江西临川	县物资局	乐干发〔1992〕05 号	副县级	离休
陈绍生	男	1925.01	增田镇	县政协	乐干发〔1992〕32 号	正县级	退休
李彰显	男	1927.10	山砀镇	县政协	乐干发〔1992〕32 号	正县级	退休
吴刚建	男	1929.11	江西临川	县政协	乐干发〔1992〕32 号	正县级	退休
艾木生	男	1925.05	南村乡	县物资局	乐干发〔1993〕31 号	副县级	退休
陈生华	男	1931.08	增田镇	县粮食局	乐干发〔1993〕31 号	副县级	退休
邓嗣厚	男	1931.01	鳌溪镇	县人大常委会	乐干发〔1993〕31 号	副县级	退休
邓松梅	男	1916.03	万崇镇	县农机局	乐干发〔1993〕31 号	副县级	退休
邓依金	男	1927.09	鳌溪镇	县工商局	乐干发〔1993〕31 号	副县级	退休
董载亮	男	1928.11	牛田镇	县政协	乐干发〔1993〕31 号	副县级	退休
方国灿	男	1933.09	河南罗山	县教育局	乐干发〔1993〕31 号	副县级	退休
龚友宗	男	1934.10	龚坊镇	县外经办	乐干发〔1993〕31 号	副县级	退休
桂全保	男	1929.05	江西进贤	县供销社	乐干发〔1993〕31 号	副县级	退休
何福荣	男	1931.10	江西临川	县人大常委会	乐干发〔1993〕31 号	副县级	退休
胡世远	男	1928.12	龚坊镇	县委统战部	乐干发〔1993〕31 号	副县级	退休
黄福生	男	1931.12	山砀镇	县财政局	乐干发〔1993〕31 号	副县级	退休
黄福义	男	1936.08	鳌溪镇	县林业局	乐干发〔1993〕31 号	副县级	退休
黄鹄鸣	男	1932.01	增田镇	县供销社	乐干发〔1993〕31 号	副县级	退休
黄孝洪	男	1930.06	南村乡	县林业局	乐干发〔1993〕31 号	副县级	退休
李启春	男	1925.02	戴坊镇	县建设局	乐干发〔1993〕31 号	副县级	退休
梁金稳	男	1926.12	武汉市	县经贸委	乐干发〔1993〕31 号	副县级	退休
刘守绂	男	1917.08	江西南丰	县民政局	乐干发〔1993〕31 号	副县级	退休
罗清泉	男	1931.09	戴坊镇	县卫生局	乐干发〔1993〕31 号	副县级	退休
钱永坤	男	1933.06	贵州习水	西坑粮食加工厂	乐干发〔1993〕31 号	副县级	退休
邱福航	男	1926.08	万崇镇	县印刷厂	乐干发〔1993〕31 号	副县级	退休
饶书荣	男	1934.01	湖溪乡	县统计局	乐干发〔1993〕31 号	副县级	退休
宋绍春	男	1929.01	鳌溪镇	县副食品公司	乐干发〔1993〕31 号	副县级	退休
王　允	男	1934.10	湖坪乡	县建设局	乐干发〔1993〕31 号	副县级	退休
王金斗	男	1930.12	山东平原	县商业局	乐干发〔1993〕31 号	副县级	离休
王文辉	男	1934.12	南村乡	县工商局	乐干发〔1993〕31 号	副县级	退休
吴忠诚	男	1929.12	江西进贤	县人大常委会	乐干发〔1993〕31 号	正县级	退休

续表 26-2-4

姓名	性别	出生时间	籍贯	离（退）休时工作单位	县委转发文号	享受级别	离（退）休
武斌生	男	1926.09	公溪镇	县商业局	乐干发〔1993〕31 号	副县级	退休
熊秀荣	男	1928.08	山砀镇	县总工会	乐干发〔1993〕31 号	副县级	退休
杨启发	男	1927.12	戴坊镇	县建设局	乐干发〔1993〕31 号	副县级	退休
杨世武	男	1929.10	公溪镇	县建设局	乐干发〔1993〕31 号	副县级	退休
杨震声	男	1935.09	江苏丹阳	县科委	乐干发〔1993〕31 号	副县级	退休
易留荣	男	1930.09	山砀镇	谷岗采育林场	乐干发〔1993〕31 号	副县级	退休
元本仁	男	1924.10	鳌溪镇	县二轻局	乐干发〔1993〕31 号	副县级	退休
袁承宗	男	1932.11	龚坊镇	县检察院	乐干发〔1993〕31 号	正县级	退休
詹能生	男	1931.11	戴坊镇	县司法局	乐干发〔1993〕31 号	副县级	退休
詹喜恩	男	1928.01	增田镇	县粮食局	乐干发〔1993〕31 号	副县级	退休
郑瑞章	男	1934.10	江西临川	县粮食局	乐干发〔1993〕31 号	副县级	退休
邹才丰	男	1929.02	戴坊镇	县人民法院	乐干发〔1993〕31 号	副县级	退休
邹和仁	男	1929.12	戴坊镇	县林业局	乐干发〔1993〕31 号	副县级	退休
邹求龙	男	1924.02	湖溪乡	县卫生局	乐干发〔1993〕31 号	副县级	退休
曾拱之	男	1923.08	招携镇	县林业工业公司	乐干发〔1993〕39 号	副县级	退休
曾广东	男	1929.08	鳌溪罗山	鳌溪镇政府	乐干发〔1993〕39 号	副县级	退休
陈保祥	男	1927.10	公溪镇	公溪镇政府	乐干发〔1993〕39 号	副县级	退休
陈桂生	男	1932.08	湖溪乡	县水电局	乐干发〔1993〕39 号	副县级	退休
黄炳生	男	1924.07	龚坊镇	县农机局	乐干发〔1993〕39 号	副县级	退休
黄根生	男	1927.02	公溪镇	县供销社	乐干发〔1993〕39 号	副县级	退休
李海兴	男	1931.08	江西东乡	县经贸委	乐干发〔1993〕39 号	副县级	退休
李金菊	女	1930.11	龚坊镇	县商业局	乐干发〔1993〕39 号	副县级	退休
邱会九	男	1927.12	招携镇	招携镇政府	乐干发〔1993〕39 号	副县级	退休
王传生	男	1932.10	南村乡	县水电局	乐干发〔1993〕39 号	副县级	退休
杨贵祥	男	1931.11	戴坊镇	县教育局	乐干发〔1993〕39 号	副县级	退休
袁禄生	男	1938.01	戴坊镇	戴坊供销社	乐干发〔1993〕39 号	副县级	退休
詹鸿生	男	1927.10	戴坊镇	县印刷厂	乐干发〔1993〕39 号	副县级	退休
赵根保	男	1931.04	江西南昌	县电力公司	乐干发〔1993〕39 号	副县级	退休
陈顶松	男	1930.01	浙江天台	县档案局	乐干发〔1994〕02 号	副县级	退休
易吾堂	男	1932.04	山砀镇	县商业局	乐干发〔1994〕02 号	副县级	退休
陈万立	男	1918.10	戴坊镇	县财政局	乐干发〔1994〕02 号	副县级	退休

续表 26-2-4

姓名	性别	出生时间	籍贯	离（退）休时工作单位	县委转发文号	享受级别	离（退）休
陈国桢	男	1935.12	谷岗乡	县计生委	乐干发〔1994〕02号	副县级	退休
刘文祥	男	1929.12	公溪镇	县百货公司	乐干发〔1994〕02号	副县级	退休
吴贵财	男	1927.08	招携镇	招携镇政府	乐干发〔1994〕02号	副县级	退休
李慕庚	男	1925.11	江西南昌	县制药厂	乐干发〔1994〕02号	副县级	退休
黄年生	男	1936.12	增田镇	县外贸公司	乐干发〔1994〕02号	副县级	退休
周伯顺	男	1936.04	公溪镇	县农经委	乐干发〔1994〕02号	副县级	退休
沈罗生	男	1928.06	公溪镇	航桥乡政府	乐干发〔1994〕39号	副县级	退休
易连生	男	1931.06	山砀镇	航桥乡政府	乐干发〔1994〕39号	副县级	退休
王昌澄	男	1931.04	增田镇	县林业局	乐干发〔1994〕39号	副县级	退休
曾呈福	男	1932.07	湖坪乡	湖坪粮管所	乐干发〔1994〕39号	副县级	退休
何佩文	女	1927.02	江西临川	县文化局	乐干发〔1995〕26号	副县级	退休
喻兴本	男	1929.07	江西临川	县交通局	乐干发〔1995〕26号	副县级	退休
王成福	男	1922.10	内蒙古林西	县粮食局	乐干发〔1997〕02号	副县级	离休
王福忠	男	1918.05	北京平谷	县食品厂	乐干发〔1997〕02号	副县级	离休
石宏才	男	1927.12	山西阳城	县医药公司	—	副县级	离休

（赵广成享受副地（厅）级医疗和用车待遇；2009年10月起，张才元、王福忠享受副司局级医疗待遇。）

说明：资料不全，或有遗漏

第五节　1986—2000年乐安县输送的少年大学生

表 26-2-5

姓名	性别	籍贯（出生地）	录取前所在学校	录取时间	录取学校
龚朝晖	男	龚坊镇	县第一中学	1986	南京大学
黄文胜	男	戴坊镇	县第一中学	1986	中国科学技术大学
黄云星	男	南村乡	县第一中学	1986	北京师范大学
楼　毅	男	鳌溪镇	县第一中学	1986	北京师范大学
龚军平	男	龚坊镇	县第一中学	1987	清华大学
陈立群	男	鳌溪镇	县第一中学	1995	中国科学技术大学
邓师谨	女	金竹畲族乡	县第二中学	2000	上海交通大学

说明：2000年后无输送少年大学生记录。资料不全，或有遗漏

第三章　荣　誉

本章辑录县内单位和个人获市（地、厅）级和省（部）级以上单位表彰奖励情况。以表彰奖励时间为序。

第一节　集体荣誉

一、1986—2016 年获省（部）级以上表彰的单位

本表辑录 77 个单位获 231 项表彰奖励。第 3 届至第 14 届（1990—2016 年）省级文明单位 72 个，见第二十三卷宗教民俗精神文明第三章精神文明建设第三节创评活动。

表 26-3-1

获奖单位	荣誉称号	表彰单位	表彰时间
261 大队	1984—1985 年设备管理优秀单位	核工业部	1986
261 大队	二级计量合格单位	核工业部	1986
261 大队	全国计划生育先进集体	国家计划生育委员会	1986
261 大队	提高职工队伍素质为两个文明建设服务锦旗	核工业部	1986
721 矿职工医院	计划生育先进单位	卫生部	1986
县人民医院	出生缺陷监测全国先进单位	卫生部	1986
县人武部	老区建设先进单位	中共江西省委、省政府、省军区	1986
县人武部	全省征兵工作先进单位	江西省政府、省军区	1986
261 大队	扶持集体先进单位	核工业部	1987
261 大队	三年严打先进单位	江西省政府	1987
261 大队劳动服务公司	集体经济先进单位	核工业部	1987
261 大队新居车站	先进集体	核工业部	1987
721 矿职工医院	赣闽二省三地十一县抗疟联防先进单位	赣闽二省三地十一县抗疟联防指挥部	1987
武警乐安县中队	全省拥政爱民先进单位	江西省政府、省军区	1987
县检察院刑事检察科	全省检察系统先进单位	中共江西省委、省政府	1987
县人武部	端正学风先进单位	中共江西省军区委员会	1987

续表 26-3-1

获奖单位	荣誉称号	表彰单位	表彰时间
261 大队	1987—1988 年度安全生产文明生产先进单位	江西省政府	1988
261 大队	扶持集体经济先进单位	核工业部	1988
261 大队	设备管理优秀单位	核工业部	1988
261 大队	思想政治工作先进单位	核工业部	1988
261 大队六分队	全国能源工作先进集体	能源部、中国国防工会	1989
县人武部	民兵预备役工作先进单位	中共江西省委、省政府、省军区	1989
县人武部	全省普法工作先进单位	中共江西省委、省政府	1989
县人武部	全省人武部建设先进单位	江西省武委会	1989
县人武部	全省征兵工作先进单位	江西省征兵领导小组	1989
261 大队	安全生产先进单位	中国核工业总公司	1990
261 大队	第三届全国设备管理优秀单位	国家计划委员会	1990
261 大队	国家二级企业档案管理合格	国家档案局	1990
261 大队	设备管理优秀单位	中国核工业总公司	1990
261 大队	优秀企业职工思想政治工作研究会	中共江西省委、省政府	1990
261 大队财务科	全国财会工作先进集体	国家财政部、国家人事部	1990
261 大队政研会	1990 年度优秀思想政治工作研究会	中国核工业总公司	1990
县人武部	全省军事训练先进单位	江西省军区	1990
县人武部	全省征兵工作先进单位	江西省政府、省军区	1990
县实验林场	全国国有林场先进单位	国家林业局	1990
县税务局	全国税法宣传普及教育活动最佳组织奖	国家税务局、共青团中央	1990
万崇乡上罗小学	先进活动阵地	江西省农村妇女“双学双比”竞赛活动协调小组	1990
县税务局	全国个体工商户税法宣传普及教育活动最佳组织奖	国家税务局、共青团中央	1990
261 大队	“七五”期间职工教育先进单位	中国核工业总公司	1991
261 大队	1989—1990 年度安全生产文明生产先进集体	中共江西省委、省政府	1991
261 大队	企业职工思想政治工作先进集体	中共江西省委、省政府	1991
261 大队财务科	先进财务工作集体	中国核工业总公司	1991
261 大队机动科	“七五”期间节能先进集体	中国核工业总公司	1991
鳌溪镇	全省“七五”期间农业生产先进乡镇	江西省政府	1991

续表 26-3-1

获奖单位	荣誉称号	表彰单位	表彰时间
县人民医院	全国卫生系统先进单位	卫生部、人事部、国家中医药管理局	1991
县人武部	达标先进人武部	中共江西省委、省政府、省军区	1991
县实验林场	速生丰产基地总体规划设计二等奖	国家林业局	1991
县税务局	全国税法宣传教育先进单位	国家税务局	1991
县文化馆	达标馆	文化部	1991
261 大队	核工业功勋地质队	中国核工业总公司	1992
261 大队	全国地质勘查功勋单位	地质矿产部、人事部、国家计委、中华全国总工会	1992
261 大队审计科	先进审计单位	中国核工业总公司	1992
万崇乡上罗小学	全国农村成人扫盲先进集体	国家教委	1992
县人民医院	全省先进单位	中共江西省委、省政府	1992
县税务局	1991 年度全国税法宣传教育先进单位	国家税务局	1992
乐安县	县（市）科技兴农先进单位	江西省科技兴农领导小组	1993
261 大队	江西省地质勘查功勋队	江西省政府	1993
县农村能源办公室	全国省柴节煤工作先进单位	农业部、国家计委	1993
县卫生防疫站	全国护苗工作先进单位	卫生部	1993
鳌溪镇	“亿万农民健身活动”先进乡镇	江西省政府	1994
县人武部	全省武器装备安全管理先进单位	江西省政府、省军区	1994
县人武部	全省征兵工作先进单位	江西省政府、省军区	1994
县土地管理局	县级土地利用现状调查应用科学技术成果二等奖	国家土地管理局	1994
武警乐安县中队	军民共建精神文明先进单位	江西省文明委、省委宣传部、省军区	1995
县人民医院	全省绿化先进单位	江西省政府	1995
县人武部	全省先进基层党组织	中共江西省委	1995
县人武部	全省先进人武部	中共江西省委、省政府、省军区	1995
县土地管理局	全国土地利用现状调查先进集体	国家土地管理局	1995
261 大队	第三次工业普查先进单位	中国核工业总公司	1996
261 大队	物质文明和精神文明建设先进单位	中共江西省委、省政府	1996
鳌溪镇	“二五”普法宣传工作先进单位	中共江西省委、省政府	1996

续表 26-3-1

获奖单位	荣誉称号	表彰单位	表彰时间
县教育工会	全国先进教育工会	全国教育工会	1996
县农机公司	全国先进单位	国内贸易部	1996
县人武部	全省民兵军事训练先进单位	江西省军区	1996
县人武部	全省先进人武部	江西省军区	1996
县人武部	全省征兵工作先进单位	江西省政府、省军区	1996
县人武部	热爱武装艰苦创业模范武装部	中共江西省委、省政府、省军区	1996
县卫协会	全国先进县（市）卫协会	卫生部、中国农村卫生协会	1996
湖溪乡湖溪村	全省社会治安综合治理先进单位	江西省社会治安综合治理委员会	1996
县公安局	全省严打先进单位	中共江西省委、省政府	1997
县人武部	全省先进人武部	江西省军区	1997
县森林公安局	全国林业公安基础建设标兵单位	林业部	1997
武警乐安县中队	基层建设先进中队	武警江西省总队	1998
武警乐安县中队	学雷锋先进集体	武警江西省总队	1998
县人武部	全省先进人武部	江西省军区	1998
县人武部	装备仓库正规化建设先进单位	南京军区司令部	1998
招携森林派出所	全国公安系统讲文明树新风先进单位	公安部	1998
招携森林派出所	全国青年文明号	共青团中央、公安部	1998
县人武部	全国精神文明建设先进单位	中央文明委	1999
县人武部	全省武器管理连续十年无事故先进单位	江西省军区	1999
县人武部	全省先进人武部	中共江西省委、省政府、省军区	1999
乐安县	地质灾害群测群防“十有县”	国土资源部	2000
县纪委监察局	1997—1999 年全省纪检监察信访举报工作目标管理达标先进单位	江西省纪委	2000
县人民医院	全省普法先进单位	江西省政府	2001
鳌溪镇象山社区	安全小区	江西省社会治安综合治理委员会	2001
鳌溪镇	第五次全国人口普查先进集体	国务院第五次人口普查领导小组	2002

续表 26-3-1

获奖单位	荣誉称号	表彰单位	表彰时间
乐安县	全省农村无害化厕所建设先进县	江西省政府	2002
县人民医院外科	全国巾帼文明岗	全国巾帼建功创建协调小组	2002
县人武部	全国精神文明建设先进单位	中央文明委	2002
鳌溪镇	乡镇“亲民为民富民”好班子	中共江西省委	2004
鳌溪镇桥背村	全省民兵预备役部队基层建设先进单位	江西省军区司令部	2004
县纪委监察局	全省纪检监察系统查办案件先进集体	江西省纪委	2004
县人民医院	中国质量万里行诚信示范单位	江西省政府	2004
县人武部	纪检监察先进单位	南京军区	2004
鳌溪镇象山社区	文明社区	江西省精神文明建设领导小组	2004
鳌溪镇象山社区	全国青年文明社区	共青团中央、民政部、建设部、国家工商行政管理局	2005
乐安县	“十五”农村公路建设先进县	江西省政府	2005
乐安县	全省造林绿化先进县	江西省政府	2005
县人民医院外科	全国巾帼文明岗	全国巾帼建功创建协调小组	2005
县人武部	全国精神文明建设先进单位	中央文明委	2005
县政府	“十五”期间安全生产先进单位	江西省政府	2005
招携林业工作站	文明窗口单位	国家林业局	2005
县国税局	2004 年度基层建设达标单位	江西省国家税务局	2005
乐安县	2002—2004 年度工业崛起三年翻番先进单位	江西省政府	2006
乐安县	全省“双拥”模范县	中共江西省委、省政府、省军区	2006
乐安县	全省安全生产工作先进县	江西省政府	2006
乐安县	全省林业产权制度改革先进县	中共江西省委、省政府	2006
乐安县	全省普法工作先进县	中共江西省委、省政府	2006
乐安县	全省造林绿化先进县	江西省政府	2006
县国税局	2004—2005 年度江西省国税系统先进单位	江西省国家税务局	2006
乐安县	全省财政收入过亿元奖	江西省政府	2007
乐安县	全省财政收入三年翻番奖	江西省政府	2007
乐安县	全省林改工作先进县	中共江西省委、省政府	2007

续表 26-3-1

获奖单位	荣誉称号	表彰单位	表彰时间
县劳动就业局	全省劳动就业先进单位	江西省政府	2007
县森林公安局	全国“绿盾二号”行动先进单位	公安部	2007
招携森林派出所	一级公安派出所	公安部	2007
中核抚州金安铀业有限公司	全省科学利用矿产资源先进企业	江西省政府	2007
牛田镇麻坑村	全省最优美村庄	江西省新农村建设领导小组	2007
乐安县	全省林业产权制度改革验收先进县	江西省林业产权制度改革领导小组	2008
乐安县	全省普法教育先进县	中共江西省委、省政府	2008
南村乡妇联	全国“三八”红旗集体	中华全国妇女联合会	2008
武警乐安县中队	因“抗冰救灾”荣记集体三等功	武警江西省总队	2008
县科协	全国先进农函大分校	中国科协	2008
县人武部	抗灾救灾先进单位	中共江西省委、省政府、省军区	2008
县人武部	全省安全管理先进单位	江西省军区	2008
县水利局	全省防汛抗旱先进单位	江西省政府	2008
中核抚州金安铀业有限公司	全国安康杯竞赛优胜企业	中华全国总工会、国家安全生产监督管理总局	2008
鳌溪镇	第二次全国农业普查先进集体	江西省第二次农业普查领导小组	2008
县国税局	江西省第十一届（2006—2007 年度）文明单位	中共江西省委、江西省人民政府	2008
鳌溪镇芜塘社区	全省先进基层党组织	中共江西省委	2009
戴坊镇中心卫生院	全国医药卫生系统先进集体	卫生部、国家食品药品监督管理局、国家中医药管理局	2009
乐安县	全省返乡农民工就业创业先进县	中共江西省委、省政府	2009
乐安县	全省信访工作先进县	中共江西省委、省政府	2009
牛田镇麻坑村	全国法治示范村	司法部、民政部	2009
县残疾人联合会	“两刊”发行先进单位	中国残疾人联合会	2009
县政府	全省计划生育先进单位	江西省政府	2009
县政府	省级计划生育优质服务先进单位	江西省政府	2009
中核抚州金安铀业有限公司	全国安康杯竞赛优胜企业	中华全国总工会、国家安全生产监督管理总局	2009
县农业开发办	全省“双学双比”先进集体	江西省农村妇女“双学双比”创建协调小组	2009

续表 26-3-1

获奖单位	荣誉称号	表彰单位	表彰时间
鳌溪镇桥背村	全国妇联基层组织建设示范村	中华全国妇女联合会	2010
鳌溪镇桥背社区	全国创建学习型家庭示范社区	全国妇联、民政部、文化部、环保部、国家广电总局	2010
戴坊镇中心卫生院	全国卫生系统先进集体	卫生部、国家食品药品监督管理局、国家中医药管理局	2010
龚坊镇	全国精神文明建设先进单位	中央文明委	2010
乐安县	全国老龄工作先进县	中国老龄委	2010
乐安县	全省财政收入实现“三年翻番”县	江西省政府	2010
乐安县	全省第三轮“双拥模范县”	中共江西省委、省政府、省军区	2010
乐安县	全省农村经济结构调整先进县	中共江西省委、省政府	2010
乐安县	全省移民搬迁扶贫工作先进县	江西省政府	2010
乐安县	全省造林绿化“一大四小”工程建设通道绿化先进县	江西省政府	2010
武警乐安县中队	基层建设先进中队	武警江西省总队	2010
县残疾人联合会	“两刊”发行先进单位	中国残疾人联合会	2010
县纪委监察局	全省纪检监察信息工作先进单位	江西省纪委	2010
县人武部	全省先进人武部	江西省军区	2010
县商务局	全国市场监管公共服务体系项目重点推进先进单位	商务部	2010
中核抚州金安铀业有限公司	全国安康杯竞赛优胜企业	中华全国总工会、国家安全生产监督管理总局	2010
县住房和城乡建设局	全省农村危房改造达标单位	江西省农村危房改造工作领导小级	2010
戴坊镇村前村	全国妇联基层组织建设示范村	中华全国妇女联合会	2011
乐安县	全省依法用地模范县	江西省政府	2011
武警乐安县中队	基层建设先进中队	武警江西省总队	2011
县残疾人联合会	“两刊”发行先进单位	中国残疾人联合会	2011
县妇女联合会	全国妇女健身示范点	中华全国妇女联合会	2011
县国土资源局	全国矿业权管理先进单位	国土资源部	2011
县人武部	全省先进人武部	江西省军区	2011
中核抚州金安铀业有限公司	军工能力建设先进单位	国防科工局	2011
中核抚州金安铀业有限公司	全国安康杯竞赛优胜企业	中华全国总工会、国家安全生产监督管理总局	2011

续表 26-3-1

获奖单位	荣誉称号	表彰单位	表彰时间
乐安县	“十一五”基层残联组织规范化建设先进县	江西省政府残疾人工作委员会	2011
南村乡山心村	全省巾帼示范村	江西省农村妇女“双学双比”创建协调小组	2011
鳌溪法庭	先进集体	最高人民法院	2012
鳌溪镇上大街社区	全国科普示范社区	中国科协、民政部	2012
鳌溪镇上大街社区	全省创优争先先进基层党组织	中共江西省委	2012
鳌溪镇芜塘社区	全国综合减灾示范社区	国家减灾委、民政部	2012
乐安县	全省扶贫移民工作先进县	中共江西省委、省政府	2012
乐安县	全省扶贫开发工作先进县	江西省扶贫开以领导小组	2012
乐安县	全省公共机构节能先进县	江西省政府	2012
乐安县	全省农村清洁工程工作先进县	中共江西省委、省政府	2012
乐安县	造林绿化“一大四小”工程建设“森林十创”先进县	江西省政府	2012
县财政局	全国扶贫开发先进集体	国务院扶贫开发领导小组	2012
县残疾人联合会	宣传文体工作先进单位	中国残疾人联合会	2012
县纪委监察局	全省纪检监察信息工作先进单位	江西省纪委	2012
县劳动就业局	全省劳动就业先进单位	江西省政府	2012
县农村社会养老保险管理局	全国新型农村和城镇社会养老保险工作先进单位	国务院	2012
县人武部	全省先进武装部	江西省军区	2012
县商务局	全国商务综合行政执法县级先进单位	商务部	2012
县文化馆	国家二级文化馆	文化部	2012
中核抚州金安铀业有限公司	全国“五一”劳动奖	中华全国总工会	2012
县林业局	森林村庄、森林营区、森林单位	江西省绿化委员会	2012
鳌溪法庭	法院系统2011—2012年度全国青年文明号	最高人民法院、共青团中央	2013
鳌溪镇上大街社区	全国综合减灾示范社区	国家减灾委、民政部	2013
乐安县	全省社会救助工作先进县	江西省政府	2013
县残疾人联合会	“两刊”发行先进单位	中国残疾人联合会	2013
县科协	全国科普日优秀组织单位	中国科协	2013

续表 26-3-1

获奖单位	荣誉称号	表彰单位	表彰时间
县人武部	军事训练先进单位	江西省军区	2013
县社联	全国先进社科组织	中国社会科学院	2013
县总工会	全国工会经审工作先进单位	中华全国总工会	2013
县国税局	江西省第十三届文明单位	中共江西省委、省政府	2013
鳌溪镇	全国重点建设镇	住房和城乡建设部、国家发展和改革委员会等7部委	2014
鳌溪镇上大街社区	全国科普示范社区	中国科协、财政部	2014
乐安县	2013年度全国计划生育优质服务先进单位	国家卫生和计划生育委员会	2014
乐安县	全省扶贫生产先进集体	中共江西省委、省政府	2014
乐安县	全省粮食生产先进县	中共江西省委、省政府	2014
县纪委监察局	全省纪检监察信息工作先进单位	江西省纪委	2014
县人武部	军事训练先进单位	江西省军区	2014
县残疾人联合会	先进集体	江西省政府残疾人工作委员会	2014
谷岗乡卫生院	群众满意乡镇卫生院	国家卫计委	2015
乐安县	2015年春季森林防火平安县	江西省政府	2015
乐安县	全国法治县创建活动先进县	全国普法办	2015
牛田镇麻坊村	全国民主法治示范村	民政部、司法部	2015
牛田镇麻坑村	全国无邪教创建示范村	国务院防范和处理邪教问题办公室	2015
县供电公司	全国安康杯示范单位	中华全国总工会、国家安全生产监督管理总局	2015
县供电公司	全国工人先锋号	中华全国总工会	2015
县纪委监察局	全省纪检监察信息工作先进单位	江西省纪委	2015
县人武部	全省先进武装部	江西省军区	2015
县司法局	全省公众满意政法单位	江西省社会治安综合治理委员会委员会	2015
县人民法院	全省公众满意政法单位	江西省社会治安综合治理委员会委员会	2015
县人民检察院	全省公众满意政法单位	江西省社会治安综合治理委员会委员会	2015
鳌溪镇象山社区	全国综合减灾示范社区	国家减灾委、民政部	2016

续表 26-3-1

获奖单位	荣誉称号	表彰单位	表彰时间
乐安县	全国残疾人工作先进单位	国家残疾人工作委员会	2016
乐安县	全省安全生产先进县	江西省社会治安综合治理委员会委员会	2016
乐安县	全省法治宣传教育先进县	江西省普法教育工作领导小组	2016
乐安县	全省农业和农村工作先进县	中共江西省委、省政府	2016
乐安县	全省普法教育先进县	中共江西省委、省政府	2016
乐安县	全省双拥模范县	中共江西省委、省政府、省军区	2016
乐安县	省级生态文明示范县	江西省生态文明先行示范区建设领导小组	2016
县残疾人联合会	全国残疾人工作先进单位	国务院残疾人工作委员会	2016
县国家税务局	先进集体	国家税务总局	2016
县人防办	全省“十二五”期间人民防空先进单位	江西省国防动员委员会	2016
县人武部	全面建设先进单位	江西省军区	2016
县国税局	江西省第十四届文明单位	中共江西省委、省政府	2016

说明：资料不全，或有遗漏

二、1986—2016年获市（地、厅）级表彰的单位

本表辑录142个单位获458项表彰奖励。

表 26-3-2

获奖单位	荣誉称号	表彰单位	表彰时间
戴坊中心小学	全省勤工俭学先进单位	江西省教委、省财政厅	1986
县博物馆	全省文博先进单位	江西省文化厅、省文物局	1986
县博物馆	全省文博先进单位	江西省文化厅、省文物局	1987
县人武部	全区组织民兵参建先进单位	中共抚州地委、行政公署、地区军分区	1987
县卫生局	贯彻执行党的知识分子政策先进单位	中共抚州地委	1987
潭港乡石塘村党支部	重视妇代会工作先进党支部	江西省妇女联合会	1988
鳌溪中心小学	全省少先队优秀阵地大队	江西省教育工委	1988
县第二中学	体育传统项目学校	江西省体委、省教委	1988
县委	江西省“黄鹂杯”培养使用（选拔）妇女干部特别奖	江西省妇女联合会	1988
县文化馆	江西省三等先进文化馆	江西省文化厅	1988

续表 26-3-2

获奖单位	荣誉称号	表彰单位	表彰时间
县第二中学	全区先进基层党支部	中共抚州地委	1989
县农村能源办公室	全省农村能源先进集体	江西省农村能源办公室	1989
县青年职工摄影协会	先进单位	江西省文学艺术界联合会	1989
县人武部	落实人武部三年规划达标单位	中共抚州地委、行政公署、地区军分区	1989
县卫生防疫站	全省学校卫生先进单位	江西省卫生厅	1989
县卫协会	全省农村卫生协会先进单位	江西省卫生厅	1989
县普法办	全区普法工作先进单位	中共抚州地委、行政公署	1990
县青年职工摄影协会	先进单位	江西省文学艺术界联合会	1990
县人民检察院	抚州地区文明单位	抚州地区行政公署	1990
县人武部	全区征集潜艇兵先进单位	抚州军分区	1990
县审计局	全省审计科研工作先进单位	江西省审计局	1990
县卫生防疫站	全省学校卫生先进单位	江西省卫生厅	1990
县文化馆	全省“以文补文”先进单位	江西省文化厅	1990
戴坊镇文化站	江西省二等文化站	江西省文化厅	1991
牛田镇文化站	江西省二等文化站	江西省文化厅	1991
潭港中学	绿化先进单位	江西省教育委员会、团省委	1991
万崇中学	绿化知识普及教育先进单位	江西省绿化委、省教委、省广播电视厅	1991
县妇女联合会	全省少儿工作先进集体	江西省妇女联合会	1991
县妇女联合会	全省“五好”文明家庭创建活动先进集体	江西省妇女联合会	1991
县广播站	“三好”先进单位	江西省广播电视厅	1991
县人民检察院	打击偷税抗税专项斗争先进集体	江西省税务局、省检察院	1991
县人武部	全区正规化建设先进单位	抚州地区行政公署、地区军分区	1991
县人武部	县级民兵资料室建设先进单位	抚州军分区	1991
县税务局	全省打击偷税抗税专项斗争先进单位	江西省人民检察院、省税务局	1991
县税务局	先进职工之家	江西省总工会	1991
县卫生防疫站	全省计划免疫工作先进单位	江西省卫生厅	1991
县卫生防疫站	全省丝虫病防治先进单位	江西省卫生厅	1991
县文化馆	江西省一等文化馆	江西省文化厅	1991

续表 26-3-2

获奖单位	荣誉称号	表彰单位	表彰时间
增田乡文化站	江西省二等文化站	江西省文化厅	1991
招携镇文化站	江西省二等文化站	江西省文化厅	1991
县税务局	1990年全省打击偷税抗税专项斗争工作先进单位	江西省人民检察院、江西省税务局	1991
潭港乡石塘村妇代会	先进（五好）妇代会	江西省妇女联合会	1992
戴坊镇麦坑妇女夜校	全省“双学双比”竞赛活动先进阵地	江西省妇女联合会	1992
公溪镇辛家“三八”蔬菜基地	全省“双学双比”竞赛活动先进阵地	江西省妇女联合会	1992
牛田镇农业技术推广服务站	全省农业技术推广先进单位	江西省农业厅	1992
县广播站	先进集体	江西省广播电视厅、省人事厅	1992
县人武部	全区人武系统军事比武表演优秀奖	抚州地委武委会	1992
县人武部	全市人武部达标建设先进单位	中共抚州地委、行政公署、地区军分区	1992
县欣荣丝厂	巾帼建功活动先进集体	江西省妇女联合会	1992
戴坊镇麦坑妇女夜校	全省“双学双比”竞赛活动先进阵地	江西省妇女联合会	1993
县税务局	工商税收双过半先进单位	抚州地区行政公署	1992
公溪镇辛家“三八”蔬菜基地	全省“双学双比”竞赛活动先进阵地	江西省妇女联合会	1993
万崇中学	先进职工之家	江西省总工会、团省委	1993
县人民医院	先进职工之家	江西省总工会、团省委	1993
县人武部	武器装备管理工作先进单位	抚州军分区	1993
县人武部	全市人武部达标建设先进单位	中共抚州地委、行政公署、地区军分区	1993
县人民医院	全区“十佳”医院	中共抚州地委、行政公署	1994
县人武部	全区民兵整组工作先进单位	抚州军分区	1994
县人武部	全区人武专武干部集训团体第一名	抚州军分区	1994
县人武部	退伍军人预备役登记先进单位	抚州军分区	1994
县人武部	全市人武部建设先进单位	中共抚州地委、行政公署、地区军分区	1994
万崇中学	全区“十佳”学校	中共抚州地委、行政公署	1995
县矿产资源管理局	先进单位	江西省地质矿产厅	1995
县人武部	抚州地区文明单位	抚州地区行政公署	1995

续表 26-3-2

获奖单位	荣誉称号	表彰单位	表彰时间
县人武部	全区民兵应急分队军事汇报表演奖	抚州地区行政公署、地区军分区	1995
县人武部	全区民兵装备仓库正规化建设先进单位	抚州军分区	1995
县人武部	全区先进基层党组织	中共抚州地委	1995
县国税局	省二级档案工作目标管理单位	江西省档案局	1995
721 矿职工医院	医疗卫生系统先进单位	核工业江西矿冶局	1996
鳌溪镇	财政收入净增 100 万元以上乡镇特别奖	中共抚州地委、行政公署	1996
乐安县	全区商品蔬菜基地建设一等县	抚州地区行政公署	1996
县地方税务局	省级文明税务所	江西省地方税务局	1996
县妇女联合会	全省维权工作先进集体	江西省妇女联合会	1996
县人民法院	档案工作先进单位	江西省高级人民法院	1996
县人民检察院民行科	通报表扬	江西省人民检察院	1996
县人武部	园林绿化达标单位	江西省建设厅、省绿化委员会	1996
县人武部	全省民兵以劳养武“十佳”先进企业	江西省政府办公厅、省军区政治部	1996
县人武部	全区人武部建设三年达标单位	中共抚州地委、行政公署、地区军分区	1996
县人武部	文明建设争先创优国防杯第一名	中共抚州地委、行政公署、地区军分区	1996
县森林公安局	全省基层基础建设先进单位	江西省林业厅、省公安厅	1996
县审计局党支部	全区先进基层党组织	中共抚州地委	1996
县委老干部局	宣传工作先进单位	江西省委老干部局	1996
县中医院	全区“十佳”先进医疗单位	抚州地区行政公署	1996
县国税局	省一级档案工作目标管理单位	江西省档案局	1996
县地方税务局	抚州市文明单位	中共抚州地委、行政公署	1997
县妇女联合会	《妇女之声报》发行工作先进单位	江西省妇女联合会	1997
县工商联	全省工商联系统目标管理先进单位	江西省工商联	1997
县人民法院	先进集体	江西省高级人民法院	1997
县人民检察院	全省先进检察院	江西省人民检察院	1997
县人民检察院控申举报接待室	全省检察机关文明接待室	江西省人民检察院	1997
县人武部	全区军事训练先进单位	抚州军分区	1997

续表 26-3-2

获奖单位	荣誉称号	表彰单位	表彰时间
县委组织部	《江西党建》通联发行工作先进单位	江西省委组织部	1997
鳌溪镇	全区“十强”乡镇	中共抚州地委、行政公署	1998
戴坊镇离退休干部党支部	全省老干部工作先进集体	江西省委组织部、 省委老干部局	1998
县人大常委会	全省乡镇人大制度建设先进单位	江西省人大常委会办公厅	1998
县人民检察院	全省检察机关先进集体	江西省人民检察院	1998
县人民检察院举报中心	通报表扬	江西省人民检察院	1998
县人武部	全区征兵工作先进单位	抚州地区行政公署、 地区军分区	1998
县人武部	全区军事训练先进单位	抚州军分区	1998
县土地管理局	精神文明先进单位	江西省土地管理局	1998
县土地管理局	土地管理先进单位	江西省土地管理局	1998
721 矿职工医院	优秀质量管理小组	江西省质量管理协会	1999
721 矿职工医院	职业道德先进集体	江西省总工会	1999
县地方税务局	抚州市文明单位	中共抚州地委、行政公署	1999
县妇女联合会	《妇女之声报》发行工作先进单位	江西省妇女联合会	1999
县公安局	全省优秀公安局	江西省公安厅	1999
县教育局	纪检监察信访达标先进单位	抚州地区纪检监察局	1999
县农村信用合作联合社	抚州地区文明单位	中共抚州地委、行政公署	1999
县人民法院	集体二等功	江西省高级人民法院	1999
县人民法院	信息工作先进单位	江西省高级人民法院	1999
县人武部	全区安全管理工作先进单位	抚州军分区	1999
县人武部	全区科技练兵先进单位	抚州军分区	1999
县人武部	全区民兵军事训练先进单位	抚州军分区	1999
县人武部	暑期安全竞赛活动先进单位	抚州军分区	1999
县土地管理局	精神文明先进单位	江西省土地管理局	1999
县土地管理局	土地管理先进单位	江西省土地管理局	1999
公溪小学教育工会	教育工会先进单位	江西省教育工委	2000
县地方税务局	省级税收征管执法监察先进单位	江西省地方税务局	2000
县地方税务局直属分局	省级先进单位	江西省人事厅、 省地方税务局	2000
县地方税务局直属公局	省级青年文明号	共青团江西省委、 省地方税务局	2000

续表 26-3-2

获奖单位	荣誉称号	表彰单位	表彰时间
县地质矿产局	全省矿产储量检测登记工作先进单位	江西省地质矿产厅	2000
县妇女联合会	《妇女之声报》发行工作先进单位	江西省妇女联合会	2000
县公安局	全省优秀公安局	江西省公安厅	2000
县公安局户政科	居民身份证底卡质量先进单位	江西省公安厅	2000
县人民法院行政审判庭	行政审判工作先进集体	江西省高级人民法院	2000
县土地管理局	精神文明建设先进单位	江西省土地管理局	2000
县土地管理局	全省土地管理系统办公室先进单位	江西省土地管理局	2000
鳌溪镇	全市“三五”普法工作先进集体	中共抚州市委、市政府	2001
县地方税务局	抚州市文明单位	中共抚州市委、市政府	2001
县公安局	公安机关三项教育先进单位	江西省公安厅	2001
县公安局	全省优秀公安局	江西省公安厅	2001
县公安局户政科	全省公安户政系统优秀单位	江西省公安厅	2001
县林业局野保站	野生动物保护法律法规执行年先进单位	江西省林业厅	2001
县农村信用合作联合社	抚州市第一届文明单位	中共抚州市委、市政府	2001
县普法办	全市普法工作先进单位	中共抚州市委、市政府	2001
县人民法院	抚州市第一届文明单位	中共抚州市委、市政府	2001
县人民检察院	集体一等功	江西省人民检察院	2001
县人民检察院	全省人民满意的政法单位	江西省人民检察院	2001
县人民检察院	全省人民满意的公务员集体	江西省委组织部	2001
县土地管理局	全省国土系统先进集体	江西省国土资源厅	2001
县委老干部局	宣传工作先进单位	江西省委老干部局	2001
县卫生防疫站	消除碘缺乏病工作先进单位	江西省地方病防治领导小组	2001
县卫生局	内部审计工作先进单位	江西省审计厅	2001
县国税局	抚州市第一届（1990—2000 年度）文明单位	中共抚州市委、抚州市人民政府	2001
谷岗林业派出所	全省人民满意派出所	江西省公安厅	2002
县公安局	《警察天地》发行先进单位	江西省公安厅	2002
县公安局	《人民公安报》订阅发行先进单位	江西省公安厅	2002
县人民法院	全省人民满意的好法院	江西省高级人民法院	2002
县人民法院法警大队	优秀司法警察大队	江西省高级人民法院	2002
县人民检察院	集体一等功	江西省人民检察院	2002

续表 26-3-2

获奖单位	荣誉称号	表彰单位	表彰时间
县人民检察院	全省人民满意的检察院	江西省人民检察院	2002
县委老干部局	宣传工作先进单位	江西省委老干部局	2002
鳌溪镇	全市“两问三视四比”教育活动先进单位	中共抚州市委	2003
戴坊中心卫生院	防治非典型肺炎工作先进单位	中共抚州市委、市政府	2003
乐安县	全市农业产业化先进单位	中共抚州市委、市政府	2003
县公安局	抚州市第二届文明单位	抚州市政府	2003
县公安局鳌溪公局	全省人民满意公安基层单位	江西省公安厅	2003
县公安局户政科	全省公安户政系统优秀单位	江西省公安厅	2003
县公安局政工科	全省公安宣传工作先进单位	江西省公安厅	2003
县教育局离退休干部党支部	全省老干部先进党支部	江西省委组织部、省委老干部局	2003
县人民法院	全省法院信息工作“十佳”报点	江西省高级人民法院	2003
县人民法院	全省严打整治斗争先进集体	江西省委政法委、省综治委	2003
县人民检察院	全省先进检察院	江西省人民检察院	2003
县人民医院	防治非典型肺炎工作先进基层党组织	中共抚州市委	2003
县人民医院	全市先进基层党支部	中共抚州市委	2003
县人武部	全市安全管理工作先进单位	抚州军分区	2003
县人武部	全市民兵武器装备管理先进单位	抚州军分区	2003
县土地管理局	抚州市二届文明单位	中共抚州市委、市政府	2003
县委老干部局	宣传工作先进单位	江西省委老干部局	2003
县委组织部	《生命的留言》获党员教育电视片评比三等奖	江西省委组织部	2003
县文联	先进单位	江西省文学艺术界联合会	2003
县国税局	抚州市第二届（2001—2002年度）文明单位	中共抚州市委、抚州市人民政府	2003
县国税局	授予（2001—2002）文明行业	中共抚州市委、抚州市人民政府	2003
鳌溪镇党委	全市基层党建工作红旗单位	中共抚州市委	2004
鳌溪镇党委、政府	全市乡镇“亲民为民富民”好班子	中共抚州市委	2004
鳌溪镇芜塘社区	全市先进社区居委会	中共抚州市委	2004
县公安局鳌溪分局	二级公安派出所	江西省公安厅	2004

续表 26-3-2

获奖单位	荣誉称号	表彰单位	表彰时间
县公安局鳌溪分局	全市群众满意单位	中共抚州市委	2004
县公安局法制科	全省法制工作先进单位	江西省公安厅	2004
县公安局公溪分局	全省人民满意“五星”单位	江西省委政法委员会	2004
县公安局装财科	全省公安装财工作先进单位	江西省公安厅	2004
县人大常委会	《时代主人》宣传发行工作先进单位	江西省人大常委会办公厅	2004
县人武部	全市安全管理工作先进单位	抚州军分区	2004
县人武部	全市征兵工作先进单位	抚州市政府、市军分区	2004
县审计局	水利资金专项审计优秀审计项目	江西省审计厅	2004
县文联	先进单位	江西省文学艺术界联合会	2004
县国税局	全省国税系统党风廉政建设先进单位	江西省国家税务局	2004
县国税局	基层满意县（区）部门	中共抚州市委	2004
鳌溪镇党委	全市“五个好”乡镇党委	中共抚州市委	2005
鳌溪镇象山社区	全市“五个好”村（社区）党支部	中共抚州市委	2005
县地方税务局	抚州市第三届文明单位	中共抚州市委、市政府	2005
县电视台	计划生育婚育新风进万家先进单位	江西省计划生育委员会	2005
县公安局	全省执法考评先进单位	江西省公安厅	2005
县公安局巡逻警察大队	全省治安系统先进单位	江西省公安厅	2005
县林业局	抚州市第三届文明单位	中共抚州市委、市政府	2005
县林业局离退休干部党支部	全市先进单位	中共抚州市委	2005
县人大常委会	抚州市第三届文明单位	中共抚州市委、市政府	2005
县人民法院	全省人民满意的公务员集体	江西省高级人民法院	2005
县土地管理局	抚州市第三届文明单位	中共抚州市委、市政府	2005
县文联	先进单位	江西省文学艺术界联合会	2005
县国税局	抚州市第二届（2003—2004 年度）文明行业	中共抚州市委、抚州市人民政府	2005
县国税局	抚州市第三届（2003—2004 年度）文明单位	中共抚州市委、抚州市人民政府	2005
鳌溪镇	全市“十强”经济发展乡镇	中共抚州市委、市政府	2006
鳌溪镇党委	全市先进基层党组织	中共抚州市委	2006
鳌溪镇桥背社区	“四五”普法先进单位	中共抚州市委、市政府	2006
湖溪乡	“四五”普法先进单位	中共抚州市委、市政府	2006

续表 26-3-2

获奖单位	荣誉称号	表彰单位	表彰时间
县公安局	全省公安派出所建设先进公安局	江西省公安厅	2006
县公安局刑警大队	全省公安机关先进集体	江西省公安厅	2006
县公安消防大队	全市消防工作先进单位	抚州市政府	2006
县科协	全省先进农函大	江西省科学技术协会	2006
县人民医院	全市先进基层党组织	中共抚州市委	2006
县人武部	全市先进人武部	抚州军分区	2006
县审计局	全省审计信息宣传工作先进单位	江西省审计厅	2006
县委老干部局	全省老干部工作先进集体	江西省委组织部、省委老干部局、省人事厅	2006
县亚行项目办公室	项目建设先进集体	省亚行项目办公室	2006
鳌溪镇	全市“十强”经济发展乡镇	中共抚州市委、市政府	2007
湖坪乡	全市农业结构调整先进乡镇	中共抚州市委、市政府	2007
山砀镇村杏坊村	全省巾帼示范村	江西省妇女联合会	2007
十里香樟蘑菇专业合作社	全市优秀农民专业合作社	中共抚州市委、市政府	2007
县第一中学	全市先进集体	抚州市政府	2007
县公安局刑警大队	全省优秀基层单位	江西省公安厅	2007
县公安局政工科	全省公安政工先进集体	江西省公安厅	2007
县公安消防大队	全市消防工作先进单位	抚州市政府	2007
县公安消防大队	“双争”活动先进中队	江西省公安消防总队	2007
县鹏鑫食品有限公司	全市优秀农业产业化龙头企业	中共抚州市委、市政府	2007
县人大常委会	抚州市第四届文明单位	中共抚州市委、市政府	2007
县人民法院	指导人民调解工作先进集体	江西省高级人民法院、省司法厅	2007
县人民医院	全省人民群众满意的医院	江西省卫生厅	2007
县人武部	保密工作先进单位	抚州军分区	2007
县审计局	全省审计信息宣传工作先进单位	江西省审计厅	2007
招携林业派出所	全省优秀公安基层单位	江西省公安厅	2007
县国税局	抚州市第四届（2005—2006 年度）文明单位	中共抚州市委、抚州市人民政府	2007
县国税局	抚州市第三届（2005—2006 年度）文明行业	中共抚州市委、抚州市人民政府	2007
鳌溪镇党委、政府	全市抗冰救灾先进集体	中共抚州市委、市政府	2008
龚坊镇	全市农业产业化先进乡镇	中共抚州市委、市政府	2008

续表 26-3-2

获奖单位	荣誉称号	表彰单位	表彰时间
牛田中学	全市先进集体	抚州市政府	2008
县地方税务局	服务创新创业文明执法基层先进单位	江西省地方税务局	2008
县地方税务局	全省地税系统基层建设“六好”达标单位	江西省地方税务局	2008
县地方税务局	全省地税系统先进单位	江西省地方税务局	2008
县公安局鳌溪派出所	全省公安系统抗冰救灾先进集体	江西省公安厅	2008
县公安局金竹派出所	“三基”工程建设先进集体	江西省公安厅	2008
县公安消防大队	全市消防工作先进单位	抚州市政府	2008
县林业局	全省园林绿化单位	江西省建设厅	2008
县林业局	全省林业抗灾救灾先进集体	江西省林业厅	2008
县林业局	全市抗冰救灾先进集体	中共抚州市委、市政府	2008
县林业局离退休干部党支部	红旗党支部	江西省委组织部、省委老干部局	2008
县普法办	全市普法工作先进单位	中共抚州市委、市政府	2008
县人大常委会	《时代主人》宣传发行工作先进单位	江西省人大常委会办公厅	2008
县人民医院	全省卫生系统行风建设先进单位	江西省卫生厅	2008
县审计局	全省审计信息宣传工作先进单位	江西省审计厅	2008
县国税局	全省档案工作优秀集体	江西省档案局	2008
鳌溪镇	全市重大动物疫病防控工作先进单位	抚州市防治重大动物疫病指挥部	2009
鳌溪镇	全市“十强”经济发展乡镇	中共抚州市委、市政府	2009
鳌溪镇党委、政府	全市新农村建设先进乡镇	中共抚州市委、市政府	2009
鳌溪镇桥背社区	全市普法依法治县先进单位	中共抚州市委、市政府	2009
鳌溪镇芫塘社区	全市先进基层党组织	中共抚州市委	2009
华盖山茶叶专业合作社	全市优秀农民专业合作社	中共抚州市委、市政府	2009
乐安县	全市卫生工作先进县	抚州市政府	2009
牛田镇麻坑村	全市创建文明村镇工作先进单位	抚州市政府	2009
县残疾人联合会	《中国残疾人》《三月风》宣传发行工作先进单位	江西省残疾人联合会	2009
县地方税务局	全省地税系统先进单位	江西省地方税务局	2009
县地方税务局	全市普法先进单位	中共抚州市委、市政府	2009
县地方税务局	抚州市第五届文明单位	中共抚州市委、市政府	2009

续表 26-3-2

获奖单位	荣誉称号	表彰单位	表彰时间
县地方税务局办税大厅	省级青年文明号	共青团江西省委	2009
县第二中学	全市先进集体	抚州市政府	2009
县公安局	全市民主评议行风先进单位	抚州市政府	2009
县公安局鳌溪派出所	全省优秀公安基层单位	江西省公安厅	2009
县公安局出入境管理科	全省出入境管理达标窗口	江西省公安厅	2009
县公安消防大队	全市消防工作先进单位	抚州市政府	2009
县公安消防大队	“三争优”活动先进大队	江西省公安消防总队	2009
县公安消防大队	抚州市第五届文明单位	中共抚州市委、市政府	2009
县疾病预防控制中心	农村饮水安全工程水质卫生检测先进集体	江西省爱卫办	2009
县纪委监察局	抚州市第五届文明单位	中共抚州市委、市政府	2009
县纪委监察局	提升行政效能建设服务型政府主题活动先进单位	中共抚州市委、市政府	2009
县老年大学	省级示范校	江西省委组织部、省委老干部局	2009
县人大常委会	《时代主人》宣传发行工作先进单位	江西省人大常委会办公厅	2009
县人大常委会	抚州市第五届文明单位	中共抚州市委、市政府	2009
县社联	全省社会科学工作先进单位	江西省社会科学界联合会	2009
县审计局	全省审计信息宣传工作先进单位	江西省审计厅	2009
县卫生局	抚州市第五届文明单位	中共抚州市委、市政府	2009
鳌溪镇芜塘社区	省级充分就业星级社区	江西省人力资源和社会保障厅	2010
戴坊中心卫生院	全省医药卫生系统先进集体	江西省卫生厅、省食品药品监督管理局	2010
龚坊中心小学	全市先进集体	抚州市政府	2010
金竹花猪养殖专业合作社	全市优秀农民专业合作社	中共抚州市委、市政府	2010
乐安县	全市农业与农村工作第三名	中共抚州市委、市政府	2010
县残疾人联合会	“两刊”发行工作先进单位	江西省残疾人联合会	2010
县残疾人联合会	全省残疾人康复工作先进单位	江西省残疾人联合会	2010
县地方税务局鳌溪分局	抚州市第六届文明单位	中共抚州市委、市政府	2010
县地方税务局办税大厅	抚州市第六届文明单位	中共抚州市委、市政府	2010
县地方税务局稽查局	全省地税系统先进单位	江西省地方税务局	2010
县地方税务局稽查局	抚州市第六届文明单位	中共抚州市委、市政府	2010

续表 26-3-2

获奖单位	荣誉称号	表彰单位	表彰时间
县非遗保护中心	先进集体	江西省文化厅	2010
县妇女联合会	《东方女报》宣传推广工作先进集体	江西省妇女联合会	2010
县妇女联合会	全省妇联系统宣传工作先进集体	江西省妇女联合会	2010
县林业局木竹检查站	执法管理年活动先进单位	江西省林业厅	2010
县农村信用合作联合社	先进单位	江西省农村信用社联合社	2010
县人大常委会	《时代主人》宣传发行工作先进单位	江西省人大常委会办公厅	2010
县人民法院	全省优秀法院	江西省高级人民法院	2010
县人武部	全市抗冰救灾先进集体	抚州军分区	2010
县审计局	全省审计信息宣传工作先进单位	江西省审计厅	2010
县委组织部	信息工作先进单位	江西省委组织部	2010
县卫生局	档案管理规范化省三级单位	江西省档案局	2010
县卫生局	“光明·微笑”工程优秀组织奖	中共抚州市委、市政府	2010
县卫生局	健康快车行动特别贡献奖	中共抚州市委、市政府	2010
县中医院	中医妇科、中医骨伤科获江西省特色专科	江西省卫生厅	2010
县住房和城乡建设局	省农村危房改造设计方案二等奖	江西省住房和城乡建设厅、省农村危房改造办公室	2010
县住房和城乡建设局	省农村危房改造设计方案优秀组织奖	江西省住房和城乡建设厅、省农村危房改造办公室	2010
鳌溪镇上大街社区	全省综合减灾示范社区	江西省减灾委员会、省民政厅	2011
鳌溪镇芜塘社区	全市先进基层党组织	中共抚州市委	2011
乐安县	全市消防工作先进县	抚州市政府	2011
江西大地常春实业有限公司	全市优秀农业产业化龙头企业	中共抚州市委、市政府	2011
乐安县	全市卫生工作先进县	抚州市政府	2011
牛田镇麻坑村	全市先进基层党组织	中共抚州市委	2011
牛田中心小学	全市先进集体	抚州市政府	2011
县博物馆	江西省第三次文物普查先进单位	江西省文化厅、省文物局	2011
县残疾人联合会	文宣工作先进单位	江西省残疾人联合会	2011
县残疾人联合会	先进单位	江西省残疾人联合会	2011
县地方税务局龚坊分局	先进单位	江西省地方税务局	2011
县第一中学	全市先进集体	抚州市政府	2011

续表 26-3-2

获奖单位	荣誉称号	表彰单位	表彰时间
县妇女联合会	全省妇联系统宣传工作先进集体	江西省妇女联合会	2011
县公安局看守所	全省看守所管理机制先进单位	江西省公安厅	2011
县公安消防大队	全市消防工作先进单位	抚州市政府	2011
县公安消防大队	安全工作先进大队	江西省公安消防总队	2011
县公安消防大队	抚州市第六届文明单位	中共抚州市委、市政府	2011
县交通警察大队	抚州市第六届文明单位	中共抚州市委、市政府	2011
县林业局	抚州市第六届文明单位	中共抚州市委、市政府	2011
县人大常委会	《时代主人》宣传发行工作先进单位	江西省人大常委会办公厅	2011
县人大常委会	抚州市第六届文明单位	中共抚州市委、市政府	2011
县人民检察院	第四届全省先进基层检察院	江西省人民检察院	2011
县人民检察院	全省检察机关纪检监察工作先进单位	江西省人民检察院	2011
县人民检察院	全省第一批学法用法示范单位	江西省委宣传部、省司法厅、省普法办公室	2011
县人民检察院	全市“五五”普法先进单位	中共抚州市委、市政府	2011
县人民医院	抚州市第六届文明单位	中共抚州市委、市政府	2011
县人武部	保密工作先进单位	抚州军分区	2011
县人武部	全市党管武装先进单位	抚州军分区	2011
县人武部	全市征兵工作先进单位	抚州军分区	2011
县社联	全省社会科学工作先进单位	江西省社会科学界联合会	2011
县审计局	全省审计信息宣传工作先进单位	江西省审计厅	2011
县审计局	抚州市第六届文明单位	中共抚州市委、市政府	2011
县土地管理局	全市社会综合治理先进单位	抚州市社会治安综合治理委员会	2011
县土地管理局	抚州市第六届文明单位	中共抚州市委、市政府	2011
县疾病预防控制中心	抚州市第六届文明单位	中共抚州市委、市政府	2011
县林业局	抚州市第六届文明单位	中共抚州市委、市政府	2011
县委组织部	《江西组工通讯》宣传通联工作先进单位	江西省委组织部	2011
县中医院	获二等甲级中医院	江西省卫生厅	2011
县国税局	2009—2010年度文明单位	中共抚州市委、市政府	2011
艾格福地生态农业有限公司	全市优秀农业产业化龙头企业	中共抚州市委、市政府	2012
鳌溪镇上大街社区	示范妇女儿童之家	江西省妇女联合会	2012

续表 26-3-2

获奖单位	荣誉称号	表彰单位	表彰时间
戴坊镇社区	全省优秀妇女之家	江西省妇女联合会	2012
龚坊镇农业技术推广服务站	全省农业技术推广先进综合站	江西省农业厅	2012
山蜂养蜂专业合作社	全市优秀农民专业合作社	中共抚州市委、市政府	2012
望仙学校	全市先进集体	抚州市政府	2012
县残疾人联合会	全省残疾人康复工作先进单位	江西省残疾人联合会	2012
县残疾人联合会	文宣工作先进单位	江西省残疾人联合会	2012
县地方税务局鳌溪分局	全省地税系统创先争优先进基层党组织	江西省地方税务局	2012
县第二中学	全市先进集体	抚州市政府	2012
县扶贫和移民局	扶贫资金绩效考评先进单位 A 类奖	江西省扶贫移民办、省财政厅	2012
县妇女联合会	全省妇联系统宣传工作先进集体二等奖	江西省妇女联合会	2012
县公安局	全省“清网行动”集体二等功	江西省公安厅	2012
县公安局	全市“十二五”安全先进单位	中共抚州市委、市政府	2012
县公安局看守所	全省优秀公安基层单位	江西省公安厅	2012
县公安消防大队	安全工作先进单位	江西省公安消防总队	2012
县疾病预防控制中心	全省群众满意的医疗卫生机构	江西省卫生厅	2012
县纪委监察局	全市创先争优群众满意窗口单位	中共抚州市委	2012
县纪委监察局	创新服务年活动深化机关作风建设工作先进单位	中共抚州市委、市政府	2012
县农业局	服务开放型农业先进单位	江西省农业厅	2012
县农业局	全省农产品质量安全专项治理先进单位	江西省农业厅	2012
县农业局	全省农业文明执法窗口单位	江西省农业厅	2012
县人大常委会	《时代主人》宣传发行工作先进单位	江西省人大常委会办公厅	2012
县人民法院	全省“三八”红旗集体	江西省妇女联合会	2012
县人民法院	全省法院宣传工作成绩突出单位	江西省高级人民法院	2012
县人民法院	全省优秀法院	江西省高级人民法院	2012
县人民法院	无执行积案先进法院	江西省高级人民法院	2012
县人民法院鳌溪法庭	2010—2011 年度省级青年文明号	江西省创建文明号活动组委会	2012
县人民法院鳌溪法庭	全省“三八”红旗集体	江西省妇女联合会	2012
县人民检察院	抚州市第六届文明单位	中共抚州市委、市政府	2012
县人武部	全市党管武装先进单位	抚州军分区	2012

续表 26-3-2

获奖单位	荣誉称号	表彰单位	表彰时间
县土地管理局	全市社会综合治理目标管理先进单位	抚州市社会治安综合治理委员会	2012
中核抚州金安铀业有限公司	先进单位	江西省国防科工办	2012
县国税局	2011—2012 年度文明单位	中共抚州市委、市政府	2012
县国税局	创先争优群众满意窗口单位	中共抚州市委	2012
鳌溪镇上大街社区	全省示范妇女儿童之家	江西省妇女联合会	2013
鳌溪镇上大街社区	全省“党建带妇建”工作先进单位	江西省委组织部、省妇女联合会	2013
鳌溪镇象山社区	全省综合减灾示范社区	江西省减灾委员会、省民政厅	2013
公溪中心小学	全市先进集体	抚州市政府	2013
山砀镇农业技术推广服务站	全省农业技术推广先进综合站	江西省农业厅	2013
县地方税务局办税大厅	全省“三八”红旗集体	江西省妇女联合会	2013
县电影公司	全省电影系统先进单位三等奖	江西省广播电视厅	2013
县公安局	全市消防工作先进县局	抚州市政府	2013
县公安局	全省公安执法建设成绩突出集体	江西省公安厅	2013
县公安局金竹派出所	全省公安派出所文明窗口	江西省公安厅	2013
县公安局经侦大队	全省优秀单位	江西省公安厅	2013
县疾病预防控制中心	全省卫生系统先进集体	江西省人力资源和社会保障厅、省卫生厅	2013
县疾病预防控制中心	生活饮用水卫生监督监测先进单位	江西省卫生厅	2013
县疾病预防控制中心	抚州市第七届文明单位	中共抚州市委、市政府	2013
县林业局离退休干部党支部	“五好”党支部	江西省委组织部、省委老干部局	2013
县农业局	全省农产品质量安全专项治理先进单位	江西省农业厅	2013
县农业局	全省种子市场监督管理先进单位	江西省农业厅	2013
县人大常委会	抚州市第七届文明单位	中共抚州市委、市政府	2013
县人民法院	集体二等功	江西省高级人民法院	2013
县人民法院	学习党的十八大精神网上知识竞赛组织奖	江西省高级人民法院	2013
县人民法院	因新闻宣传工作成绩突出通报表扬	江西省高级人民法院	2013

续表 26-3-2

获奖单位	荣誉称号	表彰单位	表彰时间
县人民法院刑事审判庭	先进集体	江西省未成年人保护委员会办公室、团省委	2013
县人民检察院	省级青少年维权岗	共青团江西省委	2013
县人民检察院	档案管理规范化省一级单位	江西省档案局	2013
县人民检察院	全省检察机关文明接待室	江西省人民检察院	2013
县人武部	全市党管武装先进单位	抚州军分区	2013
县土地管理局	抚州市第七届文明单位	中共抚州市委、市政府	2013
县人力资源和社会保障局	全国劳动保障网络宣传先进单位	中国劳动保障报社	2013
县卫生局	乐安县 CDC 荣获全省群众满意医疗机构	江西省卫生厅	2013
县卫生局	乐安县 CDC 荣获全省生活饮用水卫生监督监测先进单位	江西省卫生厅	2013
县卫生局	乐安县 CDC 荣获全省卫生系统先进集体	江西省卫生厅、省人事厅	2013
招携中学	全市先进集体	抚州市政府	2013
鳌溪镇	全市重大动物疫病防控工作先进单位	抚州市防治重大动物疫病指挥部	2014
鳌溪镇司法所	全省“五好”司法所	江西省司法厅	2014
湖溪中学	全市先进集体	抚州市政府	2014
乐安县	全市农业和农村工作第三名	中共抚州市委、市政府	2014
山砀中心小学	全市先进集体	抚州市政府	2014
县残疾人联合会	文宣工作先进单位	江西省残疾人联合会	2014
县地方税务局办税大厅	全省“三八”红旗集体	江西省妇女联合会	2014
县公安局戴坊派出所	妇女维权省级示范点	江西省妇女联合会、省公安厅	2014
县公安局金竹派出所	全省公安机关文明示范窗口	江西省公安厅	2014
县公安消防大队	乐安消防卫士	抚州市政府	2014
县疾病预防控制中心	全省食品安全工作先进单位	江西省疾病预防控制中心	2014
县疾病预防控制中心	水质监测先进单位	江西省疾病预防控制中心	2014
县交通警察大队	抚州市第七届文明单位	中共抚州市委、市政府	2014
县农村信用合作联合社	综合考评优胜单位	江西省农村信用社联合社	2014
县人民法院	全省优秀法院	江西省高级人民法院	2014

续表 26-3-2

获奖单位	荣誉称号	表彰单位	表彰时间
县人民法院鳌溪法庭	2012—2013 年度省级青年文明号	江西省创建文明号活动组委会	2014
县人民检察院	抚州市第七届文明单位	中共抚州市委、市政府	2014
县人武部	全市职工管理先进单位	抚州军分区	2014
县中医院	获二等甲级中医院	江西省卫生和计划生育委员会	2014
鳌溪镇象山社区	安全社区	江西省安全生产委员会、安全生产监督管理局	2015
罗陂信用社党支部	先进党支部	江西省农村信用社联合社	2015
县公安局	全市公众满意政法单位	中共抚州市委、市政府	2015
县公安消防大队	全国消防产品管理工作先进大队	公安部消防局	2015
县公安消防大队	“三分优”活动先进大队	江西省公安消防总队	2015
县疾病预防控制中心	水质监测先进单位	江西省疾病预防控制中心	2015
县林业局	野生动植物和湿地保护工作先进单位	江西省林业厅	2015
县农村信用合作联合社	信息宣传工作优胜单位	江西省农村信用社联合社	2015
县人大常委会	抚州市第八届文明单位	中共抚州市委、市政府	2015
县人口计生服务站	全省巾帼文明岗	江西省妇女联合会	2015
县人民法院	全省法院系统江西知识竞赛组织奖	江西省高级人民法院	2015
县人民检察院	全市公众满意政法单位	中共抚州市委、市政府	2015
县委老干部局	全省老干部教育先进单位	江西省委老干部局	2015
鳌溪镇上大街社区	全市先进基层党组织	中共抚州市委	2016
戴坊中心小学	全市先进集体	抚州市政府	2016
乐安县	全市普法教育先进县	中共抚州市委、市政府	2016
县财政局	财政信息宣传工作先进单位	江西省财政厅	2016
县财政局	全省涉农资金整合示范县	江西省财政厅、省扶贫移民办公室	2016
县地方税务局	全市法治宣传教育先进集体	抚州市普法依法治市工作领导小组	2016
县地方税务局	全国纳税人满意度调查先进单位	江西省地方税务局	2016
县妇女联合会	全省“三八”红旗集体	江西省妇女联合会	2016
县公安局湖坪派出所	创建信访“四无”工作突出集体	江西省公安厅	2016
县公安消防大队	“三争优”活动先进大队	江西省公安消防总队	2016
县公安消防大队	先进基层党组织	江西省公安消防总队党委	2016

续表 26-3-2

获奖单位	荣誉称号	表彰单位	表彰时间
县疾病预防控制中心	食品安全风险监测先进单位	江西省疾病预防控制中心	2016
县疾病预防控制中心	水质监测先进单位	江西省疾病预防控制中心	2016
县交通警察大队	抚州市第八届文明单位	中共抚州市委、市政府	2016
县农村信用合作联合社	非现场监督工作先进单位	江西省农村信用社联合社	2016
县农村信用合作联合社	信息宣传工作优胜单位	江西省农村信用社联合社	2016
县农村信用合作联合社	抚州市第八届文明单位	中共抚州市委、市政府	2016
县农商银行第一党支部	全省先进党支部	江西省农村信用社联合社	2016
县普法办	全市普法工作先进单位	中共抚州市委、市政府	2016
县人民法院	全省人民陪审员工作先进集体	江西省高级人民法院	2016
县人民法院	全省优秀法院	江西省高级人民法院	2016
县人民检察院	抚州市“五一”劳动奖	抚州市政府	2016
县人民检察院	抚州第市八届文明单位	中共抚州市委、市政府	2016
县人武部	全市党管武装先进单位	中共抚州市委	2016
县土地管理局	抚州市第八届文明单位	中共抚州市委、市政府	2016
招携镇瓦子场村党支部	全市先进基层党组织	中共抚州市委	2016
县国税局	抚州市第八届文明单位	中共抚州市委、抚州市人民政府	2016

说明：资料不全，或有遗漏

第二节　个人荣誉

一、1986—2016 年获省（部）级以上表彰的人物

本表辑录 194 人获 264 项表彰奖励。

表 26-3-3

姓名	性别	获奖时工作单位	荣誉称号	表彰单位	表彰时间
王文辉	男	县工商局	全国计划生育先进个人	国家计划生育委员会	1986
郭国和	男	261 大队	先进生产者	核工业部	1987
黄炳成	国	261 大队	江西省劳动模范	江西省人民政府	1987
黄炳成	男	261 大队	全省“严打”斗争先进个人	中共江西省委、省人民政府	1987
黄东华	男	县人民检察院	全省“严打”斗争先进个人	中共江西省委、省人民政府	1987

续表 26-3-3

姓名	性别	获奖时工作单位	荣誉称号	表彰单位	表彰时间
廖世义	男	县实验小学	全省优秀共产党员	中共江西省委	1987
林长生	男	县文化馆	全省优秀知识分子	江西省人民政府	1987
刘国安	男	公溪镇建材厂	全省乡镇企业先进个人	江西省人民政府	1987
彭才福	男	县司法局	全省“严打”斗争先进个人	中共江西省委、省人民政府	1987
邹才丰	男	县人民法院	全省“严打”斗争先进个人	中共江西省委、省人民政府	1987
牛才智	男	县纪委	“晋升一级工资”奖励	江西省人民政府	1988
邹杰福	男	戴坊水管站	全国优秀水利员	水利部	1988
陈和春	男	山砀中学	全国优秀教师	国家教委、人事部	1989
邓乐辉	男	县人武部	全省优秀军械参谋	江西省军区	1989
傅梅生	男	湖溪中学	全国优秀教师	国家教委、人事部	1989
胡求龙	男	龚坊中心小学	全国优秀教师	国家教委、人事部	1989
蒋兴泉	男	261 大队	有突出贡献的中青年专家	中国核工业总公司	1989
蒋兴泉	男	261 大队	李四光地质科学奖	李四光地质科学奖委员会	1989
刘晋君	男	招携林业中学	全国优秀教师	国家教委、人事部	1989
刘文丰	男	721 矿	能源部劳动模范	能源部	1989
罗素珍	女	261 大队学校	全国优秀教师	国家教委、人事部	1989
王碧清	男	县博物馆	全国文物保护先进工作者	文化部、公安部	1989
王仁高	男	县公安局	优秀先进工作者	公安部	1989
王卫东	男	261 大队	省级有突出贡献的工人	江西省人民政府	1989
袁伙生	男	戴坊中心小学	全国优秀教师	国家教委、人事部	1989
张连元	男	县人武部	全省优秀保管员	江西省军区	1989
周才生	男	南村中学	全国优秀教师	国家教委、人事部	1989
邹连根	男	721 矿	能源部劳动模范	能源部	1989
曾广德	男	261 大队	优秀思想政治工作者	中国核工业总公司	1990
楚靖停	男	261 大队	1989—1990 年省安全生产先进个人	中国核工业总公司	1990
邓许金	女	望仙乡党委	第四次全国人口普查优秀普查员	江西省人口普查领导小组	1990
洪翰墨	男	261 大队	江西省劳动模范	江西省人民政府	1990
黄　忠	男	湖溪乡社背村	第四次全国人口普查优秀普查员	江西省人口普查领导小组	1990

续表 26-3-3

姓名	性别	获奖时工作单位	荣誉称号	表彰单位	表彰时间
黄财明	男	县委党校	第四次全国人口普查宣传工作先进个人	江西省人口普查领导小组	1990
黄云耀	男	县司法局	普法先进个人	江西省普法工作领导小组	1990
孙　勤	男	261 大队	优秀大队长	能源部	1990
王日新	男	湖坪乡街上村	江西省劳动模范	江西省人民政府	1990
熊　军	男	县公安局	江西省劳动模范	江西省人民政府	1990
杨溯震	男	戴坊中学	园丁荣誉纪念章	全国锐意协调委员会	1990
杨欣浩	男	县实验林场石陂分场	全国绿化奖	全国绿化委	1990
周冬生	男	公溪江边机械厂	江西省劳动模范	江西省人民政府	1990
邹菊花	女	鹏洲乡上林村	全省绿化奖	江西省人民政府	1990
邹克芙	男	县物价局	全国物价系统先进个人	国家物价局	1990
邹满贤	男	县林业局	全省绿化奖章	江西省绿化委员会	1990
程祖杰	男	261 大队	节能先进工作者	中国核工业总公司	1991
刘冬生	男	县公安局	颁发居民身份证先进工作者	公安部	1991
刘恒昌	男	万崇中学	全国优秀教师	国家教委、人事部	1991
牛才智	男	县纪委	县省清房工作先进工作者	江西省纪委	1991
牛才智	男	县纪委	全省优秀纪检干部	江西省纪委	1991
万荣茂	男	261 大队	先进工作者	能源部	1991
王尧生	男	261 大队	先进工作者	能源部	1991
谢柏华	男	721 矿	全国“五一”劳动奖章	中华全国总工会	1991
姚冬菊	女	龚坊乡黄乐村	全国“双学双比”女能人	全国“双学双比”竞赛活动小组	1991
元毛金	女	鳌溪镇	全省“双学双比”女能手	江西省“双学双比”竞赛活动小组	1991
邹菊花	女	鹏洲乡上林村	全国“三八”绿色奖章	林业部、中华全国妇女联合会	1991
邹满贤	男	县林业局	全国造林绿化劳动模范	全国绿化委、林业部、人事部	1991
邓乐辉	男	县人武部	优秀参谋	江西省军区	1992
丁广源	男	261 大队	先进人事工作者	中国核工业总公司	1992
黄凤珍	女	县财政局	全省“三大检查”工作先进个人	江西省人民政府	1992

续表 26-3-3

姓名	性别	获奖时工作单位	荣誉称号	表彰单位	表彰时间
吴景勤	男	261 大队	优秀科技工作者	中国核工业总公司	1992
吴景勤	男	261 大队	第三届青年地质科技金锤奖	中国地质学会	1992
谢柏华	男	721 矿	江西省劳动模范	江西省人民政府	1992
谢柏华	男	721 矿	全国“五一”劳动奖章	中华全国总工会	1992
姚冬菊	女	龚坊镇黄乐村	全省“双学双比”女能手	江西省“双学双比”竞赛活动小组	1992
易文英	女	山砀镇政府	全省“双学双比”女能手	江西省“双学双比”竞赛活动小组	1992
彭志才	男	招携镇党委	全省防汛抢险先进个人	江西省防汛抗旱指挥部	1992
王九英	女	中国工商银行乐安支行	全省巾帼建功奖	江西省巾帼建功协调小组	1992
张敬德	男	261 大队	优秀科技工作者	中国核工业总公司	1992
陈　庚	男	县委党校	全省优秀社教工作队员	江西省委社教工作领导小组	1993
邓达象	男	坪溪中学	全国优秀教师	国家教委、人事部	1993
黄凤珍	女	县财政局	全省“三大检查”工作先进个人	江西省人民政府	1993
黄国勇	男	南村中心小学	全省优秀教师	江西省人民政府	1993
黄卫安	男	县农牧渔业局	全国省柴节煤工作先进工作者	国家计委、农业部	1993
刘一中	男	县教育委员会	全省优秀社教工作队员	江西省委社教工作领导小组	1993
吴国祯	男	县林业公安分局	个人二等功	林业部公安局	1993
吴仉才	男	望仙乡肖坊村卫生所	全国优秀乡村医生	卫生部	1993
谢柏华	男	721 矿	江西省劳动模范	江西省人民政府	1993
熊庆云	男	增田中心小学	全国优秀教师	国家教委、人事部	1993
易文英	女	山砀镇政府	全省“双学双比”女能手	江西省“双学双比”竞赛活动小组	1993
章枝华	女	721 矿	全国先进女职工	中华全国妇女联合会	1993
周美英	女	公溪镇	全省“双学双比”女能手	江西省“双学双比”竞赛活动小组	1993
周雁林	男	县农机局	全国农技推广先进个人	农业部	1993
朱启明	男	县农牧渔业局	全国农村节能先进工作者	国家计委、农业部	1993
曾伍花	女	戴坊镇朱元村	全省“双学双比”女能手	江西省“双学双比”竞赛活动小组	1994

续表 26-3-3

姓名	性别	获奖时工作单位	荣誉称号	表彰单位	表彰时间
黄凤珍	女	县财政局	全省“三大检查”工作先进个人	江西省人民政府	1994
吴国祯	男	县公安局林业分局	全国优秀人民警察	公安部	1994
吴国祯	男	县公安局林业分局	个人二等功	林业部公安局	1994
姚冬菊	女	龚坊乡黄乐村	全国“双学双比”女能手	全国“双学双比”竞赛活动小组	1994
张道鸽	男	721 矿	部级劳动模范	能源部	1994
赵发湘	男	261 大队	节能先进个人	中国核工业总公司	1994
郑义荣	男	721 矿	劳动模范	中国核工业总公司	1994
邵庆燕	男	县委统战部	全国民族团结进步模范	国务院	1994
邵庆燕	男	民族宗教事务局	全国民族宗教先进工作者	国务院	1994
曾华金	女	潭港乡石塘村	全国司法系统优秀调解员	司法部、中华全国女人联合会	1995
丁广源	男	261 大队	先进人事工作者	中国核工业总公司	1995
裴国平	男	县公安局	全省见义勇为先进分子	江西省社会治安综合治理委员会	1995
裴国平	男	县公安局	全国见义勇为先进分子	中宣部、公安部、中华见义勇为基金会	1995
龚国龙	男	县家具厂	江西省劳动模范	江西省人民政府	1995
黄凤珍	女	县财政局	全省“三大检查”工作先进个人	江西省人民政府	1995
金耀梅	男	龚坊乡般坊村	江西省劳动模范	江西省人民政府	1995
梁惠民	男	县博物馆	全国先进工作者	国家文物局	1995
柳跃刚	男	721 矿	江西省劳动模范	江西省人民政府	1995
彭龙估	男	湖溪中学	全国优秀教师	国家教委、人事部	1995
彭罗陂	女	罗陂村水溪村	全国“三八”绿色奖章	林业部、中华全国妇女联合会	1995
彭罗陂	女	罗陂村水溪村	全国司法系统优秀调解员	司法部、中华全国妇女联合会	1995
吴星华	男	县防疫站	全国地方病防治先进工作者	卫生部	1995
姚其保	男	龚坊镇黄乐村	江西省劳动模范	江西省人民政府	1995
游清和	男	261 大队	劳动模范	中国核工业总公司、国防工业工会	1995

续表 26-3-3

姓名	性别	获奖时工作单位	荣誉称号	表彰单位	表彰时间
张晋信	男	县民政局	全省拥军优属先进个人	江西省人民政府、省军区	1995
周焕厅	男	721 矿古城中学	劳动模范	中国核工业总公司	1995
邹菊花	女	鹏洲乡上林村	江西省劳动模范	江西省人民政府	1995
邹菊花	男	鹏洲乡上林村	全国劳动模范	中华全国总工会	1995
曾青云	男	县农业局	全国农牧渔业丰收三等奖	农业部	1996
傅前才	男	261 大队	第三次核工业普查先进工作者	中国核工业总公司	1996
傅前才	男	261 大队	先进工作者	中国核工业总公司	1996
黄凤珍	女	县财政局	全省“三大检查”工作先进个人	江西省人民政府	1996
赖大益	男	县人武部	优秀党务工作者	南京军区政治部	1996
李秋生	男	县委	全国优秀党务工作者	中共中央组织部	1996
杨树芬	女	湖溪中心小学	全国“三育人”优秀个人	教育部、全国教育工会	1996
陈显明	男	县林业局	全国绿化先进工作者	全国绿化委	1997
邓志仲	男	万崇中心小学	中华扫盲奖（锡山奖）	国家教委	1997
董崇芳	男	县司法局	全省普法教育先进工作者	江西省法制宣传教育工作领导小组	1997
董瑞良	男	县统计局	第一次全国农业普查省级先进个人	江西省农业普查领导小组	1997
黄卫民	男	坪溪乡党委	第一次全国农业普查省级先进个人	江西省农业普查领导小组	1997
黄凤珍	女	县财政局	全省“三大检查”工作先进个人	江西省人民政府	1997
杨　萍	女	招携镇政府	第一次全国农业普查省级先进个人	江西省农业普查领导小组	1997
沈亚武	男	县土地管理局	第一次全国农业普查省级先进个人	江西省农业普查领导小组	1997
曹长恩	男	721 矿职工医院	有突出贡献的中青年专家	中国核工业总公司	1998
曹长恩	男	721 矿职工医院	中国核工业总公司劳动模范	中国核工业总公司等	1998
邓子文	男	721 矿	国防工会先进工作者	中国国防工业工会	1998
郭建平	男	721 矿	中国核工业总公司劳动模范	中国核工业总公司	1998
赖大益	男	县人武部	优秀旅团主官	南京军区	1998
王乐平	男	招携林业派出所	优秀人民警察	国家森林公安局	1998
吴国祯	男	县森林公安局	个人一等功	国家森林公安局	1998

续表 26-3-3

姓名	性别	获奖时工作单位	荣誉称号	表彰单位	表彰时间
徐大尤	男	261 大队	核工业劳动模范	中国核工业总公司	1998
张志华	男	鳌溪镇政府	全省抗洪抢险先进个人	中共江西省委、省人民政府	1998
陈绍平	男	县人武部	优秀党务工作者	南京军区	1999
陈显明	男	县实验林场	全国绿化奖	全国绿化委	1999
管远贵	男	南村中心小学	中华扫盲奖	国家教委、全国妇联	1999
赖大益	男	县人武部	全省优秀共产党员	江西省军区	1999
姚冬菊	女	龚坊镇黄乐村	全国“三八”红旗手	中华全国妇女联合会	1999
蔡厚源	男	县实验林场	世行贷款国家造林项目先进个人	国家林业局	2000
陈绍平	男	县人武部	个人三等功	江西省军区	2000
戴四花	女	县人民医院	全省巾帼英豪奖	江西省巾帼建功协调小组	2000
卢树生	男	增田镇石陂村	江西省劳动模范	江西省人民政府	2000
谢柏华	男	中核抚州金安铀业有限公司	全国劳动模范	中华全国总工会	2000
张芳富	男	牛田镇峡圳村	江西省劳动模范	江西省人民政府	2000
邹炳锦	男	牛田镇傍安村	江西省劳动模范	江西省人民政府	2000
陈方针	男	县水利局	初级电气化建设先进工作者	水利部	2001
陈绍平	男	县人武部	优秀团主官	中共江西省委、省人民政府、省军区	2001
陈跃敏	男	县人武部	全省学习成长标兵	江西省军区	2001
邓乐辉	男	县人武部	民兵整组工作先进个人	江西省军区	2001
邓乐辉	男	县人武部	征兵工作先进个人	中共江西省委、省人民政府、省军区	2001
江东海	男	县计生委	全国婚育新风进万家活动先进个人	中宣部、文化部、国家计生委	2001
刘晓华	男	县第二中学	全省优秀教师	江西省人民政府	2001
徐友洪	男	大马头垦殖场	大陆台籍同胞先进个人	全国台联	2001
许春祥	男	招携林业派出所	优秀人民警察	国家森林公安局	2001
陈绍平	男	县人武部	优秀团主官	南京军区	2002
邓春桂	女	万崇镇盐丰村	全国“三八”绿色奖章	林业部、中华全国妇女联合会	2002
胡星庆	男	县交通局	第二次公路普查先进个人	江西省公路普查领导小组	2002

续表 26-3-3

姓名	性别	获奖时工作单位	荣誉称号	表彰单位	表彰时间
李自发	男	县纪委	嘉奖	中纪委、监察部	2002
吕小汉	男	县计划生育委员会	优秀工作者	国家计划生育委员会	2002
王建平	男	县人武部	全省军事训练先进个人	江西省军区	2002
谢柏华	男	721 矿	江西省劳动模范	江西省人民政府	2002
谢柏华	男	721 矿	全国劳动模范	中华全国总工会	2002
许良贵	男	谷岗乡政府	全省农村税费改革工作先进个人	中共江西省委、省人民政府	2002
桂炳华	男	鳌溪镇下罗村	带头致富带领群众共同致富标兵	中共江西省委	2003
王　辉	男	湖坪乡计生办	全国计划生育工作先进个人	国家计划生育委员会	2003
邓美莲	女	县中医院	全省“五好”文明家庭	江西省“五好”文明家庭创建活动协调小组	2004
赖大益	男	县人大常委会	全省“五好”文明家庭	江西省“五好”文明家庭创建活动协调小组	2004
彭国康	男	县林业局	森林病虫害防治工作荣誉奖章	国家林业局	2004
饶伟生	男	261 大队	江西省劳动模范	江西省人民政府	2004
饶伟生	男	261 大队	全国“五一”劳动奖章	中华全国总工会	2004
王乐临	男	公溪镇党委	全省优秀农村工作先进个人	中共江西省委、省人民政府	2004
詹义芳	男	县人民医院	华厦医魂全国百名优秀医院院长奖	中华医学会	2004
董春发	男	牛田中心卫生院	全国农村优秀中医	国家中医药管理局	2005
刘雪兰	女	县环卫所	江西省劳动模范	江西省人民政府	2005
徐　英	女	鳌溪镇桥背村	全国计划生育协会先进志愿者	中国计生协会	2005
杨　卫	男	县统计局	第一次全国经济普查省级先进个人	江西省第一次经济普查领导小组	2005
游立云	男	鳌溪镇政府	第一次全国经济普查省级先进个人	江西省第一次经济普查领导小组	2005
邹炳锦	男	牛田镇傍安村	江西省劳动模范	江西省人民政府	2005
邓春桂	女	万崇镇盐丰村	全国“双学双比”女能手	全国“双学双比”竞赛活动小组	2006
乐银辉	男	县疾病预防控制中心	全国丝虫病防治先进个人	卫生部	2006
李自发	男	县纪委	全省优秀共产党员	中共江西省委	2006
田冬根	男	县司法局	全省法制宣传教育模范	江西省法制教育工作领导小组	2006

续表 26-3-3

姓名	性别	获奖时工作单位	荣誉称号	表彰单位	表彰时间
王江议	男	261 大队	江西省“五一”劳动奖章	江西省总工会	2006
许良贵	男	谷岗乡党委	全省林业产权改革先进个人	江西省林业产权改革小组	2006
杨　卫	男	县统计局	人口抽样调查先进个人	全国1%人口抽样调查领导小组	2006
周年发	男	县林业局	全省林业产权改革先进个人	江西省林业产权改革小组	2006
陈绍平	男	县纪委	论文优秀奖	中共江西省委纪委	2007
邓爱兰	女	县地方税务局	全国税务系统纪检监察先进个人	国家税务总局	2007
黄振辉	男	县农业局	全国种子检验先进个人	全国农业技术推广服务中心	2007
蔡乐明	男	县交通警察大队	全省平安家庭先进工作者	江西省平安家庭创建协调小组	2008
曾妩莲	女	县司法局	全省普法教育先进工作者	江西省普法教育工作领导小组	2008
邓小明	男	招携森林派出所	全省模范人民警察	江西省人民政府	2008
董瑞良	男	县统计局	第二次全国农业普查省级先进个人	江西省农业普查领导小组	2008
范万根	男	县人武部	全省抗冰救灾先进个人	中共江西省委、省人民政府	2008
黄亚萍	女	县文广局	全国广播电影电视系统先进工作者	人事部、国家广播电视电影总局	2008
乐银辉	男	县疾病预防控制中心	全国丝虫病防治先进个人	卫生部	2008
刘龙发	男	县科协	中国农函大优秀教员	中国科协	2008
王　农	男	县纪委	全省“绿剑二号行动”先进个人	中共江西省委纪委	2008
徐　英	女	鳌溪镇桥背村	全国“双学双比”女能手	全国“双学双比”竞赛活动小组	2008
黄小荣	男	县卫生局	全省“新农合”工作先进个人	江西省新农合工作领导小组	2009
李芳芸	男	县民政局	全国基层低保规范化建设先进个人	民政部	2009
刘晓峰	男	县人民医院	全省“新农合”工作先进个人	江西省新农合工作领导小组	2009
潘乐荣	男	县统计局	全省依法行政先进个人	江西省推进依法行政工作领导小组	2009
王国伟	男	县供电公司	国家电网抗震救灾工作先进个人	国家电网有限公司	2009
袁国平	男	县财政局	全省“五好”文明家庭	江西“五好”文明家庭创建活动协调小组	2009

二、1986—2016年获市（地、厅）级表彰人物

本表辑录596人获884项表彰奖励。

表26-3-4

姓名	性别	获奖时工作单位	荣誉称号	表彰单位	表彰时间
曾成宗	男	坪溪乡坪溪村	先进个人	中共抚州地委、行署、军分区	1986
姜文吕	男	县税务局	全省税务先进工作者	江西省税务局	1986
王碧清	男	县博物馆	先进工作者	江西省文化厅	1986
徐景明	男	县邮电局	优秀机要员	江西省邮电局	1986
郑洪祥	男	县邮电局	优秀工会积极分子	江西省邮电局	1986
姜文吕	男	县税务局	全省财税先进工作者	江西省财政厅、税务局	1987
王秋生	男	县人民检察院	全省检察机关先进个人	江西省人民检察院	1987
曾球明	男	县委党史办	全省党史征研工作先进、工作者	中共江西省委党史资料征集委员会 中共江西省委党史研究室	1987
陈　平	男	县农牧渔业局	先进工作者	江西省农牧渔业厅	1988
甘金莲	女	县妇女联合会	全省“三八”红旗手	江西省妇女联合会	1988
姜文吕	男	县税务局	全省税收先进工作者	江西省税务局	1988
李乐辉	男	龚坊乡党委	计划生育先进个人	抚州地区行政公署	1988
廖东生	男	湖溪供销社	全省供销系统先进工作者	江西省供销社	1988
梅绍裘	男	县博物馆	文博系统先进工作者	江西省文化厅	1988
王碧清	男	县博物馆	先进工作者	江西省文化厅	1988
徐景明	男	县邮电局	优秀机要员	江西省邮电局	1988
杨桂芳	女	湖溪乡东堆村	全省“三八”红旗手	江西省妇女联合会	1988
杨忠东	男	县人民检察院	先进个人	江西省人民检察院	1988
詹赛花	女	县人民医院	全省“三八”红旗手	江西省妇女联合会	1988
周保生	男	县职业中学	全省勤工俭学先进工作者	江西省教育委员会	1988
蔡福生	男	湖溪中学	全市优秀共产党员	中共抚州地委	1989
陈家环	男	鳌溪镇政府	全区中小学危房改造工作先进工作者	抚州地区行政公署	1989
陈泉源	男	县审计局	全省审计工作先进个人	江西省审计局	1989
邓小云	男	鳌溪镇党委	纪检信访工作先进工作者	中共抚州地区纪委	1989
傅乐云	女	县第二中学	全区优秀教师	抚州地区行政公署	1989
胡淑华	女	县人民医院	全省优秀护士	江西省卫生厅	1989
黄振辉	男	县农牧渔业局	全省种子检验先进工作者	江西省农牧渔业厅	1989

续表 26-3-4

姓名	性别	获奖时工作单位	荣誉称号	表彰单位	表彰时间
蓝太阳	男	金竹吓通小学	全区教育工作先进工作者	抚州地区行政公署	1989
刘　洪	男	县审计局	全省审计系统审计宣传积极分子	江西省审计局	1989
罗承祥	男	湖溪中学	全区优秀教师	抚州地区行政公署	1989
张　望	男	县人民检察院	全省检察机关先进个人	江西省人民检察院	1989
张绍义	男	县人武部	优秀党务工作者	抚州军分区	1989
龚友能	男		先进会员模范志愿工作者	中国红十字会	1989
陈家环	男	鳌溪镇政府	学校建设先进工作者	抚州地区行政公署	1990
陈建华	男	县公安局	个人三等功	江西省林业公安局	1990
陈泉源	男	县审计局	全省审计机关先进工作者	江西省审计局、人事厅、总工会	1990
陈芳树	男	县实验小学	全区优秀德育工作者	抚州地区行政公署	1990
邓许金	女	望仙乡党委	全区优秀党务工作者	中共抚州地委	1990
董瑞良	男	县统计局	政府系统统计机关先进工作者	江西省统计局、总工会	1990
付志群	男	县农牧渔业局	全省畜牧兽医先进工作者	江西省农业厅	1990
胡长祥	男	县人民法院	个人二等功	江西省高级人民法院	1990
黄　忠	男	湖溪乡社背村	人口普查成绩优异	抚州地区行政公署	1990
黄凤生	男	县公安局	全省优秀人民警察	江西省公安厅	1990
黄小平	男	县人民法院	先进工作者	江西省高级人民法院	1990
黄云耀	男	县司法局	全省司法行政系统先进工作者	江西省司法厅	1990
廖东生	男	湖溪供销社	开拓经营成绩突出	江西省供销社	1990
刘恒昌	男	万崇中学	全区优秀德育工作者	抚州地区行政公署	1990
刘南昌	男	罗陂中学	全省优秀班主任	江西省教育委员会	1990
罗冬根	男	县审计局	全省审计业务知识竞赛三等奖	江西省审计局	1990
邱希仁	男	万崇中学	全省农村中学优秀体育教师	江西省教育委员会	1990
王正康	男	望仙卫生院	全省基层模范卫生工作者	江西省卫生厅	1990
吴　勇	男	县司法局	全省司法行政系统先进工作者	江西省司法厅	1990
吴寿生	男	县人民检察院	全省检察机关先进工作者	江西省人民检察院	1990
张绍义	男	县人武部	全区优秀人武干部	抚州军分区	1990

续表 26-3-4

姓名	性别	获奖时工作单位	荣誉称号	表彰单位	表彰时间
张之干	男	湖坪中心卫生院	全省基层模范卫生工作者	江西省卫生厅	1990
邹菊花	女	鹏洲乡上林村	全省“三八”绿化奖	江西省林业厅、省妇女联合会	1990
朱金华	男	县税务局	个体工商户税法宣传普及教育活动先进工作者	江西省税务局、共青团江西省委	1990
曾胜春	男	县广播电视台	全省广播电视系统先进工作者	江西省广播电视厅、人事厅	1991
陈建华	男	县公安局林业分局	个人三等功	江西省公安厅	1991
陈泉源	男	县审计局	全省审计机关先进工作者	江西省审计局、人事厅、总工会	1991
龚顺祥	男	县实验林场	全省国营林场优秀场长	江西省林业厅	1991
胡兴宗	男	县公安局	个人三等功	江西省公安厅	1991
黄云耀	男	县司法局	全区普法先进个人	中共抚州地委、行署	1991
黄振辉	男	县农牧渔业局	全区科技兴农先进个人	抚州地区行政公署	1991
刘道芳	男	招携镇政府	“八五”中小学危房改造先进工作者	江西省教育委员会	1991
刘恒昌	男	万崇中学	全区先进工作者	抚州地区行政公署	1991
聂小乐	男	湖坪乡政府	全区先进工作者	中共抚州地委、行署	1991
牛才智	男	县纪委	全省清房工作先进工作者	江西省纪委	1991
牛才智	男	县纪委	全省优秀纪检干部	江西省纪委	1991
彭才福	男	县人大常委会	全区普法先进个人	中共抚州地委、行署	1991
彭高农	男	县中医院	先进个人	共青团江西省委	1991
彭田秀	女	罗陂辅导站	全市优秀班主任	抚州地区行政公署	1991
田冬根	男	县司法局	全区普法先进个人	中共抚州地委、行署	1991
王景华	男	县公安局	全省优秀人民警察	江西省公安厅	1991
王乐农	男	县实验林场	全省国营林场优秀科技工作者	江西省林业厅	1991
王义翔	男	县政协	全区先进工作者	中共抚州地委、行署	1991
吴寿生	男	县人民检察院	全省检察机关先进个人	江西省人民检察院	1991
杨洪良	男	湖溪中心小学	优秀党课教师	江西省纪委，省委组织部、宣传部	1991
张泽群	男	增田中学	全省优秀青年教师	江西省委宣传部、省教委、团省委、省教育工会	1991
张智萍	女	县第二中学	全区模范班主任	抚州地区行政公署	1991
周年根	男	湖溪中学	全区优秀教师	抚州地区行政公署	1991

续表 26-3-4

姓名	性别	获奖时工作单位	荣誉称号	表彰单位	表彰时间
邹华恩	男	县卫生局	全省卫生系统先进工作者	江西省卫生厅	1991
曾球明	男	县委党史办	先进工作者	江西省党史研究室	1991
曾菊花	女	县人民法院	先进工作者	江西省高级人民法院	1992
陈贵才	男	罗陂辅导站	全区教育工作先进工作者	抚州地区行政公署	1992
陈海保	男	潭港中心小学	全省优秀青年教师	江西省委宣传部、省教委、团省委、省教育工会	1992
陈家璜	男	县公安局	第二期农村社教优秀队员	中共抚州地委	1992
陈友华	男	南村畜牧兽医站	基层站先进工作者	江西省农牧渔业厅	1992
邓春山	男	万崇上罗小学	全省农村妇女扫盲先进工作者	江西省妇女联合会、省教委	1992
邓春喜	男	县第一中学	全区优秀德育工作者	抚州地区行政公署	1992
邓训忠	男	招携中心小学	全区优秀德育工作者	抚州地区行政公署	1992
丁国华	男	县胶合板厂	先进工作者	中共抚州地委、行署	1992
董建安	男	增田辅导站	全区教育工作先进工作者	抚州地区行政公署	1992
黄才祥	男	县农牧渔业局	全省土壤肥料技术推广先进个人	江西省农业厅	1992
刘富春	男	万崇中学	全区教育工作先进工作者	抚州地区行政公署	1992
刘恒昌	男	万崇中学	全区教育工作先进工作者	抚州地区行政公署	1992
邱秀兰	女	县妇女联合会	全省优秀妇女工作者	江西省妇女联合会	1992
施德范	男	县教育委员会	全区优秀教研员	抚州地区行政公署	1992
王庆华	男	罗陂乡党委	全市优秀社教工作队员	中共抚州地委	1992
吴寿生	男	县人民检察院	全省检察院先进工作者	江西省人民检察院	1992
吴寿生	男	县人民检察院	全省第十三次检察工作会议通报表彰	江西省人民检察院	1992
肖辉光	男	县第二小学	全区优秀德育工作者	抚州地区行政公署	1992
杨建英	女	县妇女联合会	全省“双学双比”先进工作者	江西省妇女联合会	1992
游英俊	男	公溪镇古城街	全区先进私营企业者	抚州地区行政公署	1992
游中华	男	县第二中学	全区优秀德育工作者	抚州地区行政公署	1992
詹楚强	男	县文广局	全省文化系统先进工作者	江西省文化厅、人事厅	1992
郑积敏	男	县第三中学	全区优秀德育工作者	抚州地区行政公署	1992
周年根	男	湖溪中学	全区优秀教师	抚州地区行政公署	1992
邹桂梅	女	鳌溪中心小学	全区优秀教师	抚州地区行政公署	1992

续表 26-3-4

姓名	性别	获奖时工作单位	荣誉称号	表彰单位	表彰时间
邹菊花	女	鹏洲乡上林村	全省“三八”红旗手	江西省妇女联合会	1992
邹筱蓉	女	县妇女联合会	全省先进托教工作者	江西省妇女联合会	1992
邹筱蓉	女	县妇女联合会	全省优秀妇女干部	江西省妇女联合会	1992
陈福华	男	县教研室	全区优秀教师	抚州地区行政公署	1993
陈显明	男	县实验林场	全省林业系统良种年活动先进工作者	江西省林业厅	1993
戴乐兴	男	县第二中学	全省优秀班主任	江西省教育委员会	1993
邓荣海	男	县第一中学	全区优秀教师	抚州地区行政公署	1993
邓志明	男	县社联	先进工作者	江西省社会科学学会联合会	1993
方乐强	男	县第一中学	全区优秀教师	抚州地区行政公署	1993
郭存经	男	公溪中学	全区优秀教师	抚州地区行政公署	1993
黄国勇	男	南村中心小学	全省优秀青年教师	江西省委宣传部、省教委、团省委、省教育工会	1993
黄湖南	男	谷岗中心小学	全区优秀教师	抚州地区行政公署	1993
李昌明	男	县人民法院	先进工作者	江西省高级人民法院	1993
刘南昌	男	罗陂中学	全区优秀教育工作者	抚州地区行政公署	1993
刘树香	男	县质量技术监督局	先进工作者	江西省质量技术监督局	1993
施德范	男	县教育委员会	全省优秀教研员	江西省教育委员会	1993
涂继旗	男	县审计局	先进工作者	江西省审计厅	1993
王景华	男	县公安局	全省刑事破案能手	江西省公安厅	1993
吴国祯	男	县公安局林业分局	个人二等功	江西省公安厅	1993
吴国祯	男	县公安局林业分局	个人三等功	江西省林业公安局	1993
吴国祯	男	县公安局林业分局	全省优秀人民警察	江西省委宣传部等 6 家单位	1993
吴寿生	男	县人民检察院	全省检察先进工作者	江西省人民检察院	1993
夏　丰	女	县农牧渔业局	全区先进工作者	中共抚州地委、行署	1993
杨建英	女	县妇女联合会	全省“双学双比”先进工作者	江西省妇女联合会	1993
张国华	男	万崇中学	全区优秀教师	抚州地区行政公署	1993
张玉珍	女	县幼儿园	全区优秀教师	抚州地区行政公署	1993
张之干	男	湖坪中心卫生院	全省农村基层卫生先进工作者	江西省卫生厅	1993
郑先孝	男	县人民法院	个人三等功	江西省高级人民法院	1993

续表 26-3-4

姓名	性别	获奖时工作单位	荣誉称号	表彰单位	表彰时间
周解放	男	招携中心小学	全区优秀教师	抚州地区行政公署	1993
周仉华	女	潭港中学	全省优秀教师	江西省教育委员会	1993
周仉华	女	潭港中学	全省优秀青年教师	江西省委宣传部、省教委、团省委、省教育工会	1993
邹振球	男	县第二中学	全区优秀教师	抚州地区行政公署	1993
蔡子平	男	县第二中学	全区优秀教师	抚州地区行政公署	1994
曾茶花	女	鳌溪中心小学	全区优秀教师	抚州地区行政公署	1994
曾绍辉	男	县第一中学	全区优秀教育工作者	抚州地区行政公署	1994
崔国群	男	县第一中学	全区优秀教育工作者	抚州地区行政公署	1994
邓许金	女	望仙乡党委	全区优秀党务工作者	中共抚州地委	1994
董纯明	男	潭港中学	全省勤工俭学先进工作者	江西省教育委员会、人事厅	1994
龚梓君	女	县农村信用合作社	“十佳”新人	抚州地区行政公署	1994
郭景琦	男	721 矿子弟学校	全区优秀教育工作者	抚州地区行政公署	1994
黄才祥	男	县农牧渔业局	全区杂交水稻制种先进工作者	抚州地区行政公署	1994
邱秀兰	女	县妇女联合会	全省“三八”红旗手	江西省妇女联合会	1994
邱秀兰	女	县妇女联合会	全省优秀妇女工作者	江西省妇女联合会	1994
涂继旗	男	县审计局	先进工作者	江西省审计厅	1994
王冬金	女	鳌溪中心小学	全区优秀教师	抚州地区行政公署	1994
王根英	女	鳌溪前坪小学	全区优秀教师	抚州地区行政公署	1994
王景华	男	县公安局	全省优秀人民警察	江西省公安厅	1994
吴昌富	男	261 大队子弟学校	全区优秀教育工作者	抚州地区行政公署	1994
熊科群	男	县第二中学	全区优秀教师	抚州地区行政公署	1994
徐风英	女	县林业局	全省先进组织者	江西省妇女联合会	1994
游英俊	男	公溪镇古城街	全区先进私营企业者	抚州地区行政公署	1994
袁记生	男	湖溪中学	全区优秀教师	抚州地区行政公署	1994
张建宏	男	县林业局	纪检工作先进个人	江西省林业厅	1994
周才生	男	南村中心小学	全区优秀教育工作者	抚州地区行政公署	1994
朱绍文	男	戴坊中心小学	全区优秀教育工作者	抚州地区行政公署	1994
曾菊林	男	县人民检察院	全省检察机关先进个人	江西省人民检察院	1995
陈福保	男	县公安局	个人三等功	江西省林业公安局	1995
丁祖荫	男	牛田中心小学	全区优秀教育工作者	抚州地区行政公署	1995

续表 26-3-4

姓名	性别	获奖时工作单位	荣誉称号	表彰单位	表彰时间
董建华	男	县第二中学	先进个人	抚州地区行政公署	1995
何晓琴	女	县公安局	全省优秀户籍民警	江西省公安厅	1995
黄　斐	男	县委组织部	优秀党员电教工作者	江西省委组织部	1995
黄发生	男	增田中学	全区优秀教师	抚州地区行政公署	1995
康仉英	女	戴坊中心小学	全区先进工作者	抚州地区行政公署	1995
李华东	男	县委组织部	《江西党建》学刊用刊积极分子	江西省委组织部	1995
凌义仁	男	县第二中学	全区优秀教育工作者	抚州地区行政公署	1995
刘湘桂	女	金竹中心小学	全省优秀教师	江西省教育委员会	1995
罗仁焕	男	万崇中学	全区优秀教育工作者	抚州地区行政公署	1995
欧阳可明	男	公溪镇党委	全市优秀党务工作者	中共抚州地委	1995
邱盛发	男	县第一中学	全区优秀教育工作者	抚州地区行政公署	1995
孙小平	男	县广播电视台	全省广播电视系统“创三好”先进个人	江西省广播电视局	1995
涂继旗	男	县审计局	全省审计机关先进工作者	江西省人事厅、审计厅	1995
王景华	男	县公安局	全省优秀人民警察	江西省公安厅	1995
王来龙	男	县信访办	全省信访工作先进个人	江西省委办公厅、省政府办公厅	1995
熊　艳	女	县第一中学	全区优秀教育工作者	抚州地区行政公署	1995
杨国清	男	县第三小学	全区优秀教育工作者	抚州地区行政公署	1995
游列昌	男	县人民法院	先进工作者	江西省高级人民法院	1995
游英俊	男	公溪镇古城街	全区先进私营企业者	抚州地区行政公署	1995
詹志英	男	县实验小学	全区优秀教育工作者	抚州地区行政公署	1995
张荣金	女	南村中心小学	全区优秀教师	抚州地区行政公署	1995
周才生	男	南村中心小学	全省优秀教师	江西省教育委员会、人事厅	1995
邹丽丽	女	县地方税务局	征管能手	江西省地方税务局	1995
曾菊林	男	县人民检察院	通报表扬	江西省人民检察院	1996
曾南生	男	招携中心小学	全区优秀教师	抚州地区行政公署	1996
曾四祥	男	谷岗乡党委	全市优秀乡镇党委书记	中共抚州地委	1996
邓明华	男	万崇中学	全区优秀教师	抚州地区行政公署	1996
董德旺	男	县公安局	全省公安法制先进个人	江西省公安厅	1996

续表 26-3-4

姓名	性别	获奖时工作单位	荣誉称号	表彰单位	表彰时间
董圣龙	男	招携中学	全区优秀教师	抚州地区行政公署	1996
桂炳华	男	鳌溪镇下罗村	全省农村优秀党支部书记	江西省委组织部	1996
胡文军	男	公溪镇党委	先进工会工作者	江西省总工会	1996
胡星庆	男	县交通局	全省公路普查先进个人	江西省交通厅	1996
黄　斐	男	县委组织部	《江西党建》优秀通讯员	江西省委组织部	1996
黄才祥	男	县农牧渔业局	全省种子工作先进个人	江西省农业厅	1996
黄晓华	男	县人民法院	先进工作者	江西省高级人民法院	1996
黄杏花	女	鳌溪中心小学	“艺术节”优秀演员	抚州地区行政公署	1996
刘恒昌	男	万崇中学	全市优秀共产党员	中共抚州地委	1996
刘三英	女	龚坊中心小学	全区优秀教师	抚州地区行政公署	1996
罗卫生	男	公溪镇荷陂村	全省优秀农村党支部书记	江西省委组织部	1996
缪凤翔	男	县委办公室	全省党刊通联工作先进单位	江西省委办公厅	1996
欧阳可明	男	公溪镇党委	全省先进乡镇党委书记	江西省委组织部	1996
欧阳可明	男	公溪镇党委	全市优秀乡镇党委书记	中共抚州地委	1996
欧阳可明	男	公溪镇党委	全市优秀党务工作者	中共抚州地委	1996
邱炳生	男	县第二中学	全区优秀教师	抚州地区行政公署	1996
谭　斌	女	县地方税务局	业务考核先进个人	江西省地方税务局	1996
涂继旗	男	县审计局	全省审计机关先进个人	江西省审计厅	1996
王桂娇	女	县第三小学	全区优秀教师	抚州地区行政公署	1996
谢传宗	男	县第一中学	全区优秀教育工作者	抚州地区行政公署	1996
元江红	女	鳌溪中心小学	全区优秀辅导员	抚州地区行政公署	1996
张旺金	女	县实验小学	全区优秀教师	抚州地区行政公署	1996
张兴文	男	万崇盐丰小学	全区优秀教师	抚州地区行政公署	1996
张尤英	女	县农牧渔业局	全省土肥技术推广先进个人	江西省农业厅	1996
周伟谦	男	县土地管理局	全省地矿工作先进工作者	江西省地矿厅	1996
邹发兴	男	鳌溪中心小学	全区优秀辅导员	抚州地区行政公署	1996
邹桂英	女	县第二小学	全区优秀教师	抚州地区行政公署	1996
邹祎娟	女	县第三小学	全区优秀教师	抚州地区行政公署	1996

续表 26-3-4

姓名	性别	获奖时工作单位	荣誉称号	表彰单位	表彰时间
张春发	男	县国税局	江西省国税系统先进工作者	江西省国家税务局	1996
曾国道	男	县林业局	全省职工体育先进个人	江西省总工会	1997
曾国庆	男	县公安局	全省优秀户籍民警	江西省公安厅	1997
陈建华	男	县公安局	个人三等功	江西省公安厅	1997
陈正兴	男	罗陂中学	全省巾帼扫盲先进个人	江西省妇女联合会、省教委	1997
戴敬祥	男	县土地管理局	全省农业普查先进个人	江西省土地管理局	1997
戴乐梅	女	县第一中学	全区优秀教师	抚州地区行政公署	1997
戴培德	男	戴坊中心小学	全区优秀教师	抚州地区行政公署	1997
邓春桂	女	万崇镇盐丰村	全省“三八”绿色活动先进女能人	江西省妇女联合会	1997
董　艳	女	县实验小学	全区优秀教师	抚州地区行政公署	1997
甘金莲	女	县人民法院	个人二等功	江西省高级人民法院	1997
顾冬兰	女	县实验小学	全区优秀教师	抚州地区行政公署	1997
黄才祥	男	县农牧渔业局	全省种子工作先进个人	江西省农业厅	1997
黄凤珍	女	县财政局	先进会计工作者	江西省财政厅、人事厅	1997
黄荣昌	男	县中医院	全区科技先进工作者	抚州地区行政公署	1997
乐月平	男	县土地管理局	全省土地管理先进个人	江西省土地管理局	1997
李乐辉	男	鳌溪镇党委	全区社会治安综合治理工作先进个人	中共抚州地委、行署	1997
李仁辉	男	万崇小学	全省扫盲先进工作者	江西省教育委员会	1997
刘永新	男	县人民法院	先进工作者	江西省高级人民法院	1997
欧阳可明	男	公溪镇党委	全市优秀乡镇党委书记	中共抚州地委	1997
欧阳可明	男	公溪镇党委	发展乡镇企业组织领导优秀奖	中共抚州地委、行署	1997
谭新华	男	招携小学	全区优秀教师	抚州地区行政公署	1997
王丽芳	女	县信访办	全省信访工作先进个人	江西省委办公厅、省政府办公厅	1997
巫小明	男	潭港小学	全区优秀教师	抚州地区行政公署	1997
吴国祯	男	县公安局林业分局	个人三等功	江西省林业公安局	1997
晏伏香	男	山砀镇杏坊村	抚州地区劳动模范	抚州地区行政公署	1997
杨　卫	男	县科技局	全省水稻薄露灌溉技术推广先进工作者	江西省科技厅	1997

续表 26-3-4

姓名	性别	获奖时工作单位	荣誉称号	表彰单位	表彰时间
杨金花	女	县第三小学	全区优秀教师	抚州地区行政公署	1997
元喜凤	男	县实验小学	全区优秀教师	抚州地区行政公署	1997
袁新国	男	湖坪中学	全区优秀教师	抚州地区行政公署	1997
詹义芳	男	县人民医院	全省卫生系统职业道德建设先进工作者	江西省卫生厅	1997
詹迎生	男	县教育局	全区优秀教育工作者	抚州地区行政公署	1997
詹振球	男	县第二中学	全区优秀教师	抚州地区行政公署	1997
张　明	县	县职业中学	全区优秀教师	抚州地区行政公署	1997
张世俊	女	县人民法院	先进工作者	江西省高级人民法院	1997
蔡乐明	男	县交通警察大队	全区抗洪抢险生产自救先进个人	中共抚州地委、行署	1998
陈　庚	男	县委党校	优秀老师	省党校系统优秀教师评审委员会	1998
陈　平	男	县土地管理局	全省土地管理先进个人	江西省土地管理局	1998
戴敬祥	男	县土地管理局	全省土地调查工作先进个人	江西省土地管理局	1998
邓春喜	男	县第一中学	全区优秀教师	抚州地区行政公署	1998
邓荣祥	男	县委办公室	优秀督查专报联络员	江西省委办公厅	1998
邓小云	男	增田镇党委	希望工程爱心奖	江西省委组织部、团省委等	1998
邓小云	男	增田镇党委	全区抗洪抢险生产自救先进个人	中共抚州地委、行署	1998
董崇芳	男	县司法局	全省司法行政系统先进工作者	江西省司法厅	1998
董德旺	男	县公安局	全省公安法制先进个人	江西省公安厅	1998
范圣章	男	鳌溪中心小学	全区优秀教师	抚州地区行政公署	1998
符节约	男	县委	希望工程爱心奖	江西省委组织部、团省委等	1998
龚庆华	男	县建设局	先进工作质量监督员	江西省建设厅	1998
龚幼光	男	县招商引资中心	全区招商引资工作先进个人	抚州地区行政公署	1998
胡文军	男	航桥乡党委	全区抗洪抢险生产自救先进个人	中共抚州地委、行署	1998
胡育英	女	戴坊中学	全区先进工作者	抚州地区行政公署	1998
黄　斐	男	县委组织部	《江西党建》优秀发行员	江西省委组织部	1998
黄财明	男	县政协	政协工作先进个人	政协抚州地区工作委员会	1998

续表 26-3-4

姓名	性别	获奖时工作单位	荣誉称号	表彰单位	表彰时间
黄卫平	男	县人民法院	个人嘉奖	江西省高级人民法院	1998
赖美金	女	县教研室	全区优秀教师	抚州地区行政公署	1998
兰奕轩	男	增田辅导站	全区优秀教师	抚州地区行政公署	1998
李华东	男	县委组织部	优秀党员电教工作者	江西省委组织部、省委村建办	1998
李华东	男	县委组织部	先进村建工作者	中共抚州地委	1998
廖湘秀	女	招携小学	全区优秀教师	抚州地区行政公署	1998
刘二花	女	县妇女联合会	先进村建工作者	中共抚州地委	1998
刘铭生	男	县人民法院	个人三等功	江西省高级人民法院	1998
刘晓华	男	县第二中学	全区优秀教师	抚州地区行政公署	1998
吕小汉	男	县计划生育委员会	计划生育科学技术先进工作者	江西省计划生育委员会	1998
牛才智	男	县人大常委会	全区防洪抢险先进个人	中共抚州地委、行署	1998
欧阳可明	男	公溪镇党委	全省农村基层组织建设先进工作者	江西省委村建办	1998
欧阳可明	男	公溪镇党委	全市优秀乡镇党委书记	中共抚州地委	1998
彭国康	男	县林业局	野生动物标签管理先进个人	江西省林业厅	1998
邱建忠	男	招携中学	全区优秀教师	抚州地区行政公署	1998
沈亚武	男	县土地管理局	全区抗洪抢险生产自救先进个人	中共抚州地委、行署	1998
王秋生	男	县委老干部局	全省老干部工作先进个人	江西省委组织部、老干部局	1998
王晓祥	男	万崇中学	全区优秀教师	抚州地区行政公署	1998
王震春	男	县林业局	全省林业信息先进个人	江西省林业厅	1998
杨　卫	男	县科技局	全省水稻节水种植技术推广先进个人	江西省科委	1998
杨华良	男	县人民检察院	全省检察系统先进个人	江西省人民检察院	1998
杨华良	男	县人民检察院	全区抗洪抢险生产自救先进个人	中共抚州地委、行署	1998
杨夏莲	女	山砀中心小学	全省优秀教师	江西省教育委员会、人事厅	1998
银光灿	男	县委	全省老干部工作先进个人	江西省委组织部、老干部局	1998
游琪辉	男	县招商引资中心	全区信息工作先进个人	抚州地区行政公署	1998
张乐明	男	县委办公室	全省人民满意的公务员	江西省委组织部、人事厅	1998

续表 26-3-4

姓名	性别	获奖时工作单位	荣誉称号	表彰单位	表彰时间
张尤英	女	县农牧渔业局	全省土肥技术推广先进个人	江西省农业厅	1998
曾风辉	男	公溪镇党委	创办示范服务基地先进工作者	中共抚州地委	1999
曾文贵	男	招携中学	全区优秀教师	抚州地区行政公署	1999
戴根香	男	县第三小学	全区优秀教师	抚州地区行政公署	1999
符节约	男	县委	“武吉杯”江西保护未成年人优秀公民	共青团江西省委等	1999
龚华义	男	增田中心小学	全区优秀教师	抚州地区行政公署	1999
桂炳华	男	鳌溪镇下罗村	全市优秀党支部书记	中共抚州市委	1999
胡星庆	男	县交通局	先进工作者	江西省交通厅	1999
黄佰花	女	山砀中心小学	全区优秀教师	抚州地区行政公署	1999
黄晓华	男	县人民法院	个人二等功	江西省高级人民法院	1999
黄晓华	男	县人民法院	全省法院优秀信息员	江西省高级人民法院	1999
王晓玲	女	招携中心小学	全区优秀教师	抚州地区行政公署	1999
吴朝阳	男	县教育委员会	校舍维修培训班优秀学员	全国教育学会培训中心	1999
易清莲	女	县民政局	万人机关干部帮助灾区重建工作先进个人	江西省灾区重建工作联络办公室、省委组织部、省直机关工委	1999
詹振亚	男	县第一中学	全区优秀教师	抚州地区行政公署	1999
张尤英	女	县农牧渔业局	全省土肥技术推广先进个人	江西省农业厅	1999
郑和元	男	县土地管理局	全省土地管理先进个人	江西省土地管理局	1999
陈　平	男	县土地管理局	优秀工作成果一等奖	江西省国土资源厅	2000
陈家环	男	县土地管理局	优秀工作成果一等奖	江西省国土资源厅	2000
戴敬祥	男	县土地管理局	全省地籍管理先进个人	江西省土地管理局	2000
戴四花	女	县人民医院	全省省“三八”红旗手	江西省妇女联合会	2000
董少武	男	县人民检察院	全省检察机关优秀接待员	江西省人民检察院	2000
方乐强	男	县第一中学	全区优秀教师	抚州地区行政公署	2000
甘金莲	女	县人民法院	全省巾帼英豪	江西省妇女联合会	2000
甘金莲	女	县人民法院	全省“三八”红旗手	江西省妇女联合会	2000
桂炳华	男	鳌溪镇下罗村	全省优秀共产党员	江西省委组织部	2000
黄桂莲	女	县第二小学	全区优秀教师	抚州地区行政公署	2000

续表 26-3-4

姓名	性别	获奖时工作单位	荣誉称号	表彰单位	表彰时间
黄建华	男	县委统战部	全省统战宣传工作先进个人	江西省委统战部	2000
刘求炜	男	鹏洲中学	全区优秀教师	抚州地区行政公署	2000
刘一中	男	县教育局	先进工作者	江西省关心下一代工作委员会	2000
彭国康	男	县林业局	野生动物标签管理先进个人	江西省林业厅	2000
田冬根	男	县司法局	全省司法行政系统先进工作者	江西省司法厅	2000
王志红	女	县公安局	全省公安系统优秀信息员	江西省公安厅	2000
游国安	男	招携中心小学	全区优秀教师	抚州地区行政公署	2000
余光庆	男	县委组织部	优秀村建办干部	中共抚州地委	2000
元喜欢	男	县第二中学	全区优秀教师	抚州地区行政公署	2000
袁菊花	女	公溪中心小学	全区优秀教育工作者	抚州地区行政公署	2000
张尤英	女	县农牧渔业局	全省土肥技术推广先进个人	江西省农业厅	2000
张森阳	男	县国税局	全省优秀税务工作者	江西省国家税务局	2000
朱跃强	男	县农业局	全省植物检疫先进个人	江西省农业厅	2000
邹桂英	女	县第三小学	全区优秀教师	抚州地区行政公署	2000
曾国文	男	南村中心小学	全市优秀教师	抚州市人民政府	2001
董建国	男	县人保公司	先进个人	江西省人保公司	2001
董进平	男	牛田中心小学	全市优秀教师	抚州市人民政府	2001
符节约	男	县委	全市党风廉政建设先进个人	中共抚州市委、市政府	2001
龚筱兰	女	县第一中学	全市优秀教育工作者	抚州市人民政府	2001
何仉生	男	鳌溪镇桥背村	“三五”普法工作先进个人	中共抚州市委、市政府	2001
黄才祥	男	县农牧渔业局	全省种子工作先进个人	江西省农业厅	2001
黄九龙	男	县林业局	全市优秀党务工作者	中共抚州市委	2001
黄圣龙	男	湖溪中心小学	全市优秀教师	抚州市人民政府	2001
江小梅	女	县妇女联合会	优秀“春雷”工作者	江西省妇女联合会	2001
梁耀华	男	县林业局	全市优秀共产党员	中共抚州市委	2001
缪凤翔	男	县人事局	全省人事工作先进个人	江西省人事厅	2001
牛筱芳	女	县公安局	全省优秀户籍民警	江西省公安厅	2001
彭国康	男	县林业局	野生动植物保护法规执行年先进个人	江西省林业厅	2001

续表 26-3-4

姓名	性别	获奖时工作单位	荣誉称号	表彰单位	表彰时间
彭志批	男	县司法局	全省人民满意司法行政干警	江西省司法厅	2001
平雪梅	女	县第二小学	全市优秀教师	抚州市人民政府	2001
田冬根	男	县司法局	全市普法先进个人	中共抚州市委、市政府	2001
武才贵	男	县第二中学	全省师德标兵	江西省教育厅	2001
徐锦华	男	县土地管理局	全省土地管理先进个人	江西省国土资源厅	2001
徐友洪	男	大马头垦殖场	大陆台籍同胞先进个人	江西省台联	2001
杨晓凤	女	县第一中学	全市优秀教师	抚州市人民政府	2001
游梦蛟	男	鳌溪镇蔬菜村	全市优秀共产党员	中共抚州市委	2001
游咏梅	女	团县委	全省优秀共青团员	共青团江西省委	2001
袁耀文	男	谷岗中学	全市优秀教师	抚州市人民政府	2001
詹世强	男	县土地管理局	先进个人	江西省国土资源厅	2001
詹义芳	男	县人民医院	全市优秀共产党员	中共抚州市委	2001
郑和元	男	县土地管理局	全省土地管理先进个人	江西省国土资源厅	2001
周呈生	男	招携中心小学	“果喜奖”省优秀教师	江西省果喜教育奖励基金会	2001
邹风祥	男	县农业局	先进个人	江西省农业厅	2001
邹泽基	男	县土地管理局	先进个人	江西省国土资源厅	2001
朱金华	男	县国税局	全省国税系统2001年度稽查能手	江西省国家税务局	2001
曾亦农	男	县委办公室	全省保密工作先进个人	江西省保密局	2002
陈家环	男	县国土资源局	全省土地管理单项先进个人	江西省国土资源厅	2002
陈建华	男	县公安局	1999—2000年个人三等功2次	江西省公安厅	2002
龚小平	男	龚坊中心小学	全市优秀教师	抚州市人民政府	2002
管同文	男	县计划委员会	全市优秀共产党员	中共抚州市委	2002
管同文	男	县计划委员会	全市招商引资先进个人	中共抚州市委、市政府	2002
桂炳华	男	鳌溪镇下罗村	优秀村党支部书记	中共抚州市委	2002
胡立新	男	县人民法院	优秀司法警察	江西省高级人民法院	2002
黄　斐	男	县委组织部	全市优秀党务工作者	中共抚州市委	2002
黄　强	男	县国家税务局	全市优秀共产党员	中共抚州市委	2002
黄建华	男	县人民法院	个人二等功	江西省高级人民法院	2002
黄卫平	男	县人民法院	全省法院系统办案能手	江西省法官协会	2002
黄志勇	男	县交通警察大队	个人二等功	江西省公安厅	2002

续表 26-3-4

姓名	性别	获奖时工作单位	荣誉称号	表彰单位	表彰时间
江小梅	女	县妇女联合会	全省优秀“春蕾”园丁	江西省妇女联合会	2002
乐银辉	男	县卫生防疫站	卫生防疫防病工作先进工作者	江西省卫生厅	2002
李乐辉	男	县林业局	全市招商引资先进个人	中共抚州市委、市政府	2002
林文明	男	增田中学	全市优秀教师	抚州市人民政府	2002
刘大龙	男	山砀中心小学	全市优秀教师	抚州市人民政府	2002
罗书生	男	万崇镇农技推广服务站	全省农业技术推广先进个人	江西省农业技术推广总站	2002
彭寿根	男	721 矿子弟学校	全市优秀教师	抚州市人民政府	2002
王乐临	男	公溪镇党委	全市优秀乡镇党委书记	中共抚州市委	2002
王幼林	男	县公安局	全省深挖犯罪工作能手	江西省公安厅	2002
许润文	男	县交通警察大队	个人二等功	江西省公安厅	2002
杨红卫	男	县第二中学	全市优秀教师	抚州市人民政府	2002
杨华良	男	县人民法院	全市优秀共产党员	中共抚州市委	2002
杨忠东	男	县人民检察院	个人二等功	江西省人民检察院	2002
杨忠东	男	县人民检察院	十大杰出青年检察官	江西省人民检察院	2002
游梦蛟	男	鳌溪镇蔬菜村	全市优秀党支部书记	中共抚州市委	2002
游英俊	男	公溪镇古城街	全省归侨侨眷先进个人	省外事侨务办公室、省归国华侨联合会	2002
詹可云	男	县委组织部	干部人事档案工作目标管理先进个人	江西省委组织部	2002
张发平	男	县第二中学	关心下一代工作先进个人	江西省关心下一代工作委员会	2002
张志勇	男	县人民检察院	全省人民满意的检察干警	江西省人民检察院	2002
赵　钰	男	县人民法院	“十佳”信息员	江西省高级人民法院	2002
郑和元	男	县土地管理局	先进个人	江西省国土资源厅	2002
邹冬秀	女	公溪中心小学	全市优秀教师	抚州市人民政府	2002
邹振球	男	县第一中学	全市优秀教育工作者	抚州市人民政府	2002
曾建平	男	戴坊中学	全市优秀教师	抚州市人民政府	2003
陈　辉	男	县公安局	全市“两问三视四比”学习活动先进个人	中共抚州市委	2003
陈建辉	男	县公安局	全省信息工作先进个人	江西省公安厅	2003
方文君	女	县农业局	全国先进农经统计员	农业部农村经济体制与经营管理司等	2003

续表 26-3-4

姓名	性别	获奖时工作单位	荣誉称号	表彰单位	表彰时间
龚海龙	男	县人民医院	“防非”工作优秀共青团员	共青团江西省委	2003
管　华	男	招携中心小学	全市优秀教师	抚州市人民政府	2003
管同文	男	县发展计划委员会	全市优秀共产党员	中共抚州市委	2003
过东海	男	721 矿职工医院	质量管理先进个人	江西省矿冶局	2003
黄　强	男	县国家税务局	党风廉政建设先进个人	江西省国家税务局	2003
黄邦鸿	男	县水利局	包乡扶村先进个人	江西省委组织部、省委村建办	2003
黄协怀	男	万崇镇党委	全市“二问三视四比”学习教育活动先进个人	中共抚州市委	2003
江小梅	女	县妇女联合会	全省科技服务先进工作者	江西省妇女联合会	2003
乐银辉	男	县卫生防疫站	全市防治非典型肺炎工作先进个人	中共抚州市委、市政府	2003
李乐辉	男	县林业局	全市优秀共产党员	中共抚州市委	2003
李乐辉	男	县林业局	全市招商引资先进个人	中共抚州市委、市政府	2003
李卫明	男	县公安局	全省纪检监察先进个人	江西省公安厅	2003
刘龙飞	男	县委办公室	督查工作先进个人	江西省委办公厅	2003
龙雪娇	女	牛田镇牛田村	全省“三八”红旗手	江西省妇女联合会	2003
彭光华	男	县总工会	全省优秀工会工作者	江西省总工会	2003
邱传发	男	万崇中学	全市优秀教师	抚州市人民政府	2003
王乐临	男	公溪镇党委	全市优秀乡镇党委书记	中共抚州市委	2003
王园增	男	增田中学	全市优秀教育工作者	抚州市人民政府	2003
王云生	男	鳌溪镇	“三级联创”优秀党委书记	中共抚州市委	2003
王云生	男	鳌溪镇党委	全市招商引资先进个人	中共抚州市委、市政府	2003
吴　勇	男	县人民检察院	全省人民满意的检察干警	江西省人民检察院	2003
吴瑞云	男	龚坊镇党委	全市优秀党务工作者	中共抚州市委	2003
谢国平	男	谷岗中学	全市优秀教师	抚州市人民政府	2003
熊小平	男	县第二中学	全市优秀教师	抚州市人民政府	2003
胥贵文	男	县林业局	先进工作者	江西省人事厅、林业厅	2003
杨春生	男	县卫生防疫站	全市防治非典型肺炎工作先进个人	中共抚州市委、市政府	2003
杨慧玲	女	县实验小学	全市优秀教师	抚州市人民政府	2003
姚大洋	男	县公安局	全省公安机关机要工作先进个人	江西省公安厅	2003

续表 26-3-4

姓名	性别	获奖时工作单位	荣誉称号	表彰单位	表彰时间
游明月	男	县农业局	全省经济作物新技术推广先进个人	江西省农业厅	2003
詹义芳	男	县人民医院	卫生系统防治非典型肺炎工作先进个人	江西省人事、卫生厅	2003
詹义芳	男	县人民医院	全市防治非典型肺炎工作先进个人	中共抚州市委、市政府	2003
曾金莲	女	县实验小学	全市优秀教师	抚州市人民政府	2004
曾善保	男	县公安局	全省人民满意“五星”干警	江西省委政法委	2004
曾妩莲	女	县司法局	“五星级”人民满意司法行政干警	江西省司法厅	2004
陈　辉	男	县公安局	全省公安机关“星级创建”先进个人	江西省公安厅	2004
陈和平	男	县第一中学	全市优秀班主任	抚州市人民政府	2004
陈少林	男	县招商局	全市目标管理工作先进个人	中共抚州市委、市政府	2004
陈新和	男	县公安局	全省优秀派出所民警	江西省公安厅	2004
戴建华	男	县人民检察院	“五星级”检察干警	江西省人民检察院	2004
邓安华	男	县公安局	全省优秀户籍民警	江西省公安厅	2004
董纯明	男	潭港中学	全市优秀教育工作者	抚州市人民政府	2004
管同文	男	县发展计划委员会	全市目标管理先进个人	中共抚州市委、市政府	2004
桂炳华	男	鳌溪镇下罗村	“三级联创双带”村党支部书记	中共抚州市委	2004
郭玉华	女	增田中学	全市优秀教师	抚州市人民政府	2004
黄凤生	男	县公安局	全省公安机关纪检监察先进个人	江西省公安厅	2004
李乐辉	男	县林业局	全市目标管理工作先进个人	中共抚州市委、市政府	2004
李乐辉	男	县林业局	全市优秀县（区）部门负责人	中共抚州市委、市政府	2004
李乐辉	男	县林业局	全市招商引资先进个人	中共抚州市委、市政府	2004
李智鹏	男	县公安局	全省公安机关“星级创建”先进个人	江西省公安厅	2004
林美忠	男	县公安消防大队	优秀共产党员	江西省公安厅	2004
刘　佳	女	戴坊中心小学	全市优秀教师	抚州市人民政府	2004

续表 26-3-4

姓名	性别	获奖时工作单位	荣誉称号	表彰单位	表彰时间
刘龙飞	男	县委办公室	督查工作先进个人	江西省委办公厅	2004
罗崇高	男	县司法局	全省司法行政系统先进工作者	江西省司法厅	2004
王　朋	男	鳌溪小学	全市优秀教师	抚州市人民政府	2004
王乐临	男	公溪镇党委	全市优秀乡镇党委书记	中共抚州市委	2004
王云生	男	鳌溪镇	全市目标管理先进个人	中共抚州市委、市政府	2004
王志武	男	县公安局	全省优秀巡逻民警	江西省公安厅	2004
杨　卫	男	县科技局	全省科技管理工作先进个人	江西省人事厅、科技厅	2004
杨拾祥	男	龚坊镇政府	全市农村税费改革先进个人	抚州市人民政府	2004
姚启东	男	县林业局	纪检监察先进个人	江西省林业厅	2004
詹利红	女	县第二中学	全市优秀教师	抚州市人民政府	2004
张发平	男	县第二中学	全省模范教师	江西省教育厅、人力资源和社会保障厅	2004
张发平	男	县第二中学	全省师德先进个人	江西省教育厅、人力资源和社会保障厅	2004
郑　彤	女	县幼儿园	全市优秀教师	抚州市人民政府	2004
周　冰	男	中共湖坪乡党委	全市优秀乡镇党委书记	中共抚州市委	2004
曾青云	男	县农业局	全省农业技术推广先进个人	江西省农业技术推广总站	2005
陈　辉	男	县公安局	全市政法系统“十大卫士”	中共抚州市委	2005
陈　辉	男	县公安局	全市优秀乡镇站所先进个人	中共抚州市委、市政府	2005
陈芳树	男	县实验小学	全市优秀教师	抚州市人民政府	2005
陈立新	男	县广播电视台	全省广播电视系统“创三好”先进个人	江西省广播电视局	2005
陈正春	男	县林业局	湿地和野生动植物保护先进个人	江西省林业厅	2005
戴鸿祥	男	戴坊中心卫生院	全省优秀医生	江西省卫生厅	2005
邓子贞	女	县公安局	全省装财工作先进个人	江西省公安厅	2005
董　耀	男	万崇中心小学	全市优秀教师	抚州市人民政府	2005
董春发	男	牛田中心卫生院	全省基层优秀中医	江西省卫生厅	2005

续表 26-3-4

姓名	性别	获奖时工作单位	荣誉称号	表彰单位	表彰时间
龚财章	男	县财茂实业发展有限公司	优秀创业青年	共青团江西省委	2005
管同文	男	县发展计划委员会	全市目标管理先进个人	中共抚州市委、市政府	2005
何　强	男	戴坊中心卫生院	全省优秀医生	江西省卫生厅	2005
黄谷明	男	县农业局	亚行贷款农村能源生态建设项目先进个人	中国农村能源生态建设项目江西办公室	2005
黄茂林	男	牛田镇傍安村	全市优秀党支部书记	中共抚州市委	2005
黄荣昌	男	县中医院	全省基层优秀中医	江西省卫生厅	2005
黄协怀	男	万崇镇党委	全市优秀乡镇党委书记	中共抚州市委	2005
江东海	男	县计生委	全省婚育新风进万家活动先进个人	江西省委宣传部、省文化厅、省计生委	2005
江小梅	女	县妇女联合会	实施妇女儿童发展刚要先进个人	江西省妇女联合会	2005
姜胜明	男	县第二中学	全市优秀教师	抚州市人民政府	2005
乐银辉	男	县卫生防疫站	全省丝虫病防治先进工作者	江西省卫生厅	2005
李建龙	男	县中医院	全省基层优秀中医	江西省卫生厅	2005
李乐辉	男	县林业局	全市目标管理先进个人	中共抚州市委、市政府	2005
刘龙飞	男	县委办公室	督查工作先进个人	江西省委办公厅	2005
刘晓峰	男	县人民医院	全省基层优秀中医	江西省卫生厅	2005
欧阳高洪	男	谷岗中学	全市优秀教师	抚州市人民政府	2005
王庆华	男	县人社局	全市目标管理先进个人	中共抚州市委、市政府	2005
王云生	男	鳌溪镇	优秀党课教员	江西省纪委，省委组织部、宣传部	2005
王云生	男	鳌溪镇	全市优秀党务工作者	中共抚州市委	2005
王云生	男	鳌溪镇	全市目标管理先进个人	中共抚州市委、市政府	2005
武　娟	女	县公安局	全省公安政工部门先进个人	江西省公安厅	2005
辛光荣	男	县财政局	保持共产党员先进性教育先进个人	中共抚州市委	2005
杨绍鹏	男	山砀镇党委	全市优秀乡镇党委书记	中共抚州市委	2005
杨兴华	男	罗陂中学	全市优秀教师	抚州市人民政府	2005
杨振宁	女	公溪中心小学	全市优秀班主任	抚州市人民政府	2005

续表 26-3-4

姓名	性别	获奖时工作单位	荣誉称号	表彰单位	表彰时间
袁国梁	男	县委办公室	督查工作先进个人	江西省委办公厅	2005
袁国平	男	县财政局	全市目标管理先进个人	中共抚州市委、市政府	2005
詹义芳	男	县人民医院	全省卫生科技先进工作者	江西省卫生厅	2005
张森阳	男	县国税局	全市再就业先进工作者	抚州市人民政府	2005
邹　艳	女	县第一中学	全市优秀教师	抚州市人民政府	2005
邹祎娟	女	县第二小学	全市优秀教师	抚州市人民政府	2005
陈　箭	男	县地方税务局	先进工作者	江西省地方税务局	2006
陈文清	男	县地方税务局	先进工作者	江西省地方税务局	2006
陈小平	男	增田镇石陂村	抚州市劳动模范	抚州市人民政府	2006
陈中华	男	县第一中学	全市优秀班主任	抚州市人民政府	2006
戴　珊	女	增田中心小学	全市优秀教师	抚州市人民政府	2006
戴鸿祥	男	戴坊中心卫生院	全省优秀乡镇卫生院院长	江西省卫生厅	2006
邓荣祥	男	全竹畲族乡	全市民族团结进步模范个人	抚州市人民政府	2006
丁德勇	男	湖坪中心小学	全市优秀教育工作者	抚州市人民政府	2006
冯国平	男	县农村信用合作社	全省优秀单位内部保卫人员	江西省公安厅	2006
冯康勇	男	县第二中学	全市优秀教师	抚州市人民政府	2006
管　华	男	招携中心小学	全省优秀校长	江西省教育厅	2006
桂炳华	男	鳌溪镇下罗村	全市“五个好”村党支部书记	中共抚州市委	2006
胡立新	男	县人民法院	优秀司法警察	江西省高级人民法院	2006
黄财明	男	县委组织部	全市优秀党务工作者	中共抚州市委	2006
黄谷明	男	县农业局	亚行贷款农村能源生态建设项目先进个人	中国农村能源生态建设项目江西办公室	2006
黄茂林	男	牛田镇傍安村	全市百名优秀乡土科技人才	抚州市人民政府	2006
黄荣昌	男	县中医院	全省中医先进工作者	江西省卫生厅	2006
黄卫安	男	县农业局	亚行贷款农村能源生态建设项目先进个人	中国农村能源生态建设项目江西办公室	2006
黄晓勤	男	县司法局	全省人民满意政法干警	江西省委政法委	2006
江建忠	男	鳌溪中心小学	全市优秀教师	抚州市人民政府	2006

续表 26-3-4

姓名	性别	获奖时工作单位	荣誉称号	表彰单位	表彰时间
金卫琼	女	县第二中学	全省师德先进个人	江西省教育厅	2006
李　奇	男	县公安局	个人二等功	江西省公安厅	2006
林美忠	男	县公安消防大队	优秀共产党员	江西省公安消防总队	2006
罗崇高	男	县司法局	全市法制宣传教育标兵	中共抚州市委、市政府	2006
聂小乐	男	戴坊镇党委	全市目标管理先进个人	中共抚州市委、市政府	2006
欧阳乐平	男	谷岗中学	全市优秀班主任	抚州市人民政府	2006
汤小平	男	县广信茧丝有限公司	抚州市劳动模范	抚州市人民政府	2006
王呈军	男	县交通警察大队	春运“两会”交通安全通报表扬	江西省交警总队	2006
王乐媛	女	县实验小学	全市优秀教师	抚州市人民政府	2006
王庆华	男	县人社局	先进工作者	江西省人事劳动和社会保障厅	2006
王雄辉	男	县交通局	全省农村公路建设先进个人	江西省交通厅	2006
闫玉杰	男	县第四中学	全市优秀教师	抚州市人民政府	2006
易学英	女	戴坊镇政府	育龄妇女个案信息核查工作先进个人	江西省人口和计划生育委员会	2006
袁菊花	女	山砀中心小学	全市优秀教师	抚州市人民政府	2006
詹诚卫	男	江西山高制药有限公司	抚州市劳动模范	抚州市人民政府	2006
詹义芳	男	县人民医院	抚州市劳动模范	抚州市人民政府	2006
詹义芳	男	县人民医院	全市先进工作者	中共抚州市委、市政府	2006
章喜科	男	县教育局	全市优秀教育工作者	抚州市人民政府	2006
周　冰	男	牛田镇党委	全市优秀乡镇党委书记	中共抚州市委	2006
邹炳锦	男	牛田镇傍安村	全市百户种养大户	中共抚州市委、市政府	2006
邹克凌	男	戴坊中学	全市优秀教师	抚州市人民政府	2006
邹志刚	男	县人民法院	全省优秀法官	江西省高级人民法院	2006
艾慧兰	女	县实验小学	全市优秀教师	抚州市人民政府	2007
曾洪祥	男	县第三小学	全市优秀教师	抚州市人民政府	2007
曾礼发	男	县第二中学	全省优秀班主任	江西省教育厅	2007

续表 26-3-4

姓名	性别	获奖时工作单位	荣誉称号	表彰单位	表彰时间
陈冬莲	女	戴坊镇党委	全市新农村建设先进个人	中共抚州市委、市政府	2007
陈绍平	男	县纪委	全市目标管理工作先进个人	中共抚州市委、市政府	2007
戴鸿祥	男	戴坊中心卫生院	先进工作者	江西省人事厅、卫生厅	2007
邓新荣	男	县委组织部	党员电化教育先进工作者	江西省委组织部	2007
符爱起	男	县第二中学	全省模范教师（追认）	江西省教育厅、人社厅	2007
甘人民	男	县公安消防大队	中共十七大安全保卫先进个人	江西省公安消防总队	2007
胡　良	男	罗陂中心小学	全省模范教师	江西省教育厅、人社厅	2007
胡志勇	男	县公安局	全省户政管理工作先进个人	江西省公安厅	2007
黄定量	男	招携小学	全市优秀教师	抚州市人民政府	2007
黄福龙	男	县第一中学	全市优秀班主任	抚州市人民政府	2007
黄建文	男	县公安局	全省巡警工作先进个人	江西省公安厅	2007
黄丽英	女	县妇女联合会	优秀信息员	江西省妇女联合会	2007
黄卫安	男	县农业局	亚行贷款农村能源生态建设项目先进个人	中国农村能源生态建设项目江西办公室	2007
江小梅	女	县妇女联合会	全省巾帼建功标兵	江西省妇女联合会	2007
李智雁	男	县交通警察大队	交通安全宣传工作先进个人	江西省交警总队	2007
刘少营	男	县政法委	国家安全人民防线建设先进个人	江西省国家安全厅	2007
龙四清	男	县教研室	全市优秀教育工作者	抚州市人民政府	2007
毛辉明	男	南村中心小学	全市优秀教师	抚州市人民政府	2007
欧阳国平	男	谷岗中心小学	全市优秀教师	抚州市人民政府	2007
邱秀英	女	县人民医院	全省优秀护士	江西省卫生厅	2007
施　展	男	县审计局	全省审计系统优秀信息员	江西省审计厅	2007
王呈军	男	县交通警察大队	预防重特大事故专项工作先进个人	江西省交警总队	2007
王春兰	女	鳌溪镇上大社区	先进调解员	江西省高级人民法院	2007
王兰花	女	万崇中心小学	全市优秀教师	抚州市人民政府	2007

续表 26-3-4

姓名	性别	获奖时工作单位	荣誉称号	表彰单位	表彰时间
王晓琴	女	县环卫所	全省“三八”红旗手	江西省妇女联合会	2007
王雄辉	男	县交通局	全省农村公路专项调查工作先进个人	江西省交通厅	2007
易清元	男	增田中学	全市优秀教育工作者	抚州市人民政府	2007
游　咏	男	县人大常委会	《时代主人》优秀通讯员	江西省人大常委会办公厅	2007
袁国平	男	县财政局	全市目标管理工作先进个人	中共抚州市委、市政府	2007
张小胜	男	县第二中学	全市优秀教师	抚州市人民政府	2007
张尤英	女	县农业局	全省土肥技术推广先进个人	江西省农业厅	2007
陈年保	男	龚坊中心小学	全市优秀教师	抚州市人民政府	2008
陈晓林	男	湖溪乡政府	全市抗冰救灾先进个人	抚州市人民政府	2008
陈中平	男	县农业局	全省农业系统抗寒救灾先进个人	江西省农业厅	2008
戴建华	男	县人民检察院	计划财务装备工作先进个人	江西省人民检察院	2008
戴乐梅	女	县第一中学	全市优秀教师	抚州市人民政府	2008
邓美莲	女	县中医院	全省“三八”红旗手	江西省妇女联合会	2008
邓小明	男	招携林业派出所	全省优秀人民警察	江西省公安厅	2008
邓宗游	男	龚坊中学	全市优秀教师	抚州市人民政府	2008
丁美英	女	县农业局	全省土壤肥料技术推广先进个人	江西省农业厅	2008
董东明	男	县第二中学	全市优秀教师	抚州市人民政府	2008
方　芳	女	县第二小学	全市优秀班主任	抚州市人民政府	2008
付　斌	男	县公安局	户籍管理能手	江西省公安厅	2008
黄建文	男	县公安局	全省治安系统先进个人	江西省公安厅	2008
黄卫安	男	县农业局	亚行贷款农村能源生态建设项目先进个人	中国农村能源生态建设项目江西办公室	2008
黄志明	男	县农村信用合作社	内部优秀保卫人员	江西省公安厅	2008
江小梅	女	县人口和计划生育委员会	全市目标管理先进个人	中共抚州市委、市政府	2008

续表 26-3-4

姓名	性别	获奖时工作单位	荣誉称号	表彰单位	表彰时间
康卫国	男	万崇中心小学	全市优秀教育工作者	抚州市人民政府	2008
李贵德	男	万崇中学	全市优秀教育工作者	抚州市人民政府	2008
李淑珍	女	县农业局	服务开放型农业工作成绩突出先进个人	江西省农业厅	2008
李子海	男	县公安局	全省公安机关抗冰救灾先进个人	江西省公安厅	2008
刘　勤	女	县幼儿园	全市优秀教师	抚州市人民政府	2008
刘华旺	男	县交通警察大队	道路执勤执法能手	江西省公安厅	2008
施　展	男	县审计局	全省审计优秀信息员	江西省审计厅	2008
万　军	男	县公安局	国保重点人教育转化能手	江西省公安厅	2008
王呈军	男	县交通警察大队	道路执勤执法能手	江西省公安厅	2008
王志坚	男	县公安局	全省社区警务工作能手	江西省公安厅	2008
徐长传	男	县粮食局	优秀共产党员	江西省委组织部、老干部局	2008
杨志刚	男	县公安局	内保工作能手	江西省公安厅	2008
叶冬青	男	县公安局	全省户政管理先进个人	江西省公安厅	2008
易建文	男	谷岗乡政府	全市抗冰救灾先进个人	中共抚州市委、市政府	2008
游琪辉	男	县科协	先进个人	江西省科协	2008
游勇华	男	县公安局	信息监控能手	江西省公安厅	2008
詹志红	女	县地方税务局	“三个服务”标兵	江西省地方税务局	2008
钟蔚云	女	县实验小学	全市优秀教师	抚州市人民政府	2008
周年发	男	县林业局	全省林业抗灾救灾先进个人	江西省林业厅	2008
邹菊红	女	鳌溪中心小学	全市优秀教师	抚州市人民政府	2008
白　浪	男	县交通警察大队	全省交警优秀民警	江西省交警总队	2009
曾　华	女	县幼儿园	全市优秀教师	抚州市人民政府	2009
曾广东	男	鳌溪镇下罗村	全市新农村建设先进个人	中共抚州市委、市政府	2009
曾国华	男	县委组织部	信息工作优秀信息员	江西省委组织部	2009
曾新莲	女	县第二中学	全省“三八”红旗手	江西省妇女联合会	2009

续表 26-3-4

姓名	性别	获奖时工作单位	荣誉称号	表彰单位	表彰时间
曾亦农	男	县民政局	全市民生工程目标管理先进个人	抚州市人民政府	2009
曾亦农	男	县民政局	优秀政协委员	政协抚州市委员会	2009
陈绍平	男	县纪委	全市目标管理工作先进个人	中共抚州市委、市政府	2009
戴立生	男	山砀中学	全市优秀教师	抚州市人民政府	2009
丁友平	男	县地方税务局	全省优秀税收管理员	江西省地方税务局	2009
董　军	男	县人民法院	全省法院优秀工作者	江西省高级人民法院	2009
甘人民	男	县公安消防大队	“三争先”先进个人	江西省公安消防总队	2009
甘人民	男	县公安消防大队	优秀共产党员	江西省公安消防总队	2009
郭良萍	女	县实验小学	全市优秀班主任	抚州市人民政府	2009
黄贵龙	男	县第二中学	全市优秀教育工作者	抚州市人民政府	2009
黄士昌	男	县中医院	全市普法依法治理工作先进个人	抚州市人民政府	2009
江小梅	女	县人口和计划生育委员会	全市目标管理先进个人	中共抚州市委、市政府	2009
徐长倚	男	县粮食局	全市优秀党务工作者	中共抚州市委	2009
杨　卫	男	县粮食局	全市信访工作先进个人	中共抚州市委、市政府	2009
杨绍鹏	男	山砀镇党委	全市优秀党务工作者	中共抚州市委	2009
詹光华	男	公溪中心小学	全市优秀教师	抚州市人民政府	2009
詹晓花	女	县第二小学	全市优秀教师	抚州市人民政府	2009
詹义芳	男	县人民医院	抚州市拔尖人才	抚州市人民政府	2009
詹义芳	男	县人民医院	全市“十大”新闻人物	中共抚州市委、市政府	2009
詹志英	女	县实验小学	全市优秀教师	抚州市人民政府	2009
张　凡	男	大金竹学校	全省模范教师	江西省教育厅、人社厅	2009
张尤英	女	县农业局	全省土肥技术推广先进个人	江西省农业厅	2009
张泽群	男	县第一中学	全省优秀校长	江西省教育厅	2009
张志勇	男	县人民检察院	全市普法依法治市工作先进个人	中共抚州市委、市政府	2009

续表 26-3-4

姓名	性别	获奖时工作单位	荣誉称号	表彰单位	表彰时间
郑喜生	男	谷岗中学	全市优秀教师	抚州市人民政府	2009
周年根	男	鹏洲中学	全市优秀教师	抚州市人民政府	2009
左育莲	女	县农业局	全省粮油生产先进个人	江西省农业厅	2009
陈贵宝	男	县国税局	全市普法依法治理工作先进工作者	中共抚州市委、抚州市人民政府	2009
曾国平	男	县公安局	全省公安监管先进个人	江西省监管总队	2010
曾亦农	男	县民政局	全市民生工程目标管理先进个人	抚州市人民政府	2010
曾亦农	男	县民政局	优秀政协委员	政协抚州市委员会	2010
陈千平	男	戴坊镇农技推广综合站	全省农业技术推广先进个人	江西省农业技术推广总站	2010
陈绍平	男	县纪委	全市目标管理工作先进个人	中共抚州市委、市政府	2010
戴扬涛	男	县第一中学	全市优秀教师	抚州市人民政府	2010
邓小云	男	县卫生局	全市民生工程目标管理先进个人	抚州市人民政府	2010
丁美英	女	县农业局	全省土壤肥料技术推广先进个人	江西省农业厅	2010
董建安	男	罗陂中心小学	全市优秀教师	抚州市人民政府	2010
龚克祥	男	湖溪中心小学	全市优秀教师	抚州市人民政府	2010
胡乐琴	女	增田中学	全市优秀教师	抚州市人民政府	2010
黄　浩	男	鳌溪中心小学	全市优秀教师	抚州市人民政府	2010
黄桂莲	女	县第二小学	全市优秀教师	抚州市人民政府	2010
黄卫平	男	县人民法院	全省法院调解能手	江西省高级人民法院	2010
黄小萍	女	县人民医院	抚州市劳动模范	抚州市人民政府	2010
黄玉清	男	县供水公司	抚州市劳动模范	抚州市人民政府	2010
黄长升	男	招携中学	全市优秀教育工作者	抚州市人民政府	2010
黄振辉	男	县农业局	全省粮食生产先进个人	江西省农业厅	2010
江小梅	女	县人口和计划生育委员会	全市目标管理先进个人	中共抚州市委、市政府	2010

续表 26-3-4

姓名	性别	获奖时工作单位	荣誉称号	表彰单位	表彰时间
康卫国	男	增田中心小学	全市优秀教师	抚州市人民政府	2010
雷冬至	男	金竹畲族乡联村村	抚州市劳动模范	抚州市人民政府	2010
谭　峰	男	县人民法院	全省集中清理执行积案活动先进个人	江西省高级人民法院	2010
王　青	男	县文化馆	全省“非遗”普查工作先进个人	江西省文化厅	2010
王　翔	男	县文广局	全省卫星地面接收设施管理工作先进个人	江西省广播电影电视局	2010
王晓琴	女	县环卫所	抚州市劳动模范	抚州市人民政府	2010
谢小青	男	县人民医院	“光明·微笑”天使	中共抚州市委、市政府	2010
杨姗秀	女	县司法局	全省人民满意政法干警	江西省委政法委	2010
杨叶平	男	县公安局	全省公安机关征文优秀个人	江西省公安厅	2010
易竹英	女	县第二中学	全市优秀班主任	抚州市人民政府	2010
游国安	男	流坑小学	全市优秀教师	抚州市人民政府	2010
余振斌	男	县地方税务局	省级效能建设先进个人	江西省地方税务局	2010
元桂兰	女	县卫生局	“光明·微笑”工程先进个人	中共抚州市委、市政府	2010
袁传明	男	江西广雅食品有限公司	抚州市劳动模范	抚州市人民政府	2010
邹志刚	男	县人民法院	全省优秀法院	江西省高级人民法院	2010
蔡子平	男	县第二中学	全市优秀教师	抚州市人民政府	2011
曾丽萍	女	县委老干部局	全省老干部工作先进个人	江西省委组织部、老干部局	2011
陈传富	男	县商务局	全市优秀共产党员	中共抚州市委	2011
戴慧荣	男	戴坊中心小学	全市优秀教师	抚州市人民政府	2011
戴四花	女	县人民医院	无偿献血奉献奖铜奖	江西省红十字会	2011
邓　勇	男	县农业局	全省土壤肥料技术推广先进个人	江西省农业厅	2011
邓小明	男	招携林业派出所	全市优秀共产党员	中共抚州市委	2011
丁友平	男	县地方税务局	全省优秀税收管理员	江西省地方税务局	2011

续表 26-3-4

姓名	性别	获奖时工作单位	荣誉称号	表彰单位	表彰时间
黄克清	男	县国土资源局	全省土地管理法制宣传先进个人	江西省国土资源厅	2011
黄振辉	男	县农业局	全省种子管理先进个人	江西省农业厅	2011
康乐和	男	县第二中学	全市优秀班主任	抚州市人民政府	2011
康良和	男	县地方税务局	优秀共产党员	江西省地方税务局	2011
李　波	男	县公安局	个人二等功	江西省公安厅	2011
李　波	男	县公安局	全省人民满意政法干警	江西省委政法委	2011
刘浩军	男	湖坪中学	全市优秀教师	抚州市人民政府	2011
邱秀英	女	县人民医院	优秀带教老师	江西省护理职业技术学院	2011
吴冬生	男	县教研室	全市优秀教师	抚州市人民政府	2011
吴玲玲	女	公溪中心小学	全市优秀教师	抚州市人民政府	2011
武金勇	男	县委组织部	全市优秀党务工作者	中共抚州市委	2011
徐长传	男	县粮食局	全市优秀党务工作者	中共抚州市委	2011
杨国林	男	龚坊镇农技推广综合站	全省农技推广先进工作者	江西省农业技术推广总站	2011
杨贤福	男	县实验小学	全市优秀教师	抚州市人民政府	2011
杨长春	男	县第一中学	全市优秀班主任	抚州市人民政府	2011
易建华	男	县地方税务局	省级综合先进个人	江西省地方税务局	2011
游梦蛟	男	鳌溪镇蔬菜村	全市优秀党务工作者	中共抚州市委	2011
余振斌	男	县地方税务局	省级创业服务年先进个人	江西省地方税务局	2011
詹志英	女	县实验小学	全省师德先进个人	江西省教育厅	2011
张发平	男	县第二中学	全省师德先进个人	江西省教育厅	2011
章喜科	男	县招考办	全市优秀教育工作者	抚州市人民政府	2011
褚月霞	女	县人民检察院	全市优秀共产党员	中共抚州市委	2011
邹华龙	男	罗陂中学	全市优秀教师	抚州市人民政府	2011
曾　平	女	县人民法院	全省法院办案标兵	江西省高级人民法院	2012
曾国平	男	县公安局	全省清网行动先进个人	江西省监管总队	2012
陈　斌	男	县第二人民医院	岗位技能标兵	江西省卫生厅	2012

续表 26-3-4

姓名	性别	获奖时工作单位	荣誉称号	表彰单位	表彰时间
陈　斌	男	县第二人民医院	技能竞赛三等奖	江西省卫生厅	2012
陈　斌	男	县第二人民医院	尿毒症免费血透救治工作先进个人	江西省卫生厅	2012
陈寿春	男	县第一中学	全市优秀班主任	抚州市人民政府	2012
谌　宇	男	县人民法院	全省优秀法官	江西省高级人民法院	2012
杜国清	男	鳌溪中心小学	全市优秀教师	抚州市人民政府	2012
方文君	女	县农业局	全省优秀合作社辅导员	江西省农业厅	2012
付　斌	男	县公安局	2008—2013 年全省优秀人民警察	江西省公安厅	2012
龚万根	男	县教研室	全市优秀教育工作者	抚州市人民政府	2012
郭增锐	男	山砀中学	全市优秀教师	抚州市人民政府	2012
胡　良	男	招携小学	全市优秀教育工作者	抚州市人民政府	2012
黄卫安	男	县农业局	全省农产品质量安全专项治理先进个人	江西省农业厅	2012
黄振辉	男	县农业局	全省种子执法年活动先进个人	江西省农业厅	2012
雷冬至	男	金竹畲族乡联村村	全市优秀共产党员	中共抚州市委	2012
李　璟	男	县公安消防大队	优秀共产党员	江西省公安消防总队	2012
李金明	男	县委组织部	新闻宣传通联工作先进个人	江西省委组织部	2012
李庆平	男	鹏洲中学	全市优秀教师	抚州市人民政府	2012
李智雁	男	县交通警察大队	全市“十服务”标兵	中共抚州市委、市政府	2012
刘　燕	女	县卫生局	全市优秀共产党员	中共抚州市委	2012
潘乐荣	男	县统计局	全省统计法制宣传教育先进个人	江西省统计局	2012
邱秀英	女	县人民医院	优秀带教老师	江西省护理职业技术学院	2012
王国平	男	湖坪中学	全市优秀教师	抚州市人民政府	2012
王秀英	女	山砀镇政府	全省“三八”红旗手	江西省妇女联合会	2012
吴美兰	女	湖溪中心小学	全市优秀教师	抚州市人民政府	2012

续表 26-3-4

姓名	性别	获奖时工作单位	荣誉称号	表彰单位	表彰时间
杨国林	男	龚坊镇农技推广综合站	全省农技推广先进工作者	江西省农业技术推广总站	2012
杨年花	女	牛田镇农技推广综合站	全省农业技术推优秀农技员	江西省农业技术推广总站	2012
杨志刚	男	县公安局	全省公安机关宣传“十佳”通讯员	江西省公安厅	2012
游明东	男	县地方税务局	发展提升年先进个人	江西省地方税务局	2012
游元文	男	县农业局	全省农业执法先进个人	江西省农业厅	2012
张　娟	女	县实验小学	全市优秀班主任	抚州市人民政府	2012
张清霞	女	县委组织部	“讲党性、重品行、作表率”先进个人	江西省委组织部	2012
张尤英	女	县农业局	全省土肥技术推广先进个人	江西省农业厅	2012
邹国花	女	县人民医院	优秀带教老师	江西省护理职业技术学院	2012
邹茂洪	男	大金竹学校	全市优秀教师	抚州市人民政府	2012
曾　平	女	县人民法院	“十佳”人民法庭庭长	江西省高级人民法院	2013
曾大生	男	招携中学	全市优秀教师	抚州市人民政府	2013
曾青云	男	县农业局	全省农业技术推广先进工作者	江西省农业厅	2013
曾文华	男	县交通警察大队	全省“十佳”廉洁守纪交警	江西省公安厅	2013
陈志华	男	县农业局	全省渔业工作先进个人	江西省农业厅	2013
戴龙辉	男	县地方税务局	全省地税系统先进个人	江西省地方税务局	2013
傅　麟	男	鹏洲中学	全市优秀班主任	抚州市人民政府	2013
龚海龙	男	县人民医院	无偿献血奉献奖银奖	江西省红十字会、省卫计委	2013
黄协文	男	县教研室	全市优秀教育工作者	抚州市人民政府	2013
黄振民	男	县公安局	抚州市“五一”劳动奖	抚州市人民政府	2013
嵇金明	男	县人民法院	全省维护妇女权益先进个人	江西省妇女联合会	2013
江　颖	女	县人民法院	学习十八大精神网上知识竞赛个人优秀奖	江西省高级人民法院	2013
江九连	女	县实验小学	全市优秀教师	抚州市人民政府	2013

续表 26-3-4

姓名	性别	获奖时工作单位	荣誉称号	表彰单位	表彰时间
姜胜明	男	县第二中学	全市优秀教师	抚州市人民政府	2013
康良和	男	县地方税务局	全省地税系统综治先进个人	江西省地方税务局	2013
康六生	男	公溪中心小学	全市优秀班主任	抚州市人民政府	2013
兰奕轩	男	山砀中心小学	全市优秀教育工作者	抚州市人民政府	2013
李雪晴	女	县第一中学	全市优秀教师	抚州市人民政府	2013
李忠贵	男	县教研室	全市优秀教师	抚州市人民政府	2013
刘　燕	女	县第二小学	全市优秀教师	抚州市人民政府	2013
刘国强	男	招携镇饶坊村	优秀大学生村官	江西省委组织部	2013
刘秋华	男	县地方税务局	全省地税系统优秀税收管理员	江西省地方税务局	2013
邱秀英	女	县人民医院	优秀带教老师	江西省护理职业技术学院	2013
田冬根	男	县司法局	全省普法教育先进工作者	江西省法制教育工作领导小组	2013
王晓琴	女	县环卫所	全省“三八”红旗手	江西省妇女联合会	2013
杨国林	男	龚坊镇农技推广综合站	全省农民满意农技员	江西省农业厅	2013
游元文	男	县农业局	全省农产品质量安全专项治理先进个人	江西省农业厅	2013
袁　峥	男	南村乡管坊村	“一先双优三标兵”优秀站点管理员	江西省委组织部	2013
张尤英	女	县农业局	全省土肥技术推广先进个人	江西省农业厅	2013
邹国花	男	县人民医院	全省优秀护士	江西省卫计委	2013
蔡才良	男	县第二中学	全市优秀班主任	抚州市人民政府	2014
曾　民	男	县人民法院	全省优秀法官	江西省高级人民法院	2014
陈柏林	男	罗陂中心小学	全省优秀乡村教师	江西省教育厅	2014
董文君	男	万崇中心小学	全市优秀教师	抚州市人民政府	2014
龚海龙	男	县人民医院	无偿献血奉献奖银奖	江西省红十字会、省卫计委	2014
胡发生	男	戴坊小学	全市优秀教师	抚州市人民政府	2014
胡通香	男	县第一中学	全市优秀班主任	抚州市人民政府	2014
黄财明	男	县民政局	全市民生工程目标管理先进个人	抚州市人民政府	2014

续表 26-3-4

姓名	性别	获奖时工作单位	荣誉称号	表彰单位	表彰时间
黄水平	男	县公安局	全省公安机关教育整顿先进个人	江西省公安厅	2014
黄卫安	男	县农业局	全省农产品质量安全专项治理先进个人	江西省农业厅	2014
黄卫琴	女	戴坊中学	全市优秀教师	抚州市人民政府	2014
黄小明	男	县财政局	全市民生工程目标管理先进个人	抚州市人民政府	2014
姜才龙	男	县教育局	全市优秀教育工作者	抚州市人民政府	2014
雷冬至	男	金竹畲族乡联村村	“江西好人”	江西省文明办	2014
雷冬至	男	金竹畲族乡联村村	全市百名清廉人物	中共抚州市纪委	2014
雷冬至	男	金竹畲族乡联村村	“龚全珍式”好干部	中共抚州市委	2014
刘乐勇	男	县地方税务局	全省地税系统先进工作者	江西省地方税务局	2014
刘志鹏	男	县农村信用合作联社	金融统计业务知识竞赛三等奖	中国人民银行南昌中心支行	2014
邱慈卫	男	县实验小学	全市优秀教师	抚州市人民政府	2014
邱秀英	女	县人民医院	优秀带教老师	江西省护理职业技术学院	2014
王毕生	男	南村小学	全省中小学工会工作先进个人	江西省教育工会	2014
吴国旺	男	县人民医院	全省离退休干部先进个人	江西省委组织部、老干部局	2014
夏成华	男	县公安消防大队	优秀干部	江西省公安消防总队	2014
谢　平	男	谷岗小学	全市优秀教育工作者	抚州市人民政府	2014
杨　涛	男	县公安消防大队	优秀共产党员	江西省公安消防总队	2014
易清明	男	县第四小学	全市优秀教师	抚州市人民政府	2014
游广华	男	县地方税务局	全省征管改革先进个人	江西省地方税务局	2014
喻惠兰	女	县第二小学	全省师德先进个人	江西省教育厅	2014
詹志红	男	县地方税务局	全国纳税人满意度调查先进个人	江西省地方税务局	2014
张发平	男	县第二中学	抚州市劳动模范	抚州市人民政府	2014
张尤英	女	县农业局	全省土肥技术推广先进个人	江西省农业厅	2014
祝大明	男	县第四中学	全市优秀教师	抚州市人民政府	2014
邹文明	男	县公安局	全省公安机关爱民模范	江西省公安厅	2014

续表 26-3-4

姓名	性别	获奖时工作单位	荣誉称号	表彰单位	表彰时间
左育莲	女	县农业局	全省粮油生产先进个人	江西省农业厅	2014
陈冬阳	男	县人民法院	荣誉天平奖章	江西省高级人民法院	2015
陈俊波	男	县地方税务局	抚州市劳动模范	抚州市人民政府	2015
陈俊波	男	县地方税务局	全市先进工作者	中共抚州市委、市政府	2015
陈泉源	男	县审计局	全省老年教育先进工作者	江西省委老干部局	2015
戴龙辉	男	县地方税务局	全省地税系统先进工作者	江西省地方税务局	2015
邓学森	男	金竹学校	全省优秀乡村教师	江西省教育厅、省教育工委	2015
董绍平	男	县力拓混凝土有限公司	抚州市劳动模范	抚州市人民政府	2015
付　斌	男	县公安局	全省优秀人民警察	江西省人力资源和社会保障厅、公安厅	2015
甘　甜	女	县农村信用合作社	优秀共产党员	江西省农村信用社联合社	2015
郝四文	男	县供电有限公司	农网运行维护与检修竞赛三等奖	江西省电力公司	2015
胡立新	男	县人民法院	荣誉天平奖章	江西省高级人民法院	2015
黄丽君	女	县妇女联合会	全省巾帼建功先进工作者	江西省妇女联合会	2015
黄帅民	男	江西民康实业有限公司	抚州市劳动模范	抚州市人民政府	2015
黄小萍	女	县人民医院	全省巾帼标兵	江西省妇女联合会	2015
黄兴来	男	万崇中心小学	全省优秀乡村教师	江西省教育厅、省教育工委	2015
黄镇江	男	江西龙发包装有限公司	抚州市劳动模范	抚州市人民政府	2015
嵇金明	男	县人民法院	全省法院系统法治江西知识竞赛个人优秀奖	江西省高级人民法院	2015
嵇金明	男	县人民法院	荣誉天平奖章	江西省高级人民法院	2015
康国荣	男	县地方税务局	“我身边地税人”摄影比赛三等奖	江西省地方税务局	2015
刘　阳	男	南村乡山心村	优秀大学生村官	江西省委组织部	2015
罗仁青	男	万崇镇丰林村	抚州市劳动模范	抚州市人民政府	2015
饶慧珍	女	县供电有限公司	人力资源管理工作先进个人	江西省电力公司	2015

续表 26-3-4

姓名	性别	获奖时工作单位	荣誉称号	表彰单位	表彰时间
吴　斌	男	县供电有限公司	安规调考三等奖	江西省电力公司	2015
吴　斌	男	县供电有限公司	调度员操作普考三等奖	江西省电力公司	2015
吴丽英	女	谷岗卫生院	全省百强卫生院院长	江西省卫生厅	2015
熊登明	男	县国土资源局	先进个人	江西省国土资源厅	2015
胥兴宏	男	抚州润泰药业有限公司	抚州市劳动模范	抚州市人民政府	2015
杨明生	男	县地方税务局	全国纳税人满意度专项调查先进个人	江西省地方税务局	2015
易清明	男	县第四小学	抚州市劳动模范	抚州市人民政府	2015
游国忠	男	县文广局	全国文化市场技术监管与服务平台推广运用先进个人	江西省文化厅	2015
元卫华	男	县供电有限公司	优秀共产党员	江西省电力公司党组	2015
袁志平	男	县农村信用合作社	全省信息宣传优秀信息员	江西省农村信用社联合社	2015
詹启升	男	县人民法院	荣誉天平奖章	江西省高级人民法院	2015
张家林	男	县公安消防大队	“红旗车”驾驶员	江西省公安消防总队	2015
张家林	男	县公安消防大队	抚州市首届“十大”最美军人	中共抚州市委、市政府	2015
郑先孝	男	县人民法院	荣誉天平奖章	江西省高级人民法院	2015
周　琦	男	国网乐安县供电公司	抚州市劳动模范	抚州市人民政府	2015
周明华	男	县人民法院	荣誉天平奖章	江西省高级人民法院	2015
陈鹏飞	男	牛田镇党委	全市优秀党务工作者	中共抚州市委	2016
戴羽飞	男	县人民法院	全省优秀法官	江西省高级人民法院	2016
董建华	男	县供电有限公司	安全生产先进个人	江西省电力公司	2016
董荣明	男	县供电有限公司	先进个人	江西省电力公司	2016
付　军	男	县供电有限公司	优秀共产党员	江西省电力公司	2016
龚明春	男	县地方税务局	全国纳税人满意度调查先进个人	江西省地方税务局	2016
黄卫华	男	县财政局	财政信息宣传工作先进个人	江西省财政厅	2016
涂莉莉	女	县地方税务局	全省地税系统先进工作者	江西省地方税务局	2016
涂文清	男	牛田镇党委	全市优秀党务工作者	中共抚州市委	2016

续表 26-3-4

姓名	性别	获奖时工作单位	荣誉称号	表彰单位	表彰时间
王春兰	女	鳌溪镇政府	全市优秀共产党员	中共抚州市委	2016
吴　斌	男	县供电有限公司	“两学一做”党群队伍技能竞赛工会专业一等奖	江西省电力公司	2016
熊登明	男	县国土资源局	全省国土资源管理先进个人	江西省国土资源厅	2016
徐　英	女	鳌溪镇桥背村	“绿色家庭”创建示范户	江西省妇女联合会	2016
杨振昌	男	县人民医院	第八批优秀援疆干部人才	克孜勒苏柯尔克孜自治州党委、政府	2016
袁志平	男	县农村信用合作联社	全省信息宣传优秀信息员	江西省农村信用社联合社	2016
张越芸	女	县农村信用合作联社	全省非现场监管工作先进个人	江西省农村信用社联合社	2016
周　琦	男	国网乐安县供电分公司	全市优秀共产党员	中共抚州市委	2016

说明：资料不全，或有遗漏

附　录

本卷目录

一、乐安建县考

（一）上转运司创乐安县札（宋·张咏）

崇仁为县，地里阔远，而县治之东北隅，去临川县界才六十里地，皆平衍，故无盗贼。自县治西抵永丰县界一百五十里，又自界首凡九十里，然后至永丰县，两县相去二百四十余里。而南望宜黄，北望丰城，相（阙十字）数百里间，山川险（阙十四字），每有窃发，诸县差兵掩捕，数日方到。而贼已出（阙二字）或散伏山莽间。及帅府差大兵，会合数十县巡检，欲伐山搜捉，则山林广茂，动辄数十里，又粮食应付浩瀚，势不能久驻。故虽每禽获杀戮不为不多，而卒无创艾，其势使然。缘其地又近虔化诸县，居民诱引贼徒入境作过，玩习既久，故四县远乡顽犷之民，见其有得，歆艳从之。昼则执锄治田，夜则操兵横行。至于良民，仅得相聚为山寨以自防，而耕牧之事，则尽废弛，租税缘此多致不办。

今若割崇仁之天授、乐安、忠义三乡，永丰之云盖一乡，于中间创立一县；而临川素号繁剧难治，复割临川之惠安、颖秀两乡，却隶崇仁。如此则道里均平，县邑相去不远，斯民渐近教化，贼盗自然不生。况绍兴之初，亦缘贼盗不息，已曾申请朝廷，乞创置一县，蒙回降指挥，依所乞措置，当时已差官踏遍，卜地名詹墟作县场，止因永丰县争占云盖一乡，不肯割隶，遂因循不曾施行。今闻云盖乡亦受盗贼之敝，田地荒芜，民不安居，若不割隶，终为废土。且如近年以来，建昌军管下，亦因盗贼之故，遂创置广昌、新城两县，今境内安堵，民受其利。况按崇仁图经所载，自隋已前有巴陵府，及管下有七县，今尚有安浦、西宁等四县基址，并在县西南七八十里间，可以按寻。岂非自来地里广阔，山林险阻，故多建城池以为镇压。今于崇仁、宜黄、永丰、丰城四县之交，止创一县，则未为烦费。况一费而久休，暂劳而永逸，于公私实有利济，合具禀者。绍兴十七年三月。

说明：张咏时任崇仁县县丞。录自崇仁县地方志办公室：《清道光元年〈崇仁县志〉（点注本）》卷二十三·艺文志，2018年。

（二）乐安创县始末考

乐安县，南宋绍兴十九年（1149）析置。其实，新创乐安县的建议，在南宋绍兴二年（1132）已经提出，并获批准，但因永丰县争云盖乡，不肯割隶，遂因循没有实施。南宋绍兴十七年（1147）三月，崇仁县丞张泳（咏）向江西转运副使钩光祖提请创建新县，他说：崇仁县地理阔远，西去吉州永丰县240余里，山川险阻，若是发生盗贼，附近诸县差兵掩捕，数日方到，而盗贼已经出境，或散伏深山林莽之间。等到安抚司调派大兵，会合数十县巡检，合力前来伐山搜捉，则山林广茂，动辄数十里，又粮食应付浩瀚，势不能久驻，“故虽每擒获杀戮不为不多，而卒无创艾，其势使然。缘其地又近虔化（即宁都）诸县，居民诱引贼徒入境作过，玩习既久，故四县远乡顽犷之民，见其有得，钦艳从之。昼则执锄治田，夜则操兵横行。至于良民，仅得相聚为山寨以自防，而耕牧之事，则尽废驰，租税缘此多致不办。”因此，张泳提请仿效建昌军析建广昌、新城2县的做法，在崇仁、永丰、宜黄、丰城四县之间新创一县，以便民众“渐近教化，贼盗自然不生”。江西诸司同意张泳（咏）的建议，转奏朝廷获准，于南宋绍兴十九年十二月割抚州崇仁县天授、乐安、忠义3乡，吉州永丰县云盖乡置乐安县。因一乡名乐安，遂以命县名，隶属抚州。作为补偿，又割吉州吉水县迁莺乡隶永丰，割抚州临川县惠安、颖秀2乡隶崇仁。建县时县治设古塘，后徙詹圩（均在今县城鳌溪镇），

南宋绍兴十九年置县之后，云盖乡的归属仍然有反复。南宋绍兴二十一年（1151）“云盖乡税户张达等具状，陈本乡不通运漕，负担路远，难于输纳，故有是命”，请求把云盖乡拨回给永丰县。的确，云盖乡域内多数地方的粮食和竹木等物产都可以通过牛田水和万崇水运往永丰县城，而往乐安县城则没有水路相连，交通极不便利。另外，云盖乡拥有丰富的“文化资源”，也是双方争夺的焦点。南宋绍兴二十四年（1154），诏抚州乐安县云盖乡复隶吉州永丰县，其永丰县迁莺乡依旧拨还吉州吉水县，据此乐安力辩，至南宋绍兴三十一年（1161）乐安县又得到云盖乡，而迁莺乡又再次作为补偿划给永丰县。此后2县所辖乡再未发生变化。

参考文献：

1. 钟起煌主编、许怀林著：《江西通史6·南宋卷》，江西出版集团、江西人民出版社，2008年。

2. 张咏：《上转运司创乐安县札》，载崇仁县地方志办:《清道光元年〈崇仁县志〉(点注本)》卷二十三·艺文，2018年

3. 王旭、周倩：《归属与调整：界区小尺度区划的变动——以宋代乐安县云盖乡为中心的考察》，载《暨南史学》第12辑，广西师范大学出版社，2016年。

4. 清同治《永丰县志》卷二·地理志·沿革。

5. 陈石麟:《萧氏重修族谱序》，清康熙九年，载招携山湾《浚源萧氏重修族谱》。

说明：云盖乡即今金竹畲族乡、南村乡（除太平、西坑、山心三村）、招携镇、湖坪乡、罗陂乡、万崇镇、牛田镇一带。

（王来龙·2019年）

乐安县历史沿革简表

表 27-1-1

朝代	帝王年号	公元	属隶	变革原因	区域	县名	备考
夏		前 2029—前 1559 年	夏地	—	属扬州	—	—
商		前 1559—前 1046 年	商地	—	属扬州	—	—
周	共和十三年	前 829 年	吴地	—	属吴	—	—
	平王年间	前 770—前 720 年	吴地	—	属吴	—	—
	元王四年	前 473 年	越地	—	属越	—	—
	显王三十五年	前 334 年	楚地	楚王熊商灭越	属楚	—	—
秦	始皇二十六年	前 221 年	扬州	天下分为 36 郡	九江郡	—	—
西汉	高祖四年	前 203 年	淮南王国	刘邦立英布为淮南王	豫章郡	—	淮南王国辖九江、庐江、衡山、豫章郡之地
	高祖五年	前 202 年	淮南王国	豫章郡辖 18 个县，同年置南城县	南城县	—	—
东汉	永元八年	96 年	豫章郡	析南城县西北置临汝县	临汝县	—	—
	建安四年	199 年	—	析庐陵县设高昌、兴平、阳城、西昌、遂兴 5 县	豫章郡、庐陵郡	县西南置兴平县，属庐陵郡	—
三国	吴太平二年	257 年	吴国	境内置 2 个县	临川郡、庐陵郡	县东北置安浦县、新建县，属临川郡	至中华民国，侨居外国者，称“中国安浦人民”。鳌溪镇有安浦桥、安浦书院
晋	元康元年	291 年	江州	置江州	临川郡、庐陵郡	安浦、新建、兴平	
南朝	普通三年	522 年	梁地	将新建和西宁部分地域置巴山县。以临川郡新建、西宁、巴山及豫章郡丰城（含广丰、新安）、庐陵郡兴平县另置巴山郡	江州。临川郡、巴山郡	安浦、新建、兴平、巴山	安浦县属临川郡。新建、西宁、兴平 3 县属巴山郡。郡治设今公溪古城

续表 27-1-1

朝代	帝王年号	公元	属隶	变革原因	区域	县名	备考
南朝	大同二年	536 年	梁地		江州、临川郡、巴山郡	安浦、新建、兴平、巴山	巴山郡辖新建、西宁、巴山、广丰、新安、兴平、丰城 7 县。郡治设今公溪古城
	太平二年	557 年	梁地	析江州立高州。领巴山、临川、安成、豫章 4 郡。又割豫章郡之新淦县属巴山郡	高州。临川郡、巴山郡	安浦、新建、兴平、巴山	巴山郡辖新建、西宁、巴山、广丰、新安、兴平、丰城、新淦 8 县。郡治设今公溪古城
	天嘉四年	563 年	陈地	废高州	江州、临川郡、巴山郡	安浦、新建、兴平、巴山	郡治仍设今公溪古城
隋	开皇九年	589 年	洪州总管府	废临川、巴山 2 郡置抚州。废广丰、新安、巴山、新建、兴平、丰城、西宁 7 县，置崇仁县	崇仁县	—	宜黄、安浦 2 县并入崇仁县。抚州辖临川、崇仁、南城、邵武 4 县
唐	武德七年	624 年	洪州都督府	改洪州总管府为都督府，抚州属之	崇仁县、庐陵县	—	兴平县地划归吉州
	贞观元年	627 年	江南道	天下分 10 道	崇仁县、庐陵县	—	—
	开元八年	720 年	江南西道	江南道分东、西 2 道	崇仁县、庐陵县	—	—
南宋	绍兴十九年	1149 年	南宋	置乐安县	抚州	乐安县	划崇仁县的天授、乐安、忠义 3 乡及吉州永丰县的云盖乡建置乐安县
元	至元十三年	1276 年	江西行中书省	—	抚州路	乐安县	—
明	洪武九年	1376 年	江西承宣布政使司湖东道	废行中书省	抚州府	乐安县	—

续表 27-1-1

朝代	帝王年号	公元	属隶	变革原因	区域	县名	备考
清	顺治二年	1645 年	江西省湖东道	置江西省	抚州府	乐安县	—
中华民国	民国 3 年	1914 年	江西省		豫章道	乐安县	—
	民国 15 年	1926 年	江西省	废道，各县隶省	—	乐安县	—
	民国 20 年	1931 年夏	江西省	全省革命根据地周边 44 县划为 9 个区	第七区	乐安县	—
	民国 21 年	1932 年夏	江西省	江西省以下划为 13 个行政区	第八行政区	乐安县	—
	民国 23 年	1934 年 1 月	江西省	江西省 13 个行政区缩为 11 个行政区	第八行政区	乐安县	—
	民国 24 年	1935 年	江西省	江西省缩为 8 个行政区	第七行政区	乐安县	—
	民国 28 年	1939 年春	江西省	江西省改为 11 个行政区	第七行政区	乐安县	—
	民国 31年	1942 年秋	江西省	江西省将 11 个行政区调整为 9 个行政区	第七行政区	乐安县	—
中华人民共和国		1949 年 10 月 1 日	江西省	江西省以下设 9 个分区	抚州分区	乐安县	—
		1950 年 9 月	江西省	—	抚州区	乐安县	—
		1951 年 7 月	江西省	—	抚州专区	乐安县	—
		1955 年 1 月	江西省	—	抚州专员公署	乐安县	—
		1968 年 2 月	江西省	—	抚州专区革命委员会	乐安县	—
		1971 年月	江西省	—	抚州地区	乐安县	—
		1979 年 5 月	江西省	—	抚州地区专员公署	乐安县	—
		2000 年 6 月	江西省	撤地设市	抚州市	乐安县	—

二、前志补遗

（一）人物传

孙鲂（约生活在860—950年间）

孙鲂，字伯鱼，乐安人（此处从《唐才子传》），为五代南唐诗人。

孙鲂家境贫寒，但聪明好学。唐末年间，都官郎中、著名诗人郑谷避乱从北方回到家乡宜春时，孙鲂前往学诗，并从之游，遂以诗名。吴王杨行密时，孙鲂射策授都官从事。南唐初年，孙鲂被烈祖李昪（徐知诰）召见，授宗正郎。

元代辛文房撰《唐才子传》，其中有孙鲂传略。但对其生平事迹并未作全面的记述，仅对其与沈彬、李建勋等诗友结社唱和的情况，作了详尽的记载。

孙鲂学诗于郑谷，尽得其师之诗风。一是选题以写景状物、感伤身世居多，或对隐居生活的羡慕。二是写作方法上，先写景，后抒情，步步深入。三是写作技巧上，长于运用比兴手法，把情和景、人与物、声与形、虚与实、历史与现实熔于一炉，相辅而成，发人深省，感人心脾。其传世之作有《甘露寺》《题金山寺》等。特别是《题金山寺》一诗，被诸多诗家赞为骚情风韵之绝唱。金山寺是江苏镇江（古为润州）的著名寺庙，历代的骚人墨客题咏甚多。唐代诗人张祜在其诗作《润州金山寺》中吟出“僧归夜船月，龙出晓堂云”名句，深得文人学士的称赞，自此便没人敢再题咏。直到孙鲂赋诗《题金山寺》，吟出“天多剩得月，地少不生尘”佳句，时人又皆叫绝，认为“骚情风韵，不减张祜”。由此可见，孙鲂在晚唐五代文坛上具有较高的地位。

孙鲂著作颇丰。《唐才子传》言其“有诗五卷”；《江西通志》言其“有集百篇行世”；《全唐诗》言其“集三卷”，今均不见传。现《全唐诗》（全二十五册，中华书局出版，2008年9月版）载有他的诗词41首5句（其中词5首重出），实际存诗21首5句，杨柳枝词15首。

杨泽民（1182—1242后）

杨泽民，乐安人，为南宋词人。史书、县志均无传。据考，其年轻时，家饶赀丰，过着官宦人家的富裕生活。晚年景况虽不如前，但仍有地租维持家计。平生主要活动多在江西，曾为赣州推官，在赣州所辖兴国、宁都等县和章、贡、桃三水流域均留下过宦迹。交游之地不出浙江、湖南、湖北、陕西等省。

杨泽民著有《和清真词》一卷，时人将周邦彦词、方千里《和清真词》合而刻之，号《三英集》。唐圭璋编《全宋词》载杨泽民《和清真词》，存词92首。

南宋中、后期，词风发生了很大转变，周邦彦词含蓄典雅、注重雕琢的词风，正好迎合其时词坛对骚情意趣的追求，一时许多词人竞相追和清真词，清真词一改昔日默默无闻的地位，在南宋词坛上大放异彩。杨泽民也是在这一时期学习填词、唱和清真的。那时，杨泽民身为下层官吏，宦途劳顿，琐事缠身，向往归隐生活。清真词擅状羁旅之苦、别思之愁、咏物之趣的性情，超越时空，引起了他的共鸣、喜爱、仰慕和推崇。于是，他像学习书法时临帖那样，逐字逐句学习清真词，一一遍和清真词。

杨泽民的《和清真词》从内容到形式都酷

似周词，风格亦与周词相近。其词作内容多写羁愁和艳情，也有咏物、写景和记述个人生活的作品。这些作品有许多学清真处，格律谨严，语言清丽，精工雕琢，质朴雅正，匀净不俗，独具风采。

杨泽民的创作态度十分严肃认真。九十二首和词，无一游辞浮说，无论是叙事、写景，还是抒情，全都是其内心世界极为真切的写照。

杨泽民的《和清真词》具有鲜明的艺术个性，许多词作直接描述了自己的生活，真实抒发了自己的感情。正如著名国学大师饶宗颐所云："泽民和词，较有个性表现，非如方词止是依样葫芦也。"（《词集考（唐五代宋金元编）》卷五）杨泽民和词引人入胜之处，正是那些描述自己宦途艰辛、羁旅怀人的词语。盖其"十年依旧破衫青"（《醉桃源》句），一生"微官系缚"（《晏清都》句），"尘事相萦"（《庆春宫》句）。"连年奔逐，旁州外邑"，"初寒在路，炎暑登车"（《西平乐》句），旅途十分劳累，但"案牍纷纭，夜深犹看两三卷"。经常是"平川回棹未久，简书还授命，又催程艰"。长年"独拥兰衾"，"一片离愁难翦"（《齐天乐　临江道中》句）。面对仕途的清苦与艰难，生活的困窘与无赖，词人"牛衣休涕零"，"毋为附骥蝇"，"但知心似玉壶冰"（《醉桃源》句），表现出高尚的节操。同时呼号"识尽人间甘苦，不如归去"（《一落索》句）；"归去好，良田二顷，茅舍三椽"（《满庭芳》句），"任儿辈，功名遂成。旧欢重理，莫笑渊明，却赋闲情"（《庆春宫》句），表达了向往归隐生活的迫切愿望。这些词作，非常真实的反映了南宋中后期下层官吏的工作与生活，表现了他们（包括作者）处世随遇而安、自得其乐的达观心境。虽是拙笨直说，却自能感人。

晚清著名词学家况周颐和许多词人学者释评杨泽民《和清真词》近三十首，称其词大都匀净不俗、真情充沛，赞其"学清真处"，甚得清真先生之旨。

由于"和韵词"受到体制自身的局限性，完全是一种被动式的创作，词作者往往"死讲死摩"，词人普遍认为这样很难创作出优秀的作品。"和清真词"亦然。

杨泽民是宋代《格律派》词人重要成员之一，其词作数量多，艺术成就较高，在宋词研究中是值得重视的。

（二）乐安历代进士名录

科举制度是我国历史上通过考试选拔官员的一种基本制度。其始创于隋朝，确立于唐朝，完备于宋朝，兴盛于明、清两朝，衰废于清朝末年。据历史文献记载，从隋大业元年（605）的进士科算起，到清光绪三十一年（1905）正式废除，绵延存在了整整1300年。其间共产生状元777名，进士近11万名，举人数百万名，秀才更是不计其数。多少治国安邦的名臣显相，多少著名的政治家、思想家、教育家、文学家、科学家、军事家，大都出自状元、进士和举人之中。

在科举考试中，最"牛"是进士科。一般来就，通过最后一级朝廷考试（没有殿试时为会试，有殿试后为殿试）进士科的中试者，称进士。进士，是科举的终点，也是仕途的起点。进士出身，历来是读书人在政治舞台上飞黄腾达的基础。在古代中国，一个地方的知名度，在某种程度上取决于它通过科举产生进士人数的多少和杰出人才的贡献。正因为如此，历代地方志对进士、举人的情况均有较详细的记录。

经查录考证：乐安历代进士总人数为133人。其中，建县前31名，建县后102名；北宋26人，南宋51人，元代5人，明代40人，清代8人（含明通进士2人，恩赐进士1人）；武进士3人（北宋1人，清代2人）。另外，有待考证者还有34人。

一、乐安建县前进士名录

清同治十年《乐安县志》卷七载："县未创时，西南属永丰，东北属崇仁，所有科名已入二县志书，乐邑前志虽未载，然其实皆乐产也，并追纪之。黄法氍、元子皙、游嵩、詹遇、乐史、曾应瑞、乐黄中、曾硕、董淳、乐黄目、朱定得、潘大兴、曾颙、董洙、董汀、乐黄裳、董修、曾颜、曾奉先、董倚、董倾、董伋、朱绍得、刘良肱、董偕、乐黄庭、董唐臣、詹大成、董乾粹、董敦逸、乐滋、游元孙、董正、朱天与、董倘、董陟、董师德、董良史、董师道、董仪、董绘、胡用和、董德元(状元)、曾维新、陈康国、游大亨、张明膺、陈尧常、董与乾、曾颉、曾颀、曾修文、曾强，以上俱进士。”

经考证：黄法氍（521—576）是南朝梁、陈的著名军事将领，当时尚未建立科举制，亦无进士可言；元子哲（715—769），河南省罗山县人，由进士于唐宝应元年（762）任崇仁县县令，遂家于崇，为崇仁、乐安一方元氏之开基祖，既不是崇仁县的进士，也不是乐安建县前的进士；乐史、乐黄中、乐黄目、乐黄裳、乐黄庭、乐滋祖孙四代六人当属宜黄县的进士。乐史仅在乐安县建慈竹书院，其子在该院读书。

查光绪《江西通志》、同治《永丰县志》、道光《崇仁县志》中的宋代进士名单，对照同治十年《乐安县志》的记载，得南宋绍兴十九年前原籍为吉水县、永丰县或崇仁县，后又属于乐安县的进士共30人。

建县前乐安地区进士名录表

表 27-2-1

姓名	原籍	登第时间与榜名
北宋		
曾　硕	吉水松江	淳化三年（992）壬辰科孙何榜
曾　颜	吉水村前	咸平三年（1000）庚子科陈尧咨榜
曾　颙	吉水村前	咸平三年（1000）庚子科陈尧咨榜
董　淳	吉水流坑	大中祥符八年（1015）乙卯科蔡齐榜
曾奉先	吉水	景祐元年（1034）甲戌科张唐卿榜
董师德	吉水流坑	景祐元年（1034）甲戌科张唐卿榜
董　洙	吉水流坑	景祐元年（1034）甲戌科张唐卿榜
董师道	吉水流坑	景祐元年（1034）甲戌科张唐卿榜
董　仪	吉水流坑	景祐元年（1034）甲戌科张唐卿榜
董　汀	吉水流坑	景祐元年（1034）甲戌科张唐卿榜
董　偹	吉水流坑	庆历二年（1042）壬午科杨寘榜
董　倚	吉水流坑	庆历六年（1046）丙戌科贾黯榜
董唐臣	吉水流坑	皇祐元年（1049）己丑科冯京榜
董　偁	吉水流坑	皇祐元年（1049）己丑科冯京榜
董　伋	吉水流坑	皇祐元年（1049）己丑科冯京榜
董　偕	吉水流坑	皇祐元年（1049）己丑科冯京榜
刘良肱	吉水	皇祐元年（1049）己丑科冯京榜
董乾粹	永丰流坑	嘉祐八年（1063）癸卯科许将榜
董敦逸	永丰流坑	嘉祐八年（1063）癸卯科许将榜

续表 27-2-1

姓名	原籍	登第时间与榜名
董与乾	永丰流坑	绍圣四年（1097）丁丑科何昌言榜
董　正	永丰流坑	元符三年（1100）庚辰科李釜榜
陈尧常	崇仁	政和二年（1112）壬辰科莫俦榜
张明膺	永丰古坳	政和五年（1115）乙未科何㮚榜
董　陟	永丰流坑	宣和三年（1121）辛丑科何涣榜
游大亨	永丰古城	宣和六年（1124）甲辰科沈晦榜
董倘（观）①	永丰流坑	宣和六年（1124）甲辰科沈晦榜
南宋（公元1127—1148年间）		
陈康国	崇仁	建炎二年(1128)戊申科李易榜
董良史	永丰流坑	绍兴二年(1132）壬子科张九成榜
董　绘	永丰流坑	绍兴二年(1132）壬子科张九成榜
董德元	永丰流坑	绍兴十八年(1148）戊辰科王佐榜

还有游嵩、游元孙、詹遇、詹大成、朱定得、朱绍得、朱天与、潘大兴、胡用和、曾应瑞、曾维新、曾颉、曾顽、曾修文、曾强15人的进士出身等需要进一步考证查实。

又据《宋史·选举志三》载："靖康元年诏诸路有习武艺、知兵书者，……将亲策而用之。"于是，当年设兵科，以谋略取士。流坑董藻以太学生身份应试，中第一，时称"武状元"。因不是正式的科举考试，方志多不列在进士中。现代学者将其列在武进士中，较为合理，现记录如下：

建县前乐安地区武进士名录表

表 27-2-2

姓名	原籍	登第时间与榜名
董　藻	永丰流坑	北宋靖康元年（1126）丙午兵科

二、乐安建县后进士名录

乐安建县后，学兴才育，甲第蝉联，涌现出众多的进士。经查考光绪《江西通志》、光绪《抚州府志》、同治十年《乐安县志》及朱保炯、谢沛霖编《明清进士题名碑录索引》（上海古籍出版社1980年版）等史料，得乐安县历代进士名单②如下：

① 董倘，即董观。流坑董氏明万历十年族谱有载。

② 此次编制《乐安县历代进士名录表》，对收录的南宋、元代之进士，要求其在县、府、省志中至少有两志载其名。对于只有一志载其名者，原则上不收录。对明清时期的进士，除详查县、府、省志外，还查考了《明清进士题名碑录索引》（简称《题名录》）一书，要求至少有三种志（书）载其名，才将其收录。对于现代出版的诸多志（书）中所编写的乐安进士名单，不符合上述原则者，亦暂不收录。为便利大家查考，附《有待考证的进士名单》于后。

乐安县历代进士表

表 27-2-3

姓名	里籍	登第时间与榜名	文献记载
南宋			
何　睿	西坑	绍兴二十一年（1151）辛未科赵逵榜	县、府、省志俱载
董克正	流坑	绍兴二十四年（1154）甲戌科张孝祥榜	县、府、省志俱载
曾　丰	板桥	乾道五年（1169）己丑科郑侨榜	县、府志载，省志误注永丰人
张　锷	南村	乾道八年（1172）壬辰科黄定榜	县、府、省志俱载
曾　玠	板桥	淳熙二年（1175）乙未科詹骙榜	县、府志载，省志无
曾　琬	板桥	淳熙八年（1181）辛丑科黄由榜	县、府志载，省志无
黄尧咨	巴塘（一作西源）	庆元五年（1199）己未科曾从龙榜	县、府、省志俱载
舒复宗	前坪	嘉定四年（1211）辛未科赵建大榜	县、省志载，府志注乐崇并录
邹　斌	东隅	嘉定四年（1211）辛未科赵建大榜	县、省志载，府志注临川人
曾　钰	—	嘉定十三年（1220）庚辰科刘渭榜	县志无，府志注乐金临并录，省志注乐安人
罗梦昱	古井	嘉定十三年（1220）庚辰科刘渭榜	县、省志载，府志注乐崇并录
何　穀	西坑	嘉定十六年（1223）癸未科蒋重珍榜	县、府、省志俱载
熊应鹏	西隅	嘉定十六年（1223）癸未科蒋重珍榜	县、府、省志俱载
张贵德	南村	嘉定十六年（1223）癸未科蒋重珍榜	县、府、省志俱载
聂　焱	善和	宝庆二年（1226）丙戌科王会龙榜	县、府、省志俱载
谢葵叔	西隅	宝庆二年（1226）丙戌科王会龙榜	县、府志载，省志无
张应龙	南村	绍定二年（1229）己丑科黄朴榜	县、府志载，省志误注永丰人
董云从	流坑	绍定二年（1229）己丑科黄朴榜	县、府志载，省志误注永丰人
董　同	流坑	嘉熙二年（1238）戊戌科周坦榜	县、省志载，府志注乐临并录
詹元吉	衙背	淳祐元年（1241）辛丑科徐俨夫榜	县、府、省志俱载
董梦得	流坑	淳祐元年（1241）辛丑科徐俨夫榜	县、府志载，省志误注永丰人
许应昌	南隅	淳祐元年（1241）辛丑科徐俨夫榜	县、府、省志俱载
许振南		淳祐元年（1241）辛丑科徐俨夫榜	县、府、省志俱载
杨　硂		淳祐七年（1247）丁未科张渊微榜	县、省志载，府志注乐崇并录
曾应龙	罗山	淳祐十年（1250）庚戌科方逢辰榜	县、府、省志俱载
黄　介	巴塘	宝祐元年（1253）癸丑科姚勉榜	县、府、省志俱载

续表 27-2-3

姓名	里籍	登第时间与榜名	文献记载
何　时	西坑	宝祐四年（1256）丙辰科文天祥榜	县、府、省志俱载
曾惠迪	水西	宝祐四年（1256）丙辰科文天祥榜	县、府、省志俱载
廖子实	鉴源	宝祐四年（1256）丙辰科文天祥榜	县、府、省志俱载
张桂龙	望仙	宝祐四年（1256）丙辰科文天祥榜	县、府、省志俱载
张濬仲	南村	宝祐四年（1256）丙辰科文天祥榜	县、府、省志俱载
黄元枫	巴塘	宝祐四年（1256）丙辰科文天祥榜	县、府志载，省志无
张元凯	南村	开庆元年（1259）己未科周震炎榜	县、府、省志俱载
黄应星	巴塘	开庆元年（1259）己未科周震炎榜	县、府、省志俱载
何　霖	西坑	景定三年（1262）壬戌科方山京榜	县、府、省志俱载
何　垚	西坑	咸淳元年（1265）乙丑科阮登炳榜	县、府、省志俱载
陈定德	古塘	咸淳四年（1268）戊辰科陈文龙榜	县、府、省志俱载
朱一鹗	朱源	咸淳四年（1268）戊辰科陈文龙榜	县、府、省志俱载
陈子升	古塘	咸淳四年（1268）戊辰科陈文龙榜	县、府、省志俱载
黄慧龙	同富	咸淳四年（1268）戊辰科陈文龙榜	县、府志载，省志无
曾重光	板桥	咸淳七年（1271）辛未科张镇孙榜	县、府、省志俱载
詹应磊	衔背	咸淳七年（1271）辛未科张镇孙榜	县、府、省志俱载
刘茂炎		咸淳七年（1271）辛未科张镇孙榜	县、府、省志俱载
董定德（得）①	流坑	咸淳七年（1271）辛未科张镇孙榜	县、府、省志俱载
何天声	西坑	咸淳七年（1271）辛未科张镇孙榜	县、府、省志俱载
何希之	西坑	咸淳十年（1274）甲戌科王龙泽榜	县、府、省志俱载
何梦牛	西坑	咸淳十年（1274）甲戌科王龙泽榜	县、府、省志俱载
元代			
黄　常	同富	延祐五年（1318）戊午科霍希贤榜	县、府、省志俱载
黄　昭	同富	至顺元年（1330）庚午科王文熠榜	县、府志载，省志无
曾省吾	严陂	至正五年（1345）乙酉科张士坚榜	县、省志载，府志注乐崇并录
何　淑	流坑	至正十一年（1351）辛卯科文允中榜	县、府、省志俱载

① 董定德，即董定得。流坑董氏明万历十年族谱有载。

续表 27-2-3

姓名	里籍	登第时间与榜名	文献记载
吴　里[①]	咸口	至正十一年（1351）辛卯科文允中榜	崇仁县志、府志、省志俱载
明代			
黄　阳	同富	永乐二年（1404）甲申科曾棨榜	县、府、省志与《题名录》俱载
吕　份	东隅	永乐二年（1404）甲申科曾棨榜	县、府、省志俱载，《题名录》无
萧　仪	山湾	永乐十三年（1415）乙未科陈循榜	县、府、省志与《题名录》俱载
詹　勋	衙背	永乐十三年（1415）乙未科陈循榜	县、府、省志与《题名录》俱载
张　遂	南村	永乐十三年（1415）乙未科陈循榜	县、府、省志与《题名录》俱载
李　泉	增田	永乐十三年（1415）乙未科陈循榜	县、府、省志与《题名录》俱载
袁　旭	南源	永乐十三年（1415）乙未科陈循榜	县、府、省志与《题名录》俱载
邹　良	东隅	永乐十三年（1415）乙未科陈循榜	县、府、省志与《题名录》俱载
张　纯	张坊	永乐二十二年（1424）甲辰科邢宽榜	县、府、省志与《题名录》俱载
张　庆	望仙	宣德二年（1427）丁未科马愉榜	县、府、省志与《题名录》俱载
胡　澄	浯塘	宣德五年（1430）庚戌科林震榜	县、府、省志与《题名录》俱载
姜　洪	东隅	宣德八年（1433）癸丑科曹鼐榜	县、府、省志与《题名录》俱载
谢　辅	龙冈	正统元年（1436）丙辰科周旋榜	县、府、省志与《题名录》俱载
杨　贡	梓林	正统四年（1439）己未科施槃榜	县、府、省志与《题名录》俱载
黄　霖	东门外	正统十年（1445）乙丑科商辂榜	县、府、省志与《题名录》俱载
廖　俊	廖坊	正统十三年（1448）戊辰科彭时榜	县、府、省志与《题名录》俱载
杨　宣	河源	景泰五年（1454）甲戌科孙贤榜	县、府、省志与《题名录》俱载
谢　绶	龙冈	景泰五年（1454）甲戌科孙贤榜	县、府、省志与《题名录》俱载
武　齐	蛟湖	景泰五年（1454）甲戌科孙贤榜	县、府、省志与《题名录》俱载
曾　麒	望仙（桥头）	成化二年（1466）丙戌科罗伦榜	县、府、省志与《题名录》俱载
黄　本	同富	成化二年（1466）丙戌科罗伦榜	县、府、省志与《题名录》俱载
陈　义	罗陂	成化二年（1466）丙戌科罗伦榜	县、府、省志与《题名录》俱载
袁　清	琴源	成化十四年（1478）戊戌科曾彦榜	县、府、省志与《题名录》俱载
谢　缉	龙冈	成化十七年（1481）辛丑科王华榜	县、府、省志与《题名录》俱载

① 1950年4月，原崇仁县管辖的咸口、坳下、谷岗、汤山、欧坊、水口、太平等地，划归乐安管辖。若以乐安现域而论，上述各地古代之进士应予以记载，故将吴里、欧阳健等人收录。

续表 27-2-3

姓名	里籍	登第时间与榜名	文献记载
董时望	流坑	成化二十年（1484）甲辰科李旻榜	县、府、省志与《题名录》俱载
胡　镐	浯塘	成化二十三年（1487）丁未科费宏榜	县、府、省志与《题名录》俱载
黄　琮	南隅	弘治十八年（1505）乙丑科顾鼎臣榜	县、府、省志与《题名录》俱载
詹　崇	衙背	正德六年（1511）辛未科杨慎榜	县、府、省志与《题名录》俱载
龚　亨	龚坊	正德十六年（1521）辛巳科杨惟聪榜	县、府志载，临江籍。省志、《题名录》为清江人
邱云章	车溪	嘉靖四十四年（1565）乙丑科范应期榜	县、府、省志载，山东诸城籍。《题名录》中“邱”误为“丘”，山东诸城人
董　裕	招携	隆庆五年（1571）辛未科张元忭榜	县、府、省志与《题名录》俱载
詹事讲	衙背	万历五年（1577）丁丑科沈懋学榜	县、府、省志与《题名录》俱载
曾维伦	望仙	万历八年（1580）庚辰科张懋修榜	县、府志与《题名录》俱载，省志误为隆庆五年辛未科
陈所学	罗陂	万历十一年（1583）癸未科朱国祚榜	县、府、省志载，湖广景陵籍。《题名录》湖广景陵人
詹尔达	衙背	万历三十二年（1604）甲辰科杨守勤榜	县、府、省志与《题名录》俱载
詹尔选	衙背	崇祯四年（1631）辛未科陈于泰榜	县、府、省志与《题名录》俱载
黄配元	巴塘	崇祯七年（1634）甲戌科刘理顺榜	县、府、省志与《题名录》俱载
杨汝良①	西坑	崇祯十三年（1640）庚辰科魏藻德榜	原误为崇仁人，应为乐安人。崇仁县志、府志、省志与《题名录》俱载
曾瑞来	罗山	崇祯十五年（1642）壬午特科史惇榜特用出身②	县、省志与《题名录》载，府志无
龚善选	龚坊	崇祯十五年（1642）壬午特科史惇榜特用出身	县志载，临江籍，省志、《题名录》为清江人，府志无
清代			
詹琪芬	衙背	康熙三十年（1691）辛未科戴有棋榜	县、府、省志与《题名录》俱载
原衷戴		雍正五年（1727）丁未科彭启丰榜	府、省志载，蒲城籍。《题名录》陕西蒲城人
詹龙光	衙背	乾隆三十七年（1772）壬辰科金榜榜	县、府、省志与《题名录》俱载

① 杨汝良，清道光《崇仁县志》及府志、省志、明清进士题名碑上皆载其为崇仁人。然新版《崇仁县志》中，注其乡籍时云：“西坑（今属乐安）”。事实上，西坑当时是就属于乐安。据此，将其收录此。

②所谓特用出身，指的就是进士出身。明清进士题名碑中有载，各省方志中进士名单亦有载，据光绪《江西通志》载，是科江西四十人。同治十年《乐安县志》对这一科特别出身者未载（大概是认为他们不能算正规的进士吧），但在乡举、贡士名单中都作了注明。

续表 27-2-3

姓名	里籍	登第时间与榜名	文献记载
欧阳健	欧坊	乾隆四十六年（1781）辛丑科钱棨榜	崇仁县志、府志、省志与《题名录》俱载
胡宗澄	浯塘	光绪三年（1877）丁丑科王仁堪榜	省志、《题名录》载
附明通进士[①]2人			
曾树名	罗山	乾隆二年（1737）丁巳科于敏中榜	县、府、省志载，明通进士
龚尚章	龚坊	乾隆十九年（1754）甲戌科莊培因榜	县、府、省志载，明通进士
附恩赐进士[②]1人			
董光乾	流坑	同治十三年（1874）甲戌科	
附武进士2人			
游兼材	南隅	康熙十四年（1675）乙卯科	县、府、省志载
康振国	山砀	雍正五年（1727）丁未科	县、府、省志载

附：

有待考证的进士名单

表 27-2-4

姓名	里籍	登第时间与榜名	文献记载
南宋			
周九鼎	南村	乾道五年（1169）己丑科郑侨榜	见《江西历代进士全传》
邹　解		淳熙十四年（1187）丁未科王容榜	见《抚州市志》
周孝若	南村	淳熙十四年（1187）丁未科王容榜	见《江西历代进士全传》
袁若仪	谷岗	庆元五年（1199）己未科曾从龙榜	见《抚州市志》、1989年版《乐安县志》
邹　琳	东隅	嘉定十年（1217）丁丑科吴潜榜	见《江西历代进士全传》
袁朝聘	谷岗	嘉定十三年（1220）庚辰科刘渭榜	见《抚州市志》、1989年版《乐安县志》
董士元	临川	嘉定十三年（1220）庚辰科刘渭榜	见《江西历代进士全传》、《抚州市志》
邹　万		淳祐四年（1244）甲辰科留梦炎榜	见《江西历代进士全传》、《抚州市志》

① 明通进士指的是明通榜的进士。雍正、乾隆年间、云南、贵州、广东、四川、福建六省特于会试落榜考卷中选文理能明者，于正榜外别出一榜，以学正、教谕任用，称为明通榜。其他省份亦有此种情况。但此类进士，明清进士题名碑不录。

②恩赐进士是恩赐科名中的一种。据史料记载，清代从乾隆始，对科举考试中落榜的士子实行恩赏制度，在恩赐副榜、举人、进士等衔。有的是对没有进士出身的官员在委与重任是恩赏进士衔，有的是参加乡试、会试的高龄士子恩赏举人、进士衔等多种情况。清同治十三年（1874），董光乾以九十九岁高龄进京会试，清廷依列钦赐同进士出身、翰林院编修、特恩四品衔，人称“赏老林”。恩赐进士、与一般进士有别，北京国子监的进士题名碑不录。

续表 27-2-4

姓名	里籍	登第时间与榜名	文献记载
周栖梧	南村	咸淳十年（1274）甲戌科王龙泽榜	见《江西历代进士全传》
周栖碧	南村	咸淳十年（1274）甲戌科王龙泽榜	见《江西历代进士全传》
黄崇义	巴塘	咸淳间	见 1989 年版《乐安县志》
元代			
朱逢吉	朱源	天历二年（1329）己巳科	见同治十年《乐安县志》
胡伯恭		元统三年（1335）乙亥科赐进士	见《抚州市志》
黄伯渊	巴塘	至正五年（1345）戊子科张士坚榜	见《江西历代进士全传》《抚州市志》1989 年版《乐安县志》
朱日敬	朱源	至正九年（1349）己丑科	见同治十年《乐安县志》
王信周	湖坪	至正十一年（1351）辛卯科文允中榜	见同治十年《乐安县志》
明代			
欧阳亮	谷岗	成化间	见 1989 年版《乐安县志》
谢天佑	鳌溪	万历间	见 1989 年版《乐安县志》
清代			
张　帆		同治十三年（1874）甲戌科陆润庠榜	见《抚州市志》

（三）《四库全书总目》中乐安地区[①]学者著述情况

《四库全书总目》由永瑢、纪昀等撰，共 200 卷，是在编纂《四库全书》的基础上完成的，著录书籍 10254 种，172860 卷，对它们分别编写提要，汇成一部分类目录，按经、史、子、集四部分类法编排，是古典目录学的集大成之作，至今仍然具有重要参考价值。《四库全书总目》中有乐安地区 15 名学者著述。

《四库全书总目》中乐安地区学者著述情况表

表 27-2-5

类别	作者	书名	著述收藏简况
经部			
易类四（卷四第 22 页）	吴　澄（元）	易纂言十卷	《四库全书》
易类四（卷四第 23 页）	吴　澄	易纂言外翼八卷	《四库全书》
易类存目一（卷七第 50 页）	董养性[②]（元）	周易订疑十五卷序例一卷 易学启蒙订疑四卷	《四库全书书目丛书》 南京市图书馆 山东大学图书馆

①乐安地区之意有二，一是指现域的空间，二是指建县前、后的时间。
②董养性生于元代，其社会活动、著述活动都在明代。

续表 27-2-5

类别	作者	书名	著述收藏简况
书类二（卷十二第 96 页）	吴　澄	书纂言四卷	《四库全书》
礼类二（卷二十第 160 页）	吴　澄	仪礼逸经传二卷	《四库全书》
礼类三（卷二第 169 页）	吴　澄	礼记纂言三十六卷	《四库全书》
礼类存目二（卷二四第 192 页）	吴　澄	月令七十二候集能一卷	《四库全书存目丛书》
礼类存目三（卷二五第 200 页）	吴　澄	三礼考注六十四卷	《四库全书存目丛书》
春秋类三（卷二八第 225 页）	吴　澄	春秋纂言十二卷总例一卷	《四库全书》
孝经类（卷三二第 265 页）	吴　澄	孝经定本一卷	《四库全书》
史部			
编年类存目（卷四八第 432 页）	何　中（元）	通鉴纲目测海三卷	
子部			
儒家类存目（卷九五第 802 页）	何　中	通书问一卷	
术数类二（卷一〇九第 921 页）	吴　澄	葬书一卷	《四库全书》
杂家类存目六（卷一二九第 1108 页）	原　良（清）	听潮居存业十卷	《四库全书存目丛书》
通家类（卷一四六第 1243 页）	吴　澄	道德真经注四卷	《四库全书》
集部			
别集类一三（卷一六〇第 1376 页）	曾　丰（宋）	缘督集二十卷	《四库全书》
别集类一九（卷一六第 1428 页）	吴　澄	吴文正集一百卷	《四库全书》
别集类二〇（卷一六七第 1438 页）	何　中	知非堂稿六卷	《四库全书》
别集类二一（卷一六八第 1455 页）	吴　当（元）	学言诗稿六卷	《四库全书》
别集类存目一（卷一七四第 1541 页）	曾　丰	别本缘督集十二卷	《四库全书存目丛书》

续表 27-2-5

类别	作者	书名	著述收藏简况
别集类存目一（卷一七四第 1543 页）	何希之（宋）	鸡肋集一卷	《四库全书存目丛书》北京图书馆
别集类存目一（卷一七四第 1547 页）	董养性	高闲云集六卷	
别集类存目二（卷一七五第 1554 页）	董　仪（明）	袜线集十五卷	《四库全书存目丛书》《江西省图书馆》
别集类存目二（卷一七五第 1556 页）	姜　洪（明）	松冈集十一卷	北京图书馆
别集类存目三（卷一七六第 1570 页）	王　烈（明）	寻乐堂集十一卷	
别集类存目三（卷一七六第 1579 页）	谭宝焕（明）	谭樵海集六卷 幽谷集一卷 霜岩集一卷	
别集类存目四（卷一七七第 1586 页）	董　燧（明）	蓉山集十六卷	
别集类存目五（卷一七八第 1607 页）	董　绪（明）	龟川诗集四卷	
别集类存目六（卷一七九第 1614 页）	詹事讲（明）	詹养贞集二卷	上海图书馆
别集类存目六（卷一七九第 1616 页）	詹维纶（明）	来复堂集二十五卷	《四库全书存目丛书》武汉大学图书馆

（四）县籍黄埔军校学员教官

乐安籍黄埔军校学员教官名录

表 27-2-6

类别	姓名	籍地	在校时间	年龄	专业
学员	张禅林	大金竹	第一期（1924.5—11.30）	22 岁	步兵科
学员	潘峰名（国屏）	南村	第三期（1925.1—1926.1）	22 岁	步兵科
学员	张书锡（省仔）	南村	第三期（1925.1—1926.1）	20 岁	步兵科
学员	陈树坚	乐安	第十七期六总队（1940.5−1942.11）	—	步兵科
学员	胡兆达	乐安	第十九期一总队（1942.12—1945.4）	—	通信兵科
教官	游于艺	牛田	第五期（1926.3—1927.8）	20 岁	训练部司书

三、联合勘定行政区域界线协议书

（一）崇仁县人民政府和乐安县人民政府联合勘定的行政区域界线协议书（摘要）

第一部分　勘界工作概述

第一条　崇仁县与乐安县行政区域界线历史上从未勘定过，原来的界线基本上沿用习惯线，同时也存在一部分争议线及少量的法定线。由于界线走向不清，近年来边界纠纷时有发生，严重影响了边界地区的社会安定和经济发展。为了从根本上解决边界纠纷，两县勘界办工作小组按照省、地的工作部署，于1997年4月6日在乐安举行了第一次联席会，商定了勘定两县行政区域界线的具体办法，签订了《崇仁、乐安联合勘定行政区域界线实施方案》。1997年4月至10月双方各自沿边界线进行了单方收集资料，了解情况，实地踏勘。1997年10月7—9日两县勘界办在乐安召开了第一次核界会议，核定一致的界线约62.3公里。对双方意见不一致的界线，两县勘界工作人员进行实地联合勘界，根据国家有关政策、法规，本着实际出发，实事求是，互谅互让，友好协商的原则进行确定，对个别地段行政区域界线与权属界线难以统一的，根据赣勘发〔1997〕2号文件精神，采取两线分离的办法确定界线。因此，1997年11月20—21日在崇仁县进行了第二次核界会议，至此，崇、乐行政区域界线全线贯通。根据省、地勘界工作领导小组的要求和部署，现就勘定的边界线签定本协议。

第二条　崇仁、乐安两县边界线涉及崇仁县马鞍乡、张坊乡、山斜乡、港下乡和乐安县航桥乡、公溪镇、湖溪乡、鳌溪镇、谷岗乡。边界线由北向南从丰城市蕉坑乡坪上村委会、崇仁县马鞍山乡塘边村委会、乐安县航桥乡界溪村委三县交会点起，到崇仁县港下乡焦坪村委会、乐安县谷岗乡圭峰村委会、宜黄县二都乡山前村委会三县交会点止，全长79.048公里，共埋设5个界桩。

边界线走向和界桩位置标绘在江西省测绘局、陕西省测绘局1984年出版的1 ∶ 10000地形图上，作为本协议书的附图。

界桩登记表和界桩成果表记载了各界桩的情况，其原件存省勘界办、界桩成果表作为本协议书附表。

第三条　丰（城）崇（仁）乐（安）和崇（仁）乐（安）宜（黄）两个三县市交会点分别于1997年9月30日和1997年9月11日三方协商确定，成果资料由有关三方勘界工作领导小组办公室另行立卷。

第四条　一、本协议书所记录的界线长度是从本协议书的附图上量取的。以公里为单位，界桩至方位物间的距离为两点间平距，均为红外测距仪在实地测算，界桩登记表中的“相邻界桩间距”为两界桩间的界线长度。

二、本协议书第三部分叙述边界线走向描述时，采用十六方位制。其十六方位的含义是：

1. 北　348° 45′ —11° 15′
2. 北偏东北　11° 15′ —33° 45′
3. 东北　33° 45′ —56° 15′
4. 东偏东北　56° 15′ —78° 45′
5. 东　78° 45′ —101° 15′

6．东偏东南　101° 15′ —123° 45′
7．东南　123° 45′ —146° 15′
8．南偏东南　146° 15′ —168° 45′
9．南　168° 45′ —191° 15′
10．南偏西南　191° 15′ —213° 45′
11．西南　213° 45′ —236° 15′
12．西偏西南　236° 15′ —258° 45′
13．西　258° 45′ —281° 15′
14．西偏西北　281° 15′ —303° 45′
15．西北　303° 45′ —326° 15′
16．北偏西北　326° 15′ —348° 45′

第二部分　重要问题处理结果

第五条　图雄坊在图幅号 G—50—4—（62）是261地质勘探队驻地，从街心花园（十字口圆盘）以北原261队在此建设征用的土地，原有一块插花地在乐安境内是崇仁的，为了便于该地的行政管理，故勘定线仍按原习惯线走。但上述范围土地山林的所有权和经营权仍按勘界前不变。

第六条　依据1984年11月30日鉴定的泊脑山（崇仁称薄脑山）山林权协议书及江边村山界图（1997年3月9日）确定了崇仁、乐安边界线走向，所述山林地理位置在图号 G—50—4—（63）1 ∶ 10000 地形图上。

对边界线两边的插花山和飞地，按两线分离的原则，维护现状。

第三部分

起点，位于丰（城）崇（仁）乐（安）三县行政区域界线交会点。埋设钢筋混凝土结构的三面单立桩一座。编号为022526I。界桩埋在丰城市蕉坑乡坪上村委会与崇仁县马鞍山乡塘边村委会和乐安县航桥乡界溪村委会交界的山脊上。距离崇仁县界上自然村西南约880米。在磁方位角119°18′ 方向，距界桩28.7米处为一路交叉；在磁方位角218°36′ 方向，距界桩122.87米处为独立树。在磁方位角291°31′ 方向，距界桩55.90米处为一树上刻记。

自022526 1号界桩起，边界线沿山脊往东偏东南约55米；拐向南偏东南经186.7米高程点约走200米；又转向西南约130米至1号界桩。本段边界线长约0.401公里。

1号界桩，为钢筋混凝土结构的双面单立桩。埋设在崇仁县马鞍山乡塘边村委会与乐安县航桥乡界溪村委会交界的山脊上。距乐安县界溪村东约800米。在磁方位角131° 14′ 方向，距界桩12.2米处为一树上刻记；在磁方向角198° 07' 方向，距界桩62.7米处为一树上刻记；在磁方位角357° 58′ 方向，距界桩21.5米处为一树上刻记。

自1号界桩起，连界线往南经185.3米高程点约走230米；拐向西60米后向南经164.2米约400米过一鞍部，拐向东南经157.2米高程点约走150米至一山包。又拐向西南沿山坡下过一小河，再上山坡约走710米。拐向西经151.6米高程点约走170米至一山脊上。沿山脊往南约360米；拐向东南经164.4米山包约走570米至138.0米山包边。又拐向东绕138.0米高程点北坡约70米，再向东南经靡仔山（1405米）约走800米至106.0米高地山包。转向南偏东南经过一片稻田上山脊，沿山脊经131.6米、132.7米高地约2180米至107.5米高地路交叉的西边。又沿小路拐向东约100米；沿路总体往东南经过112.6米、107.8米、107.3米高程点，穿过公路约走2600米至一条小河边。又拐向东北沿一片丘陵地经过261队北部约走2000米至新（261队）北部一大路旁。又拐向北沿山丘约走810米至113.7米山包东北一鞍部。再沿山脊往东北经106.7米高地约走710米至103.1米山包。又沿山脊下坡往北偏东北径81.0米高地、穿过一条河流约走840米至78.4米高地旁的河道中。再拐向西北约120米；又往北偏东北经过80.8米高地及穿过梅山村西北一小路约380米至山脊上。拐向东北沿山脊经104.8米高地旁一小路约走600米至一无名山包上。又转向东偏东南约200米；再向东北经过106.3米高地约走450米；转向北约270米；拐向东南 170 米；沿山脊拐向东北经过 101.3 米高地约 310 米至 97.0 米高地。再向南 100 米；拐向东 100 米；往东南下山坡穿过公路约 380 米至山脚。再沿山脊上坡往东偏东南约走 200 米至 98.4 米山包上。拐向西南 100 米，又转向南偏东南沿山脊经 101.0 米、103.0 米高程点、91.0 米、101.5 米高地西侧过铁路约 1700 米至 105.5 米高地山包北侧鞍部一小路上。沿小路往东 250 米，拐向东北约 600 米至 2 号界桩。本段边界线长约 20.005 公里。

2 号界桩，为大型钢筋混凝土结构的双面单立桩。埋设在崇仁县马鞍山乡蔡家村委会与乐安县公溪镇荷陂村委会交界的山沟中。距离崇仁县蔡家林场西北约 380 米。在磁方位角 3°48′ 方向，距界桩 21.2 米处为树上刻记；在磁方位角 217°16′ 方向，距界桩 21.7 米处为一树上刻记；在磁方位角 296°54′ 方向，距界桩 58.3 米处为一树上刻记。

自 2 号界桩起，边界线沿山沟往东南 100 米；转向南约 680 米至山脚小路拐弯处。又往西南 210 米。拐向东南沿山脚及何嵊水库边缘约走 490 米；再往西南约 180 米；转向西北约 100 米；又沿山脚拐向东南 80 米；再拐向西南 220 米至 78.5 米高地山脚边。沿山沟往东南上山脊经 101 米山包西侧约走 580 米至一小河边。又往南经过江边村车站货场及 98.6 米高程点、105.7 米高程点约走 800 米至 105.5 米高程点上。继续沿山脊往东 110 米；拐向东南 130 米；又向东 70 米；再拐向南偏东南经 104.8 米、103.7 米山包约走 370 米至 109.3 米山包西部一鞍部。又往东南下山坡转入“公溪”河中约走 800 米；拐向东北 200 米；转向南上岸约走 130 米至山脊上。沿山脊及山脊上小路大致往东经过 108.3 米、138.0 米高地约走 1100 米至 152.0 米山包。继续沿山脊往南约 360 米；拐向东偏东南经 106.7 米高地约 210 米；再转向南偏东南经 138.7 米高地约 400 米；转向东 120 米至一无名山包上。再向东南经 162.0 米山包约走 430 米至一小路旁。继续沿山脊向东北 150 米；转向东南约 150 米至 168.7 米高程点北坡。继续沿山脊往东 130 米至 169.3 米山包。拐向东南 140 米；再拐向东北 160 米至 155.3 米高程点。又沿山脊穿过山沟中公路向东约走 420 米；转向东北 260 米至 216.7 米高程点。又往东南约 280 米；东 120 米；再东南 220 米至 221.8 米高程点。继续沿山脊往南经过 211.3 米、250.7 米高程点约走 1050 米至吉龙台顶（293.24 米）。拐向西 140 米；又向南经 226.7 米高地，穿过分水岭公路，又经过 258.74 米高地约走 1280 米至 267.3 米山包。再沿山脊拐向东偏东南 300 米至 262.0 米山包西到一无名山包上。转向南偏东南约 400 米至沙堆上。继续沿山脊往西南经 279.5 米、316.7 米、302.0 米、278.0 米、261.3 米高地至山脊小路上，沿小路往东南 130 米，拐向西 50 米；又拐向东南 50 米；再往南经 226.7 米、279.3 米约 500 米至公路南部的山脊上，沿山脊往西南 140 米；拐向南偏西南 180 米；又往西约 550 米至八姑山（540.5 米）。再沿山脊，由西南转向南经 522.0 米山包约走 520 米至 3 号界桩。本段边界线长约 17.235 公里。

3 号界桩，为钢筋混凝土结构的双面单立桩，埋设在崇仁县张坊乡游纺村委会与乐安县公溪镇邹家村委会交界的山脊上。距离乐安县布水自然村东约 730 米。在磁方位角 82°21′ 方向，距界桩 50.8 米处为一独立石（刻记）；在磁方位角 152°38′ 方向，距界桩 36.1 米处为一独立石（刻记）；在磁方位角 280°31′ 方向，距界桩 185.0 米处为一独立石上刻记。

自 3 号界桩起，边界线沿山脊经 455.5 米山包约走 220 米；转向南约 550 米至麻姑脑 637.5 米山头，拐向东偏东南约 350 米至 689.0 米高地西坡，再转向南 500 米至 783.0 米高地。继续沿山脊往东南约 250 米至 793.5 米山头，沿天井嵊山脊向南经过 786.5 米、796.5 米高地约 710 米至 724.0 米高程点西侧。拐向西南约 400 米至 736.0 米山包。转向南经 773.3 米山包约走 800 米至 824.7 米山包；拐向东南沿山脊经过 792.0 米、891.3 米、962.7 米、1081.4 米山头约走 2100 米至 1238.5 米山头北坡小路上。由此，转向南偏西南经过1238.5米、1216.0米、1107.0米山头约走1200米至一无名山包；又拐向东偏东南150米至1102.5米高地西部一山包上。转向南经1197.0米山包约走600米至1179米山西北坡。又拐向西南沿山脊经过966.0米山头、848.7米鞍部约走1240米至893.4米高地。再往西北约走300米至953.4米山头。继续沿山脊往西南经829.4米，虎头山（835.6米）、762.0米约走3700米至712.0米高地西部山脊拐弯处。再沿山脊往南经792.7米、770.7米高地约950米至714.2米高地山脊上。转向东南经720.7米、724.7米高地约走1280米至618.0米高地山脊上。沿山脊大致由南偏西南转向东偏东南经过596.0米、583.4米约走1120米至591.4米山头东北部山脊上。又沿山脊拐向西南150米，转向南290米；再拐向东200米经477.4米山包南侧；拐向东北260米；又拐向东南190米；再拐向西南210米；由此，往东南经373.4米，刁仙峰（387.4米）山头600米至316.7米山头南部山脊上。又转向西南160米至258.7米山包边。再向南约150米至4号界桩。本段边界线长约19.141公里。

4号界桩，为大型钢混凝土结构的双面单立桩。埋设在崇仁县山斜乡浯漳村委会与乐安县鳌溪镇咸溪村委会交界的山洼中。距离乐安县严坑自然村东北约1050米。在磁方位角70°　39′方向，距界桩370.9米处为一独立树；在磁方位角150°　50′方向，距界桩41.0米处为一电杆（二八三号）；在磁方位角217°　30′方向，距高界桩108.8米处为一电杆（二八一号）。

自4号界桩起，边界线沿山脊往南偏东南经278.0米高地约650米至341.4高程点。又转向西南240米至344.4高程点。拐向南经386.4米、330.7高程点至山沟边。沿山沟往东200米；转向东南290米至山脊上。再往东沿山脊约130米，又向东南经296.3米高地约220米；转向南110米；又向东南300米至236.7米山包之山脚。沿山脚边往东120米；又沿山脊往东南经过木汗、194.0米山包、213.3米高地山脊约1420米至278.7米山包。沿山脊拐向北经过237.3米、231.3米、184.3米、186.0米山包约走1330米至187.3米高地。继续沿山脊拐向东偏东北经过167.3米山包约走480米；拐向东南经246.7米、244.7米、268.7米、279.3米、258.7米、239.3米、232.7米高地山包约2000米至288.7高程点。再拐向东约260米至339.3高程点；又拐向南偏西南约285米至5号界桩。本段边界线长约9.161公里。

5号界桩，为钢筋混凝土结构的双面单立桩。埋设在崇仁县山斜乡朱溪村委会与乐安县鳌溪镇店元村委会交界的山脊上。距离乐安县石脑上自然村东约1050米。在磁方位角1°　58′方向，距界桩25.7米处为小路交叉；在磁方位角201°　19′方向，距界桩4.1米处为一棵树上刻记；在磁方位角307°　42′方向，距界桩4.8米处为树上刻记。

5号界桩起，边界线沿山脊往南偏东南经过351.0米、402.3米高程点约走850米至463.0高程点。拐向东北约160米至上江排（474.4米）。转向东南经过436.0米高程点约800米至渴坑山脊东南端。又拐向东北经331.3高程点约走400米；拐向南偏西南沿山坡而下约160米至山沟中。再往东南穿过河流上山脊，经过226.3米高程点约走680米至山脊上。沿山脊向东经过287.0米高程点约340米；转向东北经过352.7米高地约走760米至510.7米山包西侧。拐向东南经过464.7高程点西侧约走560米至一无名山脊上。沿山脊向东经过462.7高程点约240米；又转向东北经过422.0米、356.7米、262.7米山包约1000米至353.4米高地山脊拐弯处。沿山脊大致往东经过412.0米、436.0米山包约1300米至葫芦岭北坡。拐向南约800米至麻茶岭顶（704.5米）。又沿山脊往东北约300米；拐向东偏东南约310米；又拐向东北经过596.7高程点约200米；再大致沿山脊向东经过528.0米高地约走1100米至一山沟中的小路旁。再往东南经662.5米高地约1000米；沿山坡拐向东北约420米至清芝山（967.5米）。又沿山脊大致往南约700米至985.0米山包。再转向南偏东南约走500米至252627 1号界桩（终点）。本段边界线长约13.103公里。

迄点，252627 1号界桩，为大型钢筋混凝土结构的三面单立桩。埋设在崇仁县山斜乡东山村委会与乐安县谷岗乡圭峰村委会和宜黄县二都乡山前村委会交界的山脊上。本界桩为乐（安）宜（黄）线所测，资料归档在乐（安）、宜（黄）线档案资料中。在此不再赘述。

（二）乐安县人民政府和宜黄县人民政府联合勘定的行政区域界线协议书（摘要）

第一部分　勘界工作概况

第一条　乐安、宜黄两县行政区域界线有史以来从未勘定过，基本沿用历史形成的习惯线，随着人口的增长和经济的发展，两县边界地区曾发生过山林、土地资源权属争议，经双方各级党委和政府的共同努力，边界地区基本稳定。为了从根本上解决边界纠纷，两县根据国务院《关于开展勘定省、县两级行政区域界线有关问题的通知》和省勘界工作领导小组《江西省勘定县级行政区域界线勘定办法》及抚州地区勘界工作领导小组《关于下达一九九七年全区勘界工作任务的通知》的要求，商定正式勘定两县之间的行政区域界线。为了保证勘界工作顺利进行，两县勘界工作领导小组制定了《联合勘定宜黄县与乐安县行政区域界线实施方案》，并在实际工作中遵照执行。

乐安县和宜黄县各自的实地踏勘工作在1997年11月1日前完成。11月4日在宜黄县召开了宜黄、乐安勘界工作第一次协商定界会议，两县勘界办进行了图上核界。核定长度37.74公里，对未核定的3.706公里边界线，还要进一步由双方勘界办会同有关乡（镇）、村负责人再次共同到实地踏勘核实，经双方努力，11月26日在乐安县召开了乐安、宜黄两县勘界工作第二次会议，达成了一致意见。至此，全长41.446公里的乐安县、宜黄县行政区域界线实现了全线贯通。边界线上共2个界桩于12月31日埋设完毕。乐安县、宜黄县行政区域边界线的测绘工作，由江西省地矿局调研大队414队承担，于1999年8月31日完成了测绘成果资料的检查验收。1999年9月，双方在宜黄县组织进行资料汇总工作，根据国务院勘界工作领导小组办公室及省、地勘界工作领导小组办公室的有关政策规定，现就两县勘定的边界线，签定本协议。

第二条　乐安、宜黄两县边界线共涉及5个乡镇、1个林场、15个村委会。边界走向自北向南，从崇（仁）乐（安）宜（黄）三县边界线交会点起，到乐（安）宜（黄）宁（都）三县边界线交会点止，全长41.446公里，共设计埋设了4个界桩点，界线走向界桩位置将在第九条中详细叙述。边界线和界桩位置标绘在省测绘局1982年调绘1984年出版的1∶10000地形图上，作为本协议书的附图。界桩登记表和界桩成果表记载了各界桩的情况，界桩登记表存江西省勘界工作领导小组办公室，界桩成果表作为本协议书附表。

第三条　崇（仁）乐（安）宜（黄）、乐（安）宜（黄）宁（都）两个三县边界线交会点，于1997年9月11日和1999年9月12日分别在宜黄县民政局和宁都县民政局协商确定，成果资料由有关三方人民政府另行上报，勘界测绘成果资料随本协议书一并上报。

第四条　一、本协议书新记界线长度是本协议书附图上量取的，以公里为单位。

二、在本协议第三部分叙述边界线走向时使用的方向用十六个方位，其含义如下：

1. 北　348°45′—11°15′
2. 北偏东北　11°15′—33°45′
3. 东北　33°45′—56°15′
4. 东偏东北　56°15′—78°45′
5. 东　78°45′—101°15′
6. 东偏东南　101°15′—123°45′
7. 东南　123°45′—146°15′
8. 南偏东南　146°15′—168°45′

9．南　168° 45′ —191° 15′

10．南偏西南　191° 15′ —213° 45′

11．西南　213° 45′ —236° 15′

12．西偏西南　236° 15′ —258° 45′

13．西　258° 45′ —281° 15′

14．西偏西北　281° 15′ —303° 45′

15．西北　303° 45′ —326° 15′

16．北偏西北　326° 15′ —348° 45′

第二部分　重要问题处理结果

第五条　边界线确定后，界线上的骑线山林、土地及建筑物和界线两侧的插花山、插花地、飞地、农田、水利资源利用等，除双方已有协议规定外，均维持现状，原生活、生产、经营管理方式不变。

对于北起崇（仁）乐（安）宜（黄）三县交会点，其所在地形图图号G—50—17—（42），南至图号G—50—17—（50）的地形图，边界线附近山林权属问题，宜黄、乐安两县对大王山的行政管辖权属，根据江西省抚州地区行政公署抚行发〔1984〕54号，《抚州地区行政公署关于对大王山的行政管辖权属等问题的通知》精神，行政区域边界线走向。按照一九五八年调绘，一九七〇年五月修测的五万分之一军用地形图所定的行政区域边界线为县界。其山林权属按一九六六年十二月九日，双方达成的协议书执行。

第三部分　边界线走向说明

第六条　乐安县与宜黄县接壤的行政区域边界线长41.446公里，经双方人民政府勘界工作领导小组，依照《江西省县级行政区域界线勘定办法》《江西省县级行政区域界线勘界测绘技术规定》及双方联合勘界实施方案，已正式勘定。两县边界线走向，除标绘在边界线地形图外，再具体描述如下：

起点，位于边界线北端崇（仁）乐（安）宜（黄）三县交会点界桩，界桩为钢筋混凝土结构的三面单立桩，埋设在乐安县谷岗乡圭峰村，崇仁县山斜乡东山村和宜黄县二都乡山前村交界之山坳处。界桩至1号方位的（树上刻记）的距离6.4米，磁方位角94° 31′；至2号方位物（山包）距离65米，磁方位角190° 40′；至3号方位物（树上刻记）7.9米，磁方位角253° 44′。

自252627 1号界桩起，边界线沿山脊向南走70米；再向东偏东南走85米；南162米；南偏东南177米；南偏西南218米；南177米；东偏东南45米；南偏242米；东南266米；南偏东南215米至山脚田边小路。又向南偏东南22米至对面山脚田边。继而又沿山脊向东南走152米；南偏东南204米至965.5米高地山包。继续沿山脊南偏西南337米，又南偏东南507米至945.0米高地山包。又向南350米至952.0米高地山包。又东南356米至963.0米标高山包。继续沿山脊向西南走881米；南偏西南454米至688.0米高地山包。又西南191米；南236米至755.5米高地山包。又南偏西南154米；南141米；西南565米至老华山757.0米三角点。又南偏西南214米；西81米至板岭坳山边。又南227米；南偏东南234米；南偏西南184米；东南167米；西南70米；南（通过781.4米高地至750米标高）410米；南偏西南458米沿山脊至782.7米高地山包。继续沿山脊向南偏东南221米；西南1013米；经831.5米，941.5米高程山包至欧家寮西北山脊拐弯处。又南偏东南628米；经栋初嵊980.6米三角点至其南部一无名山包。再南偏西南198米；南偏东南112米至963.4米标高之山包。再南偏西南421米至990.5米标高之山包。又南82米至小路；继而南偏西南136米；东偏东南154米至栋树嵊1016.0米标高山包。又继续沿山脊（通过983.4米高地）南偏西南224米；南216米；西偏西南（通过902.0米高地）475米；北偏西北89米；西偏西南571米；西北90米；西204米；南偏西南212米；南146米至一无名山包。继而沿山坡往西南458米至262700 1号界桩。本段边界线长

13.917 公里。

262700 1 号界桩，埋设在乐安县谷岗乡登仙桥村与宜黄县黄陂镇大龙坪村交界之山坳处。海拔 413.3 米。距乐安县烟家斜自然村东南 300 米。界桩至 1 号方位物（枫树刻记）19.2 米，磁方位角 46°32′；至 2 号方位物（株树上刻记）14.0 米；磁方位角 311°57′；至 3 号方位物（岩石上刻记）6.4 米；磁方位角 354°59′。

自 262700 1 号界桩起边界线沿山脊向西南 444 米；西北 74 米；南偏西南 173 米；西 877 米；西南 931 米；经 683.4 米高地山脊至 767.4 米山头两边一山包。又继续沿山脊向东南 586 米；南偏东南 838 米至东华山 928.7 米标高之山包。又沿山脊向南偏西南走 530 米，西 90 米；南偏西南 61 米；过小路南偏东南 210 米；东南 1100 米（通过来坪源至苦嘴坳山路）至 841.0 标高之山包。继而向南 371 米；东 90 米；东南 100 米至 885.0 米标高山包。又南偏西南 422 米至在凹亭小路上。继续向南 85 米；东南 125 米，南 144 米；南偏西南 262 米；（通过大坳 990.7 米三角点）南 567 米；经 961 至 964.0 米标高之山包。又沿山脊南偏西南 168 米；南 404 米；东偏东南 142 米；通过小路南 1100 米经 929.0 米标高之山包至 926.7 米高地南部一无名鞍部。又南偏西南 644 米；南 115 米；东南 71 米；南 160 米；南偏西南 525 米沿一大路东侧山脊至无名鞍部，大路与小路交叉处。继续沿山脊向南 588 米，南偏西南 340 米至 947.6 米标高之山包。又向西南 389 米；西 92 米至 934.7 米标高之山包。再沿山脊向南 1153 米经 985.4 米，1009.2（仁和寨三角点）994.7 米标高山头至 996.0 米高地路亭旁。继又沿山脊向南偏东南 568 米；东南 866 米至 1165.3 米标高（石门）山头北部之一无名山包。再转向西南 771 米；南 145 米经 1174.6 米标高山头至 1134.0 米标高之山包。又向西 116 米南 176 米；西 65 米，西南 104 米；西北 229 米；西南 124 米，北偏西北 89 米；西 110 米；南偏西南 734 米；西 154 米；西南 97 米；东偏东南 195 米；南偏东南 218 米（经 1129.0 米、1154.0 米、1163.0 米 1252.5 米标高等山包）至 2627002 号界桩。本段边界线长约 18.785 公里。

262700 2 号界桩，为钢筋混凝土双面单立桩。埋设在乐安县谷岗乡小金竹村与宜黄县白竹乡竹溪村交界之山坳处，海拔 1102.7 米。距乐安县小金竹村南偏东南 2800 米。界桩至 1 号方位物（岩石上刻记）14.4 米；磁方位角 8°15′ 至 2 号方位物小路拐弯 10.9 米，磁方位角 80°27′ 至 3 号方位物（岩石上刻记）16.0 米；磁方位角 196°29′ 至 4 号方位物（岩石上刻记）17.8 米，磁方位角 307°18′。

自 262700 2 号界桩起，边界线沿山名为十八排之山脊向南走 1005 米至老虎脑 1370.5 米标高之山包；又向东南 160 米；南偏东南 739 米至 1271.0 米标高之山包。又沿山脊向南 115 米；南偏西南 104 米；南偏东南 267 米至仙山脑之山包。又继续沿山脊向东 76 米；南偏东南 1337 米至 998.0 米高地之鞍部一小路上，再沿山脊南偏西南 311 米；南 421 米至摇罗汉 1094.2 米三角点之山包南。又西南 326 米；南 655 米通过小路，西偏西南 155 米；南偏西南 204 米；西南 89 米；南 183 米经百嘴坑至土里段小路。又东偏东南 247 米；南 136 米；东南 388 米；南 149 米；东南 121 米至 1232.0 米标高之山包边。又向西南 112 米；南 455 米；南偏西南 737 米，南偏东南 235 米经 1287.5 米山包及 1325.0 米（大龙山主峰）山头至 262731 1 号界桩。本段边界线长 8.744 公里。

终点，为 262731 1 号界桩。埋设在乐安县坪溪乡严坑村与宜黄县白竹乡大铭村，宁都县肖田乡美佳山村交界之山包上。为钢筋混凝土结构的三面单立桩。海拔 1243.15 米。距乐安县大龙山庵南东 320 米。界桩至 1 号方位物路交叉 78.7 米，磁方位角 170°34′；至 2 号方位物（岩石上刻记）13.2 米；磁方位角 254°43′；至 3 号方位物山包（岩石上刻记）105.1 米，磁方位角 351°29′。

（三）乐安县人民政府和宁都县人民政府联合勘定的行政区域界线协议书（摘要）

第一部分 勘界工作概况

第一条 勘界是国家行政管理的一项重要的基础性工作，是功在当代，利在千秋的伟大事业。勘界不是重新调整行政区划而是以行政区划现状为基础，依照有关规定，明确行政区域界线走向的位置。乐安县与宁都县行政区域界线历史上从未勘定过，随着人口的增长和经济的发展，近年来边界纠纷时有发生，严重影响了边界地区的经济建设和社会稳定。为了从根本上解决纠纷，两县勘界办依照省地的工作安排，于 1999 年 3 月 29 日在乐安举行了第一次联席会议，签定了《乐安县宁都县联合勘定行政区域界线实施方案》，1999 年 4 月 5 日，双方各自沿边界线进行了单方勘察、调查、了解情况，收集资料。1999 年 6 月 3 日两县勘界办在宁都县举行了第一次核界会议，此次核定了边界线总长 47 公里，占全线长的 98%，尚剩下 1 公里线段没有贯通。对意见不一致的线段，两县勘界工作人员进行了反复多次的联合实地踏勘，根据国家有关政策，法规，以国家和人民的根本利益为重，坚持实事求是，顾全大局，互让互谅的原则，依法勘界。根据赣勘发〔1997〕2 号文件精神，采取两线分离的办法确定界线。1999 年 7 月 27 日在乐安县举行了第二次核界会议，对第一次核界尚未贯通的线段取得了一致意见，至此，乐安、宁都两县行政区域界线全线贯通，现就勘定的边界线签定本协议。

第二条 乐安、宁都两县边界线涉及乐安县坪溪乡、金竹乡和宁都县肖田乡、东韶乡。边线由北向南从乐安、宜黄、宁都三县交会点起到永丰、乐安、宁都三县交会点，全长 27.116 里，边界线走向界桩位置标在江西省测绘局、陕西省测绘局、1982 年调绘，1984、1985 年出版的 1 ∶ 10000 地形图上，作为本协议书的附图。

乐安、宁都边界线除起止点外，另外设立了一个界桩点，界桩登记表和界桩成果表记载了该界桩的情况，界桩登记表存省勘界办、界桩成果表作为本协议书附表。

第三条 乐安、宜黄、宁都三县边界线交会点、永丰、乐安、宁都三县边界线交会点成果资料分别由有关三方人民政府另行上报。

第四条 一、本协议书所记录的界线长度是从本协议书的附图上采用拐点法计算的，以公里为单位。界桩至方位物距离均是在实地用红外线测距仪测量的。

二、本协议第三部分叙述边界线走向时，采用十六方位制。其十六方位的含义是：

1.	北	348° 45′ —11° 15′
2.	北偏东北	11° 15′ —33° 45′
3.	东北	33° 45′ —56° 15′
4.	东偏东北	56° 15′ —78° 45′
5.	东	78° 45′ —101° 15′
6.	东偏东南	101° 15′ —123° 45′
7.	东南	123° 45′ —146° 15′
8.	南偏东南	146° 15′ —168° 45′
9.	南	168° 45′ —191° 15′
10.	南偏西南	191° 15′ —213° 45′
11.	西南	213° 45′ —236° 15′
12.	西偏西南	236° 15′ —258° 45′
13.	西	258° 45′ —281° 15′
14.	西偏西北	281° 15′ —303° 45′
15.	西北	303° 45′ —326° 15′
16.	北偏西北	326° 15′ —348° 45′

第二部分 重要问题处理结果

第五条 图号 G—50—28—（56）中大树岭至洪水山之间宁都县东韶乡漳灌村有一山砀插花在乐安县坪溪乡徐庄村境内，该山砀的资源权属和经营管理维持现状不变。

第六条 乐（安）宁（都）线 001 号界桩，没有埋设在界线上，界桩距界线方位角 270°，距离 40 米。在乐安县坪溪乡、徐庄村境内，原因：

1. 界线两边山高，影响 GPS 定位仪的测量。

2. 界线两边为新开公路，坡面较陡，经常塌方。

第三部分　边界线走向和界桩位置说明

第七条　乐（安）宁（都）边界线起点为乐安县、宜黄县、宁都县三县边界线交会点。

262731 1 号界桩为单立、三面型，钢筋混凝土结构，位于乐安县坪溪乡严塘村、宜黄县白竹乡大铭村和宁都县肖田乡美佳山村三县交界处。高程 1243.15 米。磁方位角 170°34′，距离 78.7 米为路交叉，磁方位角 254°43′，距离 13.2 米为岩石刻记；磁方位角 351°29′，距离 105.1 米为岩石刻记。分别设立方位物。

从三县边界线交会点起，界线向西偏西南过乡村路约 100 米，转向南约 250 米，转东南 60 米，转向南 130 米至三角点大龙山 1270.3 高地，转北偏西北 120 米，转西南约 480 米，转西偏西北 80 米，转西偏西南沿山脊约 200 米，转南偏西南过小路约 300 米，转南偏东南约 180 米至小路，转东南约 250 米至 934.0 高地，转南偏西南沿山脊过小路约 190 米，转南偏东南沿山脊 110 米至 874.7 高程点，沿山脊向南偏西南约 260 米至 933.3 高程点，转西偏西南沿山脊过小路约 380 米，转西偏西南沿山脊约 330 米至一山头，沿山脊向西偏西北约 240 米至 788.0 高地，沿山脊向西偏西南约 160 米，转南偏西南过小路 747.3 高地约 350 米，转东南沿山脊约 250 米至 793.3 高程点南侧 30 米处，转南偏西南沿山脊 130 米至一山头，转南偏东南沿山脊过二条小路约 640 米，转西南沿山脊过二处小路约 720 米，转南偏东南沿山脊约 320 米至 1004.0 高地，沿山脊向南偏西南过 1015.3 高程点约 510 米至 1072.0 高程点，转南偏东南约 120 米，转南偏西南沿山脊经 1082.1 高程点约 380 米，转南偏东南沿山脊约 110 米，转南偏西南经 1124.7 高地东侧约 410 米至 1148.7 高程点，沿山脊向南经 1067.4 高程点约 710 米，转西南沿山脊经 1016.0 高程点约 440 米至鞍部，转东偏东南约 520 米，转东南过小路约 800 米，转西南约 140 米，转东南沿山脊约 450 米至三角点牛古章 1045.7 高地，转西南经 1018.6 高程点约 440 米，转西偏西北 80 米，转西南经 7967.7 高程点东侧约 510 米，转向南沿山脊约 210 米至乐安县、宁都县 I 号界桩。这段界线的长度为 12.389 公里。

263100 1 号界桩，单立双面型钢筋混凝土结构。该界桩位于乐安县坪溪乡徐庄村、宁都县东韶乡芒东坑村两县交界处，乐安至宁都公路的北侧（乐安境内）。1 号界桩距界线的垂直距离为：方位角 270°、距离 40 米。在磁方位角 119°27′，距离 6.96 米（实测）为壁凿刻标记；在磁方位角 168°14′、距离 12.15 米（实测）为壁上凿刻标记；在磁方位角 255°27′、距离 8.45 米（实测）为石壁上凿刻标记，分别设立方位物。

从 1 号界桩起，界线过公路向西偏西南沿山脊约 230 米，转南偏西南经 756.7 高程点西侧约 290 米，转东南 60 米，转南偏西南沿山脊过小路 785.0 高程点，871.0 高程点 936.5 高程点，1108.5 高程点约 1420 米至 1162.0 高程点北侧 10 米处，转西南沿山脊经 1142.0 高程点约 770 米至 1151.0 高程点，沿山脊向西偏西北约 300 米，转南偏西南经 1272.0 高程点约 330 米转向西沿山脊经 1282.5 高程点约 580 米，转西南 55 米，转东南 60 米，转南偏西南沿山脊经 1245.0 高程点约 580 米至 1146.0 高地，转西偏西南 150 米，转西偏西北 105 米，转西南沿山脊经 1285.0 高地 1203.0 高地经 1300 米至山脊地类界，转向南约 220 米，转南偏西南沿山脊经 1152.5 高程点、1175.0 高程、小路约 930 米至一山头，转西南经 1122.0 高程点约 500 米，转西偏西北沿山脊 140 米，转西偏西南沿山脊 100 米至 1222.0 高程点西侧 15 米处，转南偏西南沿山脊经 1218.5 高程点、1192.0 高程点约 610 米，转南偏东南约 150 米至 1165.0 高程点东侧 20 米处，转西南约 240 米，转西偏西南过乡村路约 540 米，转西南沿山脊经 1163.3 高程点、1174.7 高程点约 820 米至 1284.0 高程点，沿山脊向西南约 510 米至 1292.0 高程点，沿山脊向南经1334.0高程点、1323.3高程点约810米，转南偏西南沿山脊约150米，转南偏东南130米至1306.7高地，沿山脊向西南经1269.0高程点、1292.5高程点约830米，继续向西南约430米至乐（安）宁（都）边界线止点，即永丰县、乐安县、宁都县三县边界线交会点。这段界线的长度为14.727公里。

252631I交会点，实地没有埋设界桩以木桩代替。该交会点位于永丰县中村乡梨树村、乐安县金竹乡深丘村、宁都县东韶乡汉口村三县交界处的山坡上。为方便定位在磁方位角159°30′、距离4.76米（实测）为人工埋设桩；在磁方位角237°18′、距离4.08米（实测）为人工埋设桩；在磁方位角354°03′、距离13.46米（实测）为人工埋设桩，分别设立方位物。

（四）永丰县人民政府和乐安县人民政府联合勘定的行政区域界线协议书（摘要）

第一部　勘界工作概述

第一条　勘界是国家行政管理的一项重要的基础性工作。是功在当代，利在千秋的伟大事业。勘界不是重新调整行政区划，而是以行政区划现状为基础，依照有关规定，明确行政区域界线走向的位置，永丰县和乐安县行政区域界线历史上从未勘定过，随着人口的增长和经济的发展，近年来边界纠纷时有发生，严重影响了边界地区的经济建设发展和社会稳定，为了尽快勘定此条界线，根据省、市的工作安排，两县市勘界工作领导小组于2000年3月2日在乐安县举行了第一次联席会议，签定了《联合勘定永丰县和乐安县行政区域界线实施方案》；2000年3月4日起，双方勘界办各自沿边界线进行了单方勘察、调查、了解情况，掌握资料。由于永丰、乐安界线较长，纠纷多，意见分歧大，经多次核界还是未能实现全线贯通。最后于2000年8月12—13日在永丰县又一次召开了核界会议，会议依据2000年4月29日吉安、抚州两市在乐安制定的《联合勘定永丰、乐安县行政区域界线的原则》的精神，并在吉安、抚州两市勘界办大力协调下，将永丰、乐安两县行政区域界线全线贯通。现就勘定的边界线签定本协议。

第二条　永丰、乐安两县边界线涉及永丰县鹿冈乡、沿陂乡、七都乡、遇源乡、瑶田乡、藤田镇、陶唐乡、北坑乡、中村乡；乐安县戴坊镇、鹏洲乡、潭港乡、牛田镇、万崇乡、湖坪乡、罗陂乡、招携镇、金竹乡。边界线由北向南从新干、永丰、乐安三县边界线交会点起到永丰、乐安、宁都三县边界线交会点止，全长129.596公里。边界线走向及界桩位置标绘在江西省测绘局1984—1987年出版的1∶10000地形图上，作为本协议书的附图。

永丰、乐安边界线除起止点外，另外设立了四个界桩，界桩登记表和界桩成果表记载了各界桩的情况。

第三条　新干、永丰、乐安三县边界线交会点和永丰、乐安、宁都三县边界线交会点的成果资料由有关县勘界办另行组卷上交。

第四条　一、本协议书所记录的界线长度是从本协议书的附图上采用数字化仪量算的，以公里为单位。界桩至方位物距离为两点间平距，是在实地用红外线测距仪测量的。

二、本协议第三部分叙述边界线走向描述时，采用十六方位制。其十六方位制的含义是：

1.	北	348°45′—11°15′
2.	北偏东北	11°15′—33°45′
3.	东北	33°45′—56°15′
4.	东偏东北	56°15′—78°45′
5.	东	78°45′—101°15′
6.	东偏东南	101°15′—123°45′
7.	东南	123°45′—146°15′
8.	南偏东南	146°15′—168°45′
9.	南	168°45′—191°15′
10.	南偏西南	191°15′—213°45′
11.	西南	213°45′—236°15′

12. 西偏西南　236° 15′ —258° 45′
13. 西　258° 45′ —281° 15′
14. 西偏西北　281° 15′ —303° 45′
15. 西北　303° 45′ —326° 15′
16. 北偏西北　326° 15′ —348° 45′

第二部分　重要问题处理结果

第五条　在永（丰）乐（安）线的勘定过程中，对于边界线两侧的“插花山（地）”“飞山（地）”，此次勘界未予核实，也未在边界线协议书附图中注明，双方相互承认，其资源权属和经营管理均维持勘界前现状不变。

第六条　对于资源权属双方存在争议，又无确凿证据的地段，根据2000年4月29日在乐安县由吉安，抚州两市勘界办领导组织召开的协商会议上共同制定的《联合勘定永丰、乐安行政区域界线的原则》双方顾全大局、互谅互让，并在吉安、抚州两市勘界办大力协调下，按照资源权属界线与行政区域界线分离的方法予以核定。其中：

一、面积在1000亩以下的地段有：

1. 图名枧田，图幅号G—50—16—（34），起点坐标X3042600，Y39363200，终点坐标X3043610、Y39362600。

2. 起点在图名枧田，图幅号G—50—16—（34），坐标值为X3041140、Y39364040；终点在图名桐田，图幅号G—50—16—（35），坐标值为X3039460，Y39365930。

3. 图名贯前，图幅号G—50—16—（43），起点坐标X3038560、Y39368990，终点坐标X3038780、Y39369370。

4. 图名禹山，图幅号G—50—16—（59），起点坐标X3029250、Y39369680，终点坐标X3028050、Y39369010。

5. 图名松江，图幅号G—50—28—（3），起点坐标X3025275、Y39268655，终点坐标X3021230、Y39369250。

6. 图名遇源，图幅号G—50—28—（18），起点坐标X3015360、Y39363400，终点坐标X3014170、Y3936370。

7. 图名陂上，图幅号G—50—28—（27），起点坐标X3010040、Y39365830，终点坐标X3010230、Y39366300。

8. 图名太原山，图幅号G—50—40—（7），起点坐标X2986540、Y39390220，终点坐标X2986840、Y39391460。

二、面积在1000亩以上的地段有：

1. 起点在图名湖西，图幅号G—50—28—（35），坐标值为X3004120、Y39368580；终点在图名罗陂，图幅号G—50—28—（36），坐标值为X3002285、Y39370310。

2. 图名贯前，图幅号G—50—16—（43），起点坐标为X3038890、Y39366140，终点坐标为X3038500，Y39368030。

3. 起点在图名营下，图幅号G—50—28—（10），坐标值为X3016520、Y39363590；终点在图名南拓，G—50—28—（11），坐标值为X3017580、Y39365710。

4. 图名北坑，图幅号G—50—28—（54），起点坐标为X2996720、Y39384780；终点坐标为X2993690、Y39385200。

5. 起点在图名南坑，图幅号G—50—28—（62），坐标值为X2988690、Y39387240；终点在图名太原山，图幅号为G—50—40—（7），坐标值为X2987360、Y39388670。

第七条　在图名陂上，图幅号G—50—28—（27），从起点坐标X3009500、Y39365060至终点坐标X3009790、Y39365530。此段边界线按照江西省人民政府法制局1997年6月11日《关于解决永丰县遇源乡业坊村洪家元村小组与乐安县万崇乡安里村新建村小组就“大、小班坑”山场山林四址划界的协议书》划定。

第八条　永丰、乐安、宁都三县边界线交会点的勘定由永丰县牵头。曾于1999年6月5日在永丰县召开联合勘定永丰、乐安、宁都三县边界线交会点协商会，没有取得一致意见。2000年1

月12日，省勘界办以赣勘办字〔2000〕3号《关于永丰、乐安、宁都三县行政区域界线交会点问题的处理意见》进行调处。2000年7月25日，永丰、乐安、宁都三县召开联合勘定边界线交会点会议，会议遵照省勘界办的处理意见执行，确定了该三县边界线交会点。考虑到三县群众对界桩埋设较敏感，理解不一，决定不埋设该枚界桩。由于该点所处位置地形复杂，难以精确判位，三交点实测坐标值（X2984659.1、Y39393776.5）偏离省勘界办调处的三交点位置向北方向约24米。

第三部分　边界线走向和界桩位置说明

第九条　起点，位于永丰县的北部，乐安县的东北部，为边界线的北端点，也为新干县、永丰县、乐安县三县边界线交会点，界桩点号为242526 1，所在图幅G—50—16—（26），三面型界桩，材质为钢筋混凝土结构，埋设在新干县潭丘乡大塘村，永丰县沿陂乡白珠村，乐安县戴坊镇麦坑村的交会处，在磁方位角117°50′00″距离2.03米处为人工设置第一方位物；磁方位角213°06′00″距离1.04米处为人工设置第二方位物；磁方位角351°37′00″距离1.19米处为人工设置第三方位物。

从242526 1出发，向东沿分水线走约50米，拐向南偏东南沿分水线经过无名高地走约410米到鞍部，沿分水线向东偏东南走约230米到无名高地上，继续沿分水线向南偏东南走约120米拐向东约110米，向东偏东南经过小路及无名高地走约240米，继续沿分水线向南偏东南走约120米偏离分水线，穿过谷地，经过鞍部后沿分水线向东南方向走约140米到402.7高地北侧，转向东沿半坡走约40米向东南沿分水线走约150米到鞍部，转向东偏东北穿过鞍部走约100米到348.7高地东侧，沿分水线向东偏东南走约60米沿分水线向南偏东南走约50米继续沿分水线经过乡村路穿过鞍部向东南走约230米到336.7高地，转向南偏西南沿分水线走约50米向南偏东南走约150米，偏离分水线向东偏东南走约50米，向南偏东南走约60米，向东偏东南过半坡走约50米到谷地制高点，转向南偏东南经过248.7高地，沿分水线后偏分水线跨过鞍部，又沿分水线走约420米到无名高地上，向南过半坡跨过谷地经过乡村路走约150米到分水岭上，沿分水线翻过216.7高地向南偏东南走约150米到无名高地，继续沿分水线向南偏西南走约50米，向南偏东南跨过鞍部走约140米到203.3高地，转向东南过半坡走约90米，向东偏东南过半坡走约90米到鞍部乡村路上，迎坡向南偏东南前进约50米，沿分水线向南前进约80米到216.8高地，继续沿分水线向东南前进约150米到鞍部上，穿过鞍部向南前进约60米到无名高地上，沿分水线向东偏东南穿过鞍部经过无名高地206.8高地，前进约360米到无名高地上，转向南继续沿分水线前进约130米到另一无名高地，向东偏东南前进约30米，折向南偏西南沿谷地合水线经过乡村路穿过垄田前进约400米到垄田地类界上，沿垄田边缘向东偏东南前进约460米，穿过垄田经过小路沿分水线向东前进约360米到无名高地上，继续沿分水 线向东南前进约100米到无名高地上，转向南偏西南前进约50米，沿分水线向南偏东南前进约100米到谷地合水线上，向南偏西南前进约80米到无名高地上，向西偏西南前进40米，继续沿分水线向南跨鞍部前进约80米，向西偏西南沿分水线经过184.0高地，沿分水线小路前进约110米，沿小路后偏离小路向南偏西南前进约80米，沿分水线后又偏离分水线向南偏东南前进约150米到谷地小路上，穿过小路过半坡后沿分水线向东偏东北前进100米，沿分水线向东偏东南前进约60米，向东偏东北前进约40米到无名高地上，经过两个无名高地向东偏东南前进约70米，转向东北继续沿分水线前进约70米到190.7高地上，折向南偏东南沿分水线过鞍部前进约130米到无名高地上，转向北偏东北沿分水线前进约60米到鞍部的边缘，向东偏东南穿过鞍部前进约30米，沿谷地向南偏西南前进约220米到油茶地与树林交界处，转向东偏东南经过陡坡及无名高地，鞍部前进约160米，沿分水线向东前进约50米到无名高地上，沿分水线向南前进约50米，转向东过鞍部边缘前进约70米转向南偏东南过半坡沿分水线前进约80米到无名高地西北侧，翻过无名高地沿分水线向东南前进约80米，向南偏东南跨鞍部前进约60米，向东偏东南沿分水线前进约50米，转向南偏西南前进约60米，到196.2高地，继续沿分水线向南偏东南，后又翻过无名 高地前进约150米，到另一无名高地西侧，转向南偏西南，跨越各地过半坡前进约180米，转向西偏西北翻远无名高地前进约110米到小谷地中，转向南偏西南沿半坡翻过无名高地前进约130米到分水岭上，沿分水线向东偏东南前进约110米到鞍部上，继续沿分水线向南偏东南前进100米到无名高地上；转向东南经过陡坡前进约60米，向东偏东南沿水路跨过谷地从小水库尾部过，前进约60米，沿小路后偏离小路沿谷地合水线前进约230米，到167.7高地上，沿分水线向东偏东南跨过鞍部前进约110米，沿分水线向南偏东南前进100米，转向西偏西南继续沿分水线前进100米到163.0高地，向南沿分水线前进约70米，到无名高地上，沿分水线向东偏东南前进约80米到鞍部上，向南偏东南经过陡坡后沿分水线前进约150米到无名高地上，一直沿分水线向东偏东北前进约80米，向东偏东南经过173.4高地前进约120米，向南偏西南前进约50米，到无名高地上，向东南经过鞍部前进约100米，翻过无名高地，继续沿分水线向东偏东南前进约200米，到谷地交叉处（地类界上），向东南方向沿谷地的合水线前进约160米，向东偏东北沿山脚，沿小路前进约150米，继续沿小路向东南前进约100米，偏离小路沿谷地的合水线向东偏东南，经过鞍部小路前进约1160米到垄田中的小路上，折向南偏西南沿分水线经过162.1高地，后越鞍部翻山脊前进约270米，向南沿分水线前进约60米到无名高地上，一直沿分水线，向南偏西南70米，向东偏东南经过174.0高地，经过小路，162.3高地前进约330米，向南偏东南前进约90米，偏离分水线经过缓坡地向东偏东南前进220米，到庙下排村庄南侧的大车路上，沿大车路向南偏西南前进120米，偏离大车路，经过水沟，穿过水稻田再沿分水线经过136.2高地，向东南方向前进约300米，翻过山脊经过缓坡地向东偏东南前进200米，到148.6高地，沿分水线向东跨过鞍部前进约200米到无名高地，跨谷地向北过缓坡前进约80米到无名高地西南侧，向东北前进约90米到高地东北侧，转向东偏东南经过小路沿分水线前进约250米，向东前进约130米到无名高地，继续沿分水线向南前进约40米，向东偏东南前进约40米，向南偏东南经过189.0高地后走缓坡，陡坡前进约200米到水稻田地类界边，转向东偏东南穿过垄田沿分水线，沿半坡前进约510米，到鞍部边缘，转向北偏东北过鞍部沿分水线，经过221.0高地，经过小路及无名高地前进约670米，继续沿分水线向东偏东北前进约380米到无名高地，向南偏东南经过241.8高地前进约330米，向南前进约110米，偏离分水线过缓坡穿过垄田，经过陡坡向东前进约270米到山脊上，沿分水线向北偏东北前进约180米，一直沿分水线向东偏东南前进约100米，向东南前进约350米，向东偏东南前进约190米到221.0高地南侧继续沿分水线向北前进约170米，向东前进80米到无名高地西侧，向北偏西北，跨鞍部经过无名高地，继续沿分水线弧形前进约430米，向东北前进约130米，转向南偏东南前进约130米，向东偏东南经过两个无名高地前进约460米，转向东偏东北继续沿分水线跨谷地，经过小路前进约350米，向北偏东北沿分水线前进约140米，转向东偏东南经过无名高地沿分水线前进约240米，继续沿分水线向北偏东北前进约120米，向东前进约70米，向东偏东南前进约80米到243.1米高地，继续沿分水线向北偏东北前进约80米，向东前进约120米，向东偏东北经过无名高地前进约330米到231.6高地，转向北沿分水线前进约80米，向东偏北前进约140米到鞍部边缘，向北偏东北前进约110米到无名高地，转向东偏东南，从219.2高地东北侧过，再前进约180米，偏离分水线，翻高地，跨谷地，穿过小路向东前进约360米，沿分水线北侧向东偏东南，经过东坑（三角点）249.2高地前进约280米，沿分水线向南偏东南经过无名高地前进280米，到243.1高地，向东继续沿分水线前进约60米，折向南偏西南前进约220米，到无名高地，转向东偏东南，先沿分水线，后跨谷地经过小路，陡坡前进360米到230.6高地西南侧，折向南偏西南沿分水线前进约110米到无名高地，继续沿分水线向南部偏东南前进约130米，到无名高地西北侧，经过无名高地继续沿分水线向东南方向前进约230米到227.5高地，向南偏东南，经过小路前进约130米到鞍部，继续沿分水线向南偏西南前进约90米，转向东偏东南前进约120米到232.4高地，向东南跨鞍部前进约150米，到防火带无名高地，沿防火带向东偏东北前进约150米，向东经过217.8高程点前进约100米，向东南经过276.1高地前进约450米，折向西偏西南继续沿防火带前进约140米，向西经过238.9高程点前进约100米，转向南偏西南经过小路前进约70米，转向南偏东南经过231.9高程点前进约130米，继续沿防火带向南偏西南前进100米，向南偏东南经过245.6高地前进约180米，转向西偏西南前进约150米，向西南经过270.9高地前进约90米，向南偏西南穿过公路前进约210米到达252600 1号界桩，242526 1至252600 1全长24.697公里。

252600 1界桩，所在图幅G-50-16-（44），双面型界桩，钢筋混凝土结构，埋设在永丰县鹿冈乡贯前村，乐安县潭港乡石塘村相接处的公路南侧。在磁方位角75° 58′ 00″距离34.345米处为人工刻记第一方位物；在磁方位角270° 23′ 00″距离12.727米处为人工刻记第二方位物；在磁方位角311° 59′ 20″距离42.822米处的房角为第三方位物。

从252600 1出发，继续沿防火带向南经过223.4高地前进约110米，转向南偏西南前进约50米，向南偏东南经过236.5高地前进约240米，向南偏西南前进约150米，向南前进约100米，到254.5高地上，开始偏离防火带，向西偏西南前进约170米，向南偏东南前进约140米，继续沿分水线向南偏西南经过217.2高程点（鞍部）前进约300米，到防火带东侧，沿防火带东侧经过244.1高地，后沿防火带向南偏东南前进约170米，转向南偏西南沿防火带经过238.9鞍部前进约640米到295.9高地西北侧，继续沿防火带向西前进约50米，向西北前进约70米，向西前进约50米，向南偏西南前进约90米到253.8高地西侧，向西经过小路前进220米到265.8高地南侧，向南偏西南前进约200米到283.7高地，向西偏西北前进约150米，偏离防火带从270.6高地东南侧而过，沿灌木林与树林地类界向南偏西南前进约220米到262.9高地西北侧，沿分水线向西偏西南前进约370米到271.0高地北侧，沿灌木林与松树地类界，后偏离地类界向西偏西北前进约100米，转向西偏西南沿半坡，后沿地类界前进约200米到无名高地上，沿分水线经过鞍部小路前进约140米到290.5高地，继续沿分水线向南偏西南前进约110米，向南偏东南前进约230米到垄田边缘，沿垄田边缘向西偏西北前进70米，向南偏西南前进约20米，向东偏东南继续沿地类界前进约70米，折向西南沿分水线前进约130米，转向北偏西北沿分水线前进约190米，到无名高地南侧，折向南偏西南继续沿分水线经过251.9高地，无名高地及263.5高地前进约690米，转向西前进约80米，向南偏西南跨鞍部前进约110米，继续沿分水线向南经过无名高地前进约170米，向南偏东南沿分水线经过236.0高程点，246.7高地，经过小路，经过265.5高地及南江乡村路前进约1660米，继续沿分水线向东北前进约50米，再向东前进约50米，向南偏东南，沿山脊线翻无名高地，经过165.5高地及鞍部前进约230米，转向南偏西南沿分水线经过无名高地173.0高地后，跨谷地走半坡，前进约840米，到176.3高地上，向东偏东南从谷地向山脊前进约80米，向南偏东南经过170.9高地前进约

120 米，沿分水线向南偏西南前进约 80 米，向南先沿分水线，跨过鞍部，前进约 450 米，向南偏东南继续沿分水线前进约 160 米，向南前进约 50 米到 159.1 高地北侧，向西前进 80 米，转向南偏西南沿分水线跨鞍部，经过无名高地、149.5 高地，前进约 460 米到无名高地上，转向西偏西南前进约 60 米，向西跨鞍部前进约 90 米，继续沿分水线向南偏西南前进约 80 米，向西前进约 50 米，从 143.5 高地北侧而过，沿分水线向西偏西北前进约 50 米到无名高地上，向西前进约 70 米到另一无名高地上，向西偏西北继续沿分水线，经过两个无名高地前进约 260 米，转向西偏西南前进约 130 米到小路上，向正西穿过水稻田经过水沟，走半坡，穿过无名高地前进约 470 米，到另一无名高地上，转向正南沿分水线前进约 90 米到鞍部，继续沿分水线向南偏东南前进约 70 米到 137.2 高地，转向南偏西南前进约 80 米，拐向东偏东南前进约 80 米到无名高地上，继续沿分水线向南偏西南，后经过小路，水沟穿过水稻田，灌木林上陡坡前进约 320 米，转向西偏西南沿分水线经过无名高地前进约 210 米，向正南前进约 60 米到 142.6 高地上，从高地下继续沿分水线向南偏西南前进约 160 米，到无名高地，向南经过另一无名高地前进约 180 米到 142.2 高地，向南偏东南前进约 60 米，向南偏西南经过无名高地前进约 50 米，向南偏东南前进约 90 米到无名高地上，继续沿分水线前进约 250 米，到 147.0 高地，转向东偏东南经过无名高地前进约 120 米，继续沿分水线，向南穿过水田前进约 200 米，到山脚下，沿山脚走水稻田向南偏东南前进约 400 米，转向西偏西南走谷地翻山脊前进约 530 米，向南走缓坡约 50 米到无名高地上，转向东南下陡坡前进约 100 米到谷地中，向南偏西南迎坡而上翻山脊后沿谷地经过大谷地小路又沿小谷地，翻过无名高地，越谷地翻山脊前进约 950 米到 156.0 高地东侧，沿分水线向东偏东南经过鞍部前进约 60 米，到无名高地上，继续沿分水线向南偏西南前进约 100 米到另一无名高地，向南偏东南走 80 米到 153.0 高地，沿分水线向东偏东南前进约 40 米，到山脊上，沿分水线经过鞍部后，过谷地向南偏东南前进约 140 米，从高地西南侧而过，向东偏东南前进约 60 米到无名高地，沿分水线向南偏西南前进约 120 米，到 155.6 高地东侧，向南偏东南继续沿分水线前进约 100 米，向南偏西南前进约 50 米，到无名高地上，继续沿分水线向东偏东南前进约 80 米，转向东偏东北前进 80 米，向南偏东南前进约 120 米，到无名高地上，继续沿分水线向南后走水稻田前进约 160 米，向西偏西南走垄田前进约 70 米，到稻田地类界上，沿地类界转向东偏东北前进约 130 米，转向南偏西南沿地类界前进约 160 米，偏离地类中地翻过鞍部向南前进约 160 米，继续沿谷地向南偏东南前进约 970 米，到田中，转向南偏西南，斜穿恩江河，经过旱地，小路穿过坎子，从上高坪和下高坪中间前进约 860 米，穿过稻田向南偏东南上缓坡，经过 111.5 高地及大车路前进约 840 米，向南偏西南沿分水线前进约 200 米，到稻田地类界上，后又向南偏东南穿过水稻田沿分水线前进约 540 米，向南偏西南走半坡沿分水线前进 260 米，沿分水线向西南前进 200 米到 135.8 高地东侧，转向东偏东南偏离分水线，跨谷地经过乡村路后沿分水线前进约 360 米，到 170.2 高地，继续沿分水线向南偏东南前进约 110 米，到无名高地上转向东前进约 100 米到 190.5 高地，向南偏东南沿分水线东侧前进约 110 米到无名高地，向东偏东南走半坡前进约 90 米，到鞍部沿分水线向东南前进约 90 米，到 182.0 高地继续沿分水线向东偏东南经过鞍部，无名高地前进约 140 米，转向南偏西南经过无名高地前进 140 米，到 175.2 高地，继续沿分水线向南偏东南前进 130 米，沿分水线向东偏东南前进约 70 米到达 2526002 号界桩，2526001 号至 2526002 全长 22.066 公里。

2526002 界桩，所在图幅 G-50-28-（11），双面型界桩，钢筋混凝土结构，埋设在永丰县七都乡牛山村，乐安县牛田镇峡圳村相接处的小路东侧，在磁方位角 124°10′50″距离 8.724 米处为人工设置水泥桩为第一方位物；在磁方位角199°04′00″距离9.189米处为人工设置水泥桩为第二方位物；在磁方位角346°07′20″，距离4.817米处为人工设置水泥桩为第三方位物。

从2526002出发，沿分水线向东前进约200米，到无名高地上，继续沿分水线向东南经过鞍部小路前进100米，向南偏东南经过无名高地前进约140米，继续沿分水线向东南前进约110米，向西南，经过无名高地前进约150米，到鞍部，转向西偏西北继续沿分水线前进70米到186.9高地上，继续沿分水线向南偏西南前进约250米，到无名高地上，向东南跨鞍部前进约110米，到202.3高地，继续沿分水线向南偏西南经过196.8高地前进约350米，向东偏东南经过214.7高地前进约270米，向南偏东南前进约70米，向东偏东南经过202.7鞍部前进约100米，继续沿分水线向南偏东南经过无名高地前进约140米，向南前进约110米，到228.7高地，继续沿分水线向西偏西北前进约100米，向西跨过鞍部前进约110米，到218.3高地，转向南偏西南沿分水线跨过谷地前进约60米，到山脊上，转向西偏西南沿分水线跨过谷地前进约250米，到234.3高地，向西偏西北前进约130米到三角点相罗峰南侧，继续沿分水线向西偏西南前进约80米，向南前进约130米到无名高地，转向南偏西南经过鞍部前进约100米到237.0米高地，继续沿分水线向西偏西南前进约150米，向南偏西南经过227.3高地前进约130米，向西偏西北地前进约80米，向南前进约70米，转向西偏西北继续沿分水线经过小路，跨谷地前进约290米，到199.3高程点，向北从无名高地西侧前进约100米，沿分水线向西北前进约80米到211.3高地，折向西偏西南经过鞍部前进约140米，向南偏西南前进约50米到214.2高地，继续沿分水线跨过鞍部前进约100米到无名高地，向西偏西北前进约100米，转向南偏西南前进约70米，向西南跨鞍部前进约100米，转向南偏西南前进约70米，向西南跨鞍部前进约80米，到山脊上，继续沿分水线向西前进约70米到无名高地，折向南偏东南前进约80米到另一无名高地向南偏西南前进约80米，向东南跨鞍部前进110米，向南经过209.0高地前进约100米，到无名高地，转向正西沿分水线，穿过小路，前进150米，继续沿分水线向西偏西北经过无名高地，194.0高地前进约210米，到无名高地上，转向西南跨鞍部前进约110米，到无名高地，向西北跨鞍部经过另一无名高地前进约160米，继续沿分水线，经过181.0高地向北偏西北前进约150米，到无名高地，偏离分水线跨谷地经过小路向西偏西南前进约100米，转向西偏西北经过无名高地跨谷地前进约190米到陡坡上，由陡坡上后沿分水线向西北前进约160米到201.0高地，沿分水线转向西南前进约100米到无名高地上，偏离分水线向西偏西北走陡坡前进约60米，向西走陡坡跨谷地前进约80米，走谷地翻山脊向南偏西南前进约160米，向西偏西南走陡坡，经过二条小路后，沿分水线前进约500米，到谷地合水线上，沿分水线折向西北前进约160米，向西偏西北前进约110米，到192.4高地南侧，转向南偏西南沿分水线经过无名高地前进约120米，偏离分水线向西南走陡坡，前进约130米，到谷地上端，由谷地上后沿分水线向西北前进约170米，到194.9高地，向北偏西北经过鞍部前进约110米到无名高地，转向西偏西北继续沿分水线前进约200米，向西经过202.7高地后偏离分水线走陡坡前进约200米，到谷地的合水线上，转向南偏西南翻过无名高地，沿分水线东侧前进约200米，到184.9高地，沿分水线经过鞍部向西偏西北前进约180米，到无名高地上，转向南偏东南继续沿分水线前进约180米，到183.5高地，向南偏西南前进约200米到无名高地，沿分水线向西偏西北前进约130米，到189.9高地，折向南跨鞍部前进约200米，继续沿分水线向南偏西南前进约140米到205.6高地，转向西偏西北经过鞍部，经过197.3高地，前进约340米，偏离分水线跨谷地，翻过181.0高地，过鞍部，沿分水线向西前进约180米，到无名高地北侧，继续沿分水线向西北经过鞍部，176.5 高地前进约 190 米，偏离分水线过陡坡，经过谷地小路向南偏西南前进约 230 米，到小鞍上，沿分水线向南偏东南前进约 20 米，向南偏西南经过无名高地前进约 130 米，向西偏西南前进约 120 米，到无名高地，继续沿分水线向南偏东南前进约 60 米，到鞍部，向东偏东南前进约 50 米到无名高地上，折向南偏西南，经过鞍部，182.0 高地前进约 420 米，继续沿分水线向南偏东南前进约 80 米到无名高地偏离分水线过陡坡向西偏西南前进约 60 米，沿分水线穿过谷地向西偏西北前进约 180 米，到 161.1 高地上，沿分水线向西偏西南前进约 50 米，向西偏西北沿分水线，穿过水田前进约 100 米到小路东侧，过小路，上坡向西偏西南前进约 50 米，转向南偏西南沿分水线前进约 70 米，到无名高地北侧，沿分水线向西偏西北前进约 70 米，偏离分水线，过缓坡，陡坡穿过谷地沿分水线上，前进约 260 米，转向南偏东南经过无名高地，沿分水线前进约 190 米，偏离分水线过陡坡，穿过水稻田，经过小路，沿分水线向西偏西南前进约 200 米，到无名高地上，从陡坡下穿过水田向西偏西北前进约 100 米，到水田地界类，上陡坡后沿分水线向西南前进约 130 米，转向西北前进约 100 米到 163.0 高地，偏离分水线向西沿半坡过陡坡经过小路，从水库坝南侧 20 米处而过，上陡坡，缓坡前进约 180 米，到高地南侧，向西偏西南过缓坡穿过稻田上陡坡前进约 220 米到谷地上端，穿过谷地，翻山脊后，沿分水线，向南偏西南前进约 360 米，到无名高地，沿分水线向南偏东南，经过无名高地，鞍部，143.5 高地前进约 350 米到无名高地上，偏离分水线，走半坡向西偏西南前进约 70 米，向南偏东南先偏离分水线，后沿分水线前进约 180 米，到 153.0 高地，向南偏西南经过小路前进约 50 米，到无名高地，再向南偏东南前进约 200 米，到另一无名高地折向东偏东南沿谷地合水线前进约 120 米，继续由谷地合水线向南偏东南前进约 140 米到小路上，穿过水稻田沿谷地合水线向东偏东南前进约 210 米，向南偏东南沿分水线后，翻过山脊前进约 330 米，沿谷地合水线东侧，后沿分水线继续向南偏东南前进约 220 米，转向南偏西南继续沿分水线前进约 200 米，走谷地合水线（垄田中）向西偏西南前进约 200 米，折向南偏东南，偏离合水线沿水线经过无名高地 150.5 高地，前进约 420 米，向南前进约 70 米，偏离分水线跨小谷地向东偏东南前进约 70 米到无名高地上，向南偏东南经过鞍部前进约 70 米到 143.2 高地，沿小谷地后，沿山脊向南前进约 140 米到无名高地上，沿分水线向西南前进约 60 米，沿分水线向南前进约 50 米，向南偏西南先沿分水线后经过缓坡地及大车路（罗公市村东侧 110 米），斜过小河，经过谷地小路前进约 310 米，到陡坡上，向南偏东南沿分水线经过两个无名高地，跨谷地前进约 340 米到山脊上，沿分水线向南偏西南前进约 60 米，向南偏东南，经过无名高地前进约 180 米，向南偏西南前进约 30 米到鞍部上，偏离分水线跨谷地翻山脊向东偏东南前进约 130 米到小山脊上，向南偏西南跨谷地翻山脊前进约 160 米，沿半坡向南偏东南前进 130 米，转向东偏东南分水线东北测到 158.7 高地，沿分水线经过 3 个无名高地前进约 380 米到无名高地西边缘，向南偏东南经过鞍部前进约 100 米到 164.7 高地东侧，又转向东偏东南先沿分水线东北侧，翻山脊，后沿半坡前进约 260 米，从半坡上，到无名高地再沿分水线向南偏西南，经过小路及无名高地前进 310 米到 188.5 高地西侧，向西偏西南沿分水线前进约 100 米，向南偏东南前进约 90 米，继续沿分水线向南偏西南前进约 100 米，跨鞍部向南偏东南前进约 150 米到无名高地上，向南经一无名高地及小路前进约 110 米到无名高地上，转向东南继续沿分水线经过鞍部，翻过无名高地前进约 280 米到 185.6 高地，向南偏东南前进约 220 米到鞍部上，向东偏东南前进约 50 米，到无名高地上，向南偏东南翻过另一无名高地前进约 220 米，转向南偏西南，穿过鞍部前进约 60 米，继续沿分水线向南前进约 60 米，到无名高地上，转向东偏东南跨过鞍部前进约 100 米到 173.7

高地，折向西偏西南，先偏离分水线过半坡，后经过长鞍部，再沿分水线前进约210米，继续沿分水线向南偏西南前进约210米，转向南偏东南前进约60米，向东南前进约70米，向南偏西南前进约90米，向南偏东南前进约40米到无名高地北侧，从高地北侧过继续沿分水线向东偏东南跨鞍部前进约510米，到分水岭交叉处，折向北偏东北继续沿分水线前进约70米，向北偏西北前进约70米，向北前进110米，继续沿分水线向北偏东北经过208.3高程点前进约410米到山脚下，斜穿垄田向东偏东南前进约100米到垄田地类界上，转向南偏东南沿分水线前进约210米，到211.9高程点，向东偏东南沿分水线前进约290米到无名高地上，从274.4高地东南侧面过，向东偏东北先沿分水线东南侧，过鞍部，再沿分水线翻过261.0高地前进约420米，到无名高地上，沿分水细致入微迴北偏西北前进约170米，改沿谷地合水线向东偏东北前进约180米到山脚下，沿山脚向东穿过小路沿分水线前进约190米，向东偏东南继续沿分水线前进约130米，向东偏东北前进约100米，向北偏东北前进约60米，继续沿分水线向东前进约50米，向东偏东北前进约170米，转向东偏东南继续沿分水线经过无名高地，从另一无名高地西南侧而过，经过国家三角点九子岭高地前进约280米，偏离分水线，穿过谷地，再沿分水线经过鞍部向南偏西南前进约260米，到无名高地上，向西偏西南跨鞍部向南偏西南前进约80米到256.7高地上，向南偏东南过长鞍部沿分水线前进约170米，再沿分水线翻过无名高地向东偏东南前进约150米，偏离分水线，经过小路从另一无名高地东北侧而过，向东南方向前进约150米，沿半坡向南偏东南翻过山脊前进约130米，沿分水线向南偏西南经过无名高地前进约180米，到另一无名高地西北侧，向东南翻过无名高地前进约60米，继续沿分水线向南偏西南前进约60米到小无名高地上，向南偏东南过鞍部前进100米，向南偏西南前进约40米无名高地上，继续沿分水线向东南前进约70米，到鞍部上，向南偏东南过半坡前进约90到245.5高地，沿分水线向东偏东南前进约70米，继续沿分水线向南偏西南前进约70米，向东偏东南前进约100米，向东偏东北前进约70米，继续沿分水线向东偏东南前进约80米，向南偏东南前进约70米，向东偏东南前进约180米到山脚下，向南偏东南，经过小路、水沟穿过水田沿分水线前进约290米，向南偏西南前进约100米，继续沿分水线向西南前进220米，到249.6高地，向南偏西南沿分水线前进约150米，向南偏东南前进约80米，偏离分水线向南偏西南过半坡及小谷地，翻山脊走援坡，陡坡前进约320米，转向东南，斜过谷地前进约120米到山脊上，向东沿小分水岭前进约60米，向东南沿分水线经过小路偏分水线沿小路东北侧20米，后继续沿分水线前进约540米，向南偏东南沿小路东侧15米至20米处前进约400米到小路上，转东偏东南沿小路后偏离小路，沿分水线跨过谷地又沿分水线前进约270米到264.0高地，向东沿谷地合水线前进约100米到无名高地，向南偏向西南过无名高地沿谷地合水线前进约80米，向南过山脊前进约30米，向南偏西南过小路及鞍部，237.8高地沿分水线前进约420米到无名高地上，继续沿分水线跨鞍部过无名高地向南偏东南前进约180米，向东偏东南前进110米到无名高地上，继续沿分水线向南偏东南前进约140米到2526003界桩，2526002至2526003全长30.098公里。

2526003号界桩，所在图幅G—50—28—(35)，界桩类型为双面型，材质为钢筋混凝土结构，埋设在永丰县瑶田乡都溪村，乐安县罗陂乡力下村委会相接处。在磁方位角117°42′50″，距离196.641米处的机米房西房角为第一方位物；在磁方位角231°26′10″距离12.891米处的埋石（小山脊）为第二方位物；在磁方位角349°50′30″距离123.520米埋石（山头边）为第三方位物。

从2526003号界桩出发沿分水线，经过缓坡，房子北侧向东偏东南前进约190米到公路西北侧，穿过公路向南偏东南走缓坡前进约150米到水田边，沿水田地类界向东前进约110米，向北偏东北前进约30米，向北前进约40米，偏离地类界走水田向东前进约180米，折向南前进约210米到坎子上，沿坎子后沿水沟向西前进约120米，穿过水沟及水田后沿山脚向西偏西南前进约290米，沿山脚向南前进约40米，沿水田边向东偏东南前进约80米到小路北侧，斜穿小路水田向西南沿分水线前进约110米，沿分水线向南偏西南前进约170米，到209.4高地，偏离分水线过谷地，缓坡及陡坡向南偏东南前进约960米到416.7高地，沿分水线向东偏东南前进约60米，向南偏东南前进约30米，向东南过无名高地，继续沿分水线前进约160米，向南跨鞍部前进约120米到389.3高地，继续沿分水线向南偏东南跨过鞍部翻402.1、393.3等高地前进约600米，转向东偏东南过鞍部前进约100米，向东南方向经过无名高地沿分水线前进约160米，改向东偏东北过鞍部前进约80米到无名高地上，向东南沿高地前进约30米，向南过鞍部前进约50米，继续沿分水线向东偏东南经过425.4高地，492.0高程点及仙姑山600.0高地前进约800米，继续向东偏东南偏离分水线，横跨谷地，经过495.6高地前进约200米向南偏东南，穿过冲沟，过谷地，绕482.7高地东侧前进约350米，到山脊上，沿分水线向南偏西南前进约270米到长鞍部上，向南偏东南继续沿分水线经过400.5高地，小路前进约160米，到无名高地，沿分水线上的小路向南偏西南前进70米，偏离分水线及小路，沿谷地合水线向东偏东南前进220米，向东偏东北前进约390米，偏离合水线折向东南沿半坡前进约70米到小路上，向南从坎子下前进约80米，横过稻田后，沿水田地类界向东偏东南前进约120米，转向南偏西南，沿半坡前进约60米，向东偏东北前进约60米，向南沿半坡前进约50米，到水田地类界上，穿过水田向东偏东南前进约40米，到水田地类界上，沿半坡向东偏东北前进约30米，向东偏东南前进约90米，向东南前进约50米到谷地合水线上继续沿半坡向北偏东北前进约60米，翻过鞍部向东前进约30米到谷地合水线上，向南沿坎子前进50同东前进约30米，偏离坎子沿半坡向南偏西南前进约90米，向东偏东南继续沿半坡前进约110米，到水田地类界上，沿地类界向南偏东南前进约70米，斜穿稻田再沿地类界向东偏东北前进约230米，走水田向东南方向前进约40米到水沟，走水稻田北偏东北前进约80米，到水田地类界上，偏离地类界翻过鞍部向东前进约110米，到谷地合水线上，沿合水线向南偏西南前进约150米，向南偏东南前进约230米，向南偏西南前进180米，继续沿合水线向南偏东南前进约90米，向东前进50米向东偏东北沿合水线翻过鞍部山脊前进约150米到谷地合水线上，折向南偏东南沿分水线前进约700米到山脊上，向南偏西南过山脊沿合水线前进约210米，沿合水线后偏离合水线上坡继续向南偏西南前进约150米，到小路上，走松林、杉林上缓坡向南偏西南前进约240米，到国家三角点川风凹高地上，高程为650.6米，后一直沿分水线向东前进约200米，向东偏东南经过鞍部613.0高程点前进约270米，向东偏东北前进约210米到642.8高地，向东偏东南跨鞍部前进约120米，向南偏东南前进约60米到无名高地上，继续沿分水线向东偏东北经过692.0高地，717.0高程点前进约600米向东经过772.0高地，鞍部前进约220米，向东北前进约80米，向东偏东北经过鲤鱼石国家三角点802.1高地，经过鞍部及769.3高地前进约690米，向北偏东北过鞍部前进170米到723.9高地西南侧，继续沿分水线向东偏东北经过723.9高地及鞍部小路无名高地，过鞍部，722.3高地，749.8高地前进780米，到749.8高地东侧，转向东偏东南前进约160米，到鞍部上，继续沿分水线向东偏东北经过739.8高地，鞍部前进约510米到805.3高地上，继续向东偏东北经过鞍部前进约280米，向东偏东南，经过866.7高地前进约100米，到866.7高地东侧，向正东前进100米到无名高地，向东偏东南继续沿分水线，经过868.0高地前进约200米，偏离分水线沿地类界向东偏东北前进约60米，向东前进约80米，向东偏东北经过鞍部小路沿分水线前进约460米，向正东经过无名高地及894.4高地前进约550米到901.4高地，向东偏东南继续沿分水线前进约140米，向南偏东南前进约80米到国家三角点(甑盖岭938.4高地)，向正东前进约110米，向东偏东北继续沿分水线经过长鞍部前进约330米，到934.7高地，转向东偏东南前进约60米，向东偏东北经过鞍部前进约280米，向东偏东南前进约80米，偏离分水线沿竹林地类界向东偏东北前进约200米，向正东前进约80米，转向北偏东北沿分水线前进约250米到1058.7高地西南侧，向东偏东北经过1058.7高地，鞍部，无名高地前进约470米到1055.4高地，偏离分水线继续沿竹林地类界向东偏东南前进约200米，向东偏东北经过长鞍部从无名高地北侧而过前进约470米，到992.0高地，向东偏东南沿石明岭分水线及竹林地类界前进约50米，向东偏东北前进约100米，向东南从无名高地西南侧而过，沿竹林地类界前进约570米，到无名高地，穿过鞍部小路沿树林地类界向东偏东北前进约70米，向南偏东南前进40米，沿石明岭分水线向东偏东南经过1063.0高地，前进约390米，到1063.0高地东南侧，一直沿分水线及竹林地类界向东偏东北前进约200米，向东偏东南前进约90米，向东偏东北前进约140米，到967.7高地北侧，绕967.7高地向东偏东南前进约30米到鞍部，向东前进约30米，沿分水线向东偏东南前进约80米，向东前进约30米，向东偏东南前进约140米，继续沿分水线东偏东北前进约80米，到938.7高程点，向东偏东南前进约90米，到鞍部，向南偏东南前进约30米，继续沿分水线经过978.7高地及鞍部向东偏东南前进约230米，向东前进约50米，向东南前进约130米，向东经过1018.7高地前进约50米，向东偏东北前进约30米，到鞍部，向东偏东南前进约180米，到华山脑国家三角点北侧，转向南经过三角点1038.2高地继续沿分水线前进100米，向东南前进约250米，向南偏东南前进约220米，到982.0高地东侧的小路转弯处，沿分水岭小路向东偏东南前进约170米，穿过鞍部向东南经过986.7高地前进约160米，沿小路东侧向南偏东南经过小路交叉前进约230米，到小路转弯处，山名为黄草嵊，偏离小路向南偏西南经过无名高地西北侧，过鞍部前进约230米，穿过小谷地向西偏西南前进约40米，沿分水线向南偏西南，过鞍部前进约100米，到899.4高地，继续沿分水线向南偏东南经过鞍部887.4高地前进约450米，转向南偏西南跨鞍部前进约110米到874.0高地，再继续沿分水线向南偏东南经过长鞍部868.4高程点，前进约500米，向东偏东南偏离分水线前进约110米，界线从916.0高地及912.8高地间向南偏东南前进约50米，沿分水线向南偏西南过无名高地前进约340米，到946.7高地上，向南偏东南前进约90米，向南偏西南经过鞍部前进约100米，继续沿分水线向南偏东南经过942.7高地，鞍部及938.7高地前进约440米，向东偏东南前进约500米，向东南穿过小路前进约120米到鞍部上，向东偏东南继续沿分水线经过782.7高地，鞍部及703.4高地，后偏离分水线过谷地，半坡前进约830米，转向南偏东南过山脊，沿竹林地类界西侧20米前进约140米，向东偏东南沿分水线前进470米，向东偏东北前进110米，向南偏东南经过422.7高地前进约70米，向南偏西南沿分水线东侧前进约120米，转向南偏东南沿分水线东侧前进约210米，向东偏东南经过小谷地后沿分水线前进约290米，向南偏东南沿分水线前进约190米，继续沿分水线向南经过乡村路、水沟、小路前进约260米，向南偏东南沿分水线前进约300米，向南偏西南前进约180米，向西偏西南前进约120米，继续沿分水线向西南前进约200米，向南前进约170米，向南偏东南经过576.7高地，过鞍部前进约130米，向西南偏经过国家三角点石江排前进约100米，向南前进约130米，偏离分水线向东偏东北沿小谷合水线前进约120米，偏离合水线走半坡向东北方向前进约150米，向东偏东北沿分水线前进约390米，向东前进约100米，继续沿分水线向东偏东前进约460米，到小溪西侧，沿小溪西侧折向南前进约80米，向南偏西南前进约150米，向南偏东南前进约30米，继续沿水沟西侧向南偏西南前进约480米，向南偏东南前进约200米，偏离小溪转向西偏西南沿谷地合水线前进780米，向南偏西南沿分水线走半坡前进约300米，向南偏东南上坡前进约40米到431.3鞍部，急转弯向北偏东北沿半坡前进约140米，向东偏东北沿半坡前进约240米，转向南偏东南沿半坡过谷地前进约150米，上缓坡向东偏东北前进约80米，转向南偏东南，走缓坡经过鞍部及无名高地，穿过小谷地前进约410米，到小路上，向南开始沿分水线经过381.4高地前进约420米，向东偏东南前进约50米到山脊324.7高程点上，转向南偏西南经过小路，前进约250米，向南前进约40米到358.7高地上，继续沿分水线，向东偏东南前进约170米，向南偏东南沿分水线穿过小溪前进约90米到小溪东侧20米的地方，继续沿分水线向东偏东南前进约150米，到317.3高地西南侧，沿分水线向南前进约80米到2526004号界桩，2526003至2526004全长33.953公里。

2526004界桩，所在图幅G—50—28—（62），双面型界桩，钢筋混凝土结构，埋设在永丰县北坑乡江边村，乐安县金竹乡联村村相接处。在磁方位角96° 10′ 00″距离9.171米埋石为第一方位物；在磁方位角202° 50′ 00″距离26.580米埋石为第二方位物；在磁方位角299° 53′ 40″距离10.05米埋石为第三方位物。

从2526004出发，继续沿分水线向南经过大车路前进约170米，向南偏东南前进约130米，向南偏西南经过388.7高地前进约340米，到鞍部转弯处，继续沿分水线向东南前进约90米到乡村路上，向南偏东南经过鞍部，小路及无名高地前进约230米，向东偏东南前进约300米到鞍部，向东南前进约90米到小路上，继续沿分水线向东偏东南前进约80米，向东南前进约170米，向东偏东南前进约100米，向东南偏离分水线斜穿526.7高地前进约140米，到松林与草地交界处，沿分水线向南偏西南经过小路交叉前进约390米，沿分水线向南偏东南前进约210米，偏离分水线向西偏西南，先沿谷地边缘，后沿谷地合水线前进约660米，偏离合水线，沿分水线向南偏东南经过小路前进约150米，继续向南偏东南沿小谷地合水线前进约140米，向东偏东南沿分水线前进约70米，向东偏东北沿分水线前进约130米，向东南前进约50米到毫坑岭，继续沿分水线向南偏东南经过鞍部前进约160米，向南偏西南经过无名高地755.4高地及鞍部小路前进约560米，继续沿分水线向南偏东南前进约120米，向东前进70米，到国家三角点毛坑岭上，转向南偏东南经过鞍部前进约80米，继续沿分水线向东偏东南前进约50米，到817.4高地，向南偏东南前进约160米到小路上，向东偏东南前进约30米，向东偏东北经过小路继续沿分水线前进330米到824.7高地，转向南偏东南穿过长鞍部前进约270米到836.0高地北侧，向东沿分水线前进约180米，向东南沿分水线前进50米，向东偏东南经过鞍部794.7高地，后偏南离分水线穿过小路又沿分水线前进约300米，转向南偏西南沿分水线前进约90米，向南偏东南沿分水线，经过无名高地及小路前进约270米到谷地合水线上，沿分水线向东偏东北前进约90米，向东沿分水线前进约270米，偏离合水线向东偏东北上坡翻过鞍部又沿谷地合水线前进约330米，向东沿半坡后沿小路前进约180米，向东偏东南沿小路前进约100米，向东偏东北沿谷地合水线前进约350米，向东偏东南偏离合水线翻过山脊后又沿谷地合水线，经过小路交叉前进约360米，沿半坡向南前进约50米，沿半坡向西南前进约130米，向南偏西南沿半坡后，沿谷地合水线前进约280米，向南沿分水线前进60米，向南偏东南沿分水线前进约50米，向南前进约50米，继续沿分水线向西南前进约220米，向南前进约100米，向南偏西南前进约90米，继续沿分水线向南前进约100米，向南偏东南由谷地上山脊，经过无名高地南侧，沿分水线前进约150米，到小路边沿小路向东南前进约

90 米，到无名高地，沿小路向东偏东南上坡，前进约 160 米到无名高地西北侧，向南偏东南沿分水线穿过小路，后下至谷地又上山脊经过无名高地前进约 370 米到 962.0 高地西侧，向南偏西南沿分水线前进 150 米到乡村路上，沿分水线向向南前进约 220 米，向南偏东南越过小谷地前进约 110 米到乡村路东边，偏离乡村路沿分水线向东偏东南前进约 120 米到小路上，向东偏东北沿分水线经过中华山高地，鞍部前进约 250 米到无名高地上，转向南偏东南，沿分水线经过鞍部小路，后偏离分水线前进约 450 米，向东偏东北沿分水线经过 995.3 高地前进约 140 米，沿分水线向北偏东北前进约 110 米到鞍部沿乡村路向东偏东北前进约 260 米，转向东偏东南沿乡村路前进约 60 米，继续沿乡村路向北偏东北，经过道路交叉口后，偏离乡村路沿谷地合水线前进约 430 米，向东偏东北沿分水线，经过乡村路前进 290 米，向东偏东南沿谷地合水线前进 270 米，到小路北侧，沿谷地小路的北侧，向东偏东北，穿过乡村路前进约 600 米到鞍部乡村路东北侧，沿乡路北侧向东前进约 40 米，穿过乡村路向南偏东南，翻山脊过小谷地前进约 140 米到无名高地，折向东偏东北，一直沿分水线前进 70 米到鞍部，向东偏东南前进约 330 米，向南偏东南前进约 340 米到鞍部的小路上，偏离分水线沿半坡，后上缓坡向东前进约 130 米，到无名高地上，沿分水线经过鞍部，小路，向南偏东南前进约 100 米，到另一无名高地，向东偏东南跨鞍部经过小路前进 60 米，跨过鞍部向南沿分水线前进约 30 米，向东南沿分水线前进约 70 米，跨鞍部向东偏东南前进约 90 米，到另一无名高地，沿分水线向南偏东南穿过鞍部及小路前进约 170 米到 1206.0 高地，沿分水线向东前进约 70 米，向东偏东北沿分水线穿过小路前进约 60 米，转向南偏东南继续沿分水线穿过小路前进约 70 米，向东南沿分水线前进约 80 米到无名高地，沿分水线向东经过鞍部小路前进约 90 米，向东南沿分水线经过小路前进约 90 米，向南偏东南沿分水线前进约 100 米到无名高地，转向东偏东北继续沿分水线前进约 70 米到鞍部小路上转向东北沿分水线前进约 70 米到 1273.4 高地，沿分水线向南偏东南，经过小路前进约 200 米，向正东偏离分水线下坡经过小路交叉前进约 70 米到鞍部边缘沿分水线向东南前进约 80 米，向南偏东南前进约 100 米，到小路上，继续沿分水线向南前进约 120 米到无名高地，转向东偏东南沿分水线经过鞍部小路，前进约 170 米，向东偏东北前进约 70 米到无名高地，继续沿分水线经过鞍部，并三次与小路相交，前进约 170 米，到 1354.5 高地，一直沿分水线向南前进约 30 米，向西南，经过鞍部及小路前进约 160 米到无名高地，向南偏西南，沿分水线小路跨鞍部前进约 100 米到小路转弯处，向南偏东南前进约 50 米到小路上，继续沿分水线向东偏东南跨过鞍部，前进约 230 米到无名高地，沿分水线经过小路向南偏西南前进约 100 米，到 1367.5 高地，沿分水线向东南前进约 50 米，向东偏东南沿分水线经过长鞍部及小路，前进约 200 米，向南偏西南沿分水线前进约 70 米，到达终点 252631 1 号点，2526004 到 252631 1 全长 18.782 公里。

252631 1 号点，所在图幅 G—50—40—（7），由省勘界办调处确定。考虑到三县群众对界桩埋设较敏感，理解不一，决定不埋设该枚界桩，未测方位物。252631 1 号点为永（丰）乐（安）县的南端点，位于永丰县中村乡梨树村，乐安县金竹乡深坵村，宁都县东韶乡汉口村的交会处。

（五）新干县人民政府和乐安县人民政府联合勘定的行政区域界线协议书（摘要）

第一部分 勘界工作概述

第一条 新干县与乐安县行政区域界线大部分是历史沿袭形成的习惯线，对毗邻双方缺乏法律约束力。近年来，边界纠纷时有发生，严重影响了边界地区的社会安定、群众团结和经济发展。根据国务院〔1996〕32 号《关于开展勘定省、县两级行政区域界线工作有关问题的通知》文件精神，为了保证勘界工作的顺利进行，双方分别成立了勘界工作领导小组，并下设办公室，负责勘定新（干）乐（安）线的具体工作。1998 年 8 月 1 日，两县勘界工作领导小组组长签订了《新干县与乐安县联合勘定行政区域界线实施方案》，并具体商定了勘界工作的有关事宜。1998 年 10 月 22 日，两县在新干县召开了第一次联合核定行政区域界线会议，双方核定一致的边界线约占全线长度的 67%；未核定一致的共 6 段。1998 年 12 月 16 日，在乐安县召开了第二次核定新干、乐安两县行政区域界线会议。两县勘界办领导及技术人员在联合实地调查踏勘及第一次核界会议的基础上，采用两线分离的办法贯通了 5 段。1999 年 4 月 21 日，两县在乐安县召开了第三次联合勘定新（干）乐（安）线核界会议，双方互谅互让、友好协商、对最后一段尚未取得一致意见的边界线，采取行政区域界线与资源权属界线分离的办法，找到一条贯通线，至此，新（干）乐（安）线实现了全线贯通。1999 年 8 月 30 日，边界线界桩埋设完毕。1999 年 9 月，完成边界线测绘。2000 年 7 月，完成测绘成果检查验收。现就勘定的新干、乐安两县行政区域界线，签订本协议。

第二条　新干、乐安两县行政区域界线，北起丰（城）新（干）乐（安）三县（市交会点），南至新（干）永（丰）乐（安）三县交会点，涉及新干县的城上乡、潭丘乡，乐安县的龚坊乡、戴坊镇。全线共设立 4 个界桩号，实地埋设钢筋混凝土界桩 4 个，其中三面型三县（市）交会点界桩 2 个，双面型界桩 2 个，界线走向、界桩位置说明在第八条中详细叙述。

边界线走向和界桩位置标绘在江西省测绘局 1984 年出版的 1 ∶ 10000 地形图上，作为本协议书的附图。

界桩登记表和界桩成果表记载了各界桩的情况，界桩登记表原件存省民政厅，界桩成果表作为本协议书附表。

第三条　丰城、新干、乐安三县（市）交会点于 1998 年 10 月 15 日在新干县协商确定，新干、永丰、乐安三县交会点于 1998 年 8 月 1 日在乐安县协商确定，成果资料由相关三县（市）勘界办另行组卷归档。

第四条　一、本协议书所记载的边界线长度是从本协议书附图上量取的，以公里为单位；界桩方位物的距离为两点间平距。均为 GPS 测距仪在实地测算，以米为单位。

二、本协议书第三部分叙述边界线走向时使用的方向用十六个方位，其含义如下：

1.	北	348° 45′ —11° 15′
2.	北偏东北	11° 15′ —33° 45′
3.	东北	33° 45′ —56° 15′
4.	东偏东北	56° 15′ —78° 45′
5.	东	78° 45′ —101° 15′
6.	东偏东南	101° 15′ —123° 45′
7.	东南	123° 45′ —146° 15′
8.	南偏东南	146° 15′ —168° 45′
9.	南	168° 45′ —191° 15′
10.	南偏西南	191° 15′ —213° 45′
11.	西南	213° 45′ —236° 15′
12.	西偏西南	236° 15′ —258° 45′
13.	西	258° 45′ —281° 15′
14.	西偏西北	281° 15′ —303° 45′
15.	西北	303° 45′ —326° 15′
16.	北偏西北	326° 15′ —348° 45′

第二部分　重要问题处理结果

第五条　在新（干）乐（安）线的勘定过程中，对于介入对方境内的插花山、飞山、飞地及界线附近的资源权属情况，双方未共同进行详细调查核实，也没有在边界线协议书附图上予以标明，双方的插花山、飞山、飞地及界线附近的资源权属，维护勘界前的权属和经营现状不变。

第六条　在勘界过程中，新（干）乐（安）线在两县第一次核界中未贯通的 6 段，在第二次、第三次核界中得到贯通，其贯通线标绘在江西省测绘局 1984 年出版的 1∶1 万地形图上，只代表两县行政区域界线，不作为划分资源权属的依据，资源经营管理维持现状不变。

第七条　以下 6 段两县联合实地踏勘和两次核界会议贯通，现列举如下：

一、第 1 段经两县第三次核界会议研究贯通，起点位于图名城上【G—50—4（59）】，坐标 X ＝ 3062810，Y ＝ 39370140；终点位于图名大坑【G—50—16（3）】，坐标 X ＝ 3058035，Y ＝ 39365530。

二、以下 5 段经两县第二次核界会议研究贯通。

第 2 段，起点位于图名峰岫【G—50—16（11）】，坐标 X ＝ 3056960，Y ＝ 39364730；终点位于图名中洲【G—50—16（10）】，坐标 X ＝ 3056010，Y ＝ 39364215。

第 3 段，起点位于图名中洲【G—50—16（10）】，坐标 X ＝ 3053130，Y ＝ 39362735；终点位于图名木源林场【G—50—16（18）】，坐标 X ＝ 3052830，Y ＝ 39362040。

第 4 段，位于图名木源林场【G—50—16（18）】，起点坐标 X ＝ 3052060，Y ＝ 39362220；终点坐标 X ＝ 3051830，Y ＝ 39362225。

第 5 段，位于图名木源林场【G—50—16（18）】，起点坐标 X ＝ 3050495，Y ＝ 39361825；终点坐标 X ＝ 3050000，Y ＝ 39361825。

第 6 段，位于图名木源林场【G—50—16（18）】，起点坐标 X ＝ 3048875，Y ＝ 39361745；终点坐标 X ＝ 3048490，Y ＝ 39361450。

第三部分　边界线走向和界桩位置说明

第八条　新干县与乐安县接壤的行政区域边界线长 34.103 公里，经双方人民政府勘界工作领导小组，依照《江西省县级行政区域界线勘定办法》《江西省县级行政区域界线勘界测绘技术规定》（以下简称《技术规定》）及双方联合勘界实施方案，已正式勘定。两县边界走向和界桩位置，除标绘在边界线地形图外，再以文字形式具体描述如下：

起点，位于丰城市、新干县、乐安县三县（市）边界线交会点；界桩，单立三面型、钢筋混凝土结构。该界桩位于丰城市石江乡下山村、新干县城上乡山坳村、乐安县龚坊乡殷坊村三县（市）边界线交会处鞍部小路的西侧，在磁方位角 87°　18′，距离 37.8 米（实测）处为岩石上人工凿十字中心；在磁方位角 156°　54′，距离 12.1 米（实测）处为岩石上人工凿十字中心；在磁方位角 359°　54′，距离 19.1 米（实测）处为岩石上人工凿十字中心，分别作为此界桩的方位物。

从丰城市、新干县、乐安县三县（市）交会点界桩起，界线沿山脊向西南约 430 米，转南偏西南经 691.3 高地约 450 米至小路，沿山脊向西南经 690.7 高地约 350 米，转向南约 210 米，转向西南 110 米至 726.7 高地，沿山脊向南偏西南 100 米，转南偏东南约 330 米，转西南过小路约 140 米，转南偏西南经 725.4 高地、683.4 高地约 1030 米，转向西南经庙背山（大地点刀劈岭 700.0 高地）约 560 米至 685.4 高地，沿山脊向南偏西南经 662.7 高地约 650 米，转向西南约 140 米，转向南沿山坡过小路约 180 米，转南偏西南约 180 米，转西偏西南过小路越约 190 米至一山头，沿山脊向西南约 350 米至 570.7 高程点，转西偏西南约 450 米，至天子地 638.4 高程点西侧 30 米处，沿山坡向西南约 610 米，转南偏西南约 430 米，转西偏西北 70 米，转西偏西南 50 米至乡村路，转南偏西南沿山坡过小路约 240 米至山脊，沿山脊向西南约 400 米至新干县、乐安县 001 号界桩。这段界线的长度为 7.831 公里。

001 号界桩，单立、双面型、钢筋混凝土结构。该界桩位于新干县城上乡丰乐村、乐安县龚坊乡濂坑村两县边界线交会处的山头上。在磁方位角 105°　07′，距离 3.5 米（实测）处为人工埋设水泥桩；在磁方位角 222°　49′，距离 3.8 米（实测）处为人工埋设水泥桩；在磁方位角 343°　51′，距离4.1米（实测）处为人工埋设水泥桩，分别作为此界桩的方位物。

从001号界桩起，界线沿山脊向南约400米至353.4高程点西侧10米处，转南偏东南沿山坡60米，转西南约260米至402.0高地，沿山脊向西南经406.7高地，398.0高地约410米，转西偏西北约100米，转南偏西南经396.7高地约160米，转向南沿山脊约130米，转南偏西南沿山脊经363.4鞍部小路约360米至393.3高地，沿山脊向南偏西南约210米至山脚水田边缘，沿田埂向南偏西南110米至小路，沿小路向南偏西南110米，转西偏西北50米，转向南80米，转西偏西北70米，转南偏西南沿山脚90米，转东偏东南70米，转南偏东南70米，转北偏东北80米，转南偏东南沿山脚约230米，转西偏西南50米，转东南90米，转西南30米至小路，沿小路向西南约180米，转西北40米，转北偏东北50米，转北偏西北90米，转西北140米，转西南60米，转西偏西北过小路交叉处70米，转南偏西南约190米，转西偏西南110米，转西偏西北约160米，转南偏西南经413.3高地，过小路约590米，转南偏东南沿山脊90米，转向西40米至476.7高地，沿山脊向西北约210米，转西偏西北过418.7小路交侧处北侧小路约590米，转西偏西南约270米，转南偏西南沿山脊经阁华山612.7山顶约560米至596.0高地，沿山脊向东南约290米至570.7高地，转南偏西南60米，转西偏西南沿山脊约430米，转西南约410米，转西偏西南约310米，转南偏西南约180米至333.3高程点东侧，转西南过小路228.0高地约1040米至一山头，转南偏东南约160米至206.7高程点东侧10米处。转南偏西南过202.0高地及小路约390米，转西偏西南100米，转南偏东南过大车路约150米至新干县、乐安县002号界桩。这段界线的长度为10.250公里。

002号界桩，单立、双面型、钢筋混凝土结构。该界桩位于新干县城上乡大坑村、乐安县戴坊镇峰岫村两县交界处的山坡上。在磁方位角65度11分，距离127.6米（实测）处为里山坳村廖财茂房屋一楼平顶的东南角，在磁方位角102° 20′，距离244.5米（实测）处为里山坳村廖圣华厨房的西南角；在磁方位角194° 02′，距离14.5米（实测）处为一人工埋设水泥桩，分别作为此界桩的方位物。

从002号界桩起，界线沿山脊向南偏西南约180米至198.7高地，转西南经236.0高地约510米，转西偏西南90米，转南偏西南沿山脊约400米至鞍部，沿山脊向南约300米至273.3高地，转西偏西北约240米至240.6高地，沿山脊向西南约130米，转东偏东南沿山谷约180米，转向南约160米，转南偏东南沿山脚约440米至水沟，过水沟向西南过小路、田垄、大车路约260米，转向西过小路约250米，转西南约230米，转南偏西南沿山脊过352.0高地、400.4高地、421.0高地约820米，转南偏东南80米至鞍部，沿山脊向南偏西南130米，转西偏西北经426.4高地约200米至一山头，沿山脊向南偏西南约210米，转东南约180米，转西偏西南约130米，转南偏西南经457.4高地约290米，转向西约170米至457.4高地，沿山脊向南偏西南约230米，转西南约330米至一山头，转南偏东南约150米，转向西70米，转南偏西南约150米，转西偏西北80米，转向西110米，转向南90米，转向西100米，转南偏东南过凉亭东侧小路约170米至401.0高地，转西南约160米，转西偏西北约140米至412.0高地，沿山脊向南约140米至鞍部，转西南经442.7鞍部约540米至长山头的西北端，沿山脊向南偏东南约190米，转向西约135米，转向南经496.0高地约240米，转西南约180米，转东偏东南约150米，转南偏东南约170米，转东偏东南过小路约220米至498.7高地，沿山脊向西南100米，转向南约150米至530.7高地，沿山脊向南偏西南经大地点庙石上563.2高地、480.7鞍部约800米，转南偏东南经561.7高地约280米，转南偏西南经562.4高地、563.7高地约410米至防火道北端，沿防火道向南约520米，转南偏西南经444.7高程点约440米至503.3高地，沿山脊向南经480.7高地约310米，转南偏东南约280米，转南偏西南140米，转西偏西南90米，转南偏西南约400米至防火道东边线，沿防火道东边线向南45米至八角老566.0高程点东侧20米处，沿防火道东侧向南偏东南约330米，转向西20米至防火道，沿防火道向南110米至防火道与乡村路交叉处（距东侧475.1高程点10米），沿山脊向南约170米，转西南约400米，转向南60米至598.7高地，沿山脊向西南经584.0高地约780米至一山头，转向西约220米至鸡笼山600.0高地，沿山脊向南180米至一山头，转西南80米，转向南约260米至新干县、永丰县、乐安县三县交会点界桩。这段界线的长度为16.022公里。

新干县、永丰县、乐安县三县边界线交会点界桩，单立三面型、钢筋混凝土结构。该界桩位于新干县潭丘乡大塘村、永丰县沿陂乡白珠村、乐安县戴坊镇麦坑村三县交界处的山头上。在磁方位角117° 50′，距离2.03米（实测）处为人工埋设水泥桩；在磁方位角213° 06′，距离1.04米（实测）处为人工埋设水泥桩；在磁方位角351° 34′，距离1.19米（实测）处为人工埋设水泥桩，分别作为此界桩的方位物。

（六）丰城市人民政府和乐安县人民政府联合勘定的行政区域界线协议书（摘要）

第一部　勘界工作概述

第一条　勘界是国家行政管理的一项重要的基础性工作。是功在当代，利在千秋的伟大事业。勘界不是重新调整行政区划，而是以行政区划现状为基础，依照有关规定，明确行政区域界线走向的位置，丰城市与乐安县行政区域界线历史上从未勘定过，随着人口的增长和经济的发展，近年来边界纠纷时有发生，严重影响了边界地区的经济建设发展和社会稳定，为了从根本上解决纠纷，两县市勘界办，依照省地的工作安排，于1998年7月8日在乐安举行了第一次联席会议，商定了勘定两县市行政区域界线的具体办法，签定了《丰城市、乐安县联合勘定行政区域界线实施方案》，1998年7月至8月，双方各自沿边界进行了单方勘察，调查研究，了解情况，收集资料，1998年8月21日两县市勘界办在丰城举行了第一次核界会议，由于意见分歧相当大，只贯通15%，没有形成协议。对双方意见不一致的界线，两县、市勘界工作人员进行反复多次实地联合勘界，根据国家有关政策、法规，从国家和人民的根本利益出发，坚持实事求是，顾全大局，互让互谅的原则，依法勘界。根据赣勘发〔1997〕2号文件精神，采取两线分离的办法确定界线。因此，1998年10月8日在乐安县举行了第二次核界会议，对第一次核界工作中的遗留问题，经协商取得了一致意见，至此，丰城市、乐安县行政区域界线全线贯通，现就勘定的边界线签定本协议。

第二条　丰城、乐安两市县边界线涉及丰城市石江乡、蕉坑乡和乐安县航桥乡、龚坊镇、边界线由西向东从丰城、新干和乐安三县市交会点起，到丰城、崇仁、乐安三县市交会点止，全长16.592公里，边界线走向和界桩位置标绘在江西省测绘局、陕西省测绘局，1982年调绘，1984年、1985年出版的1：10000的地形图上作为本协议书的附图。

丰乐线因线路较短，中间未埋设界桩，其两个三县市交会点的界桩登记表和界桩成果表记载了各界桩的情况，界桩登记表存省民政厅，界桩成果表作为本协议书附表。

第三条　丰城、新干、乐安，丰城、崇仁、乐安三县市边界交会点分别于1998年10月和1997年9月30日在新干及崇仁协商确定，成果资料由有关三方人民政府另行上报。

第四条　一、本协议书所记录的界线长度是从本协议书的附图上采用拐点法计算的，以公里为单位，界桩至方位物间的距离均是在实地用红外线测距仪测量的。

二、本协议书第三部分叙述边界线走向描述

时，采用十六方位制，其十六方位的含义是：

1. 北	348° 45′ —11° 15′
2. 北偏东北	11° 15′ —33° 45′
3. 东北	33° 45′ —56° 15′
4. 东偏东北	56° 15′ —78° 45′
5. 东	78° 45′ —101° 15′
6. 东偏东南	101° 15′ —123° 45′
7. 东南	123° 45′ —146° 15′
8. 南偏东南	146° 15′ —168° 45′
9. 南	168° 45′ —191° 15′
10. 南偏西南	191° 15′ —213° 45′
11. 西南	213° 45′ —236° 15′
12. 西偏西南	236° 15′ —258° 45′
13. 西	258° 45′ —281° 15′
14. 西偏西北	281° 15′ —303° 45′
15. 西北	303° 45′ —326° 15′
16. 北偏西北	326° 15′ —348° 45′

第二部分　重点问题处理

第五条　对于图号 G—50—4—（54）和 G—50—4—（53）界溪及邹家和万家屋背山的权属问题，本着尊重历史，面对现实的原则，采取双方当地群众在场的情况下，由双方技术员实地勾划的方法贯通界线。

第六条　G—50—4 —（53）和 G—50—4—（45）图幅中乐上平西北段，由于双方分歧较大，一时难以勘定，经双方协商同意，以原图上标绘的老界线作为行政区域界线，其权属问题留待有关部门解决。

第七条　对于双方互存的插花山、插花田、插花地的权属问题，经双方协商同意，其生产经营管理权限，维持勘界前现状不变。

第三部分　边界线走向和界桩位置说明

022426 1 号界桩位于丰城石江乡下山村，新干县城上乡山坳村、乐安县龚坊镇殷坊村三县（市）边界线交会处鞍部小路的西面，在磁方位角 87 度 18 分，距离 37.80 米（实测），为岩石上人工凿十字中心；在磁方位角 156 度 54 分，距离 12.09 米（实测）为岩石上人工凿十字中心；在磁方位角 359 度 54 分，距离 19.07 米（实测）为岩石上人工凿十字中心，分别设立方位物。

起点，位于丰城市、新干县、乐安县三县（市）边界线交会点界桩、界线沿山脊向东偏东北过小路，经 716.7 高地约 440 米，转向东约 310 米至 848.0 高地，沿山脊向车北约 540 米，转东偏东北经大地点北山 949.3 高地，约 450 米至 879.0 高程点，沿山脊向东北约 190 米，转北偏东北经 789.0 高地约 350 米至 713.4 高程点东侧，转东北 90 米，转向北约 160 米，转东北过小路约 190 米，转东偏东北 100 米，转向北经 658.5 高程点约 150 米，转向东过小路约 190 米，转东偏东北 150 米，转东北 110 米，转向东约 190 米，转东北 80 米至 476.7 高地北侧，转东南约 130 米，转东偏东南约 230 米，转向东约 120 米至 427.5 高地东南侧 20 米处，沿山脊向南偏东南过 404.0 高地约 290 米，转东偏东北约 190 米至 366.7 高地南面 15 米处，转东偏东南过小路约 750 米，转南偏东南约 190 米至 288.7 高地北侧 27 米处，转东偏东北过小路，经 300.7 高地约 460 米，转东偏东南约 170 米，转东偏东北约 260 米至乐上平 371.3 高地西南侧 20 米处，转向南约 330 米至 306.0 高地，沿山脊向南偏西南约 165 米，转东南约 200 米至树林与水田分界线，转东北 120 米，转东南 90 米至小路，沿小路向东偏东南 80 米，转东偏东北 150 米至小路交叉处（206.7 高程点）东南侧 10 米处，沿小路向东偏东南 90 米，转南偏东南 95 米至小路交叉处，转东南沿脊约 250 米，转向东 40 米，转东南经 250.7 高地，253.3 高地，过小路约 710 米，转向东 120 米至小路，过小路向东偏东南约 250 米，转东南约 430 米，转东北经 172.0 鞍部约 290 米转向北 70 米至 225.3 高地东侧，转向东过小路约 100 米，转东北 110 米，转东偏东南的 150 米至 216.7 高地，转东北约 150 米，转东偏东南 115 米至小路，沿小路向东南 50 米，转向北 130 米，转向东 70 米至 188.0 高地北侧，转向北约 140 米，转北偏东北沿山谷线约90米，转东南沿山坡80米，转东北100米，转南偏东南80米，转西南100米，转东偏东北90米，转向南80米，转北偏东北70米，转东偏东南70米，转向南40米，转东南约115米，转西南70米，转南偏西南100米，转东偏东南过水田垄，小路约110米至树林与水田分界处，转东偏东北过田垄、小路、公路约120米，转北偏东北80米至公路东侧陡坎，沿陡坎向北偏东北约200米，转东偏东南80米，转东偏东北沿山脊经173.5高地东侧约140米至一山头，沿山脊向北偏西北约100米，转向北70米至一山头，转北偏东北约170米至177.8高地，转东偏东北沿山脊100米，转东偏东南约140米，转南偏东南60米，转西偏西北85米，转西偏西南约140米，转南偏西南约105米，转东南60米至小路，转向南50米，转南偏东南过小路40米，转向东沿田埂50米至山脚，沿山脚向西北40米，转向北110米，转东偏东北约160米，转东南80米，转北偏东北30米，转向东沿山坡110米，转向南20米，转西偏西南沿山坡约225米转向南60米，转向东100水，转向南60米，转西偏西南120米，转向南约130米，转北偏东北80米，转东偏东北60至水库堤坝南端，转东南50米，转东北20米，转东南120米至170.2高地北测10米处，转南偏西南约170米，转东南约145米至180.6高地小路交叉处，沿小路向东南约280米，转东北约150米至一山头，继续沿小路向东南约160米至188.2高地小路交叉处，沿山脊向东南约70米至丰城市、崇仁县、乐安县三县（市）交会点界桩。这段界线的长度为16.592公里。

后　记

编修《乐安县志（1986—2016）》工作，在县委的正确领导和县政府的精心主持下，在修志人员的共同努力和各承编单位的密切配合下，克服时间紧、任务重、人员少、经验不足等多重困难，历经三年多的精心孕育、不懈努力，《乐安县志（1986—2016）》终于要出版问世了。回顾本志编修的历程，感慨万千：汗水与辛劳齐飞，收获共快乐同在！

根据地方志第二轮编修部署，按照“党委领导、政府主持”的工作体制，《乐安县志（1986—2016）》编纂工作于2017年6月开始筹备，6月26日县政府常务会议就县志编纂工作进行了专题研究，成立了县志编纂委员会和县志编辑部；7月25日召开《乐安县志（1986—2016）》编纂工作推进大会；8月3日举办《乐安县志（1986—2016）》编纂工作业务培训大会。全县各单位、各乡镇参编人员按照县志纲目要求，广泛搜集资料，以求真务实的态度，认真分析、鉴别、考证、整理资料，编纂成单位志、乡镇志。在此基础上，县志编辑部人员根据县志篇目和编纂体例要求，去粗取精，去伪存真，编纂成240余万字的送审稿，并印制200余套文稿呈送县四套班子领导和各乡镇、各单位等相关人员征求意见；2019年11月8日召开了复审会，2020年9月18日召开验收会，根据审稿意见对志书进行了多次全面的修改，全书精炼成26卷129章579节220余万字，于2020年底终于定稿付梓。

《乐安县志（1986—2016）》编纂工作能够顺利进行并圆满完成任务，倾注着各级领导的重视和关怀。县志编纂委员会顾问、县委书记彭银贵亲自过问；编纂委员会主任、县长吴宜文亲自推动工作开展；编纂委员会副主任、县委常委、常务副县长吴淑琴主持动员部署会并督促检查，及时解决修志中存在的困难；编纂委员会副主任，县委副书记，副县长覃鹏、惠峰指导县志工作开展。县志编纂凝聚着全县各级领导及相关编写人员和广大群众的热情关怀与支持，凝结着专家、学者的悉心指导，提供资料者有之，勘误纠错者有之，行家把关者有之。

《乐安县志（1986—2016）》能够在三年多的时间里成书付梓，与省、市地方志办的悉心关怀、指导密不可分。省地方志办主任梅宏、甘根华等对乐安修志工作竭诚关心、指导。市地方志办主任汪志强多次亲临乐安指导县志工作，市地方志办原副主任、调研员段绍镒，市地方志办副主任陈志平全程参与志书的编纂修改工作，并多次到乐安作编纂业务辅导，指导篇目制定，审阅修改志稿。

编纂地方志功在当代、利在千秋，是一项造福人民的德政工程，惠及子孙的文化工程，使命光荣。所有从事县志工作的同志，不畏困难，不讲条件，不计得失，埋头书案，刻苦实干，饮艰辛，奉赤诚，呕心沥血，献身修志事业。县地方志办公室主任、县志主编袁加勤牵头负总责，协调督促承编单位写分志，审定篇目、撰写概述及后期的总纂和全面修改等工作；县地方志办副主任邹春英、王龙秀参与了县志编纂的前期协调工作；缪凤祥、王来龙、陈兆芳、陈庚、杨荣峰等县志编撰人员，自始至终分工负责各卷章的编纂，王春元参与了前期编撰工作，银光灿为流坑古村、历代进士名录等章节撰稿。各承编单位的编写人员按照县志编辑部要求多次修改完善志稿。退休或退居二线的历届领导对志稿提出了宝贵的修改意见。丁德义参与县志初稿校稿工作，董梦男、徐璐、何蓉蓉先后参与了县志编纂的联络、打印等工作。

修志的目的在于“致用”，我们殷切地期盼，本志的出版能成为社会各界和广大读者认识乐安、熟悉乐安、建设乐安的资料书、工具书、地情书。实践证明，欲弘一方文化，必修一方志书；欲掌一方政事，必读一方志书。真诚希望全社会学志用志，充分发挥志书存史、资政、育人的价值和作用，这也是编纂本志的出发点和归宿。值此，谨向关心、支持和参与本志编修工作的所有同志，致以衷心的感谢！

众手成志，编修县志是一项系统的文化工程，要求全面翔实地反映一个地方自然社会各方面的历史和现状，尽管我们在这方面做了不少的努力，但县志编修确是一项浩繁的工作，加上档案资料的散佚，时间仓促，水平有限，志书中缺失错漏难免，敬祈领导、专家和广大读者赐教。

编 者

2020 年 12 月

《乐安县志（1986—2016）》供审稿人员表

单位	供稿人	审核人
县委办	陈　俊	陈　俊
政研室	龚　薇	龚　薇
台办	周招英	黄　敏
保密局	郑庆荣	郑庆荣
机要局	陈　俊	陈　俊
纪委	黄洪涛	曾美英
组织部（直属工委）	黄绍望	黄慈昌
老干局	王乐平	陈年生
党校	余瑞平	卢礼龙
档案局	刘　欣	王绍辉
党史（地方志）办	邹春英	袁加勤
	王龙秀	
信访局	王国华	章　磊
财政局	黄卫华	邹禄龙
国税局	彭继桦	蔡锦宇
地税局	王丹萌	刘乐勇
人民银行	陈乐辉	黄爱萍
银监会	罗建林	黄辉明
农行	周小文	罗凤萍
农发行	吴益琛	冯国铭
工商行	袁飞财	袁继良
建行	陈升贵	杨国华
中国银行	游国兰	邹天平
农商银行（信用联社）	袁志平	危仁强
邮政银行	邱庆福	熊光辉
九江银行	赵丹平	邱云平
洪都银行	唐　翠	闵　强
财保公司	何海力	傅　奕
人保公司	黄华英	陈　辉
城投公司	游振辉	陈　超
文旅公司	曾经龙	周　琼
信乐投公司	詹子君	黄国星

单位	供稿人	审核人
扶贫移民局	曾晓平	曾文辉
	袁　辉	
	黄碧云	
统计局	陈大阳	刘寿珍
市管局	王卫国	黄文峰
	邹亮荣	
	杨春生	
市管中心	王洪辉	李　勇
审计局	王　俊	张建荣
蚕桑局	游高亮	游高亮
烟办	黄小女	游高亮
烟草公司	季　扬	严　芳
农机局	吴乐斌	杨建平
供水公司	徐建国	黄才生
农业开发办	姜　红	刘海勇
商务局	曾发贵	曾美英
供销社	邹克瑞	王九英
宣传部	曾文才	游国珍
	丁之财	
文明办	陈爱华	陈爱华
交通局	戴财生	邱云峰
住建局	周福生	黄志勇
	曾四祥	
	艾敬云	
	邓怀兴	
房管局	廖信烈	邹和平
	黄小清	
园林局	谭　刊	陈继明
城管局	周红辉	龚斌荣
住房公积金	游宴玲	游宴玲
环保局	曾呈军	廖梁成
粮食局	陈龙湘	杨贡南

单位	供稿人	审核人	单位	供稿人	审核人
民政局（老龄委）	李小春	廖凤祥	盐务局	游　盛	游冬云
人社局	黄忠年	何乙鸣	公路局	黄孝明	贝卫根
社保局	刘　玲	易安福	长运公司	乐向东	李建平
就业局	袁国平	范小星	邮政局	戴培云	叶　辉
农保局	元　帅	詹鸿飞	电信公司	邱玉生	侯建平
医保局	王卫平	洪胜平	移动公司	武海英	詹　俊
编办	董玉婷	黄丽英	联通公司	邱爱兰	蔡国英
国土局	陈　平	曾　旌	铁塔公司	—	邹力晗
	王任辉		总工会	詹志雄	董志标
	陈家环		妇联	邓乐琴	陈冬莲
	周伟谦		团县委	陈　川	黄庆华
县政府办	刘一中	曾志军	工商联	谭兆华	刘　永
	邓志敏		社联	陈莉华	陈莉华
人防办	王　瑞	黄爱英	文联	董海花	董海花
法制办	李国华	杨友宗	科协	肖琳娜	徐　琛
金融办	周翔荣	吴　军	残联	邹克琦	黄　斐
外侨办	邹雄文	邹雄文		刘志忠	
应急办	杨伟轩	周竹平	中储粮	程　琳	郑　红
行政服务中心	邹明辉	龚　荣	政法委	杨金平	刘少营
无线电	王国庆	王国庆		邹冬祥	
重点办	张国华	戴培德	公安局	黄共和	谢华智
接待办	邓文辉	陈　妍		黄德旺	
机关事务局	詹睿明	詹海兰	交警大队	陈伟华	李智雁
县人大	黄　敏	饶卫华		黄共和	
政协	邓维学	王　农	森林公安局	李传庐	蔡建良
	邓国荣		武警中队	万泽鑫	黄　凡
	邓新荣		消防中队	蔡启铮	刘　强
公共资源中心	杨　娟	刘文平	检察院	戴丽玲	杨建军
工信委	王似凤	辛丽琴	法院	彭竹枫	董　军
	丁国华		司法局	田冬根	刘双红
工业园区	欧阳美燕	钟寿华	县农机公司	吴　平	王来龙
水利局	邹反仔	袁务香	卫计委	董武兴	黄晓荣
二轻局	欧阳清华	黄光荣	电力公司	邓文涛	付　军
	丁国华		红十字会	戴国华	郭玉棠

<table>
<tr><th>单位</th><th>供稿人</th><th>审核人</th></tr>
<tr><td>安监局</td><td>周　艳</td><td>谭小凡</td></tr>
<tr><td>中小企业局</td><td>曾全泉</td><td>陈光日</td></tr>
<tr><td>招商局</td><td>黄喜清</td><td>黄志刚</td></tr>
<tr><td>医药公司（制药厂）</td><td>詹辉华</td><td>王来龙</td></tr>
<tr><td>石油公司</td><td>邱建军</td><td>黎俊辉</td></tr>
<tr><td>统战部</td><td>熊心宇</td><td>杨国平</td></tr>
<tr><td>民宗局</td><td>熊心宇</td><td>缪志明</td></tr>
<tr><td>气象局</td><td>廖　婵</td><td>邱　元</td></tr>
<tr><td>科技局</td><td>董梦男</td><td>万娇兰</td></tr>
<tr><td>文广局</td><td>詹楚强</td><td>万梅花</td></tr>
<tr><td>旅游局</td><td>余庆光</td><td>袁　静</td></tr>
<tr><td>流坑管理局</td><td>沈　文</td><td>吴光辉</td></tr>
<tr><td>新华书店</td><td>吴　艳</td><td>黄乐平</td></tr>
<tr><td>农工部</td><td>何国平</td><td>郭凌宇</td></tr>
<tr><td rowspan="3">发改委</td><td>丁仉生</td><td rowspan="3">邓荣祥</td></tr>
<tr><td>万元生</td></tr>
<tr><td>杨来顺</td></tr>
<tr><td>物价局</td><td>陈根龙</td><td>刘　斌</td></tr>
<tr><td>农业局</td><td>黄谷明</td><td>曾青云</td></tr>
<tr><td rowspan="2">教育体育局</td><td rowspan="2">李贵德</td><td>黄财明</td></tr>
<tr><td>罗志华</td></tr>
<tr><td rowspan="3">林业局</td><td>黄育胜</td><td>胡文军</td></tr>
<tr><td>袁平新</td><td rowspan="2">詹美生</td></tr>
<tr><td>谢　艺</td></tr>
</table>

<table>
<tr><th>单位</th><th>供稿人</th><th>审核人</th></tr>
<tr><td>人武部</td><td>邹献辉</td><td>杨道军</td></tr>
<tr><td>物资局</td><td>王春森</td><td>游乐平</td></tr>
<tr><td>外贸局</td><td>游春望</td><td>谢年全</td></tr>
<tr><td rowspan="2">鳌溪镇</td><td rowspan="2">雷辉堂</td><td>陈鹏飞</td></tr>
<tr><td>季苏华</td></tr>
<tr><td>公溪镇</td><td>汪浪波</td><td>刘罗友</td></tr>
<tr><td>山砀镇</td><td>刘任龙</td><td>刘国强</td></tr>
<tr><td>龚坊镇</td><td>龚全文</td><td>龚德辉</td></tr>
<tr><td>牛田镇</td><td>余　箫</td><td>夏　俊</td></tr>
<tr><td rowspan="2">戴坊镇</td><td>张吉和</td><td rowspan="2">邱志刚</td></tr>
<tr><td>戴秋生</td></tr>
<tr><td rowspan="2">万崇镇</td><td>付义骏</td><td rowspan="2">武建平</td></tr>
<tr><td>邱龙喜</td></tr>
<tr><td rowspan="2">招携镇</td><td>杨　海</td><td>罗中华</td></tr>
<tr><td>何裕生</td><td>康桂娇</td></tr>
<tr><td>增田镇</td><td>胡福华</td><td>黄卫贤</td></tr>
<tr><td rowspan="2">罗陂乡</td><td>周　潇</td><td rowspan="2">龙　永</td></tr>
<tr><td>陈绵林</td></tr>
<tr><td>湖溪乡</td><td>朱年生</td><td>吴美英</td></tr>
<tr><td>湖坪乡</td><td>乐静远</td><td>郝志勇</td></tr>
<tr><td>南村乡</td><td>谭安安</td><td>刘雨明</td></tr>
<tr><td>谷岗乡</td><td>郑俊俊</td><td>饶财华</td></tr>
<tr><td>金竹畲族乡</td><td>张　鑫</td><td>王秀英</td></tr>
<tr><td>大马头乡</td><td>黄　涛</td><td>余忠生</td></tr>
</table>

《乐安县志（1986—2016）》图片提供者名录

图片提供个人名录：

陈　庚、黄清华、张泽群、李华东、曾文才、邹春林、熊毓堃、王国华、谢菊芬、乐菊兰、张荣生、邹志刚、黄　山、阮国平、欧阳小明、黄　煜、谭立华、邱志超、陈　涛、袁加勤、帅江福、肖　莹、王雄辉、乐　龙、余渊齐、曾广南、乐必生等

（部分照片由相关单位提供，因不知拍摄者而无法署名，谨致歉意）

图片提供单位名录：

宣传部、组织部、人大办、政协办、政法委、纪委监委、统战部、农工部、工商联、团委、妇联、科协、蚕桑局、残联、地方志办、消防大队、检察院、法院、司法局、人武部、交警大队、扶贫移民局、国土局、住建局、城管局、统计局、税务局、农业局、蚕桑局、就业局、中储粮库、乐安一中、供水公司、图书馆等